AF238026

ACCESO GRATIS *a la Lectura en la Nube*

Para visualizar el libro electrónico en la nube de lectura envíe junto a su nombre y apellidos una fotografía del código de barras situado en la contraportada del libro y otra del ticket de compra a la dirección:

ebooktirant@tirant.com

En un máximo de 72 horas laborables le enviaremos el código de acceso con sus instrucciones.

CÓDIGO DE LAS LEYES DE PATRIMONIO HISTÓRICO Y CULTURAL EN ESPAÑA

CÓDIGO DE LAS LEYES DE PATRIMONIO HISTÓRICO Y CULTURAL EN ESPAÑA

SANTIAGO GONZÁLEZ-VARAS IBÁÑEZ

Catedrático

tirant lo blanch
Valencia, 2023

© Santiago González-Varas Ibáñez

© TIRANT LO BLANCH
EDITA: TIRANT LO BLANCH
C/ Artes Gráficas, 14 - 46010 - Valencia
TELFS.: 96/361 00 48 - 50
FAX: 96/369 41 51
Email: tlb@tirant.com
www.tirant.com
Librería virtual: www.tirant.es
DEPÓSITO LEGAL: V-2538-2023
ISBN: 978-84-1169-557-2
MAQUETA: Tink Factoría de Color

Si tiene alguna queja o sugerencia, envíenos un mail a: atencioncliente@tirant.com. En caso de no ser atendida su sugerencia, por favor, lea en www.tirant.net/index.php/empresa/politicas-de-empresa nuestro procedimiento de quejas.

Responsabilidad Social Corporativa: http://www.tirant.net/Docs/RSCTirant.pdf

ÍNDICE

Segunda parte
NORMATIVA LEGAL RECOPILADA DEL PATRIMONIO HISTÓRICO Y CULTURAL EN ESPAÑA

PRESENTACIÓN

Seguidamente se realiza un estudio introductorio sobre las leyes de las CCAA en materia de patrimonio histórico-cultural. Tras dicho estudio se reproducen los textos normativos de las leyes en la materia del Estado y de las CCAA.

No es este un Código de legislación cultural, ni lo pretende. Su propósito, más bien, es centrarse en el patrimonio referido y en las leyes, no reglamentos. Se aporta, así, el material de consulta principal sobre este asunto, es decir, la Ley principal de cada Comunidad Autónoma.

Tras algunas décadas elaborando leyes en la materia, corresponde exponer algunas reflexiones y también hacer un esfuerzo por presentar las claves legislativas del sistema normativo español, a la luz de la legislación estatal y regional. De esta manera no solo se facilita la consulta, sino también el conocimiento y las posibles reformas que hagan evolucionar o avanzar este importante tema.

En la exposición que sigue, a modo de estudio analítico, se presentan, en efecto, unas reflexiones o contenidos que pueden servir para aprender las claves de la protección de los bienes culturales. Proseguimos, de esta forma, las investigaciones que recientemente hemos llevado a cabo en materia cultural.

Primera parte

ESTUDIO INTRODUCTORIO. CLAVES NORMATIVAS DEL PATRIMONIO HISTÓRICO CULTURAL

I. INTRODUCCIÓN

1. CONTEXTO GENERAL. CLAVES

A modo de preámbulo o de introducción, conviene centrar esta materia con algunas claves generales.

Lo primero es que, partiendo de que todo bien de interés cultural forma parte de un espacio, cuando se trata de valores culturales en núcleos urbanos existe una **interrelación entre lo cultural y lo urbanístico**. Lo cultural es algo que **dirige —o al menos condiciona— la ciudad** en su conjunto (la cultura dirige el urbanismo), pero también lo cultural se ve inmerso en lo urbanístico, por el simple hecho de ser parte "de la ciudad".

Ahora bien, **la cultura se manifiesta no solo a través del inmueble físico, en cuestión y su influencia sobre el espacio. Puede hablarse de una influencia del "valor" mismo de la cultura en cuanto tal**, al margen de su realidad física.

La cultura como valor implica:

– Conservación o restauración, tratándose de bienes del patrimonio histórico o bienes catalogados urbanísticamente.

– Pero también hay un compromiso de "crear cultura". Al margen del caso anterior, la cultura implica "sustitución o reemplazo", de lo anticultural o deficiente cultural o urbanísticamente por lo óptimo o aceptable culturalmente.

– Esto último es una forma no sólo para la realización mejor de los propios bienes del patrimonio histórico, sino también algo que va más allá, como un mandato (del Estado de la cultura), que, por tanto, puede significar "sustitución o demolición" para la creación de valores culturales en zonas degradadas culturalmente. En este planteamiento llegamos años insistiendo. Para profundizar en este régimen jurídico, a la luz de la jurisprudencia, puede verse S. GONZÁLEZ-VARAS, *Tratado de Derecho administrativo*, tomo 4, editorial Civitas, Madrid 2020, 4ª edición y *El Estado de la Cultura*, Ed. Tirant 2021; *El agente rehabilitador*, 2006 editorial Aranzadi, etc.

Esta es la concepción general, o contexto general, del patrimonio histórico, es decir, **la creación de cultura.** Aunque en el patrimonio histórico está marcada la idea de conservación en realidad a través de ella **estamos creando cultura**. A mi juicio, el punto de partida es el valor de la cultura en cuanto tal o en general donde se encuadra la propia idea de conservación o protección. Hay un compromiso de crear cultura (por eso también se conserva, protege o restaura). El compromiso principal es realizar el Estado de la cultura. Es decir, no se trata solo de identificar los bienes culturales para protegerlos, sino de partir del "valor cultura" para ordenar todo en función de dicho valor.

Es preciso observar si se impone la conservación o la demolición para crear cultura. Cuando nos situamos en ciudades, el objetivo real es el logro completo de la ciudad cultural o artística. No se trata de observar el patrimonio histórico. Se trata de observar la ciudad en su conjunto, en cada una de sus partes ya que el estado de la cultura tiene un mensaje concreto para cada parte de la ciudad tal como he venido exponiendo numerosas publicaciones precedentes (citadas *supra*).

Incluso en las áreas rurales hay un deber de crear cultura, no solo conservar. Y también de integrar con el paisaje el edificio y de proteger y crear paisajes culturales.

Por tanto, una clave interesante es poder conectar las distintas medidas de intervención del patrimonio histórico con el **Estado de la cultura** como principio que se extrae de la Constitución ya que generalmente no está expresado como tal junto al Estado democrático o el estado social o el estado de derecho.

Finalmente, otra clave sería relacionar el patrimonio histórico con una herencia muy concreta, que es en especial la **Comunidad Hispánica** y su lengua como valor cultura, ya que a diferencia de otras Comunidades, en la nuestra un rasgo común que la caracteriza es la especial impronta de lo cultural como clave desarrollada a partir del siglo XV y XVI por España. Es un rasgo distintivo del que todos nos tenemos que considerar partícipes.

La preocupación por el patrimonio cultural tiene un alcance internacional, como lo muestra, por un lado, la acción de la UNESCO, mediante la aprobación, entre otras, de la Convención sobre la Protección del Patrimonio Mundial de 1972 y, por otro, el Consejo de Europa que ya en 1954 aprobó el Convenio Cultural Europeo. Más recientemente, se produce la afectación del Derecho interno por la incorporación de España a la Comunidad Europea, hoy Unión Europea, cuyo Tratado constitutivo, en su artículo 151, afirma que «la Comunidad contribuirá al florecimiento de las culturas de los Estados miembros dentro del respeto de su diversidad nacional y regional, poniendo de relieve al mismo tiempo el patrimonio cultural común».

2. DEBATE PRINCIPAL

El tema clave del patrimonio histórico a nivel legislativo es la protección del patrimonio histórico o cultural. Las distintas legislaciones, como vamos a ver, establecen una serie de niveles de protección, en atención a la presencia más o menos marcada de valores culturales en los distintos tipos de bienes que integran el patrimonio cultural, debido a los valores de distinto signo que están presentes en el bien en cuestión.

La protección ha de preverse de forma adecuada a la categoría de que se trate.

El debate principal que plantea el tema que nos ocupa es la posible tensión entre la debida y adecuada protección del patrimonio histórico, por un lado, y la necesaria consideración de los derechos de los posibles afectados por dicha protección.

Este planteamiento es complejo y sensible, ya que tiene que haber una adecuación —como decimos— entre la concreta entidad o calidad del cultural del bien en cuestión y su régimen de protección, a efectos de **evitar posibles afecciones excesivas en los propietarios o particulares**, es decir, a efectos de que las exigencias que se produzcan no sean desproporcionadas. Pero obviamente **al mismo tiempo a fin de que las regulaciones consigan lo principal, que es la protección plena del bien cultural y adecuada a sus características**. Al final, la calidad concreta del bien en cuestión aporta las soluciones o respuestas, ya que, en atención a sus valores, se justificará una intervención más o menos intensa, más o menos acusada.

Este es realmente el debate, de estricta sensibilidad **jurídica**, que plantea el patrimonio histórico.

Resulta, pues, crucial, estudiar esta materia desde el punto de vista de las técnicas de intervención (suspensión de obras, afección a planes especiales, sujeción a derechos de tanteo y retracto, o al régimen de visitas, etc.) en función de las categorías de bienes que integran este patrimonio.

Es una tentación, para el poder público, legislativo o administrativo, extender el régimen protector sobre bienes de cualquier consideración como bienes de patrimonio histórico. Y, sin embargo, merece una reflexión esta cuestión, observando la adecuación entre el fin llamado a ser protegido y la intensidad del régimen de protección.

Por otro lado, surge una reflexión final de interés: si la legislación reguladora en la materia al final prevé unas **consecuencias protectoras similares tanto para los bienes estrictamente de interés cultural como para aquellos otros que, sin reunir esa condición, merecen ser igualmente protegidos por las leyes de patrimonio histórico, ¿hasta qué punto se justifica entonces una regulación de dos**, o hasta más, tipos de bienes protegidos o catalogados o inventariados? Lo suyo es que, si, como es el caso, las leyes prevén la consideración de dos o más niveles de bienes culturales, haya después una modulación de los grados de intervención, conforme a una idea de adecuación y proporcionalidad. Esto afecta al régimen de enajenación, tanteo y retracto, visitas, obligaciones de permitir investigaciones, régimen de autorizaciones de cultura, etc. Observaremos qué planteamiento se sigue en las leyes autonómicas de patrimonio histórico y qué se desprende de ellas.

3. MARCO REGULADOR INTRODUCTORIO: COMPETENCIAS, RELACIONES INTERADMINISTRATIVAS

Antes de abordar esta cuestión, nos referimos al esquema de las distintas leyes de patrimonio histórico en España. Las leyes de patrimonio histórico suelen partir de una regulación de las competencias en la materia, es decir, la determinación de las funciones de la administración, el principio de cooperación entre las distintas administraciones, la coordinación de las competencias de ayuntamientos y comunidades autónomas, las competencias de los órganos consultivos...

4. DEFINICIÓN DEL PATRIMONIO HISTÓRICO; Y NIVELES O CATEGORÍAS

Al margen de lo anterior, en lo material, el patrimonio histórico habrá de definirse material y no formalmente, con una cláusula general (siguiendo el ejemplo de la Ley estatal de Patrimonio Histórico 16/1985).

Por tanto, no solo los bienes declarados son patrimonio histórico. Este patrimonio lo integran aquellos bienes que ostenten valores históricos, arquitectónicos artísticos arqueológicos etnográficos o paleontológicos etcétera (artículo 1 de la Ley 16/1985).

Todas las leyes autonómicas siguen este guión.

5. PROCEDIMIENTO

Es común que la primera categoría sea la de los bienes de interés cultural, regulándose a tal efecto el procedimiento para la declaración de bien de Interés cultural.

En este contexto, se prevé la **legitimación** para la incoación del expediente (artículo 10 de la Ley 16/1985, la expedición de título oficial para los BIC conforme al artículo 13 de la Ley 16/1985)...

La **incoación** de expediente para la declaración de BIC determinará la aplicación provisional del mismo régimen de protección previsto para los bienes declarados de interés cultural y su entorno (artículo 28.2 de la Ley 11/2019 de Canarias).

Puede producirse la **revocación** de la condición de BIC (por todos, artículo 19 de la Ley de La Rioja 7/2004 afirmando la necesidad de seguir iguales trámites que para su declaración).

El procedimiento afectará a los bienes de protección especial y al segundo grupo de bienes protegibles que no tiene la condición de BIC, pero sí de bienes catalogados por su interés histórico-cultural.

Así, la Ley del País Vasco 6/2019, en su artículo 12 ("incoación de los expedientes de declaración") afirma: "1. La declaración de los bienes culturales de **protección especial y media** requerirá la incoación del correspondiente expediente de declaración por parte del departamento del Gobierno Vasco competente en materia de patrimonio cultural". Se añade: "la incoación del procedimiento se realizará siempre de oficio por la Viceconsejería competente en esta materia, bien por iniciativa propia, por petición de otros órganos y administraciones, o de cualquier persona física o jurídica. 2. En caso de promoverse la iniciación del procedimiento de incoación por parte de los interesados, deberá resolverse y notificarse en el plazo de tres meses sobre si procede o no a la incoación".

En este contexto, se regulará la audiencia (artículo 13 de la Ley del País Vasco 6/2019; "trámite de audiencia e información pública del expediente de declaración), la caducidad del procedimiento (artículo 14, "caducidad del expediente de declaración), los efectos de la incoación y de la resolución de caducidad (artículo 15[1]), el contenido de la declaración (artículo 16) o la inscripción en el Registro de la Propiedad (artículo 20[2]).

6. VALORIZACIÓN Y PROTECCIÓN DEL PAISAJE

La valorización es un tema del que se habla en especial actualmente. Y, por tanto, sobre el consiguiente debate de "cómo evaluamos el valor del patrimonio y cuánto están los ciudadanos dispuestos a gastar en consumo cultural". Se razona que "el paso correc-

---

[1] "1. La incoación de todo expediente de protección de un bien conllevará la aplicación inmediata y provisional del régimen particular de protección del bien, así como del régimen de protección común y específico previsto en esta ley. En el caso de los bienes inmuebles, causará la suspensión del otorgamiento de las licencias de parcelación, edificación o demolición en las zonas protegidas, así como de los efectos de las ya otorgadas, en los términos establecidos en el régimen de protección. 2. La resolución de caducidad del expediente dejará sin efecto la aplicación provisional del régimen de protección de la ley y supondrá el levantamiento de la suspensión a que se refiere el apartado anterior".

[2] "El órgano competente del Gobierno Vasco en materia de patrimonio cultural instará de oficio la inscripción gratuita en el Registro de la Propiedad de los bienes culturales inmuebles declarados de protección especial y media. Las personas responsables de este registro adoptarán, en todo caso, las medidas oportunas para la efectividad de dicha inscripción".

to, jurídica y sociológicamente, sería buscar y propender una democracia cultural de modo que la misma sea accesible a todos pero desde la óptica de la valorización de y por la cultura y el arte y no la demagogia o utopía de un arte de acceso universal que no se valora o que solo axiológicamente busca una asistencia o consumerismo en masa pero sin aquilatar el propio uso y disfrute valorativo y estético del arte y donde los fondos públicos nunca serían suficientes" (Brunel "Democratisation de la culture", Études 2012, nº 5 vol. 416 pp. 617 y ss.; cita que tomo de Abel B. Veiga Copo, *Valorización jurídica y económica de las obras de arte*, Madrid 2022[3]).

En un plano normativo, es destacable el Código del patrimonio cultural y del paisaje en virtud del artículo 10 de la ley de 6 de julio de 2002, de Italia (artículo 6, "la valorización del patrimonio cultural", afirmando que la puesta en valor consiste en el ejercicio de las funciones y en la regulación de las actividades encaminadas a promover el conocimiento del patrimonio cultural y asegurar las mejores condiciones de uso y disfrute público del propio patrimonio, también por parte de las personas con discapacidad, con el fin de promover el desarrollo de la cultura (...)".

La valorización se regula en los artículos 111 y siguientes.

En esta misma norma encontramos interesantes referencias al "paisaje": la mejora del paisaje también incluye la "reorganización de edificios comprometidos o degradados y áreas sujetas a protección", o la creación de nuevos valores paisajísticos coherentes o integrados.

La parte tercera de este texto normativo se dedica a los activos del paisaje; con especial detenimiento se regula el concepto de paisaje. Otros temas que se regulan son: las convenciones internacionales, la cooperación entre administraciones públicas para la conservación, la puesta en valor del paisaje, los activos del paisaje (es decir, edificios identificados con la protección de valores paisajísticos), la planificación del paisaje urbano incluyendo la reorganización de áreas comprometidas o degradadas, la identificación de los activos paisajísticos en edificios y espacios de notable interés público, las comisiones regionales, el inicio del proceso de declaración de interés público significativo, la planificación del paisaje, la coordinación de la planificación del paisaje con otras herramientas de planificación, el régimen de intervención o autorizaciones, las Comisiones locales del paisajismo, el color de las fachadas de los edificios desde un punto de vista paisajístico, la verificación y adecuación de planos de paisaje.

---

[3]   Véase Ignacio González-Varas, *Conservación de bienes culturales. Teoría, historia, principios y normas*, Madrid 2000 Por esta vía ha ido también la UE con programas como Raphael o el primer programa comunitario a favor de la Cultura.

II. CLASES DE BIENES DE PATRIMONIO HISTÓRICO Y REGISTROS Y CATÁLOGOS

1. CLASIFICACIONES

Entrando en materia, lo primero que debe observarse son las diferentes categorías de bienes en función de sus posibles distintos niveles de intensidad en la manifestación de valores culturales en el bien.

– Comúnmente, el primer nivel es el de los BIC. Es muy conocido que, además, dentro de los BIC las leyes establecen distintos tipos de bienes (Monumentos etc.). Nos remitimos al artículo 15 de la Ley 16/1985 y a las distintas leyes autonómicas. Los **entornos** se regulan para afirmarse que el bien de interés cultural es inseparable de su entorno (artículo 18 de la Ley 16/1985).

– Las distintas legislaciones autonómicas prevén un segundo nivel con distintas denominaciones, por ejemplo, "Bienes de interés regional"...

– Es posible encontrar un tercer nivel, esto es, bienes que son patrimonio histórico al margen de los declarados (por ejemplo, artículo 18 de la Ley de Cataluña 9/1993).

Por poner un ejemplo, la Ley del País Vasco 6/2019, establece tres categorías: el patrimonio histórico de protección especial, el medio (cuando haya valores protegibles pero sin la consideración especial) y el "básico" que se hace coincidir con la consideración o catalogación urbanística.

Por su parte, la Ley 11/2019 de Canarias en su artículo 9 prevé los bienes de interés cultura y los bienes catalogados. La protección podrá ser integral o parcial.

2. REGISTROS Y CATÁLOGOS

Los bienes del primer nivel o BIC se incorporan a un Registro. En este contexto es, pues, importante la inscripción de los bienes declarados de interés cultural en el registro general (artículo 12 de la Ley 16/1985). Esta obligación de registrar los bienes de interés cultural aparece también en el artículo 22 de Cantabria 11/1998, artículo 12 de Baleares 12/1998, artículo 21 de la Ley de La Rioja 7/2004 etc.

En el "**segundo nivel**", que contemplan todas las leyes de las CCAA, se produce una "Catalogación de bienes inmuebles del patrimonio histórico no BIC". No se prevé esta catalogación a nivel estatal general (salvo el Inventario de muebles no BIC), pero a nivel autonómico arraiga con carácter general esta catalogación para bienes que no teniendo las condiciones de los BIC, merezcan ser catalogados. Se prevé, por ejemplo, este régimen en la Ley 11/1988 de Cantabria 11/1998 (para los bienes de interés local), artículo 14 de Baleares 12/1998, artículo 17 de la Ley de Extremadura 2/1999, artículo 17 de la de Cataluña 9/1993, artículo 17 Castilla y León 12/2002, artículo 25 Galicia 5/2016, artículo 15 Comunidad Valenciana 4/1998.

Puede haber un posible **tercer nivel** relativo a un Inventario o Catálogo donde recoger formalmente otros bienes (artículo 2 de la Ley de Murcia; artículos 8 a 10 de la Ley de Castilla-La Mancha 4/2013; artículo 13 de la Ley de Navarra 14/2005), o bien un Catálogo donde poder **incluir** los registrados como BIC, los del segundo nivel y en su caso otros (artículo 35 de la Ley de Cantabria 11/1998). La Ley de Aragón 3/1999 distingue 3 niveles (BIC, inventariados y catalogados, artículos 12, 13 y 14, respectivamente). En este contexto, la Ley 11/2019 de Canarias contempla tres niveles, igualmente, es decir, el Registro de Bienes de Interés Cultural, el Catalogo insular de bienes patrimoniales culturales y el catálogo municipal de bienes patrimoniales culturales. En el artículo 12.3 se definen estos últimos afirmando que los gestionan los cabildos insulares para bienes que deban ser preservados reuniendo valores del artículo 2 de la Ley. En el artículo 52 de la misma Ley se regulan los contenidos de los catálogos municipales.

Finalmente, habrá en todo caso un último o **cuarto** (o, según se desprende de lo anterior) tercer nivel, relativo a la **Catalogación urbanística** por ayuntamientos. Además de las leyes urbanísticas, también las de patrimonio histórico se refieren a ellos (artículo 30 de la Ley de La Rioja 7/2004, etc.).

En este sentido, como "especialidades", previstas en la Ley 16/1985, mencionamos la **catalogación** que implican **los conjuntos históricos, ya que** en los conjuntos históricos tiene que realizarse una catalogación mediante los instrumentos de planeamiento (artículo 21 de la Ley 16/1985). Y también el referido **Inventario (respecto de los bienes muebles no BIC** pero parte del patrimonio histórico español, de la Ley 16/1985). Lo situamos como especialidad en el sentido de que, en realidad, si bien la Ley estatal gravita sobre los registros de los BIC y los Inventarios sobre bienes muebles no BIC, en realidad se ha consolidado en nuestro Derecho otro eje articulador de la normativa de patrimonio histórico siguiendo el común de las CCAA: cuando menos, un Registro para los BIC y un Catálogo para los que no lo son, sin perjuicio de otros posibles niveles inferiores. Es decir, en relación con los bienes muebles no BIC, pero integrantes del patrimonio histórico español, el artículo 26 de la Ley 16/1985 prevé un inventario general para aquellos que no sean BIC y tengan singular relevancia. Igualmente, el artículo 36 prevé el inventario para los muebles no BIC.

3. PLANES NACIONALES DE INFORMACIÓN

Un inciso hacemos respecto de todos los bienes muebles y muebles del patrimonio histórico español aludiendo al artículo 35 de la Ley 16/1985 cuando establece que para su protección se formularán planes nacionales de información sobre el patrimonio histórico español.

III. GRADOS DE INTENSIDAD DE INTERVENCIÓN.

1. PLANTEAMIENTO

Vamos a observar ahora el quid que apuntábamos al comienzo, esto es, lo relativo a los distintos grados de obligaciones de los propietarios de los bienes de patrimonio histórico, o la distinta intensidad en que pueden manifestarse los títulos de intervención sobre este patrimonio.

2. DEBER DE CONSERVACIÓN

Este deber **recae sobre todos** los bienes muebles y muebles del patrimonio histórico español. Es lógico que sea así, ya que incluso sobre los bienes "ordinarios" existe esa obligación en el Derecho urbanístico. De hecho, así se contempla en el artículo 35 de la Ley 16/1985, artículo 39 de la Ley de Cantabria 11/1998, artículos 22 y 26 de la Ley de Baleares 12/1998, artículo 22 de la de Extremadura 2/1999, artículo 25 de la de La Rioja 7/2004, artículo 21 de la de Cataluña 9/1993, es decir, sobre el patrimonio histórico en general. O el artículo 56 de la Ley 11/2019 de Canarias: "el régimen común de protección y conservación será de aplicación a todas las categorías de bienes que integran el patrimonio cultural de Canarias". Seguidamente esta misma ley contempla una regulación completa sobre las consecuencias del incumplimiento de este deber de conservación.

Esto no impide para que la conservación, consolidación y restauración se enfatice en relación con los BIC (también en el contexto sancionador), pese a que pueda extenderse también de forma expresa a las dos (o tres) categorías de bienes formalmente declaradas como bienes de patrimonio histórico (así, artículo 39 de la Ley 16/1985 tanto para los bienes inmuebles BIC como para los bienes muebles inventariados; igualmente, artículo 41 de la Ley de Baleares 12/1998). En efecto, es singular de estos bienes, sobre todo los BIC, cuando menos, la política de restauración que se impone sobre los mismos.

3. SUSPENSIÓN DE CUALQUIER TIPO DE OBRA

También es fácilmente comprensible que la suspensión de obras pueda referirse no solo a los BIC, sino también a los bienes que, sin estar declarados de tal forma, puedan ser parte del patrimonio histórico en sentido amplio (del artículo 1 de la Ley 16/1985). En esta Ley estatal son clásicas las regulaciones que se contemplan en los artículos 37.2 y 25.

Según el artículo 37.2 de la Ley 16/1985, "La Administración competente podrá impedir un **derribo y suspender cualquier clase de obra o intervención en un bien declarado de interés cultural**. Igualmente podrá actuar de ese modo, aunque **no se**

haya producido dicha declaración, siempre que aprecie la concurrencia de alguno de los valores a que hace mención el artículo 1º de esta Ley. En tal supuesto la Administración resolverá en el plazo máximo de treinta días hábiles en favor de la continuación de la obra o intervención iniciada o procederá a incoar la declaración de Bien de Interés Cultural".

Por su parte, según el artículo 25 de la Ley 16/1985, "el Organismo competente podrá ordenar la **suspensión de las obras de demolición total o parcial o de cambio de uso** de los inmuebles integrantes del Patrimonio Histórico Español **no declarados de interés cultural**. Dicha suspensión podrá durar un máximo de seis meses, dentro de los cuales la Administración competente en materia de urbanismo deberá resolver sobre la procedencia de la aprobación inicial de un plan especial o de otras medidas de protección de las previstas en la legislación urbanística. Esta resolución, que deberá ser comunicada al Organismo que hubiera ordenado la suspensión, no impedirá el ejercicio de la potestad prevista en el artículo 37.2".

En consecuencia, también los bienes que no estén declarados formalmente como patrimonio histórico, pero que tengan condiciones propias de ello, se pueden beneficiar de una orden o paralización o suspensión de obras o derribos. Acto seguido, la Administración competente en Cultura ha de responder en un plazo máximo de treinta días hábiles a favor de la continuación de la obra o intervención iniciada o de la incoación de la declaración del bien como Bien de Interés Cultural. Con plazo máximo de suspensión de seis meses, dentro de los que la Administración urbanística ha de definirse sobre el posible régimen de protección comunicándoselo a la Administración cultural.

Por tanto, la suspensión de obras (con estos límite temporales expresados) se refiere a los bienes del patrimonio histórico en general (artículos 23 y 24 Baleares 12/1998, artículo 10 de la Comunidad Valenciana 4/1998, artículo 21 Extremadura 2/1999, artículo 9 Murcia, artículo 23 Cataluña 9/1993, artículo 41 de la de Cantabria 11/1998, artículo 24.3 de la de La Rioja 7/2004 y artículo 37 autorización de Cultura para los bienes de segundo grado, es decir, "bienes de interés cultural regional").

La **suspensión de licencias** se prevé para cuando se haya incoado el expediente para la declaración de un BIC como obligación de los ayuntamientos.

4. PLAN ESPECIAL DE PROTECCIÓN DEL ÁREA AFECTADA

En los conjuntos históricos, sitios históricos, o zonas arqueológicas que sean BIC es necesario redactar un **Plan especial de protección del área afectada** con informe favorable de la administración de Cultura, de modo que hasta la aprobación del plan el otorgamiento de licencias precisará resolución favorable de la administración de Cultura y desde que se aprueba el plan los Ayuntamientos serán competentes para autorizar directamente las obras que desarrollen el planeamiento aprobado, siempre que no sean en monumentos, ni jardines históricos, ni estén comprendidos en su entorno; y debiendo dar cuenta de las licencias otorgadas en 10 días a la administración cultural (artículo 20 de la Ley 16/1985).

También el artículo 37 de la Ley 11/2019 de Canarias prevé el Plan especial de protección para los conjuntos históricos, o el artículo 62 de la Ley de Cantabria 2/1998; asimismo: artículo 36 de Baleares 12/1998, artículo 40 de la de Extremadura 2/1999, artículo 51 de la Ley de La Rioja 7/2004.

5. LEGITIMACIÓN DE EXPROPIACIONES

También en el contexto de "lo general" pueden mencionarse las expropiaciones para conseguir los bienes de las leyes de patrimonio histórico. En el artículo 37 de la Ley 16/1985 se contempla el interés social como causa de la expropiación (...).

Puede verse el artículo 78 de la Ley 11/2019 de Canarias (para la que la declaración de bien de Interés cultural conlleva implícita la declaración de utilidad pública e interés social a efectos de su expropiación; asimismo se podrá proceder a la expropiación de las construcciones que impidan la contemplación de bienes declarados de interés cultural). Puede verse también el artículo 33 de la Ley de Baleares 12/1998, etc.

6. AUTORIZACIÓN DE LA ADMINISTRACIÓN DE CULTURA

En los **BIC** está claro que cualquier intervención ha de precisar autorización de la Administración de Cultura. Se llegan a hacer menciones expresamente en este contexto a **los monumentos y a los jardines históricos** donde las obras se sujetan a un régimen de autorización por parte de la administración de Cultura (Ley 16/1985, artículo 37 de la Ley de Baleares 12/1998; artículo 38 de la Ley de Extremadura 2/1999).

Respecto de los **sitios históricos o zonas arqueológicas** que sean BIC, cualquier obra deberá ser autorizada por la Administración competente en esos bienes (artículo 22 de la Ley 16/1985).

Pero es común que las legislaciones de las CCAA extiendan las autorización de Cultura respecto de intervenciones de los **bienes inventariados** o de protección de **segundo nivel** (así artículos 39 y 65 de la Ley de Galicia 5/2016, para los BIC y los catalogados; artículo 59 Asturias 1/2001 también para los catalogados, artículos 47 y 50 de la Ley de Murcia, también para los del segundo nivel; igualmente, artículo 51.2 y 56 de la Ley 3/1999 de Aragón, para los 3 tipos de bienes protegidos formalmente; artículos 17 y 18 y 19 de Madrid 3/2013 para los del segundo nivel y por supuesto los BIC, artículo 27 de la Ley de Castilla-La Mancha 4/2013 que llega a referirse a todos los bienes de patrimonio histórico, muebles o inmuebles; artículo 71 de la Ley 11/2019 de Canarias extendiendo

el régimen de autorización a los dos niveles principales de protección: BIC y catalogados).
Sin embargo, el artículo 31 de Extremadura 2/1999 ciñe la autorización a los BIC.

Como de forma expresiva, apunta el artículo 33 de la Ley del País Vasco 6/2019
("autorización de las intervenciones", "1. *Con carácter general, corresponde a las diputaciones forales otorgar la autorización de las intervenciones en los bienes culturales protegidos por esta ley*"[4].

Esta Ley expresa no obstante regulaciones para las autorizaciones de obras en los bienes culturales de protección "especial" y el régimen para los bienes de protección "media",
en todo caso presuponiendo la intervención autorizante de la Administración cultural.

> "Artículo 41 ("régimen de los bienes culturales de protección media): 1. Los bienes
> culturales de protección media se regularán por el régimen de protección previsto en
> esta ley, así como, en su caso, por el régimen particular que se establezca en la decla-
> ración de cada bien. 2. Podrán ser bienes culturales de protección media los inmuebles
> y muebles.
> Artículo 42. Criterios comunes de intervención en bienes culturales inmuebles de pro-
> tección media. 1. Toda obra o intervención que afecte a cualquier categoría de bien
> cultural de protección media se ajustará a los criterios especificados en su régimen de pro-
> tección. En caso de no contar con dicho régimen de protección particular, se podrán per-
> mitir modificaciones de adecuación a los nuevos usos siempre y cuando se mantengan sus
> características formales, estructuras principales, distribuciones y configuraciones espaciales
> de relevancia. En todo caso se respetarán los criterios recogidos en el artículo 34 de esta
> ley. 2. En el caso de bienes que tienen poco rango de adaptabilidad a nuevos usos, se re-
> querirá un informe favorable previo del Consejo de la CAPV de Patrimonio Cultural Vasco.
> Artículo 43. Criterios específicos de intervención en los bienes culturales inmuebles
> de protección media.
> 1. Cualquier intervención en un monumento respetará los siguientes criterios: a) Se
> autorizarán las intervenciones dirigidas a la restauración de todos los sistemas constructi-
> vos. b) Se admitirá cualquier cambio de uso, siempre que no afecte a los valores protegi-
> dos del bien y que conlleve unas mejores condiciones de conservación y puesta en valor.
> 2. Cualquier intervención en una zona arqueológica respetará los siguientes crite-
> rios: a) Con carácter previo al desarrollo de cualquier actividad que pueda suponer
> afección patrimonial en la zona arqueológica, deberá llevarse a cabo un proyecto de

---

[4] En estos casos es común que "2. El plazo máximo para resolver y notificar la resolución sobre la autorización de las intervenciones a las que se refiere este artículo será de tres meses, contados a partir
del día siguiente a la recepción de la solicitud, transcurridos los cuales sin haber sido notificada la
resolución, los interesados que la hubieran solicitado podrán entenderla desestimada por silencio
administrativo. 3. Las autorizaciones otorgadas por las diputaciones forales sobre intervenciones en
los bienes protegidos por esta ley deberán ser notificadas a las personas interesadas, así como comunicadas al departamento del Gobierno Vasco competente en materia de patrimonio cultural".
Téngase en cuenta asimismo el artículo 34, con "Criterios generales de intervención sobre bienes culturales inmuebles y muebles incluidos en el Registro de la CAPV del Patrimonio Cultural Vasco", ten-
diendo a la conservación. Y el artículo 35 (proyecto y memoria de intervención): "1. Las intervenciones
que afecten a los valores objeto de declaración de un bien cultural inscrito en el Registro de la CAPV del
Patrimonio Cultural Vasco deberán contar con un proyecto técnico específico adecuado a la naturaleza
del bien y de la propia intervención, que deberá ser presentado por la persona titular del bien...".

investigación arqueológica, quedando supeditada a ello la concesión de licencia para la ejecución de las obras proyectadas. b) Finalizada cualquier intervención arqueológica, se promoverá la integración de las estructuras y restos inmuebles puestos al descubierto en el entorno en que se sitúan, haciendo compatible la viabilidad de la edificación, canalización o lo que fuere con la conservación de dichas estructuras.

Artículo 44. Criterios de intervención en los bienes culturales muebles de protección media. 1. Las intervenciones en los bienes culturales muebles de protección media deberán garantizar las condiciones de seguridad, almacenamiento, exposición y transporte que los protejan contra todas las formas de deterioro y de destrucción, en especial de la expoliación, el calor, la luz, la humedad, la contaminación y contra los diferentes agentes químicos y biológicos, las vibraciones y los golpes. 2. Las diputaciones forales establecerán los requisitos necesarios para dar cumplimiento a lo establecido en el apartado precedente".

Por su parte, el artículo 46 de esta Ley del País Vasco 6/2019 prevé ("autorizaciones preceptivas previas a la licencia urbanística": "1. Será preceptiva, con carácter previo al otorgamiento de las licencias urbanísticas, la obtención de las autorizaciones establecidas en la presente ley para la realización de obras o actuaciones que afecten a los bienes del Registro de la CAPV del Patrimonio Cultural Vasco". Es decir, esto se refiere a los bienes de protección especial de primer grado o los de protección meda (de segundo grado).

Para profundizar en este régimen jurídico, a la luz de la jurisprudencia, puede verse S. GONZÁLEZ-VARAS, *Tratado de Derecho administrativo*, tomo 4, editorial Civitas, Madrid 2020, 4ª edición y *El Estado de la Cultura*, Ed. Tirant 2021.

7. RÉGIMEN DE DEMOLICIÓN

En los BIC está claro que, de entrar el bien en ruina, se impone su "restauración". Se impondrán en todo caso regímenes especiales, tales como que no pueda haber una demolición en caso de ruina sin la autorización de la Administración competente e informe favorable de dos instituciones consultivas (artículo 24 de la Ley 16/1985; artículo 42 de Baleares 12/1998).

También entra dentro de la lógica en este contexto que se quieran poner límites o prohibiciones de este tipo también en relación con los bienes inventariados (artículo 20 de la Ley de la Comunidad Valenciana 4/1998); artículo 66 de la Ley 11/2019 de Canarias (...).

8. OBLIGACIONES DE LOS PROPIETARIOS, DE PERMITIR ACCESO, PERMITIR ESTUDIO, PERMITIR VISITA PÚBLICA

Más debatido puede ser dónde poner el límite de estas obligaciones.

Es lógico que sea una obligación general hace posible el **acceso** a los bienes a la Administración y **la información** sobre los mismos. En la propia Ley 16/1985 se establecen estos deberes en relación con los bienes muebles no BIC pero que son parte del patrimonio histórico español. Esto da pie a que las CCAA hagan lo mismo respecto de los bienes inmuebles de segundo grado de protección, más allá de los BIC.

Así, el artículo 69 de la Ley 11/2019 de Canarias extiende la obligación de "acceso a los bienes" tanto a los BIC como a los incluidos en los catálogos insulares de bienes patrimoniales culturales; en esta línea, la Ley del País Vasco 6/2019 establece que "las personas titulares de bienes culturales" deberán facilitar a las autoridades competentes o al personal funcionario responsable la información que resulte necesaria y el acceso a los mismos para la ejecución de la presente ley" (artículo 32). Puede verse también el artículo 42 de la Ley de Cantabria 11/1998 en general y el artículo 34 de la Ley de las Islas Baleares 12/1998...

Además, la Administración ha de poder inspeccionar su conservación (artículo 26.6 de la Ley 16/1985).

Un mayor grado de intensidad tiene la obligación de permitir la **investigación o estudio** de los bienes culturales; por tanto, surge mayor problemática. Siguiendo el ejemplo de la Ley del País Vasco 6/2019, el deber se formula de forma general sobre "las personas titulares **de bienes culturales**": "estarán obligadas a permitir su estudio a las personas investigadoras expresamente autorizadas a tal efecto por la diputación foral correspondiente. La concesión de esta autorización irá precedida de solicitud motivada y podrá denegarse o establecer condiciones en atención a la debida protección del bien cultural o a las características del mismo" (artículo 32).

Por tanto, sin perjuicio de un deber de acceso en general, en sentido de que sea conocido el bien en cuestión, la cuestión en Derecho es si estas obligaciones han de ceñirse a los BIC o han de extenderse a otras categorías de bienes de patrimonio histórico.

El deber de permitir la "**visita**" es un tema sensible al respecto. En el artículo 37.7 de la Ley de La Rioja 7/2004 se afirma que "la visita" no se refiere a los bienes de segundo nivel, es decir, los "bienes de interés cultural regional" (por tanto, se ciñe a los BIC: artículo 41 de La Rioja 7/2004); igualmente, artículo 30 de la Ley de Cataluña 9/1993 (se ciñe a los BIC), artículo 48 Galicia 5/2016; artículo 32 Comunidad Valenciana 4/1998, artículo 27 de la Ley de Madrid 3/2013.

Sin embargo, el artículo 25 de la Ley de Castilla y León 12/2002 extiende este régimen de visita a las dos categorías de bienes declarados. En La Ley del País Vasco 6/2019 el artículo 32 ("acceso a los bienes culturales protegidos) refiere el deber de facilitar las visitas a "las personas que tengan la condición de propietarias o poseedores legítimas **de los bienes culturales**".

9. RÉGIMEN DE EXPORTACIÓN

Si estos bienes muebles no BIC son exportados sin autorización pertenecen al Estado (artículo 29 de la Ley 16/1985). Y corresponde a la Administración la obligación de recuperarlos si han sido ilegalmente exportados.

La exportación está sujeta a una tasa (artículo 30 de la Ley 16/1985). El régimen de exportación se regula en el artículo 5 de la Ley 16/1985 y en el artículo 31.

Además, la exportación se contempla en la regulación de las infracciones y sanciones.

En caso de importación no pueden ser declarados BIC hasta pasados diez años desde la importación artículo 32 del 2016/1985.

Puede haber permuta artículo 34 de la Ley 16/1985.

La exportación se regula, en estos términos, por el Estado, no las CCAA. La Ley de la Comunidad Valenciana (artículo 13, "exportación") prevé que 1. "La exportación de los bienes del patrimonio cultural valenciano se regirá por lo dispuesto en la legislación del Estado. 2. La Generalitat **realizará ante la Administración del Estado los actos conducentes a aquellos bienes muebles ilegalmente exportados** que formen parte del Inventario General del Patrimonio Cultural Valenciano o que, con arreglo a esta Ley, debieran ser inscritos en él, sean destinados a museos, a bibliotecas o a archivos públicos situados en la Comunidad Valenciana cuando hubieren sido recuperados y, conforme a lo previsto en la legislación estatal, no fuesen cedidos a sus anteriores propietarios".

Según el artículo 3.3 de la Ley de La Rioja "el Estado ejercerá en esta materia las competencias que le atribuye la Constitución y el resto del ordenamiento jurídico, en particular, frente a la expoliación y la exportación ilícita de bienes pertenecientes al patrimonio cultural, histórico y artístico (puede verse también el artículo 4.3 de la misma Ley).

10. LÍMITES A LA ENAJENACIÓN E IMPRESCRIPTIBILIDAD

En el artículo 28 de la Ley 16/1985 se proclama (para los bienes muebles no BIC) la inalienabilidad e imprescriptibilidad. Estas dos reglas recaen sobre el Estado y las instituciones eclesiásticas, ya que sólo pueden transmitirlos al Estado.

Lo suyo es que las CCAA sigan este régimen para los bienes culturales de estos mismos sujetos (artículo 28 Cataluña 9/1993; artículo 70 de la Ley 11/2019 de Canarias; artículo 24 Comunidad Valenciana 4/1998)

11. DERECHO DE TANTEO Y RETRACTO

Respecto de los bienes de los propietarios, obviamente no puede haber una prohibición de enajenar, pero la legislación toma cautelas en aras de su protección. El poder público ha de tener conocimiento de las transacciones. Algunas legislaciones regionales establecen un archivo donde constan dichas transmisiones (así, la del País Vasco).

En este contexto aparecen en todas las legislaciones los derechos de tanteo y retracto a favor de la Administración. Por tanto, esto presupone que la Administración ha de tomar conocimiento de qué bien se vende.

Nuevamente nos adentramos en un terreno de especial sensibilidad jurídica. La exigencia de estos deberes de comunicación, a los efectos del ejercicio de estos derechos del poder público, es comprensible con los bienes de Interés Cultura, pero ¿hasta qué punto se acompasa con bienes donde la carga histórico-cultural es más reducida?

En el artículo 38 de la Ley 16/1985 esta regulación se hace por referencia a la enajenación de los bienes declarados de interés cultural o incluidos en el inventario.

El artículo 43 de la Ley de Cantabria 11/1998 se refiere a los BIC o Catalogados no BIC muebles o inmuebles; en este sentido, artículo 32 de la Ley de Baleares 12/1998 (para BIC o catalogados), artículo 27 de la Ley de La Rioja 7/2004 (para los bienes declarados como patrimonio histórico), artículo 26 Castilla y León 12/2002 a los dos tipos de bienes declarados formalmente como patrimonio histórico. Igualmente, el artículo 22 de la Ley de la Comunidad Valenciana 4/1998 también extiende estos derechos del poder público a los bienes inventariados. Igualmente, el artículo 33 de la Ley de Navarra 14/2005 (a los catalogados), igual que Asturias 1/2001 art. 45 (a los catalogados), o el artículo 52.3 y 53 de la Ley 3/1999 de Aragón.

Sin embargo, otras leyes parecen centrarse a tal efecto en los BIC: claramente, el artículo 40 de la Ley del País Vasco 6/2019 centra el derecho de tanteo y retracto en los bienes de protección especial, no en los de protección media; en esta línea, artículo 49 de la Ley de Galicia 5/2016.

Y en el extremo opuesto el artículo 22 de Cataluña 9/1993 regula esa cuestión aludiendo a todos los bienes de patrimonio histórico y en esta línea los artículos 14 y 21 de la Ley de Madrid 3/2013 (con un régimen matizado). El artículo 17 de la Ley de Andalucía 14/2007 14/2007 lo refiere a los 3 niveles catalogados (también el artículo 11 de la Ley de Murcia).

IV. PATRIMONIO ARQUEOLÓGICO

Las claves del patrimonio arqueológico serían las siguientes:

1. Primero, obviamente la **definición del patrimonio arqueológico.** Evidentemente, un problema es el de la definición misma del patrimonio arqueológico y por eso son remarcables regulaciones que son bastante matizadas en la definición del contenido del patrimonio arqueológico, como por ejemplo el artículo 88 de la Ley de Galicia 5/2016; puede verse el artículo 40 de la Ley 16/1985. La Ley de Cantabria 11/1998precisa que

estos bienes pueden estar enterrados o en superficie, o en aguas litorales o continentales (...).

2. Un tema de interés es la definición de áreas arqueológicas **de modo preventivo**. Así, pueden distinguirse dos tipos de actuaciones arqueológicas: primero, las de carácter preventivo y, segundo, las actuaciones de investigación. En este contexto, el artículo 61 de la Ley de Navarra 14/2005 distingue las "áreas arqueológicas de cautela".

La Ley 11/2019 de Canarias (artículo 9.3) prevé, para los inmuebles catalogados por sus valores arqueológicos, estos grados de protección: integral, preventiva y potencial. La preventiva protege el yacimiento de forma cautelar hasta que se determine la protección integral o se excluya del catálogo. La **potencial** protege los espacios delimitados en que se presuma la existencia de evidencias arqueológicas y se considere necesario adoptar **medidas preventivas.**

En este sentido, la Ley de Cataluña 9/1993 (en su artículo 49) regula los "**espacios de protección arqueológica**", considerando como tales los lugares que no han sido declarados de Interés Nacional donde, por evidencias materiales, por antecedentes históricos o por indicios, **se presume la existencia de restos arqueológicos o paleontológicos.** Los espacios de protección arqueológica se determinan por resolución del Consejero de Cultura, con audiencia previa de los interesados y del Ayuntamiento afectado; se dará cuenta al Ayuntamiento y a los interesados de la resolución... La consecuencia es que los promotores de obras y de otras intervenciones en solares o edificaciones que se hallan en espacios de protección arqueológica presentarán, junto con la solicitud de licencia de obras, un estudio de la incidencia que las obras pueden tener en los restos arqueológicos; elaborado por un profesional especializado en esta materia. Para la concesión de la licencia es preciso el informe favorable del departamento de Cultura. Este informe puede exigir como condición para la ejecución de las obras como la realización en la ejecución de un proyecto arqueológico, cuya financiación se rige por lo dispuesto en el artículo 48.2 y en el cual puede colaborar el Ayuntamiento afectado.

Como vemos, esta figura es distinta de la "suspensión de obras" que se produce durante la ejecución de una obra en caso de encontrarse restos arqueológicos. De forma similar al citado artículo 49 de la Ley de Cataluña 9/1993 puede verse el artículo 62 de la Ley de la Comunidad Valenciana 4/1998, debiéndose añadir que el artículo 66 de esta misma Ley de la Comunidad Valenciana 4/1998 cuando establece que las "**áreas de reserva arqueológica**", en el sentido de que la Conselleria de Cultura, Educación y Ciencia podrá establecer en los yacimientos declarados zonas arqueológicas "áreas de reserva arqueológica", entendiendo por tales aquellas partes de los yacimientos en los que se considere conveniente, de acuerdo con criterios científicos prohibir las intervenciones actuales, a fin de reservar su estudio para épocas futuras, debiéndose hacer constar en el Inventario General del Patrimonio Cultural Valenciano el establecimiento de áreas de reserva arqueológica. Igualmente, el artículo 65 ("**zonas de presunción ar-**

queológica") de la Ley del País Vasco 6/2019 establece que "en las zonas, solares o edificaciones en que se presuma la existencia de restos arqueológicos, la persona propietaria o promotora de las obras que se pretendan realizar deberá aportar, con carácter previo al otorgamiento de la licencia urbanística, un estudio referente al valor arqueológico del solar o edificación y la incidencia que pueda tener el proyecto de obras. Las diputaciones forales regularán los supuestos en los que no sea necesaria la presentación de dicho estudio para la realización del proyecto arqueológico".

3. Por tanto, en este contexto, pueden distinguirse, junto a lo anterior, dos tipos de medidas más: primero, la consideración de las zonas arqueológicas cuando se realizan planes de obras o urbanísticos. Y, segundo, el régimen de suspensión de obras cuando se hace una excavación como consecuencia de una obra urbanística, y se encuentra un yacimiento arqueológico. Otra clave, pues, es la "**suspensión de las obras**" como consecuencia de descubrirse restos arqueológicos, debiendo el promotor de la obra paralizar los trabajos y protegiendo los restos comunicando el descubrimiento pudiendo haber indemnización para el afectado. En el plazo de 15 días desde la toma de conocimiento de los restos arqueológicos la Administración competente en materia de cultura tiene que pronunciarse sobre si proseguir las obras o mantenerlas en suspenso (artículo 84 de la Ley de Cantabria; artículo 59 de Navarra 14/2005; artículo 68 de la Ley de Asturias 1/2021; artículo 61 de la Ley de Baleares 12/1998; artículo 54 de la Ley de Extremadura 2/1999; artículo 57 de la Ley de La Rioja 7/2004; artículo 52 de la Ley de Cataluña; artículo 53 de la Ley de Castilla y León 12/2002; artículo 63 de la Ley de la Comunidad Valenciana 4/1998).

4. También es preciso dejar constancia de las **distintas figuras de protección** (artículo 89 de la Ley de Cantabria: yacimiento arqueológico, zona arqueológica, parque arqueológico, área de protección arqueológica). El artículo 87 de la Ley 11/2019 de Canarias establece que los yacimientos arqueológicos más importantes se declararán bienes de interés cultural. El artículo 62 de la Ley de Asturias 1/2021 afirma que los bienes arqueológicos serán BIC o inventariados.

5. En esta línea se afirma que se lleva a cabo un **Inventario arqueológico** (artículo 92 de la Ley de Cantabria; artículo 67 de la Ley de Navarra 14/2005). En la legislación de Castilla y León 12/2002 (en el artículo 54) se establece que el "catálogo de bienes arqueológicos" tiene que ser realizado en los instrumentos de planeamiento urbanístico.

6. Es lógico entender que este tipo de actividades se sujetan a **autorizaciones de la Administración competente en materia de patrimonio cultural,** pudiendo solicitar la autorización los profesionales del ámbito de la arqueología (artículo 42 de la ley 16/1985; artículo 63 de la Ley de Asturias 1/2021; artículo 51 de Ley de Baleares 12/1998; artículo 59 de la Ley de La Rioja 7/2004; artículo 66 de la Ley del País Vasco 6/2019; artículo 47 de la Ley de Cataluña; artículo 92 de Ley 11/2019 de Canarias, donde se establece que toda intervención arqueológica deberá ser previamente autori-

zada; artículo 52 de la Ley de Andalucía 14/2007), en especial cuando se trate de patrimonio arqueológico sumergido artículo 95 de la Ley de Cantabria. Por eso, la actividad sin autorización se sanciona.

7. También cabe la **revocación de autorizaciones** (artículo 30 de la Ley de Madrid 3/2013; artículo 55 de la Ley de Andalucía 14/2007; artículo 52 de la Ley de Extremadura 2/1999; artículo 55 de la Ley de Castilla y León 12/2002 y 59 y 60 de la ley de la Comunidad Valenciana 4/1998).

En la Ley de Cantabria 11/1998 se afirma que las autorizaciones se otorgan por un año natural prorrogable (artículo 77) y tienen que tener la documentación que cita el artículo 77 bis. También debe autorizarse el desplazamiento de las estructuras arqueológicas (artículo 79 de la Ley de Cantabria; artículo 62 de la Ley de Navarra 14/2005).

8. En cuanto **obligaciones jurídicas** de sujetos privados, y posibles restricciones de libertades, los poseedores de objetos arqueológicos tienen el deber de declarar la existencia de tales objetos (artículo 86 de la Ley de Cantabria, etc.) y un deber de **depósito** de materiales (por todos, artículos 69 y 70 de la Ley del País Vasco 6/2019). O la realización de una memoria. Siguiendo el artículo 71 de la Ley del País Vasco 6/2019 ("Memoria de las actividades arqueológicas y paleontológicas autorizadas") "depositados los materiales en el lugar designado al efecto, la persona titular de la autorización de cualquier actividad arqueológica y paleontológica, en el plazo máximo de dos años a contar desde la finalización de la intervención autorizada, deberá presentar en la diputación foral que corresponda la memoria de dicha actividad, en los términos que reglamentariamente se determinen".

Sobre los **directores** de las actuaciones arqueológicas recaen una serie de obligaciones (artículo 88 de la Ley de Cantabria; artículo 57 de la Ley de la Ley de Andalucía 14/2007; artículo 53 de la Ley de Extremadura 2/1999).

9. En cuanto a la **propiedad** de los objetos y restos materiales de interés arqueológico y paleontológico descubiertos como consecuencia de excavaciones arqueológicas aquella pertenece al **dominio público** (artículo 82 de la Ley de Cantabria; artículo 85 de la Ley 11/2019 de Canarias; artículo 56 de la Ley de Navarra 14/2005; artículo 67.4 de la Ley de Asturias 1/2021; artículo 60 de la Ley de Baleares 12/1998; artículo 64 de la ley de la Comunidad Valenciana 4/1998; artículo 53 de la Ley de Castilla-La Mancha 4/2013).

10. Otro problema es la "**financiación de los proyectos arqueológicos** y paleontológicos". Siguiendo el artículo 67 de la Ley del País Vasco 6/2019, "la financiación de la redacción y ejecución de los proyectos arqueológicos y paleontológicos en cualquier tipo de obras que afecten a bienes culturales de protección especial o media correrá a cargo de la persona titular de las actuaciones afectantes, en el caso de que se trate de entidades de derecho público. En caso de que la persona titular sea privada, la diputación foral correspondiente participará en la asunción de los gastos mediante la concesión

de ayudas o ejecutará directamente el proyecto, si lo estima necesario. En todo caso, la diputación foral estará obligada a satisfacer el 50 % del monto total que suponga la actuación arqueológica".

11. Otra clave son **los hallazgos** que deben comunicarse a la Administración competente en patrimonio y hay un premio que oscila en la mitad. Artículo 58 de la Ley de Murcia; artículo 44 de la ley 16/1985; artículo 85 de la Ley de Cantabria; artículo 94 de la Ley 11/2019 de Canarias; artículo 63 y 64 de la Ley de Navarra 14/2005; artículo 50 de la Ley de Andalucía 14/2007; artículo 63 de la Ley de Baleares 12/1998; artículo 55 de la Ley de Extremadura 2/1999; artículo 61 de la Ley de La Rioja 7/2004; artículo 51 de la Ley de Cataluña; artículo 61 de la Ley de Castilla y León 12/2002; artículo 65 de la Ley de la Comunidad Valenciana 4/1998

12. Existe el **principio de intervención o intervencionismo administrativo** en materia de excavaciones arqueológicas (artículo 50 de la Ley de Cataluña 9/1993 regulando las intervenciones arqueológicas de la administración; artículo 43 de la Ley 16/1985; artículo 51 de la Ley de Andalucía 14/2007). El artículo 52 de la Ley de Castilla y León 12/2002 establece las "órdenes para investigación", en el sentido de que la Consejería competente en materia de cultura puede ordenar la ejecución de excavaciones o prospecciones arqueológicas en cualquier terreno público o privado del territorio de Castilla y León 12/2002 en el que se presuma la existencia de bienes del patrimonio arqueológico. A efectos de la correspondiente indemnización se estará a lo dispuesto en la legislación vigente sobre expropiación forzosa. Las actuaciones de la Administración competente en materia de patrimonio cultural pueden realizarse a través de los procedimientos de contratación de la Ley de contratos del sector público (artículo 86 de la Ley de Cantabria).

13. Finalmente, queda adecuar el aparato sancionador a estas claves.

V. PATRIMONIO ETNOGRÁFICO

Las claves del patrimonio etnográfico serían las siguientes:

El primer tema complejo es la propia **delimitación del concepto** de patrimonio etnográfico. El artículo 46 de la Ley 16/1985 afirma que forman parte del patrimonio histórico español los bienes muebles e inmuebles y los conocimientos de actividades que son o han sido expresión relevante de la cultura tradicional del pueblo español en sus aspectos materiales sociales y espirituales etcétera etc.

Un listado completo y claro se contiene en la Ley de Asturias 1/2021 (artículo 69): lugares vinculados a tradiciones populares como construcciones tradicionales, ajuar doméstico, juegos, deportes, música tradicional, refranes, relatos, canciones etc. Incluyendo las expresiones no materiales, es decir, conocimientos, actividades, usos, costumbres y manifestaciones lingüísticas y artísticas de interés tecnológico que trasciendan los aspectos materiales en que puedan manifestarse etcétera (artículo 72 de la Ley de Asturias 1/2021).

Lógicamente, la ratio de esta categorización especial de patrimonio histórico es la **protección**, idea que simplemente se deja desprender del artículo 47.3 de la Ley 16/1985, pero que se articular en las leyes autonómicas. La protección no puede significar sino un mandato de los poderes públicos para su adecuada difusión y en especial la ratio de la catalogación. Esto último se precisa por las leyes autonómicas cuando afirman que este patrimonio etnográfico ha de declararse BIC, o bien ha de incluirse en el Inventario del patrimonio cultural, o protegerse en el catálogo urbanístico de protección (artículos 70 y 71 de la Ley de Asturias 1/2021).

En la Ley de Cantabria 11/1998 la protección se lleva a cabo mediante la inscripción en el registro, catálogo o inventario de un espacio, bien material o inmaterial, de interés etnográfico que conllevará la salvaguarda de sus valores (artículos 96 y 98 de la Ley de Cantabria). Los artículos 96 y ss. de la Ley 11/2019 de Canarias primero definen el patrimonio etnográfico y, acto seguido, los clasifican (artículo 97). En cuanto a su protección (artículo 98) se afirma que "la protección de los bienes muebles e inmuebles constitutivos del patrimonio etnográfico se llevará a cabo mediante la inclusión en alguno de los instrumentos de protección previstos en la presente ley". Asimismo, se regulan los "parques etnográficos" (artículo 99) y el "desplazamiento de estructuras etnográficas" (artículo 100).

La Ley de Andalucía 14/2007 (artículo 64) parte de la catalogación de este patrimonio en el catálogo general del patrimonio histórico e insiste en la vinculación sobre el planeamiento urbanístico. Igualmente, puede citarse el artículo 64.6 de la Ley de La Rioja 7/2004 estableciendo que el patrimonio etnográfico se tiene que registrar o bien catalogar en un Atlas etnográfico. O el artículo 63 de la Ley de Castilla y León 12/2002 previendo la protección de estos bienes a través de su inventario o mediante la declaración de Bien de Interés cultural.

El artículo 98.6 de la Ley de Cantabria 11/1998 se refiere al patrimonio **etnográfico** "**inmaterial** o latente", compuesto por un caudal de prácticas y saberes transmitidos tanto por la fuerza de la costumbre como de forma oral, cuya extrema vulnerabilidad se deduce de su propia existencia de sus características propias.

VI. PATRIMONIO INDUSTRIAL

El patrimonio histórico industrial ha venido siendo un tema de creciente atención en la legislación autonómica de las últimas décadas. **Nuevamente, los temas que se plantean son su adecuada definición y su régimen de protección.**

Puede destacarse el artículo 76 de la Ley de Asturias 1/2021 por los rasgos descriptivos definitorios que contiene; la protección se realiza, en este texto legal, mediante su declaración como Bien de Interés cultural, su inclusión en el Inventario del patrimonio cultural o en los catálogos urbanísticos. Además contiene un mandato directo de prohibición de la destrucción de la maquinaria industrial. De forma similar pueden citarse los artículos 101 a 103 de la Ley 11/2019 de Canarias previendo que la protección se hará mediante alguno de los instrumentos previstos en la ley. O los artículos 65 y siguientes de la Ley de Navarra 14/2005, el artículo 103 de la Ley de Galicia 5/2016 con una regulación muy completa sobre el patrimonio industrial y los criterios para la intervención.

VII. EL PATRIMONIO DOCUMENTAL

La base está en el artículo 49 de la Ley 16/1985 cuando considera, como patrimonio documental, en todo caso los documentos públicos; o si tienen una antigüedad superior a 40 años los privados de entidades y asociaciones de carácter político, sindical o religioso o de entidades, fundaciones y asociaciones culturales y educativas de carácter privado. Y los de cualquier persona privada si la antigüedad es superior a 100 años.

Esta regulación se reitera en las normas de las CCAA. En el artículo 80 de la Ley de Asturias 1/2021 **se define el patrimonio documental** como el integrado por documentos de cualquier época y tipología producidos por organismos públicos. Y en cuanto a los privados aquellos documentos con más de 40 años producidos por asociaciones políticas, sindicales o entidades eclesiásticas o colegios profesionales o fundaciones culturales. O bien documentos con más de 100 años de cualquier persona física jurídica entidad o empresa mercantil (artículo 80 a 84), pero finalmente *también pueden ser parte del patrimonio documental aquellos documentos que no reuniendo las condiciones de antigüedad mencionadas tengan un interés histórico que así lo justifique y siempre que su antigüedad sea superior a 25 años.*

Regulaciones de este tipo, mencionadas en último lugar, son las que nos suscitan interés, ya que, por un lado, tienden a aumentar la protección (con ratio positiva), pero, por otro lado, representan obviamente un motivo de debate desde el punto de vista de la posible excesiva intensidad en cuanto a la afección en los posibles derechos de los titulares privados.

Profundizando en esto último, otro tema importante es el relativo, en efecto, al **límite de las obligaciones de los sujetos privados** que posean tales documentos. Recae una obligación sobre los propietarios o poseedores del patrimonio documental de su conservación (artículo 100 de la Ley de Cantabria).

En cuanto a la protección, en el artículo 102 la Ley de Cantabria 11/1998afirma que estos fondos documentales pasarán a formar parte de los Bienes de Interés Cultural o de los Bienes de Interés local; además la Consejería de Cultura confeccionará un inventario general de bienes documentales y archivos (artículo 104). Además, los fondos documentales integrados en un inmueble que haya obtenido la calificación de bien de interés cultural o bien de Interés local tendrán asimismo la consideración de bien de interés cultural o bien de Interés local junto

De forma similar, podemos citar el artículo 56 de la Ley de Castilla-La Mancha 4/2013; artículo 71 de la Ley de Navarra 14/2005; artículo 73 de la Ley de Andalucía 14/2007; artículo 109 de la Ley de Galicia 5/2016.

VIII. PATRIMONIO BIBLIOGRÁFICO

El artículo 50 de la Ley 16/1985 nuevamente aporta el marco regulador general **definitorio**: forman parte del patrimonio bibliográfico las bibliotecas y colecciones bibliográficas de titularidad pública y las obras literarias, históricas, científicas o artísticas de carácter unitario seriado, en escritura manuscrita o impresa, de las que no conste la existencia de al menos **tres ejemplares** en la bibliotecas o servicios públicos. Se presumirá que existe este número de ejemplares en el caso de obras editadas a partir de 1958.

Y en cuanto a la **protección**, en el artículo 51 la Ley 16/1985 se refiere a que hay que censar este tipo de bienes del patrimonio documental y bibliográfico y al deber de conservación que recae sobre sus poseedores y facilitar la inspección. Y el artículo 53 afirma que los bienes integrantes del patrimonio documental y bibliográfico que tengan singular relevancia serán incluidos en una sección especial del inventario general de bienes muebles del patrimonio histórico español.

En las leyes de las CCAA, matizando la **definición** de estos bienes, se apunta que lo integran obras de investigación o de creación (así literarias científicas o artísticas) de carácter unitario o de carácter seriado, manuscritas impresas filmadas, grabadas o reproducidas en cualquier tipo de soporte (artículo 87 de la Ley de Asturias 1/2021); forman parte del patrimonio bibliográfico los ejemplares de obras integrantes de la producción bibliográfica asturiana de los que no conste que haya al menos dos ejemplares en bibliotecas de titularidad pública de Asturias 1/2021. Se presumirá su existencia para las ediciones posteriores a 1957. También integran este patrimonio bibliográfico, los ejemplares depositados en bibliotecas de titularidad pública de Asturias 1/2021 en cumplimiento de la legislación sobre depósito legal, las publicaciones de más de cien años de antigüedad, los manuscritos y los documentos originales de obras de investigación o de creación producidas por autores ya fallecidos, los fondos de las bibliotecas de titularidad pública de más de 30 años de antigüedad o cuando se trate de obras descatalogadas o que tengan alguna característica relevante que las individualicen. O bien cuando no reúnan esos requisitos pero tengan un interés histórico que lo justifique.

Por su parte, nuevamente, la **protección** se realiza mediante su consideración como Bien de Interés Cultural o su inclusión en el Inventario de patrimonio cultural de Asturias 1/2021; y se prohíbe la destrucción de este tipo de patrimonio bibliográfico, apunta la Ley de Asturias 1/2021. Igualmente, el artículo 107 de la Ley de Cantabria 11/1998establece que los bienes integrantes del patrimonio bibliográfico de singular relevancia podrán ser declarados Bienes de Interés Cultural, Bienes de Interés local o Bienes del Inventario general individualmente o como colección. En su artículo 108 se prevé el deber de acceso para su conocimiento, y en el artículo 109 el deber de conservación y protección. Por su parte, el artículo 76 de la Ley de la Comunidad Valenciana 4/1998 prevé las obligaciones de censar o catalogar el patrimonio documental o bibliográfico respectivamente. De forma similar puede citarse el artículo 57 de la Ley de Castilla La Mancha 4/2013. O el artículo 82 de la Ley de Navarra 14/2005 previendo el **patrimonio audiovisual** de Navarra 14/2005. Artículo 72 de la Ley de Andalucía 14/2007; artículo 75 de la Ley de Baleares 12/1998; artículo 82 de la Ley de Extremadura 2/1999;

IX. BIBLIOTECAS Y ARCHIVOS Y MUSEOS

En el artículo 59 de la Ley 16/1985 **se definen** los archivos, las bibliotecas, los museos. Y en el artículo 60 se afirma que quedan sometidos al régimen de la presente Ley **para los bienes de interés cultural** los inmuebles destinados a la instalación de archivos bibliotecas y museos de titularidad estatal, así como los bienes muebles integrantes del patrimonio histórico español en ellos custodiados.

Profundicemos, pues, en la idea de definición de estos bienes, así como en la ratio de protección. En cuanto a la ratio de protección, esta conlleva, pues, la ratio del debido registro o catalogación: así, el artículo 72 de la Ley de la comunidad Valenciana 4/1998 afirma que los fondos de los museos y colecciones museográficas integrados en el sistema valenciano de museos serán incluidos en el **inventario general del patrimonio cultural valenciano** por resolución que se adopte. En el artículo 61 se establece la creación de archivos, bibliotecas y museos y la comunicación y coordinación entre ellos; junto al **acceso** de todos los ciudadanos de carácter público (artículo 62). Artículo ochenta y seis de la Ley de Navarra 14/2005 la protección de los museos y de las colecciones museográficas permanentes podrá llevarse a cabo a través de su inclusión en alguna de las clases de bienes del patrimonio cultural de Navarra 14/2005.

Una regulación completa de **tipologías** de museos, así públicos, concertados, privados se contiene en los artículos 115 y ss. de la Ley 11/2019 de Canarias. También incluye la "política de museos", la creación de museos, los museos arqueológicos, el control de los fondos museísticos, el sistema de museos (puede verse también el artículo 111 de la Ley de Cantabria 11/1998sobre las bibliotecas).

X. PATRIMONIO ARQUEOLÓGICO SUBACUÁTICO

La **Ley de Galicia 5/2016** recoge la protección del patrimonio arqueológico suba-cuático en el extenso artículo 102, afirmando que forman parte de este patrimonio to-dos los rastros de existencia humana que sean bienes integrantes del patrimonio cultural de Galicia que se hubiesen hundido en el mar territorial y aguas interiores, parcial o to-talmente, susceptibles de ser estudiados y conocidos a través de métodos arqueológicos, hayan sido extraídos o no del medio en el que se encuentren estos bienes.

Se incluyen en el catálogo del Patrimonio cultural de Galicia los buques etcétera que se hubiesen hundido antes de 1901, aunque también de antigüedad inferior; en el artículo 102.3 se recogen los principios de conservación in situ del patrimonio cultural subacuático de depósito, el respeto de los restos, su acceso responsable...

Además, se redactará una carta arqueológica subacuática en la que constan los yaci-mientos subacuáticos. No se podrán realizar operaciones de dragado, etc.

La **Ley 11/2019 de Canarias**, primeramente, en el artículo 95 define el patrimonio subacuático, afirmando acto seguido que "los bienes pertenecientes al patrimonio sub-acuático se incluirán en los catálogos insulares de bienes patrimoniales culturales, sin perjuicio de su declaración como bien de interés cultural, si concurren en ellos valores patrimoniales culturales sobresalientes. En el apartado 3, el mismo artículo 95 recoge los principios rectores de este patrimonio (colaboración administrativa, conservación in situ del patrimonio subacuático, etc.). No se podrán realizar actuaciones de dragado en las áreas incluidas en instrumentos de protección previstos en esta ley sin la previa autorización del cabildo insular. Por su parte, las actividades turísticas, deportivas, cien-tíficas y culturales consistentes en la visita a los pecios hundidos deben contar con au-torización. Finalmente, el personal responsables de las inmersiones de empresas deben contar con habilitación específica (...).

XI. PATRIMONIO INMATERIAL

Puede primeramente citarse la Ley 10/2015, de 26 de mayo, para la salvaguardia del Patrimonio Cultural Inmaterial. El objeto de esta ley es regular la acción general de salvaguardia que deben ejercer los poderes públicos sobre los bienes que integran el pa-trimonio cultural inmaterial, en sus respectivos ámbitos de competencias. En el artículo 2 se regula el concepto de patrimonio cultural inmaterial. En el artículo 3 los principios generales de las actuaciones de salvaguardia. Relevante es el artículo 12 "declaración de Manifestación Representativa del Patrimonio Cultural Inmaterial" según el cual "la Administración General del Estado, de acuerdo con los principios establecidos en el artículo 3, tendrá competencias para declarar la protección y adoptar medidas de salva-guardia respecto de los bienes del patrimonio cultural inmaterial en los que concurran alguna de las siguientes circunstancias (...)". Por Real Decreto podrá otorgarse una singular protección a los bienes culturales inmateriales anteriormente citados, mediante su declaración como Manifestación Representativa del Patrimonio Cultural Inmaterial. La Declaración de Manifestación Representativa del Patrimonio Cultural Inmaterial por el Estado no obstará a las acciones de declaración o significación que, con el fin de resaltar las especificidades o modulaciones que presentan en sus respectivos ámbitos territoriales, puedan realizar las Comunidades Autónomas. En dicho caso, se deberán prever acuerdos de colaboración entre el Estado y las Comunidades Autónomas.

En el artículo 14 se prevé el "Inventario General de Patrimonio Cultural Inmaterial": "1. El Inventario General de Patrimonio Cultural Inmaterial deberá proporcionar información actualizada sobre las manifestaciones que integran éste, a partir de la información estatal y de la suministrada por las Comunidades Autónomas".

Por tanto, el patrimonio inmaterial se beneficia igualmente de la idea de inscripción o registro. En un plano autonómico, puede citarse el artículo 69 de la Ley de Navarra 14/2005 previendo la inscripción de los bienes inmateriales en el registro de bienes del patrimonio cultural de Navarra 14/2005. O el artículo 33 de la Ley de Madrid 3/2013 cuando afirma que se configurará un inventario sistemático del patrimonio cultural inmaterial; y formarán parte de los BIC o de los bienes de interés patrimonial. Igualmente, puede citarse el artículo 86 de la Ley de la Comunidad Valenciana 4/1998 donde también se prevé que los bienes inmateriales se incluyen en el inventario de estos bienes cuando no sean objeto de declaración como bienes de interés cultural. Igualmente, prevén la necesidad de inventariar este patrimonio inmaterial los artículos 57 y 58 de la Ley del País Vasco 6/2019, o el artículo 108 de la Ley 11/2019 de Canarias.

Ahora bien, destaca la Ley 18/2019 "de normas reguladores para la salvaguardia del patrimonio cultural inmaterial de las Islas Baleares":

- En el artículo 2 se define el patrimonio cultural inmaterial que se transmite de generación en generación, describiéndose el mismo a través de sus formas de comunicación tradiciones, fiestas, creencias rituales y ceremonias, salud, alimentación, conocimientos y usos, etcétera.

- Sus características (conforme al artículo 6) son la pertenencia, la representatividad, la relevancia, la identidad colectiva, la interculturalidad, la equidad y la sostenibilidad.

- Las administraciones públicas (artículo 7) tienen que fomentar el patrimonio cultural inmaterial conforme a ciertos principios que vienen en el artículo 8.

- Importante por tanto es que (conforme artículo 9) se tiene que documentar o inventariar el patrimonio cultural inmaterial (con el procedimiento que prevé el artículo 13), tanto para la declaración de este patrimonio como Bienes de Interés Cultural inmaterial, como para el registro de los bienes de interés cultural inmaterial compartido y de los bienes de interés cultural inmaterial, así como para la catalogación de los demás bienes de interés no susceptible de considerarse como BIC, pero que tengan relevancia.

– Se afirma asimismo su vinculación sobre el planeamiento urbanístico, el cual no puede impedir u obstaculizar el desarrollo de las manifestaciones culturales correspondientes.

XII. MEDIDAS DE FOMENTO

El marco general se establece en los artículos 67 y siguientes de la Ley 16/1985 (Título octavo. "De las medidas de fomento"), donde se afirman estas medidas de fomento:

Primero, el **acceso al crédito oficial,** ya que el gobierno dispondrá las medidas necesarias para que la financiación de conservación, mantenimiento y rehabilitación, así como de las prospecciones y excavaciones arqueológicas realizadas en bienes declarados de interés cultural tengan preferente acceso al crédito oficial en la forma y con los requisitos que establezcan las normas reguladoras.

Segundo, mención obligada merece el conocido **1% cultural** (artículo 68).

Tercero, los **beneficios fiscales** por los titulares de derechos sobre bienes integrantes del patrimonio histórico español siempre que los bienes afectados estén inscritos previamente en el registro general de bienes de Interés cultural y en el inventario general en el caso de los bienes muebles. En el caso de conjuntos históricos, sitios históricos o zonas arqueológicas sólo se considerarán inscritos los inmuebles comprendidos en ellos que reúnan las condiciones que reglamentariamente se establezcan (artículo 69).

Cuarto, los bienes inmuebles declarados de interés cultural quedarán **exentos del pago de los restantes impuestos locales** que graben la propiedad o se exijan por su disfrute o transmisión, cuando sus propietarios o titulares de derechos reales hayan emprendido o realizado a su cargo obras de conservación como mejora o rehabilitación de dichos inmuebles. Todo ello en los términos que se establezcan en las ordenanzas municipales.

Seguidamente en el artículo 70 la Ley 16/1985 establece los beneficios fiscales en el **impuesto sobre la renta de las personas Físicas** previendo que los contribuyentes de este impuesto tienen derecho a una deducción sobre la cuota equivalente al 20% de las inversiones que realicen en la adquisición, conservación, reparación, restauración, difusión y exposición de bienes declarados de interés cultural, en las condiciones que por vía reglamentarias se señalen. El importe de la deducción en ningún caso poder exceder del 30% de la base imponible. Asimismo, los contribuyentes de dicho impuesto tendrán derecho a deducir de la cuota del 20% de las donaciones puras y simples que hicieron en bienes que formen parte del patrimonio histórico español siempre que se realizaran a favor del Estado y demás entes públicos así como de las que se lleven a cabo en favor de los establecimientos como instituciones como a fundaciones y asociaciones, incluso las de hecho de carácter temporal, para arbitrar fondos, clasificadas o declaradas benéficas o de utilidad pública por los órganos competentes del Estado, cuyos cargos de patrones, representantes legales o gestores de hecho sean gratuitos y se rindan cuentas al órgano de protectorado correspondiente. La base de esta deducción no podrá exceder del 30% de la base imponible.

En el artículo 72 se prevén las exenciones fiscales y en el artículo 73 el pago de deudas tributarias mediante la entrega de bienes del patrimonio histórico español.

En las leyes de las CCAA, por su **claridad sistemática**, puede seleccionarse el "Título VI de la Ley 3/2013, de 18 de junio, de Patrimonio Histórico de la Comunidad de Madrid 3/2013

Lo primero es expresar el mandato público de fomento. Así, en el artículo 34 ("normas generales y tipos de medidas) se expresa que "la Comunidad de Madrid 3/2013 establecerá las medidas correspondientes para fomentar la conservación, investigación, documentación, recuperación, restauración y difusión del patrimonio histórico de la Comunidad de Madrid 3/2013. Además, facilitará la realización de estas actividades por parte de otras Administraciones Públicas y de la iniciativa privada".

En cuanto a las **medidas de fomento**, siguiendo este artículo 34 de la Ley de Madrid 3/2013, estas podrán ser:

a) Subvenciones.

b) Asesoramiento y asistencia técnica.

c) Beneficios fiscales.

d) Dación en pago de impuestos.

e) Uno por ciento cultural.

Añade este artículo 34 que "las personas físicas o jurídicas que no cumplan el deber de conservación establecido en esta ley no podrán acogerse a las medidas de fomento. Se propiciará la participación de entidades públicas o privadas y de particulares en la financiación de las medidas de fomento previstas en la ley".

En cuanto a los "**beneficios fiscales**" (artículo 35 de la Ley de Madrid 3/2013), "los titulares de derechos sobre Bienes de Interés Cultural y de Interés Patrimonial y las personas que donen bienes del patrimonio histórico a la Comunidad de Madrid 3/2013 disfrutarán de los beneficios fiscales que, en el ámbito de las respectivas competencias, determinen la legislación del Estado, la legislación de la Comunidad de Madrid 3/2013 y las ordenanzas fiscales locales".

En cuanto al "**pago con bienes culturales**", "los propietarios de Bienes de Interés Cultural o de Interés Patrimonial podrán solicitar a la Comunidad de Madrid 3/2013 la admisión de la cesión de la propiedad de los mencionados bienes en pago de sus deudas con la Administración autonómica. La aceptación de dicha cesión corresponde a la Consejería competente en materia de Hacienda previo informe favorable de la Consejería competente en materia de patrimonio histórico. La valoración económica de estos bienes se realizará por los órganos competentes" (Artículo 36 de la Ley de Madrid 3/2013).

Conocido es el "**uno por ciento cultural**" (Artículo 37 de la Ley de Madrid 3/2013): "la Comunidad de Madrid 3/2013 reservará al menos un 1 por 100 de su aportación a los presupuestos de las obras públicas que financie total o parcialmente a fin de invertirlo en la investigación, documentación, conservación, restauración, difusión y enriquecimiento del patrimonio histórico. La reserva a la que se refiere este apartado será de aplicación asimismo a los organismos autónomos, entidades públicas y empresas públicas dependientes de la Comunidad de Madrid 3/2013, así como a las obras públicas que construyan o exploten los particulares en virtud de concesión administrativa. Reglamentariamente se determinarán los procedimientos de gestión, los criterios y la forma de aplicación de los fondos obtenidos de acuerdo con lo previsto en el presente artículo. Con objeto de obtener una mayor cooperación entre las Administraciones Públicas implicadas y para lograr una mejor planificación de las inversiones en la conservación y restauración del patrimonio histórico, todas las propuestas de financiación que en el territorio de la Comunidad de Madrid 3/2013 se vayan a presentar al Ministerio competente para la aplicación del 1 por 100 cultural determinado en la Ley 16/1985, de 25 de junio, de Patrimonio Histórico Español, deberán ser informadas previamente por la Consejería competente en materia de patrimonio histórico".

Las **distintas legislaciones de las Comunidades Autónomas** siguen estos mismos parámetros. Puede citarse el artículo 70 y siguientes de la Ley de Castilla y León 12/2002 o los artículos 54 y siguientes de la Ley de Cataluña. O los artículos 118 y siguientes de la Ley de Galicia 5/2016. O los artículos 122 y siguientes de la Ley de Cantabria. O los artículos 64 y siguientes de la Ley de Castilla La Mancha 4/2013; o los artículos 95 y siguientes de la Ley de Asturias 1/2021; o 126 y ss. de la Ley 11/2019 de Canarias.

En este contexto, de la enumeración de medidas de fomento, la ley de Extremadura 2/1999 incide en la **aceptación de donaciones, herencias y legados**, y **las cesiones de uso y explotación** (artículos 89 y 90). La ley de Baleares 12/1998 (en los artículos 82 y 83) hacen hincapié en los **programas de inversiones** y ayudas para el patrimonio histórico. La Ley de Andalucía 14/2007 (en su artículo 88) se refiere a las inversiones o estímulos a la rehabilitación de viviendas y a la eliminación de la **contaminación visual** o perceptiva, teniendo (estas últimas) consideraciones de inversiones en bienes de interés cultural. En el artículo 92 de la ley de la Comunidad Valenciana 4/1998 se prevé la **contribución pública al régimen de visitas,** en concreto para los propietarios o titulares de derechos reales de uso y disfrute sobre bienes inmuebles declarados de interés cultural que cumplan la obligación de facilitar la visita al público, quienes se beneficiarán de ayudas económicas. Una regulación muy completa (siguiendo estos parámetros) es la de la Ley de La Rioja 7/2004 en los artículos 76 y siguientes. La ley de Navarra 14/2005 regula además el **mecenazgo** (en el artículo 88), afirmando que la administración propiciará las actuaciones de mecenazgo y la participación de entidades privadas y particulares en la financiación de las actuaciones de protección, conservación, restauración, acrecentamiento, investigación, documentación y divulgación del patrimonio cultural de Navarra 14/2005.

XIII. INFRACCIONES Y SANCIONES

La Ley 16/1985 (en su Título IX) regula las "infracciones administrativas y sus sanciones". Dos claves.

La primera, la llamada de atención que se hace a la "exportación" en este contexto, en el artículo 75: "1. La exportación de un bien mueble integrante del Patrimonio Histórico Español que se realice sin la autorización prevista en el artículo 5º de esta Ley, constituirá delito, o en su caso, infracción de contrabando, de conformidad con la legislación en esta materia. Serán responsables solidarios de la infracción o delito cometido cuantas personas hayan intervenido en la exportación del bien y aquellas otras que por su actuación u omisión, dolosa o negligente, la hubieren facilitado o hecho posible (...)".

La segunda, el lógico establecimiento de una escala de responsabilidades en función de la mayor o menor gravedad del hecho infractor.

Haciendo una labor sistemática, las más graves (a efectos de sancionar y de plazo de prescripción más largo) se relacionan con **derribos, exportaciones, eliminación de documentos...**: "g) El derribo, desplazamiento o remoción ilegales de cualquier inmueble afectado por un expediente de declaración de Bien de Interés Cultural. h) La **exportación** ilegal de los bienes a que hacen referencia los artículos 5. y 56.1 de la presente Ley. i) El incumplimiento de las condiciones de retorno fijadas para la exportación temporal legalmente autorizada. j) La exclusión o eliminación de bienes del Patrimonio Documental y Bibliográfico que contravenga lo dispuesto en el artículo 55".

Seguidamente, se sitúan estos hechos relativos a la **realización de obras**: "c) El otorgamiento de licencias para la **realización de obras** que no cumpla lo dispuesto en el artículo 23. d) La realización de obras en Sitios Históricos o Zonas Arqueológicas sin la autorización exigida por el artículo 22. e) La realización de cualquier clase de obra o intervención que contravenga lo dispuesto en los artículos 16, 19, 20, 21, 25, 37 y 39. f) La realización de excavaciones arqueológicas u otras obras ilícitas a que se refiere en el artículo 42.3".

Finalmente, se sitúan estos **incumplimientos de deberes**: "a) El incumplimiento por parte de los propietarios o de los titulares de derechos reales o los poseedores de los bienes de las disposiciones contenidas en los artículos 13, 26.2, 4 y 6, 28, 35.3, 36.1 y 2, 38.1, 39, 44, 51.2 y 52.1 y 3. b) La retención ilícita o depósito indebido de documentos, según lo dispuesto en el artículo 54.1".

Las **leyes autonómicas** podrán hacer hincapié en otros aspectos. Así la Ley de Navarra 14/2005 pone el acento en las funciones de inspección, o en la revisión de oficio respecto de licencias ilegales o en las multas coercitivas y en la reparación de daños, o en la definición de los sujetos responsables (artículos 99 y siguientes).

En todo caso, se sigue la lógica de que las infracciones leves se refieren a incumplimientos de deberes, las graves a la realización de actividades y las muy graves a la destrucción de bienes.

Igualmente podemos citar los artículos 128 y siguientes de la Ley de Cantabria, artículos 123 y siguientes de la Ley de Galicia 5/2016 (con pormenorizada regulación), artículo 67 de la Ley de Cataluña, artículos 66 y siguientes de la Ley de Castilla y León 12/2002, artículos 86 y siguientes de la Ley de La Rioja 7/2004, artículos 97 siguientes de la Ley de la Comunidad Valenciana 4/1998, artículos 106 y siguientes de la Ley de Andalucía 14/2007, artículos 100 y siguientes de la Ley de las Islas Baleares 12/1998, artículos 92 y siguientes de la Ley de Extremadura 2/1999, artículos 104 y siguientes de la Ley de Asturias 1/2021, artículos 67 y siguientes de la Ley de la Región de Murcia, artículos 69 y siguientes de la Ley de Castilla-La Mancha 4/2013, artículos 38 y siguientes de la Ley de Madrid 3/2013, artículos 80 y siguientes de la Ley del País Vasco 6/2019; artículos 137 y ss. de la Ley 11/2019 de Canarias.

Finalmente, téngase en cuenta que **es pública** toda acción encaminada a exigir ante los órganos administrativos y los tribunales contenciosos-administrativos el cumplimiento de lo previsto en la legislación de patrimonio histórico.

Segunda parte

NORMATIVA LEGAL RECOPILADA DEL PATRIMONIO HISTÓRICO Y CULTURAL EN ESPAÑA

I. LEGISLACIÓN ESTATAL

1. LEY 16/1985, DE 25 DE JUNIO, DEL PATRIMONIO HISTÓRICO ESPAÑOL

BOE 29 junio 1985, núm. 155, [pág. 20342].; rect. BOE, núm. 296, [pág. 39101]. (castellano)

PREÁMBULO

El Patrimonio Histórico Español es el principal testigo de la contribución histórica de los españoles a la civilización universal y de su capacidad creativa contemporánea. La protección y el enriquecimiento de los bienes que lo integran constituyen obligaciones fundamentales que vinculan a todos los poderes públicos, según el mandato que a los mismos dirige el artículo 46 de la Norma Constitucional.

Exigencias, que en el primer tercio del siglo constituyeron para el legislador un mandato similar, fueron ejemplarmente cumplidas por los protagonistas de nuestra mejor tradición intelectual, jurídica y democrática, como es buena muestra el positivo legado recibido de la Ley de 13 de mayo de 1933. Pese a este reconocimiento, lo cierto es que la recuperación por nuestro pueblo de su libertad determinó que, desde los primeros momentos en que tan feliz proceso histórico se consumó, se emprendiera la tarea de elaborar una nueva y más amplia respuesta legal a tales exigencias, un verdadero código de nuestro Patrimonio Histórico, en el que los proyectos de futuro se conformaran a partir de las experiencias acumuladas.

Su necesidad fue sentida, en primer término, a causa de la dispersión normativa que, a lo largo del medio siglo transcurrido desde la entrada en vigor de la venerable Ley, ha producido en nuestro ordenamiento jurídico multitud de fórmulas con que quisieron afrontarse situaciones concretas en aquel momento no previstas o inexistentes. Deriva asimismo esta obligación de la creciente preocupación sobre esta materia por parte de la comunidad internacional y de sus organismos representativos, la cual ha generado nuevos criterios para la protección y enriquecimiento de los bienes históricos y culturales, que se han traducido en convenciones y recomendaciones, que España ha suscrito y observa, pero a las que su legislación interna no se adaptaba. La revisión legal queda, por último, impuesta por una nueva distribución de competencias entre el Estado y Comunidades Autónomas que, en relación a tales bienes, emana de la Constitución y de los Estatutos de Autonomía. La presente Ley es dictada, en consecuencia, en virtud de normas contenidas en los apartados 1 y 2 del artículo 149 de nuestra Constitución, que para el legislador y la Administración estatal suponen tanto un mandato como un título competencial.

Esta Ley consagra una nueva definición de Patrimonio Histórico y amplía notablemente su extensión. En ella quedan comprendidos los bienes muebles e inmuebles que lo constituyen, el Patrimonio Arqueológico y el Etnográfico, los Museos, Archivos y Bibliotecas de titularidad estatal, así como el Patrimonio Documental y Bibliográfico. Busca, en suma, asegurar la protección y fomentar la cultura material debida a la acción del hombre en sentido amplio, y concibe aquélla como un conjunto de bienes que en sí mismos han de ser apreciados, sin establecer limitaciones derivadas de su propiedad, uso, antigüedad o valor económico.

Ello no supone que las medidas de protección y fomento se desplieguen de modo uniforme sobre la totalidad de los bienes que se consideran integrantes, en virtud de la ley, de nuestro Patrimonio Histórico. La ley establece distintos niveles de protección que se corresponden con diferentes categorías legales. La más genérica y que da nombre a la propia ley es la de Patrimonio Histórico Español, constituido éste por todos aquellos bienes de valor histórico, artístico, científico o técnico que conforman la aportación de España a la cultura universal. En torno a ese concepto se estructuran las medidas esenciales de la ley y se precisan las técnicas de intervención que son competencia de la Administración del Estado, en particular su defensa contra la exportación ilícita y su protección frente a la expoliación.

En el seno del Patrimonio Histórico Español, y al objeto de otorgar una mayor protección y tutela, adquiere un valor singular la categoría de Bienes de Interés Cultural, que se extiende a los muebles e inmuebles de aquel Patrimonio que, de forma más palmaria, requieran tal protección. Semejante categoría implica medidas asimismo singulares que la ley establece según la naturaleza de los bienes sobre los cuales recae.

La ley dispone también las fórmulas necesarias para que esa valoración sea posible, pues la defensa del Patrimonio Histórico de un pueblo no debe realizarse exclusivamente a través de normas que prohíban determinadas acciones o limiten ciertos usos, sino a partir de disposiciones que estimulen a su conservación y, en consecuencia, permitan su disfrute y faciliten su acrecentamiento.

Así la ley estipula un conjunto de medidas tributarias y fiscales y abre determinados cauces nuevos que colocan a España en un horizonte similar al que ahora se contempla en países próximos al nuestro por su historia y su cultura y, en consecuencia, por su acervo patrimonial. De esa forma se impulsa una política adecuada para gestionar con eficacia el Patrimonio Histórico Español. Una política que complemente la acción vigilante con el estímulo educativo, técnico y financiero, en el convencimiento de que el Patrimonio Histórico se acrecienta y se defiende mejor cuanto más lo estiman las personas que conviven con él, pero también cuantas más ayudas se establezcan para atenderlo, con las lógicas contraprestaciones hacia la sociedad cuando son los poderes públicos quienes facilitan aquéllas.

El Patrimonio Histórico Español es una riqueza colectiva que contiene las expresiones más dignas de aprecio en la aportación histórica de los españoles a la cultura universal. Su valor lo proporciona la estima que, como elemento de identidad cultural, merece a la sensibilidad de los ciudadanos. Porque los bienes que lo integran se han convertido en patrimoniales debido exclusivamente a la acción social que cumplen, directamente derivada del aprecio con que los mismos ciudadanos los han ido revalorizando.

En consecuencia, y como objetivo último, la ley no busca sino el acceso a los bienes que constituyen nuestro Patrimonio Histórico. Todas las medidas de protección y fomento que la ley establece sólo cobran sentido si, al final, conducen a que un número cada vez mayor de ciudadanos pueda contemplar y disfrutar las obras que son herencia de la capacidad colectiva de un pueblo. Porque en un Estado democrático estos bienes deben estar adecuadamente puestos al servicio de la colectividad en el convencimiento de que con su disfrute se facilita el acceso a la cultura y que ésta, en definitiva, es camino seguro hacia la libertad de los pueblos.

TÍTULO PRELIMINAR. Disposiciones generales

Artículo 1. [Objeto de la ley y contenido del Patrimonio Histórico Español]

1. Son objeto de la presente Ley la protección, acrecentamiento y transmisión a las generaciones futuras del Patrimonio Histórico Español.

2. Integran el Patrimonio Histórico Español los inmuebles y objetos muebles de interés artístico, histórico, paleontológico, arqueológico, etnográfico, científico o técnico. También forman parte del mismo el patrimonio documental y bibliográfico, los yacimientos y zonas arqueológicas, así como los sitios naturales, jardines y parques, que tengan valor artístico, histórico o antropológico.

Asimismo, forman parte del Patrimonio Histórico Español los bienes que integren el Patrimonio Cultural Inmaterial, de conformidad con lo que establezca su legislación especial.

3. Los bienes más relevantes del Patrimonio Histórico Español deberán ser inventariados o declarados de interés cultural en los términos previstos en esta Ley.

Artículo 2. [Competencias del Estado en relación al Patrimonio Histórico Español]

1. Sin perjuicio de las competencias que correspondan a los demás poderes públicos, son deberes y atribuciones esenciales de la Administración del Estado, de conformidad con lo establecido en los artículos 46 y 44, 149.1.1, y 149.2 de la Constitución, garantizar la conservación del Patrimonio Histórico Español, así como promover el enriquecimiento del mismo y fomentar y tutelar el acceso de todos los ciudadanos a los bienes comprendidos en él. Asimismo, de acuerdo con lo dispuesto en el artículo 149.1.28, de la Constitución, la Administración del Estado protegerá dichos bienes frente a la exportación ilícita y la expoliación.

2. En relación al Patrimonio Histórico Español, la Administración del Estado adoptará las medidas necesarias para facilitar su colaboración con los restantes poderes públicos y la de éstos entre sí, así como para recabar y proporcionar cuanta información fuera precisa a los fines señalados en el párrafo anterior.

3. A la Administración del Estado compete igualmente la difusión internacional del conocimiento de los bienes integrantes del Patrimonio Histórico Español, la recuperación de tales bienes cuando hubiesen sido ilícitamente exportados y el intercambio, respecto a los mismos, de información cultural, técnica y científica con los demás Estados y con los Organismos internacionales, de conformidad con lo establecido en el artículo 149.1, número 3, de la Constitución. Las demás Administraciones competentes colaborarán a estos efectos con la Administración del Estado.

Artículo 3. [Consejo del Patrimonio Histórico e instituciones consultivas de la Administración del Estado en materia del Patrimonio Histórico Español]

1. La comunicación y el intercambio de programas de actuación e información relativos al Patrimonio Histórico Español serán facilitados por el Consejo del Patrimonio Histórico, constituido por un representante de cada Comunidad Autónoma, designado por su Consejo de Gobierno, y el Director General correspondiente de la Administración del Estado, que actuará como Presidente.

2. Sin perjuicio de las funciones atribuidas al Consejo del Patrimonio Histórico, son instituciones consultivas de la Administración del Estado, a los efectos previstos en la presente Ley, la Junta de Calificación, Valoración y Exportación de Bienes del Patrimonio Histórico Español, las Reales Academias, las Universidades españolas, el Consejo Superior de Investigaciones Científicas y las Juntas Superiores que la Administración del Estado determine por vía reglamentaria, y en lo que pueda afectar a una Comunidad Autónoma, las instituciones por ella reconocidas. Todo ello con independencia del asesoramiento que, en su caso, pueda recabarse de otros organismos profesionales y entidades culturales.

Artículo 4. [Definición de expoliación]

A los efectos de la presente Ley se entiende por expoliación toda acción u omisión que ponga en peligro de pérdida o destrucción todos o alguno de los valores de los bienes que integran el Patrimonio Histórico Español o perturbe el cumplimiento de su función social. En tales casos la Administración del Estado, con independencia de las competencias que correspondan a las Comunidades Autónomas, en cualquier momento, podrá interesar del Departamento competente del Consejo de Gobierno de la Comunidad Autónoma correspondiente la adopción con urgencia de las medidas conducentes a evitar la expoliación. Si se desatendiere el requerimiento, la Administración del Estado dispondrá lo necesario para la recuperación y protección, tanto legal como técnica, del bien expoliado.

Artículo 5. [Exportación de bienes que integran el Patrimonio Histórico Español]

1. A los efectos de la presente Ley se entiende por exportación la salida del territorio español de cualquiera de los bienes que integran el Patrimonio Histórico Español.

2. Los propietarios o poseedores de tales bienes con más de cien años de antigüedad y, en todo caso, de los inscritos en el Inventario General previsto en el artículo 26 de esta Ley precisarán para su exportación autorización expresa previa de la Administración del Estado en la forma y condiciones que se establezcan por vía reglamentaria.

3. No obstante lo dispuesto en el apartado anterior, y sin perjuicio de lo que establecen los artículos 31 y 34 de esta Ley, queda prohibida la exportación de los bienes declarados de interés cultural, así como la de aquellos otros que, por su pertenencia al Patrimonio Histórico Español, la Administración del Estado declare expresamente inexportables, como medida cautelar hasta que se incoe expediente para incluir el bien en alguna de las categorías de protección especial previstas en esta Ley.

Artículo 6. [Organismos competentes para la ejecución en materia de Patrimonio Histórico Español]

A los efectos de la presente Ley se entenderá como Organismos competentes para su ejecución:

a) Los que en cada Comunidad Autónoma tengan a su cargo la protección del patrimonio histórico.

b) Los de la Administración del Estado, cuando así se indique de modo expreso o resulte necesaria su intervención para la defensa frente a la exportación ilícita y la expoliación de los bienes que integran el Patrimonio Histórico Español. Estos Organismos serán también los competentes respecto de los bienes integrantes del Patrimonio Histórico Español adscritos a servicios públicos gestionados por la Administración del Estado o que formen parte del Patrimonio Nacional.

Artículo 7. [Cooperación de ayuntamientos en la conservación y custodia del Patrimonio Histórico Español]

Los Ayuntamientos cooperarán con los Organismos competentes para la ejecución de esta Ley en la conservación y custodia del Patrimonio Histórico Español comprendido en su término municipal, adoptando las medidas oportunas para evitar su deterioro, pérdida o destrucción. Notificarán a la Administración competente cualquier amenaza, daño o perturbación de su función social que tales bienes sufran, así como las dificultades y necesidades que tengan para el cuidado de estos bienes. Ejercerán asimismo las demás funciones que tengan expresamente atribuidas en virtud de esta Ley.

Artículo 8. [Acciones para la conservación y defensa del Patrimonio Histórico Español]

1. Las personas que observen peligro de destrucción o deterioro en un bien integrante del Patrimonio Histórico Español deberán, en el menor tiempo posible, ponerlo en conocimiento de la Administración competente, quien comprobará el objeto de la denuncia y actuará con arreglo a lo que en esta Ley se dispone.

2. Será pública la acción para exigir ante los órganos administrativos y los Tribunales Contencioso-Administrativos el cumplimiento de lo previsto en esta Ley para la defensa de los bienes integrantes del Patrimonio Histórico Español.

TÍTULO I. De la declaración de Bienes de Interés Cultural

Artículo 9. [Procedimiento para la declaración de bien de interés cultural]

1. Gozarán de singular protección y tutela los bienes integrantes del Patrimonio Histórico Español declarados de interés cultural por ministerio de esta Ley o mediante Real Decreto de forma individualizada.

2. La declaración mediante Real Decreto requerirá la previa incoación y tramitación de expediente administrativo por el Organismo competente, según lo dispuesto en el artículo 6 de esta Ley. En el expediente deberá constar informe favorable de alguna de las Instituciones consultivas señaladas en el artículo 3, párrafo 2°, o que tengan reconocido idéntico carácter en el ámbito de una Comunidad Autónoma. Transcurridos tres meses desde la solicitud del informe sin que éste hubiera sido emitido, se entenderá que el dictamen requerido es favorable a la declaración de interés cultural. Cuando el expediente se refiera a bienes inmuebles se dispondrá, además, la apertura de un período de información pública y se dará audiencia al Ayuntamiento interesado.

3. El expediente deberá resolverse en el plazo máximo de veinte meses a partir de la fecha en que hubiere sido incoado. La caducidad del expediente se producirá transcurrido dicho plazo si se ha denunciado la mora y siempre que no haya recaído resolución en los cuatro meses siguientes a la denuncia. Caducado el expediente no podrá volver a iniciarse en los tres años siguientes, salvo a instancia del titular.

4. No podrá ser declarada Bien de Interés Cultural la obra de un autor vivo, salvo si existe autorización expresa de su propietario o media su adquisición por la Administración.

5. De oficio o a instancia del titular de un interés legítimo y directo, podrá tramitarse por el Organismo competente expediente administrativo, que deberá contener el informe favorable y razonado de alguna de las instituciones consultivas, a fin de que se acuerde mediante Real Decreto que la declaración de un determinado Bien de Interés Cultural quede sin efecto.

Artículo 10. [Legitimados para la incoación de expediente para la declaración de un Bien de Interés Cultural]

Cualquier persona podrá solicitar la incoación de expediente para la declaración de un Bien de Interés Cultural. El Organismo competente decidirá si procede la incoación. Esta decisión y, en su caso, las incidencias y resolución del expediente deberán notificarse a quienes lo instaron.

Artículo 11. [Efectos de la incoación de expediente para la declaración de un Bien de Interés Cultural y contenido de la resolución que lo declara]

1. La incoación de expediente para la declaración de un Bien de Interés Cultural determinará, en relación al bien afectado, la aplicación provisional del mismo régimen de protección previsto para los bienes declarados de interés cultural.

2. La resolución del expediente que declare un Bien de Interés Cultural deberá describirlo claramente. En el supuesto de inmuebles, delimitará el entorno afectado por la declaración y, en su caso, se definirán y enumerarán las partes integrantes, las pertenencias y los accesorios comprendidos en la declaración.

Artículo 12. [Inscripción de bienes declarados de interés cultural en el Registro General]

1. Los bienes declarados de interés cultural serán inscritos en un Registro General dependiente de la Administración del Estado cuya organización y funcionamiento se determinarán por vía reglamentaria. A este Registro se notificará la incoación de dichos expedientes, que causarán la correspondiente anotación preventiva hasta que recaiga resolución definitiva.

2. En el caso de bienes inmuebles la inscripción se hará por alguno de los conceptos mencionados en el artículo 14.2.

3. Cuando se trate de Monumentos y Jardines Históricos la Administración competente además instará de oficio la inscripción gratuita de la declaración en el Registro de la Propiedad.

Artículo 13. [Expedición de título oficial para los bienes declarados de interés cultural y obligaciones de los titulares de derechos sobre ellos]

1. A los bienes declarados de interés cultural se les expedirá por el Registro General un título oficial que les identifique y en el que se reflejarán todos los actos jurídicos o artísticos que sobre ellos se realicen. Las transmisiones o traslados de dichos bienes se inscribirán en el Registro. Reglamentariamente se establecerá la forma y caracteres de este título.

2. Asimismo, los propietarios y, en su caso, los titulares de derechos reales sobre tales bienes, o quienes los posean por cualquier título, están obligados a permitir y facilitar su inspección por parte de los Organismos competentes, su estudio a los investigadores, previa solicitud razonada de éstos, y su visita pública, en las condiciones de gratuidad que se determinen reglamentariamente, al menos cuatro días al mes, en días y horas previamente señalados. El cumplimiento de esta última obligación podrá ser dispensado total o parcialmente por la Administración competente cuando medie causa justificada. En el caso de bienes muebles se podrá igualmente acordar como obligación sustitutoria el depósito del bien en un lugar que reúna las adecuadas condiciones de seguridad y exhibición durante un período máximo de cinco meses cada dos años.

TÍTULO II. De los Bienes Inmuebles

Artículo 14. [Consideración de bienes inmuebles]

1. Para los efectos de esta Ley tienen la consideración de bienes inmuebles, además de los enumerados en el artículo 334 del Código Civil, cuantos elementos puedan considerarse consustanciales con los edificios y formen parte de los mismos o de su exorno, o lo hayan formado, aunque en el caso de poder ser separados constituyan un todo perfecto de fácil aplicación a otras construcciones o a usos distintos del suyo original, cualquiera que sea la materia de que estén formados y aunque su separación no perjudique visiblemente al mérito histórico o artístico del inmueble al que están adheridos.

2. Los bienes inmuebles integrados en el Patrimonio Histórico Español pueden ser declarados Monumentos, Jardines, Conjuntos y Sitios Históricos, así como Zonas Arqueológicas, todos ellos como Bienes de Interés Cultural.

Artículo 15. [Clasificación de los bienes inmuebles integrados en el Patrimonio Histórico Español]

1. Son Monumentos aquellos bienes inmuebles que constituyen realizaciones arquitectónicas o de ingeniería, u obras de escultura colosal siempre que tengan interés histórico, artístico, científico o social.

2. Jardín Histórico es el espacio delimitado, producto de la ordenación por el hombre de elementos naturales, a veces complementado con estructuras de fábrica, y estimado de interés en función de su origen o pasado histórico o de sus valores estéticos, sensoriales o botánicos.

3. Conjunto Histórico es la agrupación de bienes inmuebles que forman una unidad de asentamiento, continua o dispersa, condicionada por una estructura física representativa de la evolución de una comunidad humana por ser testimonio de su cultura o constituir un valor de uso y disfrute para la colectividad. Asimismo es Conjunto Histórico cualquier núcleo individualizado de inmuebles comprendidos en una unidad superior de población que reúna esas mismas características y pueda ser claramente delimitado.

4. Sitio Histórico es el lugar o paraje natural vinculado a acontecimientos o recuerdos del pasado, a tradiciones populares, creaciones culturales o de la naturaleza y a obras del hombre, que posean valor histórico, etnológico, paleontológico o antropológico.

5. Zona Arqueológica es el lugar o paraje natural donde existen bienes muebles o inmuebles susceptibles de ser estudiados con metodología arqueológica, hayan sido o no extraídos y tanto si se encuentran en la superficie, en el subsuelo o bajo las aguas territoriales españolas.

Artículo 16. [Efectos de la incoación de expediente de declaración de interés cultural respecto de un bien inmueble]

1. La incoación de expediente de declaración de interés cultural respecto de un bien inmueble determinará la suspensión de las correspondientes licencias municipales de parcelación, edificación o demolición en las zonas afectadas, así como de los efectos de las ya otorgadas. Las obras que por razón de fuerza mayor hubieran de realizarse con carácter inaplazable en tales zonas precisarán en todo caso, autorización de los Organismos competentes para la ejecución de esta Ley.

2. La suspensión a que hace referencia el apartado anterior dependerá de la resolución o caducidad del expediente incoado.

Artículo 17. [Consideraciones en la tramitación del expediente de declaración como Bien de Interés Cultural de un Conjunto Histórico]

En la tramitación del expediente de declaración como Bien de Interés Cultural de un Conjunto Histórico deberán considerarse sus relaciones con el área territorial a que pertenece, así como la protección de los accidentes geográficos y parajes naturales que conforman su entorno.

Artículo 18. [Efectos de la declaración de un inmueble como Bien de Interés Cultural]

Un inmueble declarado Bien de Interés Cultural es inseparable de su entorno. No se podrá proceder a su desplazamiento o remoción, salvo que resulte imprescindible por causa de fuerza mayor o de interés social y, en todo caso, conforme al procedimiento previsto en el artículo 9, párrafo 2°, de esta Ley.

Artículo 19. [Régimen de las obras o instalaciones de rótulos y conducciones sobre monumentos y jardines históricos]

1. En los Monumentos declarados Bienes de Interés Cultural no podrá realizarse obra interior o exterior que afecte directamente al inmueble o a cualquiera de sus partes integrantes o pertenencias sin autorización expresa de los Organismos competentes para la

ejecución de esta Ley. Será preceptiva la misma autorización para colocar en fachadas o en cubiertas cualquier clase de rótulo, señal o símbolo, así como para realizar obras en el entorno afectado por la declaración.

2. Las obras que afecten a los Jardines Históricos declarados de interés cultural y a su entorno, así como la colocación en ellos de cualquier clase de rótulo, señal o símbolo, necesitarán autorización expresa de los Organismos competentes para la ejecución de esta Ley.

3. Queda prohibida la colocación de publicidad comercial y de cualquier clase de cables, antenas y conducciones aparentes en los Jardines Históricos y en las fachadas y cubiertas de los Monumentos declarados de interés cultural. Se prohíbe también toda construcción que altere el carácter de los inmuebles a que hace referencia este artículo o perturbe su contemplación.

Artículo 20. [Plan Especial de Protección del área afectada por la declaración de Bien de Interés Cultural]

1. La declaración de un Conjunto Histórico, Sitio Histórico o Zona Arqueológica, como Bienes de Interés Cultural, determinará la obligación para el Municipio o Municipios en que se encontraren de redactar un Plan Especial de Protección del área afectada por la declaración u otro instrumento de planeamiento de los previstos en la legislación urbanística que cumpla en todo caso las exigencias en esta Ley establecidas. La aprobación de dicho Plan requerirá el informe favorable de la Administración competente para la protección de los bienes culturales afectados. Se entenderá emitido informe favorable transcurridos tres meses desde la presentación del Plan. La obligatoriedad de dicho Plan no podrá excusarse en la preexistencia de otro planeamiento contradictorio con la protección, ni en la inexistencia previa de planeamiento general.

2. El Plan a que se refiere el apartado anterior establecerá para todos los usos públicos el orden prioritario de su instalación en los edificios y espacios que sean aptos para ello. Igualmente contemplará las posibles áreas de rehabilitación integrada que permitan la recuperación del área residencial y de las actividades económicas adecuadas. También deberá contener los criterios relativos a la conservación de fachadas y cubiertas e instalaciones sobre las mismas.

3. Hasta la aprobación definitiva de dicho Plan el otorgamiento de licencias o la ejecución de las otorgadas antes de incoarse el expediente declarativo del Conjunto Histórico, Sitio Histórico o Zona Arqueológica, precisará resolución favorable de la Administración competente para la protección de los bienes afectados y, en todo caso, no se permitirán alineaciones nuevas, alteraciones en la edificabilidad, parcelaciones ni agregaciones.

4. Desde la aprobación definitiva del Plan a que se refiere este artículo, los Ayuntamientos interesados serán competentes para autorizar directamente las obras que desarrollen el planeamiento aprobado y que afecten únicamente a inmuebles que no sean Monumentos ni Jardines Históricos ni estén comprendidos en su entorno, debiendo dar cuenta a la Administración competente para la ejecución de esta Ley de las autorizaciones o licencias concedidas en el plazo máximo de diez días desde su otorgamiento. Las obras que se realicen al amparo de licencias contrarias al Plan aprobado serán ilegales y la Administración competente podrá ordenar su reconstrucción o demolición con cargo al Organismo que hubiera otorgado la licencia en cuestión, sin perjuicio de lo dispuesto en la legislación urbanística sobre las responsabilidades por infracciones.

Artículo 21. [Protección y conservación de Conjuntos Históricos]

1. En los instrumentos de planeamiento relativos a Conjuntos Históricos se realizará la catalogación, según lo dispuesto en la legislación urbanística, de los elementos unitarios que conforman el Conjunto, tanto inmuebles edificados como espacios libres exteriores o

interiores, u otras estructuras significativas, así como de los componentes naturales que lo acompañan, definiendo los tipos de intervención posible. A los elementos singulares se les dispensará una protección integral. Para el resto de los elementos se fijará, en cada caso, un nivel adecuado de protección.

2. Excepcionalmente, el Plan de protección de un Conjunto Histórico podrá permitir remodelaciones urbanas, pero sólo en caso de que impliquen una mejora de sus relaciones con el entorno territorial o urbano o eviten los usos degradantes para el propio Conjunto.

3. La conservación de los Conjuntos Históricos declarados Bienes de Interés Cultural comporta el mantenimiento de la estructura urbana y arquitectónica, así como de las características generales de su ambiente. Se considerarán excepcionales las sustituciones de inmuebles, aunque sean parciales, y sólo podrán realizarse en la medida en que contribuyan a la conservación general del carácter del Conjunto. En todo caso, se mantendrán las alineaciones urbanas existentes.

Artículo 22. [Régimen de las obras o instalaciones de rótulos y conducciones sobre Sitio Histórico o en una Zona Arqueológica]

1. Cualquier obra o remoción de terreno que se proyecte realizar en un Sitio Histórico o en una Zona Arqueológica declarados Bien de Interés Cultural deberá ser autorizada por la Administración competente para la protección de dichos bienes, que podrá, antes de otorgar la autorización, ordenar la realización de prospecciones y, en su caso, excavaciones arqueológicas, de acuerdo con lo dispuesto en el Título V de la presente Ley.

2. Queda prohibida la colocación de cualquier clase de publicidad comercial, así como de cables, antenas y conducciones aparentes en las Zonas Arqueológicas.

Artículo 23. [Obras ilegales que afecten a inmuebles del Patrimonio Histórico Español]

1. No podrán otorgarse licencias para la realización de obras que, conforme a lo previsto en la presente Ley, requieran cualquier autorización administrativa hasta que ésta haya sido concedida.

2. Las obras realizadas sin cumplir lo establecido en el apartado anterior serán ilegales y los Ayuntamientos o, en su caso, la Administración competente en materia de protección del Patrimonio Histórico Español podrán ordenar su reconstrucción o demolición con cargo al responsable de la infracción en los términos previstos por la legislación urbanística.

Artículo 24. [Expediente de ruina sobre inmueble afectado por expediente de declaración de Bien de Interés Cultural]

1. Si a pesar de lo dispuesto en el artículo 36, llegara a incoarse expediente de ruina de algún inmueble afectado por expediente de declaración de Bien de Interés Cultural, la Administración competente para la ejecución de esta Ley estará legitimada para intervenir como interesado en dicho expediente, debiéndole ser notificada la apertura y las resoluciones que en el mismo se adopten.

2. En ningún caso podrá procederse a la demolición de un inmueble, sin previa firmeza de la declaración de ruina y autorización de la Administración competente, que no la concederá sin informe favorable de al menos dos de las instituciones consultivas a las que se refiere el artículo 3.

3. Si existiera urgencia y peligro inminente, la entidad que hubiera incoado expediente de ruina deberá ordenar las medidas necesarias para evitar daños a las personas. Las obras que por razón de fuerza mayor hubieran de realizarse no darán lugar a actos de demolición que no sean estrictamente necesarios para la conservación del inmueble y requerirán en todo caso la autorización prevista en el artículo 16.1, debiéndose prever además en su caso la reposición de los elementos retirados.

Artículo 25. [Suspensión de las obras sobre inmuebles integrantes del Patrimonio Histórico Español no declarados de interés cultural]

El Organismo competente podrá ordenar la suspensión de las obras de demolición total o parcial o de cambio de uso de los inmuebles integrantes del Patrimonio Histórico Español no declarados de interés cultural. Dicha suspensión podrá durar un máximo de seis meses, dentro de los cuales la Administración competente en materia de urbanismo deberá resolver sobre la procedencia de la aprobación inicial de un plan especial o de otras medidas de protección de las previstas en la legislación urbanística. Esta resolución, que deberá ser comunicada al Organismo que hubiera ordenado la suspensión, no impedirá el ejercicio de la potestad prevista en el artículo 37.2.

TÍTULO III. De los Bienes Muebles

Artículo 26. [Inventario General de aquellos bienes muebles del Patrimonio Histórico Español no declarados de interés cultural. Facultades y obligaciones de los titulares de derechos sobre ellos y normas aplicables a estos bienes]

1. La Administración del Estado, en colaboración con las demás Administraciones competentes, confeccionará el Inventario General de aquellos bienes muebles del Patrimonio Histórico Español no declarados de interés cultural que tengan singular relevancia.

2. A los efectos previstos en el párrafo anterior, las Administraciones competentes podrán recabar de los titulares de derechos sobre los bienes muebles integrantes del Patrimonio Histórico Español el examen de los mismos, así como las informaciones pertinentes, para su inclusión, si procede, en dicho inventario.

3. Los propietarios y demás titulares de derechos reales sobre bienes muebles de notable valor histórico, artístico, arqueológico, científico, técnico o cultural, podrán presentar solicitud debidamente documentada ante la Administración competente, a fin de que se inicie el procedimiento para la inclusión de dichos bienes en el Inventario General. La resolución sobre esta solicitud deberá recaer en un plazo de cuatro meses.

4. Los propietarios o poseedores de los bienes muebles que reúnan el valor y características que se señalen reglamentariamente, quedan obligados a comunicar a la Administración competente la existencia de estos objetos, antes de proceder a su venta o transmisión a terceros. Igual obligación se establece para las personas o entidades que ejerzan habitualmente el comercio de los bienes muebles integrantes del Patrimonio Histórico Español, que deberán, además, formalizar ante dicha Administración un libro de registro de las transmisiones que realicen sobre aquellos objetos.

5. La organización y el funcionamiento del Inventario General se determinará por vía reglamentaria.

6. A los bienes muebles integrantes del Patrimonio Histórico Español incluidos en el Inventario General, se les aplicarán las siguientes normas:

a) La administración competente podrá en todo momento inspeccionar su conservación.

b) Sus propietarios y, en su caso, los demás titulares de derechos reales sobre los mismos, están obligados a permitir su estudio a los investigadores, previa solicitud razonada, y a prestarlos, con las debidas garantías, a exposiciones temporales que se organicen por los Organismos a que se refiere el artículo 6 de esta Ley. No será obligatorio realizar estos préstamos por un período superior a un mes por año.

c) La transmisión por actos «inter vivos» o «mortis causa», así como cualquier otra modificación en la situación de los bienes deberá comunicarse a la Administración competente y anotarse en el Inventario General.

Artículo 27. [Bienes muebles de interés cultural]

Los bienes muebles integrantes del Patrimonio Histórico Español podrán ser declarados de interés cultural. Tendrán tal consideración, en todo caso, los bienes muebles contenidos en un inmueble que haya sido objeto de dicha declaración y que ésta los reconozca como parte esencial de su historia.

Artículo 28. [Límites a la enajenación e inprescriptibilidad de bienes muebles del Patrimonio Histórico Español]

1. Los bienes muebles declarados de interés cultural y los incluidos en el Inventario General que estén en posesión de instituciones eclesiásticas, en cualquiera de sus establecimientos o dependencias, no podrán transmitirse por título oneroso o gratuito ni cederse a particulares ni a entidades mercantiles. Dichos bienes sólo podrán ser enajenados o cedidos al Estado, a entidades de Derecho Público o a otras instituciones eclesiásticas.

2. Los bienes muebles que forman parte del Patrimonio Histórico Español no podrán ser enajenados por las Administraciones Públicas, salvo las transmisiones que entre sí mismas éstas efectúen y lo dispuesto en los artículos 29 y 34 de esta Ley.

3. Los bienes a que se refiere este artículo serán imprescriptibles. En ningún caso se aplicará a estos bienes lo dispuesto en el artículo 1955 del Código Civil.

Artículo 29. [Recuperación de bienes muebles integrantes del Patrimonio Histórico Español que sean exportados sin la autorización]

1. Pertenecen al Estado los bienes muebles integrantes del Patrimonio Histórico Español que sean exportados sin la autorización requerida por el artículo 5 de esta Ley. Dichos bienes son inalienables e imprescriptibles.

2. Corresponde a la Administración del Estado realizar los actos conducentes a la total recuperación de los bienes ilegalmente exportados.

3. Cuando el anterior titular acreditase la pérdida o sustracción previa del bien ilegalmente exportado, podrá solicitar su cesión del Estado, obligándose a abonar el importe de los gastos derivados de su recuperación, y, en su caso, el reembolso del precio que hubiere satisfecho el Estado al adquirente de buena fe. Se presumirá la pérdida o sustracción del bien ilegalmente exportado cuando el anterior titular fuera una Entidad de derecho público.

4. Los bienes recuperados y no cedidos serán destinados a un centro público, previo informe del Consejo del Patrimonio Histórico.

Artículo 30. [Tasa de la autorización para la exportación de bien mueble integrante del Patrimonio Histórico Español]

La autorización para la exportación de cualquier bien mueble integrante del Patrimonio Histórico Español estará sujeta a una tasa establecida de acuerdo con las siguientes reglas:

A) Hecho imponible: Lo constituirá la concesión de la autorización de exportación de los mencionados bienes.

B) Exenciones: Estarán exentas del pago de las tasas:

1. La exportación de bienes muebles que tenga lugar durante los diez años siguientes a su importación siempre que ésta se hubiere realizado de forma legal, esté reflejada documentalmente y los bienes no hayan sido declarados de interés cultural de acuerdo con lo dispuesto en el artículo 32 de esta Ley.

2. La salida temporal legalmente autorizada de bienes muebles que formen parte del Patrimonio Histórico Español.

3. La exportación de objetos muebles de autores vivos.

C) Sujeto pasivo: Estarán obligadas al pago de la tasa las personas o entidades nacionales o extranjeras a cuyo favor se concedan las autorizaciones de exportación.

D) Base imponible: La base imponible vendrá determinada por el valor real del bien cuya autorización de exportación se solicita. Se considerará valor real del bien el declarado por el solicitante, sin perjuicio de la comprobación administrativa realizada por el Organismo correspondiente de la Administración del Estado, que prevalecerá cuando sea superior a aquél.

E) Tipo de gravamen: La tasa se exigirá conforme a la siguiente tarifa:

Hasta 1.000.000 de pesetas, el 5 por 100.

De 1.000.001 a 10.000.000, el 10 por 100.

De 10.000.001 a 100.000.000, el 20 por 100.

De 100.000.001 en adelante, el 30 por 100.

F) Devengo: Se devengará la tasa cuando se conceda la autorización de exportación.

G) Liquidación y pago: El Gobierno regulará los procedimientos de valoración, liquidación y pago de la tasa.

H) Gestión: La gestión de esta tasa quedará atribuida al Ministerio de Cultura.

I) Destino: El producto de esta tasa se ingresará en el Tesoro Público, quedando afectado exclusivamente a la adquisición de bienes de interés para el Patrimonio Histórico Español.

Artículo 31. [Autorización de la salida temporal de España de bienes muebles integrantes del Patrimonio Histórico Español]

1. La Administración del Estado podrá autorizar la salida temporal de España, en la forma y condiciones que reglamentariamente se determine, de bienes muebles sujetos al régimen previsto en el artículo 5 de esta Ley. En todo caso deberá constar en la autorización el plazo y garantías de la exportación. Los bienes así exportados no podrán ser objeto del ejercicio del derecho de preferente adquisición.

2. El incumplimiento de las condiciones para el retorno a España de los bienes que de ese modo se hayan exportado tendrá consideración de exportación ilícita.

Artículo 32. [Plazo para la declaración de interés cultural de los bienes muebles importados, exportación de los mismos y excepción]

1. Los bienes muebles cuya importación haya sido realizada legalmente y esté debidamente documentada de modo que el bien importado quede plenamente identificado, no podrán ser declarados de interés cultural en un plazo de diez años a contar desde la fecha de su importación.

2. Tales bienes podrán exportarse previa licencia de la Administración del Estado, que se concederá siempre que la solicitud cumpla los requisitos exigidos por la legislación en vigor, sin que pueda ejercitarse derecho alguno de preferente adquisición respecto de ellos. Antes de que finalice el plazo de diez años los poseedores de dichos bienes podrán solicitar de la Administración del Estado prorrogar esta situación, que se concederá siempre que la solicitud cumpla los requisitos exigidos por la legislación en vigor y oído el dictamen de la Junta de Calificación, Valoración y Exportación de Bienes del Patrimonio Histórico Español.

Las prórrogas del régimen especial de la importación regulado en este artículo se concederán tantas veces como sean solicitadas, en los mismos términos y con idénticos requisitos que la primera prórroga.

Por el contrario, si los poseedores de dichos bienes no solicitan, en tiempo y forma, prorrogar el régimen de importación, dichos bienes quedarán sometidos al régimen general de la presente ley.

3. No obstante lo dispuesto en los apartados anteriores, los bienes muebles que posean alguno de los valores señalados en el artículo 1 de esta Ley podrán ser declarados de interés cultural antes del plazo de diez años si su propietario solicitase dicha declaración y la Administración del Estado resolviera que el bien enriquece el Patrimonio Histórico Español.

4. Lo dispuesto en los apartados 1 y 2 de este artículo no será aplicable a las adquisiciones de bienes del Patrimonio Histórico Español realizadas fuera del territorio español para su importación al mismo que se acojan a las deducciones previstas en el artículo 55, apartado 5, párrafo a), de la Ley 40/1998, de 9 de diciembre, del Impuesto sobre la Renta de las Personas Físicas y otras Normas Tributarias, y en el artículo 35, apartado 1, párrafo a), de la Ley 43/1995, de 27 de diciembre, del Impuesto sobre Sociedades.

Artículo 33. [Declaración de valor de la solicitud de exportación de bienes muebles]
Salvo lo previsto en el artículo 32, siempre que se formule solicitud de exportación, la declaración de valor hecha por el solicitante será considerada oferta de venta irrevocable en favor de la Administración del Estado que, de no autorizar dicha exportación, dispondrá de un plazo de seis meses para aceptar la oferta y de un año a partir de ella para efectuar el pago que proceda. La negativa a la solicitud de exportación no supone la aceptación de la oferta, que siempre habrá de ser expresa.

Artículo 34. [Permuta de bienes muebles de titularidad estatal pertenecientes al Patrimonio Histórico Español]
El Gobierno podrá concertar con otros Estados la permuta de bienes muebles de titularidad estatal pertenecientes al Patrimonio Histórico Español por otros de al menos igual valor y significado histórico. La aprobación precisará de informe favorable de las Reales Academias de la Historia y de Bellas Artes de San Fernando y de la Junta de Calificación, Valoración y Exportación de Bienes del Patrimonio Histórico Español.

TÍTULO IV. Sobre la protección de los Bienes Muebles e Inmuebles

Artículo 35. [Planes Nacionales de Información sobre el Patrimonio Histórico Español]
1. Para la protección de los bienes integrantes del Patrimonio Histórico Español y al objeto de facilitar el acceso de los ciudadanos a los mismos, fomentar la comunicación entre los diferentes servicios y promover la información necesaria para el desarrollo de la investigación científica y técnica se formularán periódicamente Planes Nacionales de Información sobre el Patrimonio Histórico Español.
2. El Consejo del Patrimonio Histórico Español elaborará y aprobará los Planes Nacionales de Información referidos en el apartado anterior.
3. Los diferentes servicios públicos y los titulares de bienes del Patrimonio Histórico Español deberán prestar su colaboración en la ejecución de los Planes Nacionales de Información.

Artículo 36. [Obligación de conservar y mantener los bienes integrantes del Patrimonio Histórico Español y consecuencias de su incumplimiento]
1. Los bienes integrantes del Patrimonio Histórico Español deberán ser conservados, mantenidos y custodiados por sus propietarios o, en su caso, por los titulares de derechos reales o por los poseedores de tales bienes.
2. La utilización de los bienes declarados de interés cultural, así como de los bienes muebles incluidos en el Inventario General, quedará subordinada a que no se pongan en peligro los valores que aconsejen su conservación. Cualquier cambio de uso deberá ser autorizado por los Organismos competentes para la ejecución de esta Ley.
3. Cuando los propietarios o los titulares de derechos reales sobre bienes declarados de interés cultural o bienes incluidos en el Inventario General no ejecuten las actuaciones exigidas en el cumplimiento de la obligación prevista en el apartado 1° de este artículo, la Administración competente, previo requerimiento a los interesados, podrá ordenar su

ejecución subsidiaria. Asimismo, podrá conceder una ayuda con carácter de anticipo reintegrable que, en caso de bienes inmuebles, será inscrita en el Registro de la Propiedad. La Administración competente también podrá realizar de modo directo las obras necesarias, si así lo requiere la más eficaz conservación de los bienes. Excepcionalmente la Administración competente podrá ordenar el depósito de los bienes muebles en centros de carácter público en tanto no desaparezcan las causas que originaron dicha necesidad.

4. El incumplimiento de las obligaciones establecidas en el presente artículo será causa de interés social para la expropiación forzosa de los bienes declarados de interés cultural por la Administración competente.

Artículo 37. [Paralización de obras en un bien declarado de interés cultural o que pueda serlo y causa justificativa de interés social para la exportación]

1. La Administración competente podrá impedir un derribo y suspender cualquier clase de obra o intervención en un bien declarado de interés cultural.

2. Igualmente podrá actuar de ese modo, aunque no se haya producido dicha declaración, siempre que aprecie la concurrencia de alguno de los valores a que hace mención el artículo 1 de esta Ley. En tal supuesto la Administración resolverá en el plazo máximo de treinta días hábiles en favor de la continuación de la obra o intervención iniciada o procederá a incoar la declaración de Bien de Interés Cultural.

3. Será causa justificativa de interés social para la expropiación por la Administración competente de los bienes afectados por una declaración de interés cultural el peligro de destrucción o deterioro, o un uso incompatible con sus valores. Podrán expropiarse por igual causa los inmuebles que impidan o perturben la contemplación de los bienes afectados por la declaración de interés cultural o den lugar a riesgos para los mismos. Los Municipios podrán acordar también la expropiación de tales bienes notificando previamente este propósito a la Administración competente, que tendrá prioridad en el ejercicio de esta potestad.

Artículo 38. [Requisitos para la enajenación de un bien declarado de interés cultural o incluido en el Inventario General y derechos de tanteo y retracto]

1. Quien tratare de enajenar un bien declarado de interés cultural o incluido en el Inventario General al que se refiere el artículo 26, deberá notificarlo a los Organismos mencionados en el artículo 6 y declarar el precio y condiciones en que se proponga realizar la enajenación. Los subastadores deberán notificar igualmente y con suficiente antelación las subastas públicas en que se pretenda enajenar cualquier bien integrante del Patrimonio Histórico Español.

2. Dentro de los dos meses siguientes a la notificación referida en el apartado anterior, la Administración del Estado podrá hacer uso del derecho de tanteo para sí, para una entidad benéfica o para cualquier entidad de derecho público, obligándose al pago del precio convenido, o, en su caso, el de remate en un período no superior a dos ejercicios económicos, salvo acuerdo con el interesado en otra forma de pago.

3. Cuando el propósito de enajenación no se hubiera notificado correctamente la Administración del Estado podrá ejercer, en los mismos términos previstos para el derecho de tanteo, el de retracto en el plazo de seis meses a partir de la fecha en que tenga conocimiento fehaciente de la enajenación.

4. Lo dispuesto en los apartados anteriores no excluye que los derechos de tanteo y retracto sobre los mismos bienes puedan ser ejercidos en idénticos términos por los demás Organismos competentes para la ejecución de esta Ley. No obstante, el ejercicio de tales derechos por parte de la Administración del Estado tendrá carácter preferente siempre que se trate de adquirir bienes muebles para un Museo, Archivo o Biblioteca de titularidad estatal.

5. Los Registradores de la Propiedad y Mercantiles no inscribirán documento alguno por el que se transmita la propiedad o cualquier otro derecho real sobre los bienes a que hace referencia este artículo sin que se acredite haber cumplido cuantos requisitos en él se recogen.

Artículo 39. [Alcance de los actos de conservación, consolidación y restauración de los bienes del Patrimonio Histórico Español]

1. Los poderes públicos procurarán por todos los medios de la técnica la conservación, consolidación y mejora de los bienes declarados de interés cultural así como de los bienes muebles incluidos en el Inventario General a que alude el artículo 26 de esta Ley. Los bienes declarados de interés cultural no podrán ser sometidos a tratamiento alguno sin autorización expresa de los Organismos competentes para la ejecución de la Ley.

2. En el caso de bienes inmuebles, las actuaciones a que se refiere el párrafo anterior irán encaminadas a su conservación, consolidación y rehabilitación y evitarán los intentos de reconstrucción, salvo cuando se utilicen partes originales de los mismos y pueda probarse su autenticidad. Si se añadiesen materiales o partes indispensables para su estabilidad o mantenimiento las adiciones deberán ser reconocibles y evitar las confusiones miméticas.

3. Las restauraciones de los bienes a que se refiere el presente artículo respetarán las aportaciones de todas las épocas existentes. La eliminación de alguna de ellas sólo se autorizará con carácter excepcional y siempre que los elementos que traten de suprimirse supongan una evidente degradación del bien y su eliminación fuere necesaria para permitir una mejor interpretación histórica del mismo. Las partes suprimidas quedarán debidamente documentadas.

TÍTULO V. Del Patrimonio Arqueológico

Artículo 40. [Consideración de bienes arqueológicos integrantes del Patrimonio Histórico Español]

1. Conforme a lo dispuesto en el artículo 1 de esta Ley, forman parte del Patrimonio Histórico Español los bienes muebles o inmuebles de carácter histórico, susceptibles de ser estudiados con metodología arqueológica, hayan sido o no extraídos y tanto si se encuentran en la superficie o en el subsuelo, en el mar territorial o en la plataforma continental. Forman parte, asimismo de este Patrimonio los elementos geológicos y paleontológicos relacionados con la historia del hombre y sus orígenes y antecedentes.

2. Quedan declarados Bienes de Interés Cultural por ministerio de esta Ley las cuevas, abrigos y lugares que contengan manifestaciones de arte rupestre.

Artículo 41. [Concepto de excavación, prospección arqueológica y hallazgo]

1. A los efectos de la presente Ley son excavaciones arqueológicas las remociones en la superficie, en el subsuelo o en los medios subacuáticos que se realicen con el fin de descubrir e investigar toda clase de restos históricos o paleontológicos, así como los componentes geológicos con ellos relacionados.

2. Son prospecciones arqueológicas las exploraciones superficiales o subacuáticas, sin remoción del terreno, dirigidas al estudio, investigación o examen de datos sobre cualquiera de los elementos a que se refiere el apartado anterior.

3. Se consideran hallazgos casuales los descubrimientos de objetos y restos materiales que, poseyendo los valores que son propios del Patrimonio Histórico Español, se hayan producido por azar o como consecuencia de cualquier otro tipo de remociones de tierra, demoliciones u obras de cualquier índole.

Artículo 42. [Autorización para realizar excavaciones o prospecciones arqueológicas]

1. Toda excavación o prospección arqueológica deberá ser expresamente autorizada por la Administración competente, que, mediante los procedimientos de inspección y control idóneos, comprobará que los trabajos estén planteados y desarrollados conforme a un programa detallado y coherente que contenga los requisitos concernientes a la conveniencia, profesionalidad e interés científico.

2. La autorización para realizar excavaciones o prospecciones arqueológicas obliga a los beneficiarios a entregar los objetos obtenidos, debidamente inventariados, catalogados y acompañados de una Memoria, al Museo o centro que la Administración competente determine y en el plazo que se fije, teniendo en cuenta su proximidad al lugar del hallazgo y las circunstancias que hagan posible, además de su adecuada conservación, su mejor función cultural y científica. En ningún caso será de aplicación a estos objetos lo dispuesto en el artículo 44.3 de la presente Ley.

3. Serán ilícitas y sus responsables serán sancionados conforme a lo dispuesto en la presente Ley, las excavaciones o prospecciones arqueológicas realizadas sin la autorización correspondiente, o las que se hubieren llevado a cabo con incumplimiento de los términos en que fueron autorizadas, así como las obras de remoción de tierra, de demolición o cualesquiera otras realizadas con posterioridad en el lugar donde se haya producido un hallazgo casual de objetos arqueológicos que no hubiera sido comunicado inmediatamente a la Administración competente.

Artículo 43. [Competencia para ordenar la ejecución de excavaciones o prospecciones arqueológicas]

La Administración competente podrá ordenar la ejecución de excavaciones o prospecciones arqueológicas en cualquier terreno público o privado del territorio español, en el que se presuma la existencia de yacimientos o restos arqueológicos, paleontológicos o de componentes geológicos con ellos relacionados. A efectos de la correspondiente indemnización regirá lo dispuesto en la legislación vigente sobre expropiación forzosa.

Artículo 44. [Régimen de descubiertos como consecuencia de excavaciones o prospecciones arqueológicas o por azar]

1. Son bienes de dominio público todos los objetos y restos materiales que posean los valores que son propios del Patrimonio Histórico Español y sean descubiertos como consecuencia de excavaciones, remociones de tierra u obras de cualquier índole o por azar. El descubridor deberá comunicar a la Administración competente su descubrimiento en el plazo máximo de treinta días e inmediatamente cuando se trate de hallazgos casuales. En ningún caso será de aplicación a tales objetos lo dispuesto en el artículo 351 del Código Civil.

2. Una vez comunicado el descubrimiento, y hasta que los objetos sean entregados a la Administración competente, al descubridor le serán de aplicación las normas del depósito legal, salvo que los entregue a un Museo público.

3. El descubridor y el propietario del lugar en que hubiere sido encontrado el objeto tienen derecho, en concepto de premio en metálico, a la mitad del valor que en tasación legal se le atribuya, que se distribuirá entre ellos por partes iguales. Si fuesen dos o más los descubridores o los propietarios se mantendrá igual proporción.

4. El incumplimiento de las obligaciones previstas en los apartados 1 y 2 de este artículo privará al descubridor y, en su caso, al propietario del derecho al premio indicado y los objetos quedarán de modo inmediato a disposición de la Administración competente, todo ello sin perjuicio de las responsabilidades a que hubiere lugar y las sanciones que procedan.

5. Se exceptúa de lo dispuesto en este artículo el hallazgo de partes integrantes de la estructura arquitectónica de un inmueble incluido en el Registro de Bienes de Interés Cultural. No obstante el hallazgo deberá ser notificado a la Administración competente en un plazo máximo de treinta días.

Artículo 45. [Depósito de los objetos arqueológicos]

Los objetos arqueológicos adquiridos por los Entes Públicos por cualquier título se depositarán en los Museos o Centros que la Administración adquirente determine, teniendo en cuenta las circunstancias referidas en el artículo 42, apartado 2, de esta Ley.

TÍTULO VI. Del Patrimonio Etnográfico

Artículo 46. [Integración del patrimonio etnográfico en el Patrimonio Histórico Español]

Forman parte del Patrimonio Histórico Español los bienes muebles e inmuebles y los conocimientos y actividades que son o han sido expresión relevante de la cultura tradicional del pueblo español en sus aspectos materiales, sociales o espirituales.

Artículo 47. [Consideración de patrimonio etnográfico]

1. Son bienes inmuebles de carácter etnográfico, y se regirán por lo dispuesto en los Títulos II y IV de la presente Ley, aquellas edificaciones e instalaciones cuyo modelo constitutivo sea expresión de conocimientos adquiridos, arraigados y transmitidos consuetudinariamente y cuya factura se acomode, en su conjunto o parcialmente, a una clase, tipo o forma arquitectónicos utilizados tradicionalmente por las comunidades o grupos humanos.

2. Son bienes muebles de carácter etnográfico, y se regirán por lo dispuesto en los Títulos III y IV de la presente Ley, todos aquellos objetos que constituyen la manifestación o el producto de actividades laborales, estéticas y lúdicas propias de cualquier grupo humano, arraigadas y transmitidas consuetudinariamente.

3. Se considera que tienen valor etnográfico y gozarán de protección administrativa aquellos conocimientos o actividades que procedan de modelos o técnicas tradicionales utilizados por una determinada comunidad. Cuando se trate de conocimientos o actividades que se hallen en previsible peligro de desaparecer, la Administración competente adoptará las medidas oportunas conducentes al estudio y documentación científicos de estos bienes.

TÍTULO VII. Del Patrimonio Documental y Bibliográfico y de los Archivos, Bibliotecas y Museos

CAPÍTULO I. Del Patrimonio Documental y Bibliográfico

Artículo 48. [Constitución del Patrimonio Documental y Bibliográfico y su integración en el Patrimonio Histórico Español]

1. A los efectos de la presente Ley forma parte del Patrimonio Histórico Español el Patrimonio Documental y Bibliográfico, constituido por cuantos bienes, reunidos o no en Archivos y Bibliotecas, se declaren integrantes del mismo en este Capítulo.

2. El Patrimonio Documental y Bibliográfico se regulará por las normas específicas contenidas en este Título. En lo no previsto en ellas le será de aplicación cuanto se dispone con carácter general en la presente Ley y en su régimen de bienes muebles.

Artículo 49. [Concepto de documento y consideración de Patrimonio Documental]

1. Se entiende por documento, a los efectos de la presente Ley, toda expresión en lenguaje natural o convencional y cualquier otra expresión gráfica, sonora o en imagen, recogidas en cualquier tipo de soporte material, incluso los soportes informáticos. Se excluyen los ejemplares no originales de ediciones.

2. Forman parte del Patrimonio Documental los documentos de cualquier época generados, conservados o reunidos en el ejercicio de su función por cualquier organismo o entidad de carácter público, por las personas jurídicas en cuyo capital participe mayoritariamente el Estado u otras entidades públicas y por las personas privadas, físicas o jurídicas, gestoras de servicios públicos en lo relacionado con la gestión de dichos servicios.

3. Forman igualmente parte del Patrimonio Documental los documentos con una antigüedad superior a los cuarenta años generados, conservados o reunidos en el ejercicio de sus actividades por las entidades y asociaciones de carácter político, sindical o religioso y por las entidades, fundaciones y asociaciones culturales y educativas de carácter privado.

4. Integran asimismo el Patrimonio Documental los documentos con una antigüedad superior a los cien años generados, conservados o reunidos por cualesquiera otras entidades particulares o personas físicas.

5. La Administración del Estado podrá declarar constitutivos del Patrimonio Documental aquellos documentos que, sin alcanzar la antigüedad indicada en los apartados anteriores, merezcan dicha consideración.

Artículo 50. [Consideración de Patrimonio Bibliográfico]

1. Forman parte del Patrimonio Bibliográfico las bibliotecas y colecciones bibliográficas de titularidad pública y las obras literarias, históricas, científicas o artísticas de carácter unitario o seriado, en escritura manuscrita o impresa, de las que no conste la existencia de al menos tres ejemplares en las bibliotecas o servicios públicos. Se presumirá que existe este número de ejemplares en el caso de obras editadas a partir de 1958.

2. Asimismo forman parte del Patrimonio Histórico Español y se les aplicará el régimen correspondiente al Patrimonio Bibliográfico los ejemplares producto de ediciones de películas cinematográficas, discos, fotografías, materiales audiovisuales y otros similares, cualquiera que sea su soporte material, de las que no consten al menos tres ejemplares en los servicios públicos, o uno en el caso de películas cinematográficas.

Artículo 51. [Censo de los bienes integrantes del Patrimonio Documental y Catálogo colectivo de los bienes integrantes del Patrimonio Bibliográfico]

1. La Administración del Estado, en colaboración con las demás Administraciones competentes, confeccionará el Censo de los bienes integrantes del Patrimonio Documental y el Catálogo colectivo de los bienes integrantes del Patrimonio Bibliográfico conforme a lo que se determine reglamentariamente.

2. A los efectos previstos en el apartado anterior, la Administración competente podrá recabar de los titulares de derechos sobre los bienes integrantes del Patrimonio Documental y Bibliográfico el examen de los mismos, así como las informaciones pertinentes para su inclusión, si procede, en dichos Censo y Catálogo.

Artículo 52. [Obligaciones de los poseedores de bienes del Patrimonio Documental y Bibliográfico]

1. Todos los poseedores de bienes del Patrimonio Documental y Bibliográfico están obligados a conservarlos, protegerlos, destinarlos a un uso que no impida su conservación y mantenerlos en lugares adecuados.

2. Si los obligados incumplen lo dispuesto en el apartado anterior, la Administración competente adoptará las medidas de ejecución oportunas, conforme a lo previsto en el artículo 36.3 de la presente Ley. El incumplimiento de dichas obligaciones, cuando además sea desatendido el requerimiento por la Administración podrá ser causa de interés social para la expropiación forzosa de los bienes afectados.

3. Los obligados a la conservación de los bienes constitutivos del Patrimonio Documental y Bibliográfico deberán facilitar la inspección por parte de los organismos competentes para comprobar la situación o estado de los bienes y habrán de permitir el estudio por los investigadores, previa solicitud razonada de éstos. Los particulares podrán excusar el cumplimiento de esta última obligación, en el caso de que suponga una intromisión en su derecho a la intimidad personal y familiar y a la propia imagen, en los términos que establece la legislación reguladora de esta materia.

4. La obligación de permitir el estudio por los investigadores podrá ser sustituida por la Administración competente, mediante el depósito temporal del bien en un Archivo, Biblioteca o Centro análogo de carácter público que reúna las condiciones adecuadas para la seguridad de los bienes y su investigación.

Artículo 53. [Bienes de singular relevancia integrantes del Patrimonio Documental y Bibliográfico]

Los bienes integrantes del Patrimonio Documental y Bibliográfico, que tengan singular relevancia, serán incluidos en una sección especial del Inventario General de Bienes Muebles del Patrimonio Histórico Español, conforme al procedimiento establecido en el artículo 26 de esta Ley.

Artículo 54. [Cese en las funciones por las que se tenga patrimonio documental a cargo. Retención indebida]

1. Quienes por la función que desempeñen tengan a su cargo documentos a los que se refiere el artículo 49.2 de la presente Ley están obligados, al cesar en sus funciones, a entregarlos al que les sustituya en las mismas o remitirlos al Archivo que corresponda.

2. La retención indebida de los documentos a que se refiere el apartado anterior por personas o instituciones privadas dará lugar a que la Administración que los hubiera conservado, generado o reunido ordene el traslado de tales bienes a un Archivo público, sin perjuicio de la responsabilidad en que pudiera haberse incurrido.

Artículo 55. [Exclusión o eliminación de bienes del Patrimonio Documental y Bibliográfico]

1. La exclusión o eliminación de bienes del Patrimonio Documental y Bibliográfico contemplados en el artículo 49.2 y de los demás de titularidad pública deberá ser autorizada por la Administración competente.

2. En ningún caso se podrán destruir tales documentos en tanto subsista su valor probatorio de derechos y obligaciones de las personas o los entes públicos.

3. En los demás casos la exclusión o eliminación deberá ser autorizada por la Administración competente a propuesta de sus propietarios o poseedores, mediante el procedimiento que se establecerá por vía reglamentaria.

Artículo 56. [Régimen jurídico de los actos de disposición, exportación e importación de bienes del Patrimonio Documental y Bibliográfico]

1. Los actos de disposición, exportación e importación de bienes constitutivos del Patrimonio Documental y Bibliográfico quedarán sometidos a las disposiciones contenidas en el artículo 5 y Títulos III y IV de la presente Ley que les sean de aplicación.

2. En todo caso, cuando tales bienes sean de titularidad pública serán inexportables, salvo lo previsto en los artículos 31 y 34 de esta Ley.

Artículo 57. [Consulta de los documentos del Patrimonio Documental Español]

1. La consulta de los documentos constitutivos del Patrimonio Documental Español a que se refiere el artículo 49.2 se atendrá a las siguientes reglas:

a) Con carácter general, tales documentos, concluida su tramitación y depositados y registrados en los Archivos centrales de las correspondientes entidades de Derecho Público, conforme a las normas que se establezcan por vía reglamentaria, serán de libre consulta a no ser que afecten a materias clasificadas de acuerdo con la Ley de Secretos Oficiales o no deban ser públicamente conocidos por disposición expresa de la Ley, o que la difusión de su contenido pueda entrañar riesgos para la seguridad y la defensa del Estado o la averiguación de los delitos.

b) No obstante lo dispuesto en el párrafo anterior, cabrá solicitar autorización administrativa para tener acceso a los documentos excluidos de consulta pública. Dicha autorización podrá ser concedida, en los casos de documentos secretos o reservados, por la Autoridad que hizo la respectiva declaración, y en los demás casos por el Jefe del Departamento encargado de su custodia.

c) Los documentos que contengan datos personales de carácter policial, procesal, clínico o de cualquier otra índole que puedan afectar a la seguridad de las personas, a su honor, a la intimidad de su vida privada y familiar y a su propia imagen, no podrán ser públicamente consultados sin que medie consentimiento expreso de los afectados o hasta que haya transcurrido un plazo de veinticinco años desde su muerte, si su fecha es conocida o, en otro caso, de cincuenta años, a partir de la fecha de los documentos.

2. Reglamentariamente se establecerán las condiciones para la realización de la consulta de los documentos a que se refiere este artículo, así como para la obtención de reproducciones de los mismos.

Artículo 58. [Comisión Superior Calificadora de Documentos Administrativos]

El estudio y dictamen de las cuestiones relativas a la calificación y utilización de los documentos de la Administración del Estado y del sector público estatal, así como su integración en los Archivos y el régimen de acceso e inutilidad administrativa de tales documentos corresponderá a una Comisión Superior Calificadora de Documentos Administrativos, cuya composición, funcionamiento y competencias específicas se establecerán por vía reglamentaria. Asimismo podrán constituirse Comisiones Calificadoras en los Organismos públicos que así se determine.

CAPÍTULO II. De los Archivos, Bibliotecas y Museos

Artículo 59. [Concepto de archivo, biblioteca y museo]

1. Son Archivos los conjuntos orgánicos de documentos, o la reunión de varios de ellos, reunidos por las personas jurídicas públicas o privadas, en el ejercicio de sus actividades, al servicio de su utilización para la investigación, la cultura, la información y la gestión administrativa. Asimismo, se entienden por Archivos las instituciones culturales donde se reúnen, conservan, ordenan y difunden para los fines anteriormente mencionados dichos conjuntos orgánicos.

2. Son Bibliotecas las instituciones culturales donde se conservan, reúnen, seleccionan, inventarían, catalogan, clasifican y difunden conjuntos o colecciones de libros, manuscritos y otros materiales bibliográficos o reproducidos por cualquier medio para su lectura en sala pública o mediante préstamo temporal, al servicio de la educación, la investigación, la cultura y la información.

3. Son Museos las instituciones de carácter permanente que adquieren, conservan, investigan, comunican y exhiben para fines de estudio, educación y contemplación conjuntos y colecciones de valor histórico, artístico, científico y técnico o de cualquier otra naturaleza cultural.

Artículo 60. [Consideración de los inmuebles destinados a la instalación de Archivos, Bibliotecas y Museos como Bienes de Interés Cultural]

1. Quedarán sometidos al régimen que la presente Ley establece para los Bienes de Interés Cultural los inmuebles destinados a la instalación de Archivos, Bibliotecas y Museos de titularidad estatal, así como los bienes muebles integrantes del Patrimonio Histórico Español en ellos custodiados.

2. A propuesta de las Administraciones competentes el Gobierno podrá extender el régimen previsto en el apartado anterior a otros Archivos, Bibliotecas y Museos.

3. Los Organismos competentes para la ejecución de esta Ley velarán por la elaboración y actualización de los catálogos, censos y ficheros de los fondos de las instituciones a que se refiere este artículo.

Artículo 61. [Creación de archivos, bibliotecas y museos y comunicación y coordinación entre ellos]

1. La Administración del Estado podrá crear, previa consulta con la Comunidad Autónoma correspondiente, cuantos Archivos, Bibliotecas y Museos considere oportunos, cuando las necesidades culturales y sociales así lo requieran y sin perjuicio de la iniciativa de otros organismos, instituciones o particulares.

2. Los Archivos, Bibliotecas y Museos de titularidad estatal y carácter nacional serán creados mediante Real Decreto.

3. La Administración del Estado promoverá la comunicación y coordinación de todos los Archivos, Bibliotecas y Museos de titularidad estatal existentes en el territorio español. A tal fin podrá recabar de ellos cuanta información considere adecuada, así como inspeccionar su funcionamiento y tomar las medidas encaminadas al mejor cumplimiento de sus fines, en los términos que, en su caso, dispongan los convenios de gestión con las Comunidades Autónomas.

Artículo 62. [Acceso a los Archivos, Bibliotecas y Museos]

La Administración del Estado garantizará el acceso de todos los ciudadanos españoles a los Archivos, Bibliotecas y Museos de titularidad estatal, sin perjuicio de las restricciones que, por razón de la conservación de los bienes en ellos custodiados o de la función de la propia institución, puedan establecerse.

Artículo 63. [Régimen del depósito y custodia de bienes en Archivos, Bibliotecas y Museos]

1. Los Archivos, Bibliotecas y Museos de titularidad estatal podrán admitir en depósito bienes de propiedad privada o de otras Administraciones públicas de acuerdo con las normas que por vía reglamentaria se establezcan.

2. Los Bienes de Interés Cultural, así como los integrantes del Patrimonio Documental y Bibliográfico custodiados en Archivos y Museos de titularidad estatal no podrán salir de los mismos sin previa autorización, que deberá concederse mediante Orden Ministerial. Cuando se trate de objeto en depósito se respetará lo pactado al constituirse.

3. El mismo régimen previsto en el apartado anterior se aplicará a los Bienes de Interés Cultural custodiados en Bibliotecas de titularidad estatal, sin perjuicio de lo que se establezca sobre servicios de préstamos públicos.

Artículo 64. [Declaración de titularidad pública a los fines de su expropiación de edificios o terrenos en que estén instalados o vayan a instalarse Archivos, Bibliotecas y Museos]

Los edificios en que estén instalados Archivos, Bibliotecas y Museos de titularidad pública, así como los edificios o terrenos en que vayan a instalarse, podrán ser declarados de utilidad pública a los fines de su expropiación. Esta declaración podrá extenderse a los edificios o terrenos contiguos cuando así lo requieran razones de seguridad para la adecuada conservación de los inmuebles o de los bienes que contengan.

Artículo 65. [Competencia para la coordinación del funcionamiento de los Archivos y transferencia de documentos]

1. Cada Departamento ministerial asegurará la coordinación del funcionamiento de todos los Archivos del Ministerio y de los Organismos a él vinculados para el mejor cumplimiento de lo preceptuado en la presente Ley y en los reglamentos que se dicten para su aplicación.

2. La documentación de los Organismos dependientes de la Administración del Estado será regularmente transferida, según el procedimiento que por vía reglamentaria se establezca a los Archivos del Estado.

Artículo 66. [Sistemas Españoles de Archivos, de Bibliotecas y de Museos]

Constituyen los Sistemas Españoles de Archivos, de Bibliotecas y de Museos, respectivamente, los Archivos, Bibliotecas y Museos, así como los servicios de carácter técnico o docente directamente relacionados con los mismos, que se incorporen en virtud de lo que se disponga reglamentariamente.

TÍTULO VIII. De las medidas de fomento

Artículo 67. [Acceso al crédito oficial]

El Gobierno dispondrá las medidas necesarias para que la financiación de las obras de conservación, mantenimiento y rehabilitación, así como de las prospecciones y excavaciones arqueológicas realizadas en bienes declarados de interés cultural tengan preferente acceso al crédito oficial en la forma y con los requisitos que establezcan sus normas reguladoras. A tal fin, la Administración del Estado podrá establecer, mediante acuerdos con personas y Entidades públicas y privadas, las condiciones para disfrutar de los beneficios crediticios.

Artículo 68. [Partida del presupuesto de obras públicas para financiar trabajos de conservación o enriquecimiento del Patrimonio Histórico Español]

1. En el presupuesto de cada obra pública, financiada total o parcialmente por el Estado, se incluirá una partida equivalente al menos al 1 por 100 de los fondos que sean de aportación estatal con destino a financiar trabajos de conservación o enriquecimiento del Patrimonio Histórico Español o de fomento de la creatividad artística, con preferencia en la propia obra o en su inmediato entorno.

2. Si la obra pública hubiera de construirse y explotarse por particulares en virtud de concesión administrativa y sin la participación financiera del Estado, el 1 por 100 se aplicará sobre el presupuesto total para su ejecución.

3. Quedan exceptuadas de lo dispuesto en los anteriores apartados las siguientes obras públicas:

a) Aquellas cuyo presupuesto total no exceda de cien millones de pesetas.

b) Las que afecten a la seguridad y defensa del Estado, así como a la seguridad de los servicios públicos.

4. Por vía reglamentaria se determinará el sistema de aplicación concreto de los fondos resultantes de la consignación del 1 por 100 a que se refiere este artículo.

Artículo 69. [Condiciones de acceso a beneficios fiscales por los titulares de derechos sobre bienes integrantes del Patrimonio Histórico Español]

1. Como fomento al cumplimiento de los deberes y en compensación a las cargas que en esta Ley se imponen a los titulares o poseedores de los bienes integrantes del Patrimonio Histórico Español, además de las exenciones fiscales previstas en las disposiciones reguladoras de la Contribución Territorial Urbana y del Impuesto Extraordinario sobre el Patrimonio de las Personas Físicas, se establecen los beneficios fiscales fijados en los artículos siguientes.

2. Para disfrutar de tales beneficios, salvo el establecido en el artículo 72.1, los bienes afectados deberán ser inscritos previamente en el Registro General que establece el artículo 12, en el caso de Bienes de Interés Cultural, y en el Inventario General a que se refieren los artículos 26 y 53, en el caso de bienes muebles. En el caso de Conjuntos Históricos, Sitios Históricos o Zonas Arqueológicas, sólo se considerarán inscritos los inmuebles comprendidos en ellos que reúnan las condiciones que reglamentariamente se establezcan.

3. En los términos que establezcan las ordenanzas municipales, los bienes inmuebles declarados de interés cultural, quedarán exentos del pago de los restantes impuestos locales que graven la propiedad o se exijan por su disfrute o transmisión, cuando sus propietarios o titulares de derechos reales hayan emprendido o realizado a su cargo obras de conservación, mejora o rehabilitación en dichos inmuebles.

4. En ningún caso procederá la compensación con cargo a los Presupuestos Generales del Estado en favor de los Ayuntamientos interesados.

Artículo 70. [Beneficios fiscales en el Impuesto sobre la Renta de las Personas Físicas]

1. Los contribuyentes del Impuesto sobre la Renta de las Personas Físicas tendrán derecho a una deducción sobre la cuota equivalente al 20 por 100 de las inversiones que realicen en la adquisición, conservación, reparación, restauración, difusión y exposición de bienes declarados de interés cultural, en las condiciones que por vía reglamentaria se señalen. El importe de la deducción en ningún caso podrá exceder del 30 por 100 de la base imponible.

2. Asimismo, los contribuyentes de dicho impuesto tendrán derecho a deducir de la cuota el 20 por 100 de las donaciones puras y simples que hicieren en bienes que formen parte del Patrimonio Histórico Español siempre que se realizaren en favor del Estado y demás Entes Públicos, así como de las que se lleven a cabo en favor de los establecimientos, instituciones, fundaciones o asociaciones, incluso las de hecho de carácter temporal, para arbitrar fondos, clasificadas o declaradas benéficas o de utilidad pública por los Organos competentes del Estado, cuyos cargos de patronos, representantes legales o gestores de hecho sean gratuitos, y se rindan cuentas al órgano de protectorado correspondiente. La base de esta deducción no podrá exceder del 30 por 100 de la base imponible.

Artículo 71. [Beneficios fiscales en el Impuesto sobre Sociedades]

—

Artículo 71 derogado por Ley 43/1995, 27 diciembre («B.O.E.» 28 diciembre), del Impuesto sobre Sociedades

Artículo 72. [Exenciones fiscales]

1. Quedan exentas del pago del Impuesto sobre el Lujo y del Impuesto sobre el Tráfico de Empresas las adquisiciones de obras de arte siempre que sus autores vivan en el momento de la transmisión.

2. Quedan exentas de todo tributo las importaciones de bienes muebles que sean incluidos en el Inventario o declarados de interés cultural conforme a los artículos 26.3 y 32.3, respectivamente. La solicitud presentada a tal efecto por sus propietarios, en el momento de la importación, tendrá efectos suspensivos de la deuda tributaria.

Artículo 73. [Pago de deudas tributarias mediante la entrega de bienes del Patrimonio Histórico Español]

El pago de las deudas Tributarias podrá efectuarse mediante la entrega de bienes que formen parte del Patrimonio Histórico Español, que estén inscritos en el Registro General de Bienes de Interés Cultural o incluidos en el Inventario General, en los términos y condiciones previstos reglamentariamente.

Artículo 74. [Junta de Calificación, Valoración y Exportación de Bienes del Patrimonio Histórico Español]

Las valoraciones necesarias para la aplicación de las medidas de fomento que se establecen en el presente Título se efectuarán en todo caso por la Junta de Calificación, Valoración y Exportación de Bienes del Patrimonio Histórico Español, en los términos y conforme al procedimiento que se determine por vía reglamentaria. En el supuesto del artículo anterior, las valoraciones citadas no vincularán al interesado, que podrá optar por el pago en metálico.

TÍTULO IX. De las infracciones administrativas y sus sanciones

Artículo 75. [Delito e infracción de contrabando]

1. La exportación de un bien mueble integrante del Patrimonio Histórico Español que se realice sin la autorización prevista en el artículo 5 de esta Ley, constituirá delito, o en su caso, infracción de contrabando, de conformidad con la legislación en esta materia. Serán responsables solidarios de la infracción o delito cometido cuantas personas hayan intervenido en la exportación del bien y aquellas otras que por su actuación u omisión, dolosa o negligente, la hubieren facilitado o hecho posible.

2. La fijación del valor de los bienes exportados ilegalmente se realizará por la Junta de Calificación, Valoración y Exportación de Bienes del Patrimonio Histórico Español, dependiente de la Administración del Estado, cuya composición y funciones se establecerán por vía reglamentaria.

Artículo 76. [Infracciones y sanciones administrativas]

1. Salvo que sean constitutivos de delito, los hechos que a continuación se mencionan constituyen infracciones administrativas que serán sancionadas conforme a lo dispuesto en este artículo:

a) El incumplimiento por parte de los propietarios o de los titulares de derechos reales o los poseedores de los bienes de las disposiciones contenidas en los artículos 13, 26.2, 4 y 6, 28, 35.3, 36.1 y 2, 38.1, 39, 44, 51.2 y 52.1 y 3.

b) La retención ilícita o depósito indebido de documentos según lo dispuesto en el artículo 54.1.

c) El otorgamiento de licencias para la realización de obras que no cumplan lo dispuesto en el artículo 23.

d) La realización de obras en Sitios Históricos o Zonas Arqueológicas sin la autorización exigida por el artículo 22.

e) La realización de cualquier clase de obra o intervención que contravenga lo dispuesto en los artículos 16, 19, 20, 21, 25, 37 y 39.

f) La realización de excavaciones arqueológicas u otras obras ilícitas a que se refiere el artículo 42.3.

g) El derribo, desplazamiento o remoción ilegales de cualquier inmueble afectado por un expediente de declaración de Bien de Interés Cultural.

h) La exportación ilegal de los bienes a que hacen referencia los artículos 5 y 56.1 de la presente Ley.

i) El incumplimiento de las condiciones de retorno fijadas para la exportación temporal legalmente autorizada.

j) La exclusión o eliminación de bienes del Patrimonio Documental y Bibliográfico que contravenga lo dispuesto en el artículo 55.

2. Cuando la lesión al Patrimonio Histórico Español ocasionada por las infracciones a que se refiere el apartado anterior sea valorable económicamente, la infracción será sancionada con multa de tanto al cuádruplo del valor del daño causado.

3. En los demás casos se impondrán las siguientes sanciones:

A) Multa de hasta 10.000.000 de pesetas en los supuestos a) y b) del apartado 1.

B) Multa de hasta 25.000.000 de pesetas en los supuestos c), d), e) y f) del apartado 1.

C) Multa de hasta 100.000.000 de pesetas en los supuestos g), h), i) y j) del apartado 1.

Artículo 77. [Expediente sancionador]

1. Las sanciones administrativas requerirán la tramitación de un expediente con audiencia del interesado para fijar los hechos que las determinen y serán proporcionales de la gravedad de los mismos, a las circunstancias personales del sancionado y al perjuicio causado o que pudiera haberse causado al Patrimonio Histórico Español.

2. Las multas que se impongan a distintos sujetos como consecuencia de una misma infracción tendrán carácter independiente entre sí.

Artículo 78. [Competencia para sancionar]

Las multas de hasta 25.000.000 de pesetas serán impuestas por los Organismos competentes para la ejecución de esta Ley. Las de cuantía superior a 25.000.000 de pesetas serán impuestas por el Consejo de Ministros o los Consejos de Gobierno de las Comunidades Autónomas.

Artículo 79. [Prescripción de las infracciones administrativas]

1. Las infracciones administrativas contra lo dispuesto en esta Ley prescribirán a los cinco años de haberse cometido, salvo las contenidas en los apartados g), h), i) y j) del artículo 76.1, que prescribirán a los diez años.

2. En todo lo no previsto en el presente Título será de aplicación el Capítulo II del Título VI de la Ley de Procedimiento Administrativo.

DISPOSICIONES ADICIONALES

Primera. [Régimen jurídico y denominación de los bienes declarados antes de la entrada en vigor de esta ley]

Los bienes que con anterioridad hayan sido declarados histórico-artísticos o incluidos en el Inventario del Patrimonio Artístico y Arqueológico de España pasan a tener la consideración y a denominarse Bienes de Interés Cultural; los muebles que hayan sido declarados integrantes del Tesoro o incluidos en el Inventario del Patrimonio Histórico-Artístico tienen la condición de bienes inventariados conforme al artículo 26 de esta Ley, sin perjuicio de su posible declaración expresa como Bienes de Interés Cultural. Todos ellos quedan sometidos al régimen jurídico que para esos bienes la presente Ley establece.

Segunda. [Consideración de bienes de interés cultural]

Se consideran asimismo de Interés Cultural y quedan sometidos al régimen previsto en la presente Ley los bienes a que se contraen los Decretos de 22 de abril de 1949, 571/1963 y 449/1973.

Tercera. [Integración de documentos]

1. Los documentos del Inventario del Patrimonio Artístico y Arqueológico de España se incorporarán al Registro General al que se refiere el artículo 12 de esta Ley.

2. Los documentos del Inventario del Tesoro Artístico Nacional se incorporarán al Inventario General de Bienes Muebles previsto en el artículo 26.

3. Asimismo, los documentos propios del Censo-Guía de Archivos se incorporarán al Censo del Patrimonio Documental y los del Catálogo General del Tesoro Bibliográfico pasarán al Catálogo Colectivo.

4. Por la Dirección General de Bellas Artes y Archivos se procederá a la integración de los documentos a que se refieren los apartados precedentes en el plazo de un año a partir de la entrada en vigor de la presente Ley.

Cuarta. [Condiciones para la exención fiscal]

La exigencia a que se refiere el artículo 69.2 de la presente Ley obligará igualmente a los titulares de los bienes señalados en el artículo 6 j), de la Ley 50/1977, de 14 de noviembre, sobre Medidas Urgentes de Reforma Fiscal, para beneficiarse de la exención que en el mismo se prevé. La misma exigencia se incorpora a las establecidas en el Real Decreto 1382/1978, de 2 de junio, en el que la referencia al Inventario contenida en su artículo 2 queda suprimida.

Quinta. [Régimen jurídico de los bienes integrantes del patrimonio nacional]

Quedan sujetos a cuanto se dispone en esta Ley cuantos bienes muebles e inmuebles formen parte del Patrimonio Nacional y puedan incluirse en el ámbito del artículo 1, sin perjuicio de su afectación y régimen jurídico propio.

Sexta. [Acuerdos, convenios y tratados internacionales para el reintegro de bienes ilegalmente exportados]

El Gobierno negociará en los correspondientes acuerdos, convenios y tratados internacionales cláusulas tendentes a reintegrar al territorio español los bienes culturales que hayan sido exportados ilegalmente.

Séptima. [Sujeción a los acuerdos internacionales y a las resoluciones y recomendaciones de los organismos internacionales]

Sin perjuicio de lo dispuesto en la presente Ley, las Administraciones a quienes corresponda su aplicación quedarán también sujetas a los acuerdos internacionales válidamente celebrados por España. La actividad de tales Administraciones estará asimismo encaminada al cumplimiento de las resoluciones y recomendaciones que, para la protección del Patrimonio Histórico, adopten los Organismos Internacionales de los que España sea miembro.

Octava. [Competencia para la aceptación de donaciones, herencias o legados a favor de la Administración]

La aceptación de donaciones, herencias o legados a favor del Estado, aunque se señale como beneficiario a algún otro órgano de la Administración, relativos a toda clase de bienes que constituyan expresión o testimonio de la creación humana y tengan un valor cultural, bien sea de carácter histórico, artístico, científico o técnico, corresponderá al Ministerio de Cultura, entendiéndose aceptada la herencia a beneficio de inventario.

Corresponderá asimismo a dicho Ministerio aceptar análogas donaciones en metálico que se efectúen con el fin específico y concreto de adquirir, restaurar o mejorar alguno de dichos bienes. El importe de esta donación se ingresará en el Tesoro Público y generará crédito en el concepto correspondiente del presupuesto del Ministerio de Cultura.

Por el Ministerio de Cultura se informará al Ministerio de Economía y Hacienda de las donaciones, herencias o legados que se acepten conforme a lo dispuesto en los párrafos anteriores.

Novena. [Compromiso de indemnizar por la destrucción, pérdida, sustracción o daño de obras de relevante interés cedidas temporalmente]

1. El Estado podrá comprometerse a indemnizar por la destrucción, pérdida, sustracción o daño de aquellas obras de relevante interés artístico, histórico, paleontológico, arqueológico, etnográfico, científico o técnico que se cedan temporalmente para su exhibición pública a museos, bibliotecas o archivos de titularidad estatal y competencia exclusiva del Ministerio de Educación, Cultura y Deporte y sus organismos públicos adscritos.

2. A los efectos de esta disposición, la Fundación Colección Thyssen-Bornemisza tendrá la misma consideración que los museos señalados en el párrafo anterior.

3. El otorgamiento del compromiso del Estado se acordará para cada caso por el Ministro de Cultura a solicitud de la entidad cesionaria.

En dicho acuerdo se precisará la obra u obras a que se refiere, la cuantía, los requisitos de seguridad y protección exigidos y las obligaciones que deban ser cumplidas por los interesados.

El límite máximo del compromiso que se otorgue a una obra o conjunto de obras para su exhibición en una misma exposición así como el límite del importe total acumulado de los compromisos otorgados por el Estado se establecerán en las leyes anuales de Presupuestos Generales del Estado.

4. Por Real Decreto, a propuesta de los Ministros de Cultura, y de Economía y Hacienda, se regulará el procedimiento y requisitos para el otorgamiento de este compromiso y la forma de hacerlo efectivo en su caso.

Disposición adicional décima. Arrendamiento de colecciones de bienes muebles integrantes del Patrimonio Histórico Español por determinadas entidades del sector público

1. El arrendamiento, con o sin opción de compra, por parte de las entidades del sector público que, con arreglo al artículo 3 de la Ley 9/2017, de 8 de noviembre, de Contratos del Sector Público, por la que se transponen al ordenamiento jurídico español las Directivas del Parlamento Europeo y del Consejo 2014/23/UE y 2014/24/UE, de 26 de febrero de 2014, tengan la consideración de poder adjudicador no Administración Pública, de colecciones de bienes muebles integrantes del Patrimonio Histórico Español cuyo interés excepcional haya sido declarado por la Junta de Calificación, Valoración y Exportación de Bienes del Patrimonio Histórico Español, u órgano equivalente de las comunidades autónomas, tendrá naturaleza de contrato privado; y su preparación y adjudicación se regirán por lo dispuesto en el artículo 26 de la Ley 9/2017, de 8 de noviembre.

En cuanto a sus efectos y extinción, con carácter general les serán aplicables las normas de derecho privado. No obstante, cuando el contrato tenga la consideración de contrato sujeto a regulación armonizada con arreglo a lo previsto en la Ley 9/2017, de 8 de noviembre, le será aplicable lo dispuesto en el párrafo segundo del artículo 26.3 de dicha ley, salvo las normas relativas a la racionalización técnica de la contratación. Asimismo, no será obligatorio el establecimiento de condiciones especiales de ejecución, pero, de incorporarse, en todo caso deberán estar vinculadas al objeto del contrato, en el sentido del artículo 145.6 de la Ley 9/2017, de 8 de noviembre, no serán directa o indirectamente discriminatorias, serán compatibles con el Derecho de la Unión Europea y se indicarán en el expediente de la contratación.

No obstante, no resultarán de aplicación los siguientes preceptos de la Ley 9/2017, de 8 de noviembre:

a) El artículo 29, relativo al plazo de duración de los contratos y de ejecución de la prestación. En estos contratos, el plazo de duración será como máximo de 15 años.

b) El capítulo II del título III del libro I, relativo a la revisión de precios de los contratos de las entidades del sector público, así como lo dispuesto en la Ley 2/2015, de 30 de marzo, de desindexación de la economía española.

En los contratos a los que se refiere esta disposición, excepcionalmente, cuando la duración sea superior a 5 años, podrá preverse la revisión anual periódica y predeterminada del precio. Esta revisión en ningún caso podrá conllevar incrementos de la renta superiores al índice de precios al consumo del correspondiente año.

c) Los artículos 198.4 y 210.4, relativos a las condiciones especiales de pago.

Asimismo, el pago de cada anualidad de renta podrá efectuarse de forma anticipada, sin que resulte exigible ningún otro requisito adicional.

La resolución de controversias sobre los efectos y extinción del contrato podrá encomendarse a una Comisión mixta, compuesta por representantes de los arrendadores y de la entidad del sector público arrendataria. Si transcurrido un mes dicha Comisión no lograra un acuerdo, podrá acudirse a la jurisdicción civil.

2. Al arrendamiento de estos bienes se le podrá aplicar el procedimiento negociado sin publicidad correspondiente a aquellos supuestos en los que la ejecución solo puede encomendarse a un empresario determinado, previsto en el artículo 168.a) 2.º de la Ley 9/2017, de 8 de noviembre, previa acreditación de que no existen alternativas equivalentes y de los demás requisitos exigidos al efecto, con las siguientes especialidades respecto de lo establecido en la Ley 9/2017, de 8 de noviembre:

a) En estos contratos, el pliego de cláusulas administrativas particulares será sustituido por el propio clausulado del contrato, sin perjuicio de la obligación del órgano de contratación de elaborar el correspondiente expediente; así como el informe previsto en el artículo 336 de la Ley 9/2017, 8 de noviembre, en el caso de contratos sujetos a regulación armonizada.

b) La acreditación de la titularidad de los bienes, o de otro derecho real que permita ceder su uso, así como de los requisitos de capacidad del arrendador, se realizará conforme a las normas de derecho privado aplicables. La solvencia se entenderá justificada con la acreditación de la titularidad de las obras o del derecho real que permita ceder su uso.

c) En el caso de que la colección de bienes muebles esté integrada por un conjunto de obras que pertenezcan a más de un titular, podrán concurrir todos ellos conjuntamente a la licitación, previa acreditación de dicha titularidad, sin necesidad de constituir una unión de empresarios. Esta misma previsión será aplicable a los supuestos en que sean varios los titulares de cualesquiera otros derechos que permitan ceder el uso de las obras que integran la colección.

Cada uno de los titulares deberá tener plena capacidad de obrar y no estar incurso en ninguna prohibición de contratar.

Los titulares quedarán obligados solidariamente y deberán nombrar un representante para ejercitar los derechos y cumplir las obligaciones que del contrato se deriven hasta la extinción del mismo.

Undécima. Adquisición por las entidades del sector público de bienes muebles integrantes del Patrimonio Histórico Español

1. Con independencia de los procedimientos para el ejercicio de los derechos de adquisición preferente previstos en los artículos 33 y 38 de la presente ley, la adquisición

por parte de las entidades del sector público de bienes muebles integrantes del Patrimonio Histórico Español tendrá naturaleza de contrato privado; y su preparación y adjudicación se regirán por lo dispuesto en el artículo 26 de la Ley 9/2017, de 8 de noviembre, de Contratos del Sector Público, por la que se transponen al ordenamiento jurídico español las Directivas del Parlamento Europeo y del Consejo 2014/23/UE y 2014/24/UE, de 26 de febrero de 2014.

En cuanto a sus efectos y extinción, con carácter general les serán aplicables las normas de derecho privado. No obstante, cuando el contrato merezca la consideración de contrato sujeto a regulación armonizada con arreglo a lo previsto en la Ley 9/2017, de 8 de noviembre, le será aplicable, según proceda, lo dispuesto en el párrafo segundo del apartado 2 del artículo 26 o en el párrafo segundo del apartado 3 del artículo 26 de dicha Ley, salvo las normas relativas a la racionalización técnica de la contratación.

2. A las adquisiciones de estos bienes se les podrá aplicar el procedimiento negociado sin publicidad correspondiente a aquellos supuestos en los que la ejecución solo puede encomendarse a un empresario determinado, previsto en el artículo 168.a) 2.° de la Ley 9/2017, de 8 de noviembre, según lo indicado en los apartados 3 y 4 de esta disposición, con las siguientes especialidades respecto de lo establecido en la Ley 9/2017, de 8 de noviembre:

a) En estos contratos, el pliego de cláusulas administrativas particulares será sustituido por el propio clausulado del contrato.

b) Podrá aplazarse el pago del precio convenido en varios ejercicios económicos si así se acuerda con el interesado.

c) La acreditación de la titularidad de los bienes, así como de los requisitos de capacidad del vendedor, se realizará conforme a las normas de derecho privado aplicables, no siendo necesario acreditar su solvencia, excepto cuando se trate de contratos sujetos a regulación armonizada de acuerdo con lo establecido en la Ley 9/2017, de 8 de noviembre.

3. Cuando las adquisiciones de bienes del Patrimonio Histórico se destinen a museos, archivos o bibliotecas de titularidad estatal o autonómica, solo podrán realizarse si cuentan, respectivamente, con informe previo favorable emitido por la Junta de Calificación, Valoración y Exportación de Bienes del Patrimonio Histórico Español o del organismo equivalente reconocido al efecto de la Comunidad Autónoma titular del archivo, biblioteca o museo destinatario del bien.

Dichos informes deberán hacer referencia al precio de compra, a la pertenencia del bien al patrimonio histórico español, conforme a la definición del mismo del artículo 1.2 de esta ley, y a la unicidad del bien, a los efectos previstos en el artículo 168.a) 2.° de la Ley 9/2017, de 8 de noviembre, como requisito inexcusable para la aplicación del procedimiento previsto en esta disposición.

4. En los expedientes de adquisición de bienes de esta naturaleza destinados a instituciones diferentes de las contempladas en el apartado anterior y que por tanto no hayan sido informadas por la Junta de Calificación, Valoración y Exportación de Bienes del Patrimonio Histórico Español u organismo equivalente reconocido al efecto de las Comunidades Autónomas, además de la condición de bien del patrimonio histórico y la disponibilidad de crédito, deberá justificarse la oportunidad de la compra, incorporando la correspondiente memoria, valoración económica e informe técnico, que incluirá la Motivación de la unicidad en los términos previstos en el apartado anterior.

5. Cuando no concurran los requisitos previstos en los apartados 3 y 4, la adquisición se regulará por lo dispuesto en la Ley 9/2017, de 8 de noviembre.

DISPOSICIONES TRANSITORIAS

Primera. [Vigencia temporal de disposiciones reglamentarias anteriores a esta ley]
En tanto se elaboran las normas precisas para el desarrollo y aplicación de la presente Ley, se entenderán vigentes las de rango reglamentario que regulan el Patrimonio Histórico-Artístico Español, el Tesoro Documental y Bibliográfico, los Archivos, Bibliotecas y Museos, en todo aquello que no contravenga lo dispuesto en la misma.

Segunda. [Reglamento de Organización, Funcionamiento y Personal de los Archivos, Bibliotecas y Museos de Titularidad Estatal]
En el plazo de un año a partir de la entrada en vigor de la presente Ley, el Gobierno, a propuesta del Ministerio de Cultura, dictará el Reglamento de Organización, Funcionamiento y Personal de los Archivos, Bibliotecas y Museos de Titularidad Estatal, así como de los servicios técnicos o docentes relacionados con ellos o con las actividades que competen a la Administración del Estado en la protección del Patrimonio Histórico Español.

Tercera. [Plazo para comunicar la existencia de bienes muebles o documentales y efectos de la misma]
Quienes a la entrada en vigor de la presente Ley fuesen propietarios, poseedores o tenedores de algunos de los bienes a que se refieren los artículos 26 y 53 de la presente Ley dispondrán del plazo de un año para comunicar la existencia de dichos bienes a la Administración competente. En tal caso, la citada comunicación determinará la exención, en relación a tales bienes, de cualesquiera impuestos o gravámenes no satisfechos con anterioridad, así como de toda responsabilidad frente a la Hacienda Pública o los restantes Organos de la Administración por incumplimientos, sanciones, recargos o intereses de demora.

Cuarta. [Desarrollo reglamentario de las condiciones para la exención]
–
Disposición Transitoria 4ª derogada por Ley 43/1995, 27 diciembre («B.O.E.» 28 diciembre), del Impuesto sobre Sociedades

Quinta. [Cesión o transmisión de bienes muebles integrantes del Patrimonio Histórico Español]
En los diez años siguientes a la entrada en vigor de esta Ley, lo dispuesto en el artículo 28.1 de la misma se entenderá referido a los bienes muebles integrantes del Patrimonio Histórico Español en posesión de las instituciones eclesiásticas.

Sexta. [Régimen transitorio de los expedientes sobre declaración de bienes inmuebles de valor histórico-artístico incoados con anterioridad a la entrada en vigor de esta ley y de la autorización de obras]
1. La tramitación y efectos de los expedientes sobre declaración de bienes inmuebles de valor histórico-artístico incoados con anterioridad a la entrada en vigor de esta Ley se regirán por la normativa en virtud de la cual han sido iniciados, pero su resolución se efectuará en todo caso mediante Real Decreto, y con arreglo a las categorías previstas en el artículo 14.2 de la presente Ley.
2. En los Conjuntos Históricos ya declarados que dispongan de un Plan Especial de Protección u otro instrumento de planeamiento del área afectada por la declaración, aprobado con anterioridad a la entrada en vigor de esta Ley, la autorización de obras se regirá por lo dispuesto en el artículo 20.3 hasta que no se haya obtenido de la Administración

competente el informe favorable sobre el instrumento de planeamiento a aplicar. A estos efectos se entenderá emitido informe favorable transcurrido un año desde la presentación del Plan, sin que haya recaído resolución expresa.

Séptima. [Retirar la publicidad comercial y conducciones]

En el plazo de cinco años a partir de la entrada en vigor de la Ley, los responsables de la instalación deberán retirar la publicidad comercial, así como los cables y conducciones a que se refiere el artículo 19.3.

Octava. [Consideración de bienes de interés cultural de los parajes pintorescos]

Los Parajes Pintorescos a que se refiere la disposición transitoria de la Ley 15/1975, de 2 de mayo, de Espacios Naturales Protegidos, mientras no sean reclasificados conforme a su disposición final, conservarán la condición de Bienes de Interés Cultural.

DISPOSICIÓN FINAL [Autorizaciones al Gobierno]

1. Se autoriza al Gobierno para dictar, además de las disposiciones reglamentarias expresamente previstas en la presente Ley, las que sean precisas para su cumplimiento.

2. El Gobierno queda, asimismo, autorizado para proceder por vía reglamentaria a la actualización de la cuantía de las multas que se fijan en el artículo 76 de la presente Ley, sin que los porcentajes de los incrementos que por tal vía se establezcan puedan ser superiores, en ningún caso, al Indice Oficial del Coste de Vida.

3. La Ley de Presupuestos Generales del Estado podrá determinar anualmente las fórmulas de actualización de la base imponible y de los tipos de gravamen de la tasa por exportación a que se refiere el artículo 30.

4. Se autoriza también al Gobierno para que, a iniciativa del Ministerio de Cultura y a propuesta del Ministerio del Interior, disponga la creación en los Cuerpos y Fuerzas de Seguridad del Estado de un Grupo de Investigación formado por personal especializado en las materias que son objeto de la presente Ley y destinado a perseguir sus infracciones.

DISPOSICIÓN DEROGATORIA [Derogaciones]

1. Quedan derogados la Ley de 7 de julio de 1911, sobre Excavaciones Arqueológicas; el Real Decreto-ley de 9 de agosto de 1926, sobre Protección, Conservación y Acrecentamiento de la Riqueza Artística; la Ley de 10 de diciembre de 1931, sobre Enajenación de Bienes Artísticos, Arqueológicos e Históricos de más de Cien Años de Antigüedad; la Ley de 13 de mayo de 1933, sobre Defensa, Conservación y Acrecentamiento del Patrimonio Histórico Artístico; la Ley de 22 de diciembre de 1955, sobre Conservación del Patrimonio Histórico Artístico; el Decreto 1641/1959, de 23 de septiembre, sobre Exportación de Objetos de Valor e Interés Arqueológico o Artístico y de Imitaciones o Copias; la Ley 26/1972, de 21 de junio, sobre Defensa del Tesoro Documental y Bibliográfico de la Nación, salvo las disposiciones relativas al Centro Nacional del Tesoro Documental y Bibliográfico, las cuales, no obstante, tendrán en adelante rango reglamentario, y el Real Decreto 2832/1978, de 27 de octubre, sobre el 1 por 100 Cultural.

2. Asimismo quedan derogadas cuantas disposiciones se opongan a lo establecido en la presente Ley.

2. LEY 10/2015, DE 26 DE MAYO, PARA LA SALVAGUARDIA DEL PATRIMONIO CULTURAL INMATERIAL

BOE 27 mayo 2015, núm. 126, [pág. 45285, Núm. Págs. 16].

PREÁMBULO

I. Los bienes culturales inmateriales

El concepto de patrimonio cultural ha seguido un ininterrumpido proceso de ampliación a lo largo del último siglo. De lo artístico e histórico y de lo monumental como valores y tipologías centrales, ha pasado a incorporar también otros elementos que integran una nueva noción ampliada de la cultura. Responde ésta a una nueva concepción derivada de la teorización científica de la etnología y la antropología, a la que se asocia un incremento de la conciencia social acerca de estas otras expresiones y manifestaciones de la cultura. Este proceso se podría sintetizar ahora en la propuesta doctrinal del tránsito de los «bienes cosa» a los «bienes actividad» o, dicho en términos más actuales, de los bienes materiales a los bienes inmateriales.

Sin perjuicio de que, en esencia, en todos los bienes culturales hay un componente simbólico no tangible y que la imbricación entre lo material e inmaterial es profunda y, en muchos casos, inescindible, la conformación externa de los soportes a través de los que se manifiesta el patrimonio cultural es lo que permite esa distinción entre lo material e inmaterial como asuntos singulares y distintos. Y ello comporta fórmulas y técnicas jurídicas claramente diferenciadas a la hora de su protección. Mientras que en la protección de los primeros prima la «conservación» del bien en su configuración prístina y en su ubicación territorial (sobre todo en los de carácter inmueble), en los segundos destaca una acción de «salvaguardia» de las prácticas y de las comunidades portadoras con el fin de preservar las condiciones de su intrínseco proceso evolutivo, que se realiza a través de la transmisión intra e intergeneracional. Los bienes inmateriales también poseen un «locus» espacial, pero éste puede presentar ámbitos y alcances más difusos en tanto en ellos prima la comunidad portadora de las formas culturales que los integran, así como su carácter dinámico y su capacidad de ser compartido.

El proceso de emergencia del patrimonio inmaterial es largo en el tiempo. Los estudios etnográficos y antropológicos, desde que lograron estatus científico en los últimos años del siglo XIX, habían ido impulsando el florecimiento del interés hacia las formas de expresión de la cultura tradicional. Valga recordar, entre los estudiosos de folclore en España, la labor de Antonio Machado Álvarez, padre de los hermanos Machado, y su entonces moderna y avanzada concepción del folclore, creador, en 1881, de la «Sociedad para la recopilación y estudio del saber y de las tradiciones populares», siguiendo la estela de otras iniciativas adoptadas en aquellos años fuera de España, principalmente en Inglaterra. Y esas reflexiones se irán consolidando con el amplio desarrollo científico de la antropología y la etnología a lo largo del siglo XX.

Sin embargo, a diferencia del patrimonio histórico material, el ahora llamado patrimonio inmaterial no llegó a tener, durante la mayor parte de dicho siglo, un lugar en el sistema de protección jurídica del patrimonio.

En efecto, la inserción de las manifestaciones culturales inmateriales en el ordenamiento jurídico es un hecho nuevo, que sólo ha empezado a tomar cuerpo en las últimas décadas, al compás de su creciente aprecio social. Esta inserción ha ido acompañada de un proceso de renovación jurídico doctrinal sobre el patrimonio cultural, en la que es obligado recordar la aportación en Italia, en la década de los años setenta del siglo precedente, de la llamada Comisión Franceschini y de la construcción doctrinal del iuspublicista Giannini, que proponen un nuevo concepto amplio y abierto de bienes culturales como «todo aquello que incorpora una referencia a la Historia de la Civilización forma parte del Patrimonio Histórico».

Este proceso de valorización jurídica presenta dos campos diferenciados de concreción, el de los instrumentos internacionales y el del derecho interno.

II. La legislación española

Los bienes culturales inmateriales apenas fueron contemplados en las primeras normas generales del patrimonio cultural. Así, el Real Decreto-ley de 9 de agosto de 1926, sobre protección, conservación y acrecentamiento de la riqueza artística, únicamente hace una referencia a lo «típico» y lo «pintoresco», pero ceñida a los conjuntos arquitectónicos. La Ley sobre defensa, conservación y acrecentamiento del patrimonio histórico-artístico nacional, de 13 de mayo de 1933, realiza, en su artículo 3, una escueta referencia a los parajes pintorescos que deban ser preservados de destrucciones o reformas perjudiciales. Estos bienes aparecerán de forma más nítida en los Decretos de 1953 y de 1961, que se refieren a los inventarios, catálogos y servicios propios del patrimonio etnológico o folclórico, pero también de carácter material.

La Constitución Española de 1978 ofrecerá un marco conceptual ya claramente receptivo al patrimonio inmaterial, pionero en el contexto constitucional europeo. Esto es nítidamente perceptible a lo largo de su redacción. Ya el propio Preámbulo, quintaesencia del contenido del texto, es palmariamente expresivo cuando encomienda a la Nación española «proteger a todos los españoles y pueblos de España en el ejercicio de los derechos humanos, sus culturas y tradiciones, lenguas e instituciones». Igualmente expresivo lo es el artículo 3.3, cuando, desde una perspectiva no exclusivamente lingüística sino cultural más amplia, declara la pluralidad lingüística española como una riqueza que ha de ser protegida como un patrimonio cultural: «la riqueza de las distintas modalidades lingüísticas de España es un patrimonio cultural, que será objeto de especial respeto y protección». Otro paso lo da el artículo 46 que, en primer lugar, desbordando las tradicionales denominaciones de patrimonio «histórico y artístico» agrega ahora un tercer valor, el «cultural», que ensancha indudablemente el concepto de lo protegido para dar cabida a lo que ahora se denomina como cultura inmaterial. Por último, el artículo 149.1.28.ª redunda en la referencia al patrimonio cultural, junto al artístico y monumental español.

Será, en el ámbito de la legislación estatal, la Ley 16/1985, de 25 de junio, del Patrimonio Histórico Español, el texto que comience a considerar explícitamente los valores inmateriales anunciados en la Constitución, en la invocación a los «conocimientos y actividades», en el seno del patrimonio etnográfico, como nuevo objeto de protección. El Título VI, que responde al rótulo de Patrimonio Etnográfico, establece en el artículo 46 que forman parte del Patrimonio Histórico Español «los bienes muebles e inmuebles y los conocimientos y actividades que son o han sido expresión relevante de la cultura tradicional del pueblo español en sus aspectos materiales, sociales o espirituales». A su vez, el artículo 47 especifica que «se considera que tienen valor etnográfico y gozarán de protección administrativa aquellos conocimientos o actividades que procedan de modelos o técnicas tradicionales utilizados por una determinada comunidad».

De igual modo, cabe señalar que todas las Comunidades Autónomas, en aplicación de sus competencias exclusivas en materia de patrimonio cultural, han procedido a la regulación normativa de esta materia. Así, la normativa autonómica sobre patrimonio histórico o cultural aprobada entre los años 1990 y 2013 ha venido incorporando, con diferentes fórmulas y denominaciones, los bienes culturales inmateriales.

Es importante destacar que la disposición final primera de la Ley 18/2013, de 12 de noviembre, para la regulación de la Tauromaquia como patrimonio cultural, encomienda expresamente al Gobierno el impulso de las reformas normativas necesarias para recoger, dentro de la legislación española, el mandato y objetivos de la Convención para la Salvaguardia del Patrimonio Cultural Inmaterial de la UNESCO.

Finalmente, es oportuno recordar, desde la perspectiva del derecho comparado, que los bienes culturales inmateriales se han hecho visibles en los ordenamientos jurídicos nacionales, especialmente en los iberoamericanos. Esta visibilidad, que traduce una nueva conciencia social, se manifiesta de forma privilegiada, en tanto que normas supremas, en las Constituciones. Los textos constitucionales nuevos o renovados de las últimas décadas muestran una marcada tendencia a incorporar estas ideas, en unos casos de forma directa y en otros mediante un nuevo contexto conceptual que favorece su comprensión como parte del patrimonio cultural. Es el caso, aparte de la Constitución Española de 1978, de las Constituciones de Brasil (1988), Colombia (1991), México (1917), Ecuador (2008), Bolivia (2009), Polonia (1997) o Portugal (1976). Entre todos estos textos, es de señalar el artículo 216 de la Constitución brasileña de 1988, precepto que, además de incorporar, de forma novedosa en el lenguaje constitucional, una referencia a los bienes de naturaleza inmaterial, incluye entre éstos «las formas de expresión» y «los modos de crear, hacer y vivir». Y, paralelamente, la legislación ordinaria de un número creciente de países viene incorporando leyes especiales del patrimonio inmaterial, entre las que cabe señalar las de Brasil (2000) y Portugal (Decreto-Lei n.° 138/2009, de 15 de junio).

III. Los compromisos internacionales

Pero el impulso más decisivo del patrimonio inmaterial se sitúa en el Derecho Internacional, fundamentalmente en la acción de la UNESCO, que corona en la Convención para la Salvaguardia del Patrimonio Cultural Inmaterial, de 2003.

Antes de esta Convención, se había ido allanando el camino en un proceso corto en el tiempo, pero jalonado por numerosas iniciativas. La oscuridad en la que había quedado el patrimonio inmaterial en la Convención de 1972 será el detonante que excite en los siguientes años un rosario de encuentros y declaraciones. Como se ha advertido reiteradamente, la Convención de la UNESCO de Patrimonio Mundial, Cultural y Natural de 1972, nació como un instrumento focalizado fundamentalmente hacia los objetos de la llamada cultura material. Quedaba pendiente, por ello, en el derecho internacional, un instrumento de valorización jurídica de las creaciones culturales sociales y comunitarias inmateriales.

Entre las actuaciones seguidas en el orden internacional, en especial por la UNESCO, debe recordarse la Conferencia de Accra, en 1975, referida al ámbito africano, que resalta el valor de la diversidad cultural y la necesidad de salvaguardia de las lenguas, la tradición oral y el fomento de las artes tradicionales y populares.

Poco después, la Conferencia celebrada en Bogotá, en 1978, aprueba una declaración que pone el acento en el rescate y salvaguardia del patrimonio vinculado a la identidad de los pueblos y a su autenticidad, señalando, en su recomendación 31, la música y la danza como elementos esenciales.

Otro jalón se encuentra en la relevante Conferencia Intergubernamental sobre políticas culturales, organizada por la UNESCO en México, en 1982. La aportación de este encuentro reside en que viene a realizar una labor de sistematización de las recomendaciones precedentes. En la Declaración aprobada por la Conferencia, referida a todos los ámbitos de la cultura, destaca que el patrimonio cultural lo integran «las obras materiales e inmateriales que expresan la creatividad de un pueblo», nombrando expresamente, entre otros bienes propios del patrimonio inmaterial, la lengua, los ritos, las creencias, la literatura y las obras de arte.

Una nueva Conferencia de la UNESCO en 1988 incluye una Recomendación a los Estados miembros sobre la «Salvaguardia del Folclore». Esta será tomada en cuenta por la Conferencia celebrada en París, en 1989, que marcará un hito fundamental en la especificación de este patrimonio, pues la Declaración aprobada pasará a designarlo como «Traditional Culture and Folklore», denominación traducida al castellano como «Cultura tradicional y popular». En ella se realiza ya una definición del «folclore» e incluye en él la lengua, la literatura, la música, la danza, los juegos, la mitología, los rituales, las costumbres, las artesanías, la arquitectura y otras artes.

Tras la decisiva Conferencia anterior, en la siguiente década tendrán lugar diversos seminarios destinados a evaluar la aplicación de la Recomendación, que dejarán ver un giro terminológico concretado en la aparición de los conceptos «oral» e «intangible», lo que será objeto de particular reflexión en la Conferencia de Washington, en 1999. En ella se debate sobre el carácter problemático del término «folclore», por su carácter peyorativo, y sobre la necesidad de estudiar otras alternativas, «patrimonio oral», «conocimientos y destrezas tradicionales», «patrimonio intangible», «formas de saber, ser y hacer». En un nuevo Seminario, celebrado en Nueva Caledonia en ese mismo año, se producirá un rechazo expreso al término «folclore». Será en un informe del Director General de la UNESCO, en el año 2001, y en la Declaración adoptada en Estambul, el año 2002, cuando se consolide la expresión «patrimonio cultural inmaterial».

El proceso culminará con la aprobación, en la 32.ª reunión de la UNESCO, el 17 de octubre de 2003, de la Convención para la Salvaguardia del Patrimonio Cultural Inmaterial, ratificada por España en el año 2006.

También en los instrumentos internacionales de carácter regional se puede percibir un proceso similar, siendo de resaltar, en el espacio iberoamericano, la Carta Cultural Iberoamericana. Esta Declaración, aprobada en la XVI Cumbre Iberoamericana celebrada en Montevideo en 2006, incluye numerosas referencias a este patrimonio. Entre ellas destaca, en el Título I de «Fines», el compromiso de los países iberoamericanos de fomentar la protección y difusión del «patrimonio cultural y natural, material e inmaterial iberoamericano». Compromiso que, más adelante se desarrolla con la incorporación, en el Título III de «Ámbitos de aplicación», de un ámbito relativo al patrimonio cultural, que lo integran «tanto el patrimonio material como el inmaterial, que deben ser objeto irrenunciable de especial respeto y protección».

Asimismo, la resolución IX/4 de la Novena Conferencia de las Naciones Unidas sobre la Normalización de los Nombres Geográficos, celebrada en Nueva York, en agosto de 2007, teniendo en cuenta dicha Convención, estimando que los topónimos forman parte del patrimonio cultural inmaterial, alienta a los organismos oficiales encargados de la toponimia, entre otras cosas, a elaborar un programa de salvaguardia y promoción de este patrimonio, de conformidad con el párrafo 3 del artículo 2 y el artículo 18 de la Convención.

IV. La competencia del Estado

Es sabido que la Constitución Española incorpora, en materia de cultura, un sistema competencial complejo y con reglas de una densa especificidad sin parangón en otras materias. Incidir sobre valores sensibles —que se engarzan con el ejercicio de numerosos derechos fundamentales—, la imprecisión y horizontalidad del propio concepto —que origina más de las normales colisiones de títulos competenciales—, la concurrencia o dualidad competencial —que hace que en determinadas funciones puedan actuar distintas Administraciones a la vez, fuera de la lógica del reparto competencial normal inclusius unius, exclusius alterius— y el deber de comunicación cultural —como un proyecto democrático de convivencia en la diversidad—, serían sus marcas singulares.

A partir de estas consideraciones, procede explicar cómo se insertan las competencias que el Estado ejercita en la presente ley:

A. La ley como norma de «tratamiento general» del patrimonio cultural inmaterial.

La posibilidad de la regulación que pretende esta norma viene amparada en la doctrina del Tribunal Constitucional primordialmente, por todas, en las Sentencias 17/1991, de 31 de enero, y 49/1984, de 5 de abril. Según estas sentencias, la «integración de la materia relativa al patrimonio histórico-artístico en la más amplia que se refiere a la cultura permite hallar fundamento a la potestad del Estado para legislar sobre aquélla», dado que la competencia del Estado habrá de desplegarse «en el área de preservación del patrimonio cultural común, pero también en aquello que precise de tratamientos generales o que haga menester es acción pública cuando los fines culturales no pudieran lograrse desde otras instancias» (Sentencia del Tribunal Constitucional 49/1984).

En congruencia con la doctrina precedente, la presente ley no pretende otra cosa que ofrecer un «tratamiento general» de una materia necesitada de ello, dado que, como se ha explicado, el patrimonio cultural inmaterial ha conocido en las últimas décadas un notable florecimiento conceptual así como en la conciencia social y, sobre todo, en el ordenamiento jurídico internacional, cuyo hito mayor es, como se ha expuesto, la aprobación de la Convención de la UNESCO en el año 2003. El contexto del año 1985, en el que se aprueba la Ley del Patrimonio Histórico Español, explica el tratamiento sucinto y limitado que la ley hace al «patrimonio etnográfico» como patrimonio especial en los artículos 46 y 47 de la ley, hoy, por las razones expuestas, claramente insuficiente. El objeto de la ley en este punto es, trayendo las palabras de la Sentencia del Tribunal Constitucional 17/1991, fijar el estatuto peculiar de los bienes culturales, que «comprende, en primer lugar, «los tratamientos generales» a los que se refiere específicamente la citada Sentencia del Tribunal Constitucional 49/1984 y, entre ellos, específicamente, aquellos principios institucionales que reclaman una definición unitaria» (F.J. 3.°).

Que se está ante un tratamiento general queda claro en tanto la ley se limita a perfilar un conjunto de líneas maestras que no impiden que a su vez las Comunidades Autónomas, en virtud de la regla de concurrencia normativa que las ampara, puedan dictar asimismo sus regulaciones específicas sobre la misma materia. Líneas generales son, en efecto, fijar un concepto básico y general de patrimonio inmaterial, determinar los principios y derechos fundamentales implicados en el presente patrimonio, establecer los mecanismos administrativos y orgánicos generales de inserción del conjunto del patrimonio cultural inmaterial español (Inventario General de Patrimonio Cultural Inmaterial), regular los instrumentos operativos de actuación (Plan Nacional de Salvaguardia del Patrimonio Cultural Inmaterial), así como sentar las finalidades generales de los diferentes ámbitos y sectores (centros de depósito cultural, educación, medios de comunicación social...) que, de acuerdo con la Convención de la UNESCO, pueden ser de gran ayuda para una mejor salvaguardia y conocimiento del patrimonio inmaterial.

B. La actividad de significación por el Estado de los valores y bienes comunes del patrimonio inmaterial.

La ley asume asimismo una tarea específica obligada constitucionalmente, desarrollar el mandato de promover la puesta en valor de la cultura común, en tanto el artículo 149.2 de la Constitución Española encomienda al Estado, sin perjuicio de las competencias que puedan corresponder a las Comunidades Autónomas, con gran énfasis y palabras marcadamente imperativas sin parangón en el conjunto de la Constitución Española, proveer el servicio de la cultura como una tarea fundamental: «Sin perjuicio de las competencias que podrán asumir las Comunidades Autónomas, el Estado considerará el servicio de la cultura como deber y atribución esencial...». Se pone el énfasis en la acción sobre la cultura (considerará) y en la calificación de ésta (deber y atribución esencial) referida, en este caso, de forma directa e inmediata a las instituciones de la Administración General del Estado, en tanto el precepto delimita el alcance de la misión de éste después de salvar las competencias de las Comunidades Autónomas en materia de cultura («Sin perjuicio de las competencias que podrán asumir las Comunidades Autónomas»...).

Este precepto es, precisamente, la base de la concurrencia competencial, fórmula singular en materia de cultura y directamente derivada de la plena asunción por el constituyente de la naturaleza poliédrica y compleja del concepto de cultura. Lo que, en definitiva, traduce el precepto a la hora de organizar el reparto de tareas entre los diferentes poderes públicos territoriales es que los valores simbólico-expresivos de los individuos y de los grupos son susceptibles de reflejarse simultánea, pero diferenciadamente, en diferentes planos. Por ello, el impulso de esos valores culturales, de las comunidades territoriales y de la comunidad general del Estado, al articularse en la sociedad democrática organizada, se refleja constitucionalmente en un conjunto de principios y reglas para ordenar esa diversidad cultural como un sistema pleno e integrado.

A estas bases profundamente democráticas es a lo que responde, en técnica de reparto de competencias, la concurrencia o dualidad competencial cultural, específicamente referida, como ha señalado la doctrina, a la acción de promoción y preservación de todo ese racimo de valores culturales. Concurrencia que el Tribunal Constitucional asumió, ya muy tempranamente y de forma palmaria, en la Sentencia 49/1984. La cita es extensa, pero necesaria: «... una reflexión sobre la vida cultural lleva a la conclusión de que la cultura es algo de la competencia propia e institucional tanto del Estado como de las Comunidades Autónomas, y aún podríamos añadir de otras comunidades, pues allí donde vive una comunidad hay una manifestación cultural respecto de la que las estructuras públicas representativas pueden ostentar competencias, dentro de lo que en un sentido no necesariamente técnico-administrativo puede comprenderse dentro del «fomento de la cultura». Esta es la razón a que obedece el artículo 149.2 de la Constitución Española, en el que después de reconocer la competencia autonómica afirma una competencia estatal, poniendo el acento en el servicio de la cultura como deber y atribución esencial. Hay, en fin, una competencia estatal y una competencia autonómica en el sentido de que más que un reparto competencial vertical, lo que se produce es una concurrencia de competencias ordenada a la preservación y estímulo de los valores culturales propios del cuerpo social desde la instancia pública correspondiente».

Lo que está en juego en la presente ley es, pues, que el Estado pueda cumplir con su mandato específico, en relación con los valores comunes que le incumbe prioritariamente representar, en relación con el patrimonio inmaterial. Es decir, que el Estado ponga en valor, siguiendo las palabras de la Sentencia 49/1984, aquellas «manifestaciones culturales» de dicho patrimonio que puedan ser representativas de la comunidad estatal, mediante su declaración como «Manifestación Representativa del Patrimonio Cultural Inmaterial». Esto es claramente posible y obligado en el caso del patrimonio inmaterial. Si bien, al interpretar la Ley del Patrimonio Histórico Español, la Sentencia del Tribunal Constitucional 17/1991 optó por considerar que la competencia de ejecución para la declaración de bienes culturales materiales es, con algunas excepciones, básicamente autonómica, esta consideración descansa, como confiesa expresamente la Sentencia, en el dato de que estos bienes están inscritos en un «locus» territorial: «la categoría legal de los bienes de interés cultural dentro del Patrimonio Histórico Español está integrada por los más relevantes del mismo, normalmente situados en alguna de las Comunidades Autónomas» (F.J.10.º).

Sin embargo, y éste es también un dato fundamental, en el caso de los bienes inmateriales el arraigo y origen territorial o local no impide que algunos de ellos presenten de forma simultánea manifestaciones territoriales supraautonómicas, bien porque las comunidades portadoras se extienden a lo largo y ancho de varios territorios autonómicos, bien porque se trata de manifestaciones profundamente imbricadas en el imaginario colectivo general de los españoles. Estas últimas manifestaciones tienen que ver, de forma especial, con aquellos bienes inmateriales que tienen un reconocimiento o son compartidas incluso más allá del territorio estatal, como ocurre, en el caso más claro, con valores culturales gestados en la experiencia histórica de nuestro país y, especialmente, los integrantes de la llamada cultura iberoamericana.

Este es, en consecuencia, el sentido que tiene para el Estado, en lo que se refiere a la cultura común, entender que el cumplimiento del mandato del artículo 149.2 de la Constitución Española de considerar el servicio de la cultura «deber y atribución esencial» hace obligado que aquél pueda significar aquellas manifestaciones que cumplen estas condiciones. De hecho, aun aceptando que el Preámbulo de la Constitución Española no es una parte de este texto con la virtualidad de atribuir competencias, sí tiene el valor de ayudar a interpretar el sentido de aquellas normas que tienen esa naturaleza, como es el señalado apartado 2 del artículo 149. En efecto, el Preámbulo, en su párrafo cuarto deja claro que «todos los españoles», así como los «pueblos de España» son portadores de manifestaciones culturales inmateriales: «La Nación española proclama su voluntad de: (…) proteger a todos los españoles y pueblos de España en el ejercicio de los derechos humanos, sus culturas y tradiciones, lenguas e instituciones». He aquí, pues, el todo social —el conjunto de los españoles— y las partes —los pueblos de España— concebidos como sujetos portadores simultáneamente de culturas y tradiciones, lenguas e instituciones.

Por último, a mayor abundamiento, es oportuno invocar aquí la doctrina general del Tribunal Constitucional para aceptar casos excepcionales en los que el Estado puede intervenir en ámbitos de competencia autonómica «cuando, además del alcance territorial superior al de una Comunidad Autónoma del objeto de la competencia, la actividad pública que sobre él se ejerza no sea susceptible de fraccionamiento y, aun en este caso, dicha actuación no pueda llevarse a cabo mediante mecanismos de cooperación y coordinación, sino que requiera un grado de homogeneidad que sólo pueda garantizar su atribución a un solo titular, que forzosamente deba ser el Estado, o cuando sea necesario recurrir a un ente con capacidad de integrar intereses contrapuestos de varias Comunidades Autónomas» (Sentencia del Tribunal Constitucional 223/2000, de 21 de septiembre, F.J. 11.º).

Resulta obvio que esta posibilidad de significación de bienes culturales no es ilimitada para el Estado, pues, de lo contrario, podría generar el vaciamiento o desfiguración de la correspondiente competencia autonómica. Por un lado, tendrá que estar justificada y ceñida únicamente a aquellos casos en que proceda, a través de los usuales procedimientos de auctoritas científica y técnica inherentes a la determinación y significación administrativa de los bienes culturales (mediante los preceptivos informes consultivos). Y, por otra parte, yendo más allá, pues la singular naturaleza del patrimonio inmaterial lo hace posible, el que existan bienes culturales que puedan ser acreedores a esa significación estatal no impide, en lo que puedan tener de manifestación cultural también específica autonómica o infraautonómica, que la Comunidad Autónoma correspondiente pueda declarar, mediante sus propios procedimientos y categorías de significación, esos mismos bienes en orden a preservar y poner en valor las expresiones o modulaciones particulares con que se manifiesten en su ámbito territorial.

Es innegable que la concurrencia, así entendida, es la forma por la que ha optado la Constitución Española de articular la diversidad cultural como un sistema de pluralismo cultural que asume ésta como una riqueza compleja e imbricada. Aunque no se oculta que esta fórmula, para que no derive en desorden o dispersión, necesita de reglas particulares de ensamblaje y colaboración. Aquí es donde entra en juego, como una de las técnicas no única pero sí muy importante, un nuevo mandato del artículo 149.2 de la Constitución Española cuando encomienda al Estado la tarea de «facilitar la comunicación cultural entre las Comunidades Autónomas, de acuerdo con ellas».

C. La facilitación de la comunicación cultural.

Este es, precisamente, el tercero de los objetivos que trata de afrontar la ley. Uno de los ejes de la presente ley es la «comunicación cultural» que el artículo 149.2 de la Constitución Española formula, de nuevo, en términos marcadamente imperativos, como otra encomienda al Estado: «... y facilitará la comunicación cultural entre las Comunidades Autónomas, de acuerdo con ellas».

Esta propuesta de comunicación cultural implica dos planos de concreción, uno administrativo y otro sustantivo. El primero, ya señalado y validado por la Sentencia del Tribunal Constitucional 17/1991, tiene que ver con la colaboración interadministrativa entre el Estado y las Comunidades Autónomas y la de éstas entre sí en materia de Patrimonio histórico, porque es un deber general de esencia al modelo de organización territorial del Estado implantado en la Constitución Española; y porque, de forma particular, en el caso de la cultura, según afirma literalmente el Tribunal Constitucional, «se ve reforzado por el mandato del artículo 149.2 de la Constitución Española». Pero es un mandato que comporta asimismo un plano sustantivo, indeclinable y absolutamente esencial al edificio de pluralismo cultural de la Constitución Española, que el conjunto de los poderes públicos promuevan, desde el acuerdo y el consenso, la comunicación, la valorización y el reconocimiento recíproco de la multiplicidad de valores y expresiones culturales que se dan en el Estado.

En el referido apartado 2 del artículo 149, el Estado es apelado como garante de esta tarea, pero junto a las Comunidades Autónomas. Es decir, no deja a éstas en la posición de destinatario pasivo de esa encomienda al Estado sino que las erige en contraparte necesaria, al exigir que se desarrolle «de acuerdo con ellas». Sabido que la Constitución Española adopta como prius la diversidad cultural de España (en tanto reconoce la existencia de un agregado complejo e imbricado de expresiones culturales en el que también tiene un sitio una cultura común), sin embargo no propone exclusivamente una acción estatal unilateral para preservar ese agregado. Opta, antes bien, por la «comunicación cultural», es decir la interacción —la comunicación, a diferencia de la difusión, es una acción bilateral— entre los sujetos de esa pluralidad de culturas. Y, además, lo hace en términos democráticos de consenso, «de acuerdo con ellas». En definitiva, el fondo de esta propuesta en ese plano sustantivo no es otro que el de sentar las bases de un proyecto cultural de gran calado para el pluralismo cultural de nuestro Estado de celebración de la diversidad como una riqueza que ha de ser mantenida y preservada hacia el futuro. La diversidad tiene múltiples planos y el rol civilizador y democrático de los poderes públicos es, desde sus misiones específicas en relación con sus ámbitos respectivos de servicio al interés general, ponerlos en valor en pro de una diversidad no mutilada sino plena, lo que tiene el fundamental valor añadido de enriquecer y ensanchar la libertad cultural de los ciudadanos desde la libertad clásica y la autonomía a una nueva posibilidad, la libertad de elección en lo diverso. Esta es, precisamente, la propuesta de la Convención para la Protección y Promoción de la Diversidad de las Expresiones Culturales de la UNESCO de 2005, también ratificada por el Estado español que, tras comenzar por afirmar en el Preámbulo la diversidad cultural como fuente de un mundo rico y variado «que acrecienta la gama de posibilidades», más adelante, en el artículo 2.1 vincula la diversidad a los derechos humanos y las libertades fundamentales y, en particular, con la libertad de expresión, información y comunicación, «así como la posibilidad de que las personas escojan sus expresiones culturales».

Y es aquí donde el patrimonio inmaterial se revela como un campo especialmente idóneo, por su intrínseca naturaleza participativa, recreativa y comunicativa y su capacidad de interactuar entre los individuos, los grupos y las comunidades.

D. La defensa del patrimonio inmaterial contra la expoliación y la exportación.

De conformidad con el artículo 149.1.28.ª de la Constitución Española, corresponde al Estado la «defensa del patrimonio cultural, artístico y monumental español contra la exportación y la expoliación». Es obvio que la mención expresa del adjetivo «cultural» abarca aquí, como se ha explicado antes, también el capítulo de los bienes inmateriales. Y es asimismo claro que, en este caso, la acción de defensa, al estar referida al patrimonio cultural «español» cubre la plenitud de manifestaciones culturales inmateriales que se dan en el territorio del Estado que, como se expone más arriba, corresponde significar respectivamente, según sus propios ámbitos competenciales, a las diferentes Administraciones Públicas representativas de las respectivas manifestaciones culturales inmateriales que se dan en la vida social. Es decir, el adjetivo español en este caso funciona como un agregador conceptual que no se ciñe únicamente al grupo concreto de bienes culturales representativos de la comunidad general del Estado —los específicamente representativos de la cultura común—, sino que abarca, por supuesto, éstos, pero también aquellos otros representativos de las comunidades territoriales, e incluso los de otras comunidades, como dice expresamente la reiterada Sentencia del Tribunal Constitucional 17/1991, en conexión con la Sentencia del Tribunal Constitucional 49/1984.

No obstante esta acción protectora de «defensa» exige, por la propia naturaleza del objeto de la expoliación y de la exportación, separar cuál es el alcance en cada uno de ellos.

En lo que se refiere a la expoliación, para no convertir este título competencial estatal en un secante de las competencias de las demás Administraciones Públicas, la defensa en relación con ésta ha de ser concebida como un conjunto de actuaciones concretas —entre las que caben tanto las normativas como las ejecutivas— de garantía final de preservación del bien cultural o de pérdida de su función social. Así lo entiende, una vez más, la Sentencia del Tribunal Constitucional 17/1991, cuando afirma que «la utilización del concepto de defensa contra la expoliación ha de entenderse como definitoria de un plus de protección respecto de unos bienes dotados de características especiales. Por ello mismo abarca un conjunto de medidas de defensa que a más de referirse a su deterioro o destrucción tratan de extenderse a la privación arbitraria o irracional del cumplimiento normal de la de aquello que constituye el propio fin del bien según su naturaleza, en cuanto portador de valores de interés general necesitados, estos valores también, de ser preservados». Y una nueva cuestión es que la singular idiosincrasia de los bienes inmateriales hace que su defensa precise la modulación de las técnicas respecto de las propias del patrimonio material, ya previstas en la Ley del Patrimonio Histórico Español. En congruencia con ello, la presente ley articula una nueva técnica específica de protección en favor del Estado que, siguiendo la pauta de la Convención de la UNESCO de 2003, se concreta en la inclusión del bien inmaterial afectado, no protegido o insuficientemente protegido, en una lista de bienes inmateriales en peligro en tanto no se produzca la debida acción ordinaria de protección que corresponda.

Por último, también en lo que se refiere a la exportación, los bienes del patrimonio inmaterial plantean una notable peculiaridad. Siendo la función del patrimonio inmaterial la de ser un patrimonio abocado a la comunicación entre las comunidades, incluso más allá de las fronteras nacionales, una concepción de la exportación similar a la de los bienes del patrimonio material conllevaría impedir o desnaturalizar su función dinámica e interactiva en el espacio. Por ello, la defensa frente a la exportación ha de ceñirse estrictamente a aquellos supuestos en los que la salida hacia el exterior del soporte material que puede acompañar con frecuencia el bien cultural inmaterial privara, o desnaturalizara, el desenvolvimiento normal de la práctica cultural o el cumplimiento de su función social a través de la expresión de los valores de la que es portadora por su comunidad de origen.

V. Audiencia y consulta

En el proceso de elaboración de la presente ley se ha seguido un amplio trámite de participación y consulta de organismos y entidades especializados y, en especial, de audiencia de las Comunidades Autónomas por la implicación que se deriva del complejo sistema de concurrencia competencial.

TÍTULO I. Disposiciones generales

Artículo 1. Objeto

El objeto de la presente ley es regular la acción general de salvaguardia que deben ejercer los poderes públicos sobre los bienes que integran el patrimonio cultural inmaterial, en sus respectivos ámbitos de competencias.

Artículo 2. Concepto de patrimonio cultural inmaterial

Tendrán la consideración de bienes del patrimonio cultural inmaterial los usos, representaciones, expresiones, conocimientos y técnicas que las comunidades, los grupos y en algunos casos los individuos, reconozcan como parte integrante de su patrimonio cultural, y en particular:

a) Tradiciones y expresiones orales, incluidas las modalidades y particularidades lingüísticas como vehículo del patrimonio cultural inmaterial; así como la toponimia tradicional como instrumento para la concreción de la denominación geográfica de los territorios;

b) artes del espectáculo;

c) usos sociales, rituales y actos festivos;

d) conocimientos y usos relacionados con la naturaleza y el universo;

e) técnicas artesanales tradicionales;

f) gastronomía, elaboraciones culinarias y alimentación;

g) aprovechamientos específicos de los paisajes naturales;

h) formas de socialización colectiva y organizaciones;

i) manifestaciones sonoras, música y danza tradicional.

TÍTULO II. Régimen general del patrimonio cultural inmaterial

Artículo 3. Principios generales de las actuaciones de salvaguardia

Las actuaciones de los poderes públicos sobre los bienes del patrimonio cultural inmaterial que sean objeto de salvaguardia por la Administración General del Estado, por las Comunidades Autónomas o por las Corporaciones Locales deberán respetar, en su preparación y desarrollo, los siguientes principios generales:

a) Los principios y valores contenidos en la Constitución Española y en el Derecho de la Unión Europea así como, en general, los derechos y deberes fundamentales que aquella establece, en especial la libertad de expresión.

b) El principio de igualdad y no discriminación. El carácter tradicional de las manifestaciones inmateriales de la cultura en ningún caso amparará el desarrollo de acciones que constituyan vulneración del principio de igualdad de género.

c) El protagonismo de las comunidades portadoras del patrimonio cultural inmaterial, como titulares, mantenedoras y legítimas usuarias del mismo, así como el reconocimiento y respeto mutuos.

d) El principio de participación, con el objeto de respetar, mantener e impulsar el protagonismo de los grupos, comunidades portadoras, organizaciones y asociaciones ciudadanas en la recreación, transmisión y difusión del patrimonio cultural inmaterial.

e) El principio de accesibilidad, que haga posible el conocimiento y disfrute de las manifestaciones culturales inmateriales y el enriquecimiento cultural de todos los ciudadanos sin perjuicio de los usos consuetudinarios por los que se rige el acceso a determinados aspectos de dichas manifestaciones.

f) El principio de comunicación cultural como garante de la interacción, reconocimiento, acercamiento y mutuo entendimiento y enriquecimiento entre las manifestaciones culturales inmateriales, mediante la acción de colaboración entre las Administraciones Públicas y de las comunidades o grupos portadores de los bienes culturales inmateriales.

g) El dinamismo inherente al patrimonio cultural inmaterial, que por naturaleza es un patrimonio vivo, recreado y experimentado en tiempo presente y responde a prácticas en continuo cambio, protagonizadas por los individuos y los grupos y comunidades.

h) La sostenibilidad de las manifestaciones culturales inmateriales, evitándose las alteraciones cuantitativas y cualitativas de sus elementos culturales ajenas a las comunidades portadoras y gestoras de las mismas. Las actividades turísticas nunca deberán vulnerar las características esenciales ni el desarrollo propio de las manifestaciones, a fin de que pueda compatibilizarse su apropiación y disfrute público con el respeto a los bienes y a sus protagonistas.

i) La consideración de la dimensión cultural inmaterial de los bienes muebles e inmuebles que sean objeto de protección como bienes culturales.

j) Las actuaciones que se adopten para salvaguardar los bienes jurídicos protegidos deberán en todo caso respetar los principios de garantía de la libertad de establecimiento y la libertad de circulación establecidos en la normativa vigente en materia de unidad de mercado.

Artículo 4. Protección de los bienes materiales asociados

1. Las Administraciones Públicas velarán por el respeto y conservación de los lugares, espacios, itinerarios y de los soportes materiales en que descansen los bienes inmateriales objeto de salvaguardia.

A estos efectos, las medidas de salvaguardia del patrimonio cultural inmaterial podrán determinar las medidas específicas y singulares de protección respecto de los bienes muebles e inmuebles asociados intrínsecamente a aquél, siempre que esa protección permita su mantenimiento, evolución y uso habitual, sin perjuicio de las medidas singulares que, para la protección de dichos bienes muebles e inmuebles, puedan establecerse a tenor de lo dispuesto en la Ley 16/1985, de 25 de junio, del Patrimonio Histórico Español y en la legislación de las Comunidades Autónomas competentes en la materia.

2. Los bienes muebles y espacios vinculados al desenvolvimiento de las manifestaciones culturales inmateriales podrán ser objeto de medidas de protección conforme a la legislación urbanística y de ordenación del territorio por parte de las Administraciones competentes.

En ningún caso dichas medidas de protección supondrán una restricción a las facultades de los propietarios o titulares de derechos sobre dichos bienes. Para que puedan darse tales limitaciones será preciso seguir, en su caso, los procedimientos previstos en la Ley 16/1985, de 25 de junio, del Patrimonio Histórico Español, y la correspondiente legislación autonómica.

Artículo 5. Expoliación y exportación

1. Corresponde a la Administración General del Estado, en el ámbito de sus competencias, adoptar las medidas que resulten procedentes para la defensa frente a la exportación y la expoliación de los bienes materiales asociados al patrimonio cultural inmaterial.

2. En relación con el expolio de bienes declarados Manifestación Representativa del Patrimonio Cultural Inmaterial, se estará, asimismo, a lo dispuesto en el artículo 4 de la Ley 16/1985, de 25 de junio, del Patrimonio Histórico Español y en el artículo 11 del Real Decreto 111/1986, de 10 de enero, de desarrollo parcial de la Ley 16/1985, de 25 de junio, del Patrimonio Histórico Español. Dada la especial naturaleza de estos bienes, en el caso de que sea apreciable la posible pérdida del bien o el menoscabo de su función social, se decidirá su inclusión en una lista de bienes en peligro para que se proceda a la apertura de un procedimiento encaminado a la preservación y protección del bien expoliado. En dicho procedimiento se solicitarán los informes técnicos pertinentes, que deberán incluir medidas urgentes de salvaguardia, por parte de los organismos especializados de la Comunidad Autónoma afectada.

3. En caso de exportación de bienes muebles asociados, se estará asimismo a lo dispuesto en el artículo 5 de la Ley 16/1985, de 25 de junio, del Patrimonio Histórico Español, y las normas reglamentarias de desarrollo. En todo caso, la defensa de estos bienes frente a la exportación se ceñirá a aquéllos casos en los que la salida al exterior del bien material soporte del bien cultural inmaterial impida o desnaturalice el desenvolvimiento normal de la práctica cultural o de los valores para su comunidad de origen de que éste es portador.

Artículo 6. Transmisión, difusión y promoción

1. Las Administraciones Públicas competentes garantizarán la adecuada difusión, transmisión y promoción de los bienes inmateriales objeto de salvaguardia.

2. Las Administraciones Públicas competentes promoverán la transmisión a las nuevas generaciones de los conocimientos, oficios y técnicas tradicionales en previsible peligro de extinción, apoyando y coordinando iniciativas públicas y privadas, y mediante la aplicación a estas actividades de medidas de fomento e incentivos fiscales que les puedan resultar de aplicación, en los términos que establezca la legislación vigente.

3. Las Administraciones Públicas competentes deberán permitir y, en caso de que la normativa sectorial las someta a este requisito, autorizar las actuaciones de difusión, transmisión y promoción de las manifestaciones inmateriales de la cultura.

Las medidas que, en su caso, se adopten para salvaguardar otros bienes jurídicos protegidos, deberán ser proporcionadas y debidamente justificadas.

Artículo 7. Medidas de carácter educativo

1. Las Administraciones educativas y las universidades procurarán la inclusión del conocimiento y el respeto del patrimonio cultural inmaterial entre los contenidos de sus enseñanzas respectivas y en los programas de formación permanente del profesorado de la educación básica.

2. El Gobierno, a partir del respeto a la autonomía universitaria y en colaboración con las Comunidades Autónomas y el Consejo de Universidades, promoverá, en el ámbito de sus competencias:

a) El diseño e implantación de títulos universitarios oficiales de Grado cuyos planes de estudio contemplen una formación específicamente orientada a la adquisición de competencias y habilidades relativas a la protección, gestión, transmisión, difusión y promoción del patrimonio cultural inmaterial.

b) El diseño e implantación de programas de máster en áreas relacionadas con el patrimonio cultural inmaterial.

Artículo 8. Medidas de información y sensibilización

La Administración General del Estado, las Administraciones de las Comunidades Autónomas y las Corporaciones Locales, en el ejercicio de sus respectivas competencias, y en el marco del Plan Nacional de Salvaguardia del Patrimonio Cultural Inmaterial, podrán promover medidas tendentes a informar y sensibilizar a la población sobre las características y valores del patrimonio cultural inmaterial y las amenazas que pesan sobre él.

Artículo 9. Garantía de disfrute público

Las Administraciones Públicas, dentro del Plan a que se refiere el artículo 13, establecerán las medidas que garanticen el acceso de la ciudadanía a las distintas manifestaciones inmateriales de la cultura, en los términos previstos en el artículo 3, siempre que esas acciones no vulneren la esencia y características de los bienes ni los derechos de terceros sobre los mismos y sin perjuicio del respeto a los usos consuetudinarios de las mismas.

Artículo 10. Comunicación cultural entre Administraciones Públicas

Las Administraciones Públicas propiciarán, de común acuerdo, la comunicación cultural entre ellas, el conocimiento de la pluralidad del patrimonio cultural de los españoles, los pueblos de España y otras comunidades, así como el intercambio de información sobre sus actividades culturales, considerando la diversidad de las expresiones culturales como una riqueza que ha de ser mantenida y preservada hacia el futuro.

El Plan Nacional de Salvaguardia del Patrimonio Cultural Inmaterial a que se refiere el artículo 13 incluirá bases y líneas de colaboración para el impulso de la comunicación cultural.

TÍTULO III. Competencias de la Administración General del Estado

Artículo 11. Competencias

1. Corresponde a la Administración General del Estado, de conformidad con lo establecido en los artículos 44, 46, 149.1, reglas 1.ª y 28.ª, y 149.2 de la Constitución Española, garantizar la conservación del patrimonio inmaterial español, así como promover el enriquecimiento del mismo y fomentar y tutelar el acceso de todos los ciudadanos a sus diferentes manifestaciones. A tal fin, se adoptarán las medidas necesarias para facilitar su colaboración con los restantes poderes públicos y la de éstos entre sí, así como para recabar y proporcionar cuanta información fuera precisa a los fines de esta ley.

2. Corresponden a la Administración General del Estado, a través del Ministerio de Educación, Cultura y Deporte, en colaboración con las Comunidades Autónomas, las siguientes funciones:

a) La propuesta, elaboración, seguimiento y revisión del Plan Nacional de Salvaguardia del Patrimonio Cultural Inmaterial.

b) La gestión del Inventario General de Patrimonio Cultural Inmaterial.

c) La salvaguardia del patrimonio cultural inmaterial mediante la Declaración de Manifestación Representativa del Patrimonio Cultural Inmaterial, en los términos previstos en esta ley.

3. La Administración General del Estado, sin perjuicio de las competencias propias de las Comunidades Autónomas, cooperará con la acción cultural de las distintas Administraciones Públicas en el marco del artículo 9. A tal efecto, el Estado pondrá al servicio de

la comunicación cultural las instituciones museísticas, archivos, bibliotecas y otros centros culturales de su titularidad.

4. Corresponde a la Administración General del Estado y a las Comunidades Autónomas, en el ámbito de sus competencias, la difusión internacional del conocimiento de los bienes del patrimonio cultural inmaterial español, así como el intercambio de información cultural, técnica y científica con los demás Estados y con los Organismos internacionales.

En particular, y de conformidad con lo dispuesto en la regla 3.ª del artículo 149.1 de la Constitución Española, corresponde a la Administración General del Estado elevar a la UNESCO las propuestas para la inclusión de bienes culturales inmateriales en la Lista Representativa del Patrimonio Cultural Inmaterial de la Humanidad, en la Lista de bienes que requieren Medidas Urgentes de Salvaguardia, así como los programas, proyectos y actividades de salvaguardia del patrimonio cultural inmaterial que reflejen de modo más adecuado los principios y objetivos de la Convención.

De igual modo, corresponde a la Administración General del Estado la formulación, ante el Comité Intergubernamental para la Salvaguardia del Patrimonio Cultural Inmaterial de la UNESCO, de solicitudes de asistencia internacional para la salvaguardia de dicho patrimonio presente en el territorio nacional, así como la remisión de informes periódicos al citado Comité sobre las disposiciones legislativas, reglamentarias o de otra índole que se adopten en aplicación de la Convención para la Salvaguardia del Patrimonio Cultural Inmaterial.

La Administración General del Estado podrá promover conjuntamente con otros Estados, la puesta en valor del patrimonio cultural inmaterial compartido, estimulando la promoción de candidaturas ante las instituciones internacionales competentes.

Artículo 12. Declaración de Manifestación Representativa del Patrimonio Cultural Inmaterial

1. La Administración General del Estado, de acuerdo con los principios establecidos en el artículo 3, tendrá competencias para declarar la protección y adoptar medidas de salvaguardia respecto de los bienes del patrimonio cultural inmaterial en los que concurran alguna de las siguientes circunstancias:

a) Cuando superen el ámbito territorial de una Comunidad Autónoma y no exista un instrumento jurídico de cooperación entre Comunidades Autónomas para la protección integral de este bien.

b) Cuando así lo solicite la Comunidad Autónoma donde tenga lugar la manifestación, previa petición a la misma de la comunidad portadora del bien.

c) Cuando la consideración en conjunto del bien objeto de salvaguardia requiera para su específica comprensión una consideración unitaria de esa tradición compartida, más allá de la propia que pueda recibir en una o varias Comunidades Autónomas.

d) Cuando tenga por objeto aquellas manifestaciones culturales inmateriales que, en su caso, puedan aparecer asociadas o vinculadas a los servicios públicos de titularidad estatal o a los bienes adscritos al Patrimonio Nacional.

e) Cuando el bien posea una especial relevancia y trascendencia internacional para la comunicación cultural, al ser expresión de la historia compartida con otros países.

2. Por Real Decreto podrá otorgarse una singular protección a los bienes culturales inmateriales anteriormente citados, mediante su declaración como Manifestación Representativa del Patrimonio Cultural Inmaterial.

3. La Declaración de Manifestación Representativa del Patrimonio Cultural Inmaterial por el Estado no obstará a las acciones de declaración o significación que, con el fin de resaltar las especificidades o modulaciones que presentan en sus respectivos ámbitos territoriales, puedan realizar las Comunidades Autónomas. En dicho caso, se deberán prever acuerdos de colaboración entre el Estado y las Comunidades Autónomas.

4. El procedimiento se iniciará de oficio por el Ministerio de Educación, Cultura y Deporte, bien por propia iniciativa, a petición razonada de una o más Comunidades Autónomas o por petición motivada de persona física o jurídica.

El procedimiento se desarrollará respetando los siguientes elementos esenciales:

a) En la elaboración del Real Decreto se establecerá una fase de información pública.

b) Se preverá, asimismo, el trámite de audiencia a las comunidades portadoras del bien, a los titulares de derechos reales sobre los bienes muebles e inmuebles asociados a la Manifestación Representativa del Patrimonio Cultural Inmaterial, y a las Administraciones autonómicas y locales del territorio en el que la manifestación tiene lugar.

c) En la elaboración se recabará el informe del Consejo del Patrimonio Histórico y de las instituciones consultivas especializadas relacionadas con la materia y que se consideren convenientes, así como de los órganos competentes de las Comunidades Autónomas.

d) En la documentación constará una descripción clara del bien en la que se enumeren sus usos, representaciones, expresiones, conocimientos y técnicas que comporta, así como los bienes materiales, tanto muebles como inmuebles, en los que tales actividades se sustentan, las comunidades, grupos y ámbitos geográficos en los que se desarrolla o ha desarrollado tradicionalmente, así como, en su caso, las amenazas que sobre el mismo puedan concurrir. La antedicha descripción deberá acompañarse de la pertinente documentación fotográfica, audiovisual, o de otro orden, cuando así sea posible.

e) El plazo máximo para resolver y notificar la resolución será de doce meses y el silencio tendrá efectos desestimatorios.

5. La declaración de las Manifestaciones Representativas del Patrimonio Cultural Inmaterial generará la obligación de inscripción de éstas en el Inventario General de Patrimonio Cultural Inmaterial.

TÍTULO IV. Instrumentos de cooperación

Artículo 13. Plan Nacional de Salvaguardia del Patrimonio Cultural Inmaterial

1. El Gobierno, a propuesta del Ministerio de Educación, Cultura y Deporte, y previo acuerdo del Consejo del Patrimonio Histórico, aprobará el Plan Nacional de Salvaguardia del Patrimonio Cultural Inmaterial, destinado a desarrollar con las distintas Administraciones Públicas una programación coordinada de actividades en función de las necesidades del patrimonio cultural inmaterial a través de su Comisión de Seguimiento, sin perjuicio de lo establecido en el artículo 35 de la Ley 16/1985, de 25 de junio, del Patrimonio Histórico Español.

2. El Plan Nacional de Salvaguardia del Patrimonio Cultural Inmaterial, como instrumento de gestión y de cooperación entre la Administración General del Estado, las Comunidades Autónomas, los Entes Locales, y otras entidades públicas o privadas, deberá, en primer lugar, facilitar la información y la habilitación en el nivel estatal de acciones que permitan la interrelación entre los distintos agentes, contemplar los criterios y metodologías de actuación más apropiados para el patrimonio cultural inmaterial, así como alertar sobre los riesgos y amenazas a los que se puede ver expuesto. Además, deberá contener una relación de los programas y líneas de trabajo imprescindibles para la salvaguardia del patrimonio cultural inmaterial como son:

a) Sensibilizar a la sociedad y lograr el reconocimiento en el marco de las políticas culturales.

b) Investigación y documentación, con las listas, censos, registros, inventarios, catálogos, estudios específicos y programas especiales.

c) Conservación de los soportes materiales del patrimonio cultural inmaterial, tanto muebles como inmuebles y de los espacios que les son inherentes.

d) Formación, transmisión, promoción y difusión.

e) Las medidas generales de protección de los bienes declarados Manifestaciones Representativas del Patrimonio Cultural Inmaterial por la Administración General del Estado y de los que disfruten de la máxima categoría de protección otorgadas por las Comunidades Autónomas, así como las fórmulas de cooperación interterritorial para su protección.

3. Dentro del Plan se preverán especiales actuaciones de fomento incardinadas en lo dispuesto en la Ley 47/2003, de 26 de noviembre, General Presupuestaria, o en la Ley 38/2003, de 17 de noviembre, General de Subvenciones.

4. El Plan tendrá una vigencia de diez años y se revisará transcurridos los cinco primeros.

Artículo 14. Inventario General de Patrimonio Cultural Inmaterial

1. El Inventario General de Patrimonio Cultural Inmaterial deberá proporcionar información actualizada sobre las manifestaciones que integran éste, a partir de la información estatal y de la suministrada por las Comunidades Autónomas.

2. El Inventario General de Patrimonio Cultural Inmaterial deberá contener la identificación de los bienes y la información más completa posible sobre los mismos, en los soportes documentales más adecuados. El Ministerio de Educación, Cultura y Deporte gestionará el Inventario y garantizará la actualización, conservación, custodia y acceso público a esta información.

3. El Inventario General deberá incluir aquellos bienes culturales inmateriales declarados por las Comunidades Autónomas con el máximo grado de protección, así como los protegidos por la Administración General del Estado bajo la categoría de Manifestación Representativa del Patrimonio Cultural Inmaterial.

4. El Gobierno determinará reglamentariamente la estructura y régimen de funcionamiento del Inventario General de Patrimonio Cultural Inmaterial.

5. Corresponde a la Administración General del Estado suministrar ante instancias internacionales la información contenida en el Inventario General de Patrimonio Cultural Inmaterial.

6. Las declaraciones, listas, inventarios y atlas de las Comunidades Autónomas que deban ser incluidas en el Inventario deberán observar metodologías comunes de registro, y deben relacionarse con el Inventario General a través de medios digitales interoperativos.

Disposición transitoria única. Vigencia del Plan Nacional de Salvaguardia del Patrimonio Cultural Inmaterial

La aplicación de lo dispuesto en el artículo 13 queda diferida hasta la aprobación de un nuevo Plan Nacional de Salvaguardia del Patrimonio Cultural Inmaterial, que se deberá llevar a cabo en el plazo máximo de tres años desde la entrada en vigor de esta ley.

Disposición final primera. Modificación de la Ley 16/1985, de 25 de junio (RCL 1985, 1547 y 2916), del Patrimonio Histórico Español

Se añade el siguiente inciso final al apartado 2 del artículo 1 de la Ley 16/1985, de 25 de junio, del Patrimonio Histórico Español:

«Asimismo, forman parte del Patrimonio Histórico Español los bienes que integren el Patrimonio Cultural Inmaterial, de conformidad con lo que establezca su legislación especial.»

Disposición final segunda. Modificación del título de la disposición adicional novena, de la Ley 18/2014, de 15 de octubre, de aprobación de medidas urgentes para el crecimiento, la competitividad y la eficiencia

Se modifica el título de la disposición adicional novena de la Ley 18/2014, de 15 de octubre, de aprobación de medidas urgentes para el crecimiento, la competitividad y la eficiencia, que queda como sigue:

«Disposición adicional novena. "A Coruña 2015-120 años después".»

Disposición final tercera. Título competencial

Esta ley se dicta al amparo de lo dispuesto en el artículo 149.1.1.ª y 28.ª, y 149.2 de la Constitución Española, con excepción de:

a) Lo dispuesto en el apartado 4 del artículo 11, que se dicta en virtud de lo dispuesto en el artículo 149.1.3.ª de la Constitución Española.

b) El artículo 7, que se dicta en virtud de lo dispuesto en el artículo 149.1.30.ª de la Constitución Española.

Disposición final cuarta. Desarrollo reglamentario

El Gobierno, a propuesta del Ministerio de Educación, Cultura y Deporte, aprobará las disposiciones reglamentarias necesarias para el desarrollo y aplicación de esta ley.

Disposición final quinta. Autorización para elaborar un texto refundido en materia de Patrimonio Histórico Español

Se autoriza al Gobierno para elaborar, antes del 31 de diciembre de 2019, un texto refundido en el que se integren, debidamente regularizadas, aclaradas y armonizadas, la Ley 16/1985, de 25 de junio del Patrimonio Histórico Español y la presente ley para la salvaguardia del patrimonio cultural inmaterial, así como las disposiciones en materia de protección del patrimonio histórico contenidas en normas con rango de ley.

Disposición final sexta. Regulación de la tauromaquia como patrimonio cultural

Lo establecido en la presente ley se entiende, en todo caso, sin perjuicio de las previsiones contenidas en la Ley 18/2013, de 12 de noviembre, para la regulación de la Tauromaquia como patrimonio cultural.

Disposición final séptima. Transferencia de datos al Inventario General de Patrimonio Cultural Inmaterial

En el plazo de seis meses desde la entrada en vigor de esta ley, la Administración General del Estado iniciará los trámites necesarios para conseguir la plena transferencia al Inventario General de Patrimonio Cultural Inmaterial de los datos que, referidos al patrimonio cultural inmaterial de las distintas Administraciones Públicas, obren actualmente en el Registro General de Bienes de Interés Cultural.

Disposición final octava. Entrada en vigor

Esta ley entrará en vigor el día siguiente al de su publicación en el «Boletín Oficial del Estado».

Por tanto,

Mando a todos los españoles, particulares y autoridades, que guarden y hagan guardar esta ley.

II. LEGISLACIÓN DE LAS COMUNIDADES AUTÓNOMAS

1. COMUNIDAD AUTÓNOMA DE ANDALUCÍA: LEY 14/2007, DE 26 DE NOVIEMBRE, DEL PATRIMONIO HISTÓRICO DE ANDALUCÍA

BO. Junta de Andalucía 19 diciembre 2007, núm. 248, [pág. 6]. BOE 13 febrero 2008, núm. 38, [pág. 7785].

EXPOSICIÓN DE MOTIVOS

I.

El Patrimonio Histórico constituye la expresión relevante de la identidad del pueblo andaluz, testimonio de la trayectoria histórica de Andalucía y manifestación de la riqueza y diversidad cultural que nos caracteriza en el presente.

El sentimiento de aprecio hacia este Patrimonio ha de constituir uno de los pilares básicos para el fortalecimiento de esta identidad colectiva, impulsando el desarrollo de un espíritu de ciudadanía respetuoso con un entorno cultural garante de una mejor calidad de vida.

La Comunidad Autónoma de Andalucía cuenta con un ordenamiento jurídico propio para la protección del Patrimonio Histórico, en cuyo núcleo se encuentra la Ley 1/1991, de 3 de julio, de Patrimonio Histórico de Andalucía. El ejercicio de la potestad legislativa en esta materia se deriva del mandato que la Constitución Española dirige, en su artículo 46, a los poderes públicos para que garanticen la conservación y promuevan el enriquecimiento de nuestro patrimonio y de los bienes que lo integran, que tiene su reflejo en el Estatuto de Autonomía para Andalucía de 1981 cuando, en su artículo 12.3, se refiere a la protección y realce del Patrimonio Histórico como uno de los objetivos básicos de la Comunidad Autónoma.

Al mismo tiempo, la promulgación de la citada Ley 1/1991 tiene su soporte competencial en los artículos 148.1.16.ª y 149.1.28.ª de la Constitución Española, así como lo tenía en el artículo 13.27 del Estatuto de Autonomía para Andalucía de 1981.

La experiencia acumulada en la aplicación de la Ley 1/1991, de 3 de julio, de Patrimonio Histórico de Andalucía, la evolución de los conceptos y planteamientos en que se basan la protección y conservación, así como los cambios legislativos producidos en otras áreas del ordenamiento jurídico estrechamente vinculadas a la que nos ocupa aconsejan proceder a una reforma en profundidad de la vigente Ley. A partir de la entrada en vigor del nuevo Estatuto de Autonomía para Andalucía (Ley Orgánica 2/2007, de 19 de marzo el fundamento de la nueva Ley de Patrimonio Histórico de Andalucía se encuentra en el artículo 10.3.3.º, que se refiere al afianzamiento de la conciencia de identidad y de la cultura andaluza a través del conocimiento, investigación y difusión del patrimonio histórico como uno de los objetivos básicos de la Comunidad Autónoma. A su vez, el artículo 68.3.1.º del Estatuto de Autonomía para Andalucía atribuye a la Comunidad Autónoma la competencia exclusiva en materia de protección del patrimonio histórico, artístico, monumental, arqueológico y científico.

En este sentido, la integración de técnicas protectoras de la legislación estatal, la creación del «Inventario de bienes reconocidos del Patrimonio Histórico Andaluz», la simplificación de procedimientos y el mayor detalle en la tipificación de las infracciones son modificaciones basadas en la experiencia práctica. Al mismo tiempo se pretende afrontar la protección del Patrimonio Histórico desde un enfoque territorial, de acuerdo con los planteamientos doctrinales más recientes, mediante figuras de nueva creación como la Zona

Patrimonial y acentuar la coordinación con la legislación urbanística, tras la aprobación de la Ley 7/2002, de 17 de diciembre, de Ordenación Urbanística de Andalucía.

La presente Ley de Patrimonio Histórico de Andalucía, aunque mantiene la filosofía tutelar de la legislación precedente, centrada en la figura del Catálogo General del Patrimonio Histórico de Andalucía, e incluso la estructura de la norma, afecta a numerosos preceptos repartidos a lo largo de todo su articulado, por lo que se ha considerado necesaria la aprobación de una nueva Ley, evitándose así la coexistencia de la norma originaria con una extensa modificación, en beneficio de la seguridad jurídica.

II.

El Título Preliminar contiene las disposiciones generales que recogen el objeto de la Ley, así como la delimitación de su ámbito. Junto a ellas destaca el deber de colaboración entre las Administraciones Públicas, enfatizando el papel que han de desempeñar los municipios en la defensa y protección del Patrimonio Histórico a través del planeamiento urbanístico. Por último, se incide en la obligación de denunciar las acciones u omisiones que puedan suponer un peligro para los bienes del Patrimonio Histórico Andaluz.

El Catálogo General del Patrimonio Histórico Andaluz, concebido como instrumento fundamental para la tutela y conocimiento de los bienes en él inscritos, se regula dentro de las disposiciones contenidas en el Título I. El Catálogo comprende tres categorías de bienes: los de interés cultural, los de catalogación general y los incluidos en el Inventario General de Bienes Muebles del Patrimonio Histórico Español.

La inscripción de Bienes de Interés Cultural podrá ir acompañada de unas instrucciones particulares que ajusten las medidas generales de protección previstas en la Ley a las singularidades del bien. Se trata de una modulación del régimen previsto en la Ley 16/1985, de 25 de junio, del Patrimonio Histórico Español para los bienes declarados de interés cultural que puede ser de gran utilidad en determinados casos. Al mismo tiempo, se simplifica el procedimiento de inscripción de estos bienes dando trámite de audiencia a las personas afectadas para el supuesto de los Monumentos y Jardines Históricos, a diferencia de las tipologías de carácter colectivo (Conjuntos Históricos, Sitios Históricos, Zonas Arqueológicas, Lugares de Interés Etnológico y Zonas Patrimoniales), todo ello sin perjuicio del trámite de información pública y de la audiencia al municipio correspondiente.

La Ley crea, como complemento al Catálogo General, el Inventario de Bienes Reconocidos del Patrimonio Histórico Andaluz. Este instrumento recogerá aquellos bienes que, fruto de un estudio o investigación científica, se identifican como integrantes de nuestro Patrimonio Histórico, contribuyendo, por tanto, a su mayor conocimiento y al incremento de la seguridad jurídica. Los bienes inmuebles incluidos en este Inventario deberán tener su reflejo en los catálogos urbanísticos con motivo de su elaboración o modificación.

El Capítulo III del Título I concreta las obligaciones de las personas titulares de los bienes integrantes del Patrimonio Histórico, siendo más intensas cuando se trate de bienes inscritos en el Catálogo General. A estos últimos podrán aplicárseles las medidas de ejecución forzosa reguladas, en el supuesto de que se incumplan las obligaciones previstas, así como los derechos de tanteo y retracto cuando se den las condiciones señaladas en la Ley.

Conviene destacar, por su carácter de garantía de los fondos públicos, la posibilidad con que cuenta la Administración para detraer del precio de adquisición de un bien las cantidades invertidas mediante ejecución subsidiaria, cuando aquélla se realice dentro de los diez años siguientes a la liquidación del gasto.

La protección del Patrimonio Histórico comprende también su defensa frente a lo que se ha dado en llamar «contaminación visual o perceptiva». El impacto que producen sobre nuestro patrimonio determinados elementos e instalaciones exige conjugar las demandas de las tecnologías que inciden en nuestra vida diaria con la preservación de la calidad ambiental, siendo necesario para ello coordinar la actuación de las diferentes Administraciones Públicas.

En este sentido, se someten a la autorización de la Administración cultural la ubicación de determinados elementos y la realización de instalaciones en materia de energía y telecomunicaciones que inciden directamente en los valores y en la contemplación de los bienes afectados por la declaración de interés cultural.

III.

Las disposiciones contenidas en el Título II se plantean con carácter general, sin hacer distinción entre la naturaleza de los bienes a que van dirigidas o entre su diferente carácter revelador de un determinado interés.

En este Título se contienen los criterios en materia de conservación y restauración, integrando en su regulación principios consagrados en distintas cartas y documentos internacionales de restauración que afectan tanto al carácter de las intervenciones como a la naturaleza de los materiales empleados.

Por otra parte, el proyecto de conservación continúa siendo el instrumento fundamental para acometer estas intervenciones, regulándose su contenido mínimo y los supuestos en que, con carácter excepcional, no será exigible.

IV.

El Patrimonio Inmueble es el que presenta una mayor complejidad, lo que explica la división del Título III, destinado al mismo, en cuatro capítulos.

El Capítulo I desarrolla las tipologías en que se clasifican los bienes inmuebles cuando son inscritos como bien de interés cultural en el Catálogo General del Patrimonio Histórico Andaluz. A las figuras tradicionalmente consagradas (Monumento, Conjunto Histórico, Jardín Histórico, Sitio Histórico y Zona Arqueológica) se suman el Lugar de Interés Etnológico, tipología creada por la Ley 1/1991, de 3 de julio, de Patrimonio Histórico de Andalucía, y la Zona Patrimonial que ahora se instituye.

La fuerte relación del patrimonio con el territorio, así como las influencias recíprocas existentes, está presente en cada una de estas figuras, pero se hace patente de un modo mucho más intenso en la Zona Patrimonial. Aquí el territorio articula un sistema patrimonial integrado, en el que coexisten bienes de distinta naturaleza y cronología, unidos indisolublemente a los valores paisajísticos y ambientales existentes.

El Capítulo II desarrolla la coordinación con la normativa urbanística y medioambiental. Está comúnmente aceptada la conveniencia de objetivar los parámetros de actuación sobre el Patrimonio Inmueble a través del planeamiento urbanístico, ya que la protección y conservación de nuestro Patrimonio Histórico no puede alcanzarse exclusivamente mediante el ejercicio de la labor de policía o la actividad de fomento. En este sentido, se regula el informe de la Administración cultural tanto en los diferentes instrumentos de ordenación, como en los procedimientos de prevención ambiental cuando afecten a bienes integrantes del Patrimonio Histórico Andaluz.

Conviene destacar también la simplificación de la tramitación que se produce en esta materia, insertándose en un único procedimiento el informe de la Administración cultural, con independencia de las consecuencias que en materia de atribución de competencias pudieran derivarse del mismo.

Dentro de este procedimiento único se regulan los contenidos mínimos de los planes urbanísticos cuando afecten a determinadas tipologías de los Bienes de Interés Cultural, entre los que puede destacarse por su novedad la exigencia de una normativa de control de la contaminación visual o perceptiva, y se inserta la posibilidad de que los municipios soliciten la delegación de la competencia para autorizar obras que desarrollen el planeamiento urbanístico aprobado, condicionada a la existencia de una Comisión técnica municipal en los términos establecidos en la Ley.

El régimen de protección de los inmuebles, regulado en el Capítulo III, integra las limitaciones contenidas en la legislación estatal en cuanto a su desplazamiento y en materia de contaminación visual y desarrolla el sistema de autorizaciones. En esta última materia se reserva la autorización administrativa para las intervenciones sobre inmuebles declarados de interés cultural o sus entornos y se someten a comunicación previa las correspondientes a los bienes de catalogación general, pudiendo proponerse medidas correctoras por la Consejería competente.

El régimen de protección incluye, también, la regulación de los supuestos de ruina, demoliciones y paralizaciones de obras.

Finalmente, el Capítulo IV mantiene, dentro del régimen de competencias, las posibilidades de delegación a los municipios en el ámbito de los entornos de los bienes declarados de interés cultural y de unificación de procedimientos de las distintas Administraciones, ya contempladas en la legislación hasta ahora vigente.

Las peculiaridades del Patrimonio Mueble se contemplan en el Título IV de la Ley. Destaca el sometimiento a autorización o comunicación previa (en función del nivel de protección) de los tratamientos a que estos bienes puedan ser sometidos, cuando estén inscritos en el Catálogo General del Patrimonio Histórico de Andalucía.

Este Título aporta también, en relación con la regulación anterior, un planteamiento más flexible de la vinculación de los bienes muebles incluidos expresamente en la inscripción de un inmueble como Bien de Interés Cultural, sujetando a autorización previa su enajenación por separado.

V.

Los denominados «Patrimonios especiales», según la terminología más extendida en la doctrina jurídica, se reflejan en los Títulos V, VI, VII y VIII de la Ley, dedicados respectivamente a los Patrimonios Arqueológico, Etnológico, Industrial, Documental y Bibliográfico.

Se parte, en primer lugar, de un concepto de Patrimonio Arqueológico basado en la utilización de la metodología arqueológica, estableciendo, en los mismos términos que la legislación estatal, la naturaleza demanial de los objetos y restos materiales que sean descubiertos. Este carácter de bienes de dominio público se presumirá también de los elementos hallados con anterioridad a la entrada en vigor de la Ley, una vez transcurrido el plazo previsto en la Disposición transitoria tercera.

Se mantienen la figura cautelar de la Zona de Servidumbre Arqueológica y los elementos sustanciales del sistema de autorización de las actividades arqueológicas. Al mismo tiempo, se sujetan a autorización las actividades que permitan la localización o detección de restos arqueológicos, circunstancia que deberá reflejarse en los Estatutos de aquellas asociaciones que tengan entre sus fines la detección de objetos que se encuentren en el subsuelo. Se trata de un ámbito en el que deben extremarse los controles administrativos, pues, con independencia del valor de los objetos que puedan hallarse, la destrucción de la estratigrafía por excavaciones en las que no se aplica la metodología arqueológica supone una pérdida de información irreparable.

Especial importancia tienen también las actividades arqueológicas previas a la intervención sobre inmuebles protegidos, sobre las que se ha tratado de establecer una regulación equilibrada que, al mismo tiempo, se adecue a lo establecido por la Ley 7/2002. Así se concretan y especifican las obligaciones del promotor de las obras conforme al aprovechamiento urbanístico atribuido, si bien la Administración cultural podrá ampliar a su costa la extensión de la actividad arqueológica por razones de protección o interés científico.

El Título VI se destina al Patrimonio Etnológico, donde la principal novedad consiste en la posibilidad de asociar a una actividad de interés etnológico los bienes muebles y el ámbito territorial vinculados a su desarrollo. A estos bienes y ámbitos les será de aplicación el régimen de protección correspondiente a la actividad, según su modalidad de inscripción en el Catálogo General del Patrimonio Histórico Andaluz.

El Título VII da carta de naturaleza en nuestra legislación de Patrimonio Histórico al Patrimonio Industrial, en cuanto exponente de la historia social y económica de la Comunidad, distinguiendo dentro de esta tipología entre muebles e inmuebles, y establece en qué casos formarán parte del Catálogo General del Patrimonio Histórico Andaluz, siéndoles en tal caso de aplicación el régimen de protección que en función de la categoría asignada les corresponda.

Los Patrimonios Documental y Bibliográfico se contemplan en el Título VIII, que se remite a la legislación sectorial y señala la aplicación supletoria de la presente Ley, introduciendo, al mismo tiempo, algunas precisiones en materia de inspección administrativa y acceso a estos bienes.

VI.

El Título IX de la Ley regula las instituciones del Patrimonio Histórico, donde, además de las tradicionalmente admitidas, se incorporan los Espacios Culturales, y se clasifican los mismos en Conjuntos y Parques Culturales, cuya identidad vendrá definida en función de su relevancia patrimonial y de su ámbito.

Con respecto a los Conjuntos se establece la forma jurídica que podrán adoptar y las funciones de los mismos, así como su estructura.

Los Parques Culturales son una Institución de nueva creación, pensada para gestión de las Zonas Patrimoniales. Dada la presumiblemente amplia extensión territorial de esta tipología, así como la diversidad de elementos protegidos que ha de reunir, se ha planteado un órgano de gestión que pueda integrar a las distintas Administraciones y sectores implicados.

VII.

Las medidas de fomento y el diseño de la organización administrativa que ha de aplicar la Ley mantienen sustancialmente las características de la regulación vigente hasta ahora.

Los diferentes órganos de la Administración del Patrimonio Histórico, regulados en el Título XI, se estructuran en función de su carácter ejecutivo o consultivo y, a su vez, de acuerdo con su ámbito de actuación central o provincial. Se introduce ahora, en relación a los órganos colegiados de carácter consultivo, la necesidad de su composición equilibrada de mujeres y hombres, conforme a las normas que desarrollan el principio de igualdad de género.

El Título XII regula la función inspectora en la materia objeto de la presente Ley, donde se establece la condición de agentes de la autoridad del personal designado para la realización de las inspecciones y comprobaciones previstas en la norma y se determinan sus facultades y funciones básicas, que serán objeto de desarrollo mediante la regulación reglamentaria oportuna.

VIII.

El Título XIII se destina a las infracciones administrativas y sus sanciones. Este Título recoge, en primer lugar, una tipificación pormenorizada de las infracciones, clasificándolas en muy graves, graves y leves.

En materia de responsabilidad se concreta la obligación de reparación del daño causado en los supuestos de demoliciones no autorizadas, en los que el alcance del deber de reconstrucción se determinará en la resolución del expediente sancionador, sin que pueda obtenerse una edificabilidad mayor que la del inmueble demolido. Se trata de una medida fundamental para completar el carácter disuasorio de la sanción.

En la regulación de las sanciones ha de destacarse la actualización de su cuantía, efectuada mediante la aplicación del índice de precios al consumo, y el establecimiento de sanciones accesorias de inhabilitación para el ejercicio profesional ante la Consejería competente en materia de patrimonio histórico y el destino de las multas a la conservación y restauración de los bienes del Patrimonio Histórico de titularidad autonómica.

Por último, dentro de las prescripciones en materia de procedimiento, se incluye la medida cautelar de decomiso o precintado de los instrumentos intervenidos en el momento de efectuar la denuncia, acordándose su destino en la resolución del expediente sancionador.

IX.

Las disposiciones adicionales recogen diversas cuestiones que vienen a completar aspectos concretos de la regulación contenida en la Ley.

La disposición adicional primera expresa la intención de promover el retorno de los bienes de valor histórico que se encuentren fuera de la Comunidad Autónoma.

Las disposiciones adicionales segunda y tercera integran en la nueva estructura del Catálogo General del Patrimonio Histórico Andaluz los bienes protegidos conforme a Ley 1/1991, de 3 de julio, de Patrimonio Histórico Andaluz, y los bienes declarados de interés cultural.

La disposición adicional cuarta establece un entorno cautelar para aquellos inmuebles protegidos sin haberlo delimitado, por no exigirlo la norma vigente en su día.

Asimismo, la disposición adicional quinta establece el marco jurídico de aplicación al Patrimonio Histórico Andaluz de la Iglesia católica, clarificando en este punto el régimen de los bienes en posesión de la misma, sin perjuicio de lo establecido en los Acuerdos entre el Estado Español y la Santa Sede de 3 de enero de 1979.

En cuanto a la disposición adicional sexta, trata igualmente de establecer el régimen jurídico de aquellos bienes que, formando parte del Patrimonio Histórico Andaluz, se encuentran en posesión de organismos públicos tales como universidades y entidades locales.

Por último, la disposición adicional séptima reconoce la importancia del Patrimonio Histórico como recurso turístico de gran interés y la contribución que su difusión turística tiene en el desarrollo de una sensibilización social para su protección o mejora, constituyendo el contenido de la disposición adicional novena.

La disposición transitoria primera aplica el régimen previsto en la presente Ley a la resolución de los expedientes incoados con anterioridad a su entrada en vigor, evitando, de este modo, disfunciones y asegurando la completa adecuación a las nuevas figuras de protección.

La disposición transitoria segunda establece el régimen aplicable a los bienes que deban formar parte del Inventario de Bienes Reconocidos del Patrimonio Histórico Andaluz hasta la constitución formal del mismo.

La disposición transitoria tercera establece un plazo de tres años para la elaboración de los planes de descontaminación visual por parte de los municipios y para la retirada de elementos contaminantes.

Por su parte, la disposición transitoria cuarta establece un plazo de un año para poner en conocimiento de la Administración competente la posesión de bienes integrantes del Patrimonio Arqueológico, fijándose el régimen jurídico aplicable en el supuesto de no llevarse a cabo esta declaración.

La disposición transitoria quinta regula la adaptación de los Estatutos de las asociaciones dedicadas a la detección de objetos que se encuentran en el subsuelo a las previsiones de la Ley, para lo que concede un plazo de seis meses.

Por último, las disposiciones finales primera y segunda actualizan preceptos de la Ley 3/1984, de 9 de enero, de Archivos, modificando la antigüedad de determinados documentos para que formen parte del Patrimonio Documental Andaluz e introduciendo el concepto de préstamo administrativo de documentos, cerrando el texto la disposición final, referida a la habilitación al Consejo de Gobierno para el desarrollo reglamentario de la norma.

TÍTULO PRELIMINAR. Disposiciones generales

Artículo 1. Objeto

Es objeto de la Ley establecer el régimen jurídico del Patrimonio Histórico de Andalucía con el fin de garantizar su tutela, protección, conservación, salvaguarda y difusión, promover su enriquecimiento y uso como bien social y factor de desarrollo sostenible y asegurar su transmisión a las generaciones futuras.

Artículo 2. Ámbito de aplicación

La presente Ley es de aplicación al Patrimonio Histórico Andaluz, que se compone de todos los bienes de la cultura, materiales e inmateriales, en cuanto se encuentren en Andalucía y revelen un interés artístico, histórico, arqueológico, etnológico, documental, bibliográfico, científico o industrial para la Comunidad Autónoma, incluidas las particularidades lingüísticas.

Artículo 3. Competencia

Corresponde a la Comunidad Autónoma de Andalucía la competencia exclusiva sobre el Patrimonio Histórico Andaluz, sin perjuicio de las competencias que correspondan al Estado o estén atribuidas a las entidades locales.

Artículo 4. Cooperación de otras Administraciones Públicas

1. Las Administraciones Públicas colaborarán estrechamente entre sí en el ejercicio de sus funciones y competencias para la defensa, conservación, fomento y difusión del Patrimonio Histórico, mediante relaciones recíprocas de plena comunicación, cooperación y asistencia mutua.

2. Corresponde a los municipios la misión de colaborar activamente en la protección y conservación de los bienes integrantes del Patrimonio Histórico Andaluz que radiquen en su término municipal, en especial a través de la ordenación urbanística, así como realzar y dar a conocer el valor cultural de los mismos.

Asimismo podrán adoptar, en caso de urgencia, las medidas cautelares necesarias para salvaguardar los bienes del Patrimonio Histórico Andaluz cuyo interés se encontrase amenazado, sin perjuicio de cualquier otra función que legalmente tengan encomendada.

3. Además de los supuestos de delegación de competencias previstos en la Ley, por acuerdo del Consejo de Gobierno de la Junta de Andalucía, mediante convenio con las entidades locales interesadas, podrá delegarse en éstas el ejercicio de competencias en la materia propia de la Administración de la Junta de Andalucía, dentro del marco establecido en el Estatuto de Autonomía para Andalucía.

Artículo 5. Colaboración ciudadana

1. Las personas que observen peligro de destrucción o deterioro en un bien integrante del Patrimonio Histórico Andaluz deberán, a la mayor brevedad posible, ponerlo en conocimiento de la Administración competente, que llevará a cabo las actuaciones que procedan.

2. La denuncia no otorga a quien la formula la condición de persona interesada, sin perjuicio de que se le informe del inicio del procedimiento que, en su caso, pueda tramitarse.

TÍTULO I. Protección del Patrimonio Histórico

CAPÍTULO I. Catálogo General del Patrimonio Histórico Andaluz

Artículo 6. Catálogo General del Patrimonio Histórico Andaluz

1. Se constituye el Catálogo General del Patrimonio Histórico Andaluz como instrumento para la salvaguarda de los bienes en él inscritos, la consulta y divulgación de los mismos.

2. La formación, conservación y difusión del Catálogo queda atribuida a la Consejería competente en materia de patrimonio histórico, que tendrá a su cargo la redacción y custodia de la documentación correspondiente a los muebles, inmuebles y manifestaciones o actividades culturales que constituyen el Patrimonio Histórico Andaluz.

El Catálogo General del Patrimonio Histórico Andaluz podrá ser consultado, quedando la documentación administrativa sometida a las normas establecidas para el Patrimonio Documental y demás normativa aplicable.

Artículo 7. Estructura del Catálogo

1. El Catálogo General del Patrimonio Histórico Andaluz comprenderá los Bienes de Interés Cultural, los bienes de catalogación general y los incluidos en el Inventario General de Bienes Muebles del Patrimonio Histórico Español.

2. La inscripción de bienes en el Catálogo General del Patrimonio Histórico Andaluz podrá realizarse de manera individual o colectiva.

3. Con carácter cautelar se realizarán anotaciones preventivas en el Catálogo en los términos previstos en el artículo 9.2.

Artículo 8. Efectos de la inscripción

Sin perjuicio de las obligaciones establecidas en esta Ley para las personas propietarias, titulares de derechos y poseedoras de bienes integrantes del Patrimonio Histórico Andaluz, la inscripción en el Catálogo General llevará aparejados los siguientes efectos:

a) La inscripción de Bienes de Interés Cultural les hará gozar de una singular protección y tutela, de acuerdo con lo previsto en la Ley y con las instrucciones particulares que, en su caso, se establezcan de acuerdo con el artículo 11.

b) La inscripción de bienes de catalogación general supondrá la aplicación de las normas previstas en la Ley.

c) La inscripción de bienes del Inventario General de Bienes Muebles del Patrimonio Histórico Español supondrá la aplicación del régimen jurídico establecido para dicho Inventario en la Ley de Patrimonio Histórico Español, así como de las normas previstas en la Ley.

d) La anotación preventiva de un bien en el Catálogo determinará la aplicación provisional del régimen de protección que le corresponda en función de la clase de inscripción promovida y, en su caso, las medidas cautelares que se establezcan.

Artículo 9. Procedimiento de inscripción

1. Sin perjuicio del régimen previsto para los bienes a que se refieren las disposiciones adicionales tercera, quinta y sexta, que quedan inscritos en el Catálogo General del Patrimonio Histórico Andaluz por ministerio de esta Ley, el procedimiento para la inscripción se incoará de oficio por la Consejería competente en materia de patrimonio histórico. Cualquier persona física o jurídica podrá instar a esta Consejería, mediante solicitud razonada, dicha incoación. La solicitud se entenderá desestimada transcurridos tres meses desde su presentación sin haberse dictado y notificado resolución expresa.

2. La resolución de incoación del procedimiento llevará aparejada la anotación preventiva del bien en el Catálogo General del Patrimonio Histórico Andaluz. La protección cautelar derivada de la anotación cesará cuando se deje sin efecto la incoación, se resuelva el procedimiento o se produzca su caducidad.

3. En el procedimiento para la inscripción de los Bienes de Interés Cultural, en el caso de bienes inmuebles y de actividades de interés etnológico, será preceptivo un trámite de información pública, así como de audiencia al municipio del término donde radique el bien o la actividad y a otros organismos públicos afectados. En la inscripción de Monumentos y Jardines Históricos se dará, además, trámite de audiencia a los particulares directamente afectados en sus derechos. En el caso de Bienes Muebles sólo será preceptivo el trámite de audiencia a los particulares directamente afectados.

4. En el procedimiento para la inscripción de bienes de catalogación general, se seguirán las siguientes reglas:

a) En el caso de bienes inmuebles y de actividades de interés etnológico, será preceptivo un trámite de información pública, así como de audiencia al municipio del término donde radique el bien o la actividad. En la inscripción de bienes inmuebles individualizados se dará, además, trámite de audiencia a los particulares directamente afectados en sus derechos.

b) En el caso de bienes muebles será preceptivo un trámite de audiencia a los particulares directamente afectados en sus derechos.

5. En el procedimiento para la inscripción de bienes del Inventario General de Bienes Muebles del Patrimonio Histórico Español será preceptivo el trámite de audiencia a los particulares directamente afectados.

6. En los supuestos a que se refieren los apartados 3, 4, y 5 se requerirá informe favorable de alguno de los órganos consultivos reconocidos en esta Ley. Transcurridos dos meses desde la solicitud del informe sin que éste hubiera sido emitido, se entenderá emitido favorablemente.

7. La resolución del procedimiento de inscripción en el Catálogo corresponderá:

a) Al Consejo de Gobierno de la Junta de Andalucía cuando se trate de Bienes de Interés Cultural.

b) A la persona titular de la Consejería competente en materia de patrimonio histórico cuando se trate de la inscripción de bienes de catalogación general.

c) A la persona titular de la Dirección General competente en materia de patrimonio histórico cuando se trate de la inscripción de los bienes incluidos en el Inventario General de Bienes Muebles del Patrimonio Histórico Español.

8. La caducidad del procedimiento se producirá transcurridos dieciocho meses desde la fecha de su incoación, sin que se haya dictado y notificado su resolución. Declarada la caducidad del procedimiento, no podrá volver a iniciarse en los tres años siguientes, salvo a instancia del titular del bien o de al menos dos instituciones consultivas no dependientes de la Consejería competente en materia de patrimonio histórico.

9. De las inscripciones y anotaciones preventivas de los Bienes de Interés Cultural y de los bienes del Inventario General de Bienes Muebles del Patrimonio Histórico Español se

dará traslado a la Administración General del Estado para su constancia en el Registro y en el Inventario correspondientes.

Artículo 10. Modificación y cancelación

La modificación o cancelación de la inscripción de un bien en el Catálogo General del Patrimonio Histórico Andaluz se realizará siguiendo el procedimiento establecido en esta Ley para su inscripción.

Artículo 11. Instrucciones particulares

1. La inscripción de un Bien de Interés Cultural en el Catálogo General del Patrimonio Histórico Andaluz deberá llevar aparejado, siempre que resulte necesario, el establecimiento de las instrucciones particulares que concreten, para cada bien y su entorno, la forma en que deben materializarse las obligaciones generales previstas en esta Ley para las personas propietarias, titulares de derechos o simples poseedoras de bienes catalogados.

2. La resolución por la que se incoe el procedimiento de inscripción podrá ordenar la redacción de instrucciones particulares, que deberán obrar en el expediente antes de que se efectúen los trámites de información pública y de audiencia. En aquellos supuestos en que sea necesario, dicha resolución incluirá unas instrucciones particulares provisionales como medida cautelar.

Artículo 12. Inclusión en el Registro de la Propiedad

1. La Consejería competente en materia de patrimonio histórico instará la inclusión gratuita en el Registro de la Propiedad de la inscripción de los bienes inmuebles en el Catálogo General del Patrimonio Histórico Andaluz. Las personas responsables de este Registro adoptarán en todo caso las medidas oportunas para la efectividad de dicha inscripción.

2. Será título suficiente para efectuar dicha inclusión la certificación administrativa expedida por la citada Consejería en la que se transcriba la inscripción en el Catálogo General del Patrimonio Histórico Andaluz. La certificación contendrá los demás requisitos previstos en la legislación hipotecaria.

CAPÍTULO II. Inventario de Bienes Reconocidos del Patrimonio Histórico Andaluz

Artículo 13. Inventario de Bienes Reconocidos del Patrimonio Histórico Andaluz

1. Se constituye el Inventario de Bienes Reconocidos del Patrimonio Histórico Andaluz, al objeto de facilitar su identificación como integrantes de dicho Patrimonio, correspondiendo a la Consejería competente en materia de patrimonio histórico su formación, conservación y difusión.

2. Formarán parte de este Inventario los bienes inmuebles y los espacios vinculados a actividades de interés etnológico a los que en virtud de resolución de la Dirección General competente en materia de patrimonio histórico se les reconozca como integrantes del Patrimonio Histórico Andaluz. Dicha resolución se publicará en el Boletín Oficial de la Junta de Andalucía y contendrá, al menos, la identificación, descripción y localización de los bienes reconocidos.

Asimismo, formarán parte de este Inventario los bienes inmuebles en los que concurran alguno de los valores enumerados en el artículo 2 de esta Ley, así como aquellos espacios vinculados a actividades de interés etnológico contenidos en los catálogos urbanísticos, una vez que hayan sido incluidos en el registro administrativo previsto en la normativa urbanística. A tal fin la Consejería responsable del citado registro comunicará a la Consejería competente en materia de patrimonio histórico las inscripciones que en el mismo se produzcan.

No formarán parte de este Inventario los bienes que se inscriban en el Catálogo General del Patrimonio Histórico Andaluz.

3. Los municipios, cuando elaboren o modifiquen sus catálogos urbanísticos, incluirán necesariamente en los mismos aquellos bienes inmuebles y espacios del Inventario, reconocidos por resolución de la Dirección General competente en materia de patrimonio histórico, que radiquen en su término municipal.

4. El Inventario de Bienes Reconocidos del Patrimonio Histórico Andaluz tendrá como sección el Inventario de Lugares de Memoria Democrática de Andalucía. Este inventario y los bienes en él incluidos se someterán a su regulación específica.

CAPÍTULO III. Régimen jurídico

Artículo 14. Obligaciones de las personas titulares

1. Las personas propietarias, titulares de derechos o simples poseedoras de bienes integrantes del Patrimonio Histórico Andaluz, se hallen o no catalogados, tienen el deber de conservarlos, mantenerlos y custodiarlos de manera que se garantice la salvaguarda de sus valores. A estos efectos, la Consejería competente en materia de patrimonio histórico podrá asesorar sobre aquellas obras y actuaciones precisas para el cumplimiento del deber de conservación.

2. En el supuesto de bienes y actividades inscritas en el Catálogo General del Patrimonio Histórico Andaluz deberán, asimismo, permitir su inspección por las personas y órganos competentes de la Administración de la Junta de Andalucía, su estudio por las personas investigadoras acreditadas por la misma, así como facilitar la información que pidan las Administraciones Públicas competentes sobre el estado de los bienes y su utilización.

3. Cuando se trate de Bienes de Interés Cultural, además se permitirá la visita pública gratuita, al menos cuatro días al mes, en días y horas previamente señalados, constando esta información de manera accesible y pública a los ciudadanos en lugar adecuado del Bien de Interés Cultural. El cumplimiento de esta obligación podrá ser dispensado total o parcialmente por la Consejería competente en materia de patrimonio histórico cuando medie causa justificada. En el caso de bienes muebles se podrá, igualmente, acordar como obligación sustitutoria el depósito del bien en un lugar que reúna las adecuadas condiciones de seguridad y exhibición durante un período máximo de cinco meses cada dos años o, preferentemente, su préstamo temporal para exposiciones organizadas por la Consejería competente en materia de patrimonio histórico.

4. Reglamentariamente se determinarán las condiciones en que tales deberes deban ser cumplidos.

Artículo 15. Órdenes de ejecución

1. La Consejería competente en materia de patrimonio histórico podrá ordenar a las personas propietarias, titulares de derechos o simples poseedoras de bienes inscritos en el Catálogo General del Patrimonio Histórico la ejecución de obras o la adopción de las actuaciones necesarias para su conservación, mantenimiento y custodia. Dichas órdenes no excusarán de la obligación de obtener de otras Administraciones Públicas las licencias o autorizaciones que correspondan.

2. Las personas destinatarias de tales órdenes de ejecución tendrán la posibilidad de liberarse de la carga impuesta siempre que el coste de las obras o actuaciones necesarias ordenadas por la Consejería excedan del 50% del valor total del bien de que se trate. Para que se produzca esta liberación, tales personas habrán de ofrecer a la Consejería, para ella misma o para un tercero, la transmisión de sus respectivos derechos sobre el indicado

bien. El precio de la transmisión será el resultado de detraer del valor total del bien el coste de las obras o actuaciones impuestas.

3. En el supuesto de que la Consejería opte por no adquirir el bien ofrecido, la persona propietaria, titular o poseedora del bien vendrá obligada a adoptar únicamente aquellas previsiones cuyo coste no supere el 50% del valor del bien con arreglo a las prioridades señaladas en cada caso por la Consejería competente en materia de patrimonio histórico.

Artículo 16. Ejecución forzosa

1. En el caso de que las personas obligadas por las órdenes de ejecución de obras o actuaciones de conservación, mantenimiento o custodia no las ejecuten voluntariamente, ni procedan a optar por las medidas indicadas en los apartados 2 y 3 del artículo 15, la Consejería competente en materia de patrimonio histórico podrá, bien imponer multas coercitivas cada mes en que se mantenga la situación de desobediencia, por importe máximo cada una del 10% del coste de las obras o actuaciones impuestas, bien proceder a la ejecución subsidiaria de las mismas con cargo al obligado a su realización. La ejecución subsidiaria no excusará de la obligación de obtener de otras Administraciones Públicas las licencias o autorizaciones que correspondan.

2. Si se optase por la ejecución subsidiaria podrá exigirse por anticipado el pago del importe previsto para las obras, realizándose la liquidación definitiva una vez finalizadas.

3. Cuando no se haya realizado el pago del coste de las obras ejecutadas subsidiariamente en el procedimiento recaudatorio incoado al efecto, y siempre que la deuda no se hubiera extinguido, la Administración podrá optar por detraer una cantidad equivalente a la efectivamente invertida del precio de adquisición más los correspondientes intereses de demora, si en el plazo de diez años, contados desde la liquidación del gasto, adquiere el bien por compraventa, tanteo, retracto o expropiación con fines culturales, considerándose, en tal caso, las cantidades invertidas como anticipos a cuenta.

Artículo 17. Derechos de tanteo y retracto

1. Las transmisiones onerosas de la propiedad o cualquier otro derecho real de uso o disfrute de bienes muebles o inmuebles inscritos en el Catálogo General del Patrimonio Histórico Andaluz estarán sometidas al derecho de tanteo y retracto con arreglo a lo previsto en los apartados siguientes. En el caso de los Conjuntos Históricos, el ejercicio de dicho derecho se limitará a los inmuebles individualmente inscritos en el Catálogo General del Patrimonio Histórico Andaluz y, en su caso, a los señalados a estos efectos en las instrucciones particulares, así como a los inmuebles situados en los Conjuntos Históricos que estén incluidos en los catálogos urbanísticos y formen parte del Inventario de Bienes Reconocidos del Patrimonio Histórico Andaluz.

2. En cumplimiento de lo previsto en el apartado anterior, la voluntad de transmitir la titularidad o tenencia de bienes inscritos en el Catálogo General del Patrimonio Histórico Andaluz habrá de ser previamente notificada por sus titulares de forma fehaciente a la Consejería competente en materia de patrimonio histórico y a los municipios en que radiquen dichos bienes, con dos meses de antelación, indicando el precio y condiciones en que se pretendan enajenar.

3. Durante el indicado plazo, la Consejería competente en materia de patrimonio histórico podrá ejercitar el derecho de tanteo para sí o para las entidades locales y otras entidades de derecho público o entidades privadas, en este último caso sin ánimo de lucro que tengan una destacada finalidad cultural, quedando en tal caso la Consejería o la entidad beneficiaria obligada a abonar el precio por el que se iba a enajenar el bien de que se trate.

4. Si no se realizara la notificación prevista en el apartado 2 o se realizare la transmisión por precio o condiciones distintas de las notificadas, la Consejería competente en ma-

teria de patrimonio histórico podrá ejercitar el derecho de retracto dentro de los seis meses siguientes a la fecha en que tenga conocimiento explícito y fehaciente de la transmisión.

5. Igual notificación previa, en los términos del apartado 2, deberán realizar los subastadores que pretendan enajenar en pública subasta cualquier bien del Patrimonio Histórico Andaluz. En este supuesto la Consejería competente en materia de patrimonio histórico podrá ejercer del mismo modo los derechos de tanteo y retracto.

6. Lo señalado en los apartados anteriores no excluye que los derechos de tanteo y retracto puedan ser ejercidos por los municipios en que radiquen los bienes. No obstante tendrá carácter preferente el ejercicio de tales derechos por parte de la Consejería competente en materia de patrimonio histórico.

7. Las adquisiciones realizadas por la Consejería competente en materia de patrimonio histórico en ejercicio de los derechos de tanteo o retracto de bienes culturales se considerarán comprendidas en los supuestos excepcionales previstos en el artículo 77.1 de la Ley 4/1986, de 5 de mayo, del Patrimonio de la Comunidad Autónoma de Andalucía, correspondiendo a dicha Consejería la resolución motivada a que hace referencia el mencionado apartado y la perfección del negocio correspondiente.

Artículo 18. Expropiación

1. La falta de cumplimiento de las obligaciones establecidas en esta Ley para las personas propietarias, poseedoras o titulares de derechos sobre bienes inscritos en el Catálogo General del Patrimonio Histórico facultará a la Administración para la expropiación total o parcial del bien por causa de interés social.

2. En aplicación del artículo 82 de la Ley de Expropiación Forzosa de 16 de diciembre de 1954, se consideran de interés social las obras y adquisiciones necesarias para posibilitar la contemplación de bienes catalogados, facilitar la conservación de los mismos o eliminar los usos incompatibles u otras circunstancias que atenten contra los valores o seguridad de dichos bienes.

3. Las entidades locales podrán acordar también la expropiación de tales bienes notificando previamente este propósito a la Administración de la Junta de Andalucía, que tendrá prioridad en el ejercicio de esta potestad.

Artículo 19. Contaminación visual o perceptiva

1. Se entiende por contaminación visual o perceptiva, a los efectos de esta Ley, aquella intervención, uso o acción en el bien o su entorno de protección que degrade los valores de un bien inmueble integrante del Patrimonio Histórico y toda interferencia que impida o distorsione su contemplación.

2. Los municipios en los que se encuentren bienes inscritos en el Catálogo General del Patrimonio Histórico de Andalucía deberán recoger en el planeamiento urbanístico o en las ordenanzas municipales de edificación y urbanización medidas que eviten su contaminación visual o perceptiva. Tales medidas comprenderán, al menos, el control de los siguientes elementos:

a) Las construcciones o instalaciones de carácter permanente o temporal que por su altura, volumetría o distancia puedan perturbar su percepción.

b) Las instalaciones necesarias para los suministros, generación y consumo energéticos.

c) Las instalaciones necesarias para telecomunicaciones.

d) La colocación de rótulos, señales y publicidad exterior.

e) La colocación de mobiliario urbano.

f) La ubicación de elementos destinados a la recogida de residuos urbanos.

3. Las personas o entidades titulares de instalaciones o elementos a los que se refiere este artículo estarán obligadas a retirarlos en el plazo de seis meses cuando se extinga su uso.

TÍTULO II. Conservación y restauración

Artículo 20. Criterios de conservación

1. La realización de intervenciones sobre bienes inscritos en el Catálogo General del Patrimonio Histórico Andaluz procurará por todos los medios de la ciencia y de la técnica su conservación, restauración y rehabilitación.

2. Las restauraciones respetarán las aportaciones de todas las épocas existentes, así como las pátinas, que constituyan un valor propio del bien. La eliminación de alguna de ellas sólo se autorizará, en su caso, y siempre que quede fundamentado que los elementos que traten de suprimirse supongan una degradación del bien y su eliminación fuere necesaria para permitir la adecuada conservación del bien y una mejor interpretación histórica y cultural del mismo. Las partes suprimidas quedarán debidamente documentadas.

3. Los materiales empleados en la conservación, restauración y rehabilitación deberán ser compatibles con los del bien. En su elección se seguirán criterios de reversibilidad, debiendo ofrecer comportamientos y resultados suficientemente contrastados. Los métodos constructivos y los materiales a utilizar deberán ser compatibles con la tradición constructiva del bien.

4. En el caso de bienes inmuebles, las actuaciones a que se refiere el apartado 3 evitarán los intentos de reconstrucción, salvo cuando en su reposición se utilicen algunas partes originales de los mismos o se cuente con la precisa información documental y pueda probarse su autenticidad. Si se añadiesen materiales o partes indispensables, las adiciones deberán ser reconocibles y evitar las confusiones miméticas.

Artículo 21. Proyecto de conservación e informe de ejecución

1. La realización de intervenciones de conservación, restauración y rehabilitación sobre bienes inscritos en el Catálogo General del Patrimonio Histórico Andaluz, exigirá la elaboración de un proyecto de conservación con arreglo a lo previsto en el artículo 22.

No obstante, quedan exceptuados de la necesidad del proyecto de conservación previsto en el artículo 22 los inmuebles incluidos en los entornos de los Bienes de Interés Cultural.

2. Al término de las intervenciones cuya dirección corresponderá a personal técnico, se presentará a la Consejería competente en materia de patrimonio histórico un informe sobre la ejecución de las mismas en el plazo y con el contenido que se determinen reglamentariamente.

Artículo 22. Requisitos del proyecto de conservación

1. Los proyectos de conservación, que responderán a criterios multidisciplinares, se ajustarán al contenido que reglamentariamente se determine, incluyendo, como mínimo, el estudio del bien y sus valores culturales, la diagnosis de su estado, la descripción de la metodología a utilizar, la propuesta de actuación desde el punto de vista teórico, técnico y económico y la incidencia sobre los valores protegidos, así como un programa de mantenimiento.

2. Los proyectos de conservación irán suscritos por personal técnico competente en cada una de las materias.

Artículo 23. Potestad de inspección

La Consejería competente en materia de patrimonio histórico está facultada para inspeccionar en todo momento el desarrollo de las labores de conservación, restauración y rehabilitación de los bienes que formen parte del Patrimonio Histórico Andaluz.

Artículo 24. Intervenciones de emergencia

1. Quedan exceptuadas del requisito de proyecto de conservación las actuaciones de emergencia que resulten necesarias realizar en caso de riesgo grave para las personas o los bienes inscritos en el Catálogo General del Patrimonio Histórico Andaluz.

2. La situación de emergencia deberá acreditarse mediante informe suscrito por profesional competente, que será puesto en conocimiento de la Consejería competente en materia de patrimonio histórico antes de iniciarse las actuaciones. Al término de la intervención deberá presentarse informe descriptivo de su naturaleza, alcance y resultados.

3. Las intervenciones de emergencia o, en su caso, las medidas cautelares se limitarán a las actuaciones que resulten estrictamente necesarias, debiendo evitarse las de carácter irreversible, reponiéndose los elementos retirados al término de las mismas.

Si la intervención de emergencia comporta la ejecución de demolición de bienes, se estará a lo dispuesto en los artículos 33, 34, 37 y 38 de la Ley.

4. En el supuesto de que la situación de riesgo a que hace referencia el apartado 1 de este artículo venga motivada por la interrupción de obras o intervenciones en los bienes, se requerirá al responsable de las mismas para que proceda a tomar las medidas necesarias con carácter inmediato. Caso de que dicho requerimiento no sea atendido, la Consejería competente en materia de patrimonio histórico podrá proceder a la ejecución subsidiaria, teniendo la consideración de expediente de tramitación de emergencia a los efectos de su contratación administrativa.

TÍTULO III. Patrimonio inmueble

CAPÍTULO I. Clasificación y ámbito de los Bienes de Interés Cultural

Artículo 25. Clasificación

Los bienes inmuebles que por su interés para la Comunidad Autónoma sean objeto de inscripción como Bien de Interés Cultural en el Catálogo General del Patrimonio Histórico Andaluz se clasificarán con arreglo a la siguiente tipología:

a) Monumentos.
b) Conjuntos Históricos.
c) Jardines Históricos.
d) Sitios Históricos.
e) Zonas Arqueológicas.
f) Lugares de Interés Etnológico.
g) Lugares de Interés Industrial.
h) Zonas Patrimoniales.

Artículo 26. Conceptos

1. Son Monumentos los edificios y estructuras de relevante interés histórico, arqueológico, paleontológico, artístico, etnológico, industrial, científico, social o técnico, con inclusión de los muebles, instalaciones y accesorios que expresamente se señalen.

2. Son Conjuntos Históricos las agrupaciones de construcciones urbanas o rurales junto con los accidentes geográficos que las conforman, relevantes por su interés histórico, arqueológico, paleontológico, artístico, etnológico, industrial, científico, social o técnico, con coherencia suficiente para constituir unidades susceptibles de clara delimitación.

3. Son Jardines Históricos los espacios delimitados producto de la ordenación humana de elementos naturales, a veces complementados con estructuras de fábrica, y estimados de interés en función de su origen o pasado histórico o de sus valores estéticos, sensoriales o botánicos.

4. Son Sitios Históricos los lugares vinculados a acontecimientos o recuerdos del pasado, a tradiciones, creaciones culturales o de la naturaleza y a obras humanas, que posean un relevante valor histórico, etnológico, arqueológico, paleontológico o industrial.

5. Son Zonas Arqueológicas aquellos espacios claramente delimitados en los que se haya comprobado la existencia de restos arqueológicos o paleontológicos de interés relevante relacionados con la historia de la humanidad.

6. Son Lugares de Interés Etnológico aquellos parajes, espacios, construcciones o instalaciones vinculados a formas de vida, cultura, actividades y modos de producción propios del pueblo andaluz, que merezcan ser preservados por su relevante valor etnológico.

7. Son Lugares de Interés Industrial aquellos parajes, espacios, construcciones o instalaciones vinculados a modos de extracción, producción, comercialización, transporte o equipamiento que merezcan ser preservados por su relevante valor industrial, técnico o científico.

8. Son Zonas Patrimoniales aquellos territorios o espacios que constituyen un conjunto patrimonial, diverso y complementario, integrado por bienes diacrónicos representativos de la evolución humana, que poseen un valor de uso y disfrute para la colectividad y, en su caso, valores paisajísticos y ambientales.

Artículo 27. Contenido de la inscripción

1. En la inscripción de los bienes inmuebles de interés cultural deberán concretarse, tanto el bien objeto central de la protección como, en su caso, el espacio que conforme su entorno.

2. En la inscripción de dichos bienes inmuebles se harán constar, además, aquellos bienes muebles y las actividades de interés etnológico que por su íntima vinculación con el inmueble deban quedar adscritos al mismo, gozando de la consideración de Bien de Interés Cultural.

Artículo 28. Entorno de los Bienes de Interés Cultural

1. El entorno de los bienes inscritos como de interés cultural estará formado por aquellos inmuebles y espacios cuya alteración pudiera afectar a los valores propios del bien de que se trate, a su contemplación, apreciación o estudio, pudiendo estar constituido tanto por los inmuebles colindantes inmediatos, como por los no colindantes o alejados.

2. Las actuaciones que se realicen en el entorno estarán sometidas a la autorización prevista en la Ley, al objeto de evitar las alteraciones a que se refiere el apartado anterior.

CAPÍTULO II. Planeamiento de protección y prevención ambiental

Artículo 29. Instrumentos de ordenación y planes con incidencia patrimonial

1. Los instrumentos de ordenación territorial o urbanística, así como los planes o programas sectoriales que incidan sobre bienes integrantes del Patrimonio Histórico identificarán, en función de sus determinaciones y a la escala que corresponda, los elementos patrimoniales y establecerán una ordenación compatible con la protección de sus valores y su disfrute colectivo. En el caso de planes urbanísticos, los elementos patrimoniales se integrarán en el catálogo urbanístico.

2. A tal fin, las entidades promotoras de su redacción solicitarán información a la Consejería competente en materia de patrimonio histórico sobre los bienes integrantes del Patrimonio Histórico dentro del ámbito previsto. Ésta remitirá la información solicitada en el plazo de un mes, relacionando todos los bienes identificados y su grado de protección, los cuales deberán ser objeto de un tratamiento adecuado en el plan o programa correspondiente, pudiéndose aportar directrices para su formulación.

3. Los planes urbanísticos deberán contar con un análisis arqueológico en los suelos urbanos no consolidados, los suelos urbanizables y los sistemas generales previstos, cuando de la información aportada por la Consejería competente en materia de patrimonio histórico, recabada conforme al apartado anterior, haya constancia o indicios de la presencia de restos arqueológicos. El contenido del análisis arqueológico se determinará reglamentariamente en el plazo máximo de dos años.

4. Aprobado inicialmente el plan o programa de que se trate, cuando incida sobre bienes incoados o inscritos en el Catálogo General del Patrimonio Histórico de Andalucía, en el Inventario de Bienes Reconocidos o sobre Zonas de Servidumbre Arqueológica, se remitirá a la Consejería competente en materia de patrimonio histórico para su informe, que tendrá carácter preceptivo cuando se trate de instrumentos de ordenación territorial y carácter vinculante cuando se trate de instrumentos de ordenación urbanística o de planes o programas sectoriales. El informe deberá ser emitido en el plazo de tres meses. En caso de no ser emitido en este plazo, se entenderá favorable.

5. Si en el procedimiento de aprobación del plan se produjeran modificaciones en el documento informado que incidan sobre el Patrimonio Histórico, el órgano competente para su tramitación volverá a recabar informe de la Consejería competente en materia de patrimonio histórico, que dispondrá del mismo plazo establecido en el apartado cuarto. En caso de no ser emitido en ese plazo, el mismo se entenderá favorable.

6. Lo previsto en este artículo será igualmente de aplicación para la revisión o modificación de planes o programas.

Artículo 30. Planeamiento urbanístico de protección

1. La inscripción de bienes inmuebles en el Catálogo General del Patrimonio Histórico Andaluz llevará aparejada la obligación de adecuar el planeamiento urbanístico a las necesidades de protección de tales bienes en el plazo de dos años, con aprobación definitiva de la innovación si fuese necesaria, desde la publicación de la inscripción. Dicha obligación no podrá quedar excusada por la existencia de un planeamiento contradictorio con la protección de los bienes inscritos, ni por la inexistencia de planeamiento que contemple a los bienes inscritos.

2. Los planes urbanísticos que afecten al ámbito de Conjuntos Históricos, Sitios Históricos, Lugares de Interés Etnológico, Lugares de Interés Industrial o Zonas Patrimoniales se ajustarán a los contenidos establecidos en el artículo 31. En estos casos, el plazo a que se refiere el apartado anterior podrá prorrogarse, previa petición razonada y siempre que en la misma se establezcan el tipo de planeamiento urbanístico y plazo para su cumplimiento.

3. La elaboración y aprobación de los planes urbanísticos se llevarán a cabo de una sola vez para el conjunto del área o, excepcionalmente y previo informe favorable de la Consejería competente en materia de patrimonio histórico, de modo parcial por zonas que merezcan una consideración homogénea.

4. Aprobados definitivamente los planes, los municipios podrán solicitar que se les delegue la competencia para autorizar obras o actuaciones que afecten a los bienes inscritos y a sus entornos, de acuerdo con lo dispuesto en el artículo 40.

Artículo 31. Contenido de protección de los planes

1. Los planes urbanísticos que afecten al ámbito de Conjuntos Históricos, Sitios Históricos, Lugares de Interés Etnológico, Lugares de Interés Industrial y Zonas Patrimoniales deberán contener como mínimo:

a) La aplicación de las prescripciones contenidas en las instrucciones particulares si las hubiere.

b) Las determinaciones relativas al mantenimiento de la estructura territorial y urbana.

c) La catalogación exhaustiva de sus elementos unitarios, tanto inmuebles edificados como espacios libres interiores o exteriores u otras estructuras significativas, así como de sus componentes naturales. Para cada elemento se fijará un nivel adecuado de protección.

d) La identificación de los elementos discordantes con los valores del bien, y establecerá las medidas correctoras adecuadas.

e) Las determinaciones para el mantenimiento de los usos tradicionales y las actividades económicas compatibles, proponiendo, en su caso, medidas de intervención para la revitalización del bien protegido.

f) Las prescripciones para la conservación de las características generales del ambiente, con una normativa de control de la contaminación visual o perceptiva.

g) La normativa específica para la protección del Patrimonio Arqueológico en el ámbito territorial afectado, que incluya la zonificación y las cautelas arqueológicas correspondientes.

h) Las determinaciones en materia de accesibilidad necesarias para la conservación de los valores protegidos.

2. Los planes urbanísticos que afecten a Conjuntos Históricos deberán contener, además de las determinaciones recogidas en el apartado anterior, las siguientes:

a) El mantenimiento de las alineaciones, rasantes y el parcelario existente, permitiéndose excepcionalmente remodelaciones urbanas que alteren dichos elementos siempre que supongan una mejora de sus relaciones con el entorno territorial y urbano o eviten los usos degradantes del bien protegido.

b) La regulación de los parámetros tipológicos y formales de las nuevas edificaciones con respeto y en coherencia con los preexistentes. Las sustituciones de inmuebles se consideran excepcionales, supeditándose a la conservación general del carácter del bien protegido.

3. Los Planes Generales de Ordenación Urbanística podrán incorporar directamente los requisitos de los apartados 1 y 2, o bien remitir, a través de sus determinaciones, a la elaboración obligatoria de Planes Especiales de Protección o planeamiento de desarrollo con el mismo contenido, estableciéndose un plazo máximo de tres años para la aprobación de estos últimos, a contar desde la aprobación definitiva de los Planes Generales de Ordenación Urbanística.

Artículo 32. Informe en los procedimientos de prevención y control ambiental

1. El titular de una actividad sometida a algunos de los instrumentos de prevención y control ambiental, que contengan la evaluación de impacto ambiental de la misma de acuerdo con la normativa vigente en esta materia, incluirá preceptivamente en el estudio o documentación de análisis ambiental que deba presentar ante la Consejería competente en materia de medio ambiente las determinaciones contempladas en la resolución emitida por la Consejería competente en materia de patrimonio histórico sobre los resultados de una actividad arqueológica sometida al régimen de autorizaciones previsto en el artículo 52 de esta ley, que identifique y valore la afección al patrimonio histórico, o en su caso, certificación acreditativa de la innecesariedad de tal actividad según lo dispuesto en el artículo 59 de esta ley, expedida por la Consejería competente en materia de patrimonio histórico.

2. La Consejería competente en materia de medio ambiente recabará informe vinculante de la Consejería competente en materia de patrimonio histórico sobre la afección al Patrimonio Histórico de la actividad proyectada e incluirá, en las correspondientes resoluciones y pronunciamientos, las determinaciones resultantes del informe emitido, que se considerará a todos los efectos como la autorización a que se refiere el artículo 33.

3. El plazo de emisión del informe será de treinta días y en caso de no ser emitido en este plazo se entenderá favorable. No obstante, cuando la actividad incida sobre inmue-

bles objeto de inscripción como Bien de Interés Cultural o su entorno, el plazo será de tres meses y de no ser emitido en este plazo se entenderá desfavorable.

CAPÍTULO III. Régimen de protección

Sección 1ª. Actuaciones sobre inmuebles protegidos

Artículo 33. Autorización de intervenciones, prohibiciones y deber de comunicación sobre inmuebles

1. Todo inmueble inscrito en el Catálogo General del Patrimonio Histórico Andaluz es inseparable del lugar donde se ubica. No se podrá proceder a su desplazamiento o remoción, salvo que resulte imprescindible por causa de fuerza mayor que afecte a su integridad o de interés social y, en todo caso, previa autorización de la Consejería competente en materia de patrimonio histórico.

2. Queda prohibida la colocación de publicidad comercial y de cualquier clase de cables, antenas y conducciones aparentes en los Jardines Históricos y en las fachadas y cubiertas de los Monumentos, de acuerdo con lo establecido en el artículo 19.

Se prohíbe también toda construcción que altere el carácter de los inmuebles inscritos como Bien de Interés Cultural o perturbe su contemplación, sin perjuicio de las excepciones que puedan establecerse reglamentariamente.

3. Será necesario obtener autorización de la Consejería competente en materia de patrimonio histórico, con carácter previo a las restantes licencias o autorizaciones que fueran pertinentes, para realizar cualquier cambio o modificación que los particulares u otras Administraciones Públicas deseen llevar a cabo en inmuebles objeto de inscripción como Bien de Interés Cultural o su entorno, tanto se trate de obras de todo tipo, incluyendo remociones de terreno, como de cambios de uso o de modificaciones en los bienes muebles, en la pintura, en las instalaciones o accesorios recogidos en la inscripción. Será preceptiva la misma autorización para colocar cualquier clase de rótulo, señal o símbolo en fachadas o en cubiertas de Monumentos, en los Jardines Históricos y en sus respectivos entornos.

No será necesaria la autorización de la Consejería competente en materia de patrimonio histórico para la realización de obras de escasa entidad constructiva y sencillez técnica que no requieran proyecto de acuerdo con la legislación vigente en materia de edificación, en los inmuebles comprendidos: a) En el entorno de un Bien de Interés Cultural de los enumerados en la letra b). b) En los Conjuntos Históricos, Sitios Históricos, Zonas Arqueológicas, Lugares de Interés Etnológico, Lugares de Interés Industrial o Zonas Patrimoniales, que no estén inscritos en el Catálogo General del Patrimonio Histórico Andaluz como Monumentos y Jardines Históricos. La realización de cualquiera de estas obras deberá ser comunicada con carácter previo a la Consejería competente en materia de patrimonio histórico. En el plazo de treinta días a contar desde tal comunicación, la Consejería valorará la intervención y formulará, en su caso las medidas correctoras que se estimen imprescindibles para la protección del bien, y que la persona interesada deberá cumplir, así como cualesquiera otras recomendaciones técnicas que se consideren convenientes

4. La Consejería competente en materia de patrimonio histórico dispondrá de un plazo de tres meses, contados a partir de la recepción de toda la documentación exigida reglamentariamente, para resolver sobre la solicitud de autorización. Transcurrido dicho plazo sin haberse notificado resolución expresa, el interesado entenderá desestimada la solicitud de autorización.

La autorización se entenderá caducada si transcurriera un año sin haberse iniciado las actuaciones para las que fue solicitada, sin perjuicio de que su vigencia pueda prorrogarse, a solicitud de la persona interesada, por una sola vez y por un nuevo plazo no superior al inicial.

5. Será necesario comunicar a la Consejería competente en materia de patrimonio histórico la realización de cualquier obra o intervención en bienes de catalogación general, con carácter previo a la solicitud de la correspondiente licencia. En el plazo de treinta días a contar desde tal comunicación, la Consejería valorará el proyecto y formulará en su caso las medidas correctoras que se estimen imprescindibles para la protección del bien, y que la persona interesada deberá cumplir, así como cualesquiera otras recomendaciones técnicas que se consideren convenientes.

6. La solicitud de autorización o la comunicación, establecidas, respectivamente, en los apartados 3 y 5 de este artículo, deberán acompañarse del proyecto de conservación regulado en el Título II, correspondiente a la intervención que se pretenda realizar.

Artículo 34. Actuaciones no sometidas a licencia

1. Cuando se trate de actuaciones no sometidas legalmente al trámite reglado de la licencia municipal, que hubieran de realizarse en Bienes de Interés Cultural, en su entorno o en bienes de catalogación general, los particulares interesados, así como las Administraciones Públicas que hubieran de autorizarlas, remitirán previamente a la Consejería competente en materia de patrimonio histórico la documentación necesaria, cuyo contenido se determinará reglamentariamente.

2. La Consejería podrá solicitar documentación complementaria y dispondrá de tres meses, a partir de su recepción, para proceder al otorgamiento o denegación de la autorización. Transcurrido dicho plazo sin haberse notificado resolución expresa, podrá entenderse desestimada la solicitud de autorización. En el caso de bienes de catalogación general el plazo será de treinta días desde la recepción de la comunicación de la intervención u obra.

Artículo 35. Suspensión de obras o actuaciones

En cualquier caso, la Consejería competente en materia de patrimonio histórico podrá ordenar la suspensión de obras o actuaciones en bienes integrantes del Patrimonio Histórico, por espacio de treinta días, con el fin de decidir sobre la conveniencia de incluirlos en alguna de las modalidades de inscripción en el Catálogo General del Patrimonio Histórico Andaluz.

Artículo 36. Suspensión de licencias y paralización de actuaciones

1. La incoación del procedimiento para la catalogación de un inmueble como Bien de Interés Cultural determinará la suspensión de las actuaciones que se estén desarrollando sobre el mismo, y de las licencias municipales de parcelación, edificación o demolición en las zonas afectadas, así como de los efectos de las ya otorgadas, hasta tanto se obtenga la autorización de la Consejería competente en materia de patrimonio histórico.

2. La denegación de la autorización llevará aparejada la necesidad de proceder a la revocación total o parcial de la licencia concedida.

Sección 2ª. Ruina, demoliciones y paralización de obras

Artículo 37. Expedientes de ruina

1. La Consejería competente en materia de patrimonio histórico deberá ser notificada de la apertura y resolución de los expedientes de ruina que se refieran a bienes afectados por la inscripción en el Catálogo General del Patrimonio Histórico Andaluz.

2. La Consejería podrá constituirse en parte interesada en cualquier expediente de ruina que pueda afectar directa o indirectamente al Patrimonio Histórico.

3. La firmeza de la declaración de ruina no llevará aparejada la autorización de demolición de inmuebles catalogados.

4. En el supuesto de que la situación de ruina lleve aparejado peligro inminente de daños a las personas, la entidad que hubiera incoado expediente de ruina deberá adoptar las medidas necesarias para evitar dichos daños, previa obtención de la autorización prevista en el artículo 33. Las medidas que se adopten no podrán incluir más demoliciones que las estrictamente necesarias y se atendrán a los términos previstos en la citada autorización.

Artículo 38. Demoliciones

1. No procederá la demolición de inmuebles inscritos en el Catálogo General del Patrimonio Histórico Andaluz. Podrán admitirse, excepcionalmente, demoliciones derivadas de la ejecución de proyectos de conservación, que exigirán la autorización de la Consejería competente en materia de patrimonio histórico.

2. Las demoliciones que afecten a inmuebles integrantes del entorno de Bienes de Interés Cultural exigirán la autorización de la Consejería competente en materia de patrimonio histórico.

3. Las demoliciones que afecten a inmuebles incluidos en Conjuntos Históricos, Sitios Históricos, Lugares de Interés Etnológico, Lugares de Interés Industrial o Zonas Patrimoniales, que no estén inscritos individualmente en el Catálogo General del Patrimonio Histórico Andaluz ni formen parte del entorno de Bienes de Interés Cultural, exigirán la autorización de la Consejería competente en materia de patrimonio histórico, salvo que hayan sido objeto de regulación en el planeamiento informado favorablemente conforme al artículo 30.

Artículo 39. Actuaciones ilegales

1. Serán ilegales las actuaciones realizadas y nulas las licencias otorgadas sin contar con la autorización o, en su caso, la comunicación previa previstas en el artículo 33, apartados 3 y 5, o sin atenerse a las condiciones impuestas en la autorización, o incumpliendo las medidas correctoras o recomendaciones técnicas que hubiese formulado la Consejería competente en materia de patrimonio histórico al valorar las intervenciones sujetas a comunicación previa.

2. La Consejería competente en materia de patrimonio histórico ordenará la suspensión inmediata de los cambios o modificaciones que se estén realizando en los bienes inscritos, cuando no haya recibido comunicación previa de los mismos o no los haya autorizado, o en su caso, se incumplan los condicionantes impuestos en la autorización o las medidas correctoras o recomendaciones técnicas que hubiese formulado la Consejería competente en materia de patrimonio histórico al valorar las intervenciones sujetas a comunicación previa.

3. En el expediente que se instruya para averiguar los hechos, la Consejería competente en materia de patrimonio histórico podrá autorizar las obras o modificaciones, ordenar la demolición de lo construido o la reconstrucción de lo destruido sin autorización o sin haber efectuado la comunicación previa u ordenar las reposiciones necesarias para recuperar la situación anterior, todo ello con independencia de la imposición de las sanciones pertinentes. En el caso de que en el curso de un procedimiento sancionador por hechos que puedan comportar infracción sancionable conforme a la presente Ley se advierta la necesidad de adoptar las medidas referidas con anterioridad, se procederá a iniciar un procedimiento administrativo específico a tal efecto.

CAPÍTULO IV. Régimen de competencias

Artículo 40. Delegación de competencias en los municipios

1. Aprobados definitivamente los planes a que se refiere el artículo 30, los municipios interesados podrán solicitar la delegación de la competencia para autorizar directamente las obras y actuaciones que desarrollen o ejecuten el planeamiento urbanístico aprobado y

que afecten únicamente a inmuebles que no sean Monumentos, Jardines Históricos o Zonas Arqueológicas ni estén comprendidos en su entorno o en el ámbito territorial vinculado a una actividad de interés etnológico.

2. No obstante, podrá delegarse también la competencia para autorizar obras o actuaciones en los inmuebles incluidos en la delimitación de los entornos de los Bienes de Interés Cultural cuando los referidos entornos se encuentren suficientemente regulados por el planeamiento urbanístico con normas específicas de protección.

3. A efectos de lo dispuesto en los apartados anteriores, los municipios interesados deberán remitir a la Consejería competente en materia de patrimonio histórico una copia del plan aprobado debidamente diligenciada y contar con una Comisión técnica municipal que informe las obras y actuaciones, presidida por la persona titular de la alcaldía o concejal delegado en materia de urbanismo e integrada, al menos, por personas con titulación suficiente para el ejercicio de la Arquitectura, la Arquitectura Técnica, la Arqueología y la Historia del Arte. En la solicitud deberá acreditarse la composición de dicha Comisión.

4. La Consejería competente en materia de patrimonio histórico, una vez verificada la composición de la Comisión técnica municipal, podrá delegar el ejercicio de la competencia solicitada mediante Orden de su titular en la que se incluirá la obligación de comunicar las autorizaciones o licencias concedidas en el plazo máximo de diez días desde su otorgamiento. No procederá la delegación de competencias en los supuestos de autorización de demoliciones establecidos en el artículo 38 de esta Ley.

5. En caso de incumplimiento por el municipio del plan aprobado, la Consejería competente en materia de patrimonio histórico podrá revocar la delegación.

6. La derogación, revisión o modificación del planeamiento urbanístico existente en el momento de la delegación supondrá la revocación de ésta, a no ser que aquéllas se hubieran llevado a término con el informe favorable de la Consejería competente en materia de patrimonio histórico.

Artículo 41. Procedimiento único

Por Decreto del Consejo de Gobierno podrá establecerse un procedimiento único que, respetando las competencias de las diversas Administraciones intervinientes, permita la obtención de todas las autorizaciones y licencias que fueren necesarias para realizar obras, cambios de uso o modificaciones de cualquier tipo que afecten a inmuebles inscritos como Bien de Interés Cultural o su entorno.

TÍTULO IV. Patrimonio mueble

Artículo 42. Bienes muebles integrantes del Patrimonio Histórico Andaluz

1. Forman parte del Patrimonio Histórico Andaluz los bienes muebles de relevancia cultural para Andalucía que se encuentren establemente en territorio andaluz.

2. El presente Título será también de aplicación a aquellos elementos o fragmentos relevantes de bienes inmuebles que se encuentren separados de éstos.

Artículo 43. Autorización de intervenciones, prohibiciones y deber de comunicación en bienes muebles

1. Los bienes muebles inscritos en el Catálogo General del Patrimonio Histórico como Bien de Interés Cultural no podrán ser sometidos a tratamiento alguno sin autorización expresa de la Consejería competente en materia de patrimonio histórico que dispondrá de un plazo de tres meses, contados a partir de la recepción de toda la documentación exigida reglamentariamente, para resolver sobre la solicitud de autorización. Transcurrido dicho

plazo sin haberse notificado resolución expresa, podrá entenderse desestimada la solicitud de autorización.

La autorización se entenderá caducada si transcurriera un año sin haberse iniciado las actuaciones para las que fue solicitada, sin perjuicio de que su vigencia pueda prorrogarse, a solicitud de la persona interesada, por una sola vez y por un nuevo plazo no superior al inicial.

2. La realización de cualquier tratamiento sobre bienes muebles de catalogación general o incluidos en el Inventario General de Bienes Muebles del Patrimonio Histórico Español deberá ser comunicada previamente a la Consejería competente en materia de patrimonio histórico. En el plazo de treinta días a contar desde tal comunicación, la Consejería valorará el proyecto y formulará en su caso las medidas correctoras que se estimen imprescindibles para la protección del bien, y que la persona interesada deberá cumplir, así como cualesquiera otras recomendaciones técnicas que se consideren convenientes.

3. La solicitud de autorización o la comunicación deberán venir acompañadas por el proyecto de conservación regulado en el Título II, correspondiente a la intervención que se pretenda realizar.

Artículo 44. Bienes muebles vinculados

Los bienes muebles incluidos de forma expresa en la inscripción de un inmueble como Bien de Interés Cultural en el Catálogo General del Patrimonio Histórico Andaluz, con arreglo a lo previsto en el artículo 27, son inseparables del inmueble del que forman parte y, por tanto, su transmisión o enajenación sólo podrá realizarse conjuntamente con el mismo inmueble, salvo autorización expresa de la Consejería competente en materia de patrimonio histórico.

Artículo 45. Obligaciones

1. Las personas propietarias, titulares de derechos o simples poseedoras de bienes muebles inscritos en el Catálogo General del Patrimonio Histórico Andaluz, además de las obligaciones establecidas en otros preceptos, deberán, antes de efectuar cualquier cambio de ubicación de dichos bienes, notificarlo a la Consejería competente en materia de patrimonio histórico. Se exceptúa de esta obligación el cambio de ubicación dentro del mismo inmueble en el que esté el bien.

2. El incumplimiento de las obligaciones previstas en esta Ley podrá llevar aparejado el depósito forzoso del bien en una institución de carácter público hasta tanto no se garantice su conservación.

3. Las personas o entidades que ejerzan habitualmente el comercio de bienes muebles integrantes del Patrimonio Histórico Andaluz llevarán un libro registro en el que consten todas las transacciones que de ellos se realicen y cuyo contenido se establecerá reglamentariamente.

Artículo 46. Actuaciones ilegales

1. Serán ilegales las actuaciones realizadas sin contar con la autorización o, en su caso, la comunicación previa previstas en el artículo 43, apartados 1 y 2, o sin atenerse a las condiciones impuestas en la autorización.

2. La Consejería competente en materia de patrimonio histórico ordenará la paralización inmediata de los cambios o modificaciones que se estén realizando en los bienes inscritos, cuando no haya recibido comunicación previa de los mismos o no los haya autorizado o, en su caso, se incumplan los condicionamientos impuestos en la autorización.

3. Cuando se trate de actuaciones sobre bienes muebles no inscritos, la Consejería competente en materia de patrimonio histórico gozará de la misma facultad de suspensión establecida para los bienes inmuebles en el artículo 35.

4. En el expediente que se instruya para averiguar los hechos y sancionar a los responsables, la Consejería competente en materia de patrimonio histórico podrá autorizar las actuaciones, ordenar las reparaciones necesarias o ejecutar subsidiariamente dichas reparaciones previo depósito del bien en una institución pública, todo ello con independencia de la imposición de las sanciones pertinentes.

TÍTULO V. Patrimonio arqueológico

Artículo 47. Concepto

1. Forman parte del Patrimonio Arqueológico los bienes muebles o inmuebles de interés histórico, susceptibles de ser estudiados con metodología arqueológica, hayan sido o no extraídos y tanto si se encuentran en la superficie o en el subsuelo, en las aguas interiores, en el mar territorial o en la plataforma continental. Asimismo, forman parte de este Patrimonio los elementos geológicos y paleontológicos relacionados con la historia de la humanidad y sus orígenes y antecedentes.

2. Son bienes de dominio público de la Comunidad Autónoma de Andalucía todos los objetos y restos materiales que posean los valores que son propios del Patrimonio Histórico Andaluz y sean descubiertos como consecuencia de excavaciones, remociones de tierra, obras o actividades de cualquier índole o por azar, todo ello de acuerdo con la legislación del Estado.

Artículo 48. Declaración de Zona de Servidumbre Arqueológica

1. La persona titular de la Consejería competente en materia de patrimonio histórico podrá declarar Zona de Servidumbre Arqueológica aquellos espacios claramente determinados en que se presuma fundamentalmente la existencia de restos arqueológicos de interés y se considere necesario adoptar medidas precautorias.

2. El procedimiento para la declaración de Zona de Servidumbre Arqueológica se incoará de oficio. Cualquier persona física o jurídica podrá instar a esta Consejería, mediante solicitud razonada, dicha incoación. La solicitud se entenderá desestimada transcurridos tres meses desde su presentación sin haberse dictado y notificado resolución expresa.

3. En el procedimiento de declaración de las Zonas de Servidumbre Arqueológica se dará audiencia, por plazo de un mes, a los municipios afectados, a la Comisión provincial competente en materia de urbanismo y, en su caso, a los organismos competentes en el dominio público marítimo. Asimismo, se abrirá un período de información pública por plazo de un mes.

4. La declaración de Zona de Servidumbre Arqueológica será objeto de publicación en el Boletín Oficial de la Junta de Andalucía.

Artículo 49. Régimen de la Zona de Servidumbre Arqueológica

1. La realización de obras de edificación o cualesquiera otras actuaciones que lleven aparejada la remoción de terrenos en Zonas de Servidumbre Arqueológica se notificará a la Consejería competente en materia de patrimonio histórico con un mínimo de quince días de antelación. Recibida la notificación, la Consejería dispondrá de un plazo de quince días para ordenar, en su caso, la realización de catas o prospecciones arqueológicas, que se regirán por lo dispuesto en el artículo 59.

2. La Consejería competente en materia de patrimonio histórico queda facultada para inspeccionar en todo momento las obras y actuaciones que se realicen en Zonas de Servidumbre Arqueológica.

Artículo 50. Régimen de los hallazgos casuales

1. La aparición de hallazgos casuales de objetos y restos materiales que posean los valores propios del Patrimonio Histórico Andaluz deberá ser notificada inmediatamente a la Consejería competente en materia de patrimonio histórico o al Ayuntamiento correspondiente, quien dará traslado a dicha Consejería en el plazo de veinticuatro horas. En ningún caso se podrá proceder sin la autorización y supervisión previa de la Consejería competente en materia de patrimonio histórico a la remoción de los restos o bienes hallados, que deberán conservarse en el lugar del hallazgo, facilitándose su puesta a disposición de la Administración.

2. La Consejería competente o, en caso de necesidad, la Alcaldía de los municipios respectivos, notificando a dicha Consejería en el plazo de veinticuatro horas, podrán ordenar la interrupción inmediata de los trabajos, por plazo máximo de dos meses. Dicha paralización no comportará derecho a indemnización. En caso de que resulte necesario, la Consejería podrá disponer que la suspensión de los trabajos se prorrogue por tiempo superior a dos meses, quedando en tal caso obligada a resarcir el daño efectivo que se causare con tal paralización.

3. La Consejería competente en materia de patrimonio histórico podrá ordenar la intervención arqueológica más adecuada con carácter de urgencia de los restos aparecidos durante el plazo de suspensión de las obras.

4. Los hallazgos casuales deberán ser, en todo caso, objeto de depósito en el museo o institución que se determine.

5. La persona que descubra y la propietaria del lugar en que hubiere sido encontrado el objeto o los restos materiales tienen derecho, en concepto de premio en metálico, a la mitad del valor que en tasación legal se le atribuya, la cual se realizará de conformidad con lo establecido por el artículo 80 de la Ley de Expropiación Forzosa, distribuyéndose entre ellas por partes iguales. Si fuesen dos o más las personas descubridoras o propietarias se mantendrá igual proporción.

El procedimiento para la declaración de los derechos de las personas descubridoras o propietarias del lugar donde hubieran aparecido los hallazgos casuales se desarrollará con arreglo a los trámites reglamentariamente establecidos.

Artículo 51. Actuación administrativa

1. La Consejería competente en materia de patrimonio histórico podrá realizar excavaciones, prospecciones, restauraciones, consolidaciones o actividades de difusión a través de cualquiera de las formas establecidas en la legislación sobre contratos de las Administraciones Públicas.

2. Las actuaciones tendentes a evitar el deterioro o destrucción del Patrimonio Arqueológico Andaluz que deban efectuarse sin dilación tendrán la consideración de obras que se tramitarán por el procedimiento de emergencia de acuerdo con lo dispuesto en la legislación referida en el apartado anterior.

3. Se considera de utilidad pública la ocupación de los inmuebles necesarios para la realización de actuaciones arqueológicas. Cuando se trate de prospecciones arqueológicas necesarias para la formación del proyecto o el replanteo de una obra pública, será de aplicación el artículo 108.1 de la Ley de Expropiación Forzosa, de 16 de diciembre de 1954.

Artículo 52. Autorizaciones de actividades arqueológicas

1. Será necesaria la previa autorización de la Consejería competente en materia de patrimonio histórico para la realización de Proyectos Generales de Investigación Arqueológica y de las siguientes actividades arqueológicas en Andalucía: excavaciones y prospecciones arqueológicas, terrestres o subacuáticas, análisis de estructuras emergentes y la reproducción y estudio del arte rupestre.

La realización del control arqueológico de movimientos de tierra previsto en este artículo, estará sujeto, con carácter previo a su inicio, a declaración responsable en la que se realice una descripción de la actuación y en la que se manifieste que la dirección de la actividad arqueológica cumple con los requisitos legales y reglamentarios previstos. En ningún caso, esta declaración responsable eximirá de cumplir con las restantes obligaciones reglamentarias referidas al desarrollo de la actividad arqueológica y al pronunciamiento sobre los resultados de la misma por parte de la Consejería competente en materia de patrimonio histórico.

El modelo normalizado de dicha declaración responsable se establecerá mediante orden de la Consejería competente en materia de patrimonio histórico.

2. A los efectos de lo dispuesto en el apartado anterior se entiende por:

a) Proyecto General de Investigación Arqueológica, el programa o acción investigadora que, siguiendo el método científico, pretende recabar todo tipo de información y formular y corroborar hipótesis acerca de un determinado territorio o espacio en relación a su conocimiento arqueológico e histórico. Asimismo, podrán ser objeto de un Proyecto General de Investigación la conservación y puesta en valor de bienes susceptibles de ser estudiados con metodología arqueológica.

En ellos deberán contenerse las actividades arqueológicas que se realicen en su desarrollo, así como los criterios, metodología, los estudios complementarios o las actuaciones sobre los bienes objeto de investigación.

b) Excavación arqueológica, tanto terrestre como subacuática, la remoción de tierra y el análisis de estructuras realizados con metodología científica, destinada a descubrir e investigar toda clase de restos históricos o paleontológicos, así como los componentes geomorfológicos relacionados con ellos.

c) Prospección arqueológica, la exploración superficial y sistemática sin remoción de tierra realizada con metodología científica, tanto terrestre como subacuática, dirigida al estudio, investigación o detección de vestigios arqueológicos o paleontológicos. También tendrá la consideración de prospección arqueológica el uso de instrumentos y técnicas que permitan detectar objetos y estructuras por debajo del nivel del suelo, tales como teledetección, métodos geofísicos en sus distintos tipos, detectores de metales, etc.

d) Control arqueológico de movimientos de tierra, el seguimiento de las remociones de terreno realizadas de forma mecánica o manual, con objeto de comprobar la existencia de restos arqueológicos o paleontológicos y permitir su documentación y la recogida y recuperación de bienes muebles. Tendrán la consideración de control arqueológico de movimientos de tierra las inspecciones de los trabajos de dragados de fondos subacuáticos.

e) Análisis de estructuras emergentes, la documentación de las estructuras o elementos arquitectónicos y unidades de estratificación que forman o han formado parte de un inmueble. Dicha actividad podrá completarse, en su caso, mediante el control arqueológico de la ejecución de las obras de conservación, restauración o rehabilitación.

f) Reproducción y estudio directo de arte rupestre, el conjunto de trabajos de campo orientados a la investigación y documentación gráfica de los motivos figurados y sus soportes.

3. En el supuesto de actuaciones promovidas por la Consejería competente en materia de patrimonio histórico la autorización vendrá sustituida por el visado previo del proyecto a efectos de comprobar su idoneidad técnica y conceptual.

Artículo 53. Solicitudes

1. Podrán solicitar autorización para realizar actividades arqueológicas:

a) Las personas físicas, individualmente consideradas o formando equipos de investigación, que cuenten con la titulación o acreditación profesional que normativamente se determine.

b) Los departamentos de universidades u otras instituciones científicas, españolas o comunitarias, relacionados con la investigación del Patrimonio Arqueológico.

c) Los museos arqueológicos o que cuenten con sección de Arqueología.

d) Los institutos de Prehistoria y Arqueología del Consejo Superior de Investigaciones Científicas.

e) Las Administraciones Públicas que pretendan realizar tales actividades directamente y cuenten con el personal debidamente titulado o acreditado para ello.

Cuando se trate de personas físicas, equipos de investigación o instituciones científicas extranjeras no comunitarias, la solicitud se acompañará de informe emitido por otra persona o institución española de entre las enumeradas en este apartado.

2. En todo caso la solicitud habrá de ir suscrita por la persona con titulación suficiente y acreditada experiencia que asuma la dirección de los trabajos.

3. Por la Consejería competente en materia de patrimonio histórico podrá recabarse de los organismos y autoridades competentes la información precisa para comprobar los datos referentes a titulación y experiencia profesional.

Artículo 54. Procedimiento de autorización

1. El procedimiento de autorización se desarrollará con arreglo a los trámites que reglamentariamente se establezcan. En la resolución por la que se conceda la autorización se indicarán las condiciones especiales a que deban sujetarse los trabajos, así como el museo o centro en el que deban depositarse los hallazgos.

2. Por la Consejería competente en materia de patrimonio histórico se establecerán las condiciones técnicas generales para el ingreso de los materiales arqueológicos en los museos o centros.

3. La solicitud irá acompañada de una declaración responsable en la que se contenga el compromiso de obtener el permiso de la propiedad de los terrenos para la ocupación de los mismos, una vez otorgada la autorización de la actividad arqueológica. La obtención de dicho permiso, así como de las restantes autorizaciones y licencias que sean legalmente exigibles, será responsabilidad de la dirección de la actividad arqueológica o, en su caso, de la persona promotora de la misma.

Artículo 55. Revocación de autorizaciones. Responsabilidades

1. Podrán ser revocadas las autorizaciones concedidas por disconformidad de los trabajos ejecutados con el proyecto o actividad autorizados, por cambio no autorizado en la dirección de la actividad o por incumplimiento de las condiciones establecidas en la autorización o de las demás obligaciones establecidas en la Ley y en sus normas de desarrollo. La revocación no exonera a la persona autorizada y a la persona o entidad a que se refiere el artículo 59 del deber de conservar el yacimiento o los vestigios hallados y de entregar la documentación de toda índole generada por la actividad arqueológica.

2. La responsabilidad por los daños o perjuicios que pudieran resultar de la ejecución de actuaciones arqueológicas recaerá sobre la persona o entidad que haya solicitado la autorización para la realización de las mismas y, en su caso, de las entidades o empresas de quienes dependan.

Artículo 56. Colaboración con la inspección de la actividad arqueológica

Quienes sean responsables de una actividad arqueológica habrán de permitir y facilitar las labores del personal inspector, que podrá permanecer en el yacimiento y controlar la correcta ejecución del proyecto autorizado, los descubrimientos realizados, el inventario correspondiente y el modo científico de practicar los trabajos. De todo ello dichos responsables deberán elevar el correspondiente informe a la Consejería competente en materia de patrimonio histórico.

Artículo 57. Obligaciones de la dirección de la actividad arqueológica

1. La dirección de los trabajos se ejercerá personalmente por su responsable, no ausentándose del lugar de la actividad arqueológica durante su ejecución sin justificar debidamente su ausencia en el libro diario de la actividad y sin haber delegado su responsabilidad en persona que reúna los requisitos de titulación, especialización y conocimientos de la problemática del yacimiento.

2. La dirección tendrá las siguientes obligaciones:

a) Comunicar fehacientemente, con una antelación de cuarenta y ocho horas, a los órganos correspondientes de la Consejería competente en materia de patrimonio histórico el día que vayan a comenzar los trabajos, y el día de su terminación, haciéndolo constar en el libro diario.

b) Llevar un libro diario en el que anotarán las incidencias y órdenes que se produzcan.

c) Depositar los materiales encontrados en el museo o centro que se señale en la autorización de la actividad.

d) Presentar, de la manera que reglamentariamente se determine, la memoria científica en sus distintas modalidades con los resultados obtenidos, un inventario detallado de los materiales encontrados y el acta de entrega de los citados materiales al museo o centro correspondiente.

Artículo 58. Actuaciones de urgencia

1. La Consejería competente en materia de patrimonio histórico podrá autorizar mediante procedimiento simplificado la realización de actividades arqueológicas de urgencia cuando considere que existe peligro de pérdida o destrucción de bienes del Patrimonio Arqueológico.

2. Estas actuaciones se limitarán a la adopción de las medidas necesarias para superar la situación de urgencia.

Artículo 59. Actuaciones arqueológicas previas a la intervención sobre un inmueble

1. Con carácter previo a la autorización de intervenciones sobre inmuebles afectados por la declaración de Bien de Interés Cultural, en bienes inmuebles de catalogación general, o en bienes inmuebles del Inventario de Bienes Reconocidos del Patrimonio Histórico Andaluz, si las medidas correctoras señaladas por la Consejería competente en materia de patrimonio histórico así lo establecen o cuando el planeamiento urbanístico así lo disponga, podrá exigirse a la persona o entidad promotora de las mismas, cuando se conozca o presuma la existencia de restos del patrimonio arqueológico en el subsuelo, la realización de la actividad arqueológica necesaria para su protección.

2. La actividad arqueológica se sujetará al régimen de autorizaciones previsto en este Título y se extenderá hasta el límite del aprovechamiento urbanístico que la persona o entidad promotora tuviera atribuido sobre el subsuelo.

3. La Consejería competente en materia de patrimonio histórico podrá ampliar la extensión de la actividad arqueológica, financiando el coste añadido que ello suponga, cuando existiesen razones de interés científico o de protección del patrimonio arqueológico.

4. Realizada la actividad arqueológica y evaluados sus resultados se determinarán, por el órgano competente para autorizar la intervención, las previsiones que habrán de incluirse en el correspondiente proyecto para garantizar, en su caso, la protección, conservación y difusión de los restos arqueológicos, que condicionará la adquisición y materialización del aprovechamiento urbanístico atribuido.

5. Las personas promotoras de cualquiera de las intervenciones sobre el patrimonio arqueológico que se contemplan en el apartado 1, que consistan en labores de consolidación, restauración y restitución arqueológicas, así como las actuaciones de cerramiento,

vallado y cubrición de yacimientos arqueológicos, requerirán la autorización de una actividad arqueológica adecuada a la actuación prevista y conforme a las modalidades de actividades arqueológicas que se regulan en el artículo 52.

6. La Consejería competente en materia de patrimonio histórico podrá resolver la innecesariedad de realizar una actividad arqueológica, siempre que quede totalmente acreditada, en su caso, la nula afección al patrimonio arqueológico, según el procedimiento y el plazo que reglamentariamente se determinen.

Artículo 60. Autorización del uso de detectores y otros instrumentos

1. El uso de detectores de metales u otras herramientas o técnicas que permitan localizar restos arqueológicos, aun sin ser ésta su finalidad, deberá ser autorizado por la Consejería competente en materia de patrimonio histórico. Podrán eximirse de esta autorización los usos que se establezcan reglamentariamente.

Asimismo, reglamentariamente se establecerán las prohibiciones de estos usos.

2. La persona interesada deberá presentar solicitud en la que indicará el ámbito territorial y fecha o plazo para el uso de detectores de metales u otras herramientas y demás requisitos que se establezcan reglamentariamente.

En todo caso, la solicitud se acompañará de la autorización del propietario de los terrenos.

3. La autorización deberá ser resuelta y notificada en el plazo de tres meses. Transcurrido dicho plazo, la persona interesada podrá entender desestimada la solicitud.

4. La autorización se otorgará con carácter personal e intransferible, debiendo indicarse el ámbito territorial y la fecha o plazo para su ejercicio. La administración comunicará esta autorización a los agentes de las Fuerzas y Cuerpos de Seguridad.

5. En todo caso, cuando con ocasión de la ejecución del uso o actividad autorizados se detectara la presencia de restos arqueológicos de cualquier índole, la persona autorizada suspenderá de inmediato el uso o actividad autorizados, se abstendrá de realizar remoción del terreno o intervención de cualesquiera otra naturaleza y estará obligada a dar conocimiento, antes del término de veinticuatro horas, a la Consejería competente en materia de patrimonio histórico o al Ayuntamiento del término en el que se haya detectado el resto arqueológico, o, en su defecto, a la dependencia más próxima de las Fuerzas y Cuerpos de Seguridad.

6. En los hallazgos a que se refiere el apartado 5, no habrá derecho a indemnización ni a premio alguno.

7. Los Estatutos de las asociaciones y demás entidades con personalidad jurídica propia entre cuyos fines se encuentre la detección de objetos, metálicos o de cualquier otra naturaleza, que se encuentren en el subsuelo deberán recoger, de forma expresa, la obligatoriedad de obtener la autorización de la Consejería competente en materia de patrimonio histórico para la localización de restos arqueológicos.

TÍTULO VI. Patrimonio etnológico

Artículo 61. Concepto y ámbito

1. Son bienes integrantes del Patrimonio Etnológico Andaluz los parajes, espacios, construcciones o instalaciones vinculados a formas de vida, cultura, actividades y modos de producción propios de la comunidad de Andalucía.

2. La inscripción de una actividad de interés etnológico en el Catálogo General del Patrimonio Histórico Andaluz podrá incluir la protección de un ámbito territorial vinculado a su desarrollo, y de los bienes muebles que se le asocien.

3. Las intervenciones en el ámbito territorial vinculado a una actividad inscrita se someterán al régimen de autorizaciones que les corresponda en función de la clase de inscripción que se realice.

Artículo 62. Bienes muebles de interés etnológico

Los bienes muebles de interés etnológico andaluz quedarán sometidos al régimen general de protección establecido en esta Ley para los bienes de naturaleza mueble.

Artículo 63. Especial protección

La inscripción en el Catálogo General del Patrimonio Histórico Andaluz de prácticas, saberes y otras expresiones culturales como actividades de interés etnológico les conferirá preferencia entre las de su misma naturaleza a efectos de su conocimiento, protección, difusión, así como para la concesión de subvenciones y ayudas públicas que se establezcan.

Asimismo, serán especialmente protegidos aquellos conocimientos o actividades que estén en peligro de desaparición, auspiciando su estudio y difusión, como parte integrante de la identidad andaluza. A tal fin se promoverá su investigación y la recogida de los mismos en soportes materiales que garanticen su transmisión a las futuras generaciones.

Artículo 64. Adecuación del planeamiento

La inscripción en el Catálogo General del Patrimonio Histórico de un Lugar de Interés Etnológico llevará aparejada la obligación de tener en consideración los valores que se pretendan preservar en el planeamiento urbanístico, adoptando las medidas necesarias para su protección y potenciación.

TÍTULO VII. Patrimonio industrial

Artículo 65. Definición

1. El patrimonio industrial está integrado por el conjunto de bienes vinculados a la actividad productiva, tecnológica, fabril y de la ingeniería de la Comunidad Autónoma de Andalucía en cuanto son exponentes de la historia social, técnica y económica de esta comunidad

2. El paisaje asociado a las actividades productivas, tecnológicas, fabriles o de la ingeniería es parte integrante del patrimonio industrial, incluyéndose su protección en el lugar de interés industrial

Artículo 66. Clasificación

1. Son bienes inmuebles de carácter industrial las instalaciones, fábricas y obras de ingeniería que constituyen expresión y testimonio de sistemas vinculados a la producción técnica e industrial. Son bienes muebles de carácter industrial los instrumentos, la maquinaria y cualesquiera otras piezas vinculadas a actividades tecnológicas, fabriles y de ingeniería

2. Su inscripción en el catálogo general del patrimonio histórico andaluz se efectuará, cuando sus valores así lo justifiquen, en alguna de las categorías que, a tal efecto, se establecen en la presente ley

Artículo 67. Especial protección

Serán especialmente protegidos aquellos conocimientos o actividades de carácter técnico, fabril o de ingeniería que estén en peligro de desaparición, auspiciando su estudio y difusión, como parte integrante de la cultura tecnológica andaluza. A tal fin se promoverá su investigación y la recogida de los mismos en soportes materiales que garanticen su transmisión a las futuras generaciones.

Artículo 68. Adecuación del planeamiento

La inscripción en el catálogo general del patrimonio histórico de un lugar de interés industrial llevará aparejada la necesidad de tener en consideración los valores que se pretendan preservar en el planeamiento urbanístico, adoptando las medidas necesarias para su protección y potenciación

TÍTULO VIII. Patrimonio documental y bibliográfico

CAPÍTULO I. Del patrimonio documental

Artículo 69. Concepto y régimen jurídico del patrimonio documental andaluz

1. El Patrimonio Documental de Andalucía es el conjunto de los documentos producidos, recibidos o reunidos por las personas físicas o jurídicas, tanto públicas como privadas, ubicados en Andalucía, que poseen, por su origen, antigüedad o valor, interés para la Comunidad Autónoma en los términos establecidos en el presente capítulo.

2. El Patrimonio Documental Andaluz se regirá por su legislación específica y, en lo no previsto en ella, se aplicará lo dispuesto en esta Ley, en especial las normas relativas a bienes muebles.

Artículo 70. Inspección de documentos

1. Las personas titulares o poseedoras de bienes integrantes del Patrimonio Documental Andaluz facilitarán la inspección de los mismos por parte de la Consejería competente en materia de patrimonio histórico.

2. La potestad de inspección de los documentos integrantes del Patrimonio Documental Andaluz vendrá únicamente limitada por las normas que rijan el derecho a la intimidad y a la propia imagen.

Artículo 71. Derecho de acceso

1. Todas las personas tienen derecho a la consulta de los documentos constitutivos del Patrimonio Documental Andaluz, de acuerdo con la legislación en materia de archivos de la Comunidad Autónoma de Andalucía. Los órganos competentes garantizarán dicho derecho.

2. El acceso y consulta de los documentos integrantes del Patrimonio Documental Andaluz podrá realizarse en un archivo público cuando lo solicite la persona propietaria o poseedora, autorizando este depósito temporal la Consejería competente en materia de patrimonio histórico.

CAPÍTULO II. Del patrimonio bibliográfico

Artículo 72. Concepto y régimen jurídico

1. El Patrimonio Bibliográfico Andaluz está constituido por las obras y colecciones bibliográficas y hemerográficas de carácter literario, histórico, científico o artístico, independientemente de su soporte, del carácter unitario o seriado, de la presentación impresa, manuscrita, fotográfica, cinematográfica, fonográfica o magnética y de la técnica utilizada para su creación o reproducción, de titularidad pública existentes en Andalucía o que se consideren integrantes del mismo en el presente capítulo.

2. El Patrimonio Bibliográfico Andaluz se regirá por su legislación específica y, en lo no previsto en ella, será de aplicación cuanto se dispone con carácter general en la presente Ley y, en especial, su régimen de bienes muebles.

Artículo 73. Bienes integrantes del Patrimonio Bibliográfico Andaluz

1. Forman parte del Patrimonio Bibliográfico Andaluz:

a) Las obras y colecciones con más de cien años de antigüedad, en todos sus ejemplares.

b) Todas aquellas obras de las que no conste la existencia de al menos tres ejemplares en bibliotecas integradas en el Sistema Andaluz de Bibliotecas y Centros de Documentación.

c) Los ejemplares entregados en concepto de Depósito Patrimonial Bibliográfico Andaluz, regulado en la legislación bibliotecaria andaluza.

d) Los ejemplares de las obras no comprendidas en los anteriores subapartados y las colecciones bibliográficas que sean declaradas de interés bibliográfico andaluz.

2. La declaración de interés bibliográfico andaluz podrá acordarse de oficio o a solicitud de persona interesada mediante Orden de la Consejería competente en materia de bibliotecas, cuando se aprecie un relevante interés bibliográfico local, provincial o de otro ámbito territorial. En el procedimiento deberá oírse a la provincia y a los municipios afectados, si no fueran solicitantes de la declaración. El plazo para notificar la resolución del procedimiento de declaración de interés bibliográfico andaluz será de seis meses, transcurrido el cual quien lo hubiese solicitado podrá entender desestimada su pretensión.

3. Cuando la resolución aprecie como valor determinante de la declaración la unidad de la colección bibliográfica, los bienes declarados no podrán ser disgregados por causa alguna.

4. A los bienes declarados de interés bibliográfico andaluz les será de aplicación el régimen jurídico establecido para los bienes integrantes del Patrimonio Documental Andaluz en el artículo 36 de la Ley 3/1984, de 9 de enero, de Archivos.

Artículo 74. Inspección y acceso

1. Las personas titulares o poseedoras de bienes integrados en el Patrimonio Bibliográfico Andaluz facilitarán la inspección de los mismos por parte de la Consejería competente en materia de patrimonio histórico.

2. Las condiciones en el ejercicio del derecho de acceso a los bienes integrantes del Patrimonio Bibliográfico Andaluz se regirán por el artículo 4 de la Ley 16/2003, de 22 de diciembre, del Sistema Andaluz de Bibliotecas y Centros de Documentación.

3. A solicitud de la persona propietaria o poseedora, la obligación de permitir el acceso y consulta de las obras y colecciones integrantes del Patrimonio Bibliográfico Andaluz podrá, en su caso, ser sustituida por la Consejería competente en materia de patrimonio bibliográfico por el depósito temporal de estos bienes en una biblioteca o centro de documentación de uso público general.

TÍTULO IX. Instituciones del patrimonio histórico

CAPÍTULO I. Instituciones

Artículo 75. Clasificación y régimen aplicable

1. Son instituciones del patrimonio histórico andaluz los archivos, bibliotecas, centros de documentación, los museos y los espacios culturales.

2. Los museos, archivos, bibliotecas y centros de documentación se regirán por sus correspondientes leyes especiales.

3. Gozarán de la protección que la presente ley establece para los bienes de interés cultural los inmuebles de titularidad de la comunidad autónoma destinados a la instalación de archivos, bibliotecas, centros de documentación, museos y espacios culturales, así como los bienes muebles integrantes del patrimonio histórico andaluz en ellos custodiados.

CAPÍTULO II. Espacios culturales

Artículo 76. Concepto

Se entiende por espacio cultural el comprendido por aquellos inmuebles de titularidad pública o privada inscritos en el catálogo general del patrimonio histórico andaluz, o agrupaciones de los mismos, que por su relevancia o significado en el territorio donde se emplazan se acuerde su puesta en valor y difusión al público.

Artículo 77. Clasificación

Los Espacios Culturales de Andalucía se clasifican en conjuntos y parques culturales. Los conjuntos en su constitución harán referencia a la tipología patrimonial por la que hayan sido objeto de inscripción en el catálogo general del patrimonio histórico andaluz los bienes inmuebles que los integran.

CAPÍTULO III. Conjuntos y parques culturales

Artículo 78. Conjuntos culturales

1. Los conjuntos culturales son aquellos espacios culturales que por su relevancia patrimonial cuentan con un órgano de gestión propio.

2. Los conjuntos culturales se regirán por lo dispuesto en la legislación reguladora de museos, sin perjuicio de las previsiones contenidas en esta ley, en su reglamento de desarrollo y en lo que disponga la respectiva norma de creación del conjunto.

Artículo 79. Funciones de los conjuntos

Los conjuntos asumirán funciones generales de administración y custodia de los bienes que tengan encomendados, y especialmente formularán y ejecutarán un plan director que desarrollará programas en materia de investigación, protección, conservación, difusión y gestión de los bienes tutelados, y, en general, cuantas les sean encomendadas por la consejería competente en materia de patrimonio histórico.

Artículo 80. Estructura y funcionamiento de los Conjuntos

1. La estructura y funcionamiento del órgano de gestión de los Conjuntos se regirá por lo dispuesto en esta Ley y en sus normas de creación, pudiendo adoptar cualquiera de las formas, con o sin personalidad jurídica, previstas por el ordenamiento jurídico, en función de las necesidades planteadas por sus características y finalidad.

2. Los Conjuntos contarán con una dirección, designada por la persona titular de la Consejería competente en materia de patrimonio histórico, y podrán contar con una Comisión Técnica que desarrollará funciones de órgano colegiado consultivo, debiendo ser todas las personas designadas funcionarios de carrera o profesionales de reconocido prestigio en el ámbito del Patrimonio Histórico.

Artículo 81. Parques culturales

1. Los Parques Culturales son aquellos Espacios Culturales que abarcan la totalidad de una o más Zonas Patrimoniales que por su importancia cultural requieran la constitución de un órgano de gestión en el que participen las Administraciones y sectores implicados.

Artículo 82. Estructura y funcionamiento de los Parques Culturales

1. La composición y funcionamiento del órgano de gestión de los Parques Culturales vendrán establecidos en su norma de creación, pudiendo adoptar cualquiera de las formas, con o sin personalidad jurídica, previstas por el ordenamiento jurídico, y que en todo caso

contemplará la obligatoriedad de redactar un Plan Director, en los términos establecidos en el artículo 79 de esta Ley.

2. Cuando coexistan en el mismo territorio un Parque Cultural y otra figura de protección en los que puedan coincidir objetivos comunes, se podrán buscar formas de colaboración para la integración de los órganos de gestión y consultivos o de participación social de ambos, de acuerdo con el régimen jurídico de protección, ordenación y gestión de cada uno de ellos.

CAPÍTULO IV. Red de Espacios Culturales de Andalucía

Artículo 83. Configuración de la Red

1. La Red de Espacios Culturales de Andalucía se configura como un sistema integrado y unitario formado por aquellos Espacios Culturales ubicados en el territorio de la Comunidad Autónoma que sean incluidos en la misma por la Consejería competente en materia de patrimonio histórico, así como aquellos enclaves abiertos al público que por sus condiciones y características no requieran la dotación de un órgano de gestión propio.

2. Serán objeto de desarrollo reglamentario la organización y funcionamiento de la Red de Espacios Culturales de Andalucía, así como la posibilidad y los términos de la integración en la Red de otros sistemas o redes de instituciones del Patrimonio Histórico.

TÍTULO X. Medidas de fomento

Artículo 84. Inversiones culturales

1. En toda obra pública financiada total o parcialmente por la Administración de la Junta de Andalucía, cuyo presupuesto exceda de un millón de euros, se incluirá una partida equivalente al menos al 1 por ciento de la aportación autonómica destinada a obras de conservación y acrecentamiento del Patrimonio Histórico Andaluz.

2. Quedan exceptuadas de esta obligación las obras que se realicen en cumplimiento de los objetivos de esta Ley.

3. Por vía reglamentaria se determinará el sistema de aplicación de lo previsto en este artículo.

Artículo 85. Porcentaje para conservación

Los proyectos de excavaciones arqueológicas incluirán un porcentaje de hasta el 20 por ciento del presupuesto destinado a la conservación, restauración y difusión de los bienes expuestos o de los materiales y estructuras descubiertos en la actuación arqueológica. En el caso de exposiciones de bienes integrantes del Patrimonio Histórico Andaluz, el porcentaje indicado irá destinado a la conservación y restauración de los bienes expuestos.

Artículo 86. Dación en pago

1. Los bienes integrantes del Patrimonio Histórico podrán aplicarse para el pago de todo tipo de deudas existentes con la Administración de la Junta de Andalucía.

2. La adjudicación de bienes a que hace referencia el apartado anterior se realizará con arreglo a lo previsto en la Ley 4/1986, de 5 de mayo, del Patrimonio de la Comunidad Autónoma de Andalucía, con la salvedad de que deberá ir precedida de un informe sobre el interés patrimonial de los bienes a ceder por parte de la Consejería competente en materia de patrimonio histórico y del informe favorable de la Comisión Andaluza de Bienes Culturales que resulte competente en razón de la materia.

3. El sistema de pago establecido en este artículo será de aplicación a las deudas por tributos cedidos por el Estado a la Comunidad Autónoma de Andalucía en los términos previstos en la normativa estatal reguladora de los impuestos o, en su caso, en la normativa que pudiera dictar la Comunidad Autónoma en ejercicio de la competencia que tenga atribuida.

Artículo 87. Aceptación de donaciones y legados

1. Se faculta a la Consejería competente en materia de patrimonio histórico para aceptar donaciones y legados de bienes muebles integrantes del Patrimonio Histórico Andaluz. Dicha aceptación queda exceptuada del requisito de previa aceptación por Decreto del Consejo de Gobierno previsto en el artículo 80 de la Ley 4/1986, de 5 de mayo, del Patrimonio de la Comunidad Autónoma de Andalucía.

2. Cuando se trate de bienes culturales de naturaleza inmueble la Consejería competente en materia de patrimonio histórico, previa identificación y tasación de los bienes por la Consejería competente en materia de hacienda, elevará al Consejo de Gobierno la propuesta correspondiente para su aceptación mediante Decreto.

Artículo 88. Aplicación de estímulos a la rehabilitación de viviendas y eliminación de la contaminación visual

1. Los estímulos y beneficios que el ordenamiento jurídico establece para la rehabilitación de viviendas podrán ser aplicables a la conservación y restauración de los inmuebles integrantes del Patrimonio Histórico Andaluz.

2. Asimismo, las inversiones destinadas a eliminar la contaminación visual o perceptiva a que se refiere el artículo 19 de esta Ley tendrán la consideración de inversiones en Bienes de Interés Cultural.

Artículo 89. Cesión de inmuebles de titularidad autonómica

1. Para el mejor mantenimiento y vitalidad de los inmuebles pertenecientes al Patrimonio Histórico Andaluz, de los que la Administración de la Junta de Andalucía tenga la capacidad de disposición, podrá cederse el uso y explotación de tales inmuebles a las personas y entidades que se comprometan a su restauración y mantenimiento, dando prioridad en dicha cesión a las entidades locales interesadas.

2. Estas cesiones se realizarán de acuerdo con lo previsto en la Ley 4/1986, de 5 de mayo, del Patrimonio de la Comunidad Autónoma de Andalucía, con las particularidades de que los cesionarios podrán ser entidades públicas o privadas de cualquier índole y finalidad y las cesiones deberán contar con el informe favorable de la Comisión Andaluza de Bienes Inmuebles. Las entidades públicas podrán ser cesionarias de bienes demaniales de la Comunidad Autónoma que continuarán afectados al cumplimiento de sus fines.

Artículo 90. Depósito voluntario de bienes muebles

La Consejería competente en materia de patrimonio histórico podrá aceptar el depósito voluntario de bienes muebles integrantes del Patrimonio Histórico Andaluz en las condiciones que convenga con sus titulares.

Artículo 91. Subvenciones

1. Podrán concederse subvenciones a quienes tengan la propiedad, la posesión o sean titulares de otros derechos sobre los bienes integrantes del Patrimonio Histórico Andaluz, adecuándose a lo previsto en la legislación general en materia de subvenciones.

2. Cuando razones excepcionales lo justifiquen, podrán concederse de forma directa las subvenciones que tengan por objeto la conservación y restauración de bienes individualmente inscritos en el Catálogo General del Patrimonio Histórico Andaluz, la redacción

de planes urbanísticos a que se refieren los artículos 30 y 31 de la Ley, así como la redacción de cartas arqueológicas municipales.

3. La concesión de subvenciones se realizará dentro de los límites presupuestarios y con arreglo a los criterios que establezcan las bases reguladoras de la concesión, de acuerdo con lo dispuesto en la normativa reguladora de subvenciones y ayudas públicas, entre los que deberán incluirse la mayor necesidad de protección, la mejor difusión cultural y el mayor aseguramiento de los fondos públicos empleados.

4. En el supuesto de que antes de transcurridos veinticinco años desde el otorgamiento de las subvenciones previstas la Administración adquiera por compraventa, tanteo, retracto o expropiación con fines culturales bienes a los cuales se hayan aplicado dichas subvenciones, se detraerá del precio de adquisición, una vez actualizado, una cantidad equivalente a las mismas, considerándose como anticipos a cuenta.

5. Por la Consejería competente en materia de patrimonio histórico se realizarán las actuaciones necesarias para apoyar la actuación de las entidades locales en esta materia.

TÍTULO XI. Órganos de la administración del Patrimonio Histórico
CAPÍTULO I. Órganos ejecutivos

Artículo 92. Consejo de Gobierno
Bajo la superior dirección del Consejo de Gobierno se ejercerán el conjunto de competencias en materia de patrimonio histórico previstas en la presente Ley, conforme al reparto de funciones que se dispone en los preceptos siguientes.

Artículo 93. Consejería competente
1. La Consejería competente en materia de patrimonio histórico será responsable de la formulación y ejecución de la política dirigida a su tutela, enriquecimiento y difusión.

2. Corresponde a la persona titular de dicha Consejería de sarrollar la acción del Gobierno en el ámbito de sus competencias, de conformidad con las directrices de la Presidencia de la Junta de Andalucía o del Consejo de Gobierno.

Artículo 94. Delegaciones provinciales
Corresponderá a las Delegaciones Provinciales de la Consejería competente en materia de patrimonio histórico el ejercicio de las funciones ejecutivas que se establezcan reglamentariamente, así como las que les puedan delegar otros órganos integrantes de la organización administrativa del Patrimonio Histórico de Andalucía.

Artículo 95. Órganos interadministrativos de gestión
1. En poblaciones o áreas que por la importancia de su Patrimonio Histórico así lo requieran, podrán constituirse órganos de gestión en los que participe tanto la Consejería competente en materia de patrimonio histórico como las entidades locales.

2. La constitución de estos órganos interadministrativos se realizará con arreglo a cualquiera de las modalidades previstas en la legislación local o urbanística, teniendo en cuenta las funciones que hayan de encomendárseles.

3. Podrá atribuirse a estos órganos el ejercicio de funciones de las entidades locales y de aquellas competencias de la Consejería susceptibles de delegación.

CAPÍTULO II. Órganos consultivos

Artículo 96. Consejo Andaluz del Patrimonio Histórico

1. El Consejo Andaluz del Patrimonio Histórico constituye el máximo órgano consultivo de la Administración de la Junta de Andalucía en materia de patrimonio histórico.

2. En el Consejo Andaluz del Patrimonio Histórico estarán representadas las Consejerías competentes en materia de administración local, economía y hacienda, ordenación del territorio y urbanismo, medio ambiente, turismo, educación, innovación y ciencia; las entidades locales y otras instituciones y entidades cuyas competencias o actividades guarden mayor relación con la protección del Patrimonio Histórico. También formarán parte del Consejo las personas que presidan las Comisiones Andaluzas de Bienes Culturales.

3. El Consejo Andaluz del Patrimonio Histórico estará presidido por la persona titular de la Consejería competente en la materia. Su composición y funcionamiento serán objeto de regulación reglamentaria en el plazo de dos años.

Artículo 97. Funciones

El Consejo Andaluz del Patrimonio Histórico ejercerá funciones de asesoramiento, informe y coordinación, y será oído en las siguientes ocasiones:

a) Aprobación de planes y programas que afecten a todo el territorio de la Comunidad Autónoma de Andalucía en materia de patrimonio histórico.

b) Creación de órganos de gestión locales de patrimonio histórico en los que participe la Consejería competente en materia de patrimonio histórico.

c) Siempre que sea requerido con este fin por la persona titular de la Consejería competente en materia de patrimonio histórico.

d) Aquellas otras que se establezcan reglamentariamente.

Artículo 98. Comisiones Andaluzas de Bienes Culturales

1. En el seno del Consejo Andaluz del Patrimonio Histórico y dependiendo directamente de su Presidencia se constituyen las Comisiones que se relacionan a continuación:

a) Comisión Andaluza de Bienes Inmuebles.

b) Comisión Andaluza de Bienes Muebles.

c) Comisión Andaluza de Arqueología.

d) Comisión Andaluza de Etnología.

e) Comisión Andaluza de Patrimonio Documental y Bibliográfico.

f) Comisión Andaluza de Museos.

g) Cuantas otras se considere necesario establecer con carácter específico, mediante Decreto del Consejo de Gobierno.

2. Estas Comisiones emitirán sus informes a requerimiento de la Presidencia del Consejo Andaluz del Patrimonio Histórico o de las Direcciones Generales afectadas en razón de la materia.

3. La composición, organización y funcionamiento de las Comisiones Andaluzas de Bienes Culturales se regirán por las normas que reglamentariamente se establezcan, las cuales deberán aprobarse en el plazo de dos años.

Artículo 99. Comisiones Provinciales de Patrimonio Histórico

1. Las Comisiones Provinciales de Patrimonio Histórico son órganos consultivos de apoyo a la actuación de las Delegaciones Provinciales de la Consejería competente en materia de patrimonio histórico.

2. Presidirán las Comisiones Provinciales de Patrimonio Histórico las personas titulares de las Delegaciones Provinciales de la Consejería competente en materia de patrimonio his-

tórico, y estarán integradas por personal técnico de la Delegación Provincial a la que esté adscrito, un representante de la Delegación Provincial de la Consejería competente en materia de ordenación del territorio y urbanismo, un representante de la Federación Andaluza de Municipios y Provincias, así como una persona de reconocido prestigio en la materia y un representante de organismos o entidades relacionados con el patrimonio histórico, todos ellos designados en la forma que reglamentariamente se determine.

3. –

4. –

Números 3 y 4 del artículo 99 suprimidos por el número dos del artículo 5 del Decreto Ley andaluz 1/2009, 24 febrero, por el que se adoptan medidas urgentes de carácter administrativo (B.O.J.A. 27 febrero)

Artículo 100. Funciones

1. Las Comisiones Provinciales de Patrimonio Histórico ejercerán funciones de asesoramiento e informe. Las Comisiones emitirán informe, además de en los casos que se determinen reglamentariamente, en los siguientes supuestos:

a) Autorizaciones en relación a procedimientos de obras y otras intervenciones en bienes inscritos en el Catálogo General del Patrimonio Histórico Andaluz como Bienes de Interés Cultural con la tipología de Monumentos y Jardines Históricos así como en sus entornos, siempre que no se haya producido la delegación de competencias prevista en el artículo 40.

b) Propuestas de inscripción en el Catálogo General del Patrimonio Histórico Andaluz.

c) Propuestas de declaración de Zonas de Servidumbre Arqueológica.

d) Informar cuando sean requeridas para ello por la persona titular de la Delegación Provincial de la Consejería competente en materia de patrimonio histórico.

2. La organización y funcionamiento de las Comisiones Provinciales de Patrimonio Histórico se regirán por las normas que reglamentariamente se establezcan.

Artículo 100. bis Ponencias Técnicas de Patrimonio Histórico

1. De las Delegaciones Provinciales competentes en materia de patrimonio histórico dependerán las Ponencias Técnicas de Patrimonio Histórico para el estudio e informe previo de los asuntos que vayan a tratarse por las Comisiones Provinciales de Patrimonio Histórico, sin perjuicio de las competencias que le corresponden de acuerdo al apartado tercero del presente artículo. Tendrán carácter permanente, por lo que su funcionamiento no estará sujeto a ningún requisito de convocatoria previa.

2. Las Ponencias Técnicas de Patrimonio Histórico estarán integradas por personal técnico de la Delegación Provincial competente en materia de patrimonio histórico y su composición y funcionamiento se regulará reglamentariamente.

3. Corresponderán a las Ponencias Técnicas de Patrimonio Histórico las siguientes funciones:

a) La emisión de informes en relación a procedimientos de obras y otras intervenciones en inmuebles afectados por inscripciones en el Catálogo General del Patrimonio Histórico Andaluz de Bienes de Interés Cultural y sus entornos, excepto para las tipologías de Monumentos y Jardines Históricos, siempre que no se haya producido la delegación de competencias prevista en el artículo 40.

b) La emisión de cuantos informes pueda requerir la persona titular de la Delegación Provincial competente en materia de patrimonio histórico en el ámbito de sus competencias.

Artículo 101. Composición equilibrada

La composición de los órganos consultivos regulados en este Capítulo será equilibrada. A tal efecto, cada sexo estará representado en, al menos, un 40% de las personas en cada caso designadas. De este cómputo se excluirán a aquellas personas que formen parte en función del cargo específico que desempeñen.

Artículo 102. Otras instituciones consultivas

1. Tendrán la consideración de instituciones consultivas, a los efectos de esta Ley, las Reales Academias, las Universidades públicas de Andalucía, el Consejo Superior de Investigaciones Científicas y cuantas otras sean creadas o reconocidas por la Junta de Andalucía.

TÍTULO XII. Inspección del Patrimonio Histórico

Artículo 103. Inspección del Patrimonio Histórico

1. La potestad de inspección en las materias reguladas en la presente Ley y en sus normas de desarrollo será ejercida por la Consejería competente en materia de patrimonio histórico, a través de los centros directivos y unidades orgánicas que se determinen reglamentariamente. Dicha potestad se ejercerá, asimismo, en materia de instituciones del Patrimonio Histórico, Patrimonio Documental y Bibliográfico.

2. El personal inspector en el ejercicio de las funciones previstas en esta Ley y en sus disposiciones de desarrollo tendrá la condición de agente de la autoridad, con las facultades y protección que le confiere la normativa vigente.

El personal inspector estará provisto de la correspondiente acreditación, con la que se identificará en el desempeño de sus funciones.

3. Las Administraciones Públicas de Andalucía y cuantas personas estén obligadas al cumplimiento de la presente Ley deberán prestar toda la colaboración que les sea requerida por el personal inspector a fin de permitirle realizar las correspondientes inspecciones y comprobaciones.

4. En el ejercicio de sus funciones, el personal inspector deberá observar el respeto y la consideración debidos a las personas interesadas o usuarias, informándoles, cuando sea requerido para ello, de sus derechos y deberes, a fin de facilitar su adecuado cumplimiento, así como de las responsabilidades en que, en su caso, pudieran incurrir.

Artículo 104. Facultades de la Inspección

El personal inspector tendrá, entre otras, las siguientes facultades:

a) La comprobación y control del cumplimiento de la normativa vigente en materia de patrimonio histórico, especialmente la persecución de las actividades ilegales. Para ello, podrá requerir la subsanación de las deficiencias apreciadas, proponer las medidas cautelares oportunas y, en su caso, el inicio de los procedimientos sancionadores que procedan.

b) Requerir en el ejercicio de sus funciones el auxilio de las Fuerzas y Cuerpos de Seguridad.

c) Aquellas otras que, en función de su naturaleza, le encomiende la Consejería competente en materia de patrimonio histórico.

Artículo 105. Actuaciones inspectoras

Los documentos públicos de inspección formalizados por la Administración, con observancia de los principios de igualdad, contradicción y defensa, tendrán valor probatorio de los hechos que figuren en los mismos, siempre que hayan sido constatados personalmente por los agentes habilitados por la Administración, sin perjuicio de otros medios de prueba que puedan proponerse a solicitud de los interesados.

TÍTULO XIII. Régimen sancionador
CAPÍTULO I. Infracciones

Artículo 106. Concepto

1. Salvo que sean constitutivas de delito, son infracciones administrativas en materia de protección del Patrimonio Histórico Andaluz las acciones u omisiones que supongan incumplimiento de las obligaciones establecidas en esta Ley y las que lleven aparejado daño en los bienes del Patrimonio Histórico, de acuerdo con lo establecido en los artículos siguientes.

2. Las infracciones tipificadas en el presente Título en relación con los bienes inscritos en el Catálogo General del Patrimonio Histórico Andaluz se entenderán también referidas a los bienes que cuenten con anotación preventiva, de conformidad con lo previsto en el artículo 8, letra d).

Artículo 107. Clasificación

Las infracciones en materia de protección del Patrimonio Histórico Andaluz se clasificarán en muy graves, graves y leves.

Artículo 108. Infracciones muy graves

1. Tendrán la consideración de infracciones muy graves:

a) El desplazamiento o remoción de un inmueble inscrito en el Catálogo General del Patrimonio Histórico Andaluz como Bien de Interés Cultural contraviniendo lo dispuesto en el artículo 33.1.

b) El incumplimiento de las medidas autorizadas o sus condicionantes en el supuesto previsto en el artículo 37.4.

c) La realización de demoliciones de inmuebles sin cumplir los requisitos del artículo 38.

d) La destrucción de restos arqueológicos y paleontológicos inscritos en el Catálogo General del Patrimonio Histórico Andaluz, así como la destrucción de los yacimientos inscritos en el mismo que suponga una pérdida de información irreparable.

2. Asimismo, se consideran infracciones muy graves todas aquellas actuaciones que lleven aparejada la pérdida o desaparición o produzcan daños irreparables en bienes inscritos en el Catálogo General del Patrimonio Histórico Andaluz, excepto el supuesto previsto en el artículo 109.t).

3. Tendrá la misma consideración la omisión del deber de conservación cuando traiga como consecuencia la pérdida, destrucción o deterioro irreparable de bienes inscritos en el Catálogo General del Patrimonio Histórico Andaluz, excepto el supuesto previsto en el artículo 109.u).

Artículo 109. Infracciones graves

Tendrán la consideración de infracciones graves las siguientes actuaciones:

a) El incumplimiento de las órdenes de ejecución adoptadas por la Consejería competente en materia de patrimonio histórico de acuerdo con lo previsto en el artículo 15.

b) La realización de cualquier clase de obra o intervención que contravenga lo dispuesto en el artículo 20.

c) La realización de intervenciones sin contar con el proyecto de conservación requerido en el artículo 21.

d) La realización de actuaciones de emergencia a que se refiere el artículo 24 sin estar debidamente acreditadas o sin cumplir los requisitos previstos en los apartados 2 y 3 de dicho artículo.

e) La inobservancia del requerimiento motivado por la interrupción de obras o intervenciones a que se refiere el artículo 24.4.

f) El desplazamiento o remoción de un inmueble inscrito en el Catálogo General del Patrimonio Histórico Andaluz como bien de catalogación general, contraviniendo lo dispuesto en el artículo 33.1.

g) El incumplimiento de las prohibiciones establecidas en el artículo 33.2.

h) La realización de cualquier obra o actuación en inmuebles afectados por una inscripción como Bien de Interés Cultural en el Catálogo General del Patrimonio Histórico Andaluz, sin haber obtenido previamente las autorizaciones exigidas en los artículos 33.3 y 34.2 o en contra de los condicionantes que en su caso se impusieran, excepto en el supuesto previsto en el artículo 110.k).

i) El otorgamiento de licencias, aprobaciones o autorizaciones de cualquier tipo para la realización de actuaciones en inmuebles afectados por una inscripción como Bien de Interés Cultural en el Catálogo General del Patrimonio Histórico Andaluz o sus entornos, sin que previamente se hayan emitido las autorizaciones exigidas por los artículos 33.3 y 34.

j) El incumplimiento de las suspensiones de obras o actuaciones previstas en los artículos 35, 36.1 y 39.2.

k) La realización de tratamientos sobre bienes muebles inscritos en el Catálogo General del Patrimonio Histórico Andaluz como Bien de Interés Cultural sin haber obtenido la autorización prevista en el artículo 43.1 o en contra de los condicionamientos impuestos en la autorización concedida; así como la inobservancia tanto de las medidas correctoras como de las prescripciones o recomendaciones técnicas contenidas en el proyecto de conservación en los supuestos previstos en los artículos 33.5 y 43.2.

l) El incumplimiento de lo previsto en el artículo 44.

m) El incumplimiento de la obligación prevista en el artículo 45.3.

n) La destrucción de restos arqueológicos o paleontológicos que no se hallen inscritos en el Catálogo General del Patrimonio Histórico Andaluz, así como la destrucción de los yacimientos que no se hallen inscritos en el mismo que suponga una pérdida de información irreparable.

ñ) La realización de obras en Zonas de Servidumbre Arqueológica sin efectuar la notificación preceptiva prevista en el artículo 49.1 de esta Ley.

o) El incumplimiento, sin causa justificada, de las obligaciones previstas en relación con los hallazgos casuales en el artículo 50.1.

p) La realización de actuaciones arqueológicas sin cumplir los requisitos previstos en el artículo 52 de esta Ley o sin respetar los condicionantes impuestos en las autorizaciones administrativas.

q) El uso no autorizado o realizado sin cumplir los requisitos establecidos en la autorización concedida de aparatos detectores de metales u otras herramientas o técnicas que permitan localizar restos arqueológicos, en Zonas Arqueológicas y bienes inscritos en el Catálogo General del Patrimonio Histórico Andaluz o en sus entornos, en Zonas de Servidumbre Arqueológica o en cualquier otro lugar en los que haya constancia de la existencia de un yacimiento o de restos arqueológicos.

r) El incumplimiento de las obligaciones establecidas en el artículo 60.5 de esta Ley.

s) La obstrucción de la actuación inspectora de la Administración cultural, así como la omisión del deber de información.

t) La realización de cualquier obra o actuación que lleve aparejada la pérdida o desaparición o que produzca daños irreparables en inmuebles pertenecientes a Conjuntos Históricos o a entornos de bienes de interés cultural, siempre que no estén protegidos individualmente por otra inscripción como Bien de Interés Cultural, sin haber obtenido previamente las autorizaciones exigidas en los artículos 33.3 y 34.2 o en contra de los condicionantes que, en su caso, se impusieran.

u) La omisión del deber de conservación cuando traiga como consecuencia la pérdida, destrucción o deterioro irreparable en inmuebles pertenecientes a Conjuntos Históricos o a entornos de bienes de interés cultural, siempre que no estén protegidos individualmente por otra inscripción como Bien de Interés Cultural.

Artículo 110. Infracciones leves

Se consideran infracciones leves:

a) El incumplimiento de las obligaciones previstas en el artículo 14, cuando no constituya infracción grave o muy grave.

b) El incumplimiento de la obligación de notificación prevista en el artículo 17, apartados 2 y 5.

c) El incumplimiento de la obligación establecida en el artículo 19.3 de esta Ley.

d) La falta de presentación del informe previsto en el artículo 21.2.

e) El incumplimiento de la notificación prevista en el artículo 37.1.

f) El incumplimiento de la obligación de comunicar las autorizaciones y licencias concedidas previstas en el artículo 40.4.

El incumplimiento de la comunicación prevista en los artículos 33.3, 33.5 y 43.2, o de la declaración responsable prevista en el artículo 52.1, así como la realización de cualquier obra o actuación incumpliendo las medidas correctoras o recomendaciones técnicas, que hubiese formulado la Consejería competente en materia de patrimonio histórico al valorar las intervenciones sujetas a comunicación previa o declaración responsable.

h) El incumplimiento de las obligaciones previstas en el artículo 45.1.

i) El cumplimiento extemporáneo, sin causa justificada, de las obligaciones previstas en el artículo 50.1 en relación con los hallazgos casuales.

j) La conducta tipificada en la letra q) del artículo anterior cuando se lleve a cabo fuera de los ámbitos o lugares previstos en el mismo.

k) La realización de cualquier obra o actuación en inmuebles pertenecientes a Conjuntos Históricos o a entornos de bienes de interés cultural, siempre que no estén protegidos individualmente por otra inscripción como Bien de Interés Cultural, sin haber obtenido previamente las autorizaciones exigidas en los artículos 33.3 y 34.2 o en contra de los condicionantes que, en su caso, se impusieran.

CAPÍTULO II. Responsabilidad

Artículo 111. Responsables

Se consideran responsables de las infracciones:

1. Quienes sean autores materiales y, en su caso, las entidades o empresas de quienes dependan.

2. Las personas técnicas o profesionales autoras de proyectos, que ejerzan la dirección de obras o sean responsables de actuaciones que contribuyan dolosa o culposamente a la comisión de la infracción.

Artículo 112. Agravantes y atenuantes

1. Se consideran circunstancias agravantes:

a) La reincidencia en la comisión de infracciones en materia de patrimonio histórico.

b) El incumplimiento de las órdenes o medidas impuestas por la Consejería competente en materia de patrimonio histórico siempre que no constituya elemento del tipo infractor.

2. Tienen la consideración de circunstancias atenuantes el reconocimiento de la responsabilidad y la reparación espontánea del daño causado.

3. La concurrencia de circunstancias agravantes o atenuantes se tendrá en cuenta al establecer la cuantía de las sanciones.

Artículo 113. Obligación de reparación

1. Las infracciones de las que se deriven daños en el Patrimonio Histórico Andaluz llevarán aparejada, cuando sea posible, la obligación de reparación y restitución de las cosas a su estado original, y, en todo caso, la indemnización de los daños y perjuicios causados.

2. En todo caso, las infracciones por demoliciones no autorizadas en inmuebles afectados por la inscripción en el Catálogo General del Patrimonio Histórico Andaluz, acarrearán el deber de reconstrucción en los términos que se determine en la resolución del expediente sancionador, sin que en ningún caso pueda obtenerse mayor edificabilidad que la del inmueble demolido.

3. El incumplimiento de la obligación de reparar facultará a la Consejería competente en materia de patrimonio histórico para actuar de forma subsidiaria realizando las actuaciones reparadoras necesarias a cargo del infractor.

CAPÍTULO III. Sanciones

Artículo 114. Multas y sanciones accesorias

1. Las infracciones en materia de Patrimonio Histórico Andaluz se sancionarán con multas de las siguientes cuantías, sin perjuicio de lo establecido en el apartado 5:

a) Infracciones muy graves: multa de doscientos cincuenta mil un euros (250.001) a un millón de euros (1.000.000).

b) Infracciones graves: multa de cien mil un euros (100.001) a doscientos cincuenta mil euros (250.000).

c) Infracciones leves: multa de hasta cien mil euros (100.000).

2. Con carácter accesorio se podrán imponer las siguientes sanciones:

a) La inhabilitación durante cinco años para el ejercicio de su profesión ante la Consejería competente en materia de patrimonio histórico del personal técnico o profesional que ejerza la dirección o sea responsable de acciones tipificadas como infracciones muy graves.

b) La inhabilitación durante un año ante la Consejería competente en materia de patrimonio histórico del personal técnico o profesional que ejerza la dirección o sea responsable de acciones tipificadas como infracciones graves.

c) El decomiso definitivo de los aparatos o herramientas referidos en los artículos 109.q) y 110.j).

3. Se dará traslado de las inhabilitaciones a que se refiere el apartado anterior a las entidades y colegios profesionales correspondientes.

4. La gradación de las multas se realizará en función de las circunstancias atenuantes o agravantes que concurran, la importancia de los bienes afectados, la magnitud del daño causado y el grado de malicia interviniente.

5. La cuantía de la multa no podrá ser en ningún caso inferior al doble del beneficio obtenido por la persona que cometió la infracción.

6. Las multas que se impongan a distintos sujetos como consecuencia de una misma infracción tendrán carácter independiente entre sí.

Artículo 115. Órganos sancionadores

1. La imposición de las multas previstas en esta Ley corresponde a los siguientes órganos y autoridades:

a) La persona titular de la Delegación Provincial de la Consejería competente en materia de patrimonio histórico: multas de hasta cien mil euros (100.000) y las accesorias que en su caso correspondan.

b) La persona titular de la Dirección General competente en materia de patrimonio histórico: multas desde cien mil un euros (100.001) hasta doscientos cincuenta mil euros (250.000) y las accesorias que en su caso correspondan.

c) La persona titular de la Consejería competente en materia de patrimonio histórico: multas desde doscientos cincuenta mil un euros (250.001) hasta quinientos mil euros (500.000) y las accesorias que en su caso correspondan.

d) El Consejo de Gobierno de la Junta de Andalucía: multas desde quinientos mil un euros (500.001) hasta un millón de euros (1.000.000) y las accesorias que en su caso correspondan.

2. Cuando la cuantía de la multa supere el límite atribuido al órgano que tramite el expediente sancionador se elevará la propuesta de sanción al órgano competente para la imposición de la multa prevista.

Artículo 116. Destino de las multas

Los importes de las multas impuestas en concepto de sanciones se destinarán a la conservación y restauración de los bienes integrantes del Patrimonio Histórico de los que sea titular la Comunidad Autónoma de Andalucía o que la misma gestione.

CAPÍTULO IV. Procedimiento

Artículo 117. Denuncia

1. Cualquier persona podrá denunciar las infracciones contra el Patrimonio Histórico Andaluz. La denuncia no otorga la condición de persona interesada a quien la formula, sin perjuicio de que, cuando la denuncia vaya acompañada de una solicitud de iniciación, se comunique a la persona denunciante la iniciación o no del procedimiento.

2. Las autoridades y personal funcionario que tengan conocimiento de actuaciones que puedan constituir infracción con arreglo a lo previsto en esta Ley están obligadas a comunicarlo a la Consejería competente en materia de patrimonio histórico en el menor plazo posible.

Artículo 118. Incoación y medidas cautelares

1. La incoación del procedimiento se realizará de oficio por los órganos centrales o territoriales de la Consejería competente en materia de patrimonio histórico, bien por propia iniciativa o como consecuencia de orden superior, petición razonada de otros órganos o denuncia.

2. Tan pronto como tenga conocimiento de la realización de actuaciones que puedan ser constitutivas de infracción con arreglo a lo previsto en esta Ley, la Administración cultural estará facultada para exigir la inmediata suspensión de la actividad, y ordenar las medidas provisionales que estime necesarias para evitar daños en los bienes constitutivos del Patrimonio Histórico Andaluz, así como para incoar el oportuno expediente sancionador.

3. Se podrá establecer como medida cautelar por el órgano competente para incoar el procedimiento sancionador el decomiso o precintado de los instrumentos, tanto aparatos detectores como maquinaria intervenidos, hasta la conclusión del expediente y la firmeza de su resolución, en la que se acordará su destino. El órgano competente para incoar

resolverá sobre el decomiso en el plazo máximo de quince días desde la recepción de la correspondiente denuncia.

Artículo 119. Prescripción de infracciones y sanciones

1. Las infracciones prescribirán:

a) Las leves y graves, a los cinco años.

b) Las muy graves, a los diez años.

2. El plazo de prescripción de las infracciones se computará desde el día en que se hubieran cometido. En las infracciones que constituyan el incumplimiento continuado de alguna de las obligaciones impuestas por esta Ley, el plazo se computará desde el día en que hubiera cesado la conducta infractora.

3. Las sanciones prescribirán:

a) Las leves y graves, a los cinco años.

b) Las muy graves, a los diez años.

4. El plazo de prescripción de las sanciones comenzará a contarse desde el día siguiente a aquél en que adquiera firmeza la resolución por la que se impone la sanción.

5. La potestad sancionadora respecto de las infracciones tipificadas en esta Ley se ejercerá de conformidad con lo dispuesto en la normativa en materia de régimen jurídico de las Administraciones Públicas y del procedimiento administrativo de aplicación.

Disposición adicional primera. Retorno a la Comunidad Autónoma de bienes integrantes del Patrimonio Histórico Andaluz

La Consejería competente en materia de patrimonio histórico podrá realizar las gestiones oportunas conducentes al retorno a la Comunidad Autónoma de aquellos bienes que se consideren representativos de la cultura andaluza que se encuentren fuera del territorio de Andalucía.

Disposición adicional segunda. Equiparación de figuras de protección

1. Los bienes inscritos con carácter genérico en el Catálogo General del Patrimonio Histórico Andaluz con anterioridad a la entrada en vigor de la presente Ley tendrán la consideración de bienes de catalogación general.

2. Los bienes inscritos con carácter específico en el Catálogo General del Patrimonio Histórico Andaluz con anterioridad a la entrada en vigor de la presente Ley tendrán la consideración de Bienes de Interés Cultural.

Disposición adicional tercera. Incorporación al Catálogo de los bienes declarados de interés cultural

Quedan inscritos en el Catálogo General del Patrimonio Histórico Andaluz los Bienes de Interés Cultural declarados conforme a la Ley 16/1985, de 25 de junio, del Patrimonio Histórico Español, ubicados en Andalucía, así como los que tengan atribuida tal consideración, siéndoles de aplicación el régimen previsto en la presente Ley.

Disposición adicional cuarta. Entorno de determinados inmuebles

1. Los monumentos declarados histórico-artísticos conforme a la legislación anterior a la entrada en vigor de la Ley 16/1985, de 25 de junio, del Patrimonio Histórico Español, y los bienes afectados por el Decreto de 22 de abril de 1949, sobre protección de los castillos españoles, que gozan de la condición de Bienes de Interés Cultural, a los que no se les hubiera establecido individualmente, tendrán un entorno de protección constituido por aquellas parcelas y espacios que los circunden hasta las distancias siguientes:

a) Cincuenta metros en suelo urbano.

b) Doscientos metros en suelo urbanizable y no urbanizable.

2. Este entorno podrá ser revisado mediante expediente de modificación de la declaración del Bien de Interés Cultural.

Disposición adicional quinta. Normas sobre la inscripción y transmisión de los bienes de la Iglesia católica

1. Los bienes muebles del Patrimonio Histórico Andaluz cuyo interés, en los términos del artículo 2 de esta Ley, haya sido reconocido en el Inventario de Bienes Muebles de la Iglesia católica, a que se refiere el artículo 28 de la Ley 16/1985, de 25 de junio, del Patrimonio Histórico Español, quedan inscritos en el Catálogo General del Patrimonio Histórico Andaluz como bienes incluidos en el Inventario General de Bienes Muebles del Patrimonio Histórico Español.

2. Los inmuebles del Patrimonio Histórico Andaluz y los elementos de los mismos de piedra, yeso, madera, forja, fundición, cerámica, azulejería y vidrio cuyo interés, en los términos del artículo 2 de esta Ley, haya sido reconocido a través de inventarios u otros instrumentos acordados por la Comisión Mixta Junta de Andalucía-Obispos de Andalucía para el Patrimonio Cultural, de 19 de diciembre de 1985, quedan inscritos en el Catálogo General del Patrimonio Histórico Andaluz como bienes de catalogación general.

3. No se considerará transmisión de la titularidad o tenencia, a los efectos del ejercicio de los derechos de tanteo y retracto regulados en el artículo 17, la realizada entre las instituciones de la Iglesia católica dentro del territorio de la Comunidad Autónoma de Andalucía.

Disposición adicional sexta. Inscripción y transmisión de determinados bienes

1. Los bienes muebles del Patrimonio Histórico Andaluz en los términos del artículo 2 de esta Ley que se encuentren en posesión de la Administración de la Junta de Andalucía, las entidades locales y las universidades quedan inscritos en el Catálogo General del Patrimonio Histórico Andaluz como bienes incluidos en el Inventario General de Bienes Muebles del Patrimonio Histórico Español.

2. Los bienes inmuebles del Patrimonio Histórico Andaluz y los elementos de los mismos de piedra, yeso, madera, forja, fundición, cerámica, azulejería y vidrio en los términos del artículo 2 de esta Ley que se encuentren en posesión de la Administración de la Junta de Andalucía, las entidades locales y las universidades quedan inscritos en el Catálogo General del Patrimonio Histórico Andaluz como bienes de catalogación general.

Disposición adicional séptima. Bienes de especial interés turístico

Las Consejerías competentes en materia de patrimonio histórico y de turismo fomentarán fórmulas de colaboración y de asistencia mutua para la difusión de determinados bienes integrantes del Patrimonio Histórico Andaluz y de su entorno de especial interés turístico, respetando las necesidades de conservación y protección establecidas en esta Ley.

Disposición adicional octava. Inscripción como Bienes de Interés Cultural de los bienes y restos materiales del megalitismo de Andalucía

Quedan inscritos en el Catálogo General del Patrimonio Histórico Andaluz, como bienes de interés cultural, con la tipología de monumento, los bienes y restos materiales pertenecientes al megalitismo radicados en Andalucía, entendiendo como tales los círculos de piedra, alineamientos, monolitos, plataformas, montículos, dólmenes, cámaras y otras construcciones megalíticas de análoga naturaleza, así como el arte megalítico, en tanto que grabados y pinturas realizados en soportes dolménicos.

Disposición transitoria primera. Expedientes incoados con anterioridad

La tramitación de los expedientes de declaración de Bien de Interés Cultural y de inscripción en el Catálogo General del Patrimonio Histórico Andaluz, incoados con anterioridad a la entrada en vigor de esta Ley, se regirá por la normativa en virtud de la cual se iniciaron, si bien su resolución se efectuará conforme a la presente Ley.

Disposición transitoria segunda. Régimen jurídico de los bienes integrantes del Inventario de Bienes Reconocidos del Patrimonio Histórico Andaluz hasta la constitución formal del mismo

Los bienes inmuebles que conforme al artículo 13 de esta Ley deban formar parte del Inventario de Bienes Reconocidos del Patrimonio Histórico Andaluz estarán sujetos al régimen que para ellos se dispone en el Título I de la Ley desde la entrada en vigor de la misma, con independencia de que la Administración competente haya procedido a la constitución formal del Inventario.

Disposición transitoria tercera. Descontaminación visual

En el plazo de tres años a contar desde la entrada en vigor de la Ley, los municipios que se encuentren en el supuesto contemplado en el artículo 19 de la misma deberán elaborar un plan de descontaminación visual o perceptiva que deberá ser aprobado por la Consejería competente en materia de patrimonio histórico.

Las personas o entidades titulares de instalaciones o elementos a que se refiere el artículo 19, existentes a la entrada en vigor de esta Ley, estarán obligadas a retirarlos en el plazo de tres años.

Disposición transitoria cuarta. Posesión de bienes del Patrimonio Arqueológico

1. En el plazo de un año desde la entrada en vigor de esta Ley, las personas físicas y las jurídicas de cualquier naturaleza que posean objetos y restos materiales integrantes del Patrimonio Arqueológico comunicarán su existencia a la Consejería competente en materia de patrimonio histórico, mediante relación detallada que incluya su identificación, descripción, localización y título de adquisición válido en Derecho.

2. Se presume el carácter demanial de aquellos objetos y restos materiales integrantes del Patrimonio Arqueológico cuya existencia no sea comunicada en el plazo y con los requisitos establecidos en el apartado anterior, salvo que se acredite su adquisición por cualquier título válido en Derecho anterior a la fecha de entrada en vigor de la Ley 16/1985, de 25 de junio, del Patrimonio Histórico Español, o que, siendo posterior a dicha fecha, traiga causa de otro título válido en Derecho anterior a la entrada en vigor de la citada Ley.

Disposición transitoria quinta. Adaptación de estatutos

Las asociaciones entre cuyos fines figure la detección de objetos, metálicos o de cualquier otra naturaleza, que se encuentren en el subsuelo, actualmente inscritas en el registro de asociaciones, deberán adaptar sus estatutos, cuando sea necesario, a lo previsto en el artículo 60.7 de esta ley en el plazo de seis meses desde su entrada en vigor.

La Consejería responsable del Registro de Asociaciones requerirá a las asociaciones a que se refiere el párrafo anterior para que realicen las adaptaciones oportunas, velando por el cumplimiento de esta obligación.

Disposición derogatoria única. Derogación normativa

1. Queda derogada la Ley 1/1991, de 3 de julio, de Patrimonio Histórico de Andalucía, y cuantas otras disposiciones, de igual o inferior rango, se opongan a la presente Ley.

2. Los reglamentos dictados para la ejecución de la Ley 1/1991, de 3 de julio, de Patrimonio Histórico de Andalucía, continuarán vigentes en la medida que no se opongan a lo establecido en esta Ley.

Disposición final primera. Modificación de los artículos 4 y 37 de la Ley 3/1984, de 9 de enero, de Archivos de Andalucía

1. El artículo 4, párrafo primero de la Ley 3/1984, de 9 de enero, de Archivos de Andalucía, queda redactado como sigue:

«Forman, también, parte del Patrimonio Documental Andaluz, los documentos recogidos o no en archivos, con una antigüedad superior a los cuarenta años, producidos o recibidos en el ejercicio de su función por:»

2. El artículo 37 de la Ley 3/1984, de 9 de enero, de Archivos de Andalucía, queda redactado como sigue:

«1. La salida de su sede, incluso temporal, de los documentos a que se refieren los artículos 2 y 3 de esta Ley, conservados en Archivos de uso público, habrá de ser autorizada por la Consejería competente en materia de patrimonio histórico, salvo cuando se trate de préstamo administrativo y en aquellos otros casos que se determinen en la Ley y en sus normas de desarrollo.

2. Se entiende por préstamo administrativo la entrega o remisión de expedientes o, en general, de documentos, a los órganos jurisdiccionales o administrativos en cumplimiento de lo dispuesto en el Ordenamiento Jurídico.»

Disposición final segunda. Desarrollo reglamentario

Se autoriza al Consejo de Gobierno para dictar cuantas disposiciones sean necesarias para el desarrollo y ejecución de la presente Ley.

2. COMUNIDAD AUTÓNOMA DE ARAGÓN: LEY [ARAGÓN] 3/1999, DE 10 DE MARZO, DEL PATRIMONIO CULTURAL ARAGONÉS

BO. Aragón 29 marzo 1999, núm. 36, [pág. 1780]. BOE 13 abril 1999, núm. 88, [pág. 13657].

PREÁMBULO

I.

El Patrimonio Cultural Aragonés constituye, en su conjunto, uno de los testimonios fundamentales de la trayectoria histórica de la nacionalidad aragonesa. Sobre él se configuran los signos de identidad que definen la idiosincrasia del pueblo aragonés y se convierten en su más relevante valor diferencial. Las sucesivas generaciones nos han legado el Patrimonio Cultural como testimonio de nuestro ser, como herencia insustituible y como un estímulo fundamental para la creatividad contemporánea. Este Patrimonio es propiedad común de toda la ciudadanía aragonesa y sus elementos han contribuido, y siguen contribuyendo, a la configuración de la cultura española y del conjunto de los países mediterráneos. Sin la preservación y potenciación de nuestra cultura se impondría la uniformidad, que potencia formas de desarrollo social basadas en un modelo único.

El patrimonio cultural permite mantener nuestra memoria colectiva y nuestra identidad cultural, entendida, en palabras de la UNESCO, como el núcleo vivo de la cultura, el principio dinámico por el que una comunidad guía el proceso continuo de su propia creación, apoyándose en el pasado, nutriéndose de sus propias virtudes y recibiendo selectivamente las aportaciones exteriores. Sobre él se configuran los rasgos de identidad que se convierten a un tiempo, por sus aspectos coincidentes con el resto de los territorios nacionales e internacionales, en lazos de conexión y, por sus peculiaridades, en rasgos diferenciales, siendo ambos una de sus principales aportaciones al patrimonio cultural español, europeo y mundial.

En ese sentido, el Patrimonio Cultural es concepto del Derecho Internacional General, apto para caracterizar un tesoro común de la humanidad, cuya conservación debe garantizarse en interés de las futuras generaciones.

Ahora bien, la grandeza de la definición constituye también causa de sus limitaciones. De ahí que la tutela internacional deba concentrarse sobre los elementos más sobresalientes, que forman el Patrimonio Cultural Mundial propiamente dicho, objeto de protección en la Convención de París de 1972, ratificada por el Estado Español en 1982. La identificación de una más intensa política de conservación requiere reducir progresivamente la escala de intervención pública, estableciendo niveles europeos, estatales, autonómicos y locales.

La tutela comunitario-europea del Patrimonio Cultural se concentra en el establecimiento de las condiciones que permiten a los Estados introducir restricciones, dentro del gran mercado interior, al libre comercio de objetos que formen parte de tal Patrimonio. Al mismo tiempo, la Unión Europea legitima las barreras defensivas del Patrimonio Cultural frente a las exportaciones y apoya la recuperación de los bienes que hayan salido de forma ilegal de los distintos Estados.

La protección dispensada por el Ordenamiento estatal introduce una mayor variedad de técnicas e instrumentos, que debiera permitir atender a las necesidades que evidencia la experiencia de las vicisitudes propias de los bienes del Patrimonio Cultural. En tal sentido, cabe contar con una amplia tradición legislativa.

Sin embargo, aunque no quepa duda de la validez general de la regulación establecida en la Legislación estatal, como ha confirmado la Sentencia del Tribunal Constitucional

17/1991, de 31 de enero, lo cierto es que las competencias exclusivas del Estado se limitan a las funciones de defensa contra la exportación y la expoliación, según el artículo 149.1.28ª de la Constitución Española. Se abre así a las Comunidades Autónomas un amplio abanico de posibilidades de intervención para la tutela del Patrimonio Cultural en todos los aspectos no reservados al Estado. Expresamente lo posibilita, en nuestro caso, el artículo 35.1.33ª del Estatuto de Autonomía de Aragón, que sitúa así a la Comunidad Autónoma en posición preferente para cumplir el mandato que el artículo 46 de la Constitución dirige a los poderes públicos de garantizar, conservar y promover el enriquecimiento de este Patrimonio y de los bienes que lo integran, cualquiera que sea su régimen jurídico y su titularidad.

La amplitud de las competencias correspondientes a la Comunidad Autónoma en esta materia no debe llevar al olvido del nivel local. La garantía institucional de los Municipios comprende la necesidad de reconocer sus competencias en una serie de materias, entre las que la Legislación Básica de Régimen Local incluye justamente el Patrimonio Cultural. El presente texto asume esa exigencia, estableciendo un importante sector de actuación municipal.

Los poderes públicos están obligados a proteger la integridad del Patrimonio Cultural aragonés, y también a promover cuantas acciones se consideren necesarias para su conservación y difusión, tanto en el interior como en el exterior de nuestro territorio. Los mismos derechos y deberes se le reconocen a la acción pública de la ciudadanía para su defensa y protección. El conjunto de los bienes que hoy constituyen nuestro Patrimonio son tales como consecuencia de la acción social de la ciudadanía que, a lo largo de generaciones, los han sabido apreciar como riqueza colectiva y aportación histórica. Es, por tanto, responsabilidad del Gobierno de Aragón fomentar en la sociedad el sentimiento de conservación y apreciación de nuestro Patrimonio mediante una información rigurosa y asequible, una adecuada formación y el impulso de la participación ciudadana.

La presente Ley, adecuando su contenido a la normativa estatal y a la documentación emanada de los órganos internacionales y, de forma especial, a la procedente tanto de la UNESCO como del Consejo de Europa e instituciones europeas (artículo 128 del Tratado de la Unión Europea), pretende crear el marco legal específico de Aragón para proteger, conservar, investigar, incrementar y proyectar al exterior los bienes culturales de nuestra comunidad, legado insustituible de nuestra historia y enriquecido continuamente con las aportaciones de nuestra cultura contemporánea.

Esta Ley pretende diseñar una política cultural que siente la base jurídica sobre la que debe descansar el régimen de protección e impulso del Patrimonio Cultural Aragonés. Se presenta bajo el título de «Patrimonio Cultural» por entender que el término «cultura» es el más adecuado para describir el conjunto de bienes que se regulan y es más amplio que el de historia o arte, que los definen parcialmente. El Patrimonio Cultural se define como el conjunto de elementos naturales, o culturales, materiales e inmateriales, tanto heredados de nuestros antepasados como creados en el presente, en el cual los aragoneses reconocen sus señas de identidad, y que ha de ser conservado, conocido y transmitido a las generaciones venideras, acrecentándolo.

El Patrimonio Cultural es un bien social, por lo que su uso ha de tener la finalidad de servir como factor de desarrollo integral al colectivo al que pertenece, adquiriendo así el valor de recurso social, económico y cultural de primera magnitud. El Patrimonio Cultural no está concebido en esta Ley de forma estática, sino que pretende posibilitar que las generaciones presentes y las venideras gocen de un marco jurídico que posibilite y fomente la creación cultural y la formación dinámica de un nuevo patrimonio.

Finalmente, la Ley propone formas para posibilitar la democratización del patrimonio, fomentando la participación y corresponsabilización de los agentes sociales y económicos.

II.

La presente Ley se desarrolla a través de ocho Títulos, seis disposiciones adicionales, tres disposiciones transitorias, una disposición derogatoria y cuatro disposiciones finales.

En el Título Preliminar se parte de un concepto amplio del Patrimonio Cultural de Aragón que engloba todos los bienes materiales e inmateriales relacionados con la historia y la cultura de Aragón, garantizando su uso como bien social y factor de desarrollo sostenible para Aragón. Tras recordar un derecho general de disfrute se introduce como corolario un deber de conservación, que se concreta en cada uno de los regímenes jurídicos de protección establecidos en la Ley, recogiéndose igualmente en el marco de la colaboración general de los particulares la acción pública e imponiéndose a la Administración de la Comunidad Autónoma la obligación de utilizar todos medios disponibles a su alcance a fin de asegurar el retorno a Aragón de los bienes del Patrimonio Cultural aragonés que se hallen fuera de su territorio.

Tal como se desarrolla en el Título I, se crean tres categorías de bienes: los declarados de interés cultural, los catalogados y los inventariados, definidores de la incidencia que cada uno de los mismos ha tenido en el Patrimonio Cultural de Aragón pasando a integrar todos ellos el Censo General del Patrimonio Cultural de Aragón.

El Título II, dedicado al régimen general de protección y conservación, establece tres grados diferentes, emanados de las tres categorías de bienes establecidas, sean estos muebles, inmuebles o inmateriales.

Los Títulos III y IV se refieren al Patrimonio arqueológico, paleontológico, etnográfico y de carácter industrial, especificando la protección, el desarrollo y los procedimientos administrativos y científicos que deben caracterizar cualquier actuación pública o privada en estos campos.

El Título V, relativo a la organización, crea el Consejo Aragonés del Patrimonio Cultural como órgano consultivo y asesor de la Comunidad Autónoma en materias relativas al Patrimonio Cultural Aragonés, establece el principio de colaboración con otras Administraciones públicas, dedica un precepto a la colaboración con la Iglesia Católica y otras confesiones religiosas, sin olvidar la responsabilidad de los municipios como lugares de asentamiento de todo tipo de bienes culturales.

Las medidas de fomento, recogidas en el Título VI, van encaminadas a facilitar el deber de conservación por los poseedores y propietarios de los Bienes Culturales en sus diferentes regímenes de protección, mediante ayudas directas o beneficios fiscales. Se ha considerado que el establecimiento de un porcentaje de un 1 por 100 sobre los proyectos de obras que se realicen por la Administración de la Comunidad Autónoma de Aragón resulta esencial para el cumplimiento de los objetivos de esta Ley.

El régimen sancionador cierra el articulado de la Ley.

La Ley finaliza con sendos mandatos en el sentido de elaborar una ley de lenguas de Aragón y de crear un Instituto de la Cultura y del Patrimonio de Aragón que integre en su seno el Instituto Aragonés del Arte y la Cultura Contemporáneos.

TÍTULO PRELIMINAR. Disposiciones generales

Artículo 1. Objeto

Esta Ley tiene por objeto la protección, conservación, acrecentamiento, investigación, difusión, promoción, fomento y formación, para la transmisión a las generaciones futuras del Patrimonio Cultural Aragonés y de los bienes que lo integran, cualquiera que sea su régimen jurídico y titularidad, garantizando su uso como bien social y factor de desarrollo sostenible para Aragón.

Artículo 2. Patrimonio Cultural Aragonés

1. El Patrimonio Cultural Aragonés está integrado por todos los bienes materiales e inmateriales relacionados con la historia y la cultura de Aragón que presenten interés antropológico, antrópico, histórico, artístico, arquitectónico, mobiliario, arqueológico, paleontológico, etnológico, científico, lingüístico, documental, cinematográfico, bibliográfico o técnico, hayan sido o no descubiertos y tanto si se encuentran en la superficie como en el subsuelo o bajo la superficie de las aguas.

2. Serán causas justificativas de interés social para la expropiación la defensa y protección de los bienes integrantes del Patrimonio Cultural aragonés.

Artículo 3. Régimen jurídico específico y regímenes jurídicos especiales

El Patrimonio Cultural Aragonés se rige por esta Ley, dejando a salvo los regímenes establecidos en materia de Archivos, Museos, Bibliotecas y Parques Culturales, todo ello en el marco del Ordenamiento jurídico de la Comunidad Autónoma.

Artículo 4. Lenguas y modalidades lingüísticas propias de Aragón

1. El aragonés y el catalán de Aragón, en los que están incluidas sus variedades dialectales, son las lenguas y modalidades lingüísticas propias a que se refieren el artículo 7 del Estatuto de Autonomía de Aragón de 2007 y la Ley 3/2013, de 9 de mayo, de uso, protección y promoción de las lenguas y modalidades lingüísticas propias de Aragón.

2. Constituyen el patrimonio lingüístico aragonés todos los bienes materiales e inmateriales de relevancia lingüística relacionados con la historia y la cultura de las lenguas y modalidades lingüísticas propias de Aragón.

Artículo 5. Derecho de disfrute

Todas las personas tienen el derecho a disfrutar del Patrimonio Cultural Aragonés, de conformidad con lo establecido en las reglamentaciones aplicables.

Artículo 6. Deber de conservación

1. Todas las personas tienen el deber de conservar el Patrimonio Cultural Aragonés, utilizándolo racionalmente y adoptando las medidas preventivas, de defensa y recuperación que sean necesarias para garantizar su disfrute por las generaciones futuras.

2. En todo caso, las personas que tengan conocimiento de una situación de peligro o de la destrucción consumada o inminente o del deterioro de un bien del Patrimonio Cultural Aragonés deberán, en el menor tiempo posible, ponerlo en conocimiento del Ayuntamiento correspondiente, del Departamento responsable de Patrimonio Cultural o de las Fuerzas y Cuerpos de Seguridad, quienes comprobarán el objeto de la denuncia y actuarán conforme a Derecho. La Administración de la Comunidad Autónoma pondrá en conocimiento del denunciante las acciones emprendidas.

3. Las asociaciones culturales aragonesas registradas legalmente podrán colaborar con la Administración en las tareas indicadas en los puntos anteriores.

Artículo 7. Retorno

La Administración de la Comunidad Autónoma utilizará todos los medios disponibles a su alcance a fin de asegurar el retorno a Aragón de aquellos bienes del Patrimonio Cultural Aragonés que se hallen fuera de su territorio, y elaborará, en colaboración con otras Administraciones públicas, una relación pormenorizada de los bienes que se encuentran en tal situación.

Tales bienes forman parte del Patrimonio Cultural Aragonés, siempre que su origen haya sido Aragón y hayan sido desplazados de su territorio.

Artículo 8. Acción pública

Será pública la acción para exigir ante las Administraciones públicas y la Jurisdicción Contencioso-Administrativa el cumplimiento de lo previsto en esta Ley y en el resto del ordenamiento jurídico para la defensa del Patrimonio Cultural Aragonés.

Artículo 9. Cese de efectos

Los efectos de las declaraciones que garantizan la tutela del Patrimonio Cultural Aragonés únicamente podrán cesar cuando deje de concurrir de manera irreparable el interés cultural determinante de las mismas. En todo caso, deberá observarse el procedimiento seguido para la declaración.

Artículo 10. Coordinación con otras políticas públicas

Las exigencias de tutela del Patrimonio Cultural Aragonés deberán integrarse en la definición y en la realización de las restantes políticas públicas, especialmente en materia educativa y de ordenación del territorio, urbanismo, medio ambiente y turismo.

TÍTULO I. Bienes que integran el Patrimonio Cultural Aragonés

CAPÍTULO I. Categorías

Artículo 11. Clases de bienes

Los bienes que integran el Patrimonio Cultural Aragonés se clasifican en bienes de interés cultural, bienes catalogados y bienes inventariados.

Artículo 12. Bienes de interés cultural

1. Los bienes más relevantes, materiales o inmateriales, del Patrimonio Cultural Aragonés serán declarados Bienes de Interés Cultural y serán inscritos en el Registro Aragonés de Bienes de Interés Cultural, que será gestionado por el Departamento responsable de Patrimonio Cultural.

2. En el caso de los Bienes Inmuebles, se establecen las siguientes categorías:

A) Monumento, que es la construcción u obra producto de la actividad humana, de relevante interés histórico, arquitectónico, arqueológico, artístico, etnográfico, científico o técnico, con inclusión de los muebles, instalaciones y accesorios que expresamente se señalen como parte integrante del mismo.

B) Conjunto de Interés Cultural, que comprende las siguientes figuras:

a) Conjunto Histórico, que es la agrupación continua o dispersa de bienes inmuebles, que es representativa de la evolución de una comunidad humana por ser testimonio de su cultura o de su historia, que se constituye en una unidad coherente y delimitable con entidad propia, aunque cada elemento por separado no posea valores relevantes.

b) Jardín histórico, que es el espacio delimitado que resulta de la intervención del ser humano sobre los elementos naturales, ordenándolos, a veces complementándolos con arquitectura y escultura u otras manufacturas, siempre que posea un origen, pasado histórico, valores estéticos, botánicos o pedagógicos dignos de salvaguarda y conservación.

c) Sitio histórico, que es el lugar o paraje natural vinculado a acontecimientos o recuerdos del pasado, creaciones humanas o de la naturaleza, que posean valores históricos o de singularidad natural o cultural.

d) Zona paleontológica, que es el lugar en que hay vestigios, fosilizados o no, que constituyan una unidad coherente y con entidad representativa propia.

e) Zona arqueológica, que es lugar o paraje donde existen bienes muebles o inmuebles susceptibles de ser estudiados con metodología arqueológica, hayan sido extraídos o no, tanto si se encuentra en la superficie, en el subsuelo o bajo la superficie de las aguas.

f) Lugar de interés etnográfico, que es aquel paraje natural, conjunto de construcciones o instalaciones vinculadas a formas de vida, cultura y actividades tradicionales del pueblo aragonés, aunque no posean particulares valores estéticos ni históricos propios.

g) Lugar de la memoria democrática de Aragón, que es aquel espacio, construcción o elemento inmueble cuyo significado histórico sea relevante para la explicación del pasado de Aragón en términos de participación, defensa y lucha a favor de la democracia frente a la intolerancia y la dictadura en el marco histórico de la Segunda República española, la guerra civil y la dictadura franquista. Estos espacios podrán incluir ateneos, escuelas, centros sociales y culturales vinculados con la sociabilidad y la cultura republicanas, así como, en relación con la guerra y la dictadura franquista, obras de fortificación, vestigios de combates, fosas, lugares de detención e internamiento, obras realizadas con trabajos forzados, espacios de acción guerrillera antifranquista, así como cualquier otro tipo de espacio significativo o conmemorativo, tales como las maternidades en las que se cometieron los actos contra la dignidad de los bebés robados.

3. Los bienes muebles más relevantes del Patrimonio Cultural Aragonés serán declarados Bienes de Interés Cultural singularmente o como colección.

4. Los bienes inmateriales, entre ellos, las actividades tradicionales que contengan especiales elementos constitutivos del patrimonio etnológico de Aragón podrán ser declarados Bienes de Interés Cultural.

Artículo 13. Bienes catalogados

Los bienes integrantes del Patrimonio Cultural Aragonés que, pese a su significación e importancia, no cumplan las condiciones propias de los Bienes de Interés Cultural se denominarán Bienes Catalogados del Patrimonio Cultural Aragonés y serán incluidos en el Catálogo del Patrimonio Cultural Aragonés.

Artículo 14. Bienes inventariados

Los Bienes Culturales que no tengan la consideración de Bienes de Interés Cultural o de Bienes Catalogados formarán parte también del Patrimonio Cultural Aragonés. Se denominarán Bienes Inventariados del Patrimonio Cultural Aragonés y serán incluidos en el Inventario del Patrimonio Cultural Aragonés.

CAPÍTULO II. Bienes de Interés Cultural

Artículo 15. Bienes inmuebles de Interés Cultural

1. Se declararán Bienes de Interés Cultural los bienes inmuebles más relevantes del Patrimonio Cultural Aragonés que configuren una unidad singular.

2. Dicha declaración comprenderá, sin necesidad de identificación específica, cuantos elementos puedan considerarse consustanciales con las construcciones y formen parte de las mismas o de su exorno, o lo hayan formado, aunque en el caso de poder ser separados constituyan un todo perfecto de fácil aplicación a otras construcciones o a usos distintos del suyo original, cualquiera que sea la materia de que estén formados y aunque su separación no perjudique visiblemente al mérito cultural del inmueble al que están adheridos.

3. La declaración de Bien de Interés Cultural de un Bien inmueble incluirá los bienes muebles que se señalen como parte integrante del mismo.

4. La declaración de Bien de Interés Cultural de un Bien inmueble afectará al entorno de éste, cuya exacta delimitación deberá contenerse en la misma declaración, pudiendo

incluir inmuebles y espacios no colindantes o alejados, siempre que una alteración de los mismos pueda afectar a los valores propios del monumento o a su contemplación.

Artículo 16. Conjunto de Interés Cultural

1. Se declararán Conjuntos de Interés Cultural las agrupaciones de bienes inmuebles del Patrimonio Cultural Aragonés.

2. La declaración de Conjunto de Interés Cultural podrá afectar al entorno de éste, delimitado en la misma declaración en atención a la incidencia que cualquier alteración de dicho entorno pueda tener en los valores propios del Conjunto o en su contemplación.

3. La declaración de Conjunto de Interés Cultural es compatible con la existencia de inmuebles singulares declarados Bienes de Interés Cultural, cuyo régimen jurídico será de preferente aplicación.

Artículo 17. Medidas cautelares

El Director General responsable de Patrimonio Cultural deberá suspender por plazo máximo de dos meses el derribo y cualquier clase de obra o actividad en curso de ejecución, a fin de decidir sobre la pertinencia de incoar expediente de declaración como Bien de Interés Cultural o como Conjunto de Interés Cultural.

Artículo 18. Procedimiento

1. La declaración de Bien de Interés Cultural o Conjunto de Interés Cultural requiere la previa tramitación del expediente administrativo, que se incoará por Resolución del Director General responsable de Patrimonio Cultural.

2. La iniciación del expediente podrá realizarse de oficio o a instancia de cualquier persona, debiendo motivarse la denegación de la incoación. Cuando, habiéndose presentado solicitud de incoación de expediente, no se haya producido en el plazo de tres meses, se entenderá iniciado tal expediente.

3. En el expediente de declaración de los Bienes Inmuebles de Interés Cultural figurarán los informes y la documentación convenientes para describir el bien, sus partes integrantes, pertenencias, accesorios y bienes muebles y documentales vinculados, así como su estado de conservación, uso y necesidades de tutela. En dicho expediente, se dará audiencia a los propietarios y demás interesados.

4. En el expediente de declaración de los Conjuntos de Interés Cultural figurarán los informes, la documentación y la planimetría convenientes para delimitar el Conjunto y determinar sus necesidades. Se incluirá en todo caso una relación de las edificaciones existentes, con las referencias precisas sobre su estado de conservación y medidas de tutela. Se solicitarán preceptivamente informes de las respectivas Comisiones Provinciales del Patrimonio Cultural y de Ordenación del Territorio, así como de los Ayuntamientos correspondientes.

5. El procedimiento de declaración de un Bien mueble o un Bien inmaterial como Bien de Interés Cultural será similar al de los Bienes inmuebles.

6. Para la procedencia de la declaración será preciso contar con el informe del Consejo Aragonés de Patrimonio Cultural y de la Comisión Provincial del Patrimonio Cultural correspondiente. En todo caso, se dará audiencia a los interesados que hubieren comparecido en el expediente y se abrirá un período de información pública.

Artículo 19. Efectos de la incoación

1. La incoación del expediente de declaración de Bien de Interés Cultural o de Conjunto de Interés Cultural se notificará a los interesados, así como las incidencias significativas, y al Ayuntamiento correspondiente, debiendo publicarse en el «Boletín Oficial de Aragón».

2. La incoación del expediente conlleva la aplicación inmediata y provisional del régimen de protección establecido, según los casos, para los Bienes de Interés Cultural y Conjuntos de Interés Cultural.

3. La incoación del expediente determina también la suspensión de las licencias municipales relativas a todo tipo de obras o actividades en la zona afectada. No obstante, el Director General responsable de Patrimonio Cultural de Cultura y Patrimonio, previo informe de la correspondiente Comisión Provincial del Patrimonio Cultural, puede levantar la suspensión, total o parcialmente, cuando sea manifiesto que las obras o actividades no perjudican a los valores culturales del Bien de Interés Cultural o Conjunto de Interés Cultural y de su entorno.

Artículo 20. Plazo

El expediente de declaración de Bien de Interés Cultural o Conjunto de Interés Cultural deberá resolverse en el plazo máximo de dieciocho meses a partir de la publicación de su incoación. Su caducidad se producirá si una vez transcurrido dicho plazo cualquier interesado solicita el archivo de las actuaciones y dentro de los tres meses siguientes no se dicta resolución. Caducado el expediente no podrá volver a iniciarse en los dieciocho meses siguientes, salvo a instancia del titular en el caso de los Bienes de Interés Cultural o de los propietarios que representen al menos el treinta por ciento del ámbito que se pretenda proteger en los Conjuntos de Interés Cultural, excluyendo del cómputo los bienes de dominio público.

Artículo 21. Declaración

1. Corresponde al Gobierno de Aragón, a propuesta del Consejero del Departamento responsable de Patrimonio Cultural, acordar por Decreto la declaración de Bien de Interés Cultural o de Conjunto de Interés Cultural.

2. La declaración de Bien de Interés Cultural describirá el bien, debiendo expresar claramente, al menos, su delimitación, los bienes muebles integrantes del bien y el entorno afectado. También incluirá la descripción de las partes integrantes, pertenencias y accesorios del bien.

3. La declaración de Conjunto de Interés Cultural contendrá, al menos, la delimitación del Conjunto y de su entorno y la relación de las edificaciones relevantes existentes en el mismo.

4. Las declaraciones de Bien de Interés Cultural se notificarán a los propietarios. Esas mismas declaraciones y las de Conjunto de Interés Cultural serán notificadas a los interesados que hubieren comparecido en el expediente y al ayuntamiento y se publicarán en el «Boletín Oficial de Aragón».

5. El Director General responsable de Patrimonio Cultural podrá instar de oficio la inscripción gratuita en el Registro de la Propiedad de la declaración del inmueble como Bien de Interés Cultural.

6. El mismo Director General comunicará al Registro General de Bienes de Interés Cultural de la Administración del Estado las declaraciones de Bien de Interés Cultural o Conjunto de Interés Cultural, indicando las categorías correspondientes en la legislación del Patrimonio Histórico Español, así como los actos de incoación y la caducidad de los expedientes.

Artículo 22. Declaración genérica

1. El Gobierno de Aragón podrá declarar Bien de Interés Cultural toda una categoría de bienes, a propuesta del Consejero del Departamento responsable de Patrimonio Cultural, previo expediente en el que figurará una relación lo más completa posible de los bienes afectados, con su localización, informes y documentación convenientes.

2. Para la procedencia de la declaración genérica será preciso contar con informe del Consejo Aragonés de Patrimonio Cultural, de la respectiva Comisión Provincial del Patrimonio Cultural y de al menos tres de las instituciones consultivas previstas en esta Ley.

3. La iniciación del expediente de declaración genérica se publicará en el «Boletín Oficial de Aragón», aplicándose de manera inmediata y provisional a los bienes afectados el régimen de protección establecido para los Bienes de Interés Cultural ya declarados, abriéndose en cualquier caso un período de información pública.

4. La declaración genérica deberá producirse en el mismo plazo que las declaraciones individuales, será publicada en el «Boletín Oficial de Aragón» y se realizarán las inscripciones registrales en los términos previstos para las citadas declaraciones individuales.

Artículo 23. El Registro Aragonés de Bienes de Interés Cultural

1. Se constituye el Registro Aragonés de Bienes de Interés Cultural como un registro de carácter administrativo gestionado por la Dirección General del Departamento responsable de Patrimonio Cultural, en el que se incluirán los Bienes de Interés Cultural y los Conjuntos de Interés Cultural. Se incluirán tanto si están declarados como si tienen expediente de declaración incoado, con la finalidad de recoger todo tipo de transmisiones, traslados, obras e intervenciones que afecten a dichos bienes incluidos en las declaraciones protectoras.

2. El acceso al Registro será público, en la forma que se establezca en vía reglamentaria.

CAPÍTULO III. Bienes Catalogados

Artículo 24. Procedimiento

1. La tramitación administrativa para la declaración de Bien Catalogado del Patrimonio Cultural Aragonés será la inclusión en el Catálogo del Patrimonio Cultural Aragonés. El plazo para resolver los expedientes será de dieciocho meses. Su caducidad se producirá si una vez transcurrido dicho plazo cualquier interesado solicita el archivo de las actuaciones y dentro de los tres meses siguientes no se dicta resolución. Caducado el expediente, no podrá volver a iniciarse en los dieciocho meses siguientes.

2. La inclusión de bienes en el Catálogo del Patrimonio Cultural Aragonés se hace por Orden del Consejero del Departamento responsable de Patrimonio Cultural.

3. En el caso de los bienes inmuebles, podrán ser declarados Monumentos de Interés Local, y su declaración se regirá por lo dispuesto en el artículo 25. En todo caso, tendrán la clasificación de Bienes Catalogados del Patrimonio Cultural Aragonés.

4. La notificación al titular o poseedor de la iniciación de un expediente para la inclusión de un bien en el Catálogo del Patrimonio Cultural Aragonés determinará la aplicación inmediata y provisional del régimen de protección previsto en la presente Ley para los bienes ya catalogados. Al mismo tiempo se abrirá un período de información pública por un plazo mínimo de un mes mediante la publicación del acuerdo de iniciación del expediente en el «Boletín Oficial de Aragón».

5. En caso de iniciarse a instancia de parte, la denegación de la incoación para la inclusión de un bien en el catálogo será motivada y habrá de notificarse a los solicitantes.

6. El acuerdo de catalogación será notificado tanto a los interesados como al Ayuntamiento en que se ubique el bien, y se publicará en el «Boletín Oficial de Aragón».

Artículo 25. Monumentos de Interés Local

1. Los municipios podrán aplicar a los inmuebles que merezcan la consideración de Monumentos de Interés Local el sistema de declaración y el régimen de protección estable-

cido en esta Ley para los Bienes Catalogados del Patrimonio Cultural Aragonés, mientras no se produzca la declaración del mismo inmueble como Bien de Interés Cultural.

2. La declaración de los Monumentos de Interés Local corresponderá al Ayuntamiento en Pleno, y el ejercicio de las funciones de tutela de los mismos, al Alcalde, en ambos casos previo informe favorable de la Comisión Provincial del Patrimonio Cultural, salvo que mediante convenio con el Departamento responsable de Patrimonio Cultural se hubiere constituido un órgano con las características establecidas en el párrafo segundo del artículo 86.

3. El Alcalde comunicará al Director General responsable de Patrimonio Cultural las declaraciones de Monumentos de Interés Local, así como toda incidencia relativa a los mismos, a efectos de su inclusión o constancia en el Catálogo General del Patrimonio Cultural Aragonés.

Artículo 26. El Catálogo del Patrimonio Cultural Aragonés

1. Se constituye el Catálogo del Patrimonio Cultural Aragonés como un registro de carácter administrativo gestionado por la Dirección General del Departamento responsable de Patrimonio Cultural, en el que se incluirán los Bienes Catalogados del Patrimonio Cultural Aragonés, así como las transmisiones, traslados e intervenciones que afecten a los mismos.

2. El acceso al Catálogo será público, en la forma que se determine reglamentariamente.

CAPÍTULO IV. Bienes inventariados

Artículo 27. El Inventario del Patrimonio Cultural Aragonés

1. Se constituye el Inventario del Patrimonio Cultural Aragonés como un registro de carácter administrativo gestionado por la Dirección General de Cultura y Patrimonio, en el que se incluirán los Bienes Inventariados del Patrimonio Cultural Aragonés, así como las transmisiones, traslados e intervenciones que afecten a los mismos.

2. El acceso al Inventario será público, en la forma que se determine reglamentariamente.

Artículo 28. Procedimiento de inclusión

1. El expediente para la inclusión de un bien en el Inventario del Patrimonio Cultural Aragonés se iniciará de oficio o a solicitud del propietario, o de terceros.

2. En el expediente figurarán los informes y la documentación convenientes para describir el bien, su estado de conservación y uso y sus necesidades de tutela.

Artículo 29. Efectos de la iniciación

1. La iniciación del expediente de inclusión en el Censo General del Patrimonio Cultural Aragonés se notificará a los interesados y se publicará en el «Boletín Oficial de Aragón».

2. La iniciación del expediente conlleva la aplicación inmediata y provisional del régimen de protección establecido para los Bienes Inventariados del Patrimonio Cultural Aragonés.

Artículo 30. Plazo

El expediente de inclusión de un bien en el Inventario del Patrimonio Cultural Aragonés debe resolverse en el plazo máximo de tres meses a partir de su iniciación. Su caducidad se producirá si una vez transcurrido dicho plazo el propietario solicita el archivo de las actuaciones y dentro de los tres meses siguientes no se dicta resolución. Caducado el expediente, no podrá volver a iniciarse en los dieciocho meses siguientes.

Artículo 31. Inclusión

1. Corresponde al Consejero del Departamento responsable de Patrimonio Cultural resolver sobre la inclusión de bienes en el Inventario del Patrimonio Cultural Aragonés.

2. La inclusión en el Inventario del Patrimonio Cultural Aragonés será notificada a los interesados y se publicará en el «Boletín Oficial de Aragón».

Artículo 32. Patrimonio Documental y Bibliográfico

Tienen la consideración de Bienes Inventariados del Patrimonio Cultural Aragonés por ministerio de esta ley los bienes muebles que integran los patrimonios documental y bibliográfico de la Comunidad Autónoma, que se regirán por su legislación específica y, subsidiariamente, por lo establecido en esta ley.

TÍTULO II. Régimen general de protección y conservación del Patrimonio Cultural Aragonés

CAPÍTULO I. Régimen de los Bienes de Interés Cultural

Sección 1ª. Bienes inmuebles

Artículo 33. Deberes

1. Los propietarios y titulares de derechos sobre los Bienes de Interés Cultural tienen el deber de conservar adecuadamente el bien, facilitar el ejercicio de las funciones de inspección administrativa, el acceso de investigadores y la visita pública, al menos cuatro días al mes, en los términos establecidos reglamentariamente.

2. El Director General responsable de Patrimonio Cultural podrá exigir el cumplimiento de los anteriores deberes mediante órdenes de ejecución, que detallarán las obras, actuaciones u horarios de acceso pertinentes. Cuando los propietarios o titulares de derechos reales sobre Bienes de Interés Cultural o Conjuntos de Interés Cultural no ejecuten las actuaciones exigidas en el cumplimiento de la obligaciones previstas, la Administración competente, previo requerimiento a los interesados, deberá ordenar su ejecución subsidiaria.

3. No obstante lo dispuesto en los apartados anteriores, la Administración competente también podrá realizar directamente, con cargo a la aplicación presupuestaria correspondiente al capítulo de inversiones reales de las respectivas Leyes de Presupuestos de la Comunidad Autónoma de Aragón, las actuaciones necesarias requeridas para la conservación y restauración de los Bienes de Interés Cultural.

Artículo 34. Prohibiciones

1. En los Bienes de Interés Cultural queda prohibida toda construcción que altere su carácter o perturbe su contemplación, así como la colocación de publicidad comercial y de cualquier clase de cables, antenas y conducciones aparentes.

2. Las obras y demás actuaciones en los Bienes de Interés Cultural irán preferentemente encaminadas a su conservación, consolidación y rehabilitación y evitarán los intentos de reconstrucción, salvo cuando se utilicen partes originales de los mismos y pueda probarse su autenticidad. Si se añadiesen materiales o partes indispensables para su estabilidad o mantenimiento, las adiciones deberán ser reconocibles.

3. Las restauraciones de los Bienes de Interés Cultural respetarán las aportaciones de todas las épocas existentes. La eliminación de alguna de ellas sólo se autorizará con carácter excepcional y siempre que los elementos que traten de suprimirse supongan una evidente degradación del bien y su eliminación fuere necesaria para permitir una mejor interpretación histórica del mismo. Las partes suprimidas quedarán debidamente documentadas.

Artículo 35. Autorización cultural

1. No se podrá proceder al desplazamiento o remoción de su entorno de un Bien de Interés Cultural, salvo que resulte imprescindible por causa de fuerza mayor y, en todo caso, previa autorización del Consejero del Departamento responsable de Patrimonio Cultural, contando con informe favorable de la Comisión Provincial del Patrimonio Cultural. Antes de resolver sobre la autorización, también se pedirá informe al ayuntamiento.

2. La realización de obras o actividades en los Bienes de Interés Cultural o en el entorno de los mismos, siempre subordinada a que no se pongan en peligro los valores que aconsejen su conservación, deberá contar antes de la licencia municipal con autorización de la Comisión Provincial del Patrimonio Cultural.

3. Toda intervención sobre los bienes muebles integrantes de un Bien de Interés Cultural, así como la salida temporal de los mismos, está sujeta a autorización del Director General responsable de Patrimonio Cultural.

4. Las autorizaciones habrán de otorgarse en el plazo de tres meses, transcurrido el cual sin resolver expresamente se considerarán desestimadas.

Artículo 36. Licencias municipales

1. No podrán otorgarse licencias ni órdenes de ejecución por los ayuntamientos para la realización de obras o actividades en los Bienes de Interés Cultural o en el entorno de los mismos sin la previa autorización cultural, conforme a lo establecido en el artículo anterior.

2. Las licencias y órdenes de ejecución otorgadas con incumplimiento de lo dispuesto en el párrafo anterior serán nulas de pleno derecho y las correspondientes obras o actividades ilegales. En todo caso, el Consejero del Departamento responsable de Patrimonio Cultural podrá actuar frente a las obras y actividades ilegales en los términos establecidos en el artículo siguiente.

Artículo 37. Obras y actividades ilegales

1. Son ilegales las obras y actividades realizadas en Bienes de Interés Cultural sin la previa autorización cultural, conforme a lo establecido en esta Ley, o sin ajustarse a las determinaciones de dicha autorización, aun cuando cuenten con licencia u orden de ejecución del ayuntamiento correspondiente o con cualquier otra autorización o concesión administrativa.

2. En cualquier tiempo, el Consejero del Departamento responsable de Patrimonio Cultural ordenará la paralización de las obras y actividades ilegales en curso de ejecución y asimismo, cuando las obras no pudieran ser legalizadas, el derribo de las terminadas o la reconstrucción de lo derribado.

Artículo 38. Declaración de ruina

1. Si llegara a incoarse expediente de declaración de ruina de un Bien de Interés Cultural, el ayuntamiento dará audiencia al Departamento responsable de Patrimonio Cultural.

2. En ningún caso la declaración de ruina autorizará a la demolición del Bien de Interés Cultural. La Administración de la Comunidad Autónoma colaborará con los municipios en las obras de conservación que excedan de los deberes legales del propietario.

3. Si existiera peligro inminente, el alcalde deberá ordenar las medidas necesarias para evitar daños, comunicándolas al Consejero del Departamento responsable de Patrimonio Cultural, que podrá suspender su ejecución y dictar las convenientes modalidades de intervención.

Artículo 39. Expropiación

La declaración de Bien de Interés Cultural será causa de interés social, a efectos de expropiación forzosa por la Administración de la Comunidad Autónoma de todos los bienes afectados, incluido su entorno. También podrán acordar su expropiación los municipios, notificando previamente este propósito al Departamento responsable de Patrimonio Cultural, que tendrá prioridad en el ejercicio de tal potestad.

Artículo 40. Tanteo y retracto

1. Quien trate de enajenar un Bien de Interés Cultural o un inmueble de su entorno delimitado en la misma declaración deberá notificarlo al Departamento responsable de Patrimonio Cultural, indicando precio y condiciones en que se proponga realizar la enajenación. Los subastadores deberán notificar igualmente y con suficiente antelación las subastas públicas en que se pretenda enajenar alguno de estos bienes.

2. Dentro de los dos meses siguientes, el Consejero podrá hacer uso del derecho de tanteo para la propia Administración de la Comunidad Autónoma, para cualquier otra Administración pública o para una institución sin ánimo de lucro, obligándose al pago del precio simultáneamente, salvo acuerdo con el interesado en otra forma de pago.

3. Cuando el propósito de enajenación no se hubiera notificado correctamente, el Consejero podrá ejercer, en los mismos términos previstos para el derecho de tanteo, el de retracto en el plazo de seis meses a partir de la fecha en que tenga conocimiento fehaciente de la enajenación.

4. Los Notarios no autorizarán ni los Registradores de la Propiedad inscribirán ningún acto o documento relativo a la enajenación de alguno de los inmuebles a que hace referencia este artículo sin que se acredite haber cumplido cuantos requisitos en él se recogen.

Sección 2ª. Conjuntos de interés cultural

Artículo 41. Plan municipal

La declaración de Conjunto Histórico determinará la obligación para el ayuntamiento afectado de redactar y aprobar uno o varios Planes Especiales de protección del área afectada por la declaración u otro instrumento de planeamiento urbanístico que cumpla, en todo caso, las exigencias establecidas en esta Ley. La obligatoriedad del Plan Especial o instrumento similar no podrá excusarse en la preexistencia de otro planeamiento contradictorio con la protección ni en la inexistencia previa de planeamiento general.

Artículo 42. Procedimiento

El procedimiento de elaboración y aprobación del Plan mencionado en el artículo anterior se ajustará a lo establecido en la legislación urbanística, con la observancia adicional en todo caso de los siguientes trámites:

a) Antes de la aprobación inicial, se someterá a informe de la correspondiente Comisión Provincial del Patrimonio Cultural.

b) No podrá otorgarse la aprobación definitiva sin el informe favorable del Consejero del Departamento responsable de Patrimonio Cultural, que se entenderá emitido en tal sentido al cabo de tres meses desde la presentación del Plan y sin que se hubiera emitido expresamente.

Artículo 43. Contenido

1. El Plan Especial de protección del Conjunto Histórico o instrumento similar establecerá para todos los usos públicos el orden prioritario de su instalación en los edificios y espacios que sean aptos para ello. Igualmente contemplará las posibles áreas de rehabilitación preferente e integrada que permitan la recuperación del uso residencial y de las actividades económicas adecuadas. También deberá contener los criterios relativos a la conservación de fachadas y cubiertas e instalaciones sobre las mismas.

2. Excepcionalmente, el Plan podrá permitir remodelaciones urbanas, pero sólo en caso de que impliquen una mejora de las relaciones con el entorno territorial o urbano o eviten los usos degradantes para el propio Conjunto.

3. La conservación de los Conjuntos Históricos comporta el mantenimiento de la estructura urbana y arquitectónica, así como de las características generales de su ambiente. Se considerarán excepcionales las sustituciones de inmuebles, aunque sean parciales, y sólo podrán realizarse en la medida en que contribuyan a la conservación general del carácter del Conjunto. En cualquier caso, las intervenciones en los conjuntos históricos respetarán los criterios siguientes:

a) Se mantendrán la estructura urbana y arquitectónica del conjunto y las características generales del ambiente y de la silueta paisajística. No se permiten modificaciones de alineaciones, alteraciones de la edificabilidad, parcelaciones ni agregaciones de inmuebles, excepto que contribuyan a la conservación general del conjunto.

b) Se prohíben las instalaciones urbanas, eléctricas, telefónicas y cualesquiera otras, tanto aéreas como adosadas a la fachada, que se canalizarán soterradas. Las antenas de televisión, las pantallas de recepción de ondas y los dispositivos similares se situarán en lugares en que no perjudiquen la imagen urbana o parte del conjunto.

c) Los anuncios, rótulos publicitarios y la señalización en general será armónica con el conjunto.

d) El volumen, la tipología, la morfología y el cromatismo de las intervenciones en los entornos de protección de los Bienes Aragoneses de Interés Cultural no podrán alterar el carácter del área ni perturbar la visualización del bien.

Artículo 44. Catálogo en los instrumentos de planeamiento urbanístico

1. En el Plan Especial de Protección del Conjunto Histórico o en cualquier otro instrumento de planeamiento urbanístico, general o de desarrollo, se realizará, según lo dispuesto en la legislación urbanística, la catalogación de los elementos unitarios que conforman el Conjunto o ámbito de planeamiento, incluido el suelo no urbanizable. La catalogación se referirá tanto a inmuebles edificados como a espacios libres exteriores o interiores, u otras estructuras significativas, así como a los componentes naturales que lo acompañan, definiendo los tipos de intervención posibles. A los Bienes de Interés Cultural existentes se les dispensará una protección integral. Para el resto de los elementos se fijará, en cada caso, el nivel de protección correspondiente a los bienes catalogados o a los bienes inventariados (de interés ambiental). En cualquier caso, se podrá determinar reglamentariamente el alcance, contenido de las fichas catalográficas y vigencia de los catálogos.

2. Los ayuntamientos deberán remitir dichos Catálogos a las respectivas Comisiones Provinciales de Patrimonio Cultural para informe, previamente a la aprobación inicial del instrumento de planeamiento urbanístico. Tras la aprobación definitiva de dichos planes urbanísticos, generales o de desarrollo, se remitirán los catálogos en ellos incluidos para su inscripción en el Catálogo General del Patrimonio Cultural Aragonés.

Artículo 45. Aplicación

Desde la aprobación definitiva del Plan Especial de Protección del Conjunto Histórico o instrumento similar, el Ayuntamiento interesado será competente para autorizar directamente las obras que desarrollen el planeamiento aprobado y que afecten únicamente a inmuebles no declarados Bienes de Interés Cultural ni comprendidos en su entorno, debiendo dar cuenta al Departamento responsable de Patrimonio Cultural de las autorizaciones o licencias concedidas en el plazo máximo de diez días desde su otorgamiento.

Artículo 46. Protección provisional

1. Hasta la aprobación definitiva del Plan Especial de Protección del Conjunto Histórico o instrumento similar, el otorgamiento de licencias o la ejecución de las otorgadas antes de incoarse el expediente de declaración del Conjunto precisará resolución favorable del Director General responsable de Patrimonio Cultural, previo informe de la Comisión Provincial del Patrimonio Cultural.

2. El régimen aplicable en los supuestos a los que se refiere el párrafo anterior será el establecido para los Bienes de Interés Cultural en esta Ley, incluso en materia sancionatoria. En todo caso, no se permitirán alineaciones nuevas, alteraciones en la edificabilidad, parcelaciones ni agregaciones.

Artículo 47. Conjuntos de Interés Cultural

Lo establecido en los artículos anteriores será de aplicación, en su caso, al resto de figuras incluidas en la categoría de Conjunto de Interés Cultural.

Sección 3ª. Bienes muebles

Artículo 48. Comercio

Las personas o entidades que ejerzan habitualmente el comercio en materia de antigüedades, obras de arte, numismática, bibliofilia o sobre cualesquiera bienes muebles que pudieran formar parte del Patrimonio Cultural Aragonés llevarán un libro registro en el cual constarán las transacciones en las que intervinieran. El libro será legalizado por la Dirección General del Departamento responsable de Patrimonio Cultural, conforme al modelo que se apruebe por Orden del Consejero del Departamento responsable de Patrimonio Cultural. Se anotarán en el mismo los datos de identificación del objeto y las partes que intervengan en cada transacción. El Departamento responsable de Patrimonio Cultural tendrá en todo momento acceso a dicho libro.

Artículo 49. Comunicación de enajenaciones

Los propietarios o poseedores de los bienes muebles que reúnan el valor y características que se señalen reglamentariamente quedan obligados a comunicar a la Dirección General del Departamento responsable de Patrimonio Cultural la existencia de estos objetos, antes de proceder a su venta o transmisión a terceros. Los comerciantes tendrán idéntica obligación, con respecto a los mismos objetos, cuando intervengan de cualquier modo, aun como meros intermediarios, en las transacciones.

CAPÍTULO II. Régimen de los bienes catalogados

Artículo 50. Protección de los bienes catalogados

La inclusión de un bien en el Catálogo supone su protección con fines de investigación, consulta y difusión, así como determinar su compatibilidad de uso con su correcta conservación.

Artículo 51. Protección de los bienes inmuebles catalogados

1. Los bienes inmuebles catalogados, así como su entorno, gozarán de la protección prevista en el artículo anterior a través del correspondiente catálogo, al que habrá que ajustarse la planificación territorial o urbanística, cuya aprobación precisará el informe favorable y vinculante del Departamento responsable de Patrimonio Cultural.

2. Cualquier intervención en un bien inmueble catalogado y en su entorno precisará la autorización previa del Departamento responsable de Patrimonio Cultural. En caso de tratarse de un conjunto histórico con Plan Especial de Protección, regirá para el entorno lo establecido en el artículo 44 de la presente Ley.

3. El Departamento responsable de Patrimonio Cultural podrá suspender cautelarmente cualquier obra o intervención no autorizada en un bien inmueble catalogado para el cumplimiento de los fines previstos en la presente Ley.

Artículo 52. Protección de los bienes muebles catalogados

1. Cualquier actuación sobre un bien mueble catalogado se regirá por lo establecido en el artículo 50 de la presente Ley.

2. Con carácter general, los bienes muebles catalogados podrán ser objeto de comercio de acuerdo con las normas que reglamentariamente se establezcan y, en todo caso, con lo previsto en el artículo 48 de la presente Ley.

3. A los efectos de su posible inclusión en el Catálogo del Patrimonio Cultural Aragonés, los propietarios, poseedores y personas o entidades que ejerzan habitualmente el comercio de bienes muebles habrán de comunicar al Departamento responsable de Patrimonio Cultural la existencia de los mismos antes de proceder a su transmisión a terceros, haciendo constar el precio convenido o valor de mercado, siempre que éste sea igual o superior a lo dispuesto por la legislación estatal.

Artículo 53. Tanteo y retracto

1. Quien trate de enajenar un Bien Catalogado del Patrimonio Cultural Aragonés deberá notificarlo al Departamento responsable de Patrimonio Cultural, indicando precio y condiciones en que se proponga realizar la enajenación. Los subastadores deberán notificar igualmente y con suficiente antelación las subastas públicas en que se pretenda enajenar algún Bien Catalogado del Patrimonio Cultural Aragonés.

2. Dentro de los dos meses siguientes, el Consejero podrá hacer uso del derecho de tanteo para la propia Administración de la Comunidad Autónoma, para cualquier otra Administración pública o para una institución sin ánimo de lucro, obligándose al pago del precio simultáneamente, salvo acuerdo con el interesado en otra forma de pago.

3. Cuando el propósito de enajenación no se hubiera notificado correctamente, el Consejero podrá ejercer, en los mismos términos previstos para el derecho de tanteo, el de retracto en el plazo de seis meses a partir de la fecha en que tenga conocimiento fehaciente de la enajenación.

CAPÍTULO III. Régimen de los Bienes inventariados

Artículo 54. Deberes

1. Los propietarios y titulares de derechos sobre los Bienes inventariados del Patrimonio Cultural Aragonés tienen el deber de conservarlos adecuadamente, facilitar el ejercicio de las funciones de inspección administrativa, su estudio por investigadores y la contemplación pública, al menos cuatro días al mes, en los términos establecidos reglamentariamente.

2. El Director General responsable de Patrimonio Cultural podrá exigir el cumplimiento de los anteriores deberes mediante órdenes de ejecución, que detallarán las intervenciones u horarios de contemplación pertinentes.

3. Cuando la orden de ejecución requiera la entrada en un domicilio constitucionalmente protegido, se podrá obtener autorización judicial conforme a lo dispuesto en el artículo 87 de la Ley Orgánica del Poder Judicial.

Artículo 55. Derechos

La inclusión de un Bien mueble como Bien inventariado del Patrimonio Cultural dará al propietario el derecho a:

a) recibir asistencia técnica por parte de los poderes públicos para su conservación;

b) solicitar subvenciones para su conservación, y

c) acceder a medidas de fomento y de fiscalidad progresiva, siempre que conserven adecuadamente dichos bienes.

Artículo 56. Autorización previa

Toda intervención sobre un Bien inventariado del Patrimonio Cultural Aragonés requerirá la autorización previa del Director General responsable de Patrimonio Cultural.

Artículo 57. Permutas públicas

Corresponde al Gobierno de Aragón, a propuesta conjunta de los Consejeros del Departamento responsable de Patrimonio Cultural y de Economía y Hacienda, concertar con otras entidades públicas o eclesiásticas la permuta de Bienes inventariados del Patrimonio Cultural Aragonés que sean propiedad de la Comunidad Autónoma con otros de al menos igual valor y significado cultural, sin necesidad de la autorización regulada por el artículo 64 de la Ley 5/1987, de 2 de abril, de Patrimonio de la Comunidad Autónoma.

Artículo 58. Tanteo y retracto

1. Quien trate de enajenar un Bien inventariado del Patrimonio Cultural Aragonés deberá notificarlo al Departamento responsable de Patrimonio Cultural, indicando precio y condiciones en que se proponga realizar la enajenación. Los subastadores deberán notificar igualmente y con suficiente antelación las subastas públicas en que se pretenda enajenar algún Bien inventariado del Patrimonio Cultural Aragonés.

2. Dentro de los dos meses siguientes, el Consejero podrá hacer uso del derecho de tanteo para la propia Administración de la Comunidad Autónoma, para cualquier otra Administración pública o para una institución sin ánimo de lucro, obligándose al pago del precio simultáneamente, salvo acuerdo con el interesado en otra forma de pago.

3. Cuando el propósito de enajenación no se hubiera notificado correctamente, el Consejero podrá ejercer, en los mismos términos previstos para el derecho de tanteo, el de retracto en el plazo de seis meses a partir de la fecha en que tenga conocimiento fehaciente de la enajenación.

CAPÍTULO IV. El Censo General del Patrimonio Cultural Aragonés

Artículo 59. El Censo General

1. Se crea el Censo General del Patrimonio Cultural de Aragón como instrumento básico de protección adscrito al Departamento responsable de Patrimonio Cultural.

2. El Censo General del Patrimonio Cultural de Aragón lo conforman los bienes declarados de interés cultural, los catalogados, los inventariados y todos aquellos otros a que hace referencia el artículo 2 de la presente Ley y que, sin estar incluidos entre los anteriores, merezcan ser conservados.

3. El Gobierno de Aragón, elaborará, sobre las bases de los Censos existentes, una actualización de aquéllos para establecer la estimación objetiva del Patrimonio Cultural de Aragón. Para dicha actuación habrá de contar, además de la colaboración de las entidades científicas, profesionales y educativas, con la información procedente de ayuntamientos, organismos e instituciones públicas y privadas y asociaciones que existan en el territorio aragonés.

4. El acceso al Censo General del Patrimonio Cultural de Aragón será público, en la forma que reglamentariamente se establezca, salvo las informaciones que es necesario proteger por razón de la seguridad de los bienes o de sus titulares, de la intimidad de las personas y de los secretos comerciales o científicos protegidos por la Ley.

Artículo 60. Procedimiento

1. La inclusión de un bien en el Censo General del Patrimonio Cultural de Aragón requerirá la previa tramitación del expediente por el Departamento responsable de Patrimonio Cultural, siéndole de aplicación las normas generales del procedimiento administrativo. Quedan excluidos de dicha tramitación aquellos bienes declarados de interés cultural, los catalogados y los inventariados que, por su condición, ya forman parte del Censo General del Patrimonio Cultural de Aragón.

2. La inclusión podrá ser realizada en forma de bien único o de colección.

3. Corresponde al Director responsable de Patrimonio Cultural la inclusión de los bienes en el Censo General del Patrimonio Cultural de Aragón.

4. El Director General responsable de Patrimonio Cultural comunicará a la Administración general del Estado las inclusiones en el Censo General del Patrimonio Cultural Aragonés, a efectos de su inclusión en el Inventario correspondiente.

Artículo 61. Transmisión de bienes muebles incluidos en el Censo General pertenecientes a Administraciones públicas

Los bienes muebles incluidos en el Censo General del Patrimonio Cultural Aragonés pertenecientes a las Administraciones públicas son imprescriptibles. Sólo podrán ser objeto de transmisión entre las indicadas instituciones, evitándose, en todo caso, la salida de dichos bienes del territorio de la Comunidad Autónoma de Aragón.

Artículo 62. Transmisión de bienes muebles incluidos en el Censo General pertenecientes a instituciones eclesiásticas

Los bienes muebles incluidos en el Censo General del Patrimonio Cultural Aragonés que estén en posesión de instituciones eclesiásticas no podrán transmitirse por título oneroso o gratuito ni cederse a particulares ni a entidades mercantiles. Dichos bienes sólo podrán ser enajenados o cedidos al Estado, a la Comunidad Autónoma, a las entidades locales aragonesas o a otras instituciones eclesiásticas con sede en Aragón.

Artículo 63. Actividades culturales en bienes inmuebles

Los propietarios de los bienes inmuebles incluidos en el Censo General, que hayan sido objeto de subvención o ayuda pública por parte de la Administración de la Comunidad Autónoma, facilitarán la realización en los mismos de actividades de carácter cultural en las condiciones acordadas por ambas partes.

Artículo 64. Salida temporal

La salida temporal de la Comunidad Autónoma de los Bienes incluidos en el Censo General del Patrimonio Cultural Aragonés está sujeta a autorización previa del Director General responsable de Patrimonio Cultural y sometida a las condiciones que en ella se prescriban.

TÍTULO III. Patrimonio Paleontológico y Arqueológico

Artículo 65. Patrimonio Paleontológico y Arqueológico

1. Son integrantes del Patrimonio paleontológico de Aragón los bienes muebles e inmuebles susceptibles de ser estudiados con metodología paleontológica, hayan sido o no

extraídos, se encuentren en la superficie o en el subsuelo o sumergidos bajo las aguas y que sean previos en el tiempo a la historia del hombre y de sus orígenes.

2. Integran el Patrimonio Arqueológico de Aragón los bienes muebles e inmuebles de carácter histórico, susceptibles de ser estudiados con método arqueológico, estuviesen o no extraídos, y tanto si se encuentran en la superficie como en el subsuelo o en las aguas. Forman parte asimismo de este patrimonio los elementos geológicos y paleontológicos relacionados con la historia humana, sus orígenes, sus antecedentes y el desarrollo sobre el medio.

Artículo 66. Régimen

Los bienes del Patrimonio Cultural de Aragón que presenten interés paleontológico o arqueológico se regirán por lo establecido con carácter general para la protección de tal Patrimonio en esta Ley, sin perjuicio de las reglas específicas contenidas en el presente Título.

Artículo 67. Zonas de Protección

Los espacios donde existan bienes muebles o inmuebles susceptibles de ser estudiados con metodología paleontológica o arqueológica se declararán Zonas de Protección Arqueológica o Paleontológica, conforme al régimen de declaración y protección establecido para los Conjuntos Históricos en esta Ley.

Artículo 68. Zonas de Prevención

1. Los espacios donde se presuma fundamentalmente la existencia de restos paleontológicos o arqueológicos requeridos de medidas precautorias podrán ser declarados Zonas de Prevención Arqueológica o Paleontológica por el Consejero del Departamento responsable de Patrimonio Cultural, previa información pública e informe del ayuntamiento, publicándose la declaración en el «Boletín Oficial de la Comunidad Autónoma».

2. La realización de cualquier obra o actuación que lleve aparejada la remoción de terrenos en las Zonas de Prevención requerirá autorización del Director General responsable de Patrimonio Cultural, conforme a las siguientes reglas:

a) Con la solicitud, el interesado habrá de presentar un estudio de la incidencia de la obra o actuación en los restos arqueológicos o paleontológicos, elaborado por un arqueólogo o paleontólogo.

b) El Director General exigirá la realización científica, por cuenta del propietario, de las intervenciones arqueológicas o paleontológicas que sean necesarias para la debida documentación científica.

c) Es aplicable a la autorización y a las correspondientes licencias municipales lo establecido en el párrafo cuarto del artículo 35 y en los artículos 36 y 37 de esta Ley.

Artículo 69. Hallazgos

1. Son bienes de dominio público de la Comunidad Autónoma todos los objetos y restos materiales que posean los valores que son propios del Patrimonio Cultural Aragonés y sean descubiertos como consecuencia de excavaciones, remociones de tierra, obras o intervenciones de cualquier índole o por azar. El descubridor deberá comunicar al Departamento responsable de Patrimonio Cultural su hallazgo en el plazo máximo de treinta días e inmediatamente cuando se trate de hallazgos casuales. En ningún caso será de aplicación a tales objetos lo dispuesto en el artículo 351 del Código Civil.

2. Una vez comunicado el descubrimiento, hasta que los objetos muebles sean entregados al Departamento responsable de Patrimonio Cultural, al descubridor le serán de aplicación las normas del depósito legal, salvo que los entregue a un museo público.

3. El descubridor y el propietario del lugar en que hubiere sido encontrado el objeto mueble tienen derecho, en concepto de premio en metálico, a la mitad del valor que en tasación

legal se le atribuya, que se distribuirá entre ellos por partes iguales. Si fuesen dos o más los descubridores o los propietarios se mantendrá igual proporción. Se exceptúan de lo establecido en este párrafo los objetos obtenidos en excavaciones e intervenciones autorizadas.

4. El incumplimiento de las obligaciones previstas en el presente artículo privará al descubridor y, en su caso, al propietario del derecho al premio indicado, y los objetos quedarán de modo inmediato a disposición del Departamento responsable de Patrimonio Cultural, todo ello sin perjuicio de las responsabilidades a que hubiere lugar y las sanciones que procedan.

Artículo 69. bis Autorización del uso de detectores y otros instrumentos de detección

1. El uso de detectores de metales y otros instrumentos o técnicas que permitan localizar restos arqueológicos, aun sin ser esta su finalidad, deberá ser previamente autorizado por la Dirección General competente en materia de patrimonio cultural.

Las condiciones y prohibiciones del uso de detectores de metales y otros instrumentos o técnicas que permitan localizar restos arqueológicos se establecerán reglamentariamente.

Asimismo, se establecerán reglamentariamente las actividades profesionales y de investigación que quedarán excluidas de esta autorización.

2. La persona interesada deberá presentar la solicitud de autorización ante la Dirección General competente en materia de patrimonio cultural. En dicha solicitud indicará el ámbito territorial y fecha o plazo en el que se hará uso del detector de metales y demás requisitos que se establezcan reglamentariamente. En todo caso, la solicitud se acompañará de la autorización del propietario de los terrenos.

3. La Dirección General competente en materia de patrimonio cultural deberá resolver sobre la solicitud presentada y notificarla en el plazo de tres meses. Transcurrido dicho plazo, la persona interesada podrá entender desestimada la solicitud.

4. La autorización tendrá carácter personal e intransferible y en ella se indicará el ámbito territorial y la fecha o plazo para su ejercicio. La Administración comunicará esta autorización a los agentes de Protección del Patrimonio de la Comunidad Autónoma de Aragón, así como a las Fuerzas y Cuerpos de Seguridad del Estado.

5. En todo caso, cuando con ocasión de la ejecución del uso o actividad autorizados se detectara la presencia de restos arqueológicos de cualquier índole, la persona autorizada suspenderá de inmediato el uso o actividad autorizados, se abstendrá de realizar remoción del terreno o intervención de cualquier otra naturaleza y estará obligada a poner en conocimiento tal hallazgo, antes del término de veinticuatro horas, a la Dirección General competente en materia de patrimonio cultural o, en su defecto, a la dependencia más próxima de las Fuerzas y Cuerpos de Seguridad.

6. En los hallazgos a que se refiere el apartado 5 de este artículo, no habrá derecho a indemnización o premio alguno.

Artículo 70. Actividades arqueológicas

1. Son intervenciones arqueológicas y paleontológicas:

a) La prospección arqueológica, entendida como la explotación superficial y sistemática sin remoción, tanto terrestre como subacuática, dirigida al estudio e investigación para la detección de restos históricos o paleontológicos, así como de los componentes geológicos y ambientales relacionados con los mismos. Esto engloba la observación y el reconocimiento sistemático de superficie y también la aplicación de las técnicas científicas que la arqueología reconoce como válidas.

b) El sondeo arqueológico, entendido como aquella remoción de tierras complementarias o no de la prospección, encaminado a comprobar la existencia de un yacimiento arqueológico o reconocer su estratigrafía. Cualquier toma de muestras en yacimientos arqueológicos se considerará dentro de este apartado.

c) La excavación arqueológica, entendida como la remoción, en el subsuelo o en medios subacuáticos, que se realice a fin de descubrir e investigar toda clase de restos históricos o paleontológicos relacionados con los mismos.

d) El estudio de arte rupestre, entendido como el conjunto de tareas de campo, orientadas a la investigación, a la documentación gráfica por medio de calco y a cualquier manipulación o contacto con el soporte de los motivos representativos.

e) Las labores de protección, consolidación y restauración arqueológica, entendidas como las intervenciones en yacimientos arqueológicos encaminadas a favorecer su conservación y que, en consecuencia, permitan su disfrute y faciliten su acrecentamiento.

f) La manipulación con técnicas agresivas de materiales arqueológicos.

2. Toda intervención o actividad arqueológica o paleontológica deberá contar con autorización del Director General responsable de Patrimonio Cultural, que, mediante los procedimientos de inspección y control idóneos, comprobará que los trabajos estén planteados y desarrollados conforme a un programa detallado, coherente y de carácter global, que contenga los requisitos concernientes a la conveniencia, profesionalidad e interés científico. Mediante Decreto del Gobierno de Aragón se reglamentará el ejercicio de estas actividades.

3. La anterior autorización obliga a los beneficiarios a entregar los objetos obtenidos, debidamente inventariados, catalogados y acompañados de una memoria, al museo o centro que la Dirección General responsable de Patrimonio Cultural determine y en el plazo que se fije, teniendo en cuenta su proximidad al lugar del hallazgo y las circunstancias que hagan posible, además de su adecuada conservación, su mejor función cultural y científica. En ningún caso procederá la entrega de premios por estos objetos.

4. El Director General responsable de Patrimonio Cultural podrá ordenar la ejecución de todo tipo de intervenciones en cualquier terreno público o privado en el que se presuma la existencia de restos geológicos, paleontológicos o arqueológicos. A efectos de la correspondiente indemnización, regirá lo dispuesto en la legislación de expropiación forzosa.

5. Como medida precautoria, el Director General responsable de Patrimonio Cultural ordenará la supervisión por un servicio arqueológico o paleontológico de la Administración autonómica de obras que afecten o puedan afectar a un espacio en donde se presuma la existencia de restos arqueológicos o paleontológicos.

6. Corresponde al Consejero del Departamento responsable de Patrimonio Cultural ordenar la suspensión inmediata de cualesquiera obras o actividades, por plazo máximo de dos meses, a fin de llevar a cabo las intervenciones arqueológicas o paleontológicas que considere necesarias. Dicha paralización no conllevará derecho a indemnización alguna.

Artículo 71. Urgencias arqueológicas

1. Las actuaciones serán consideradas de urgencia cuando exista riesgo de destrucción inmediata del yacimiento y se hayan agotado todas las posibilidades para evitar su desaparición o afectación.

2. El Departamento responsable de Patrimonio Cultural, mediante procedimiento simplificado, podrá ordenar o autorizar la realización de las intervenciones necesarias siempre que concurran las circunstancias previstas en el apartado anterior.

TÍTULO IV. Patrimonio etnográfico e industrial

Artículo 72. Patrimonio etnográfico

Constituyen el Patrimonio etnográfico de Aragón:

a) Los lugares, los inmuebles y las instalaciones utilizados consuetudinariamente en Aragón, cuyas características arquitectónicas sean representativas de las formas tradicionales.

b) Los bienes muebles que constituyen una manifestación de las tradiciones culturales aragonesas o de actividades socioeconómicas tradicionales.

c) Las actividades y conocimientos que constituyan formas relevantes y expresión de la cultura y modos de vida tradicionales y propios del pueblo aragonés.

Artículo 73. Patrimonio de carácter industrial

Constituyen el Patrimonio de carácter industrial aquellos bienes de carácter etnográfico que forman parte del pasado tecnológico, productivo e industrial aragoneses y son susceptibles de ser estudiados con metodología arqueológica.

Deberá crearse un Museo de la Ciencia y de la Técnica como centro para la preservación y el estudio del patrimonio de carácter industrial.

Artículo 74. Régimen aplicable

A los bienes descritos en los artículos anteriores les será de aplicación el régimen general dispuesto en la presente Ley.

El Departamento responsable de Patrimonio Cultural realizará, de forma sistemática, programas de estudio, documentación e investigación en relación con el Patrimonio etnográfico e industrial.

Artículo 75. Bienes etnográficos inmateriales

Los bienes etnográficos inmateriales como usos, costumbres, creaciones, comportamientos que trasciendan de los restos materiales en que puedan manifestarse, serán salvaguardados por la Administración competente según esta Ley, promoviendo para ello la investigación, documentación científica y recogida exhaustiva de los mismos en soportes materiales que garanticen su transmisión a las generaciones futuras.

TÍTULO V. Organización

CAPÍTULO I. Comunidad Autónoma

Artículo 76. Competencias

Corresponde a la Comunidad Autónoma el ejercicio de las competencias exclusivas en materia de protección, conservación, acrecentamiento, investigación, difusión y fomento del Patrimonio Cultural Aragonés, dentro del respeto a las competencias del Estado para la defensa de dicho Patrimonio en relación con su exportación y expoliación.

Artículo 77. Proyección exterior

La Administración de la Comunidad Autónoma promoverá la difusión exterior del Patrimonio Cultural Aragonés, los intercambios culturales, la directa adopción de acuerdos de cooperación internacional y el establecimiento por el Estado, conforme a lo dispuesto en el Estatuto de Autonomía de Aragón de tratados internacionales en la materia.

Artículo 78. Consejo Aragonés del Patrimonio Cultural

1. Se crea el Consejo Aragonés del Patrimonio Cultural como órgano consultivo y asesor de la Comunidad Autónoma de Aragón en materias relativas al Patrimonio Cultural Aragonés. Dicho Consejo está adscrito al Departamento responsable de Patrimonio Cultural.

2. Este órgano tiene como finalidad:

a) Propiciar una acción coordinada de las Administraciones públicas en la conservación y acrecentamiento del Patrimonio Cultural Aragonés.

b) Dotar a los órganos competentes en el ámbito del Patrimonio Cultural de la mayor información previa posible.

c) Estimular la participación ciudadana e institucional en la protección del Patrimonio Cultural Aragonés.

3. Sus funciones específicas se determinarán reglamentariamente. En cualquier caso, serán funciones básicas del mismo el prestar asesoramiento a los órganos gestores del patrimonio cultural y el emitir informes y dictámenes en orden al mejor cumplimiento de los objetivos de esta Ley, que serán preceptivos en las siguientes materias:

a) La elaboración del Plan de Promoción y Conservación del Patrimonio Cultural Aragonés y de sus Programas de ejecución.

b) La declaración de un Bien de Interés Cultural.

4. El funcionamiento y composición del mismo se establecerá reglamentariamente, pero, en cualquier caso, estarán representadas cuantas instituciones, entidades o asociaciones puedan y deban contribuir al cumplimiento de los objetivos de esta Ley, con especial mención a la Iglesia Católica y otros credos, a los ayuntamientos, a la Universidad de Zaragoza y a las asociaciones culturales de mayor relieve en la Comunidad Autónoma.

Artículo 79. Comisiones Provinciales

1. Las Comisiones Provinciales del Patrimonio Cultural Aragonés son órganos colegiados, de ámbito provincial, del Departamento responsable de Patrimonio Cultural, que desempeñan funciones de carácter activo y consultivo sobre dicho Patrimonio.

2. Reglamentariamente se determinarán la composición y las funciones de estas Comisiones, en las que estarán representadas las Administraciones públicas locales y/o comarcales aragonesas, así como otras organizaciones representativas de intereses científicos, culturales, sociales y económicos, entre las cuales figurará la Universidad de Zaragoza.

3. Por Orden del Consejero correspondiente, se aprobará el Reglamento de funcionamiento de las Comisiones Provinciales de Patrimonio Cultural, en el que se preverá, entre otras cosas, el funcionamiento de las mismas mediante el sistema de ponencias técnicas.

Artículo 80. Instituciones consultivas

En relación con el Patrimonio Cultural Aragonés, son instituciones consultivas de la Administración de la Comunidad Autónoma las asociaciones declaradas de utilidad pública cuyos fines están relacionados con dicho patrimonio y las que se determine por el Departamento responsable de Patrimonio Cultural, además de la Universidad de Zaragoza y la Real Academia de Nobles y Bellas Artes de San Luis. En relación con el Patrimonio Cultural Aragonés situado en sus respectivos ámbitos territoriales, también se consideran instituciones consultivas el Instituto de Estudios Altoaragoneses, el Instituto de Estudios Turolenses y la Institución Fernando el Católico.

Artículo 81. Colaboración administrativa

La Administración de la Comunidad Autónoma colaborará con la Administración General del Estado, con las Administraciones de las restantes Comunidades Autónomas y con las Entidades Locales en la tutela del Patrimonio Cultural Aragonés, conforme a los principios e instrumentos establecidos en la Legislación de Régimen Jurídico de las Administraciones Públicas y en la Legislación de Régimen Local.

Artículo 82. Colaboración con la Iglesia Católica y otras confesiones religiosas

1. La Iglesia Católica y sus Entidades, como titulares de una parte importante del Patrimonio Cultural Aragonés, y el resto de confesiones religiosas que se encuentren implantadas en el territorio aragonés y puedan adquirir en el futuro bienes muebles e inmuebles, velarán por la conservación y difusión de dicho Patrimonio, colaborando a tal fin mediante los oportunos convenios con las Administraciones públicas de Aragón.

2. Una comisión mixta, en la que estará representada la Administración de la Comunidad Autónoma y las diócesis de Aragón, establecerá el marco de colaboración recíproca para la conservación y difusión del Patrimonio Cultural Aragonés que esté en posesión de instituciones eclesiásticas. Esta comisión deberá ser informada de las intervenciones en el Patrimonio Cultural de titularidad eclesiástica sostenidas con fondos públicos.

Artículo 83. Planes

1. El Departamento responsable de Patrimonio Cultural, de forma plurianual, planificará su actividad y programará sus inversiones para la protección, conservación, acrecentamiento, investigación, difusión y fomento del Patrimonio Cultural Aragonés, de conformidad con las previsiones presupuestarias, en colaboración con la Administración General del Estado, la Administración Local y los restantes Departamentos de la Administración de la Comunidad Autónoma. Los Planes del Patrimonio Cultural Aragonés podrán ser tramitados como Planes Territoriales, a iniciativa del Departamento responsable de Patrimonio Cultural.

2. Corresponde al Gobierno de Aragón la aprobación de Planes Territoriales del Patrimonio Cultural Aragonés, que podrán establecer con carácter vinculante objetivos, estrategias y actuaciones sobre dicho Patrimonio por parte de las diversas Administraciones públicas y los particulares, previo análisis de sus efectos demográficos, económicos, sociales, ambientales y de equilibrio territorial.

3. Los Planes Territoriales referidos a todo el Patrimonio Cultural Aragonés o a una parte del mismo tendrán la consideración de Directrices Parciales de carácter sectorial y se regirán por la legislación de ordenación del territorio, con las siguientes variantes:

a) La competencia exclusiva para su elaboración corresponderá al Departamento responsable de Patrimonio Cultural.

b) En los procedimientos de elaboración y aprobación, las Comisiones Provinciales del Patrimonio Cultural intervendrán en los mismos casos en que corresponda emitir informe preceptivo al Consejo de Ordenación del Territorio de Aragón.

CAPÍTULO II. Municipios

Artículo 84. Delegación de competencias

El Gobierno de Aragón podrá delegar en municipios u otras Entidades Locales el ejercicio de parte de las competencias correspondientes a la Administración de la Comunidad Autónoma en materia de Patrimonio Cultural, siempre que éstos cuenten con los medios técnicos y personales suficientes y adecuados para tales fines.

Artículo 85. Competencias

Corresponde a los municipios el ejercicio de las siguientes competencias sobre el Patrimonio Cultural Aragonés:

a) Las competencias propias de protección de todos los inmuebles que integran el Patrimonio Cultural Aragonés, conforme a los instrumentos regulados en la legislación urbanística, que habrán de respetar siempre las exigencias de esta Ley.

b) Las competencias propias de declaración y tutela de los Monumentos de Interés Local, conforme a los instrumentos regulados por esta Ley.

c) Las competencias delegadas por la Comunidad Autónoma.

Artículo 86. Municipios Monumentales

1. Los municipios que tengan declarado un conjunto histórico podrán recibir la denominación de Municipio Monumental, de acuerdo con la normativa de organización y régimen local.

2. Los Municipios Monumentales podrán crear un órgano específico de estudio y propuesta para la tutela de los monumentos de interés local y de su Patrimonio Cultural en general. Corresponde a la potestad de autoorganización local determinar la composición y funcionamiento de este órgano, que contará necesariamente con la presencia de profesionales cualificados en el campo de la arquitectura y el urbanismo, la arqueología, la historia y el arte, con las lógicas condiciones de formación y/o titulación.

3. Los órganos a los que se refiere el párrafo anterior emitirán informe antes de la adopción de acuerdos municipales que afecten a la aprobación o modificación de los instrumentos de planeamiento urbanístico. Estos instrumentos incluirán el Catálogo Municipal de Patrimonio Cultural, que será remitido a su vez a informe de la correspondiente Comisión Provincial y posterior inscripción en el Catálogo General del Patrimonio Cultural Aragonés.

4. Cuando los municipios y entidades supramunicipales ejerzan competencias delegadas en materia de patrimonio cultural, será obligatoria la constitución de dicho órgano especializado y su informe, haciéndose constar así en la resolución o convenio por el que se acuerde la correspondiente delegación.

Artículo 87. Comarcas y Mancomunidades

El Departamento responsable de Patrimonio Cultural fomentará la inclusión de la tutela, protección y revalorización del Patrimonio Cultural Aragonés entre las competencias que correspondan a las comarcas, sin perjuicio de su inclusión actual entre los fines de las Mancomunidades.

TÍTULO VI. Medidas financieras

CAPÍTULO I. Inversión pública

Artículo 88. Uno por ciento cultural

1. En el presupuesto de cada obra pública, financiada total o parcialmente por la Comunidad Autónoma, se incluirá una partida equivalente al menos al uno por ciento de los fondos aportados por la Comunidad Autónoma con destino a financiar acciones de tutela del Patrimonio Cultural Aragonés, preferentemente en la propia obra o en su inmediato entorno. La Intervención General de la Comunidad Autónoma no fiscalizará de conformidad propuesta de gasto alguna en tanto no se acredite la retención del crédito preciso para tales acciones.

2. Si la obra pública hubiera de construirse y explotarse por particulares en virtud de concesión administrativa y sin la participación financiera de la Comunidad Autónoma, el uno por ciento se aplicará sobre el presupuesto total para su ejecución.

3. Quedan exceptuadas de lo dispuesto en los anteriores apartados las siguientes obras públicas:

a) Aquellas en que la aportación de la Comunidad Autónoma o del concesionario sea inferior a cincuenta millones de pesetas, sin tener en cuenta los eventuales fraccionamientos en la contratación de una obra que pueda ser considerada unitaria o globalmente.

b) Las que se realicen para cumplir específicamente los objetivos de esta Ley.

4. Corresponde al Consejero del Departamento responsable de Patrimonio Cultural aprobar la normativa reglamentaria de desarrollo de la obligación establecida en este artículo. El mismo Consejero establecerá directrices y objetivos para la aplicación de la citada partida, que se comunicarán a la Administración General del Estado, con la finalidad de que puedan servirle de guía para las inversiones que realice en la Comunidad Autónoma en aplicación del uno por ciento cultural determinado por la legislación del Patrimonio Histórico Español.

CAPÍTULO II. Medidas de fomento

Artículo 89. Establecimiento

1. Corresponde al Gobierno de Aragón, a propuesta del Consejero del Departamento responsable de Patrimonio Cultural, aprobar los programas de la Comunidad Autónoma para fomentar la documentación, conservación, investigación, difusión y recuperación del Patrimonio Cultural Aragonés por la iniciativa privada.

2. Las medidas de fomento podrán ser las siguientes:

a) Préstamos concedidos por la Administración o a través de convenios establecidos con entidades financieras colaboradoras.

b) Subvenciones de los intereses de préstamos.

c) Subvenciones a fondo perdido.

d) Avales en garantía de préstamos concedidos por las entidades financieras.

e) Asesoramiento y asistencia técnica.

Artículo 90. Colaboración con particulares

1. El Gobierno de Aragón puede propiciar la participación de entidades privadas y de particulares en la financiación de las actuaciones de fomento a que se refiere este título. Si se tratase de un particular, el Departamento responsable de Patrimonio Cultural podrá colaborar en la financiación del coste de la ejecución del proyecto, estableciéndose reglamentariamente el porcentaje y las fórmulas de colaboración convenientes.

2. Cuando se trate de obras de reparación urgente, el Departamento responsable de Patrimonio Cultural podrá conceder una ayuda con carácter de anticipo reintegrable, que será inscrita en el Registro General de Bienes de Interés Cultural, en el Catálogo del Patrimonio Cultural de Aragón o en el Inventario del Patrimonio Cultural de Aragón, según corresponda, y en caso de tratarse de bienes inmuebles, en el Registro de la Propiedad, en los términos que reglamentariamente se establezcan.

Artículo 91. Criterios

1. No podrán acogerse a las medidas de fomento quienes incumplan el deber de conservación del Patrimonio Cultural Aragonés.

2. En el otorgamiento de las medidas de fomento del Patrimonio Cultural Aragonés se fijarán las garantías necesarias para evitar la especulación sobre bienes adquiridos, conservados, restaurados o mejorados con ayudas públicas.

3. Si en el plazo de ocho años, a contar desde el otorgamiento de una ayuda, la Administración de la Comunidad Autónoma adquiere el bien, se deducirá del precio de adquisición una cantidad equivalente al importe de la ayuda, que se considerará como pago a cuenta.

Artículo 92. Compatibilidad

Las medidas de fomento del Patrimonio Cultural Aragonés establecidas por la Administración de la Comunidad Autónoma serán compatibles con las procedentes de otras Administraciones públicas para atender a similares finalidades, sin perjuicio de las prioridades que puedan establecerse en favor de quienes no cuenten con otras ayudas.

Artículo 93. Otorgamiento

1. La convocatoria para el otorgamiento de las medidas de fomento del Patrimonio Cultural Aragonés será objeto de publicación en el «Boletín Oficial de Aragón».

2. Las medidas de fomento que resulten limitadas en su cuantía global serán otorgadas previo concurso público, con arreglo a los requisitos y elementos de valoración establecidos en la correspondiente convocatoria.

Artículo 94. Incumplimiento

1. El incumplimiento de las condiciones, plazos, modos, cargas u otros elementos de los actos administrativos que otorguen medidas de fomento facultará al Consejero para acordar la revocación o la reducción de los beneficios concedidos y, en su caso, el reintegro de todas o parte de las cantidades percibidas y el establecimiento de las indemnizaciones por los daños y perjuicios irrogados a la Administración.

2. Las cantidades a reintegrar devengarán el interés legal por el tiempo transcurrido desde su entrega al beneficiario.

Artículo 95. Enseñanza

El Gobierno de Aragón desarrollará una política educativa a fin de que la ciudadanía valore en la debida forma el Patrimonio Cultural de Aragón. A estos efectos, fomentará su estudio en todas las modalidades y niveles educativos, con especial atención a la enseñanza obligatoria.

Artículo 96. Adquisición

El Gobierno de Aragón podrá adoptar las medidas necesarias para la financiación de la adquisición de bienes declarados de interés cultural y catalogados, a fin de destinarlos a un uso general que asegure su protección. Asimismo, adoptará las medidas necesarias para que tales bienes tengan acceso preferente al crédito oficial.

CAPÍTULO III. Beneficios tributarios

Artículo 97. Equiparación

Los beneficios fiscales concedidos sobre los tributos estatales y locales por consideración del Patrimonio Histórico Español serán aplicables en relación con los bienes del Patrimonio Cultural Aragonés que figuren inscritos en el Registro General de Bienes de Interés Cultural o en el Censo General de Bienes Muebles dependientes de la Administración general del Estado, siempre que cumplan los requisitos establecidos en la legislación estatal. En ningún caso procederá compensación por estos beneficios con cargo a los Presupuestos de la Comunidad Autónoma.

Artículo 98. Tasas municipales

1. En los Conjuntos Históricos, para la instalación o apertura de empresas artesanas y para los proyectos de obras de conservación o rehabilitación, los municipios podrán establecer la exención del pago de la tasa por prestación de servicios en la tramitación de licencias.

2. La Administración de la Comunidad Autónoma podrá suscribir convenios de colaboración con los municipios para compensar parcialmente el importe dejado de recaudar por las tasas.

Artículo 99. Impuesto de Sucesiones y Donaciones

—

Artículo 99 derogado por la Disposición Derogatoria única de la Ley [ARAGÓN] 26/2003, 30 diciembre, de Medidas Tributarias y Administrativas (B.O.A. 31 diciembre) el 1 de enero de 2004.

Artículo 100. Pagos en especie

1. Los propietarios de bienes integrados en el Patrimonio Cultural Aragonés podrán solicitar su cesión en propiedad, en pago de deudas contraídas con alguna de las Administraciones locales aragonesas o con la Administración de la Comunidad Autónoma de Aragón.

2. La aceptación de esta forma de pago corresponderá al Pleno de la corporación local afectada o al titular del Departamento responsable de la Hacienda en el Gobierno de Aragón, previo informe del Departamento responsable de Patrimonio Cultural, según sea el origen de la deuda a satisfacer.

TÍTULO VII. Régimen sancionador
CAPÍTULO I. Infracciones administrativas

Artículo 101. Clases de infracciones

1. Constituyen infracciones administrativas en materia de protección del patrimonio cultural de Aragón las acciones u omisiones que supongan incumplimiento de las obligaciones establecidas en esta Ley.

2. Las infracciones en materia de protección del patrimonio cultural de Aragón se clasificarán en leves, graves y muy graves.

Artículo 102. Infracciones leves

Son infracciones leves:

a) La producción de daños por imprudencia simple.

b) El incumplimiento parcial de las órdenes de ejecución e intervención y de las condiciones de las autorizaciones culturales.

c) La obstrucción simple de las inspecciones administrativas.

d) La falta de notificación de actos o traslados.

e) El incumplimiento del deber de permitir el acceso de los investigadores y la visita al público.

f) El retraso en el cumplimiento de las obligaciones establecidas por esta Ley.

Artículo 103. Infracciones graves

Son infracciones graves:

a) Respecto a todos los Bienes del Patrimonio Cultural Aragonés: el incumplimiento de las órdenes de ejecución o de intervención cuando cause simples perjuicios a los mismos; la obstrucción absoluta de las inspecciones administrativas; la dedicación del bien a usos incompatibles con su destino cultural, cuando haya existido expresa autorización o advertencia de los usos permitidos; la inobservancia de las medidas cautelares sobre comercio, comunicación de enajenaciones y suspensión de intervenciones, así como la práctica de éstas sin la pertinente autorización administrativa o incumpliendo gravemente sus condiciones.

b) Respecto a los Bienes Aragoneses de Interés Cultural y Bienes Catalogados del Patrimonio Cultural Aragonés: el incumplimiento de las órdenes de suspensión de obras o actividades, la realización de cualquier obra o actividad sin la pertinente autorización administrativa o incumpliendo gravemente sus condiciones, el otorgamiento de licencias municipales sin la previa autorización cultural, la falta de comunicación a la Administración de las enajenaciones y la negativa reiterada a permitir el acceso y consulta de los bienes.

c) Respecto a los bienes paleontológicos o arqueológicos: las obras realizadas con posterioridad al hallazgo casual de restos sin haberlo comunicado a la Administración; la utilización clandestina de sistemas, técnicas y métodos de detección; el incumplimiento de las obligaciones de comunicación, entrega y depósito cuando los restos no tuvieran gran trascendencia científica; la realización de labores arqueológicas sin autorización o sin respetar de forma significativa las condiciones impuestas en la autorización y la obstaculización a la práctica de las labores arqueológicas que produzca perjuicios graves a las mismas.

Artículo 104. Infracciones muy graves

Son infracciones muy graves:

a) Respecto a todos los bienes del Patrimonio Cultural Aragonés: el incumplimiento absoluto de las órdenes de ejecución o de intervención cuando sea determinante de su deterioro significativo; la falta de diligencia en la protección de los mismos contra el expolio y la omisión del deber de conservación y la enajenación sin previa comunicación a la Administración.

b) Respecto a los Bienes Aragoneses de Interés Cultural y Bienes Catalogados del Patrimonio Cultural Aragonés: la realización sin la pertinente autorización administrativa de desplazamientos o remociones de su entorno, de construcciones que alteren su carácter o perturben su contemplación y de separaciones de partes integrantes o de bienes muebles incluidos en la declaración, así como todas aquellas actuaciones que supongan una pérdida o desaparición o produzcan daños irreparables.

c) Respecto a los bienes paleontológicos o arqueológicos: el incumplimiento absoluto de las obligaciones de comunicación, entrega y depósito de restos de gran trascendencia científica.

Artículo 105. Prescripción

Las infracciones administrativas establecidas en la presente Ley prescribirán a los diez años de haberse cometido o descubierto, en el caso de las muy graves, y a los cinco años en los demás supuestos.

CAPÍTULO II. Sanciones administrativas

Artículo 106. Cuantías

1. Cuando la lesión al Patrimonio Cultural Aragonés ocasionada por las infracciones a que se refieren los artículos anteriores sea valorable económicamente, la infracción será sancionada con multa del tanto al cuádruplo del valor del daño causado.

2. En los demás casos se impondrán las siguientes sanciones:

a) Las infracciones leves se castigarán con sanciones desde 100.000 hasta 10.000.000 de pesetas.

b) Las infracciones graves se castigarán con sanciones desde 10.000.001 hasta 50.000.000 de pesetas.

c) Las infracciones muy graves se castigarán con sanciones desde 50.000.0001 hasta 200.000.000 de pesetas.

Artículo 107. Competencias

1. Corresponde al Director General responsable de Patrimonio Cultural imponer las sanciones por infracciones leves, al Consejero del Departamento responsable de Patrimonio Cultural las sanciones por infracciones graves y al Gobierno de Aragón las sanciones por infracciones muy graves.

2. En relación con los Monumentos de Interés Local, corresponde sancionar al alcalde por las infracciones leves y al ayuntamiento en Pleno por las infracciones graves y muy graves.

Artículo 108. Graduación de sanciones

1. La graduación de las multas se realizará en función de la gravedad de la infracción, de las circunstancias atenuantes o agravantes que concurran, de la importancia de los bienes afectados, de las circunstancias personales del sancionado, del perjuicio causado o que hubiese podido causarse al Patrimonio Cultural de Aragón y del grado de intencionalidad interviniente.

2. En cualquier caso, la sanción alcanzará la cuantía suficiente para privar al infractor de todo beneficio ilícito, aun por encima de los límites establecidos en los artículos anteriores.

3. En aquellos casos en los que, por la naturaleza de los daños causados al patrimonio cultural aragonés, estos sean de menor entidad y/o se haya procedido al restablecimiento de la legalidad, se podrá imponer la multa correspondiente a las infracciones de gravedad inmediatamente inferior.

Artículo 109. Restauración del orden material afectado

1. Con independencia de las sanciones, la Administración debe imponer al infractor la obligación de restaurar el Patrimonio Cultural Aragonés alterado y de indemnizar los daños y perjuicios causados.

2. En caso de incumplimiento de dicha obligación, el Departamento responsable de Patrimonio Cultural realizará, siempre que sea posible, las intervenciones reparadoras necesarias a cargo del infractor.

3. El órgano competente para imponer una sanción podrá acordar como medida cautelar el decomiso de los materiales y útiles empleados en la actividad ilícita, así como acordar el depósito cautelar de los bienes integrantes del patrimonio cultural que se hallen en posesión de personas que se dediquen a comerciar con ellos si no pueden acreditar su adquisición lícita.

CAPÍTULO III. Responsabilidad

Artículo 110. Responsabilidad

1. Son responsables de las infracciones:

a) Los autores materiales de las actuaciones infractoras. Las personas jurídicas podrán ser incluidas entre los autores materiales.

b) Los promotores de intervenciones u obras que se realicen sin autorización o incumpliendo las condiciones de la misma.

c) Los técnicos o profesionales autores de proyectos y los directores de obras o de actuaciones que contribuyan dolosa o culposamente a la comisión de la infracción.

d) Los responsables de las emisiones de las licencias, autorizaciones o aprobaciones, contraviniendo lo previsto en la presente Ley.

e) Los funcionarios de las Administraciones públicas que por acción u omisión permitan las infracciones.

2. Las multas que se impongan a distintos sujetos como consecuencia de la misma infracción son independientes entre sí.

Artículo 111. Circunstancias agravantes y atenuantes

1. Son circunstancias agravantes:

a) La reincidencia en la comisión de infracciones.

b) La especial preparación técnica y profesional en materias relativas al Patrimonio Cultural.

2. Son circunstancias atenuantes:

a) La probada intención de no causar daño al Patrimonio Cultural.

b) La ignorancia técnica y profesional en materias relativas al Patrimonio Cultural.

3. La existencia de circunstancias agravantes podrá determinar la imposición de la multa en su grado máximo. La existencia de circunstancias atenuantes podrá determinar la imposición de la multa en su grado mínimo.

Disposición adicional primera. Correspondencias

La equivalencia entre las categorías de esta Ley y la Ley 16/1985, de 25 de junio, del Patrimonio Histórico Español, es la siguiente: los Bienes Inmuebles de Interés Cultural comprenden la categoría de Monumento; los Conjuntos de Interés Cultural comprenden las categorías de Conjuntos Históricos, Sitios Históricos, Zonas Arqueológicas y Jardines Históricos.

Disposición adicional segunda. Declaración genérica

Son Bienes de Interés Cultural asumidos por ministerio de esta Ley los castillos, escudos, emblemas, cruces de término y cuevas, abrigos y lugares que contengan manifestaciones de arte rupestre y los monumentos megalíticos en toda su tipología existentes en Aragón. Por Orden del Departamento responsable de Patrimonio Cultural, se aprobará la relación de los bienes afectados, con su localización.

Disposición adicional tercera. Pueblos deshabitados

Los pueblos deshabitados constituyen parte de nuestras raíces culturales y de nuestros modos de vida tradicionales. En los mismos se prohíbe la retirada de materiales y la realización de obras sin autorización de la Comisión Provincial del Patrimonio Cultural. Se impulsará el inventario de sus bienes y la recuperación paulatina de los mismos.

Disposición adicional cuarta. Enajenaciones de muebles

Mientras no se determine otra cosa por vía reglamentaria, el valor y características determinantes, conforme al artículo 49 de esta Ley, de la obligación de los propietarios, poseedores o comerciantes de bienes muebles de comunicar a la Dirección General del Departamento responsable de Patrimonio Cultural la existencia de estos objetos, antes de proceder a su venta o transmisión a terceros, serán los mismos previstos en relación con el Patrimonio Histórico Español.

Disposición adicional quinta. Formación

El Departamento responsable de Patrimonio Cultural promoverá la actualización profesional y la formación permanente de los funcionarios encargados de la administración y custodia del patrimonio cultural de Aragón.

Disposición adicional sexta. Actualización de la cuantía de las sanciones

La cuantía de las sanciones previstas en esta Ley podrá actualizarse por Decreto del Gobierno de Aragón, de acuerdo con las modificaciones del índice de precios al consumo.

Disposición adicional séptima. Museos y fondos museísticos

1. Los bienes muebles integrantes de los fondos y colecciones museísticas propiedad de la Comunidad Autónoma de Aragón adscritos a los museos de titularidad autonómica así como los inmuebles destinados a su instalación se considerarán Bienes de Interés Cultural y quedarán sometidos al régimen de protección establecido en esta ley para esta categoría de protección.

Tendrán la misma consideración y quedarán sometidos al mismo régimen de protección los bienes muebles propiedad de la Comunidad Autónoma depositados en museos de otras titularidades.

2. Los fondos y colecciones museísticas adscritos a los museos inscritos en el Registro de Museos de Aragón, que no sean de titularidad de la Comunidad Autónoma, quedarán sometidos al régimen jurídico que con carácter general se dispone en esta ley para los Bienes Inventariados del Patrimonio Cultural aragonés, salvo lo dispuesto en la Ley 16/1985, de 25 de junio, del Patrimonio Histórico Español, y en el Real Decreto 620/1987, de 10 de

abril, por el que se aprueba el Reglamento de Museos de titularidad estatal y del Sistema Español de Museos, para el caso de los fondos y colecciones museísticas de titularidad estatal.

Disposición adicional octava. Protección genérica de yacimientos

Todos aquellos yacimientos arqueológicos y paleontológicos recogidos y delimitados cartográficamente en los catálogos de cualquier figura de planeamiento urbanístico aprobado definitivamente tendrán la consideración de Bienes Inventariados del Patrimonio Cultural Aragonés, y su régimen de protección será el establecido para esta categoría de bienes en la Ley 3/1999, de 10 de marzo, del Patrimonio Cultural Aragonés, mientras no se produzca su declaración como Bienes de Interés Cultural o bienes catalogados.

Disposición adicional novena. Inventario de bienes muebles en posesión de instituciones eclesiásticas en la Comunidad Autónoma de Aragón

Aquellos bienes incluidos en el Inventario de bienes muebles en posesión de instituciones eclesiásticas, que se viene elaborando por el Ministerio competente en materia de Cultura en colaboración con la Comunidad Autónoma de Aragón, se considerarán Bienes Inventariados del Patrimonio Cultural Aragonés y quedarán sometidos al régimen jurídico de protección contemplado en la Ley 3/1999, de 10 de marzo, del Patrimonio Cultural Aragonés, para esta categoría de bienes mientras no se produzca su declaración como Bienes de Interés Cultural o bienes catalogados.

Disposición adicional décima. Actuaciones realizadas por la Administración de la Comunidad Autónoma de Aragón sobre los bienes integrantes del Patrimonio Cultural Aragonés

Sin perjuicio de lo dispuesto en el artículo 33 de esta Ley para los Bienes de Interés Cultural, el Departamento competente en materia de patrimonio cultural, podrá realizar directamente las actuaciones encaminadas a la conservación y restauración de aquellos bienes incluidos en la categoría de Bien Catalogado o Bien Inventariado del Patrimonio Cultural Aragonés, con cargo a la aplicación presupuestaria correspondiente al capítulo de inversiones reales de las respectivas Leyes de Presupuestos de la Comunidad Autónoma de Aragón.

Asimismo, se incluirán dentro de estas actuaciones aquellas destinadas a la elaboración de instrumentos de información y estudios que permitan identificar, documentar, acrecentar y difundir todos los bienes integrantes del Patrimonio Cultural Aragonés.

Disposición transitoria primera. Declaraciones existentes

1. Los Bienes de Interés Cultural ubicados en la Comunidad Autónoma que hubieren sido declarados como tal con anterioridad a la entrada en vigor de esta Ley, pasarán a tener la consideración de Bienes de Interés Cultural o Conjuntos de Interés Cultural. A su vez, los bienes incluidos en el Censo General de Bienes del Patrimonio Histórico Español pasarán a tener la consideración de Bienes Inventariados del Patrimonio Cultural Aragonés.

2. Mediante Orden del Consejero del Departamento responsable de Patrimonio Cultural podrán completarse las declaraciones originarias, determinando los bienes muebles y el entorno afectado que deban considerarse parte integrante por las declaraciones de Bien de Interés Cultural y Conjunto de Interés Cultural. A su vez, se incluyen en el Censo General del Patrimonio Cultural de Aragón todos aquellos bienes recogidos en los catálogos de las normas complementarias y subsidiarias de planeamiento de las provincias de Huesca, Zaragoza y Teruel, aprobadas por el Departamento de Ordenación Territorial, Obras Públicas y Transportes, así como los contenidos en los catálogos de cualquier otra figura de planeamiento.

3. Mediante Orden del Consejero del Departamento responsable de Patrimonio Cultural deberán revisarse, oída la Comisión Provincial de Patrimonio Cultural correspondiente, los expedientes de declaración de Bien de Interés Cultural para adecuarlos, en su caso, a las categorías establecidas por la presente Ley.

Disposición transitoria segunda. Declaraciones en trámite

1. La tramitación y los efectos de los expedientes de declaración de Monumentos, Jardines, Conjuntos, Sitios Históricos y Zonas Arqueológicas incoados con anterioridad a la entrada en vigor de esta Ley quedarán sometidos a lo dispuesto en ella, en la categoría que corresponda.

2. El plazo para la resolución de los expedientes incoados de declaración comenzará a contarse desde la fecha de entrada en vigor de esta Ley.

Disposición transitoria tercera. Adaptación de las Comisiones Provinciales de Patrimonio Cultural

Una vez creado el Consejo Aragonés de Patrimonio Cultural, las Comisiones Provinciales de Patrimonio Cultural deberán adaptarse a lo previsto en la presente Ley.

Disposición derogatoria única. Derogación genérica

Quedan derogadas cuantas normas de igual o inferior rango se opongan a lo establecido en esta Ley.

Disposición final primera. Desarrollo reglamentario

El Gobierno de Aragón dictará cuantas disposiciones de aplicación y desarrollo de esta Ley sean necesarias, salvo las remitidas en la misma a la competencia del Consejero del Departamento responsable de Patrimonio Cultural.

Disposición final segunda. Lenguas de Aragón

—

Disposición Adicional 2ª derogada por Ley [ARAGÓN] 10/2009, 22 diciembre, de uso, protección y promoción de las lenguas propias de Aragón (B.O.A. 30 diciembre).

Disposición final tercera. Instituto de la Cultura y del Patrimonio de Aragón

Se regulará por una ley específica la creación, constitución, distribución de competencias y funcionamiento del Instituto de la Cultura y del Patrimonio de Aragón, que en todo caso dispondrá de autonomía en su gestión y tendrá, como funciones primordiales, la supervisión y control interdisciplinar, el seguimiento y la asesoría respecto a las actuaciones en cultura y patrimonio.

Dicha ley preverá la integración del Instituto Aragonés del Arte y la Cultura Contemporáneos «Pablo Serrano» en el Instituto de la Cultura y del Patrimonio de Aragón.

Disposición final cuarta. Entrada en vigor

Esta Ley entrará en vigor el día siguiente al de su publicación en el «Boletín Oficial de Aragón».

3. COMUNIDAD AUTÓNOMA DEL PRINCIPADO DE ASTURIAS: LEY 1/2001, DE 6 DE MARZO, DEL PATRIMONIO CULTURAL

BO. del Principado de Asturias 30 marzo 2001, núm. 75, [pág. 4131]. BOE 6 junio 2001, núm. 135, [pág. 19704].

PREÁMBULO

Para un Estado social y democrático de derecho el desarrollo de la cultura es un objetivo de primer orden, y por ello el deber de garantizar la conservación y promover el enriquecimiento del patrimonio cultural, cualquiera que sea su régimen y su titularidad, se convierte en uno de los presupuestos más importantes de los principios superiores del ordenamiento jurídico.

Las obligaciones que se derivan de los derechos que la Constitución de 1978 reconoce a los ciudadanos en el apartado 1 del artículo 44 y de los principios establecidos en el artículo 46 corresponden a los poderes públicos, sin especificaciones. El dar cumplida respuesta a estos intereses colectivos es, por tanto, una tarea común de todos ellos, dentro de los límites de su propio ámbito de competencia.

Así, el Estatuto de Autonomía del Principado de Asturias repetidamente manifiesta el compromiso de las instituciones asturianas, tanto con la protección de ese patrimonio como con la participación de todos los ciudadanos en la vida cultural. Su redacción ha acogido de esta forma los esfuerzos de generaciones sucesivas de intelectuales y ciudadanos preocupados por la región y sus problemas, que ya desde el siglo XVIII, pero sobre todo a partir de la segunda mitad del siglo XIX, han venido manifestando la importancia de nuestros monumentos y tradiciones y reclamando una activa intervención de los poderes públicos en su protección.

Fruto de esa preocupación, canalizada en buena medida a partir de 1844 a través de la Comisión Provincial de Monumentos, en cuyos trabajos jugaron un importante papel, entre otros,… y…, fue la declaración como Monumentos de algunos de los bienes culturales asturianos más señalados, estableciendo así unos primeros compromisos de gran fuerza jurídica y una tradición proteccionista que hubiera debido gozar de mayor continuidad, y que sin embargo sólo con graves dificultades e interrupciones ha ido ampliándose y acogiendo una aspiración cada vez más manifiesta del conjunto de la sociedad asturiana.

No cabe ignorar el esfuerzo que, en ese aspecto, han venido desarrollando en las últimas décadas, tanto la administración de la Comunidad Autónoma como los Ayuntamientos asturianos, desde su constitución en democracia. Esa experiencia revela, no obstante, la necesidad de contar con instrumentos jurídicos más activos, de coordinar los esfuerzos entre las distintas administraciones, de contemplar la protección de aspectos del patrimonio cultural hasta ahora no suficientemente valorados y de promover el empleo de los medios necesarios para cumplir con rigor las obligaciones que tienen los poderes públicos.

Así, en ejercicio de las competencias que recoge el apartado 1 del artículo 10 del Estatuto de Autonomía, y de acuerdo con la voluntad de las instituciones asturianas de proteger y preservar nuestro patrimonio cultural, la presente Ley tiene como finalidad dar cumplimiento a los mandatos contenidos en dicho Estatuto y en la Constitución Española, determinando el ámbito de competencia del Principado de Asturias y precisando las competencias de la Administración Local, respetando el principio de autonomía municipal y dando a los Ayuntamientos el protagonismo que merecen en esta tarea. Establece, de esta forma, el régimen jurídico de protección, difusión y fomento del Patrimonio Cultural de Asturias, tanto en lo que respecta a las obligaciones de los ciudadanos como a las de los poderes públicos.

Al concurrir competencialmente diversas administraciones, la Ley hace especial hincapié en la necesidad de que ajusten sus relaciones recíprocas a los principios de colaboración y coordinación entre todas ellas. En consecuencia, los instrumentos de protección que establece se han concebido para resultar compatibles con los del Estado, fundamentalmente con los recogidos en la Ley 16/1985, de 25 de junio, del Patrimonio Histórico Español, de tal manera que puedan sumarse las acciones protectoras de ambos cuerpos legales. Asimismo, se han tomado en cuenta los instrumentos de protección de que disponen las administraciones locales y se les proporcionan a éstas recursos adicionales para una acción más eficaz dentro de su ámbito.

La Ley recoge en su denominación el término «patrimonio cultural», como sucede con una parte de la legislación autonómica española, así como con diversos convenios y protocolos internacionales suscritos por el Estado español. Ello no significa, con respecto a la legislación que la precede, una mutación radical del ámbito al que extiende su protección. Por el contrario, se inserta plenamente en la tradición jurídica de la legislación española de protección del patrimonio histórico y en sus normas se toma en cuenta el hecho de que es el transcurso del tiempo y la participación en la historia de la comunidad lo que da sentido a la incorporación de las creaciones individuales al patrimonio colectivo que se protege. La elección del término «cultural» indica, sin embargo, que en su redacción aparecen aspectos como las manifestaciones lingüísticas, las costumbres, las expresiones artísticas de tradición oral y otras formas de expresión comunitarias que deben ser protegidas, mediante su estudio y el apoyo a su transmisión a las generaciones futuras, más allá incluso de su reflejo en objetos o bienes materiales de interés histórico.

A la vez, el término «cultural» indica también el carácter complementario de esta legislación con respecto a la que se desarrolla para la protección del patrimonio natural, señalando así las dos grandes categorías de bienes cuya protección asumen los poderes públicos, para evitar los efectos destructivos que en ciertos ámbitos pueden tener las rápidas transformaciones económicas que se producen en nuestra época.

Unos bienes cuya protección es, por otro lado, la mejor garantía de un desarrollo armónico y ordenado, y de hecho la Ley promueve una gestión del patrimonio cultural comprometida con el progreso social y el bienestar colectivo. Pero, a la vez, debe entenderse que las prescripciones que recoge tienen una naturaleza específica y un valor propio, en la medida en que se refieren a la identidad de la propia sociedad asturiana y a su aportación a un patrimonio común de la humanidad, y representan, en sí mismas, una parte sustancial de la responsabilidad de las generaciones presentes hacia las futuras.

La Ley persigue además la consecución de otros dos fines importantes como son por una parte, la promoción de los bienes culturales en el marco de la sociedad del conocimiento del siglo XXI de forma que resulte un compromiso con el propio desarrollo e incremento de la riqueza, la calidad de vida y la equidad social. Por otra parte, se busca el derecho al disfrute por parte de todos los ciudadanos de esos bienes, pero con la asunción pareja de la obligación por parte de los poderes públicos y también la implicación de la sociedad en lo que se quiere que sea un entendimiento integral de las actuaciones sobre nuestro patrimonio cultural.

Se establecen en la Ley dos categorías superiores de protección, comunes a bienes muebles e inmuebles. La de los Bienes de Interés Cultural, coincidente con la definida por la mencionada Ley del Patrimonio Histórico Español, es la de mayor rango, proporcionando el régimen jurídico de protección más intenso. Con un régimen de protección de menor intensidad se crea la categoría de los bienes incluidos en el Inventario del Patrimonio Cultural de Asturias. Con el fin de dar la necesaria publicidad a uno y otros se crea el Registro de Bienes de Interés Cultural de Asturias y el Inventario del Patrimonio Cultural de Asturias. Se opta así por limitar la proliferación de figuras jurídicas, entendiendo que resulta más oportuno que una de ellas, más extensa, goce de cierta flexibilidad en cuanto a las normas de protección que implica, pudiendo de esta forma adaptarse a las condiciones específicas de bienes de naturaleza muy diversa.

Sin perjuicio de las reglas específicas aplicables a las categorías anteriores, la Ley regula también el régimen jurídico de los patrimonios arqueológico, etnográfico, histórico-industrial, documental y bibliográfico. Se establece asimismo un régimen de protección general aplicable a todos los bienes integrantes del Patrimonio Cultural de Asturias, independientemente de la específica categoría de protección que tengan, en el que se incluyen las previsiones necesarias para evitar los atentados a la integridad de este patrimonio, como es el caso de la ampliación de los instrumentos de fiscalización del cumplimiento del deber de conservación y uso adecuado, con el deber de permitir la inspección de los bienes y prestar la información requerida a estos efectos por la administración competente. Respecto a los bienes inmuebles destaca la nueva regulación de la declaración de ruina así como la necesidad de acompañar un informe de afección al patrimonio cultural en todos los proyectos de obras que hayan de someterse al procedimiento de evaluación de impacto ambiental.

Se presta una atención especial a la situación de los bienes inmuebles que se declaren de Interés Cultural. La Ley establece los procedimientos adecuados para hacer compatible su tutela con un proceso de desarrollo económico y social ordenado. Con el mismo sentido se contempla, por lo que se refiere a los bienes inmuebles inventariados, que sus instrumentos de protección garanticen la preservación de sus valores culturales y refuercen los instrumentos de tutela que ya prevé la normativa urbanística.

En todos estos aspectos se adoptan, asimismo, medidas dirigidas a reforzar la capacidad de los Ayuntamientos para desarrollar acciones e iniciativas propias en esta materia, de forma tal que las obligaciones que tienen, concurrentes con las de la Comunidad Autónoma y el Estado, puedan llevarse a cabo por medio de instrumentos adecuados. En ese aspecto tiene especial importancia la regulación de los catálogos municipales de protección de bienes inmuebles con valor cultural.

Afrontar el reto que supone la necesidad de garantizar la conservación y promover el enriquecimiento del patrimonio cultural exige la participación de todos: Administraciones públicas, instituciones, propietarios y poseedores de los bienes y ciudadanos en general. Se promueve por ello su colaboración, otorgándoles un papel relevante a las asociaciones y entidades cívicas no lucrativas. Del mismo modo, se prevé la existencia de ayudas económicas para aquellas personas físicas o jurídicas que sean responsables de la conservación de bienes que formen parte del Patrimonio Cultural de Asturias, empleando como instrumentos las subvenciones, los acuerdos de colaboración y eventualmente las reducciones de cargas fiscales.

Se procura, finalmente, hacer compatible la eficacia de la protección jurídica de unos bienes sometidos a riesgos no siempre previsibles con la seguridad jurídica de quienes son titulares de derechos legítimos que pueden resultar afectados por las medidas previstas en la Ley, y a ese respecto se procura evitar el empleo de figuras o normas de protección que impliquen indefinición o discrecionalidad en la intervención de los poderes públicos. El texto de la Ley determina con precisión las obligaciones de la administración y de los particulares, procurando que en ningún caso las relaciones entre aquéllas y éstos se vean perturbadas por disposiciones que den a entender un amplio margen de discrecionalidad en las resoluciones que se adopten en cumplimiento de lo que en ella se dispone.

De la misma forma se procura evitar el establecimiento de cargas sobre los bienes protegidos que vayan más allá de lo necesario para garantizar su conservación y el disfrute por la comunidad de sus valores culturales. Del mismo modo que la Ley extiende la protección jurídica a ámbitos más amplios de los tradicionales, como sucede con los testimonios de la historia industrial o de la cultura popular, o con la arquitectura moderna y contemporánea, a la vez intenta establecer un clima de colaboración, diálogo y participación entre los poderes públicos y las personas más directamente afectadas por las medidas que contempla.

El tratamiento del Patrimonio Cultural Asturiano en el sistema educativo y la formación de profesionales especializados en su gestión son, finalmente, medios adicionales para alcanzar los objetivos que en conjunto se persiguen: garantizar la conservación, el enriquecimiento, el disfrute y la transmisión a las generaciones futuras de los bienes que lo componen.

TÍTULO PRELIMINAR. Disposiciones generales

Artículo 1. Objeto de la Ley

1. La presente Ley tiene por objeto la conservación, protección, investigación, enriquecimiento, fomento y difusión del Patrimonio Cultural de Asturias, de manera que pueda ser disfrutado por los ciudadanos y transmitido en las mejores condiciones a las generaciones futuras.

2. Integran el Patrimonio Cultural de Asturias todos los bienes muebles e inmuebles relacionados con la historia y la cultura de Asturias que por su interés histórico, artístico, arqueológico, etnográfico, documental, bibliográfico, o de cualquier otra naturaleza cultural, merecen conservación y defensa a través de su inclusión en alguna de las categorías de protección que al efecto se establecen en la presente Ley, o mediante la aplicación de otras normas de protección contempladas en la misma.

3. Lo dispuesto en el apartado anterior se aplica asimismo a los elementos geológicos y paleontológicos de interés por su relación con la historia del hombre y sus orígenes, y a los bienes de interés geológico, paleontológico, botánico o biológico que hayan sido separados de su medio natural o deban ser conservados fuera de él y no estén protegidos con arreglo a su normativa específica.

4. Las normas de la presente Ley se entenderán referidas a bienes de naturaleza material, muebles e inmuebles, y al ámbito territorial del Principado de Asturias. Se entenderán asimismo aplicables a bienes de naturaleza no material aquellas normas en que expresamente se señale dicho aspecto.

Artículo 2. Principios generales

En el ejercicio de las competencias que le corresponden en materia de patrimonio cultural, el Principado de Asturias actuará de acuerdo con los siguientes principios:

a) Colaboración con la Administración del Estado, las Entidades Locales y los diferentes poderes públicos, incluyendo los organismos de la Unión Europea, en el mantenimiento de la integridad del Patrimonio Cultural de Asturias, en la difusión nacional e internacional del mismo, en la recuperación de los bienes que hubieran sido ilícitamente exportados, en el intercambio de información cultural, técnica y científica con organismos nacionales y extranjeros, y en la conservación, fomento y disfrute de este patrimonio, estimulando para ello la participación de toda la sociedad.

b) Promoción de las acciones precisas para garantizar la protección, el conocimiento e investigación, y, en su caso, obtener el retorno a la Comunidad Autónoma, de aquellos bienes que se encuentren fuera de su territorio vinculados a Asturias por razones históricas. Todo ello en el marco de la cooperación institucional y del respeto al ejercicio legítimo por las restantes Administraciones de sus competencias.

c) Colaboración con la Administración del Estado y las de las restantes Comunidades Autónomas en la protección del patrimonio histórico español.

d) Colaboración en la protección del patrimonio cultural de los distintos países y comunidades humanas, especialmente en los casos en que se ve amenazado por situaciones de miseria, guerras o catástrofes.

e) Coordinación de la política protectora del patrimonio cultural inmueble con el resto de las políticas sectoriales que incidan en los mismos espacios y muy especialmente con las de ordenación del territorio, medio ambiente, empleo y desarrollo económico.

f) Fomento del uso y disfrute del patrimonio cultural, respetando las necesidades de protección establecidas en esta Ley.

g) Incorporación del patrimonio cultural a las iniciativas y políticas de desarrollo económico y social.

h) Estímulo del conocimiento del patrimonio cultural, promoviendo la información y difusión del mismo, así como su investigación científica y la divulgación de los resultados de ésta.

i) Apoyo a creadores y artistas para el enriquecimiento del patrimonio cultural a transmitir a las generaciones futuras.

j) Apoyo a las iniciativas sociales y a la implicación de los ciudadanos en las actuaciones en torno al patrimonio cultural.

Artículo 3. Colaboración entre las Administraciones Públicas

1. De acuerdo con el principio de lealtad institucional, las Administraciones Públicas deberán facilitarse recíprocamente la información de que cada una de ellas disponga y que sea de utilidad para el ejercicio de las competencias relativas a la conservación, enriquecimiento, fomento y difusión del patrimonio cultural; asimismo deberán prestar a las restantes administraciones, en el ámbito propio, la cooperación y asistencia activa que legítimamente les sea recabada para el ejercicio de dichas competencias.

2. Las Entidades Locales ejercerán las funciones que les correspondan, tanto las previstas en la presente Ley, como en las demás normas aplicables, y especialmente en los siguientes aspectos:

a) Programación de políticas de protección, fomento y disfrute del patrimonio cultural existente en su territorio, con especial atención a la aplicación de las medidas de protección previstas en la legislación urbanística a los inmuebles y espacios de interés cultural.

b) Mantenimiento, desarrollo y potenciación de actividades de difusión cultural a través de los archivos, bibliotecas y museos locales.

c) Elaboración de ordenanzas municipales de protección e incremento del patrimonio cultural existente en su término municipal que se acomoden a las exigencias de esta Ley y a las características específicas de los concejos.

3. La Administración del Principado de Asturias prestará apoyo y asistencia técnica a las Entidades Locales para el ejercicio de sus competencias.

4. Se promoverá el establecimiento de comisiones mixtas entre las distintas administraciones para la coordinación, apoyo y asistencia mutua en materia de patrimonio cultural.

5. Se favorecerá la profesionalización y especialización de los órganos dedicados a la protección del patrimonio dentro de las Entidades Locales.

Artículo 4. Colaboración de los particulares

1. Las personas que observen una situación de amenaza o de destrucción consumada o inminente de un bien integrante del Patrimonio Cultural de Asturias deberán comunicarlo inmediatamente a la Consejería de Educación y Cultura, que comprobará el objeto de la denuncia y actuará con arreglo a lo dispuesto en la presente Ley.

2. Será pública la acción para exigir ante los órganos administrativos y la Jurisdicción Contencioso-Administrativa el cumplimiento de lo previsto en esta Ley para la defensa de los bienes integrantes del Patrimonio Cultural de Asturias.

3. El Principado de Asturias promoverá y apoyará la colaboración de los ciudadanos en la protección del patrimonio cultural bajo las correspondientes formas asociativas, en trabajos de voluntariado social o, en general, en programas de cualquier naturaleza dirigidos a su investigación y protección.

4. El Principado de Asturias apoyará y fomentará el mecenazgo privado dirigido a la protección del patrimonio cultural y la formación y desarrollo de industrias y empresas que actúen en dicho ámbito con los criterios precisos de rigor, respeto y solvencia técnica.

Artículo 5. Colaboración de la Iglesia Católica

La Iglesia Católica, como titular de una parte muy importante del Patrimonio Cultural de Asturias, velará por su protección, conservación y difusión, con sujeción a lo dispuesto en la presente Ley, colaborando a dicho efecto con los órganos correspondientes de la Administración del Principado de Asturias y de las Entidades Locales.

Artículo 6. Instituciones consultivas

1. Tienen la consideración de instituciones consultivas para el Principado de Asturias a los efectos previstos en la presente Ley:
   a) Las Reales Academias.
   b) El Consejo Superior de Investigaciones Científicas.
   c) La Universidad de Oviedo y las restantes universidades españolas y extranjeras.
   d) El Real Instituto de Estudios Asturianos.
   e) La Academia de la Llingua Asturiana.

2. Sin perjuicio de lo dispuesto en el apartado 1, el Principado de Asturias procurará conocer y tomar en cuenta los criterios y opiniones de los restantes organismos internacionales y nacionales de reconocida solvencia científica, y de los colegios profesionales, asociaciones y entidades privadas sin ánimo de lucro que tengan una acreditada trayectoria en la protección del patrimonio cultural.

Artículo 7. Consejo del Patrimonio Cultural de Asturias

1. El Consejo del Patrimonio Cultural de Asturias es el órgano asesor de la Administración del Principado de Asturias para los asuntos referentes a la protección, investigación, fomento y difusión del Patrimonio Cultural de Asturias.

2. Con carácter previo examinará todos aquellos planes, proyectos, licencias y actuaciones relevantes que, de acuerdo con las disposiciones de la presente Ley, requieran autorización de la Consejería de Educación y Cultura.

3. Estará integrado por los siguientes miembros:
Presidente: El titular de la Consejería de Educación y Cultura.
Vicepresidente: El titular de la Dirección General de Cultura.
Vocales correspondientes a las siguientes entidades y organismos:
   a) La Junta General del Principado, que designará un vocal por cada Grupo Parlamentario con representación en la Cámara al inicio de la legislatura, entre personas que tengan la acreditada condición de expertos en las materias directamente relacionadas con la conservación del patrimonio cultural.
   b) Los órganos de la Administración del Principado de Asturias en cuyo ámbito incidan directamente las políticas de protección del patrimonio cultural. El número de sus representantes no podrá ser superior a cuatro.

c) Los Ayuntamientos, mediante tres representantes designados por la Federación Asturiana de Concejos.

d) La Universidad de Oviedo, mediante un representante designado entre personas que tengan la acreditada condición de expertos en las materias directamente relacionadas con la conservación del patrimonio cultural.

e) La Diócesis de Oviedo, mediante un representante experto en las materias directamente relacionadas con la conservación del patrimonio cultural.

f) Los colegios profesionales directamente relacionados con la protección del patrimonio cultural, con un representante elegido entre personas que tengan la acreditada condición de expertos en esta materia.

El titular de la Consejería de Educación y Cultura podrá nombrar además hasta un máximo de seis vocales entre técnicos o especialistas en el campo del Patrimonio Cultural y a un representante de las asociaciones y entidades de carácter ciudadano que tengan entre sus fines la protección del Patrimonio Cultural de Asturias.

4. Reglamentariamente se establecerá su sistema de funcionamiento y organización, que en todo caso contemplará:

a) Un soporte técnico suficiente en la toma de decisiones, con la audiencia de especialistas cualificados en las distintas disciplinas que intervienen en esta materia.

b) Un funcionamiento en pleno o mediante comisiones más reducidas que garantice la rapidez y agilidad en la tramitación de los asuntos que así lo requieran.

5. El Consejo del Patrimonio Cultural de Asturias asesorará a las Entidades Locales cuando éstas así lo soliciten en los asuntos relativos a la protección del patrimonio cultural que pertenezcan al ámbito de sus competencias.

Artículo 8. Comisión de Valoración de Bienes del Patrimonio Cultural de Asturias

1. Se crea la Comisión de Valoración de Bienes del Patrimonio Cultural de Asturias, adscrita a la Consejería de Educación y Cultura del Principado de Asturias.

2. Corresponde a la Comisión de Valoración de Bienes del Patrimonio Cultural de Asturias:

a) Valorar los bienes integrantes del Patrimonio Cultural de Asturias que las Entidades Locales y el Principado de Asturias se propongan aceptar en cesión como pago a cuenta de las deudas tributarias de particulares.

b) Informar con carácter previo el ejercicio del derecho de tanteo o retracto por la Administración del Principado de Asturias.

c) Realizar las valoraciones que, con carácter asesor, le sean solicitadas para la aplicación de las restantes normas contenidas en la presente Ley, tanto por la Administración del Principado de Asturias como por las Entidades Locales.

3. El funcionamiento y composición de la Comisión de Valoración de Bienes del Patrimonio Cultural de Asturias se regularán reglamentariamente.

TÍTULO PRIMERO. De las categorías de protección

Artículo 9. Categorías de bienes

Los bienes que conforman el Patrimonio Cultural de Asturias se protegerán mediante su integración en alguna de las siguientes categorías de protección: Bienes de Interés Cultural, Bienes incluidos en el Inventario del Patrimonio Cultural de Asturias y Bienes incluidos en los Catálogos urbanísticos de protección así como mediante la aplicación de las medidas contempladas en los regímenes específicos relativos al patrimonio arqueológico, etnográfico, histórico-industrial, documental y bibliográfico.

CAPÍTULO PRIMERO. De los bienes declarados de interés cultural

Artículo 10. Definición

Tendrán la consideración de Bienes de Interés Cultural aquellos bienes más relevantes del Patrimonio Cultural de Asturias que, por su valor singular, se declaren como tales mediante Decreto del Consejo de Gobierno del Principado de Asturias.

Artículo 11. Bienes inmuebles: Tipos

1. Los bienes inmuebles se declararán de Interés Cultural de acuerdo con la siguiente clasificación:

a) Monumento, en el caso de esculturas colosales, edificios, obras o estructuras arquitectónicas o de ingeniería de interés singular. En la declaración como Bien de Interés Cultural de un Monumento, cuando ello proceda, se incluirán aquellos bienes muebles, instalaciones y accesorios que formen unidad con el mismo.

b) Conjunto Histórico, en el caso de las agrupaciones de bienes inmuebles que formen una unidad de asentamiento, continua o dispersa, con coherencia suficiente para constituir una unidad claramente identificable y delimitable y con interés suficiente en su totalidad, aunque sus componentes o elementos no lo tengan individualmente. A tal efecto se considerarán como criterios relevantes las formas de organización del espacio, trazados viarios, disposición de las edificaciones y elementos similares. Análogamente corresponderá la consideración de Conjunto Histórico a aquellos lugares o parajes de interés etnográfico derivado de la relación tradicional entre el medio natural y la población, así como a los lugares o parajes de interés cultural por constituir testimonios significativos de la evolución de la minería y de la industria, de sus procesos productivos, y de las edificaciones y equipamientos sociales a ellos asociados.

c) Jardín Histórico, en el caso de espacios que sean resultado de la ordenación por la intervención humana de elementos naturales, eventualmente complementados con edificaciones o estructuras de arquitectura o de ingeniería.

d) Sitio Histórico, en el caso de los lugares vinculados a acontecimientos de interés histórico singular, a tradiciones populares o a creaciones culturales relevantes.

e) Zona Arqueológica, en el caso de los lugares o parajes naturales en que existan bienes muebles o inmuebles susceptibles de aportar datos de interés mediante su estudio con una técnica arqueológica, hayan sido o no extraídos y tanto si se encuentran en la superficie, en el subsuelo o bajo las aguas. La declaración de una Zona Arqueológica puede incluir áreas en las que se encuentren Bienes de Interés Cultural de cualquier otra naturaleza.

f) Vía Histórica, en el caso de las vías de comunicación de significado valor cultural, ya se trate de caminos de peregrinación, antiguas vías romanas, cañadas y vías de trashumancia, caminos de herradura, vías férreas o de otra naturaleza.

2. La pertenencia a un Conjunto Histórico, Jardín Histórico, Sitio Histórico o Vía Histórica no será incompatible con la declaración individualizada adicional como Bien de Interés Cultural de alguno de sus elementos o con su pertenencia a otras categorías de protección establecidas por la legislación de espacios naturales.

Artículo 12. Bienes muebles

Los bienes muebles se declararán de Interés Cultural individualmente o como colección. En este último caso, se realizará la catalogación de los elementos unitarios que la componen, especificando todos los datos necesarios para su reconocimiento individual y como parte de la colección. Bastará que el interés relevante se predique de la colección en cuanto tal, no necesariamente de cada uno de los objetos integrantes.

Artículo 13. Limitaciones a la declaración como Bien de Interés Cultural

1. No podrá declararse Bien de Interés Cultural una obra de arte de un autor vivo sin autorización expresa de su propietario. Esta limitación no se aplicará a inmuebles o a obras de arte que formen parte integrante de los mismos, ni a las obras de arte instaladas en espacios públicos o adquiridas por las Administraciones Públicas.

2. Los inmuebles no podrán ser declarados Bien de Interés Cultural hasta pasados treinta años de su construcción, salvo en casos de excepcional interés, suficientemente acreditado, o previa autorización expresa de su propietario.

Artículo 14. Incoación previa del expediente de declaración

1. La declaración de Bienes de Interés Cultural requiere la incoación previa de un expediente administrativo, iniciado de oficio por la Consejería de Educación y Cultura, bien por propia iniciativa o a petición de parte.

2. Los acuerdos de no incoación serán motivados y se notificarán, en su caso, a quienes los hayan solicitado. Se entenderá desestimada la incoación si no recae resolución en el plazo de cuatro meses desde que se efectúe la solicitud, procediéndose en dicho caso, si hubiera requerimiento, a la emisión de un informe justificativo.

Artículo 15. Notificación, publicación y efectos de la incoación

1. La incoación del expediente se notificará a los interesados y al Ministerio de Educación y Cultura y se publicará en el «Boletín Oficial del Principado de Asturias» y en el «Boletín Oficial del Estado». En el supuesto de inmuebles se notificará también a los Ayuntamientos de los concejos donde radique el bien.

2. La incoación del expediente se anotará preventivamente en el Registro de Bienes de Interés Cultural de Asturias a que se refiere el artículo 20 de esta Ley.

3. La incoación determinará la aplicación provisional del mismo régimen de protección previsto para los Bienes de Interés Cultural.

4. La incoación del procedimiento de declaración de Interés Cultural respecto de un bien inmueble determinará la suspensión de las correspondientes licencias municipales de parcelación, edificación o demolición en las zonas afectadas, así como los efectos de las ya otorgadas, mientras dure la tramitación del expediente. A este respecto, los Ayuntamientos deberán remitir a la Consejería de Educación y Cultura los expedientes de licencias que hayan quedado suspendidos y notificarán la suspensión a los promotores, constructores y técnicos directores de las obras. De la misma manera, darán cuenta al Registro de la Propiedad para su anotación preventiva. Las obras que por razón de fuerza mayor hubieran de realizarse con carácter inaplazable en tales zonas precisarán en todo caso autorización de dicha Consejería.

5. El Principado de Asturias abonará las indemnizaciones que eventualmente se deriven para las Entidades Locales de la ejecución de lo dispuesto en el apartado 4 de este artículo o en el apartado 5 del artículo 18, siempre que se originen en licencias concedidas de acuerdo con la legalidad. Se exceptúan los casos en que la incoación hubiera sido instada por el propio Ayuntamiento o por la Administración del Estado, así como aquellos en que exista acuerdo en otro sentido. Se exceptúan asimismo las cantidades correspondientes a la devolución de ingresos percibidos por los Ayuntamientos o la Administración del Estado en concepto de impuestos o tasas.

Artículo 16. Procedimiento de declaración

1. En la instrucción del procedimiento a que se refieren los artículos anteriores se podrá recabar de los propietarios, poseedores o titulares de derechos reales el examen directo del bien, así como las informaciones que la Administración del Principado de Asturias estime

necesarias. Ésta, igualmente, cuando proceda, recabará información complementaria de las personas o entidades que por su competencia en algunos de los aspectos del expediente puedan propiciar la mejor resolución del mismo.

2. El expediente contendrá los informes técnicos necesarios, elaborados desde las distintas disciplinas científicas aplicables a la naturaleza del bien, que justifiquen el interés relevante que reviste, acompañados de una completa documentación gráfica. Incluirá además un informe detallado sobre su estado de conservación y, en el caso de bienes inmuebles, una propuesta de delimitación del entorno afectado por su protección.

3. La declaración como Bien de Interés Cultural requerirá informe favorable y motivado del Consejo del Patrimonio Cultural de Asturias, y de al menos dos de las instituciones consultivas a que hace referencia el apartado 1 del *artículo 6* de esta Ley.

Artículo 17. Alegaciones y resolución del expediente de declaración

1. Emitidos los informes previstos en el artículo anterior, se dará vista del expediente a los interesados para alegaciones. Si el expediente se refiere a bienes inmuebles será necesario recabar informe de la Comisión de Urbanismo y Ordenación del Territorio de Asturias, que se entenderá favorable si no se emite en el plazo de tres meses. Asimismo, se deberá dar audiencia al Ayuntamiento correspondiente, y abrir un período de información pública mediante publicación en el «Boletín Oficial del Principado de Asturias».

2. El expediente deberá resolverse en el plazo máximo de veinticuatro meses a partir de la fecha en que haya sido incoado. En caso de caducidad o resolución denegatoria no podrá volver a iniciarse un nuevo expediente en los tres años siguientes, salvo que tres de las instituciones consultivas reconocidas por la presente Ley o el propietario del bien así lo soliciten.

Artículo 18. Contenido de la declaración

> **Notas de vigencia:**
> Ap. 3 modificado por **disp. final 3.1 de Ley núm. 4/2021, de 1 de diciembre.**
> **LPAS\2021\693.**

1. La declaración de un Bien de Interés Cultural, en el caso de que se trate de inmuebles, incluirá las siguientes especificaciones:

a) Descripción detallada y precisa del bien que permita su exacta identificación en la que se incluyan sus accesorios y pertenencias, si las hubiere, y, en su caso, los bienes muebles vinculados al mismo que también quedan protegidos por la declaración.

b) Delimitación motivada del entorno afectado por la declaración, considerando especialmente las relaciones con el área territorial a que pertenezca el bien.

2. Cuando ello proceda, la declaración incluirá determinaciones respecto a la demolición o retirada forzosa de elementos, partes o, incluso, construcciones incluidas en el entorno afectado incompatibles con la puesta en valor del Bien de Interés Cultural. Estas determinaciones serán causa justificativa de interés social a efectos de expropiación. Cuando se ejecuten en suelo urbano tendrán el carácter de actuaciones aisladas a efectos de su gestión urbanística.

3. Cuando ello pueda favorecer la conservación de los Bienes de Interés Cultural, se adjuntarán a la declaración unos criterios básicos, de carácter específico, que regirán las intervenciones en los mismos. Asimismo, se acompañará una relación de obras menores, de sencillez técnica y escasa entidad constructiva y económica, o actuaciones permitidas, que no requerirán autorización previa de la Consejería competente en materia de patrimonio cultural siempre que se ejecuten conforme a los criterios básicos de intervención antes citados.

Las entidades locales velarán por el cumplimiento de las anteriores condiciones en el momento de expedición de la correspondiente licencia de obras.

4. En caso de que el uso al que se destine un bien sea incompatible con su protección, la declaración establecerá la paralización o la modificación de ese uso.

5. Una vez producida la declaración de un inmueble como Bien de Interés Cultural, la Consejería de Educación y Cultura emitirá en el plazo de dos meses, habiendo oído al Ayuntamiento correspondiente, un informe vinculante sobre las licencias urbanísticas suspendidas por la incoación del expediente. Si como consecuencia de este informe el Ayuntamiento ha de modificar o anular una licencia, se procederá a ello de acuerdo con los criterios que establece la legislación urbanística.

Artículo 19. Notificación y publicación de la declaración

La declaración como Bien de Interés Cultural de un bien de cualquier naturaleza se notificará a los interesados y a los Ayuntamientos de los concejos donde radica el bien. La declaración se publicará también en el «Boletín Oficial del Principado de Asturias» y en el «Boletín Oficial del Estado».

Artículo 20. Registro de Bienes de Interés Cultural de Asturias

1. Los Bienes de Interés Cultural serán inscritos en el Registro de Bienes de Interés Cultural de Asturias, cuya gestión corresponde a la Consejería de Educación y Cultura.

2. Los datos del Registro de Bienes de Interés Cultural de Asturias serán públicos, salvo las informaciones que deban protegerse por razón de la seguridad de los bienes o de sus titulares, la intimidad de las personas y los secretos comerciales y científicos protegidos por la legislación.

3. De las inscripciones y anotaciones en el Registro de Bienes de Interés Cultural de Asturias se dará cuenta al Registro General de Bienes de Interés Cultural de la Administración del Estado para que se hagan las consiguientes inscripciones y anotaciones.

Artículo 21. Procedimiento para dejar sin efecto la declaración

1. La declaración de un Bien de Interés Cultural únicamente puede dejarse sin efecto si se siguen los mismos trámites y requisitos que son necesarios para su declaración, siendo necesario para ello el informe favorable de dos de las instituciones consultivas a que se refiere el artículo 6 de esta Ley. La modificación en la delimitación de su entorno de protección o de las determinaciones y criterios para su conservación requerirá asimismo la incoación previa de un expediente con audiencia a los interesados y al Ayuntamiento correspondiente, en la forma que reglamentariamente se establezca.

2. La alteración de las condiciones que motivaron la declaración no podrá ser causa determinante a los efectos previstos en el apartado anterior, si el nuevo estado en que se encuentra el bien afectado se debe al incumplimiento de las obligaciones establecidas por esta Ley.

CAPÍTULO SEGUNDO. De los bienes incluidos en el inventario del patrimonio cultural de Asturias

Artículo 22. Definición

1. Se crea el Inventario del Patrimonio Cultural de Asturias como instrumento para la salvaguarda de los bienes en él incluidos. De él formarán parte los bienes muebles e inmuebles que tengan en grado notable alguno de los valores a que hace referencia el apartado 2 del *artículo 1* de la presente Ley y deban ser especialmente preservados y conocidos, salvo en aquellos casos en que proceda su declaración como Bienes de Interés Cultural.

2. Los bienes muebles pueden ser inventariados singularmente o como colección. En este último caso, bastará que el interés se predique de la colección en cuanto tal, no necesariamente de cada uno de sus elementos integrantes.

3. Los bienes inmuebles pueden ser inventariados singularmente o formando agrupaciones o conjuntos, continuos o dispersos. Reglamentariamente se especificarán las categorías de bienes inmuebles que contemplará el Inventario.

4. En la inclusión de un inmueble en el Inventario del Patrimonio Cultural se podrá limitar la aplicación de las normas de protección a alguna de las partes que lo componen, cuando las restantes carezcan de interés cultural. Asimismo se podrán considerar como parte de un inmueble o espacio físico, a efectos de protección, bienes muebles que contribuyan de forma significativa a sus valores culturales.

Artículo 23. Limitaciones a la inclusión en el Inventario

1. La inclusión en el Inventario de obras de arte de artistas vivos requerirá la conformidad previa de su propietario. Esta disposición no se aplicará a obras de arte que formen parte de edificaciones, ni a las obras de arte instaladas en espacios públicos o adquiridas por las Administraciones públicas.

2. La inclusión en el Inventario de edificaciones sólo podrá efectuarse pasados treinta años de su construcción, salvo que se cuente con autorización expresa de su propietario.

Artículo 24. Procedimiento de inclusión en el Inventario

1. Corresponde al titular de la Consejería de Educación y Cultura ordenar la inclusión de bienes en el Inventario del Patrimonio Cultural de Asturias, previa tramitación del correspondiente expediente administrativo. El procedimiento se iniciará de oficio, mediante resolución de la Consejería, bien por propia iniciativa o a petición de parte. La incoación del expediente se notificará a los interesados y para su instrucción se estará a lo dispuesto en el *artículo 16* apartados 1 y 2 de esta Ley. La inclusión de un bien en el Inventario requerirá informe favorable del Consejo del Patrimonio Cultural de Asturias y de al menos una de las instituciones consultivas a que hace referencia el apartado 1 del artículo 6 de esta Ley. El plazo para resolver es de dieciséis meses contados desde la fecha de la resolución que ordena su inicio.

2. La incoación determinará, respecto al bien afectado, la aplicación provisional del régimen de protección previsto en la presente Ley para los bienes incluidos en el Inventario del Patrimonio Cultural de Asturias.

3. Eventualmente, cuando su situación así lo requiera, la inclusión en el Inventario de un inmueble irá unida al establecimiento de una zona de protección en que las intervenciones sujetas a la concesión de licencias o autorizaciones por parte de los organismos públicos estén sometidas a condiciones especiales relacionadas con la conservación de dicho bien. Dicho extremo deberá ser justificado expresamente en el expediente correspondiente. En dicho caso se deberá recabar, asimismo, y antes de la resolución, informe de la Comisión de Urbanismo y Ordenación del Territorio de Asturias, que se entenderá favorable si no se emite en el plazo de tres meses.

4. El acto por el que se resuelva incluir un bien en el Inventario deberá ser notificado a los interesados. En el caso de bienes inmuebles se notificará también a los Ayuntamientos de los concejos donde se localicen y será objeto de publicación en el «Boletín Oficial del Principado de Asturias» y en el «Boletín Oficial del Estado».

5. De las inclusiones de bienes en el Inventario del Patrimonio Cultural de Asturias se dará cuenta a los órganos competentes de la Administración General del Estado para su conocimiento y, en su caso, inclusión en el Inventario General de Bienes Muebles.

Artículo 25. Organización del Inventario del Patrimonio Cultural de Asturias

1. La organización y funcionamiento del Inventario del Patrimonio Cultural de Asturias, se determinarán reglamentariamente.

2. El acceso al Inventario será público, salvo en lo que se refiere a aquellas informaciones que sea necesario proteger por razones de seguridad de los bienes o de sus titulares, de la intimidad de las personas y de los secretos comerciales o científicos protegidos por la Ley.

Artículo 26. Exclusión de bienes del Inventario

1. La exclusión de bienes del Inventario se someterá al mismo procedimiento contemplado para su inclusión.

2. La alteración de las condiciones que motivaron la inclusión de un bien en el Inventario no será causa determinante para su exclusión si el nuevo estado en que se encuentra el bien afectado se debe al incumplimiento de las obligaciones establecidas por esta Ley.

CAPÍTULO TERCERO. De los bienes incluidos en los catálogos urbanísticos de protección

Artículo 27. Catálogos urbanísticos de protección de bienes integrantes del patrimonio cultural

> Notas de vigencia:
> Ap. 1 modificado por **disp. final 3.2** de **Ley núm. 4/2021, de 1 de diciembre.** LPAS\2021\693.
> Ap. 3 modificado por **disp. final 3.2** de **Ley núm. 4/2021, de 1 de diciembre.** LPAS\2021\693.

1. Los Ayuntamientos están obligados a incluir en catálogos elaborados de acuerdo con la legislación urbanística los bienes inmuebles que, por su interés histórico, artístico, arqueológico, etnográfico o de cualquier otra naturaleza cultural, merecen conservación y defensa, aun cuando no tengan relevancia suficiente para ser declarados Bien de Interés Cultural o incluidos en el Inventario del Patrimonio Cultural de Asturias. Estos bienes aparecerán diferenciados de cuantos sean recogidos en los catálogos urbanísticos por razones distintas de su interés cultural. La catalogación será complementaria de las determinaciones del planeamiento general municipal, o del planeamiento especial, y definirá los tipos de intervención posible, los plazos, en su caso, en que dicha intervención se vaya a desarrollar y el nivel de protección de cada bien incluido en ella. El nivel de protección integral llevará consigo la aplicación de las normas de esta ley que se refieren al Inventario del Patrimonio Cultural de Asturias.

2. La obligatoriedad de dicha catalogación no podrá excusarse en la preexistencia de planeamiento contradictorio con la protección en los términos que establece esta Ley ni en la inexistencia de planeamiento general.

3. El contenido de los catálogos urbanísticos a que hace referencia el apartado 1 de este artículo, incluyendo las exclusiones, será comunicado a la Consejería competente en materia de patrimonio cultural en el momento en que se produzca su aprobación inicial. Esta dispondrá de un plazo de tres meses para emitir informe al respecto, que será incorporado al expediente correspondiente. Transcurrido el indicado plazo sin haberse notificado el informe, se podrá proseguir la tramitación del catálogo.

4. El Principado de Asturias colaborará con los Ayuntamientos en la elaboración de los Catálogos urbanísticos de protección y les prestará el apoyo y la asistencia técnica que precisen.

5. El Principado de Asturias recogerá e incorporará en un Registro común el conjunto de los bienes protegidos en la normativa urbanística de los concejos por su interés cultural, con indicación de su nivel de protección.

TÍTULO SEGUNDO. Del régimen jurídico de protección

CAPÍTULO PRIMERO. Régimen general de todos los bienes integrantes del patrimonio cultural de Asturias

Artículo 28. Deber de conservación y uso

1. Los propietarios, poseedores y demás titulares de derechos reales sobre bienes integrantes del Patrimonio Cultural de Asturias están obligados a conservarlos, cuidarlos y protegerlos debidamente para asegurar su integridad y evitar la pérdida o deterioro de su valor cultural. Los poderes públicos velarán por el adecuado cumplimiento de esta obligación. Se prohíbe la destrucción total o parcial de los bienes integrantes del Patrimonio Cultural de Asturias. Las excepciones que proceden a esta norma son exclusivamente las que aparecen contempladas en la presente Ley.

2. El uso a que se destinen los bienes integrantes del Patrimonio Cultural de Asturias debe garantizar siempre su conservación. Asimismo, los usos que se realicen en los entornos delimitados para la protección de bienes inmuebles, no deben atentar contra su armonía ambiental.

3. Los titulares de bienes integrantes del Patrimonio Cultural de Asturias facilitarán información sobre el estado de los bienes y sobre su utilización, y están obligados a permitir su examen material si así se lo requieren las Administraciones competentes. A tales efectos, el Principado de Asturias establecerá unidades administrativas especializadas para el cumplimiento de las funciones de inspección atribuidas por esta Ley, dotándolas del personal adecuado, con capacitación técnica y medios suficientes. Reglamentariamente se regulará su funcionamiento y las condiciones en que realizarán el acceso a dichos bienes.

4. Para garantizar una conservación efectiva del Patrimonio Cultural de Asturias, la Administración del Principado de Asturias promoverá medidas de colaboración con los Cuerpos y Fuerzas de Seguridad del Estado, que fortalezcan y mejoren la vigilancia y seguridad de los bienes que lo integran, especialmente cuando se vean amenazados por actos de expoliación o destrucción. Asimismo el personal dependiente del Principado de Asturias que realice funciones de vigilancia colaborará en estas funciones en lo que atañe a su ámbito de competencias.

Artículo 29. Incumplimiento del deber de conservación

1. En caso de incumplimiento del deber de conservación de los bienes integrantes del Patrimonio Cultural de Asturias, la Consejería de Educación y Cultura, cuando tenga constancia de dicho extremo, ordenará a los propietarios, poseedores y titulares de derechos reales sobre dichos bienes la ejecución de las obras o la realización de las actuaciones que sean necesarias para conservarlos, cuidarlos y protegerlos. Lo mismo harán los Ayuntamientos, cuando tengan facultades para ello con arreglo a la legislación urbanística y de régimen local y en el caso de bienes incluidos en los Catálogos urbanísticos de protección a que hace referencia el *artículo 27* de esta Ley.

2. De los requerimientos que formulen los Ayuntamientos se dará traslado a la Consejería de Educación y Cultura. Ésta dará traslado a los Ayuntamientos de los que formule relativos a bienes situados en su término municipal.

Artículo 30. Incumplimiento de requerimientos

El incumplimiento injustificado de los requerimientos de la Consejería de Educación y Cultura, o en su caso de los Ayuntamientos, para el cumplimiento de los deberes de conservación de los bienes integrantes del Patrimonio Cultural de Asturias, incluyendo las medidas relativas a la protección de su integridad, supondrá la imposición de multas coercitivas en los términos a que hace referencia el *artículo 104* de esta Ley.

Artículo 31. Ejecución subsidiaria

En el caso de que el requerimiento para el cumplimiento del deber de conservación a que hace referencia el artículo 29 de esta Ley no sea atendido, las administraciones competentes procederán o bien a su reiteración o bien, cuando la urgencia en la adopción de las correspondientes medidas lo aconseje, a ejecutar subsidiariamente las medidas que procedan, con cargo, en todo caso, a los responsables de la conservación del bien de que se trate. Todo ello sin perjuicio, en el caso de bienes muebles, de su depósito provisional en un centro público en los términos previstos en el *artículo 44* de esta Ley.

Artículo 32. Interés social de la expropiación por incumplimiento del deber de conservación

Es causa de interés social a efectos de expropiación el incumplimiento del deber de conservación de los bienes integrantes del Patrimonio Cultural de Asturias.

Artículo 33. Utilización inadecuada

1. En caso de que los bienes que formen parte del Patrimonio Cultural de Asturias sean utilizados de forma que suponga menoscabo de sus valores, la Consejería de Educación y Cultura ordenará a sus propietarios, poseedores y titulares de derechos reales que cesen o rectifiquen dicho uso u opten por un aprovechamiento alternativo. Lo mismo harán los Ayuntamientos, cuando proceda con arreglo a la legislación urbanística y en el caso de los bienes incluidos en los catálogos urbanísticos de protección.

2. El incumplimiento injustificado del requerimiento a que hace referencia el apartado 1 de este artículo, llevará consigo la imposición de la correspondiente multa coercitiva, en los términos previstos en el *artículo 104* de esta Ley.

Artículo 34. Ruina

> **Notas de vigencia:**
> Ap. 2 modificado por **disp. final 3.3** de **Ley núm. 4/2021, de 1 de diciembre. LPAS\2021\693.**

1. Respecto a los bienes inmuebles integrantes del Patrimonio Cultural de Asturias, protegidos singularmente o formando conjunto, únicamente procederá la declaración legal de ruina en alguno de los siguientes supuestos:

a) Situación de ruina física irrecuperable.

b) Coste de la reparación de los citados daños superior al cincuenta por ciento del valor actual de reposición del inmueble, excluido el valor del terreno. La valoración de reposición descrita no se verá afectada por coeficiente alguno de depreciación por edad. En su caso, se aplicarán los coeficientes de valoración que se consideren justificados en razón de la existencia del interés que dio lugar a su declaración como Bien de Interés Cultural o a su inclusión en el Inventario del Patrimonio Cultural de Asturias.

2. La incoación por los Ayuntamientos de expediente de declaración de ruina de un inmueble declarado Bien de Interés Cultural, incluido en el Inventario del Patrimonio Cultural de Asturias o catalogado con protección integral en el correspondiente catálogo urbanístico de protección, se notificará a la Consejería competente en materia de patrimonio cultural, que emitirá informe al respecto. El plazo para la emisión del informe es de tres meses, transcurridos los cuales sin haberse emitido de forma expresa podrá entenderse desestimatorio.

3. La declaración legal de ruina no será incompatible con el deber de conservación cultural, salvo que el bien se encuentre en situación irrecuperable a estos efectos. Si la declaración de ruina es consecuencia del incumplimiento del deber de conservación, la ruina declarada no pondrá término en ningún caso a la exigencia del deber de conservación a cargo de su propietario.

4. La incoación de un expediente de declaración de ruina o la denuncia de su situación de ruina inminente podrán dar lugar a la iniciación del procedimiento de expropiación forzosa del mismo.

5. La declaración legal de ruina no resultará incompatible con la rehabilitación urbanística.

Artículo 35. Impacto ambiental

Todos los proyectos de obras, instalaciones y actividades que hayan de someterse a procedimientos de evaluación de sus impactos ambientales habrán de contener en la documentación que corresponda un apartado específico sobre la afección que puedan producir en los bienes integrantes del patrimonio cultural, que requerirá informe favorable de la Consejería de Educación y Cultura.

Artículo 36. Licencias urbanísticas

1. Los Ayuntamientos no podrán otorgar licencias urbanísticas para la realización de obras u otros usos del suelo que atenten contra lo previsto en esta Ley.

2. Las obras o los usos del suelo realizados con infracción de lo establecido en el apartado anterior serán ilegales y, en su caso, darán lugar a que la Consejería de Educación y Cultura ordene la reconstrucción, demolición o retirada de elementos perturbadores, con cargo a los responsables del incumplimiento.

Artículo 37. Suspensión cautelar de intervenciones

1. La Consejería de Educación y Cultura ordenará la paralización de cualquier obra, intervención, utilización o actividad en bienes declarados de Interés Cultural o incluidos en el Inventario del Patrimonio Cultural de Asturias cuando ésta sea ilegal, no se esté desarrollando en los términos en que ha sido autorizada, o suponga la pérdida o deterioro de sus valores culturales, o un grave riesgo para los mismos. Dicha paralización podrá durar un máximo de treinta días hábiles, período en el que la Consejería deberá resolver sobre la continuación o no de la actividad iniciada, y deberá ser notificada al promotor, constructor y técnico director de las obras. De la misma manera se dará cuenta al Registro de la Propiedad para su anotación preventiva.

2. Igualmente tendrán la facultad de actuar de este modo, en el ámbito de sus respectivas competencias, la Consejería de Educación y Cultura y los Ayuntamientos cuando resulten afectados bienes susceptibles de ser protegidos de acuerdo con lo que dispone esta Ley, para que durante un plazo de tres meses resuelvan sobre la aplicación o no de las medidas de protección que resulten más adecuadas en cada caso. Las indemnizaciones que de ello eventualmente se pudieran derivar correrán a cargo de la Administración Pública que hubiera instado la paralización, salvo acuerdo en otro sentido.

3. En los solares en que, como consecuencia de obras ilegales, o por incumplimiento del deber de conservación, se haya producido la destrucción de un inmueble declarado de Interés Cultural, incluido en el Inventario del Patrimonio Cultural de Asturias, o incluido con nivel de protección integral en un Catálogo urbanístico de protección, no se podrá edificar, salvo para proceder a su reconstrucción en los términos establecidos en la letra c del apartado 1 del *artículo 57*. La pérdida de efectos de esta limitación sólo podrá realizarse por el procedimiento a que hace referencia el *artículo 21*, cuando se trate de un Bien de Interés Cultural, o el *artículo 26*, cuando se trate de un bien incluido en el Inventario del Patrimonio Cultural de Asturias. En el caso de los bienes exclusivamente protegidos a través de los Catálogos urbanísticos de protección, la pérdida de efectos de la mencionada limitación requerirá los mismos trámites que una modificación del Catálogo e informe favorable de la Consejería de Educación y Cultura.

Artículo 38. Reparación de daños causados ilícitamente

1. La Consejería de Educación y Cultura ordenará a las personas o instituciones responsables, sin perjuicio de la sanción que corresponda en su caso, la reparación de los daños causados ilícitamente en los bienes integrantes del Patrimonio Cultural de Asturias, mediante la adopción de medidas de demolición, reposición, reconstrucción u otras que resulten precisas para recuperar el estado anterior del bien. En caso de que, de forma injustificada, el requerimiento no sea atendido en el plazo señalado, se procederá a la imposición de la correspondiente multa coercitiva y a la repetición del mismo cuantas veces sea necesario, en los términos establecidos en el *artículo 104* de esta Ley.

2. En el caso de que los requerimientos a que hace referencia el apartado 1 de este artículo no produzcan el efecto deseado, ya sea por su reiterado incumplimiento, o porque los responsables del daño no dispongan de capacidad legal o económica para proceder a su reparación con la celeridad requerida, o por otras circunstancias sobrevenidas, la administración competente podrá ejecutar subsidiariamente las medidas correspondientes, con cargo, en todo caso, a dichos responsables.

3. Harán lo mismo y tendrán la misma facultad los Ayuntamientos en el caso de los bienes incluidos en los catálogos urbanísticos de protección que no tengan la consideración de bienes de Interés Cultural o de bienes incluidos en el Inventario del Patrimonio Cultural de Asturias.

Artículo 39. Expropiación

1. Serán causas justificativas de interés social para la expropiación, la defensa y protección de los bienes integrantes del Patrimonio Cultural de Asturias. Podrán expropiarse por igual causa los inmuebles que atenten contra su armonía ambiental, perturben su contemplación o conlleven un riesgo para su conservación. Asimismo serán causa justificativa de interés social para la expropiación de terrenos o inmuebles las mejoras en los accesos a dichos bienes, la dignificación de su entorno y, en general, la mejora en las condiciones de su disfrute público.

2. Con fines de difusión del Patrimonio Cultural de Asturias, será causa de interés social para la expropiación de edificios o terrenos la creación de archivos, bibliotecas, museos u otros centros públicos de difusión cultural. Esta declaración podrá extenderse a los edificios o terrenos contiguos a aquellos en los cuales se instalen estos centros cuando así lo requieran razones de seguridad, para la adecuada conservación de los inmuebles o de los bienes que contengan, de acceso o de promoción cultural de los mismos.

3. El establecimiento de las condiciones adecuadas para el estudio por los investigadores y el disfrute público de los bienes muebles declarados de Interés Cultural o incluidos en el Inventario del Patrimonio Cultural de Asturias, así como la protección y defensa de sus

valores culturales, serán causa de interés social, o en su caso de utilidad pública, a efectos de expropiación de los mismos en los siguientes casos:

a) Cuando se trata de bienes para los que, por su excepcional interés, no sean suficientes las medidas a que hace referencia el apartado 2 del *artículo 43* o las que eventualmente pudieran proponer sus propietarios o poseedores acogiéndose a lo dispuesto en el apartado 7 del mencionado artículo.

b) Cuando se incumplan reiteradamente las medidas a que hace referencia el apartado 2 del artículo 43.

c) Cuando no se garantice el mantenimiento de la integridad de colecciones que como tales hayan sido declaradas de Interés Cultural o incluidas en el Inventario del Patrimonio Cultural de Asturias.

d) Cuando no se garantice el mantenimiento de la vinculación histórica de un bien mueble con un inmueble declarado de Interés Cultural.

Dichos principios también serán de aplicación cuando se trate de restablecer vínculos históricos suficientemente acreditados y relevantes que hayan sido rotos en el pasado mediante la separación de los referidos bienes.

4. Son competentes para proceder a la expropiación que en cumplimiento de la presente Ley sea necesaria, la Consejería de Educación y Cultura y los Ayuntamientos. Sin perjuicio de lo dispuesto por la legislación estatal, es preferente la competencia de la Administración de la Comunidad Autónoma cuando dicha acción se realice en beneficio de la Biblioteca de Asturias, el Archivo Histórico de Asturias, el Museo Arqueológico de Asturias, el Museo del Pueblo de Asturias, el Museo de Bellas Artes de Asturias u otros museos de ámbito regional.

Artículo 40. Deber de comunicación

1. Los propietarios o poseedores de bienes declarados de Interés Cultural o incluidos en el Inventario del Patrimonio Cultural de Asturias, o que formen parte de los mismos están obligados a comunicar a la Consejería de Educación y Cultura:

a) Cualquier daño que por la razón que fuere hayan sufrido esos bienes y que afecte de forma significativa a su valor cultural.

b) Todo proyecto de proceder al traslado fuera de Asturias de bienes muebles, con un plazo mínimo de un mes antes de que se produzca.

La normativa urbanística establecerá los casos en que este deber de comunicación sea preceptivo con respecto a los Ayuntamientos en lo relativo a los bienes incluidos en los Catálogos urbanísticos de protección a que hace referencia el *artículo 27* de esta Ley.

2. El inicio del procedimiento de expropiación a que hacen referencia los apartados 1, 2 y 3 del *artículo 39* de esta Ley llevará consigo la prohibición de proceder al traslado fuera de Asturias de los bienes muebles integrantes del Patrimonio Cultural de Asturias. En tanto se sustancia dicho procedimiento la Consejería de Educación y Cultura ordenará, cuando ello sea preciso, el depósito de los bienes afectados en un centro público que reúna condiciones adecuadas.

Artículo 41. Comunicación de la existencia de bienes muebles

1. A efectos de facilitar la elaboración del Inventario del Patrimonio Cultural de Asturias, los propietarios o poseedores de bienes muebles que deban formar parte del Patrimonio Cultural de Asturias están obligados a comunicar su existencia a la Consejería de Educación y Cultura. Reglamentariamente se establecerán los criterios de antigüedad y valor económico que concretarán esta obligación.

2. Comunicada a la Consejería de Educación y Cultura la existencia de alguno de los bienes a que hace referencia el apartado 1 de este artículo, ésta dispondrá de un plazo de

un mes para iniciar los trámites correspondientes a la aplicación a los mismos de alguna de las figuras de protección a que hace referencia la presente Ley, durante cuyo plazo se considerarán sometidos a depósito y no podrán ser, por tanto, trasladados fuera de Asturias sin autorización.

3. No se podrá proceder al traslado fuera de Asturias de los bienes cuya existencia deba comunicarse obligatoriamente a la Consejería de Educación y Cultura en tanto no se haya cumplido con dicha obligación.

Artículo 42. Salida temporal de fondos

La salida temporal de fondos de museos, archivos o bibliotecas que tengan la condición de Bienes de Interés Cultural o formen parte del Inventario del Patrimonio Cultural de Asturias requerirá la adopción por sus responsables de las medidas de seguridad adecuadas al caso y deberá ser comunicada a la Consejería de Educación y Cultura, salvo en los casos que correspondan a las actividades habituales de préstamos, encuadernación, expurgo, reproducción o traslado de libros o documentos sin valor cultural individual reguladas mediante normas específicas y efectuadas bajo la responsabilidad de personal facultativo expresamente habilitado para ello. Reglamentariamente se establecerán los casos en que dichas salidas requerirán autorización de la Consejería de Educación y Cultura.

Artículo 43. Acceso

1. Los propietarios, poseedores y otros titulares de derechos reales sobre bienes declarados de Interés Cultural o incluidos en el Inventario del Patrimonio Cultural de Asturias están obligados a permitir el acceso a los mismos en los siguientes casos:

a) Examen, a efectos de inspección, por parte de la Administración del Principado de Asturias y, en su caso, los Ayuntamientos correspondientes.

b) Estudio por investigadores debidamente acreditados y visita pública, en las condiciones señaladas por la presente Ley y normas que la desarrollen.

2. El cumplimiento de las obligaciones establecidas en la letra b del apartado 1 de este artículo se realizará en condiciones expresamente convenidas con la Consejería de Educación y Cultura, que contemplen las condiciones específicas que correspondan al bien, de acuerdo con los siguientes principios:

a) En el caso de inmuebles declarados de Interés Cultural, sus propietarios, poseedores o titulares de los derechos correspondientes deberán señalar un número mínimo de cuatro días al mes, durante al menos cuatro horas por día, en que se podrá disponer su visita pública.

b) En el caso de inmuebles incluidos en el Inventario del Patrimonio Cultural de Asturias, sus propietarios, poseedores o titulares de los derechos correspondientes deberán señalar un número mínimo de seis días al año, durante al menos cuatro horas por día, en que se podrá disponer su visita pública.

c) Los mismos principios se aplicarán para los bienes muebles, si bien en este caso el acceso se podrá sustituir, a petición del propietario, poseedor o titular de los derechos correspondientes sobre el bien, por su depósito en el centro público que la Consejería de Educación y Cultura señale, para exposición pública y estudio por los investigadores. El período de depósito, salvo acuerdo en otro sentido entre ambas partes, será de dos meses cada cinco años.

3. De las obligaciones establecidas en las letras a y b del apartado 2 de este artículo se exceptuarán, de forma total o parcial, aquellos casos en que los inmuebles a que se refieren tengan el carácter de domicilio particular, cuando por razones de residencia continuada sea imposible su cumplimiento sin violación de la intimidad del mismo. En todo caso, la

Consejería de Educación y Cultura podrá requerir la justificación adecuada de los extremos correspondientes a quienes soliciten acogerse a estas excepciones.

4. Se exceptuarán asimismo de las obligaciones a que hace referencia la letra c del apartado 2 los bienes bibliográficos o documentales de los que existan copias o ejemplares en centros abiertos al público.

5. El Principado de Asturias, con la colaboración en su caso de los Ayuntamientos correspondientes, deberá establecer sistemas adecuados de acompañamiento y guía para evitar que el acceso a los inmuebles a los que hace referencia este artículo, cuando habitualmente no estén abiertos al público, se realice en condiciones que supongan cargas adicionales para sus propietarios o poseedores. Las zonas a visitar de los inmuebles a que hace referencia este artículo y los días efectivos de visita pública se establecerán de acuerdo con la naturaleza de su uso, su interés histórico y cultural y las posibilidades presupuestarias.

6. Cuando ello sea procedente, la Consejería de Educación y Cultura requerirá a los propietarios, poseedores o titulares de los correspondientes derechos el cumplimiento de estas obligaciones. El incumplimiento de dichos requerimientos dará lugar a la aplicación de las multas coercitivas contempladas en el **artículo 104** de esta Ley.

7. El Principado de Asturias establecerá beneficios económicos adicionales para los propietarios y poseedores de bienes integrantes del Patrimonio Cultural de Asturias con los que se acuerden sistemas de acceso a los bienes o de visita pública no restringida y en horarios más amplios que los específicamente obligados por la presente Ley.

Artículo 44. Depósito provisional
El titular de la Consejería de Educación y Cultura podrá ordenar el depósito provisional en un centro público de bienes muebles integrantes del Patrimonio Cultural de Asturias cuando peligre su conservación o seguridad.

Artículo 45. Derechos de tanteo y retracto
1. Toda pretensión de transmisión onerosa de la propiedad o de cualquier derecho real de disfrute de los bienes muebles declarados de Interés Cultural o incluidos en el Inventario del Patrimonio Cultural de Asturias deberá ser fehacientemente notificada a la Consejería de Educación y Cultura con indicación del precio y condiciones en que se proponga realizar aquélla, debiéndose acreditar también la identidad del adquiriente. Los subastadores deberán notificar igualmente y con suficiente antelación las subastas que afecten a cualquier bien integrante del Patrimonio Cultural de Asturias.

2. La Consejería dispondrá de un plazo de dos meses para ejercer el derecho de tanteo para sí o para otras instituciones públicas o entidades privadas sin ánimo de lucro, obligándose al pago del precio convenido, o, en su caso, el de remate, en un período no superior a dos ejercicios económicos, salvo acuerdo con el interesado en otra forma de pago.

3. En los casos en que no se ejerza el derecho de tanteo, si la venta no queda formalizada en las condiciones notificadas o si, a pesar de no haber variado las condiciones inicialmente establecidas, ha transcurrido un año sin que la transmisión haya quedado formalizada, el enajenante estará nuevamente obligado en los términos previstos en el apartado 1 de este artículo.

4. Si la pretensión de transmisión y sus condiciones no han sido notificadas o lo fueron incorrectamente, se podrá ejercer, en los mismos términos previstos para el derecho de tanteo, el de retracto en el plazo de dos meses a partir de la fecha en que se tenga conocimiento fehaciente de la transmisión.

5. Lo dispuesto en los apartados anteriores de este artículo se aplicará de la misma forma a los bienes inmuebles declarados de Interés Cultural a título individual.

6. Lo establecido en este artículo lo es sin perjuicio de los derechos de tanteo y retracto que la legislación estatal reconoce a la Administración del Estado.

Artículo 46. Comercio

Las personas y entidades que se dediquen habitualmente al comercio de bienes integrantes del patrimonio cultural dentro del ámbito del Principado de Asturias deberán solicitar su inscripción en un Registro que al efecto creará la Administración del Principado de Asturias. En la forma que reglamentariamente se establezca, estarán obligadas a llevar un libro registro en que constarán sus existencias y transacciones, así como la descripción de los bienes correspondientes.

Artículo 47. Escrituras públicas

Para la formalización de escrituras públicas de adquisición de bienes integrantes del Patrimonio Cultural de Asturias o de transmisión de derechos reales de disfrute sobre estos bienes se acreditará previamente el cumplimiento de lo que establece el artículo 45, en los casos en que resulte de obligado cumplimiento. Esta acreditación también es necesaria para la inscripción de los títulos correspondientes.

Artículo 48. Limitaciones a la transmisión

1. Los bienes integrantes del Patrimonio Cultural de Asturias que sean propiedad de la Administración Autonómica son imprescriptibles e inalienables, salvo las transmisiones que se puedan efectuar entre Administraciones.

2. La transmisión de los bienes de las instituciones eclesiásticas se rige por la legislación estatal.

Artículo 49. Integridad de las colecciones

Las colecciones de bienes muebles de cualquier naturaleza, que como tales tengan la condición de Bien de Interés Cultural o formen parte del Inventario del Patrimonio Cultural de Asturias no pueden ser disgregadas por sus titulares o poseedores sin autorización de la Consejería de Educación y Cultura.

CAPÍTULO SEGUNDO. Régimen aplicable a los bienes de interés cultural

Artículo 50. Régimen de protección

> **Notas de vigencia:**
> Ap. 1 modificado por **disp. final 3.4** de **Ley núm. 4/2021, de 1 de diciembre. LPAS\2021\693.**

1. Los Bienes de Interés Cultural deberán ser conservados con sujeción al régimen de protección general y específico previsto en la presente ley y legislación estatal aplicable. Todas las obras e intervenciones que se realicen sobre los mismos o, en el caso de los inmuebles, sobre su entorno de protección, requerirán autorización expresa de la Consejería competente en materia de patrimonio cultural y solo serán autorizables cuando recojan adecuadamente el respeto de sus valores culturales. No será precisa la autorización previa de la Consejería competente en materia de patrimonio cultural en el supuesto establecido en el artículo 18.3 de la presente ley respecto a obras menores o actuaciones permitidas.

El plazo máximo para la concesión de la autorización es de cuatro meses, transcurridos los cuales el interesado podrá entender desestimada su solicitud.

2. Se exceptúan de lo dispuesto en el apartado 1 de este artículo las obras en Jardines, Conjuntos, Vías y Sitios Históricos, Zonas Arqueológicas, y en el entorno de Monumentos, cuando haya sido aprobado por la Consejería de Educación y Cultura y los Ayuntamientos correspondientes un Plan Especial de Protección u otro instrumento de planeamiento, en los términos señalados en el artículo 55 de este Ley, y siempre que se trate de obras que se lleven a cabo en aplicación de lo previsto en el mismo y no se realicen directamente sobre los propios inmuebles declarados Bien de Interés Cultural a título singular.

Artículo 51. Proyecto técnico

1. La realización de obras mayores e intervenciones de conservación o restauración de Bienes de Interés Cultural precisará la elaboración de un proyecto técnico.

2. Los proyectos técnicos incluirán como mínimo la identificación del bien, la diagnosis de su estado, la documentación gráfica de los estudios previos y su entorno o contexto, la propuesta de actuación desde el punto de vista técnico y económico y la descripción de la técnica y materiales a utilizar. En los casos que reglamentariamente se señalen deberán ir acompañados de estudios complementarios, históricos, arqueológicos o de otra naturaleza. La redacción de proyectos, la dirección de las obras y restantes intervenciones, y en su caso los estudios complementarios, deberán efectuarse por técnico competente.

3. Al término de las actuaciones el técnico director de las obras o intervenciones presentará a la Consejería de Educación y Cultura un informe detallado sobre la ejecución de las mismas.

4. Quedan exceptuadas del requisito de proyecto técnico las actuaciones de emergencia que resulte necesario realizar en caso de riesgo grave para las personas o los bienes. La situación de emergencia deberá acreditarse mediante informe suscrito por profesional competente que será puesto en conocimiento de la Consejería de Educación y Cultura antes de iniciar las actuaciones. Al término de la intervención deberá presentarse informe descriptivo de su naturaleza, alcance y resultados. Las intervenciones de emergencia se limitarán a las actuaciones que resulten estrictamente necesarias, reponiéndose los elementos retirados al término de las mismas.

Artículo 52. Bienes muebles vinculados

Los bienes muebles vinculados a un Bien de Interés Cultural Inmueble, y comprendidos en la declaración, no se pueden separar de él sin autorización de la Consejería de Educación y Cultura.

Artículo 53. Ocupación temporal

Para asegurar la ejecución de las obras que se consideren indispensables cuando la conservación de los bienes se vea gravemente amenazada, la Consejería de Educación y Cultura y los Ayuntamientos, en el ámbito de sus respectivas competencias, a falta de acuerdo con el propietario, podrán autorizar la ocupación temporal de los Bienes de Interés Cultural o de los inmuebles vecinos. Esta ocupación deberá ser notificada a su propietario o poseedor y su duración no podrá exceder en ningún caso de los seis meses. Los daños y perjuicios serán indemnizados con arreglo a la legislación de expropiación forzosa.

Artículo 54. Prohibición de derribo

1. No podrán ser objeto de derribo total o parcial los Monumentos. Se exceptúan las intervenciones de urgencia que deban realizarse para evitar daños a las personas o a otros bienes, que deberán en todo caso contar con autorización de la Consejería de Educación y Cultura. Asimismo se exceptúan los casos a que hace referencia la letra d del apartado 1 del artículo 57.

2. Los inmuebles integrantes de Jardines, Conjuntos, Vías o Sitios Históricos, Zonas Arqueológicas, o entornos de protección de los mismos y de los Monumentos, se regirán a estos efectos por lo que establezca el instrumento de planeamiento elaborado al efecto o, en su caso, adaptado a las exigencias establecidas en esta Ley. A falta de ese instrumento o, en su caso, a falta de adaptación a esta Ley de uno vigente, sólo se podrá permitir el derribo si así lo autoriza previamente la Consejería de Educación y Cultura.

Artículo 55. Planeamiento territorial y urbanístico

1. Los términos de la declaración como Bien de Interés Cultural prevalecen sobre los instrumentos de planeamiento que afecten al bien, planeamiento que se ajustará a ella antes de ser aprobado si está en elaboración, o bien, si ya se encontraba vigente antes de la declaración, se adaptará a la misma mediante modificación o revisión.

2. En el caso de Jardines, Conjuntos, Vías, Sitios Históricos y Zonas Arqueológicas los Ayuntamientos correspondientes elaborarán planes urbanísticos de protección del área afectada por la declaración o adaptarán uno vigente mediante modificación o revisión. Sus determinaciones constituyen un límite para cualquier otro instrumento de ordenación territorial, prevaleciendo sobre los ya existentes. El planeamiento que deba redactarse o adaptarse, así como sus modificaciones o revisiones posteriores, deberá contar con el informe favorable de la Consejería de Educación y Cultura. La solicitud de dicho informe se producirá una vez que los documentos hayan adoptado su redacción final y antes de ser sometidos a aprobación definitiva. Se entenderá emitido informe favorable transcurridos seis meses desde su solicitud. Se considerarán nulas las previsiones del planeamiento que no recojan en su totalidad el contenido del informe emitido o vayan en contra del mismo.

3. Los estudios de detalle u otro tipo de planeamiento de desarrollo del propio plan protector al que hace referencia el apartado anterior, y los proyectos de urbanización, requerirán informe favorable de la Consejería de Educación y Cultura, en las mismas condiciones. Esta exigencia se extiende también a los instrumentos de ordenación del territorio y planes de ordenación de recursos naturales en los que se vean afectados estos mismos bienes.

4. Lo dispuesto en los apartados 2 y 3 de este artículo deberá aplicarse de la misma forma a las zonas afectadas por la delimitación del entorno de un Monumento, previo acuerdo entre la Consejería de Educación y Cultura y el Ayuntamiento correspondiente.

5. El Principado de Asturias colaborará con los Ayuntamientos en la redacción, gestión y ejecución de las normas de planeamiento a que se hace referencia en los apartados 2, 3 y 4 de este artículo.

6. El Principado de Asturias tendrá la facultad de proceder a la redacción y aprobación de los planes a que hace referencia el apartado 2 de este artículo, con carácter subsidiario, cuando los Ayuntamientos, habiendo sido requeridos para ello y transcurrido el plazo que reglamentariamente se establezca, no hayan cumplido las obligaciones señaladas en el mismo.

Artículo 56. Autorización de obras

En tanto no se apruebe el instrumento de planeamiento al que hace referencia el artículo anterior, las intervenciones en Conjuntos Históricos, Vías Históricas, Sitios Históricos y Zonas Arqueológicas precisarán autorización de la Consejería de Educación y Cultura. En todo caso, no se permitirán alteraciones en alineaciones consolidadas históricamente ni agregaciones en parcelas, a excepción de los entornos de protección. Quedarán sin efecto las previsiones del planeamiento territorial y urbanístico y los proyectos de urbanización y parcelación disconformes con el régimen de intervención en los Bienes de Interés Cultural y sus entornos de protección que sea de directa aplicación.

Artículo 57. Criterios de intervención

> **Notas de vigencia:**
> Ap. 3 modificado por **disp. final 3.5** de **Ley núm. 4/2021, de 1 de diciembre. LPAS\2021\693.**

1. La potestad de planeamiento y las facultades de autorización de obras en relación con Monumentos se ejercerán de acuerdo con los siguientes criterios:

a) Se respetará el interés que motivó la declaración en la conservación, recuperación, restauración y utilización del bien, sin perjuicio de que pueda autorizarse la utilización de elementos, técnicas y materiales contemporáneos para la mejor adaptación del bien a su uso y para valorar determinados elementos o épocas.

b) Se conservarán las características tipológicas de ordenación espacial, volumétricas y morfológicas del bien, y en lo posible técnicamente, los procedimientos constructivos, texturas y acabados.

c) La reconstrucción total o parcial del bien quedará prohibida, excepto en los casos en que se utilicen partes originales, así como las adiciones miméticas que falseen su autenticidad histórica. No están afectadas por esta prohibición las reconstrucciones totales o parciales de volúmenes primitivos que se realicen a efectos de percepción de los valores culturales y la naturaleza de conjunto del bien, en cuyo caso quedarán suficientemente diferenciadas a fin de evitar errores de lectura e interpretación. Del mismo modo, no están afectadas las que, previa autorización de la Consejería de Educación y Cultura e informe favorable del Consejo del Patrimonio Cultural, se realicen para corregir los efectos del vandalismo, de catástrofes naturales, del incumplimiento del deber de conservación o de obras ilegales.

d) No es autorizable la eliminación de partes del bien, excepto en caso de que conlleven la degradación del mismo o que la eliminación permita una mejor interpretación histórica o arquitectónica, debiendo en tal caso documentarse las partes que deban ser eliminadas.

2. La potestad de planeamiento y las facultades de autorización de obras en relación con los Conjuntos Históricos se ejercerán de acuerdo con los siguientes criterios:

a) Con carácter general, se prohíben las instalaciones urbanas eléctricas, telefónicas y cualesquiera otras, de carácter exterior, tanto aéreas como adosadas a las fachadas, que se canalizarán soterradas. Exclusivamente podrán exceptuarse de esta prohibición aquellos casos en que el soterramiento presente dificultades técnicas insalvables o pueda suponer daños para bienes de interés cultural relevante. Las antenas de televisión, las pantallas de recepción de ondas y los dispositivos similares se situarán en lugares en que no perjudiquen la imagen del conjunto.

b) Se prohíbe la publicidad fija mediante vallas o carteles así como la que se produce por medios acústicos. No se consideran publicidad a estos efectos los indicadores y la rotulación de establecimientos existentes, informativos de la actividad que en ellos se desarrolla, que serán armónicos con el conjunto.

c) El planeamiento urbanístico o territorial determinará los criterios orientadores de las políticas sectoriales y los criterios ordenadores de las actividades económicas y sociales, públicas y privadas, que permitan la recuperación del tejido urbano mediante la revitalización de los usos adecuados, y concretará expresamente el alcance y contenido del estudio económico-financiero que se acompañe como documentación del plan.

d) El planeamiento urbanístico o territorial concretará aquellas actividades, obras o instalaciones, públicas o privadas, a las que deba aplicárseles el régimen de evaluación de impacto ambiental.

e) El planeamiento urbanístico declarará fuera de ordenación aquellas construcciones e instalaciones erigidas con anterioridad a su aprobación que resulten disconformes con el régimen de protección exigido por esta Ley.

3. Los principios establecidos en el apartado 1 se contemplarán, de la misma forma, cuando sean de aplicación, en el caso de los Conjuntos Históricos, las Zonas Arqueológicas, las Vías, los Jardines y los Sitios Históricos.

Los principios establecidos en el apartado 2 se contemplarán, de la misma forma, cuando sean de aplicación, en el caso de las Zonas Arqueológicas, las Vías, los Jardines y los Sitios Históricos

Artículo 58. Intervención en los entornos

En los entornos de protección delimitados en las declaraciones de cualquier categoría de Bienes de Interés Cultural o con posterioridad a ellas el planeamiento acordará la realización de aquellas actuaciones necesarias para la eliminación de elementos, construcciones e instalaciones que no cumplan una función directamente relacionada con el destino o características del bien y supongan un deterioro de este espacio. Las intervenciones y los usos en estos espacios no pueden alterar el carácter arquitectónico y paisajístico del área, perturbar la contemplación del bien o atentar contra la integridad física del mismo. Se prohíbe cualquier movimiento de tierras que conlleve una alteración grave de la geomorfología y la topografía del territorio y cualquier vertido de basura, escombros o desechos.

CAPÍTULO TERCERO. Régimen aplicable a los bienes incluidos en el inventario del patrimonio cultural de Asturias

Artículo 59. Régimen de protección

1. Con carácter general, solo son autorizables sobre Bienes incluidos en el Inventario del Patrimonio Cultural de Asturias las obras e intervenciones que respeten sus valores históricos y culturales y no pongan en riesgo su conservación. Requerirán autorización de la Consejería competente en materia de patrimonio cultural en los siguientes casos:

a) Las restauraciones de bienes muebles.

b) Las obras mayores sobre inmuebles, infraestructuras o espacios protegidos.

c) Los tratamientos de fachadas en inmuebles que vayan más allá de la mera conservación.

d) Las obras menores de conservación y mantenimiento en inmuebles cuando expresamente, y con carácter excepcional, así se haya señalado en la resolución por la que se incluyen esos bienes en el Inventario.

En el caso de inmuebles, tanto incluidos de forma individual como de forma conjunta, tendrán el carácter de obra autorizada las obras de conservación y mantenimiento sobre los elementos de la envolvente que conserven sus características originales, y siempre que se empleen idénticos materiales y técnicas constructivas a las existentes.

e) Las obras en el entorno de inmuebles, infraestructuras o espacios protegidos cuando expresamente se haya señalado en la resolución por la que se incluyen esos bienes en el Inventario, que en ese caso deberá incluir la delimitación correspondiente. La aprobación de un Plan Especial o figura urbanística equivalente podrá suponer la desaparición de dicho trámite en las mismas condiciones a que hacen referencia el apartado 2 del artículo 50 y el apartado 4 del artículo 55 de esta ley para el entorno de Monumentos.

f) Las obras en zonas en que se presuma la existencia de restos arqueológicos.

1 bis. El plazo máximo para la concesión de la autorización es de dos meses, transcurridos los cuales el interesado podrá entender desestimada su solicitud.

2. En el caso de bienes inmuebles, la inclusión en el Inventario del Patrimonio Cultural de Asturias, salvo que expresamente limite su protección a alguna o algunas de sus partes, lleva consigo la aplicación automática y adicional del régimen urbanístico de protección integral, de acuerdo con lo que al respecto establezcan las normas de planeamiento correspondientes.

Artículo 60. Planeamiento territorial y urba

En la elaboración, modificación o revisión de planes territoriales o urbanísticos y proyectos de urbanización, así como de los planes y programas de carácter sectorial que afecten a bienes inmuebles incluidos en el Inventario del Patrimonio Cultural de Asturias, se precisará informe favorable de la Consejería competente en materia de patrimonio cultural. Producida la aprobación inicial, con el acuerdo correspondiente y de forma simultánea la apertura del trámite de información pública, los citados documentos serán sometidos a la citada Consejería para su informe, que se entenderá favorable transcurridos tres meses desde la recepción de su solicitud.

CAPÍTULO CUARTO. Regímenes aplicables a los patrimonios arqueológico, etnográfico, histórico-industrial, documental y bibliográfico

Sección primera. Régimen aplicable al patrimonio arqueológico

Artículo 61. Patrimonio arqueológico

1. Forman parte del Patrimonio Arqueológico de Asturias todos aquellos bienes, localizados o no, cuyo estudio mediante el uso de una técnica arqueológica pueda proporcionar información histórica significativa.

2. A efectos de la presente Ley, se considerarán también como parte del Patrimonio Arqueológico de Asturias los objetos y muestras de interés paleontológico que hayan sido separados de su entorno natural o deban ser conservados fuera de él y los elementos geológicos y paleontológicos de interés por su relación con la historia del hombre y sus orígenes.

3. El Principado de Asturias colaborará en la protección y el estudio de aquellos yacimientos arqueológicos situados en el mar territorial o en la plataforma continental que reúnan alguno de los valores a que hace referencia el artículo 1 de la presente Ley. En el mismo caso se encontrarán los yacimientos bajo aguas interiores dentro de Asturias que pertenezcan al ámbito competencial del Estado.

Artículo 62. Regímenes de protección

1. La protección del Patrimonio Arqueológico podrá llevarse a cabo por medio de su declaración como Bien de Interés Cultural o a través de su inclusión en el Inventario del Patrimonio Cultural de Asturias y, en cualquier caso, mediante la aplicación de las reglas específicas contenidas en esta Ley.

2. A los espacios afectados por la existencia de bienes integrantes del patrimonio arqueológico y a los Espacios Arqueológicos definidos en el artículo 65 de esta Ley se les dispensará desde el planeamiento la máxima protección que la normativa urbanística permita.

Artículo 63. Autorización de intervenciones

1. La realización de actividades arqueológicas en el ámbito territorial del Principado de Asturias precisará autorización previa y expresa de la Consejería de Educación y Cultura.

2. A efectos de lo dispuesto en el apartado 1 de este artículo y en general en esta Ley, tendrán la consideración de actividades arqueológicas los estudios de arte rupestre, exploraciones, prospecciones, excavaciones, seguimientos, sondeos, controles y cualesquiera

otras que, con remoción de terreno o sin ella, tenga por finalidad descubrir, documentar, investigar o proteger bienes integrantes del patrimonio arqueológico e impliquen su manejo directo o la intervención sobre ellos o en su entorno; todo ello sin perjuicio de la regulación mediante una normativa específica de las actividades relativas a los bienes a que hace referencia el apartado 2 del artículo 61. Tiene asimismo la consideración de actividad arqueológica el empleo de detectores de metales o instrumentos similares de detección de restos culturales en zonas en que se presuma la existencia de restos arqueológicos.

3. Para el otorgamiento de la autorización a que hace referencia el apartado 1 de este artículo es preciso que junto a la solicitud se acompañe un proyecto detallado de la intervención a realizar. Se incluirá asimismo una justificación de la conveniencia de la actividad desde el punto de vista de la gestión del suelo o de su interés científico, y de la idoneidad técnica y científica de los directores. Reglamentariamente se establecerán los requisitos que deberán cumplir los proyectos, los avales científicos de que, en su caso, deberán ir acompañados y las condiciones que deberán reunir los directores. En la misma forma se establecerán los requisitos y condiciones que deberán reunir las memorias a presentar al final de los trabajos.

4. La dirección de una actividad arqueológica lleva consigo el seguimiento directo de los trabajos con presencia efectiva en el lugar en que se realizan los mismos. El director de una actividad arqueológica es responsable de que ésta se efectúe de acuerdo con los términos en que ha sido autorizada, utilizando las técnicas científicas adecuadas y, en general, del respeto a la normativa legal aplicable al caso.

5. No se autorizará la dirección de actividades arqueológicas en el territorio del Principado de Asturias a quienes en un plazo anterior de diez años hayan sido declarados responsables de la realización de actividades arqueológicas no autorizadas, de la destrucción de bienes integrantes del patrimonio cultural, o de incumplimiento en las obligaciones de presencia directa en los trabajos arqueológicos que hayan dirigido o en la obligación de depósito de materiales en el Museo Arqueológico.

6. Serán ilícitas las actuaciones arqueológicas realizadas sin la preceptiva autorización, o las realizadas contraviniendo los términos de ésta, incluyendo aquellas que se realicen en el lugar donde se haya producido un hallazgo casual de objetos arqueológicos, con posterioridad a éste, o en yacimientos arqueológicos conocidos.

Artículo 64. Intervenciones por obras en bienes ya protegidos

En los casos en que se haga necesaria una actuación arqueológica como consecuencia de cualquier tipo de obras que afecten a lugares donde se conozca o se presuma la existencia de restos arqueológicos, corresponderá al promotor de las mismas la presentación y ejecución de un proyecto arqueológico adecuado, de acuerdo con lo que se establece en el artículo 63 de la presente Ley.

Artículo 65. Espacios Arqueológicos

1. Los Espacios Arqueológicos son lugares en los que, por evidencias materiales, por antecedentes históricos, por la toponimia, por tradiciones orales significativas o por otros indicios físicos, materiales o documentales, se presume la existencia de un yacimiento arqueológico.

2. Tendrán la consideración de Espacios Arqueológicos:

a) Las zonas que expresamente se califiquen como Espacios Arqueológicos en los inmuebles y zonas que se declaren Bien de Interés Cultural o se incluyan en el Inventario del Patrimonio Cultural de Asturias y en su entorno.

b) Los que, con carácter preventivo, y a la espera de un estudio más completo, declare como tales la Consejería de Educación y Cultura.

3. La declaración preventiva como Espacio Arqueológico a que hace referencia la letra b del apartado 2 se efectuará por resolución del titular de la Consejería de Educación y Cultura, con audiencia previa de los interesados y del Ayuntamiento afectado.

4. Los promotores de obras y de otras intervenciones en solares o edificaciones que se hallen en Espacios Arqueológicos, presentarán, junto con la solicitud de la licencia correspondiente, un estudio de su incidencia sobre los restos arqueológicos que pueda haber en la zona. Para la concesión de la licencia correspondiente se precisará informe favorable de la Consejería de Educación y Cultura y se condicionará, cuando ello sea preciso, a la realización de un proyecto arqueológico adecuado al caso.

5. Los planes urbanísticos recogerán los Espacios Arqueológicos existentes y las normas de protección y cautelas que afecten a los mismos, incluyendo las relativas a usos del suelo.

Artículo 66. Carta Arqueológica de Asturias

La Consejería de Educación y Cultura documentará el conjunto de las zonas protegidas, aun con efectos preventivos, por su interés arqueológico, delimitando su extensión y recogiendo los usos del suelo, normas de protección y cautelas que afecten a las mismas. Dicha información, que será difundida con las cautelas adecuadas a su naturaleza, constituirá la Carta Arqueológica de Asturias.

Artículo 67. Descubrimiento de bienes arqueológicos

1. Los descubrimientos de bienes con valor arqueológico hechos por azar y los de carácter singular producidos como consecuencia de la realización de actividades arqueológicas se comunicarán en el plazo de cuarenta y ocho horas a la Consejería de Educación y Cultura, sin que se pueda dar conocimiento público de ellos antes de haber informado a dicha Administración.

2. En el mismo plazo establecido en el apartado anterior de este artículo, en el caso de objetos descubiertos por azar, se hará entrega de los mismos a la Consejería de Educación y Cultura. Los derechos de carácter económico que puedan corresponder al descubridor de los objetos y al propietario de los terrenos serán satisfechos por la Administración del Principado de Asturias, salvo que ésta establezca acuerdos al respecto con otras Administraciones Públicas, y se rijan por lo dispuesto en la normativa estatal.

3. Los restos y objetos de interés descubiertos por azar o mediante la realización de actividades arqueológicas o paleontológicas no autorizadas tienen la consideración de bienes de dominio público. En ningún caso les será de aplicación lo dispuesto por el artículo 351 del Código Civil. Su depósito, cuando hayan sido separados de su contexto, se realizará obligatoriamente en el Museo Arqueológico de Asturias o en las dependencias paleontológicas que se determinen reglamentariamente.

4. Tienen igualmente la consideración de bienes de dominio público los restos y objetos de interés descubiertos como resultado de actividades arqueológicas. Su depósito se realizará obligatoriamente en el Museo Arqueológico de Asturias en el plazo que al efecto se haya señalado con la autorización de la actividad, debidamente inventariados, catalogados y acompañados de la Memoria de la excavación. Dicho plazo en ningún caso podrá ser superior a un año. Corresponde a los directores de las excavaciones la responsabilidad en el cumplimiento de esta obligación.

5. No obstante lo dispuesto en el apartado 4 de este artículo, previo informe de la dirección del Museo Arqueológico de Asturias, se podrá autorizar la entrega temporal a sus descubridores de los materiales mencionados en dicho apartado, cuando su estudio así lo requiera, por un período máximo de tres años. Asimismo, y por el mismo procedimiento, se podrá autorizar la exhibición o conservación de los materiales depositados en el Museo en otros centros o lugares abiertos al público, siempre que cumplan condiciones adecuadas

para ello. Se dará preferencia, en este último caso, a su emplazamiento en relación con el entorno al que estén vinculados.

6. De lo dispuesto en los apartados anteriores se establecerán reglamentariamente las excepciones que, por carencia de interés singular o por ser recomendable un tratamiento diferenciado en lo relativo a su depósito, pudieran proceder en el caso de los bienes a que hace referencia el apartado 2 del artículo 61.

Artículo 68. Suspensión cautelar de obras

1. Si durante la ejecución de obras, cualquiera que sea su naturaleza, se hallan restos con presunto interés arqueológico, el promotor, el constructor, la dirección facultativa de la obra o los responsables de la misma paralizarán los trabajos, adoptarán las medidas adecuadas para la protección de los restos y comunicarán inmediatamente su descubrimiento a la Consejería de Educación y Cultura y al Ayuntamiento correspondiente.

2. En el plazo de un mes a contar desde la comunicación, la Consejería de Educación y Cultura resolverá a favor de la incoación de expediente declaración como Bien de Interés Cultural o inclusión en el Inventario del Patrimonio Cultural de Asturias o a favor de la continuación de las obras, acompañada, en su caso, del oportuno seguimiento arqueológico.

3. Cuando se trate de obras realizadas en virtud de licencias municipales concedidas con ajuste a la legalidad, el Principado de Asturias colaborará con los Ayuntamientos en la financiación de las indemnizaciones que eventualmente se pudieran derivar para éstos del cumplimiento de lo dispuesto en el presente artículo.

Sección segunda. Régimen aplicable al patrimonio etnográfico

Artículo 69. Patrimonio etnográfico

1. Integran el Patrimonio Etnográfico de Asturias las expresiones relevantes o de interés histórico de las culturas y formas de vida tradicionales de los asturianos, desarrolladas colectivamente y basadas en conocimientos y técnicas transmitidos consuetudinariamente, esencialmente de forma oral.

2. Se valorará, a efectos de su inclusión individualizada, cuando sus méritos así lo justifiquen, en alguna de las categorías que a tal efecto se establecen en la presente Ley, el interés etnográfico de los siguientes elementos:

a) Los lugares que conservan manifestaciones de significativo interés histórico de la relación tradicional entre el medio físico y las comunidades humanas que los han habitado.

b) Los lugares vinculados a tradiciones populares, ritos y leyendas especialmente significativos.

c) Las construcciones que manifiestan de forma notable las técnicas constructivas, formas y tipos tradicionales de las distintas zonas de Asturias.

d) Los bienes muebles e inmuebles ligados a las actividades productivas preindustriales y protoindustriales, a las técnicas de caza y pesca y a las actividades artesanales tradicionales, así como los conocimientos técnicos, prácticas profesionales y tradiciones ligadas a los oficios artesanales.

e) Los elementos representativos del mobiliario y el ajuar doméstico tradicionales, y del vestido y el calzado.

f) Los juegos, los deportes, la música, las fiestas y los bailes tradicionales, con sus correspondientes instrumentos, útiles y complementos.

g) Los refranes, relatos, canciones y poemas ligados a la transmisión oral.

Artículo 70. Regímenes de protección

La protección del patrimonio etnográfico podrá llevarse a cabo a través de la declaración como Bien de Interés Cultural de los bienes que lo integran, de su inclusión en el Inventario del Patrimonio Cultural de Asturias, o en los Catálogos urbanísticos de protección, y mediante la aplicación en cualquier caso de las normas específicas contenidas en esta Ley o que desarrollen sus principios a través de la normativa urbanística, medio ambiental o de cualquier otra naturaleza que establezcan las Administraciones Públicas.

Artículo 71. Principios de protección

Serán principios específicos en la protección del patrimonio etnográfico los siguientes:

a) La protección del patrimonio etnográfico formará parte de una acción global dirigida a la protección del medio natural y el paisaje, así como de las actividades económicas tradicionales de las áreas rurales. Este aspecto será tenido en cuenta en la normativa que afecte a espacios naturales protegidos, así como en general en la normativa urbanística y de ordenación del territorio que afecte a las áreas rurales y en las políticas de desarrollo del medio rural.

b) La Administración del Principado de Asturias y, en general, los poderes públicos apoyarán la transmisión a las nuevas generaciones de los conocimientos y técnicas artesanales que pueden tener un lugar en la actividad económica de Asturias.

c) Se favorecerá la dignificación de las manifestaciones de la cultura popular tradicional, mediante su mantenimiento respetuoso y la introducción de su estudio y conocimiento en el sistema educativo.

d) De forma general y en lo referente al patrimonio etnográfico, se tomarán en cuenta las variedades específicas de las distintas comarcas y se protegerá la riqueza de las manifestaciones locales de la cultura popular.

e) En aplicación de los principios contenidos en esta Ley, se apoyará la investigación y conocimiento de la lengua asturiana. Lo mismo se aplicará al gallego-asturiano de las comarcas situadas en las cuencas de los ríos Eo y Navia.

Artículo 72. Expresiones no materiales

Los conocimientos, actividades, usos, costumbres y manifestaciones lingüísticas y artísticas, de interés etnológico, que trasciendan los aspectos materiales en que puedan manifestarse, serán recogidos, documentados, debidamente protegidos y puestos al servicio de los investigadores y los ciudadanos por los poderes públicos y las instituciones educativas. A dicho efecto, se apoyará la labor de las asociaciones, instituciones y personas que trabajen en su mantenimiento y revitalización.

Artículo 73. Centros de investigación y museos etnográficos

El Principado de Asturias apoyará la creación de museos y centros de investigación que desarrollen su labor con el adecuado soporte científico, como medio de proceder a la recogida en colecciones y puesta al servicio público de los testimonios de la cultura popular tradicional.

Artículo 74. Protección de elementos de interés etnográfico

1. El Principado de Asturias y los Ayuntamientos procederán al estudio completo de los elementos de la arquitectura tradicional que individualmente tengan interés cultural o contribuyan de forma sustancial a configurar espacios que en conjunto lo tengan y a su inclusión en los catálogos urbanísticos de protección a que hace referencia el artículo 27, o a la aplicación de alguna de las restantes figuras de protección contempladas en la presente Ley. De esa forma se actuará en el caso de elementos que se encuentren en estado de ruina con objeto de promover su recuperación.

2. Cuando se produzca estado de ruina, o manifiesto abandono por un período superior a diez años, de elementos de interés etnográfico que hayan sido objeto de protección el Ayuntamiento correspondiente tendrá la facultad de proceder a su expropiación. Efectua-

da la misma se podrá realizar su transmisión a particulares, instituciones o entidades que se comprometan a garantizar la conservación de sus valores culturales. La misma facultad tendrá el Principado de Asturias cuando se trate de bienes declarados de Interés Cultural o incluidos en el Inventario del Patrimonio Cultural de Asturias.

Artículo 75. Protección de hórreos, paneras y cabazos

1. Se prohíbe la construcción de hórreos, paneras y cabazos desvinculados de la vivienda.

2. Los hórreos, paneras y cabazos de nueva factura deberán adecuarse a los materiales y características constructivas y morfológicas tradicionales de estas edificaciones en la zona correspondiente. Reglamentariamente, el Principado de Asturias regulará dicho aspecto, contemplando la diversidad tradicional de tipos en los distintos concejos.

3. Sólo serán autorizables los usos de hórreos, paneras y cabazos que no menoscaben su valor cultural.

4. Aun cuando no hayan sido declarados Bien de Interés Cultural ni incluidos en el Inventario del Patrimonio Cultural de Asturias los hórreos construidos con anterioridad al año 1900 que conserven sus características constructivas, estarán sujetos a las siguientes limitaciones:

a) No podrán ser demolidos, ni total ni parcialmente, desmontados o trasladados de emplazamiento sin autorización de la Consejería de Educación y Cultura.

b) No se podrá autorizar la construcción de cierres perimetrales totales o parciales a partir de sus soportes, ni la construcción de edificaciones adosadas a los mismos.

c) Con la excepción de los casos en que, por razón de fuerza mayor, exista autorización al respecto de la Consejería de Educación y Cultura, no se podrán realizar sobre ellos más intervenciones que las de conservación y restauración, que se efectuarán, en todo caso, utilizando los materiales tradicionales que correspondan a su tipología.

Sección tercera. Régimen aplicable al patrimonio histórico-industrial

Artículo 76. Patrimonio histórico-industrial

1. Integran el Patrimonio Histórico-Industrial de Asturias los bienes muebles e inmuebles que constituyen testimonios significativos de la evolución de las actividades técnicas y productivas con una finalidad de explotación industrial y de su influencia sobre el territorio y la sociedad asturiana. En especial, de las derivadas de la extracción y explotación de los recursos naturales, de la metalurgia y siderurgia, de la transformación de productos agrícolas, la producción de energía, el laboreo de tabaco, y la industria química, de armamento, naviera, conservera o de la construcción.

2. Se valorará, a efectos de su inclusión individualizada, cuando sus méritos así lo justifiquen, en alguna de las categorías que a tal efecto se establecen en la presente Ley, el interés histórico-industrial de los siguientes elementos:

a) Maquinaria, utillaje y herramientas utilizados en los procesos técnicos y de fabricación ya desaparecidos u obsoletos.

b) Las construcciones y estructuras arquitectónicas o de ingeniería adaptadas a la producción industrial mediante procesos técnicos y de fabricación ya desaparecidos u obsoletos, tales como chimeneas, gasómetros, castilletes de hierro, madera, zinc y otros materiales, bocaminas de antigua minería de montaña, obradores, almacenes industriales o talleres mecánicos.

c) Los conjuntos de viviendas y equipamientos sociales asociados a las actividades productivas anteriores a 1940.

d) Las infraestructuras de comunicación marítima, por ferrocarril o por cable en desuso y las construcciones, maquinaria y material móvil a ellas asociados.

e) Las infraestructuras en desuso de extracción, bombeo y conducción de agua ligadas a procesos industriales o a concentraciones urbanas.

f) Las muestras singulares de la arquitectura de hierro, incluyendo mercados, puentes y viaductos.

g) Los fondos documentales de las empresas que reúnan las condiciones de antigüedad a que hacen referencia los artículos 80 y 83 de esta Ley.

3. El Principado de Asturias y los Ayuntamientos protegerán el patrimonio histórico-industrial por medio de:

a) La declaración como Bien de Interés Cultural, la inclusión en el Inventario del Patrimonio Cultural de Asturias o en los Catálogos urbanísticos de protección de los bienes susceptibles de recibir ese tratamiento.

b) La recogida sistemática y la puesta al servicio del público y de los investigadores en instituciones adecuadas de los fondos documentales y la maquinaria y bienes similares apartada ya de los procesos productivos y con interés histórico singular.

c) La aplicación de las normas específicas contenidas en esta Ley o que desarrollen sus principios a través de la normativa urbanística, medio ambiental o de cualquier otra naturaleza que establezcan las Administraciones públicas.

d) El apoyo a la labor de las asociaciones, instituciones y personas que realicen labores de investigación y colaboración social en la protección del Patrimonio Histórico-Industrial.

Artículo 77. Prohibición de la destrucción de maquinaria industrial

1. Se prohíbe la destrucción de maquinaria industrial de fabricación anterior a 1940 salvo que, por razones de fuerza mayor o interés social, o de carencia de interés cultural, exista autorización expresa en dicho sentido de la Consejería de Educación y Cultura. Las peticiones de autorización deberán ser resueltas en un plazo máximo de tres meses. Para su traslado fuera del territorio del Principado de Asturias se estará a lo dispuesto en el artículo 41.

2. Para la protección de los bienes documentales de interés histórico-industrial se estará a lo dispuesto con carácter general para el Patrimonio Documental.

Artículo 78. Testimonios de la historia social

Serán objeto especial de recopilación y estudio los aspectos sociales de la industrialización y muy especialmente los relacionados con los cambios en la vida cotidiana y con la historia del movimiento obrero, incluyendo los correspondientes testimonios orales.

Sección cuarta. Régimen aplicable al patrimonio documental y bibliográfico

Artículo 79. Definición de documento

A efectos de esta Ley se entiende por documento cualquier expresión del lenguaje oral o escrito, natural o codificado, y cualquier expresión gráfica, sonora o en imagen, recogida en cualquier tipo de soporte material, actual o futuro, incluyendo los mecanismos magnéticos e informáticos. Se excluyen aquellos bienes que tienen la consideración de bienes bibliográficos.

Artículo 80. Patrimonio documental. Documentos de entidades públicas asturianas

Forman parte del Patrimonio Cultural de Asturias, con la consideración de bienes integrantes del Patrimonio Documental de Asturias, los documentos de cualquier época y tipología, producidos, recibidos o conservados en el ejercicio de su función por los siguientes organismos:

a) La Junta General y la Administración del Principado de Asturias.

b) Las Entidades Locales asturianas.

c) La Universidad y las restantes instituciones asturianas de carácter científico o cultural de derecho público.

d) Las personas privadas, físicas o jurídicas, gestoras de servicios públicos dentro del ámbito territorial del Principado de Asturias, en lo que se refiere a documentos producidos por la gestión de dichos servicios.

e) Las personas físicas, al servicio de cualquier organismo público asturiano en lo que se refiere a documentos producidos por el ejercicio de las funciones correspondientes.

f) Las entidades y empresas públicas radicadas en Asturias.

g) Cualquier organismo o institución de carácter público radicado en Asturias y ya desaparecido, aun cuando se encuentre en manos de particulares.

Artículo 81. Otros documentos de entidades públicas

Sin perjuicio de la legislación estatal que les afecte, forman parte del Patrimonio Documental de Asturias, los documentos producidos por:

a) Los órganos periféricos de la Administración del Estado en Asturias.

b) Los centros públicos o privados de enseñanza radicados en Asturias.

c) Las notarías, los registros públicos y los juzgados y tribunales radicados en Asturias.

d) Cualquier otro organismo o entidad de titularidad estatal radicado en Asturias.

Artículo 82. Documentos de entidades privadas

Forman parte del Patrimonio Documental de Asturias los documentos con una antigüedad superior a los cuarenta años producidos, recibidos o conservados por las siguientes entidades, asociaciones y organismos, en cuanto radicados en Asturias:

a) Asociaciones políticas y sindicales.

b) Entidades y organismos eclesiásticos, salvo lo que se prevea en los convenios entre el Estado español y la Santa Sede o los representantes de otras confesiones religiosas.

c) Las fundaciones y asociaciones culturales, educativas, deportivas, recreativas y de asistencia social.

d) Los colegios profesionales.

Artículo 83. Documentos de particulares y otras entidades privadas

Forman parte, igualmente, del Patrimonio Documental de Asturias los documentos conservados en Asturias con una antigüedad superior a cien años por cualquier persona física o jurídica, entidad o empresa mercantil.

Artículo 84. Documentos situados fuera de Asturias

A efectos de promover su retorno a la región o de adoptar medidas para su conservación y puesta al servicio de los investigadores, y sin perjuicio de las competencias que pudieran corresponder a otras Administraciones, tendrán similar consideración a la de los bienes integrantes del Patrimonio Documental de Asturias los documentos producidos en la región o relacionados con ella que se encuentren fuera de Asturias, incluyendo muy especialmente los producidos por las comunidades y emigrantes asturianos. En los casos en que ello sea aconsejable, el Principado de Asturias procederá a su reproducción para el cumplimiento de los mencionados fines.

Artículo 85. Declaración individualizada

1. Con carácter excepcional y mediante resolución de su titular, la Consejería de Educación y Cultura declarará integrantes del Patrimonio Documental de Asturias documentos que, aun no reuniendo las condiciones de antigüedad mencionadas en los artículos 82 y 83 de esta Ley, tengan un interés histórico que así lo justifique y siempre que su antigüedad sea superior a veinticinco años. Dicha declaración decaerá en un plazo de seis meses si no es informada favorablemente por al menos dos instituciones consultivas, no pudiendo volver a efectuarse sobre el mismo bien en un plazo inferior a dos años.

2. No podrá aplicarse lo dispuesto en el apartado 1 de este artículo a los textos manuscritos de personas vivas, a los originales de obras de escritores vivos o a las obras de arte de artistas vivos, incluyendo los soportes originales de obras audiovisuales, las matrices de obras gráficas y los planos originales de edificaciones o los originales de diseños de cualquier otra naturaleza, salvo autorización expresa de su autor.

Artículo 86. Depósito preferente

1. Corresponde al Archivo Histórico de Asturias el depósito preferente de aquellos documentos integrantes del Patrimonio Documental de Asturias de que sea titular o depositario el Principado de Asturias, sin perjuicio de lo dispuesto por el artículo 92 de esta Ley para los de naturaleza audiovisual.

2. Reglamentariamente se establecerán los plazos y procedimiento de entrega al Archivo Histórico de Asturias de la documentación producida por las instituciones públicas que deban estar sujetas a dicha obligación, sin perjuicio de lo que al respecto disponga la legislación estatal.

Artículo 87. Patrimonio Bibliográfico

1. A efectos de esta Ley, son bienes bibliográficos las obras de investigación o de creación, de carácter unitario o de carácter seriado, manuscritas, impresas, filmadas, grabadas o reproducidas en cualquier tipo de soporte.

2. Forman parte del Patrimonio Bibliográfico de Asturias los siguientes bienes bibliográficos:

a) Los ejemplares de obras integrantes de la producción bibliográfica asturiana de los que no conste que haya, al menos, dos ejemplares en bibliotecas de titularidad pública de Asturias. Se presumirá su existencia para las ediciones posteriores a 1957.

b) Los ejemplares depositados en bibliotecas de titularidad pública de Asturias en cumplimiento de la legislación sobre depósito legal.

c) Las publicaciones de más de cien años de antigüedad, los manuscritos y los documentos originales de obras de investigación o de creación producidas por autores ya fallecidos.

d) Los fondos de las bibliotecas de titularidad pública de más de treinta años de antigüedad o cuando se trate de obras descatalogadas o que tengan alguna característica relevante que las individualice.

3. A efectos de proceder a su conservación o de promover su integración en la Biblioteca de Asturias o en otras bibliotecas públicas, tendrán similar consideración las publicaciones relacionadas con Asturias por su autor o por su temática de las que no conste la existencia de al menos dos ejemplares en bibliotecas de titularidad pública de la región.

4. Mediante resolución de su titular, la Consejería de Educación y Cultura declarará integrantes del Patrimonio Bibliográfico de Asturias aquellos bienes bibliográficos que, aun no reuniendo los requisitos establecidos en los apartados anteriores, tengan un interés histórico que así lo justifique. Dicha declaración decaerá en un plazo de seis meses si no es informada favorablemente por al menos dos instituciones consultivas, no pudiendo volver a efectuarse sobre el mismo bien en un plazo inferior a dos años.

Artículo 88. Regímenes de protección

Cuando la relevancia de su interés aconseje una protección individualizada, los bienes integrantes del Patrimonio Documental y Bibliográfico de Asturias serán declarados de Interés Cultural o se procederá a su inclusión en el Inventario del Patrimonio Cultural de Asturias, aplicándoseles en ese caso, con carácter adicional, el régimen protector propio de estas categorías de bienes.

Artículo 89. Depósito preferente

Corresponde a la Biblioteca de Asturias el depósito preferente de aquellos bienes integrantes del Patrimonio Bibliográfico de Asturias de que sea titular o depositario el Principado de Asturias, sin perjuicio de lo dispuesto en el artículo 92 de esta Ley para los de naturaleza audiovisual.

Artículo 90. Obligación de conservación

1. Se prohíbe la destrucción de bienes que formen parte del Patrimonio Documental de Asturias y del Patrimonio Bibliográfico de Asturias.

2. Lo dispuesto en el apartado anterior no se aplicará en el caso de los bienes a que hacen referencia los artículos 80 y 81 y la letra d) del apartado 2 del artículo 87 de esta Ley, cuando se trate de las labores de selección y expurgo habituales en la gestión de archivos y bibliotecas. Estas deberán ser realizadas, en todo caso, bajo la dirección de personal facultativo expresamente habilitado para ello en los términos en que se regulen los correspondientes sistemas de archivos y bibliotecas.

3. Los bienes que forman parte del Patrimonio Documental de Asturias y del Patrimonio Bibliográfico de Asturias deberán ser conservados por sus propietarios o poseedores, destinarlos a un uso que no impida su conservación y mantenerlos en lugares adecuados para la seguridad de los bienes y el acceso de los investigadores. El Principado de Asturias facilitará, en todo caso, su depósito en centros públicos especializados, y preferentemente en la Biblioteca de Asturias y el Archivo Histórico de Asturias, cuando procedan de empresas mercantiles radicadas en Asturias que cesen en su actividad o se vean afectadas por procesos de privatización o enajenación, existan dificultades insalvables para la conservación por sus propietarios o titulares, u otras circunstancias relativas a su conservación o puesta al servicio de los investigadores que así lo aconsejen.

4. Cuando se aprecien circunstancias de riesgo para la conservación de bienes que formen parte del patrimonio bibliográfico y documental asturiano, y en tanto se mantengan las mismas, la Consejería de Educación y Cultura ordenará su depósito en un archivo o biblioteca de titularidad pública que reúna condiciones adecuadas para ello.

5. Sin perjuicio de lo dispuesto en el artículo 43, los obligados a la conservación de los bienes constitutivos del Patrimonio Documental y Bibliográfico deberán facilitar la inspección por parte de los órganos competentes para comprobar la situación o estado de los bienes y habrán de permitir su estudio por los investigadores, previa solicitud suficientemente justificada de éstos. En el caso de los bienes bibliográficos y de los documentos a que hacen referencia los artículos 82 y 83 de esta Ley, la obligación de permitir el estudio por los investigadores podrá realizarse mediante el depósito del bien en centros públicos especializados.

Artículo 91. Catálogo Colectivo del Patrimonio Bibliográfico de Asturias y Censo del Patrimonio Documental de Asturias

1. El Principado de Asturias colaborará con la Administración del Estado en la localización y descripción de los bienes integrantes del patrimonio documental y del patrimonio bibliográfico español.

2. La Consejería de Educación y Cultura elaborará el Catálogo Colectivo del Patrimonio Bibliográfico de Asturias y el Censo del Patrimonio Documental de Asturias integrando en ellos los bienes a que hacen referencia los artículos 80, 81, 82, y 83, el apartado 1 del artículo 85 y los apartados 2, 3 y 4 del artículo 87 de esta Ley.

Artículo 92. Documentos y bienes bibliográficos de carácter audiovisual

Las películas, fotografías, grabaciones sonoras o de imágenes de cualquier naturaleza relativas a Asturias o producidas en la región, tengan el carácter de bienes documentales o bibliográficos de acuerdo con lo dispuesto en el artículo 79 y en el apartado 1 del artículo 87 de esta Ley, serán objeto de un tratamiento especializado para su puesta al servicio de los investigadores y del público. Reglamentariamente se regulará su depósito preferente.

Sección quinta. De las bibliotecas, archivos y museos

Artículo 93. Funciones de las Bibliotecas, Archivos y Museos

Independientemente de sus restantes cometidos de difusión cultural, son funciones de las Bibliotecas, Archivos y Museos la investigación, protección, difusión y puesta al servicio de los investigadores y del público de aquellos bienes integrantes del Patrimonio Cultural de Asturias que por su naturaleza mueble deban ser recogidos en instituciones de esta naturaleza. Su gestión deberá estar a cargo de personas con la adecuada cualificación técnica y sus responsables lo serán de la custodia y conservación de los bienes en ellos albergados.

Artículo 94. Competencias del Principado de Asturias

1. Corresponde al Principado de Asturias, sin perjuicio de otras funciones que le sean asignadas por la legislación:

a) La creación de Archivos, Bibliotecas y Museos de titularidad propia.

b) El otorgamiento de la calificación oficial como Archivos, Bibliotecas o Museos de aquellos centros que cumplan con los requisitos propios de estos centros, en la forma y previo cumplimiento de los requisitos que reglamentariamente se establezcan.

2. Con el fin de garantizar la adecuada coordinación entre estos centros y de mejorar sus servicios y condiciones técnicas, el Principado de Asturias establecerá sistemas autonómicos de Archivos, Bibliotecas y Museos, que contemplarán:

a) Una adecuada coordinación entre los trabajos y las acciones de los centros que se integren en ellos, incluyendo la configuración de sus colecciones, el estudio y dictamen de las cuestiones relativas a la calificación y utilización de los bienes en ellos reunidos, y los criterios de selección y expurgo en el caso de los bienes integrantes del Patrimonio Documental y Bibliográfico.

b) Sistemas de asesoramiento y control técnico para garantizar la adecuada conservación de los bienes que alberguen.

c) La creación de sistemas compartidos de difusión cultural y de trabajo técnico cooperativo.

TÍTULO TERCERO. De las medidas de fomento y difusión

CAPÍTULO PRIMERO. Fomento

Artículo 95. Colaboración con los propietarios

1. Las Administraciones públicas colaborarán con los propietarios, poseedores y titulares de derechos sobre los bienes integrantes del Patrimonio Cultural de Asturias en la conservación, recuperación, restauración y difusión de los mismos mediante la concesión

de subvenciones, ayudas económicas y beneficios fiscales, en el marco de las previsiones presupuestarias. Asimismo, se favorecerán las iniciativas de particulares o instituciones dirigidas a fomentar el disfrute cultural de dichos bienes.

2. Las subvenciones que otorguen las administraciones públicas se realizarán a fondo perdido o con carácter de anticipo reintegrable en caso de expropiación. En ese último caso su entrega requerirá la inscripción por la persona competente de dicha carga, que tendrá vigencia por un período de veinte años, en el Registro de la Propiedad.

3. Mediante convenios con los Ayuntamientos, el Principado de Asturias promoverá la entrega conjunta a los particulares, con carácter no reintegrable, de cantidades que compensen las que tengan que abonar como tasas o impuestos por obras o actividades que beneficien directamente a la conservación o al disfrute público de los bienes que integran el Patrimonio Cultural de Asturias, así como la reducción de las cargas fiscales de carácter local que incidan sobre dichos bienes, dentro de los límites que permita la legislación.

4. Especialmente se favorecerá la concesión de ayudas para la rehabilitación de viviendas situadas en Conjuntos Históricos.

5. Los Ayuntamientos y el Principado de Asturias podrán aceptar la cesión de bienes integrantes del Patrimonio Cultural de Asturias como pago a cuenta de las deudas tributarias de particulares. Corresponderá a la Comisión de Valoración de Bienes del Patrimonio Cultural de Asturias la estimación del valor de los bienes que se cedan.

6. Los propietarios y los titulares de derechos sobre bienes declarados de Interés Cultural, incluidos en el Inventario del Patrimonio Cultural de Asturias o en los Catálogos urbanísticos de protección gozarán de los beneficios fiscales que, en el ámbito de las respectivas competencias, determinen la legislación del Estado, la legislación del Principado de Asturias y, eventualmente, las ordenanzas locales.

Artículo 96. Planes de protección del Patrimonio Cultural

1. El Plan del Patrimonio Cultural de Asturias es el instrumento de evaluación de las necesidades de conservación, protección, investigación, enriquecimiento, fomento y difusión del Patrimonio Cultural de Asturias, y de la asignación racional y equilibrada de los recursos disponibles para el mejor cumplimiento de los objetivos previstos en esta Ley.

2. El Plan tendrá una vigencia de tres años y en él se programarán las actuaciones necesarias en materia de investigación, rehabilitación, restauración, señalización, difusión y acceso a los bienes integrantes del Patrimonio Cultural de Asturias de acuerdo con las prioridades que en él se determinen.

3. El Plan del Patrimonio Cultural de Asturias será informado por el Consejo de Patrimonio Cultural de Asturias y aprobado por el Consejo de Gobierno.

4. Una vez aprobado, sus directrices orientarán a las administraciones públicas en el ejercicio de sus competencias y vincularán al logro de sus objetivos la política de inversiones, transferencias y subvenciones que se programen para el cumplimiento de sus finalidades.

5. A fin de atender los gastos previstos en el Plan, se habilitarán los créditos oportunos en los programas correspondientes de los Presupuestos Generales del Principado de Asturias, sin perjuicio de las colaboraciones de otros órganos o entidades públicas o privadas que puedan coadyuvar a la financiación de las inversiones previstas en el mismo.

6. La aprobación por la Administración del Plan del Patrimonio Cultural de Asturias implicará la declaración de utilidad pública de los bienes y derechos afectados.

Artículo 97. Enseñanza y formación

1. Los poderes públicos, en el ámbito de sus competencias, promoverán el conocimiento del Patrimonio Cultural de Asturias, dentro del sistema educativo en sus diferentes niveles.

2. El Principado de Asturias promoverá el desarrollo de enseñanzas profesionales y actividades de perfeccionamiento en las distintas materias relacionadas con la conservación, rehabilitación y disfrute público del patrimonio cultural, incluyendo las relativas al patrimonio etnográfico y la edificación tradicional, así como las de los bailes, la música y los deportes tradicionales. A estos efectos, cuando ello sea aconsejable, establecerá acuerdos de colaboración con entidades y centros especializados.

3. El Principado de Asturias facilitará una formación adecuada a los funcionarios y personal que, en las distintas administraciones, tengan a su cargo las tareas relacionadas con la administración, vigilancia, custodia e inspección de los bienes integrantes del Patrimonio Cultural de Asturias.

4. El Principado de Asturias y los Ayuntamientos promoverán la profesionalización y una adecuada formación del personal encargado de la gestión y de la difusión del patrimonio cultural en sus ámbitos respectivos. El Principado de Asturias fomentará asimismo la investigación sobre dichos aspectos.

Artículo 98. Fomento de la creación

Los poderes públicos, en el ámbito de sus respectivas competencias, establecerán medidas de apoyo a la creación como medio para enriquecer el Patrimonio Cultural de Asturias. Dichas medidas contemplarán:

a) El desarrollo de la capacidad de expresión artística y de comprensión de los lenguajes artísticos.

b) La existencia de un sistema completo de enseñanzas artísticas.

c) La incorporación de obras de arte a los espacios públicos y la ampliación de las colecciones públicas con obras de nueva creación.

d) La garantía de que los creadores puedan ofrecer sus iniciativas y propuestas en condiciones de equidad.

e) La adopción de decisiones en materia de apoyo a la creación artística, de elección de diseños y de compra de obras de arte con el apoyo de un asesoramiento independiente y de solvencia reconocida.

f) El desarrollo de espacios y medios de comunicación artística, inspirados en principios de pluralismo y libertad, que faciliten la labor de los creadores y su acercamiento al público.

Artículo 99. Uno por ciento cultural

1. En el presupuesto de toda obra pública de importe superior en su conjunto a 50 millones de pesetas financiada total o parcialmente por el Principado de Asturias, se reservará un uno por ciento de los fondos para la conservación, restauración y enriquecimiento del patrimonio cultural, incluyendo la instalación de obras de arte, en su entorno, siendo de prioritaria atención a estos efectos las actuaciones contempladas para el mismo en el Plan del Patrimonio Cultural de Asturias. Dicha partida deberá figurar en el presupuesto para conocimiento de la Administración. En los expedientes de contratación de obras se deberá hacer constar la disponibilidad del crédito necesario para el cumplimiento de la obligación de reserva determinada en este artículo. De las mencionadas obligaciones se excluyen las obras que en sí mismas tengan como finalidad la rehabilitación o puesta en valor de bienes protegidos por su interés cultural o la instalación de obras de arte.

2. En el caso de que la obra pública se ejecute o se explote en virtud de concesión administrativa, el porcentaje se aplicará al presupuesto total de la obra.

3. En el supuesto de contratación por fases, el presupuesto que se ha de considerar es el de la suma de los presupuestos de las diversas fases de las obras.

4. La aplicación del uno por ciento cultural será considerada una inversión de carácter extraordinario y no podrá formar parte de las consignaciones o partidas del ejercicio presupuestario destinadas a la investigación, protección y fomento del patrimonio cultural y de la creatividad artística.

5. La aprobación de los proyectos a financiar con cargo al uno por ciento requerirá un dictamen previo de una comisión técnica que el Principado de Asturias creará por Decreto del Consejo de Gobierno. Esta comisión analizará tanto el interés artístico o cultural del proyecto como su influencia en la zona en que específicamente se realice la obra sobre la que se efectúa la reserva de fondos, y dará audiencia previa a los Ayuntamientos afectados. Asimismo tomará en cuenta el cumplimiento de lo dispuesto en las letras d y e del artículo 98 de esta Ley.

6. Las inversiones culturales del Estado en el territorio del Principado de Asturias en aplicación del uno por ciento cultural determinado en la Ley de Patrimonio Histórico Español se harán con informe previo de la Consejería de Educación y Cultura sobre los sectores y ámbitos culturales que se consideren prioritarios en cada momento.

CAPÍTULO SEGUNDO. Disfrute público

Artículo 100. Acceso para visita pública
La Consejería de Educación y Cultura velará por el cumplimiento de la obligación de los propietarios de Bienes de Interés Cultural de permitir el acceso para su visita pública, en los términos establecidos por la presente Ley. Asimismo, velará para que la visita pública se efectúe en condiciones adecuadas de conservación, conocimiento y difusión de los bienes.

Artículo 101. Difusión
1. La Consejería de Educación y Cultura promoverá la puesta al servicio de los ciudadanos y de los investigadores de los bienes integrantes del patrimonio cultural en condiciones técnicas adecuadas y elaborará bibliografías regionales actualizadas y catálogos de los bienes declarados de Interés Cultural, incluidos en el Inventario del Patrimonio Cultural de Asturias o protegidos en la normativa urbanística local por su interés cultural, así como de los fondos museísticos de la región.

2. El Principado de Asturias promoverá la edición de publicaciones de investigación y difusión del Patrimonio Cultural de Asturias.

Artículo 102. Cesión de bienes en depósito y régimen abierto de visitas
El Principado de Asturias favorecerá el depósito voluntario, en régimen de cesión de uso, en bibliotecas, archivos y museos abiertos al público de aquellos bienes muebles de interés para los mismos que sean de propiedad particular. A dicho efecto podrá establecer las correspondientes compensaciones económicas, entre las que podrá figurar la subvención para el pago de las obligaciones fiscales que se deriven de su propiedad durante el tiempo que dure la cesión.

Artículo 103. Gestión de determinados bienes
1. Los monumentos y yacimientos arqueológicos abiertos a la visita pública y administrados por la Consejería de Educación y Cultura serán gestionados de acuerdo con directrices comunes que garanticen su coherencia global. Se potenciará su divulgación, para lo cual deberán contar con los elementos suficientes de señalización, guía y servicios complementarios.

2. Se podrá autorizar la cesión del uso de los bienes integrantes del Patrimonio Cultural de Asturias de que sea titular el Principado de Asturias, en favor de otras instituciones públicas o de entidades privadas, siempre que ello favorezca su conservación o disfrute cultural.

3. La Administración del Principado de Asturias podrá constituir consorcios, o establecer otras fórmulas de gestión admisibles en Derecho, con otras Administraciones Públicas o con entidades privadas sin ánimo de lucro que persigan fines de interés público, para favorecer la gestión de la conservación y disfrute cultural de los bienes integrantes del Patrimonio Cultural de Asturias que sean propiedad de aquélla.

TÍTULO CUARTO. De la protección de la legalidad y del régimen sancionador

Artículo 104. Multas coercitivas

1. El incumplimiento de los requerimientos de la Consejería de Educación y Cultura o de los Ayuntamientos para el cumplimiento de las obligaciones a que hacen referencia los artículos 28, 29 y 30, el artículo 33, el apartado 1 del artículo 38 y el apartado 1 y 2 del artículo 43 de esta Ley, dará lugar a la imposición de multas coercitivas.

2. La imposición de la multa coercitiva corresponderá a la administración que haya formulado el requerimiento.

3. La imposición de multas coercitivas exigirá que en el requerimiento se indique el plazo de que se dispone para el cumplimiento de la obligación y la cuantía de la multa que puede ser impuesta. En todo caso el plazo deberá ser suficiente para cumplir la obligación y la multa no podrá exceder de 100.000 pesetas.

4. En el caso de que, una vez impuesta la multa coercitiva, se mantenga el incumplimiento que la ha motivado, podrá reiterarse las veces que sean necesarias hasta el cumplimiento de la obligación, sin que en ningún caso el plazo fijado en los nuevos requerimientos pueda ser inferior al fijado en el primero. La competencia para ello corresponderá a la administración que haya iniciado el procedimiento.

5. Las multas coercitivas son independientes y compatibles con las que se puedan imponer en concepto de sanción.

Artículo 105. Protección de la legalidad urbanística

1. Las licencias urbanísticas que se otorguen con infracción de lo previsto en la presente Ley deberán ser revisadas por el Ayuntamiento que las otorgó a través de alguno de los procedimientos de revisión de oficio previstos en la Ley 30/1992, de 26 de noviembre, de Régimen Jurídico de las Administraciones Públicas y del Procedimiento Administrativo Común. Mientras las obras estuvieran en curso de ejecución se procederá a la suspensión de los efectos de la licencia y la adopción de las demás medidas previstas en la legislación urbanística respecto a licencias ilegales.

2. Anulada la licencia por el procedimiento previsto en el apartado anterior, se estará a lo dispuesto en la legislación urbanística respecto a las licencias ilegales.

Artículo 106. Infracciones

1. Se consideran infracciones administrativas en materia de patrimonio cultural las acciones u omisiones tipificadas y sancionadas en esta Ley.

2. Las infracciones administrativas se clasifican en muy graves, graves y leves.

Artículo 107. Infracciones leves

Se consideran infracciones administrativas de carácter leve:

a) El incumplimiento de las obligaciones de facilitar información a la administración sobre el estado de bienes que forman parte del Patrimonio Cultural de Asturias, de facilitar la inspección de los mismos y de petición de las autorizaciones obligadas por la presente Ley, siempre que del mismo no se derive perjuicio alguno para la conservación de dichos bienes.

b) El traslado sin la correspondiente comunicación fuera de Asturias de bienes que formen parte del Patrimonio Cultural de Asturias, siempre que, a requerimiento de la administración competente, se proceda a su retorno.

c) La realización de obras o intervenciones no autorizadas sobre los bienes que forman parte del Patrimonio Cultural de Asturias, o sobre su entorno, siempre que no supongan un grave riesgo para los mismos y sean autorizables o reversibles por medios normales, sin destrucción de ninguno de sus valores culturales.

d) El incumplimiento de las obligaciones establecidas sobre disfrute público de los bienes integrantes del Patrimonio Cultural de Asturias, así como las acciones dirigidas a impedir o perturbar el acceso a dichos bienes por los investigadores o el público en los términos que al efecto se hayan establecido.

e) El incumplimiento del deber de conservación, incluyendo la protección adecuada de los bienes, siempre que del mismo no se deriven daños graves o destrucción de los bienes protegidos mediante la presente Ley.

f) El incumplimiento del plazo fijado para la entrega de los materiales obtenidos como resultado de actividades arqueológicas.

g) El incumplimiento de las normas de entrega al Archivo Histórico de documentación que deba ser trasladada al mismo, incluyendo las relativas a la entrega de protocolos notariales por parte de los Ayuntamientos depositarios de los mismos.

h) La dejación de funciones por parte de los directores de actividades arqueológicas.

i) Las acciones a que hace referencia el artículo 108, cuando los bienes afectados sean de escasa relevancia, previo informe en dicho sentido del Consejo del Patrimonio Cultural de Asturias.

j) El incumplimiento de la obligación de inscripción en el registro a que se refiere el artículo 46 de esta Ley.

k) Incumplimiento de la obligación de depósito legal en los términos establecidos en la disposición transitoria quinta de esta Ley.

Artículo 108. Infracciones graves

Siempre que no sean calificadas como muy graves, se consideran infracciones administrativas de carácter grave:

a) La realización de obras o intervenciones no autorizadas, de cualquier naturaleza, que supongan destrucción de bienes que formen parte del Patrimonio Cultural de Asturias, grave riesgo o pérdida de sus valores culturales.

b) El incumplimiento del deber de conservación, incluyendo las medidas de protección, cuando suponga destrucción o daños graves para bienes que formen parte del Patrimonio Cultural de Asturias.

c) El traslado fuera del Principado de Asturias sin la correspondiente comunicación de bienes integrantes del Patrimonio Cultural de Asturias, cuando no sea subsanado mediante su retorno.

d) La presentación, de forma maliciosa, de información incompleta o inexacta en los informes técnicos que acompañen a las peticiones de licencias o autorizaciones para obras o intervenciones sobre bienes que formen parte del Patrimonio Cultural de Asturias.

e) La presentación, de forma maliciosa, de información incompleta o no veraz en las comunicaciones referentes al traslado fuera de Asturias de bienes que formen parte del Patrimonio Cultural de Asturias.

f) El incumplimiento de las suspensiones de obras ordenadas por la autoridad competente, infracción que se producirá cuantas veces sea reiterado e incumplido el requerimiento.

g) El incumplimiento de la obligación de comunicar los descubrimientos casuales de restos o bienes que formen parte del patrimonio arqueológico asturiano.

h) La realización de actividades arqueológicas no autorizadas, incluyendo el empleo de detectores de metales en zonas en donde se presuma la existencia de restos arqueológicos.

i) La reiteración de faltas leves.

Artículo 109. Infracciones muy graves

Se consideran infracciones administrativas de carácter muy grave:

a) La destrucción de Bienes de Interés Cultural, cuando sea intencionada o medie grave irresponsabilidad.

b) La destrucción de yacimientos y restos arqueológicos de importancia significativa, cuando medie intencionalidad o incumplimiento de medidas de precaución, incluyendo el seguimiento arqueológico, expresamente dictadas por la administración.

c) La destrucción de otros yacimientos arqueológicos, cuando medie incumplimiento de orden de suspensión de obras.

d) La destrucción de bienes incluidos en el Inventario del Patrimonio Cultural de Asturias cuando éstos tengan importancia ostensible o cuando su destrucción sea consecuencia del reiterado incumplimiento de obligaciones sobre las que se hayan producido requerimientos de la administración competente.

e) La reiteración de faltas graves.

Artículo 110. Sujetos responsables

Son responsables de las infracciones de esta Ley, además de las personas que tienen la responsabilidad directa en su comisión:

a) Los promotores, constructores y técnicos, por lo que respecta a la realización de obras con incumplimiento de orden de suspensión.

b) Los que de acuerdo con el Código Penal tienen la consideración de autores, cómplices o encubridores, por lo que respecta a la realización de intervenciones arqueológicas no autorizadas.

c) Las autoridades y empleados públicos encargados de hacer cumplir la presente Ley cuando consientan o encubran su incumplimiento, sin perjuicio de que pudiera proceder la calificación como delito.

Artículo 111. Sanciones

1. Sin perjuicio de las responsabilidades civiles, penales o de otro orden, por la comisión de las infracciones administrativas tipificadas en la presente Ley se aplicarán las sanciones siguientes:

a) Para las infracciones leves, multa de entre quince mil y medio millón de pesetas.

b) Para las infracciones graves, multa de entre medio millón y veinticinco millones de pesetas.

c) Para las infracciones muy graves, multa de entre veinticinco millones y ciento cincuenta millones de pesetas.

2. La cuantía de las sanciones administrativas fijadas en el apartado anterior se graduará de acuerdo con la reincidencia, la intencionalidad, el beneficio económico que se pretendía obtener, la importancia del bien y la repercusión del daño sobre el Patrimonio Cultural de Asturias o de los riesgos que se hayan producido para éste.

3. No tienen la consideración de sanciones las multas coercitivas, las ejecuciones subsidiarias o las limitaciones en la dirección de actividades arqueológicas previstas en la presente Ley.

Artículo 112. Comiso

El órgano competente para incoar y tramitar los expedientes sancionadores puede acordar como medida cautelar el comiso de los utensilios y materiales empleados en la actividad ilícita.

Artículo 113. Órganos competentes

1. Corresponde a los Ayuntamientos la competencia para incoar y tramitar los expedientes sancionadores por las infracciones tipificadas en la presente Ley, así como para la imposición de las sanciones correspondientes, cuando se refieren a la realización de obras o intervenciones que deban ser autorizadas por los mismos, sin intervención de la Consejería de Educación y Cultura.

2. Corresponde a la Consejería de Educación y Cultura la competencia para incoar y tramitar los expedientes sancionadores por las infracciones tipificadas en la presente Ley en los restantes casos.

3. La competencia para la imposición de sanciones en los expedientes a que hace referencia el apartado 2 corresponde:

a) Al titular de la Consejería de Educación y Cultura para sanciones de hasta veinticinco millones de pesetas.

b) Al Consejo de Gobierno del Principado de Asturias para sanciones de más de veinticinco millones de pesetas.

4. Cuando los Ayuntamientos no inicien las actuaciones sancionadoras a que se refiere el apartado 1, o cuando dieran lugar con su pasividad a la paralización de las ya iniciadas, el titular de la Consejería de Educación y Cultura, de oficio o a petición de interesado, advertirá al Ayuntamiento de la necesidad de iniciar o concluir la tramitación del expediente señalando a tal efecto el plazo que razonablemente estime adecuado y que nunca será inferior a un mes, transcurrido el cual sin reacción positiva, la autoridad autonómica podrá actuar por vía de sustitución asumiendo la ejecución de las funciones omitidas.

Artículo 114. Prescripción de las infracciones y plazo de resolución del expediente sancionador

1. Las infracciones administrativas leves y graves prescriben a los cinco años desde el día en que la infracción se hubiera cometido, salvo las de carácter muy grave que prescriben a los diez años.

2. El plazo de resolución de los procedimientos sancionadores es de dieciocho meses.

3. La imposición de sanciones administrativas en materia de patrimonio cultural se ajustará al procedimiento sancionador general de la Administración del Principado de Asturias.

DISPOSICIONES ADICIONALES

Primera. Áreas de rehabilitación integrada

Los Conjuntos Históricos, con expediente de declaración incoado con anterioridad a la entrada en vigor de la Ley y los ya declarados, tendrán la consideración de áreas de rehabilitación integrada a los efectos de los Reales Decretos 81/1989 y 726/1993, de 14 de mayo, de financiación de actuaciones protegibles en materia de rehabilitación de inmuebles y se incluirán necesariamente en el Programa de Actuación Territorial sobre rehabilitación y remodelación en cascos urbanos y rurales previstos en las Directrices Regionales de Ordenación del Territorio (Directriz 5.5).

Segunda. Cambio de régimen jurídico de determinados elementos

Los bienes a que hace referencia la Disposición Adicional Segunda de la Ley 16/1985, de Patrimonio Histórico Español en el territorio del Principado de Asturias, sólo tendrán la consideración de Interés Cultural cuando individualmente así sean declarados.

Tercera. Protección del Prerrománico Asturiano

1. Gozarán de atención singular los testimonios de la arquitectura y el arte prerrománico asturiano.

2. Mediante planes específicos en colaboración con los Ayuntamientos, la Diócesis, y en su caso, el Estado, el Principado de Asturias establecerá sistemas de vigilancia y control periódico de los monumentos que integran este conjunto y de visita pública guiada. Asimismo, se promoverá la dignificación de su entorno tomando en cuenta el objetivo de favorecer la comprensión histórica de dichos bienes y su difusión fuera de la región.

Cuarta. Protección del arte parietal y rupestre prehistórico

1. Gozarán de atención singular las muestras de arte parietal y rupestre prehistórico. El Principado de Asturias establecerá sistemas de seguimiento detallado de su estado de conservación, utilizando para ello las técnicas científicas precisas, y adoptará las medidas necesarias para que no se produzcan en su entorno alteraciones que signifiquen riesgos para la misma.

2. Mediante museos, aulas didácticas y, en su caso, visitas guiadas se favorecerá su comprensión histórica. Asimismo mediante programas específicos se promoverá su estudio científico y su difusión fuera de la región.

Quinta. Protección de los trayectos asturianos del Camino de Santiago

1. El Principado de Asturias protegerá el conjunto de vías históricas formado por los trayectos asturianos del Camino de Santiago y fomentará la colaboración en su difusión y puesta en valor cultural con las demás comunidades por las que transcurre dicha ruta de peregrinación.

2. El Consejo de Gobierno delimitará específicamente los restos históricos vinculados al Camino, así como el conjunto de las áreas afectas por su protección, para las que se establecerá una norma urbanística con rango de plan territorial especial.

3. En las zonas afectadas por la delimitación provisional en que no existan restos históricos vinculados al Camino corresponderá a los Ayuntamientos velar por que las edificaciones que se realicen y en general las actuaciones urbanísticas se ajusten a una calidad de diseño adecuada a su naturaleza cultural. De acuerdo con lo que dispone el apartado 4 del artículo 7 de la presente Ley podrán solicitar al respecto dictamen del Consejo del Patrimonio Cultural de Asturias en los casos en que lo consideren oportuno.

Sexta. Incorporación de bienes inventariados

Los bienes conservados dentro del territorio del Principado de Asturias que, con anterioridad a la entrada en vigor de esta Ley, formen parte del Inventario General de Bienes Muebles del Patrimonio Histórico Español se incluirán de oficio y sin necesidad de trámites adicionales en el Inventario del Patrimonio Cultural de Asturias, quedando sometidos al régimen jurídico que para estos bienes la presente Ley establece.

Séptima. Protección del patrimonio geológico y paleontológico

Se faculta al Gobierno del Principado de Asturias para establecer mediante Decreto una normativa específica que, atendiendo a sus circunstancias específicas, aplique el régimen de protección del patrimonio cultural a las áreas de interés geológico y paleontológico más relevantes, aun cuando no se den en ellas las circunstancias a que hace referencia el apartado 3 del artículo 1 de la presente Ley. De la misma forma, se regularán las actividades geológicas y paleontológicas.

Octava. Cultura oral y memoria social y artística

Atendiendo a la especial naturaleza y situación de riesgo del patrimonio cultural asturiano representado a través de los archivos y documentación de los grupos artísticos y de las asociaciones culturales, de la memoria de las personas, de sus vivencias y testimonios de nuestra cultura tradicional e historia social y política reciente, como la industrialización, el desarrollo del movimiento obrero, o la inmigración y emigración, se diseñará de forma urgente un plan específico de investigación y conservación de dichos testimonios.

Asimismo, ateniendo a la naturaleza efímera de diferentes expresiones artísticas, especialmente el teatro pero también otras por sus características de instantaneidad, procurará con la colaboración de los creadores la preservación de dichas manifestaciones a través de los soportes adecuados, posibilitando su conservación y conocimiento. En este sentido, se establecerán las medidas y recursos necesarios.

Novena. Colaboración del Principado de Asturias con la Iglesia Católica

Con objeto de mantener el sistema de colaboración existente entre ambas instituciones, establecido en el Acuerdo de 18 de febrero de 1987, entre el Principado de Asturias y la Archidiócesis de Oviedo, sobre Asuntos Culturales, el Principado de Asturias favorecerá el mantenimiento de la Comisión Mixta establecida en el mismo, con las funciones, composición y funcionamiento prescritas en dicho Acuerdo. A través de ella se analizarán los problemas relativos a la protección, conservación, restauración y difusión del patrimonio cultural afectado, con sujeción a lo dispuesto en la presente Ley, muy especialmente en lo relativo a seguridad y preservación física, compatibilidad entre los usos religiosos y otras funciones de carácter cultural, acceso a los investigadores y disfrute público.

DISPOSICIONES TRANSITORIAS

Primera. Procedimientos incoados con anterioridad

Los procedimientos de declaración de Bienes de Interés Cultural que se hayan iniciado y no resuelto con anterioridad a la entrada en vigor de la presente Ley se regirán por la nueva normativa. Respecto de los mismos, el plazo de resolución a que hace referencia el apartado 2 del artículo 17 se amplía a cinco años a contar desde dicha entrada en vigor.

Segunda. Entornos de protección

Será obligatoria la delimitación de los entornos de protección de los bienes inmuebles declarados de Interés Cultural con anterioridad a 1985, o con expediente de declaración incoado y no resuelto con anterioridad a esa misma fecha.

Tercera. Protección preventiva de bienes

1. Con vistas a su protección preventiva, los bienes a que hace referencia el apartado 2 de esta disposición transitoria quedan sometidos al régimen de los bienes incluidos en el Inventario del Patrimonio Cultural de Asturias hasta el 31 de diciembre de 2015, salvo que expresamente la Consejería competente en materia de cultura deseche su inclusión.

El Principado de Asturias adoptará las medidas precisas para que antes de que finalice el mencionado plazo se haya producido la inclusión individualizada en el Inventario del Patrimonio Cultural de Asturias de cuantos bienes reúnan los méritos y condiciones para ello.

2. Los bienes afectados por la previsión del apartado 1 son los siguientes:

a) Las edificaciones y en general los inmuebles construidos con anterioridad al año 1800, incluyendo puentes y obras singulares de infraestructura, aun cuando se encuentren en estado de ruina.

b) Las muestras más destacadas de la arquitectura y de la ingeniería moderna y contemporánea, con la excepción a que hace referencia el artículo 23 de esta Ley.

c) Las iglesias parroquiales, casas rectorales, ermitas, capillas, capillas de ánimas, cruceros, cruces y señales religiosas, erigidas con anterioridad al año 1900.

d) Los edificios de mercados, las plazas de toros y las salas de espectáculos construidos con anterioridad al año 1960.

e) Los espacios en que se presuma la existencia de restos arqueológicos significativos.

f) Los testimonios más reseñables de la historia industrial de la región.

g) Los hórreos, paneras y cabazos que constituyan muestras notables por su talla y decoración o características constructivas, por formar conjuntos o, en todo caso, ser de construcción anterior al año 1850. Las construcciones tradicionales con cubierta vegetal, los conjuntos de abrigos de pastores y ganado con cubierta de piedra, los molinos e ingenios hidráulicos de carácter tradicional.

h) Los escudos, emblemas, piedras heráldicas y cruces de término de factura anterior al año 1950.

i) Las colecciones notables de titularidad pública o privada de fotografías, zoología, botánica, bienes de interés arqueológico, paleontológico, documental, artístico, etnográfico, bibliográfico, mineralógico o relacionados con la historia de la industria o la tecnología, incluyendo las filatélicas y numismáticas, de acuerdo con los criterios de valor económico que reglamentariamente se establezcan.

j) Las obras de arte pertenecientes a los entes públicos y eclesiásticos.

k) Los instrumentos musicales, las inscripciones y los sellos grabados de factura anterior al año 1900.

l) Bocaminas y castilletes anteriores a 1950.

A efectos de lo dispuesto en el apartado 1 se entenderán incluidos en las letras b y f las muestras de la arquitectura moderna y contemporánea y los testimonios de la historia industrial que se encuentren recogidas con el nivel de protección integral en la normativa urbanística de los respectivos concejos en el momento de entrada en vigor de la presente Ley, sin perjuicio de que, mediante resolución de la Consejería de Educación y Cultura, se amplíe esta protección preventiva a otros elementos de semejante interés.

3. En tanto no se proceda a su estudio individualizado o se proceda a la aprobación de los Catálogos urbanísticos de protección que incluyan los elementos de interés etnográfico de los concejos correspondientes, quedan acogidos al régimen de protección integral, tal como éste se contempla en la legislación urbanística, los siguientes elementos:

a) Hórreos, paneras y cabazos de construcción anterior a 1940 que conserven su fisonomía tradicional y su vinculación al entorno propio.

b) Edificaciones de cubierta vegetal.

c) Ferrerías antiguas. Molinos, mazos y batanes.

d) Ermitas, capillas, capillas de ánimas, cruceros, cruces y señales piadosas de factura tradicional colocadas en lugares públicos.

e) Conjuntos de refugios de ganado y pastores de alta montaña.

f) Llagares antiguos de sidra y vino.

g) Lavaderos y fuentes de factura tradicional.

h) Puentes de piedra de factura tradicional.

i) Espacios dedicados a juegos tradicionales que conserven su propia fisonomía y estén contextualizados con su entorno.

Las obras e intervenciones sobre dichos elementos que puedan suponer alteración grave de sus valores culturales requerirán autorización de la Consejería de Educación y Cultura.

4. Si un Ayuntamiento entendiera que los catálogos vigentes en su término municipal previamente a la aprobación de la presente Ley se ajustan ya a las previsiones de ésta en materia de patrimonio etnográfico, no procediendo por tanto en ese caso la aplicación genérica del régimen de protección mencionado en el apartado 3, deberá comunicarlo a la Consejería de Educación y Cultura, que emitirá informe al respecto.

5. Los Ayuntamientos adoptarán las medidas necesarias para proceder, en el plazo máximo de diez años, a la adaptación de su normativa urbanística a lo dispuesto en la presente Ley. En tanto no se proceda a ello, los bienes recogidos en catálogos urbanísticos de protección a los que en virtud de esta Ley no sean aplicables normas específicas, se regirán por lo dispuesto en la legislación urbanística existente en aquel momento, con las salvedades que se derivan de la aplicación de los números 1 y 2 de la presente disposición transitoria.

Cuarta. Colaboración en la elaboración del Inventario y en la tramitación de expedientes de declaración como Bien de Interés Cultural

A efectos de agilizar la tramitación de la información actualmente disponible y de una más eficaz protección de los bienes que forman parte del Patrimonio Cultural de Asturias, la Universidad de Oviedo y el Real Instituto de Estudios Asturianos establecerán comisiones de especialistas para la emisión de los informes a que hacen referencia el apartado 3 del artículo 16 y el apartado 1 del artículo 24 de esta Ley en los plazos establecidos en la misma.

Quinta. Incumplimiento de la obligación de depósito legal

En tanto que, en el marco de la legislación sobre el libro y bibliotecas del Estado o de la Comunidad Autónoma, no se dicten otras normas, la Consejería de Educación y Cultura velará por el cumplimiento de la obligación de depósito legal de impresos y otros materiales bibliográficos por quienes están sujetos a la misma y en los plazos y condiciones que procedan. El incumplimiento de dicha obligación será sancionado como infracción leve en los términos de la presente Ley.

Sexta. Constitución del Consejo del Patrimonio Cultural y de la Comisión de Valoración de Bienes del Patrimonio Cultural de Asturias

En el plazo de un año se procederá a la constitución del Consejo del Patrimonio Cultural de acuerdo con lo previsto en el artículo 7 de la presente Ley. En cualquier caso, en tanto no se proceda a la misma sus funciones serán asumidas por la actual Comisión de Patrimonio Histórico. En el plazo de un año se procederá, asimismo, a la constitución de la Comisión de Valoración de Bienes del Patrimonio Cultural de Asturias a que hace referencia el artículo 8.

DISPOSICIONES FINALES

Primera.

Se autoriza al Consejo de Gobierno del Principado de Asturias para dictar las disposiciones de aplicación y desarrollo de esta Ley que sean necesarias, y, en particular, para actualizar la cuantía de las sanciones establecidas en el artículo 111 de esta Ley.

Segunda.

En todo lo no previsto en esta Ley será de aplicación la Ley 16/1985, de 25 de junio, de Patrimonio Histórico Español.

4. COMUNIDAD AUTÓNOMA DE LAS ILLES BALEARS:

- ## LEY 12/1998, DE 21 DE DICIEMBRE, DEL PATRIMONIO HISTÓRICO DE LAS ILLES BALEARS

BO. Illes Balears 29 diciembre 1998, núm. 165, [pág. 19804]. BOE 5 febrero 1999, núm. 31, [pág. 5425].

EXPOSICIÓN DE MOTIVOS

El cumplimiento adecuado del mandato contenido en el artículo 46 de la Constitución exige al Parlamento de las Illes Balears hacer un uso más intenso de la habilitación que le proporcionan los artículos 148.1.16.ª de la Constitución y 10.19 del Estatuto de Autonomía de las Islas Baleares y, en consecuencia, ordenar globalmente la acción de los poderes públicos y de los ciudadanos de las Illes Balears en materia de defensa del patrimonio histórico, con firme voluntad de transmitir a las generaciones venideras el testimonio hoy todavía rico de la historia, el arte y la cultura de los pueblos isleños.

Esta ley nace, por tanto, con la finalidad de completar el ordenamiento jurídico vigente y de profundizar en los principios conservacionistas —a menudo difíciles de mantener en una comunidad de vocación turística— teniendo en cuenta las peculiaridades de las realidades insulares. En concreto, el legislador se propone

a) Establecer el régimen de protección de los bienes integrantes del patrimonio histórico a partir de las categorías de bienes de interés cultural y bienes catalogados.

b) Dedicar una atención preferente al patrimonio arqueológico.

c) Definir con claridad las responsabilidades de los diversos niveles administrativos.

d) Poner a disposición de las administraciones actuantes medidas suficientes de fomento del patrimonio histórico.

e) Elaborar un cuadro de infracciones y sanciones que permita luchar eficazmente contra la destrucción, la conservación negligente y la expoliación del patrimonio histórico.

La presente Ley quiere aprovechar, en gran medida, las técnicas jurídicas diseñadas por la Ley 16/1985, de 25 de junio, del patrimonio histórico-español. En esta línea, la protección de los bienes a que se refiere esta ley se centra principalmente en dos categorías de protección: los bienes de interés cultural y los bienes catalogados. La primera de estas categorías reúne los bienes más relevantes y merecedores del grado más elevado de protección, que deberá ser dispensada por acuerdo del pleno del consejo insular correspondiente. Por otro lado, la categoría de los bienes catalogados, que aspira a extender los límites de la actual política de defensa y conservación de este patrimonio, cumplirá a menudo la función de proteger bienes que más adelante puedan disfrutar de la condición de bienes de interés cultural. Los consejos insulares alcanzarán la responsabilidad de incoar e instruir los correspondientes procedimientos.

El título III se dedica completamente al patrimonio arqueológico y paleontológico. Las características del desarrollo económico de las Illes aconsejan que los bienes integrantes de este inestimable patrimonio sean objeto de una protección enérgica. Por eso, la ley establece numerosas medidas de garantía, no solamente ante la acción espontánea de los particulares, sino también ante las actuaciones de los expertos.

Desde el punto de vista de la distribución territorial de las competencias administrativas, la ley apuesta decididamente por situar el núcleo de las funciones ejecutivas en los consejos insulares, en los cuales se incluyen las comisiones insulares del patrimonio histórico, si bien reserva a los municipios nuevos espacios de intervención exigidos por un recto entendimiento del principio de autonomía local.

En materia de fomento, la línea iniciada por el Parlamento de las Illes Balears con la Ley 3/1987, de 18 de marzo, de medidas de fomento del patrimonio histórico de las Illes Balears, se ve reforzada con esta Ley. También se establecen otras medidas de carácter subvencional y tributario que constituyen un nuevo, y todavía pequeño, paso adelante en la defensa del patrimonio histórico.

Completa el cuadro de medidas administrativas el título XI, dedicado a la potestad sancionadora de los consejos insulares, que es una potestad reglada de la que no se puede prescindir si se quiere luchar decididamente contra el deterioro y la pérdida de los bienes culturales. En esta materia, la presente ley, que ha bebido en las fuentes de las recientes reformas legislativas, ha establecido un cuadro de infracciones y sanciones coherente con la intensidad del daño causado al patrimonio histórico. Finalmente, esta ley racionaliza el ejercicio del poder punitivo desde el punto de vista de la distribución de competencias entre los diversos órganos de los consejos insulares de Mallorca, de Menorca i de Eivissa y Formentera.

TÍTULO PRELIMINAR. Principios generales

Artículo 1. Objeto

1. Son objeto de esta ley la protección, la conservación, el enriquecimiento, el fomento, la investigación y la difusión del patrimonio histórico de las Illes Balears, para que puedan ser disfrutadas por los ciudadanos y puedan ser transmitidos en las mejores condiciones a las futuras generaciones.

2. El patrimonio histórico de las Illes Balears se integra de todos los bienes y valores de la cultura, en cualquiera de sus manifestaciones, que revelan un interés histórico, artístico, arquitectónico, arqueológico, histórico-industrial, paleontológico, etnológico, antropológico, bibliográfico, documental, social, científico y técnico para las Illes Balears.

3. El Gobierno de las Illes Balears promoverá una política, en coordinación y colaboración con las otras administraciones públicas, para el retorno a la isla de origen de los bienes del patrimonio histórico que se encuentren fuera de las Illes Balears.

4. También forman parte del patrimonio histórico de las Illes Balears los bienes que integran el patrimonio cultural inmaterial, de conformidad con lo que establece la legislación especial.

Artículo 2. Colaboración entre las administraciones públicas

1. En defensa del patrimonio histórico y para asegurar la más eficaz consecución de los objetivos fijados en esta ley, las administraciones públicas colaborarán y estimularán conjuntamente la participación de los ciudadanos, de las empresas y de las instituciones privadas.

2. Las administraciones públicas actuarán bajo el principio de la cooperación institucional y como consecuencia coordinarán su actuación y se proporcionarán recíprocamente la información necesaria para el ejercicio adecuado de sus competencias.

Artículo 3. Colaboración de los particulares

1. Las personas físicas y jurídicas que observen peligro de destrucción o deterioro en un bien integrante del patrimonio histórico lo deberán poner en conocimiento de cualquier administración pública, sea o no competente en la materia, de forma inmediata, sin perjuicio de las acciones jurisdiccionales que puedan interponerse.

2. Se reconoce la acción popular para exigir, ante los órganos administrativos, la jurisdicción contencioso-administrativa y, en su caso, la jurisdicción penal, la observancia de

las normas en materia de patrimonio histórico, y la adopción de las medidas de defensa de la legalidad, restauración de la realidad física alterada y sanción de las infracciones.

3. Los consejos insulares, una vez comprobada la existencia de la infracción, y siempre que el hecho denunciado no sea materia de un expediente sancionador ya acabado o en trámite, abonarán a los particulares denunciantes los gastos justificados que les hubiera ocasionado el ejercicio de la acción popular.

Artículo 4. Colaboración de la Iglesia católica

1. La Iglesia católica, como titular de una parte muy importante del patrimonio histórico, velará por la protección, la conservación y la difusión de este patrimonio y, con esta finalidad, colaborará con las distintas administraciones públicas de las Illes Balears.

2. Una comisión mixta entre el consejo insular correspondiente y la Iglesia católica deberá establecer el marco de colaboración y de coordinación entre las dos instituciones y hacer su seguimiento.

TÍTULO I. Categorías de protección de los bienes del patrimonio histórico

CAPÍTULO I. Bienes de interés cultural

Sección 1ª. Definición y clasificación

Artículo 5. Definición

Tendrán la consideración de bienes de interés cultural los bienes muebles e inmuebles más relevantes del patrimonio histórico de las Illes Balears que por su valor singular se declaren como tales de forma individualizada. Sólo con carácter excepcional podrá otorgarse genéricamente la categoría de bienes de interés cultural a una clase, tipo, colección o conjunto de bienes.

Artículo 6. Clasificación

Los bienes inmuebles de interés cultural se clasificarán de acuerdo con la siguiente tipología:

1. Monumento: edificio, obra o estructura arquitectónica y/o de ingeniería de interés histórico, artístico, arquitectónico, arqueológico, histórico-industrial, etnológico, social, científico o técnico. En la declaración de monumento podrán incluirse los bienes muebles, las instalaciones y los accesorios que se señalen expresamente, siempre que el edificio, la obra o la estructura constituyan una unidad singular.

2. Conjunto histórico: agrupación homogénea de construcciones urbanas o rurales, continua o dispersa, que se distingue por su interés histórico, artístico, arquitectónico, arqueológico, histórico-industrial, social, científico o técnico, con coherencia suficiente para constituir una unidad susceptible de delimitación, aunque cada una de las partes individualmente no tenga valor relevante.

3. Jardín histórico: espacio delimitado y ordenado por el hombre, que integra elementos naturales de interés destacado por razón de origen, la historia o los valores estéticos, sensoriales o botánicos y que puede incluir elementos de fábrica, de arquitectura y artísticos.

4. Lugar histórico: lugar o paraje natural susceptible de delimitación espacial unitaria que se puede vincular a acontecimientos o recuerdos del pasado, creaciones culturales o de la naturaleza, que tiene un interés destacado desde el punto de vista histórico, artístico, arqueológico, histórico-industrial, paleontológico, etnológico, antropológico, social, científico o técnico.

5. Lugar de interés etnológico: lugar o paraje natural con construcciones o instalaciones vinculadas a formas de vida, cultura y actividades tradicionales del pueblo de las Illes Balears que merecen ser preservados por su valor etnológico.

6. Zona arqueológica: lugar donde hay restos materiales, muebles y/o inmuebles, fruto de la intervención humana, que es susceptible de ser estudiado con la metodología arqueológica, tanto si se encuentra en la superficie como si se encuentra en el subsuelo o bajo las aguas. En el caso de que los bienes culturales inmuebles definidos en los cinco puntos anteriores tengan en el subsuelo restos que solamente sean susceptibles de ser estudiados con metodología arqueológica, tendrán también la condición de zona arqueológica.

7. Zona paleontológica: lugar donde hay vestigios de restos animales y/o vegetales fosilizados, o no, que constituyen una unidad coherente y con entidad propia, definidores de la historia geológica de un lugar determinado.

Sección 2ª. Declaración

Artículo 7. Procedimiento de declaración

1. La declaración de bien de interés cultural requerirá el correspondiente procedimiento que se iniciará de oficio o a instancia de parte por el consejo insular que corresponda.

2. Cualquier administración pública o persona física o jurídica podrá instar la adopción del acuerdo de iniciación. La decisión de no iniciación del procedimiento deberá ser motivada.

3. La Comisión Insular del Patrimonio Histórico correspondiente, antes de acordar la iniciación del procedimiento, podrá recabar de los particulares o de cualquier organismo público o privado la información necesaria sobre el bien, que se deberá emitir en el plazo máximo de un mes.

4. El acuerdo de la Comisión Insular del Patrimonio Histórico de incoación del procedimiento incluirá una descripción del bien o bienes de que se trata, suficiente para identificarlos. Si se refiere a bienes inmuebles, el acuerdo de incoación, además de la memoria, la planimetría y la documentación gráfica, deberá indicar:

a) El tipo de bien.
b) La delimitación del entorno de protección del bien afectado.
c) Las pertenencias o accesorios del bien.
d) Los bienes muebles vinculados al inmueble.
e) La memoria histórica del bien.
f) El informe detallado sobre el estado de conservación del bien.

Artículo 8. Notificación y publicación de la declaración

1. El acuerdo de incoación del procedimiento de declaración, se deberá notificar a los interesados, al ayuntamiento donde radica el bien y al Gobierno de las Illes Balears. Sin perjuicio de que pase a ser efectiva desde la notificación, la resolución de incoación se deberá publicar en el «Butlletí Oficial de les Illes Balears» y en el «Boletín Oficial del Estado», y se comunicará al registro correspondiente de las Illes Balears, y ésta se comunicará al registro correspondiente del Estado.

2. La incoación del procedimiento conllevará la aplicación del régimen de protección establecido por los bienes ya declarados de interés cultural.

3. En el caso de bienes inmuebles, la incoación del procedimiento conllevará, desde el momento en que se notifique al ayuntamiento, la suspensión de la tramitación de las licencias municipales de parcelación, de edificación o de derribo en la zona afectada y, también, la suspensión de los efectos de las licencias ya concedidas. Cualquier obra que

sea necesario realizar en un inmueble afectado por la incoación deberá ser previamente autorizada por la Comisión Insular del Patrimonio Histórico que corresponda.

4. La suspensión a la que hace referencia el punto anterior dependerá de la resolución o de la caducidad del procedimiento.

Artículo 9. Contenido del expediente de declaración

1. En el expediente de declaración constará

a) Informe favorable de al menos una de las instituciones consultivas previstas en el artículo 96 de esta ley; obligatoriamente de una de las instituciones consultivas que esté radicada en la isla donde se halle el bien objeto de la declaración o que la institución sea del ámbito de las Illes Balears.

b) Informe técnico sobre las características y el estado de conservación del bien, acompañado de una completa documentación gráfica.

c) Propuesta, si procede, de las limitaciones específicas que deberá observar el propietario, titular de derechos reales o poseedor.

2. A requerimiento del órgano instructor, el propietario, el titular de derechos reales, el poseedor y el ayuntamiento estarán obligados a facilitar el examen del bien y la documentación que debe ser tenida en cuenta en la resolución.

3. Será preceptiva la audiencia a los interesados, incluidos los ayuntamientos afectados, y, cuando se trate de bienes inmuebles, se abrirá, además, un período de información pública.

Artículo 10. Finalización del procedimiento de declaración

1. La declaración de bienes de interés cultural se acordará por el pleno del consejo insular correspondiente, a propuesta de la Comisión Insular del Patrimonio Histórico, e incluirá la descripción de los elementos para identificación y contendrá al menos las actuaciones a que se refiere el artículo 7.4 de la presente Ley.

2. La declaración deberá notificarse a los interesados, a los ayuntamientos donde radica el bien y al Gobierno de las Illes Balears, y se publicará en el «Butlletí Oficial de les Illes Balears» y en el «Boletín Oficial del Estado».

3. Se instará de oficio, si procede, la inscripción de la declaración en el Registro de la Propiedad cuando se trate de bienes correspondientes a monumentos, jardines históricos, lugares de interés etnológico, zonas arqueológicas o zonas paleontológicas.

4. La declaración de un bien de interés cultural incluirá la determinación de los criterios básicos que, con carácter específico, deben regir las intervenciones sobre dicho bien.

5. Para dejar sin efecto la declaración, se tendrá que seguir el procedimiento regulado en esta sección.

6. El acuerdo de declaración deberá adoptarse en el plazo de veinte meses a contar desde la fecha de iniciación del procedimiento, que caducará si, una vez transcurrido este plazo, se solicita que se archiven las actuaciones y en los treinta días siguientes no se dicta resolución. Caducado el procedimiento, no se podrá volver a iniciar en los tres años siguientes, salvo que lo pida el titular del bien.

Artículo 11. Entornos de protección

Las delimitaciones o modificaciones que se quieran realizar en los entornos de protección de los bienes declarados de interés cultural, deberán seguir el mismo procedimiento y tramitación que para la declaración de un bien de interés cultural.

Sección 3ª. Los registros insulares y el registro autonómico

Artículo 12. El Registro Insular de Bienes de Interés Cultural

1. Cada consejo insular creará, en su ámbito territorial, el Registro Insular de Bienes de Interés Cultural. El Registro tiene por objeto la identificación y la localización del bien.

2. Se inscribirán en el Registro los acuerdos de incoación del procedimiento de declaración y las declaraciones de bienes de interés cultural. También se anotarán en él los actos jurídicos y técnicos que pueden afectar a los bienes inscritos, que deberán ser comunicados por los propietarios y titulares de otros derechos, en los términos que reglamentariamente se determinen.

3. El Registro expedirá, a solicitud del propietario, un título oficial del bien inscrito que lo identificará, en el que constarán los actos jurídicos o técnicos que sobre dicho bien se efectúen.

4. Los datos del Registro son públicos, salvo las informaciones que hay que proteger por razón de seguridad de los bienes o de sus titulares, la intimidad de las personas y los secretos comerciales o científicos protegidos por ley.

5. Los registros insulares de bienes de interés cultural comunicarán al Registro de Bienes de Interés Cultural de las Illes Balears las inscripciones, anotaciones y modificaciones que se realicen.

Artículo 13. El Registro de Bienes de Interés Cultural de las Illes Balears

1. Los bienes de interés cultural deben ser inscritos en el Registro de Bienes de Interés Cultural de las Illes Balears. Cada bien debe tener un código de identificación.

2. El consejo insular comunicará al Registro de Bienes de Interés Cultural de las Illes Balears los acuerdos de incoación del procedimiento de declaración, las declaraciones de bienes de interés cultural y todas las actuaciones y modificaciones que afecten al mencionado bien, para proceder a su inscripción o anotación.

3. El Registro de Bienes de Interés Cultural de las Illes Balears comunicará al Registro General de Bienes de Interés Cultural del Estado las inscripciones y anotaciones que se realicen.

4. El Registro de Bienes de Interés Cultural de las Illes Balears inscribirá los datos que el Registro General del Estado le comunique relativos a bienes de interés cultural situados en las Illes Balears y declarados por la Administración General del Estado. Asimismo, el Gobierno de las Illes Balears lo comunicará al consejo insular correspondiente.

CAPÍTULO II. Bienes catalogados

Artículo 14. Definición y catálogos insulares

1. Tienen la consideración de bienes catalogados aquellos bienes muebles e inmuebles que, no teniendo la relevancia que les permitiría ser declarados bienes de interés cultural, tienen suficiente significación y valor para constituir un bien del patrimonio histórico a proteger singularmente.

2. Dependiente del consejo insular correspondiente, se creará el Catálogo Insular del Patrimonio Histórico, como instrumento de su salvaguarda, consulta y divulgación, con el objeto de inscribir en él los bienes catalogados. Los bienes muebles pueden ser catalogados singularmente o como colección.

Artículo 15. Procedimiento

1. La iniciación, la ordenación, la instrucción y la ejecución de los procedimientos para la inscripción de un bien en el catálogo insular corresponde a la comisión insular competente en materia de patrimonio histórico, mientras que el acuerdo de declaración de bien catalogado corresponde al consejo ejecutivo.

2. Cualquier administración pública o persona física o jurídica podrá instar la adopción del acuerdo de iniciación. La decisión de no iniciación del procedimiento deberá ser motivada.

3. Para excluir un bien del Catálogo Insular deberá seguirse el mismo procedimiento que para incluirlo.

Artículo 16. Actos jurídicos sobre los bienes catalogados

1. Los catálogos insulares reflejarán los actos jurídicos y técnicos que se realicen sobre los bienes inscritos, en los términos que reglamentariamente se determinen.

2. Es obligación del titular de un bien catalogado comunicar al consejo insular que corresponda todos los actos jurídicos y técnicos que puedan afectar al citado bien.

Artículo 17. Acuerdo de declaración

El acuerdo de declaración deberá adoptarse en el plazo máximo de un año, a contar desde la fecha de iniciación del procedimiento, que caducará si una vez transcurrido este plazo se solicita que se archiven las actuaciones y si dentro de los siguientes sesenta días no se dicta resolución. Caducado el procedimiento, no podrá iniciarse de nuevo hasta que haya transcurrido un año, salvo que lo solicite el titular del bien.

Artículo 18. Catálogo General del Patrimonio Histórico de las Illes Balears

1. Se crea el Catálogo General del Patrimonio Histórico de las Illes Balears, dependiente del Gobierno de las Illes Balears.

2. Los bienes catalogados deben ser inscritos en el catálogo general. El consejo insular comunicará al Catálogo General del Patrimonio Histórico de las Illes Balears los acuerdos de incoación del procedimiento de declaración, las declaraciones de bien catalogado y todas las actuaciones y modificaciones que afecten al citado bien para proceder a su inscripción o anotación.

3. En el ámbito de toda la Comunidad Autónoma estará vigente el Catálogo General del Patrimonio Histórico de las Illes Balears.

Artículo 19. Información a los ayuntamientos

El consejo insular competente notificará al ayuntamiento donde radique el bien catalogado el acuerdo de declaración así como sus posibles modificaciones, la memoria descriptiva del bien, el informe sobre su estado en el momento de la declaración y las medidas que deben adoptarse para su mantenimiento y conservación, así como la documentación gráfica básica. El consejo insular comunicará, asimismo, a los ayuntamientos afectados, las anotaciones y modificaciones que se realicen en el catálogo insular y que afecten a estos bienes catalogados.

Artículo 20. Inscripción en el Inventario General de Bienes Muebles

De las inscripciones de bienes muebles en el Catálogo General del Patrimonio Histórico de las Illes Balears se debe dar cuenta al Inventario General de Bienes Muebles de la Administración General del Estado, para que en él sean hechas las inscripciones correspondientes. Asimismo, en el Catálogo General se inscribirán los datos que el Inventario General de Bienes Muebles de la Administración General del Estado le comunique.

Artículo 21. Carácter público del Catálogo Insular del Patrimonio Histórico

Los datos del Catálogo Insular del Patrimonio Histórico serán públicos, salvo las informaciones que es necesario proteger por razón de seguridad de los bienes o de sus titulares, de la intimidad de las personas y de los secretos comerciales o científicos protegidos por la ley.

TÍTULO II. Régimen de protección de los bienes del patrimonio histórico

CAPÍTULO I. Régimen común

Artículo 22. Protección general

1. Los bienes integrantes del patrimonio histórico de las Illes Balears deben ser conservados, mantenidos y custodiados por los propietarios, titulares de otros derechos reales y poseedores, los cuales estarán obligados a facilitar la información que pidan las administraciones públicas competentes sobre el estado de los bienes y su utilización.

2. Las administraciones públicas competentes podrán inspeccionar las obras de restauración y conservación y, en general, cualquier intervención que afecte al patrimonio histórico de las Illes Balears.

3. Los poderes públicos promoverán, por todos los medios a su alcance, la conservación, la consolidación y la mejora de los bienes integrantes del patrimonio histórico de titularidad pública y privada.

Artículo 23. Preservación de bienes inmuebles

1. Con el fin de preservar los valores culturales de un bien inmueble, el consejo insular correspondiente podrá impedir cualquier obra o intervención en bienes integrantes del patrimonio histórico no declarados de interés cultural ni catalogados. A este efecto, requerirá del correspondiente ayuntamiento que adopte las medidas necesarias para la efectividad de la suspensión y, si éste no lo hace, podrá adoptarlas subsidiariamente. El consejo insular que corresponda, con el informe previo del ayuntamiento, resolverá en el plazo de tres meses a favor de la continuación de la obra, de la suspensión de la intervención o de la iniciación del procedimiento de declaración de bien de interés cultural o de bien catalogado.

2. Los ayuntamientos podrán suspender, por un plazo máximo de tres meses, la tramitación de la concesión de la licencia de edificación y uso del suelo y solicitar al consejo insular que corresponda la iniciación de un procedimiento de declaración de bien de interés cultural o de bien catalogado.

Artículo 24. Suspensión de obras

La administración competente podrá ordenar la suspensión de las obras de demolición total o parcial, o de cambio de uso, de los inmuebles integrantes del patrimonio histórico de las Illes Balears, no declarados de interés cultural ni catalogados. Esta suspensión tendrá una duración máxima de tres meses, en los que se deberá resolver, o a favor de la continuación de la obra o de la intervención suspendida, o a favor de la incoación de procedimiento de bien de interés cultural o catalogado. Todo ello sin perjuicio de las medidas de protección que se puedan adoptar atendiendo la legislación urbanística.

Artículo 25. Prohibición de detectores de metales

Se prohíbe la utilización de detectores de metales en los bienes integrantes del patrimonio histórico de las Illes Balears, con la excepción de los equipos investigadores que soliciten y obtengan el permiso pertinente del consejo insular correspondiente.

CAPÍTULO II. Bienes de interés cultural y bienes catalogados

Artículo 26. Deber de conservación

Los propietarios, titulares de derechos o simples poseedores de bienes de interés cultural o catalogados tienen el deber de conservarlos, mantenerlos y custodiarlos de tal manera que se garantice la salvaguarda de sus valores. El uso a que se destinen dichos bienes debe garantizar su conservación.

Artículo 27. Incumplimiento del deber de conservación

1. En caso de incumplimiento del deber de conservación de bienes de interés cultural o catalogados, las administraciones públicas competentes podrán ordenar a los propietarios, titulares de otros derechos reales y poseedores de dichos bienes la ejecución de las obras o la realización de las actuaciones que sean indispensables para preservarlos, conservarlos y mantenerlos.

2. Si quienes están obligados no ejecutan las actuaciones a las que se refiere el punto anterior, las administraciones públicas competentes podrán realizar su ejecución subsidiaria, a cargo de los obligados, sin perjuicio de lo que dispone esta Ley en los artículos 81, 83 y 84.

Artículo 28. Reparación de daños

El consejo insular competente ha de ordenar a las personas, entidades o instituciones responsables, sin perjuicio de la sanción que corresponda, la reparación de los daños causados ilegalmente a bienes de interés cultural o catalogados, mediante órdenes ejecutivas de reparación, reposición, reconstrucción o derribo, o mediante las que sean necesarias para restituir el bien a su estado anterior.

Artículo 29. Informes y autorizaciones

1. En la tramitación de los procedimientos administrativos que pueden afectar a los bienes de interés cultural o catalogados será preceptivo el informe de la Comisión Insular del Patrimonio Histórico correspondiente.

2. Las actuaciones sobre bienes de interés cultural o catalogados requerirán las autorizaciones administrativas previstas en esta Ley.

Artículo 30. Multas coercitivas

1. Los consejos insulares respectivos podrán imponer multas coercitivas para hacer efectivo el cumplimiento de los deberes impuestos por esta ley y de las resoluciones administrativas dictadas para el cumplimiento de lo que en ella se dispone, con audiencia previa al interesado y sin perjuicio de los derechos de los administrados.

2. La imposición de multas coercitivas exige la formulación previa de un requerimiento escrito, en el que se indicará el plazo de que se dispone para el cumplimiento de la obligación y la cuantía de la multa que puede ser impuesta. En todo caso, el plazo deberá ser suficiente para cumplir la obligación y la multa no podrá exceder de 100.000 pesetas.

3. En el caso de que, una vez impuesta una multa coercitiva, se mantenga el incumplimiento que la ha motivado, el consejo insular competente podrá reiterarla las veces que sean necesarias hasta el cumplimiento de la obligación, sin que en ningún caso el plazo pueda ser inferior al fijado en el primer requerimiento.

4. Las multas coercitivas son independientes y compatibles con las que se pueden imponer en concepto de sanción.

Artículo 31. Colocación de elementos exteriores

1. En los bienes de interés cultural se prohíbe la colocación de elementos e instalaciones que comporten una ruptura de la estructura o de la composición de la fachada. En los bienes catalogados, deberán tener las dimensiones mínimas técnicamente viables y deberán situarse en lugares donde no perjudiquen la imagen del inmueble o no alteren gravemente su contemplación.

2. Para la colocación de anuncios y rótulos publicitarios será necesaria, además de la licencia municipal, la autorización de la Comisión Insular del Patrimonio Histórico correspondiente, excepto cuando exista un plan especial aprobado definitivamente que lo regule. Los rótulos que anuncien servicios públicos, los de señalización y los comerciales deberán ser armónicos con el conjunto.

Artículo 32. Derechos de tanteo y de retracto

1. El consejo insular correspondiente podrá ejercer el derecho de tanteo sobre las transmisiones onerosas de la propiedad o de cualquier derecho real sobre los bienes de interés cultural y los bienes catalogados. El Gobierno de las Illes Balears podrá ejercer subsidiariamente el mismo derecho respecto de los bienes de interés cultural y catalogados.

2. Los propietarios o titulares de derechos reales sobre bienes declarados de interés cultural y bienes catalogados tendrán que notificar al consejo insular correspondiente su intención de transmitir los bienes o sus derechos y deberán indicar el precio, las condiciones de la transmisión y la identidad del adquiriente.

3. En el plazo de dos meses, desde la notificación, el consejo insular correspondiente y, subsidiariamente, el Gobierno de las Illes Balears, podrá ejercer el derecho de tanteo. Este derecho podrá ejercerse en beneficio de otras entidades públicas o privadas sin ánimo de lucro, en las condiciones que en cada caso se establezcan.

4. Si la transmisión no se notifica o no se formaliza en las condiciones establecidas, el consejo insular correspondiente y, subsidiariamente, el Gobierno de las Illes Balears, podrá ejercer el derecho de retracto, en los mismos términos establecidos para el derecho de tanteo, en el plazo de seis meses a contar desde el momento en que la administración competente tenga conocimiento de la transmisión.

5. Lo que establece este artículo no será aplicable a los inmuebles integrantes de conjuntos históricos que no tengan la condición de monumentos ni a los inmuebles incluidos en los entornos de protección.

6. Para la formalización de escrituras públicas de adquisición de bienes de interés cultural y de bienes catalogados o de transmisión de derechos reales sobre estos bienes, tendrá que acreditarse previamente el cumplimiento de este artículo. Esta acreditación también será necesaria para la inscripción de los títulos correspondientes.

A este efecto, los notarios y los registradores de la propiedad denegarán, en el ejercicio de sus facultades, la formalización en escritura pública y la inscripción, respectivamente, de los títulos de adquisición o de transmisión de derechos reales de estos bienes en el caso que no quede fehacientemente acreditado el cumplimiento de las disposiciones contenidas en este artículo.

Artículo 33. Expropiación por interés social

1. Se consideran causas de interés social al efecto de la expropiación por los consejos insulares competentes de los bienes a los que se refiere este capítulo

a) El incumplimiento grave por parte de los propietarios o titulares de derechos reales de las obligaciones establecidas en esta Ley.

b) El peligro de destrucción o deterioro grave del bien o el uso incompatible con sus valores.

2. Podrá acordarse también la expropiación por causa de interés social de los inmuebles que dificulten la utilización, la contemplación, el acceso o el disfrute de los bienes de interés cultural, que atenten contra la armonía ambiental o que comporten un riesgo para su conservación.

CAPÍTULO III. Bienes inmuebles

Artículo 34. Acceso a los bienes de interés cultural

1. Los propietarios, titulares de otros derechos reales y poseedores de bienes inmuebles de interés cultural estarán obligados a permitir

a) El examen y el estudio de los bienes a los investigadores y otras personas autorizadas por el consejo insular respectivo, para realizar inspecciones y estudios técnicos, científicos o de catalogación.

b) La colocación de elementos señalizadores de su condición como bienes de interés cultural, con las condiciones previstas en el artículo 31.2 de esta Ley.

c) La visita pública de los bienes, al menos cuatro días al mes y en días y horas previamente señalados. En casos justificados, el consejo insular correspondiente podrá dispensar total o parcialmente el régimen de visitas.

2. También estarán obligados a cumplir las instrucciones y órdenes de ejecución dictadas por los consejos insulares o por los ayuntamientos.

Artículo 35. Desplazamientos

Los inmuebles declarados de interés cultural y los catalogados son inseparables de su entorno. No se procederá a su desplazamiento o remoción, excepto en el caso de que sea imprescindible por causa de fuerza mayor o de interés social. En este caso, será preceptivo disponer de los informes favorables previos del consejo insular correspondiente y de una de las instituciones consultivas previstas en el artículo 96 de esta Ley.

Artículo 36. Planeamiento urbanístico

1. Los términos de la declaración de un inmueble como bien de interés cultural vincularán los planes y las normas urbanísticas que afecten al citado inmueble. En el caso de los planes o normas urbanísticas vigentes antes de la declaración, el ayuntamiento llevará a cabo las adaptaciones necesarias.

2. Cuando se trate de conjunto histórico, jardín histórico, lugar histórico, lugar de interés etnológico, zona arqueológica o zona paleontológica, el ayuntamiento correspondiente tendrá que elaborar un plan especial de protección o un instrumento urbanístico de protección, o adecuar un plan vigente, que cumpla las exigencias de esta ley. La aprobación de este instrumento de planeamiento requerirá el informe favorable de la Comisión Insular del Patrimonio Histórico. Se entenderá emitido informe favorable por el transcurso de tres meses desde la presentación de la propuesta de planeamiento.

3. El consejo insular respectivo podrá, en cualquier momento, proponer motivadamente al ayuntamiento la modificación del planeamiento urbanístico que afecte a bienes de interés cultural, y podrá suspender el planeamiento vigente en lo que sea necesario para proteger el patrimonio histórico en el ámbito territorial afectado.

Artículo 37. Autorización de obras

1. Cualquier intervención que quiera realizarse en un monumento histórico, en una zona arqueológica o en una zona paleontológica, así como en su entorno de protección, deberá contar con la autorización de la Comisión Insular del Patrimonio Histórico, previamente al otorgamiento de la licencia municipal de edificación y uso del suelo.

2. En el caso de obras o de intervenciones en un conjunto histórico, jardín histórico, lugar histórico o lugar de interés etnológico mientras no se apruebe definitivamente la normativa urbanística de protección a que hace referencia el artículo 36 de esta ley, para la concesión de licencias o la ejecución de las otorgadas antes de iniciarse el expediente de declaración, será necesaria la autorización de la Comisión Insular del Patrimonio Histórico y, en todo caso, no se permitirán alineaciones nuevas, alteraciones en la edificabilidad, parcelaciones ni agregaciones.

3. Una vez aprobada definitivamente la normativa a la que se refiere el artículo 36 de esta Ley, los ayuntamientos interesados serán competentes para autorizar directamente las obras que desarrollen el planeamiento aprobado, excepto en los supuestos previstos en el punto 1 de este artículo. En todo caso, los ayuntamientos deberán comunicar a la Comisión Insular del Patrimonio Histórico, en el plazo máximo de diez días, las autorizaciones y licencias concedidas.

4. Las obras realizadas sin el cumplimiento de lo que se establece en este artículo serán ilegales, y la Comisión Insular del Patrimonio Histórico podrá ordenar el derribo, la reconstrucción o la restitución a su estado original, con cargo a la entidad que hubiera otorgado la licencia; todo ello, sin perjuicio de lo dispuesto en la legislación en materia de responsabilidades e infracciones.

Artículo 38. Instrumentos de ordenación urbanística y medidas de protección

1. Los instrumentos de ordenación urbanística de ámbito municipal fijarán las medidas primarias de identificación, de protección y de conservación de los bienes inmuebles integrantes del patrimonio histórico.

2. Los proyectos de delimitación del suelo urbano contendrán, al menos, las determinaciones básicas para la identificación de los citados bienes.

Artículo 39. Planes urbanísticos de conjuntos históricos

1. En los planes o instrumentos urbanísticos de protección de los conjuntos históricos se catalogarán, según lo dispuesto en la legislación urbanística, tanto si son inmuebles edificados como espacios libres interiores o exteriores, los elementos que forman el conjunto, las estructuras significativas y los componentes naturales de cada elemento y de su entorno. Se dispensará una protección integral a los inmuebles declarados bienes de interés cultural que pertenezcan al conjunto. Para el resto de los inmuebles, se establecerá un régimen adecuado y especial de protección para cada caso.

2. Excepcionalmente, el plan o instrumento urbanístico de protección permitirá remodelaciones urbanas, pero sólo en caso de que impliquen una mejora del entorno territorial o urbano y contribuyan a la conservación general del conjunto.

3. La conservación del conjunto histórico declarado bien de interés cultural deberá comportar el mantenimiento de la estructura urbana y arquitectónica, así como también de las características generales de su ambiente. Excepcionalmente, se considerarán las sustituciones de inmuebles, si han de contribuir a la conservación general del conjunto. Se mantendrán las alineaciones urbanas existentes.

Artículo 40. Licencias

1. Será necesario obtener la autorización previa de la Comisión Insular del Patrimonio Histórico, además de las licencias o autorizaciones restantes que sean pertinentes, para realizar cualquier obra interior o exterior, el cambio de uso o la modificación que los particulares o cualquier administración pública quieran llevar a cabo en bienes inmuebles de interés cultural o catalogados.

2. En el caso de bienes catalogados, se exceptúan las obras de conservación y reparación que no afecten a los elementos singulares especialmente protegidos.

Artículo 41. Criterios de intervención

1. Cualquier intervención en un bien de interés cultural deberá respetar los siguientes criterios:

a) La conservación, la recuperación, la restauración, la mejora y la utilización del bien deberá respetar los valores que motivaron su declaración, sin perjuicio de que pueda ser autorizado el uso de elementos, técnicas y materiales contemporáneos para la mejor adaptación del bien a su uso y para valorar determinados elementos o épocas.

b) Se conservarán las características tipológicas más notables del bien.

c) Se evitará la reconstrucción total o parcial del bien, salvo que se utilicen sus partes originales y pueda probarse su autenticidad. Si fuera necesario añadir materiales o elementos indispensables para la estabilidad, la conservación o el mantenimiento, éstos deberán reconocerse con el fin de evitar el mimetismo.

d) Se prohibirá la eliminación de partes del bien, excepto cuando comporten la degradación o cuando la eliminación permita una mejor interpretación histórica. En estos casos, se documentarán las partes que deban ser eliminadas.

e) Se prohibirá la colocación de elementos e instalaciones que impliquen una ruptura de la estructura o de la composición de la fachada, o que impliquen perjuicio para la contemplación y el disfrute ambiental del entorno.

2. Las intervenciones en los conjuntos históricos deberán respetar los siguientes criterios:

a) Se mantendrá la estructura urbana y arquitectónica del conjunto y las características generales del ambiente y de la silueta paisajística. Asimismo, se deberá cumplir con lo establecido en el artículo 39.3 de esta Ley.

b) Se prohibirá la colocación de los elementos y de las instalaciones a las que se refiere el punto 1.e) de este artículo.

c) Se prohibirá la colocación de anuncios y de rótulos publicitarios que atenten contra los valores estéticos.

d) Las obras que afecten al subsuelo deberán prever la realización de un control arqueológico, en los términos reglamentariamente previstos.

3. El volumen, la tipología, la morfología y el cromatismo de las intervenciones en los entornos de protección de los bienes inmuebles de interés cultural, no podrán alterar el carácter arquitectónico y paisajístico del área ni perturbar la visualización del bien. Asimismo, se prohibirá cualquier movimiento de tierras que comporte una alteración grave de la geomorfología y la topografía del territorio y cualquier vertido de escombros, ruinas o desperdicios.

Artículo 42. Procedimiento de ruina

1. Los consejos insulares están legitimados para intervenir como interesados en el procedimiento de ruina que afecte a un inmueble de interés cultural o catalogado y se les deberá notificar la apertura y las resoluciones administrativas que afecten al bien.

2. Se prohíbe el derribo de bienes inmuebles de interés cultural o catalogados sin la previa declaración de ruina, la autorización de la Comisión Insular del Patrimonio Histórico correspondiente y el informe favorable al menos de una institución consultiva de las previstas en el artículo 96 de esta Ley.

3. En caso de urgencia o peligro inminente, el ayuntamiento cuando inicie el expediente de ruina ordenará las medidas necesarias para evitar daños a las personas. Las obras que por razón de fuerza mayor se deban realizar, no comportarán actos de demolición que no sean estrictamente necesarios para la conservación del inmueble, y requerirán la autorización de la Comisión Insular del Patrimonio Histórico.

CAPÍTULO IV. Bienes muebles

Artículo 43. Deber de información

Los propietarios, titulares de otros derechos reales y poseedores de bienes muebles integrantes del patrimonio histórico de las Illes Balears deberán comunicar, en el plazo que reglamentariamente se fije, la existencia de éstos al consejo insular respectivo, el cual deberá notificarlo al Gobierno de las Illes Balears y al ayuntamiento que corresponda.

Se podrá requerir a los propietarios que faciliten las informaciones necesarias sobre los bienes muebles y que permitan el examen y estudio de los mismos.

Artículo 44. Régimen general

1. Los bienes muebles de interés cultural o catalogados no podrán ser modificados, reparados o restaurados sin la autorización preceptiva de la Comisión Insular del Patrimonio Histórico respectiva.

2. Los propietarios, o en su caso, los poseedores o titulares de derechos sobre los bienes citados en el punto anterior, deberán notificar al consejo insular respectivo cualquier cambio que se produzca en su titularidad o en su posesión. Asimismo, están obligados a comunicar al consejo insular respectivo, con una antelación mínima de un mes, su venta o transmisión.

Artículo 45. Bienes muebles incluidos en un bien de interés cultural

Los bienes muebles incluidos en la declaración de un inmueble como bien de interés cultural, según lo que establece el artículo 7.4 de esta Ley, también tendrán la consideración de bienes de interés cultural y serán inseparables, por tanto, del inmueble del que formen parte. Su transmisión o alienación sólo podrá realizarse conjuntamente con el mismo inmueble, excepto con la autorización expresa de la Comisión Insular del Patrimonio Histórico, la cual informará al ayuntamiento correspondiente.

Artículo 46. Las colecciones

Las colecciones declaradas bien de interés cultural o catalogadas que solamente siendo consideradas como una unidad reúnen los valores propios de estos bienes no pueden ser disgregadas por sus propietarios, titulares de otros derechos reales y poseedores, sin la autorización de la Comisión Insular del Patrimonio Histórico.

Artículo 47. Conservación

Si la conservación de bienes muebles de interés cultural o catalogados pudiera quedar comprometida por las condiciones del lugar de ubicación, las comisiones insulares del patrimonio histórico podrán acordar el depósito provisional en un lugar que cumpla las condiciones adecuadas de seguridad y de conservación. También acordarán el depósito provisional de estos bienes en el caso de que los propietarios, titulares de derechos reales y poseedores incumplan la obligación de conservarlos.

Artículo 48. Comercio

1. Las personas y las entidades que se dedican habitualmente al comercio de bienes integrantes del patrimonio histórico deberán comunicar a la Comisión Insular del Patrimonio Histórico, con una antelación mínima de un mes, su venta o transmisión, y deberán llevar un libro de registro, legalizado por ésta, en el cual constarán las transacciones que afecten a los bienes. Se anotarán en el libro de registro los datos de identificación del objeto y de las partes que intervienen en cada transacción y su fecha.

2. La Comisión Insular del Patrimonio Histórico llevará un registro de las empresas que se dedican habitualmente al comercio de los objetos a que se refiere el punto anterior. Las citadas empresas se han de inscribir en el Registro, con los requisitos establecidos por reglamento, para poder ejercer su actividad.

3. La Comisión Insular del Patrimonio Histórico informará al Gobierno de las Illes Balears respecto de las inscripciones que se realicen en el libro de registro.

TÍTULO III. Patrimonio arqueológico y palentológico
CAPÍTULO I. Disposiciones generales

Artículo 49. Definición

Integran el patrimonio arqueológico de las Illes Balears al efecto de esta ley, los bienes muebles e inmuebles en los cuales concurren alguno de los valores del artículo 1 de la presente Ley, el estudio de los cuales requiere la aplicación de metodología arqueológica, hayan sido o no extraídos y tanto si se encuentran en la superficie o en el subsuelo, en el mar territorial o en la plataforma continental. Forman parte, asimismo, de este patrimonio los elementos geológicos y paleontológicos relacionados con la historia de la humanidad y las muestras ecoarqueológicas extraídas en yacimientos arqueológicos que no hayan de ser destruidas una vez analizadas científicamente.

Artículo 50. Intervenciones arqueológicas y peleontológicas

1. Tendrán la consideración de intervenciones arqueológicas y paleontológicas los estudios directos de arte rupestre, así como las prospecciones, los sondeos, las excavaciones y cualquier otra actuación que afecte a bienes, zonas arqueológicas, zonas paleontológicas o espacios de interés arqueológico o paleontológico.

2. Se entenderán por excavaciones arqueológicas las remociones en la superficie, en el subsuelo o en los espacios subacuáticos realizadas con el fin de descubrir e investigar toda clase de restos materiales relacionados estrictamente con la historia de la humanidad, así como también los componentes geológicos y las muestras ecoarqueológicas que estén relacionadas con los mismos y se lleven a cabo a través de metodología científica.

3. Son excavaciones paleontológicas las remociones de la superficie, del subsuelo o de los espacios subacuáticos, que se realicen con el fin de descubrir e investigar toda clase de restos faunísticos y/o vegetales, fosilizados o no, así como los componentes geológicos que estén relacionados con ellos y se lleven a cabo con metodología científica.

4. Son prospecciones arqueológicas y paleontológicas las exploraciones superficiales y sistemáticas, tanto terrestres como subacuáticas, sin remoción del terreno, dirigidas al estudio, la investigación o el examen de cualquiera de los elementos a que se refieren, respectivamente, los puntos 2 y 3 de este artículo y se lleven a cabo con metodología científica.

5. Se consideran hallazgos casuales los descubrimientos de objetos y restos materiales que, teniendo los valores que son propios del patrimonio histórico, se han producido por el azar o como consecuencia de remociones de tierra, demoliciones u obras de cualquier índole que no tengan como finalidad la investigación histórica o geológica.

Artículo 51. Autorizaciones

1. La realización de intervenciones arqueológicas y/o paleontológicas a las que se refiere el artículo anterior necesitará la autorización previa de la Comisión Insular del Patrimonio Histórico. En el caso de denegación, la resolución deberá ser motivada.

2. El peticionario de la autorización deberá acompañar la solicitud con un proyecto en el que constará:

a) la conveniencia y el interés científico de la actuación;
b) la idoneidad técnica y científica de los directores y de los equipos investigadores;
c) la capacidad económica de los promotores;
d) las medidas de protección de los restos que se puedan descubrir;
e) la autorización o el consentimiento de la propiedad, en su caso.

3. Mediante reglamento, el Gobierno de las Illes Balears desarrollará el procedimiento para la concesión de la autorización y determinará los diferentes tipos de intervenciones arqueológicas y/o paleontológicas, su alcance, los requisitos que deberán cumplir las solicitudes, la titulación y la capacidad técnica de los directores, las condiciones a las que deberá sujetarse la autorización y las obligaciones de su otorgamiento.

Artículo 52. Documentación y registro de las intervenciones

En el transcurso de los trabajos de toda intervención arqueológica o paleontológica, se dispondrá del soporte metodológico adecuado, donde se registren y documenten, de forma sistemática y exhaustiva, todos los datos que la intervención arqueológica o paleontológica proporcione durante su desarrollo. Una copia de esta documentación se entregará, juntamente con la memoria correspondiente a la intervención arqueológica o paleontológica, a la Comisión Insular del Patrimonio Histórico.

Artículo 53. Depósito de materiales

1. La autorización para realizar excavaciones, sondeos o prospecciones arqueológicas y/o paleontológicas obliga a los beneficiarios a entregar al museo público que la Comisión Insular del Patrimonio Histórico determine y en el plazo que se fije:

a) Los objetos obtenidos, debidamente inventariados y catalogados, con identificación del contexto del cual proceden.

b) La memoria preliminar de la excavación.

2. La elección del museo público deberá tener en cuenta las circunstancias que hagan posible, además de las adecuadas medidas de conservación y seguridad, una mejor función cultural y científica, sin perjuicio de la aplicación de otros criterios derivados de las necesidades de la ordenación museística. En determinados casos, la Comisión Insular del Patrimonio Histórico podrá autorizar el depósito de materiales a centros de investigación para su estudio o para fines didácticos, siempre bajo el control y las condiciones que ésta establezca.

Artículo 54. Intervenciones ilegales

1. Serán ilegales las intervenciones arqueológicas o paleontológicas realizadas sin la autorización correspondiente, o las que se han llevado a cabo contraviniendo los términos en que ha sido conferida la autorización.

2. Igualmente serán ilegales las obras de remoción de tierra, de demolición o cualesquiera otras realizadas con posterioridad en el lugar donde se ha producido un hallazgo casual de objetos arqueológicos o paleontológicos que no ha sido comunicado inmediatamente al consejo insular correspondiente.

Artículo 55. Ejecución de intervenciones arqueológicas y paleontológicas

El consejo insular correspondiente podrá ordenar la ejecución de intervenciones arqueológicas o paleontológicas cuando se presuma la existencia de yacimientos o restos arqueológicos, paleontológicos o de componentes geológicos que estén relacionados con los mismos.

Al efecto de la correspondiente indemnización, regirá lo dispuesto en la legislación vigente sobre expropiación forzosa.

Artículo 56. Intervenciones de urgencia

El consejo insular correspondiente podrá autorizar mediante procedimiento simplificado la realización de intervención arqueológicas y paleontológicas de urgencia cuando considere que existe peligro de pérdida o deterioro de bienes del patrimonio arqueológico y/o paleontológico, las cuales se limitarán a la adopción de las medidas necesarias para superar la situación de emergencia.

Artículo 57. Evaluación de impacto ambiental

En la tramitación de proyectos de obras, de instalaciones o de actividades que se hayan de someter al procedimiento de evaluación de impacto ambiental y que afecten a bienes integrantes del patrimonio arqueológico y/o paleontológico, se deberá solicitar informe de la Comisión Insular del Patrimonio Histórico.

CAPÍTULO II. Espacios de interés arqueológico o paleontológico

Artículo 58. Definición

1. Se considerarán espacios de interés arqueológico o paleontológico los lugares no declarados, terrestres o subacuáticos, donde, por evidencias materiales, por antecedentes históricos o por otros indicios, se presume la existencia de restos arqueológicos o paleontológicos.

2. Los espacios de interés arqueológico o palontológico se determinan por acuerdo del pleno de los consejos insulares a propuesta de la Comisión Insular del Patrimonio Histórico que corresponda, con audiencia previa de los interesados, del ayuntamiento afectado y del Gobierno de las Illes Balears. Se incluirán en el Catálogo Insular del Patrimonio Histórico, en el Catálogo General de las Illes Balears, y se dará cuenta de la resolución al ayuntamiento y a los interesados.

3. La protección de los espacios de interés arqueológico o paleontológico podrá llevarse a cabo a través de la declaración de zonas arqueológicas o zonas paleontológicas como bienes de interés cultural, de acuerdo con lo que establece el título I de la presente Ley.

Artículo 59. Intervenciones arqueológicas o paleontológicas por obras

1. Los promotores de obras y de otras intervenciones en terrenos o edificaciones que se encuentran en espacios de interés arqueológico o paleontológico presentarán a la Comisión Insular del Patrimonio Histórico que corresponda, previamente a la solicitud de licencia municipal de edificación y uso del suelo, un estudio de la incidencia que éstas pueden tener en los restos arqueológicos o paleontológicos, redactado por un técnico competente, de acuerdo con lo que establece el artículo 51.3 de la presente Ley.

2. Para la concesión de la licencia municipal, será necesaria la autorización de la Comisión Insular del Patrimonio Histórico correspondiente. Podrá exigirse la realización y la ejecución de una intervención arqueológica o paleontológica.

3. Si se trata de un particular, el consejo insular respectivo podrá colaborar en la financiación del coste de la ejecución del proyecto. Si el promotor de la obra es una administración pública o concesionario, el coste de las intervenciones arqueológicas o paleontológicas será asumido íntegramente por la entidad promotora.

4. Una vez ejecutadas las intervenciones arqueológicas o paleontológicas que correspondan a causa de obras en un espacio de interés arqueológico o paleontológico, y con audiencia del promotor e informe previo de la Comisión Insular del Patrimonio Histórico, el consejo insular decidirá el destino de los restos que hayan podido aparecer, de acuerdo con su monumentalidad, su estado de conservación y su importancia histórica.

Artículo 60. Bienes arqueológicos de titularidad pública

1. Son bienes de titularidad pública todos los objetos y restos materiales con valor arqueológico y paleontológico y que sean descubiertos, de forma intencionada, en intervenciones arqueológicas, o por azar en remociones de tierra u obras de cualquier índole. El descubridor deberá comunicar al consejo insular o al ayuntamiento correspondiente el descubrimiento, en el plazo máximo de 48 horas, sin que se pueda poner en conocimiento público antes de haber informado a dichas administraciones. En ningún caso será de aplicación a tales objetos lo que dispone el artículo 351 del Código Civil.

2. El ayuntamiento que sea informado del descubrimiento de restos arqueológicos, lo notificará al consejo insular correspondiente en el plazo de 48 horas. Igualmente, el consejo insular notificará al ayuntamiento los descubrimientos que le sean comunicados, e informará también al propietario del lugar en que se hubiese efectuado el hallazgo.

3. Los bienes que, de acuerdo con el artículo 44 de la Ley 16/1985, de 25 de junio, del patrimonio histórico español, tienen la consideración de dominio público, si son descubiertos en las Illes Balears, se integran en el patrimonio del consejo insular respectivo. No obstante, si los derechos económicos a los que se refiere el artículo 63 de esta Ley son satisfechos íntegramente por otra administración pública, los bienes se integrarán en el patrimonio de aquella administración.

Artículo 61. Paralización de obras

1. Si durante la ejecución de una obra se encuentran objetos o restos arqueológicos, el promotor y la dirección facultativa de la obra paralizarán de inmediato los trabajos, tomarán las medidas adecuadas de protección y comunicarán su descubrimiento, en el plazo de 48 horas, al consejo insular o al ayuntamiento correspondiente.

2. El consejo insular, o en caso de necesidad el ayuntamiento, podrá ordenar la interrupción inmediata de los trabajos por un plazo máximo de veinte días, en los cuales se comprobará el interés arqueológico de los restos. La suspensión no dará lugar a indemnización.

3. En caso necesario, para completar la investigación arqueológica, el consejo insular podrá ampliar este plazo de suspensión hasta un máximo de un mes, en el cual deberá ordenarse la excavación de urgencia, sin perjuicio de los derechos de los particulares a ser indemnizados.

Artículo 62. Entrega del bien

1. Una vez comunicado el hallazgo, el descubridor entregará el bien, en el plazo máximo de 48 horas, al ayuntamiento o al consejo insular, salvo que sea necesario efectuar remoción de tierras para la extracción del bien, dadas sus características, o cuando se trate de un hallazgo subacuático. En estos casos, el objeto quedará en el emplazamiento original.

2. Hasta que los objetos sean entregados al consejo insular, al descubridor se le aplicarán las normas del depósito legal.

3. El descubridor y el propietario del lugar donde se haya efectuado el hallazgo deben ser adecuadamente informados por el consejo insular sobre el valor de éste y su depósito.

Artículo 63. Derecho a premio

1. El descubridor y el propietario del lugar donde se ha encontrado el objeto tienen derecho, en concepto de premio en metálico, a la mitad del valor que en tasación legal se le atribuya, que se distribuirá entre ellos por partes iguales. Si son dos o más los descubridores o los propietarios, se mantendrá igual proporción.

2. El incumplimiento de las obligaciones previstas en los artículos 60.1 y 61.1 de esta Ley privará al descubridor y, en su caso, al propietario del derecho al premio, y los objetos quedarán de manera inmediata a disposición del consejo insular, todo ello sin perjuicio de las responsabilidades y de las sanciones que correspondan.

3. Se exceptúa de lo que dispone este artículo el hallazgo de partes integrantes de la estructura arquitectónica de un bien inmueble de interés cultural o catalogado. Sin embargo, el hallazgo deberá ser notificado en un plazo máximo de 48 horas al consejo insular o al ayuntamiento.

4. Lo que se dispone en este artículo no será de aplicación respecto de los objetos obtenidos en una intervención arqueológica autorizada.

Artículo 64. Entrega de bienes muebles a museos

1. Los objetos arqueológicos y/o paleontológicos adquiridos por cualquier título por las administraciones públicas y los depositados, o bien los incautados por actuaciones policiales, judiciales, inspecciones de las autoridades de marina o cualquier otra, sin perjuicio de su titularidad, se entregarán a museos públicos, de acuerdo con los criterios señalados en el artículo 53.2 de la presente Ley.

2. Los materiales arqueológicos y/o paleontológicos cuya titularidad no quede acreditada y no hayan sido declarados bienes de interés cultural o catalogados, no podrán ser expuestos públicamente. En caso contrario, tendrán la consideración de bienes de domino público, salvo prueba contraria, y deberán ser depositados en un museo público.

TÍTULO IV. Patrimonio etnológico

Artículo 65. Definición

Forman parte del patrimonio etnológico los lugares y los bienes muebles e inmuebles, así como también los conocimientos y las actividades que son o han sido expresión relevante de la cultura tradicional del pueblo de las Illes Balears en los aspectos materiales, económicos, sociales o espirituales.

Artículo 66. Clasificación

1. Son bienes inmuebles de carácter etnológico las edificaciones, las instalaciones, las partes o los conjuntos de éstas, cuyo modelo es expresión de conocimientos adquiridos, arraigados y transmitidos consuetudinariamente, y cuyo estilo se acomoda, en conjunto o parcialmente, a una clase, tipo o forma arquitectónicos utilizados tradicionalmente por las comunidades o grupos de personas.

2. Son bienes muebles de carácter etnológico aquellos objetos e instrumentos que constituyen la manifestación o el producto de actividades laborales, estéticas y lúdicas, propias de cualquier grupo humano, arraigadas y transmitidas consuetudinariamente.

Artículo 67. Bienes etnológicos inmateriales

1. Los bienes etnológicos inmateriales, como usos, costumbres, comportamientos o creaciones, juntamente con los restos materiales en los que se puedan manifestar, serán salvaguardados por la administración competente según esta Ley, y se promoverá su investigación y su recogida exhaustiva en soportes materiales que garanticen su transmisión a las futuras generaciones.

2. Igualmente serán objeto de estudio, documentación y conservación aquellos conocimientos y actividades propias del pueblo de las Illes Balears.

3. —

Número 3 del artículo 67 derogado por el número 2 de la disposición derogatoria de la Ley [BALEARES] 18/2019, 8 abril, de salvaguardia del patrimonio cultural inmaterial de las Illes Balears (B.O.I.B. 13 abril).

TÍTULO V. Del patrimonio histórico-industrial

Artículo 68. Definición

Forman parte del patrimonio histórico-industrial los bienes muebles e inmuebles que constituyen manifestaciones del pasado tecnológico, industrial y productivo de las Illes Balears, que sean susceptibles de ser estudiados mediante la metodología propia de la historia del arte, la historia económica o de la historia de la ciencia y de la técnica.

Artículo 69. Clasificación

1. Son bienes inmuebles de carácter histórico-industrial las fábricas, las edificaciones o las instalaciones que son expresión y testimonio de sistemas vinculados a la producción técnica e industrial, y que hayan perdido su sentido práctico y permanezcan sin utilizar.

2. Son bienes muebles de carácter histórico-industrial los vehículos, las máquinas, los instrumentos y las piezas de ingeniería que hayan perdido su sentido práctico y permanezcan sin utilizar.

TÍTULO VI. Museos

Artículo 70. Definición y funciones

1. Son museos las instituciones de carácter permanente, abiertas al público, que adquieren, reúnen, conservan, investigan, comunican y exhiben para fines de estudio, instrucción pública y contemplación, conjuntos y colecciones de valor histórico, artístico, arqueológico, histórico-industrial, paleontológico, etnológico, antropológico, científico, técnico o de cualquier otra naturaleza cultural.

2. Son funciones de los museos

a) La conservación, la catalogación, la restauración y la exhibición ordenada de las colecciones.

b) La investigación, en el ámbito de sus colecciones, de sus especialidades y de su entorno cultural.

c) La organización periódica de exposiciones científicas y divulgativas, de acuerdo con la naturaleza del museo.

d) La elaboración y publicación de monografías y catálogos de sus fondos.

e) El desarrollo de una actividad didáctica educativa en relación con sus fondos.

f) Cualquier otra actividad o función que reglamentariamente o por ley específica se les encomiende.

Artículo 71. Fondos de los museos

Forman parte del patrimonio histórico, susceptible de ser conservado en museos, aquellos objetos de interés histórico, artístico, arqueológico, histórico-industrial, paleontológico, etnológico, científico, técnico o de cualquier otra naturaleza, que resulten significativos del desarrollo del hombre y su entorno.

Artículo 72. Colecciones

Son colecciones los conjuntos de bienes culturales de interés especial conservados por instituciones, personas físicas o jurídicas que no tengan las condiciones que esta Ley establece para los archivos, bibliotecas y museos.

Artículo 73. Creación y legislación

La creación, la autorización y la calificación de un museo se regularán por su legislación específica. Las colecciones también se regularán por su legislación específica.

TÍTULO VII. Patrimonio bibliográfico

Artículo 74. Definición de bibliotecas

Son bibliotecas las instituciones culturales en las que se reúnen, conservan, seleccionan, inventarían, catalogan, clasifican y difunden conjuntos o colecciones de libros, folletos, publicaciones periódicas, documentación gráfica, manuscritos, registros sonoros y visuales, informáticos y otros materiales bibliográficos o reproducidos en cualquier soporte, actual o futuro, para el uso en sala pública o mediante préstamo temporal con fines educativos, de investigación, de información, de recreación o de cultura.

Artículo 75. Contenido del patrimonio bibliográfico

1. Forman parte del patrimonio bibliográfico de las Illes Balears las bibliotecas y colecciones bibliográficas de titularidad pública y las obras literarias, históricas, científicas o artísticas de carácter unitario o seriado, en escritura manuscrita o impresas, de las cuales no consta la existencia, al menos, de tres ejemplares en las bibliotecas o en los servicios públicos radicados en las Illes Balears, editadas en su ámbito fuera de éste y que son de interés cultural para el pueblo de las Illes Balears.

2. Integran, asimismo, el patrimonio bibliográfico de las Illes Balears los ejemplares que son producto de ediciones de películas cinematográficas, discos, fotografías, materiales audiovisuales y otros semejantes, sea cual sea su soporte material, de los cuales no consta la existencia, al menos, de tres ejemplares en los servicios públicos radicados en las Illes Balears, o de uno, en el caso de películas cinematográficas que sean de interés cultural.

3. Igualmente, forman parte del patrimonio bibliográfico de las Illes Balears las obras de más de cien años de antigüedad y las obras manuscritas, así como los fondos bibliográficos que, por su singularidad, unidad temática o relevancia se establezcan por reglamento o por su regulación específica.

TÍTULO VIII. Patrimonio documental

Artículo 76. Definición de documento y de archivos

—

Artículo 77. Contenido del patrimonio documental

—

Artículo 78. Documentos con antigüedad superior a cuarenta años

—

Artículo 79. Documentos con antigüedad superior a cien años

—

Título VIII derogado por la disposición derogatoria única de la L 6/2022, de 5 de agosto, de archivos y gestión documental de las Illes Balears (B.O.I.B. 9 agosto).

TÍTULO IX. Medidas de fomento y difusión

Artículo 80. El 1,5 por cien cultural

1. En el presupuesto de cualquier obra pública, superior a trescientos mil euros, financiada total o parcialmente por el Gobierno de las Illes Balears, los consejos insulares, los ayuntamientos, sus organismos autónomos y el resto de entidades instrumentales que dependan de ellos y sus concesionarios, debe incluirse una partida de importe igual o superior al 1,5 por cien de los fondos aportados por estas entidades, que se destinará a la conservación, la restauración, la protección, el enriquecimiento, la investigación, la documentación, la difusión, la puesta en valor o en uso o la redacción de instrumentos de protección del patrimonio histórico, patrimonio inmaterial o al fomento de la creatividad artística, y que se aplicará con preferencia en la misma obra o en su entorno inmediato.

2. Quedan exceptuadas de esta obligación las obras que se realicen en cumplimiento de los objetivos de esta ley y también las que deban financiarse total o parcialmente con fondos europeos.

3. En el caso de que la obra pública se ejecute o se explote en virtud de concesión administrativa, el porcentaje mínimo establecido en los puntos anteriores se aplicará al presupuesto total de la obra.

4. En el caso de que se fraccionara la contratación por razón de gestión o financiación, el presupuesto que se ha de considerar, a efectos de lo que se dispone en los puntos anteriores, es el total de los presupuestos de las diversas fases de las obras.

5. Las administraciones públicas podrán realizar las inversiones previstas en el punto 1 de este artículo mediante la transferencia al consejo insular correspondiente, o bien directamente, bajo la coordinación de la Junta Interinsular del Patrimonio Histórico para al aplicación de los programas de inversiones y ayudas redactados por los consejos insulares respectivos o por los que puedan elaborar el Gobierno de las Illes Balears respecto de su patrimonio histórico, todo ello sin perjuicio de las autorizaciones que sean preceptivas de acuerdo con lo que dispone esta Ley.

6. En los expedientes de contratación de obras se deberá hacer constar la disponibilidad del crédito necesario para el cumpliendo de la obligación de reserva determinada en este artículo.

7. Las intervenciones culturales que el Estado haga en las Illes Balears en aplicación del 1% cultural determinado por la Ley 16/1985, de 25 de junio, del patrimonio histórico español, se harán de acuerdo con los programas de inversiones y ayudas redactados por los consejos insulares respectivos o por los que pueda elaborar el Gobierno de las Illes Balears respecto de su patrimonio histórico, bajo la coordinación de la Junta Interinsular del Patrimonio Histórico.

8. Las inversiones culturales que el Gobierno de las Illes Balears realice en los diferentes ámbitos insulares en aplicación del 1,5 por cien cultural, se realizarán bajo la coordinación de Junta Interinsular del Patrimonio Histórico.

9. La aplicación del 1,5 por cien cultural se considera una inversión de carácter extraordinario y, en consecuencia, no puede formar parte de las consignaciones o partidas del ejercicio presupuestario destinadas a la investigación, la protección y el fomento del patrimonio histórico, patrimonio inmaterial y de la creatividad artística.

Artículo 81. Colaboración

Las administraciones públicas competentes colaborarán con los propietarios y titulares de derechos sobre bienes culturales para la conservación, la recuperación y la difusión de éstos, mediante la presentación del asesoramiento técnico y jurídico necesario y, si procede, de la concesión de ayudas de tipo económico-financiero.

Artículo 82. Financiación

1. Los consejos insulares dispondrán de las medidas necesarias para que la financiación de la adquisición de bienes de interés cultural y de los catalogados, con la finalidad de destinarlos a un uso que asegure su protección, tenga acceso preferente al crédito oficial en la forma y con los requisitos que establezcan las normas reguladoras.

2. Los consejos insulares promoverán el acceso al crédito oficial para la financiación de obras de conservación, mantenimiento, rehabilitación e intervención arqueológica o paleontológica realizadas en bienes de interés cultural o catalogados.

Artículo 83. Inversiones culturales

1. Los consejos insulares aprobarán anualmente un programa de inversiones y ayudas para la investigación, la documentación, la conservación, la restauración, la intervención, la mejora y la puesta en valor del patrimonio histórico. Este programa tendrá en cuenta los objetivos establecidos en el Plan Insular de Gestión del Patrimonio Histórico, que redactarán y aprobarán los consejos insulares, y en el Plan de Gestión del Gobierno de las Illes Balears respecto de su patrimonio histórico.

2. Cuando se trate de obras de reparación urgente, la administración competente podrá conceder una ayuda con carácter de anticipo reintegrable que será inscrita en el Registro de la Propiedad, en los términos que reglamentariamente se determinen.

3. Las ayudas para la conservación de bienes inmuebles podrán otorgarse en forma de crédito refaccionario, condonable al finalizar satisfactoriamente las obras que se financien a su cargo. La administración competente podrá instar la anotación preventiva del crédito refaccionario en el Registro de la Propiedad y la posterior conversión en hipoteca en los términos previstos en la legislación hipotecaria.

4. Si en el plazo de ocho años, a contar desde el otorgamiento de una de las ayudas previstas en esta ley, la Administración adquiere el bien, se deducirá del precio de adquisición la cantidad equivalente al importe de las ayudas, que se considerará como pago a cuenta.

Artículo 84. Ayudas

1. Los propietarios y titulares de derechos de los bienes de interés cultural o catalogados tendrán acceso preferente a las ayudas reguladas en el artículo anterior.

2. Las administraciones públicas competentes otorgantes de las ayudas a que se refiere este título fijarán las garantías necesarias para evitar la especulación con los bienes que se adquieren, conservan, restauran, excavan o se mejoran con fondos públicos, y determinarán las obligaciones que, en contrapartida, adquirirá el propietario o titular del bien para la mejora, la conservación y la utilización de estos bienes.

3. No se podrán acoger a las medidas de fomento las personas o entidades que no acrediten el cumplimiento del deber de conservación establecido por esta Ley.

Artículo 85. Beneficios fiscales para la rehabilitación de vivienda

Las ayudas mencionadas en los artículos anteriores serán compatibles con los beneficios fiscales establecidos para la rehabilitación de viviendas.

Artículo 86. Beneficios fiscales

1. Los propietarios y titulares de derechos de bienes de interés cultural o catalogados disfrutarán de los beneficios fiscales que determine la legislación del Estado, la legislación de las Illes Balears y la normativa de las entidades locales.

2. Los propietarios de jardines históricos tendrán una reducción del 75% de la cuota del canon de saneamiento de aguas, regulado por la Ley de las Illes Balears 9/1991, de 27 de noviembre.

3. El Gobierno de las Illes Balears y los consejos insulares promoverán una política destinada a las entidades locales, para que otorguen un tratamiento fiscal más favorable a los propietarios de bienes inmuebles de interés cultural y catalogados.

Artículo 87. Pago con bienes culturales

1. Los propietarios de los bienes integrantes del patrimonio histórico podrán convenir con las administraciones públicas competentes la cesión en propiedad de estos bienes como pago de sus deudas, de acuerdo con la legislación aplicable y después del informe de la Comisión de Valoración del Patrimonio Histórico.

2. La entrega en propiedad de bienes culturales podrá también convenirse en favor de las entidades locales como sustitución de las cesiones y otras cargas de obligado cumplimiento, derivadas de la ejecución de la legislación urbanística, siempre que garanticen la satisfacción de los beneficios que al interés general reporten estas cesiones.

Artículo 88. Gestión del patrimonio histórico de las administraciones públicas

1. El gobierno de las Illes Balears y los consejos insulares, para el mejor mantenimiento de sus inmuebles que pertenecen al patrimonio histórico, podrán ceder su uso y explotación a las personas y entidades que se comprometan a restaurarlos y a mantenerlos; se dará prioridad en esta cesión a las entidades locales interesadas.

Estas cesiones se realizarán de acuerdo con lo que se prevé en la Ley 11/1990, de 17 de octubre, de patrimonio de la Comunidad Autónoma de las Illes Balears.

2. Las administraciones públicas podrán crear patronatos, integrados por representantes de éstas y de otras instituciones, entidades y personas relacionadas con los bienes del patrimonio histórico de que se trate, para que colaboren, asesoren y participen en la gestión y en las diferentes actividades.

3. El Gobierno de las Illes Balears podrá establecer que determinados monumentos, yacimientos arqueológicos o paleontológicos o museos gestionados por la Comunidad Autónoma, sean administrados en régimen de autonomía económica, en los términos que sean concretados por reglamento.

Artículo 89. Difusión en la enseñanza

1. El Gobierno de las Illes Balears debe incluir en los currículos de los diferentes niveles del sistema educativo reglado obligado el conocimiento del patrimonio histórico de las Illes Balears.

2. El Gobierno de las Illes Balears debe promover los proyectos educativos de investigación y desarrollo para la conservación y el mantenimiento del patrimonio histórico de las Illes Balears.

3. El Gobierno de las Illes Balears y los consejos insulares promoverán el desarrollo de enseñanzas especializadas en la conservación y el mantenimiento del patrimonio histórico y podrán establecer, al efecto, los convenios de colaboración necesarios con entidades, privadas y/o públicas, y centros de formación especializados.

Artículo 90. Difusión exterior

El Gobierno de las Illes Balears, juntamente con los consejos insulares, ha de promover la difusión exterior del patrimonio histórico de las Illes Balears y los intercambios culturales. También ha de promover el establecimiento de tratados o convenios, en los términos que prevé el Estatuto de Autonomía de las Islas Baleares.

TÍTULO X. Organización y competencias de las administraciones públicas

CAPÍTULO I. Competencias administrativas

Artículo 91. Del Gobierno de las Illes Balears

Corresponde al Gobierno de las Illes Balears:

1. La gestión del Registro de Bienes de Interés Cultural de las Illes Balears y las comunicaciones con el Registro General de Bienes de Interés Cultural del Estado.

2. La organización y la gestión del Catálogo General de las Illes Balears y las comunicaciones con el Inventario General de Bienes Muebles del Estado.

3. Ejercer la potestad reglamentaria normativa en materia de patrimonio histórico, sin perjuicio de la potestad de autoorganización de los consejos insulares.

4. La declaración de los documentos que integran los censos de bienes del patrimonio documental de las Illes Balears y los que se incluyen en el Catálogo Colectivo del Patrimonio Bibliográfico de las Illes Balears.

5. La elaboración, la aprobación y la coordinación de los programas y actuaciones de fomento, sin perjuicio de las medidas que correspondan a otras administraciones.

6. La elaboración y la aprobación de los planes de coordinación interadministrativa.

7. Ejercer con carácter subsidiario los derechos de tanteo y de retracto, en caso de no hacerlo los consejos insulares, en los supuestos de alienación de bienes declarados de interés cultural, catalogados o incluidos en el Inventario General de Estado.

8. Las relaciones y la colaboración con la Administración General del Estado y de otros entes públicos para la ejecución de actuaciones de defensa del patrimonio histórico.

Artículo 92. De los consejos insulares

Corresponde a los consejos insulares de Mallorca, de Menorca y de Eivissa y Formentera, en su ámbito de actuación:

1. La iniciación, la incoación, la instrucción y la resolución de los procedimientos de declaración de bienes de interés cultural, de bienes catalogados y de espacios de interés arqueológico y paleontológico.

2. La organización y la gestión del Registro Insular de Bienes de Interés Cultural y del Catálogo Insular, y las comunicaciones con el Registro de Bienes de Interés Cultural y el Catálogo General de las Illes Balears.

3. La tramitación y la resolución de los procedimientos relativos a la conservación, la restauración y la rehabilitación de los bienes integrantes del patrimonio histórico.

4. El ejercicio, con carácter principal, de los derechos de tanteo y el retracto sobre la alienación de los bienes del patrimonio histórico.

5. El otorgamiento de las actuaciones de intervención arqueológicas y/o paleontológicas.

6. El otorgamiento del resto de autorizaciones previstas en la normativa de patrimonio histórico cuando no estén expresamente atribuidas a otras administraciones públicas.

7. La elaboración, la aprobación, la coordinación y la ejecución de los programas de inversiones y ayudas al patrimonio histórico, así como las actuaciones de fomento, sin perjuicio de las facultades que ser reserve el Gobierno de las Illes Balears.

8. La ejecución de las medidas de protección del patrimonio etnológico, bibliográfico, documental e histórico-industrial.

9. El resto de funciones ejecutivas y de gestión en materia de patrimonio histórico no atribuidas expresamente por ésta u otras leyes a cualquier otra administración pública.

10. Las competencias autonómicas determinadas en la Ley 16/1985, de 25 de junio, del patrimonio histórico español.

Artículo 93. De los ayuntamientos

Corresponde a los ayuntamientos de las Illes Balears:

1. La conservación y el mantenimiento de los bienes del patrimonio histórico de titularidad municipal.

2. El derecho de intervenir en todas aquellas actuaciones y procedimientos de otras administraciones públicas en materia de patrimonio histórico que se refieran a bienes radicados en los términos municipales respectivos.

3. El derecho de estar representados en las comisiones insulares del patrimonio histórico, en la forma que reglamentariamente se determine.

4. Señalizar el emplazamiento de los bienes integrantes del patrimonio histórico que se encuentren en el término municipal respectivo, ordenar las vías de acceso y adoptar las medidas de protección respecto del tráfico de personas y de vehículos.

5. La inspección y la vigilancia de las actividades urbanísticas de los particulares para asegurar la observancia de esta Ley, sin perjuicio de las competencias atribuidas a las otras administraciones públicas.

6. El resto de funciones ejecutivas que les atribuye expresamente esta Ley.

CAPÍTULO II. Las comisiones insulares y la Junta Interinsular del Patrimonio Histórico

Artículo 94. Definición

1. Las comisiones insulares del patrimonio histórico son órganos colegiados de los consejos insulares que ejercen funciones consultivas y ejecutivas que les son propias, de acuerdo con lo que se establece en esta Ley, con autonomía orgánica.

2. Un reglamento orgánico, aprobado por el pleno del consejo insular, regulará la composición, la organización y el funcionamiento de estas comisiones insulares.

Artículo 95. La Junta Interinsular del Patrimonio Histórico

1. Se crea la Junta Interinsular del Patrimonio Histórico con la finalidad de coordinar los criterios de protección, intervención y gestión del patrimonio histórico, de los programas y actuaciones de fomento, y el mantenimiento de contactos periódicos que faciliten el intercambio de información y la coordinación entre los consejos insulares y el Gobierno de las Illes Balears, así como de ejercer el resto de funciones que se establezcan reglamentariamente.

2. La Junta Interinsular de Patrimonio Histórico estará integrada por los siguientes miembros:

a) El presidente, que será el conseller de Educación, Cultura y Deportes del Gobierno de las Illes Balears o la persona en quien delegue.

b) Cuatro vocales: tres que nombrarán los consejos insulares, uno por cada consejo, y uno que nombrará el conseller de Educación, Cultura y Deporte del Gobierno de las Illes Balears.

3. La Junta Interinsular del Patrimonio Histórico deberá ser consultada, perceptivamente, respecto de la política de protección, conservación, enriquecimiento y fomento del patrimo-

nio histórico, sobre cualquier proyecto de ley o reglamento que verse total o parcialmente sobre las materias reguladas en esta Ley.

4. La Junta Interinsular del Patrimonio Histórico podrá crear las comisiones técnicas indicadas para tratar temas de carácter general o específicos. Las funciones y la composición de las comisiones se establecerán reglamentariamente.

Se ha de crear la Comisión de Valoración del Patrimonio Histórico, encargada de realizar los informes técnicos de valoración que se soliciten sobre los bienes del patrimonio histórico.

5. La Junta Interinsular del Patrimonio Histórico podrá solicitar informes o estudios a especialistas o a instituciones sobre temas que afecten al patrimonio histórico.

6. La Junta Interinsular del Patrimonio Histórico podrá calificar las entidades que puedan merecer la condición de instituciones consultivas, de acuerdo con el artículo 96 de esta Ley, dada su valía y capacidad.

7. La Junta Interinsular del Patrimonio Histórico se reunirá, como mínimo, una vez al año y cuando lo solicite, al menos, una de las instituciones representada o lo determine su presidente. A las reuniones podrán asistir los valores, acompañados de los asesores que consideren oportunos, los cuales tendrán voz, pero no voto.

8. La Junta Interinsular del Patrimonio Histórico elaborará y aprobará su reglamento de organización y funcionamiento.

CAPÍTULO III. De los órganos consultivos

Artículo 96. Instituciones consultivas
Al efecto de lo que dispone el artículo 9.1.a) de esta Ley, son instituciones consultivas:
1. La Universidad de las Illes Balears.
2. El Institut d' Estudis Baleàrics.
3. El Institut Menorquí d'Estudis.
4. El Institut d'Estudis Eivissencs.
5. Las entidades de valía y capacidad, que sean calificadas por la Junta Interinsular del Patrimonio Histórico.

En el caso de que la administración competente lo considere necesario, se solicitarán los informes pertinentes a técnicos y/o organismos adecuados.

CAPÍTULO IV. Coordinación interadministrativa

Artículo 97. Colaboración
Las administraciones públicas competentes en materia de patrimonio histórico ajustarán su actuación a los principios de colaboración, cooperación y lealtad institucional, de acuerdo con las reglas generales de las relaciones interadministrativas.

Artículo 98. Información
1. Los ayuntamientos proporcionarán al consejo insular y al Gobierno de las Illes Balears la información necesaria para el ejercicio de sus competencias.

2. Asimismo, comunicarán al consejo insular, en el plazo más breve posible, cualquier situación de peligro de destrucción o deterioro en que se encuentren los bienes del patrimonio histórico.

3. El Gobierno de las Illes Balears y los consejos insulares informarán a los ayuntamientos afectados de aquellas circunstancias que afecten a bienes de interés cultural y bienes

catalogados radicados en su término municipal, especialmente de cualquier situación de peligro de deterioro o destrucción que pueda afectarlos.

Artículo 99. Planes insulares de gestión del patrimonio histórico

1. Los plenos de los consejos insulares aprobarán, cada dos años, un plan de objetivos, bajo el nombre genérico de Plan Insular de Gestión del Patrimonio Histórico, que establecerá el conjunto de actuaciones y prioridades de la acción pública destinadas a ordenar y facilitar las tareas preventivas, la intervención, la conservación y la difusión del patrimonio histórico.

2. Las determinaciones del Plan Insular de Gestión del Patrimonio Histórico serán vinculantes para las administraciones actuaciones en relación con el otorgamiento de subvenciones y con la financiación de proyectos de obras o servicios que afecten a bienes de interés cultural o catalogados, sin perjuicio de lo que dispongan el mismo plan.

TÍTULO XI. Infracciones y sanciones
CAPÍTULO I. Infracciones

Artículo 100. Clases

1. Constituyen infracciones administrativas, y serán sancionadas por el consejo insular, las acciones u omisiones que, siempre que no constituyan delito, se citan en esta Ley.

2. Las infracciones se clasifican en muy graves, graves y leves.

Artículo 101. Infracciones muy graves

Tienen la consideración de infracciones muy graves:

1. El incumplimiento por parte de los propietarios, titulares de derechos reales o poseedores de bienes de interés cultural o catalogados, de los deberes establecidos en el artículo 26 de esta Ley.

2. La destrucción, la demolición, el desplazamiento o la remoción ilegales de cualquier bien de interés cultural o catalogado, o afectado por un procedimiento de declaración como tal, así como cualquier acción u omisión que produzca daños irreparables en este tipo de bienes.

3. La exportación ilegal de los bienes integrantes del patrimonio histórico en los casos previstos en la legislación específica.

4. El incumplimiento de las condiciones de retorno fijadas para la exportación temporal, legalmente autorizada, de los bienes integrantes del patrimonio histórico.

5. La destrucción o eliminación no autorizadas de los bienes integrantes del patrimonio documental y bibliográfico, en los casos previstos en la legislación específica.

Artículo 102. Infracciones graves

Se consideran infracciones graves:

1. El incumplimiento por parte de los propietarios, titulares de derechos reales o poseedores de los bienes integrantes del patrimonio histórico, de los deberes establecidos en los puntos 1 y 2 del artículo 22 de esta Ley.

2. El otorgamiento por parte de los ayuntamientos de licencias urbanísticas, de remoción o de desplazamiento de bienes inmuebles de interés cultural y catalogados, cuando se incumple lo que disponen los artículos 8.3, 36 y 37 de esta Ley.

3. La realización de obras en monumentos, conjuntos históricos, jardines históricos, lugares históricos o lugares de interés etnológico, sin la autorización pertinente.

4. La realización de obras o de cualquier otra intervención en bienes de interés cultural o catalogados que contravenga lo que disponen los artículos 29.2, 31, 35, 39.3, 41, 44 y 45 de esta Ley.

5. La realización de excavaciones, prospecciones y otras actuaciones arqueológicas, geológicas y paleontológicas, sin la correspondiente autorización administrativa, cuando se incumpla lo que preceptúan los artículos 51.1 y 2 y 52 de esta Ley, o en su caso, las condiciones que se fijen.

6. Las obras de remoción de tierras, de demolición o cualesquiera otras realizadas con posterioridad en el lugar en el que se haya producido un hallazgo casual de objetos arqueológicos que no se hubiera comunicado inmediatamente a la administración competente.

7. La no comunicación a las administraciones públicas competentes de las subastas que afecten a bienes del patrimonio histórico.

8. El incumplimiento del deber de permitir el acceso de inspectores e investigadores, y la visita pública a los bienes de interés cultural.

9. El incumplimiento de las obligaciones de comunicación del descubrimiento de restos arqueológicos y de entrega de los bienes hallados.

10. El incumplimiento de la suspensión de obras con motivo del descubrimiento de los restos arqueológicos y de las suspensiones de obras acordadas por la administración competente.

11. El uso no autorizado de detectores de metales en los bienes integrantes del patrimonio histórico de las Illes Balears.

12. La inobservancia del deber de llevar el libro-registro de transmisiones o la omisión o inexactitud de los datos que deben hacerse constar en el mismo.

Artículo 103. Infracciones leves

Son infracción leve:

1. El incumplimiento por parte de los propietarios, titulares de derechos reales o poseedores de los bienes integrantes del patrimonio histórico, de los deberes establecidos en los artículos 9.2 y 34.1 y 2 de esta Ley.

2. La retención ilegal o el depósito indebido de documentos integrantes del patrimonio documental o bibliográfico.

3. La falta de comunicación a las administraciones públicas competentes de los datos o la información exigida en los artículos 3.1, 7.3, 12.2, 16.2, 32.2, 40.1, 43, 44.2, 51.2, 59, 60.1 y 61.1 de esta Ley.

4. La obstaculización injustificada de las vías de acceso a los bienes inmuebles del patrimonio histórico establecidas por las administraciones públicas competentes.

5. La ocultación a las administraciones públicas competentes de los datos relativos a los aspectos históricos, científicos o artísticos de los bienes integrantes del patrimonio histórico.

6. La colocación de publicidad, instalaciones o elementos no autorizados en monumentos, edificios o elementos arquitectónicos declarados bienes de interés cultural o catalogados.

7. Cualquier otro incumplimiento de los deberes establecidos en esta ley que suponga un daño de escasa entidad o perjudique ligeramente al patrimonio histórico.

Artículo 104. Desarrollo de disposiciones

El Gobierno de las Illes Balears podrá desarrollar reglamentariamente las disposiciones de este capítulo, sin introducir nuevas infracciones ni alterar la naturaleza de las que la ley prevé, para identificar de manera más precisa las conductas merecedoras de sanción.

CAPÍTULO II. Responsabilidad de las infracciones

Artículo 105. Responsabilidad

1. Son responsables de las infracciones las personas físicas o jurídicas que sean autoras de las conductas u omisiones descritas en los artículos precedentes.

2. Serán también responsables, en su caso

a) Los propietarios, titulares de derechos reales o poseedores de los bienes en que se lleve a cabo la conducta infractora, cuando la consientan expresa o tácticamente y no adopten las medidas necesarias para impedir el daño en los bienes del patrimonio histórico.

b) Los promotores, constructores y técnicos directores de las obras o intervenciones consideradas ilegales de acuerdo con esta ley, en cuanto a su ejecución o al incumplimiento de las órdenes administrativas de suspensión.

c) Los profesionales y técnicos autores de los proyectos de obras que impliquen la destrucción o el deterioro del patrimonio histórico.

d) Los técnicos que emitan informe favorable sobre las licencias, las autorizaciones y los proyectos de obras que impliquen la destrucción o el deterioro del patrimonio histórico, cuyo contenido sea manifiestamente constitutivo de infracción de acuerdo con esta Ley.

e) Las autoridades y los miembros de las corporaciones locales, o de órganos colegiados, que autoricen o voten favorablemente licencias, autorizaciones y proyectos de obras cuyo contenido sea manifiestamente constitutivo de infracción de acuerdo con esta Ley.

3. Son también responsables de las infracciones de esta ley quienes, conociendo el incumplimiento de las obligaciones que en ella se establecen, obtienen de ello un beneficio.

Artículo 106. Graduación de la responsabilidad

1. Se tomarán en consideración como circunstancias modificativas de la responsabilidad, al efecto de atenuar o agravar las sanciones que correspondan, las siguientes:

a) El valor del bien objeto de la acción infractora.

b) El daño económico, social, histórico, artístico o simbólico causado, así como también el beneficio obtenido de la conducta infractora.

c) El grado de intencionalidad o de reiteración.

d) La reincidencia.

e) La negativa a colaborar con las administraciones públicas competentes o a cumplir las órdenes de suspensión de obras ilegales.

f) La reparación espontánea de los daños causados.

2. Habrá reincidencia cuando, en los quince últimos años, el autor de los hechos haya sido sancionado por cualquier infracción en materia de patrimonio histórico.

Artículo 107. Responsabilidades administrativas

Las responsabilidades administrativas que se deriven del procedimiento sancionador serán compatibles con la exigencia al infractor de la reposición de la situación alterada por él mismo al estado originario, así como con la indemnización por los daños y perjuicios causados al patrimonio histórico de titularidad pública.

CAPÍTULO III. Sanciones

Artículo 108. Clasificación de las sanciones

1. Las infracciones a las que se refiere este título, siempre que los daños causados puedan ser valorados económicamente o el responsable obtenga un beneficio económico, se sancionarán con multa de entre una y cuatro veces el valor del daño o del beneficio.

2. En el resto de casos, se impondrán las siguientes sanciones:
a) Infracciones muy graves: multa de entre 25.000.001 a 100.000.000 de pesetas.
b) Infracción graves: multa de entre 10.000.001 a 25.000.000 de pesetas.
c) Infracciones leves: multa de entre 100.000 a 10.000.000 de pesetas.

Artículo 109. Incumplimiento de la autorización

Los beneficiarios de cualquier autorización para realizar intervenciones arqueológicas o paleontológicas que incumplan las obligaciones o condiciones establecidas en el otorgamiento de la autorización o en lo que se dispone en la presente ley y normativa de desarrollo, y hayan sido sancionados, no podrán obtener nuevas autorizaciones en un plazo de tres años, a partir de la resolución sancionadora firme.

Artículo 110. Órganos competentes para el ejercicio de la potestad inspectora y sancionadora

1. El órgano para incoar los expedientes sancionadores es el presidente del consejo insular o el consejero delegado.

2. El órgano para imponer las sanciones por infracciones leves es el presidente del consejo insular o el consejero delegado, mientras que para imponer las sanciones por infracciones graves o muy graves es el pleno de la corporación insular, a propuesta de su presidente o consejero delegado.

3. El reconocimiento voluntario de la propia responsabilidad por parte del infractor, comunicado al consejo insular antes de la iniciación del procedimiento sancionador, o en cualquier momento de su tramitación anterior a la notificación de la propuesta de resolución, reducirá en un 20% la cuantía de la multa que debe imponerse.

CAPÍTULO IV. Prescripción de las infracciones y sanciones

Artículo 111. Prescripción

1. Las infracciones establecidas en este título prescribirán las leves a los dos años, las graves a los cinco años, y las muy graves a los diez años.

2. Las sanciones fijadas en este título prescribirán las leves a los seis meses, las graves al año, y las muy graves a los tres años.

CAPÍTULO V. Procedimiento

Artículo 112. Procedimiento

El ejercicio de la potestad sancionadora en la materia objeto de esta Ley exigirá el procedimiento previsto con carácter general por el consejo insular, sin perjuicio de lo que establecen los artículos siguientes.

Artículo 113. Medidas de protección

1. Los órganos de los consejos insulares responsables de la tramitación de los procedimientos sancionadores, adoptarán, mediante resolución motivada, las medidas de protección y conservación de los bienes integrantes del patrimonio histórico, tan pronto como tengan noticia de que se realicen, o de que se han realizado, actuaciones constitutivas de infracción administrativa, sin que sea necesaria la adopción previa del acuerdo de iniciación del procedimiento.

2. Estas medidas provisionales podrán ser revisadas o completadas durante la tramitación del procedimiento.

3. El órgano competente para imponer la sanción puede acordar, como sanción acce-soria, el comiso de los materiales y utensilios utilizados en la actividad ilegal.

Artículo 114. Suspensiones

1. En consejo insular suspenderá cualquier obra o intervención ilegal en los bienes de interés cultural o catalogados, así como también en las zonas donde se hayan encontrado restos arqueológicos o paleontológicos. La suspensión podrá ser ordenada por los ayunta-mientos, si se tratase de obras o actuaciones sujetas a licencia municipal.

2. Cuando las obras o intervenciones puedan ser constitutivas de una infracción grave o muy grave, el consejo insular responsable de la tramitación del procedimiento sancionador podrá ordenar, como medida de cautela, la inmovilización, el precinto o el depósito de los materiales e instrumentos utilizados en dichas obras o intervenciones.

Artículo 115. Depósito cautelar

El consejo insular podrá acordar el depósito cautelar de los bienes integrantes del patrimonio histórico que se encuentren en posesión de personas que se dedican a comer-cializarlos, si no pueden acreditar su adquisición legal.

Artículo 116. Publicación de las multas

El consejo insular publicará anualmente en el «Butlletí Oficial de les Illes Balears» la relación de personas físicas y jurídicas a las que se hayan impuesto multas superiores a los cinco millones de pesetas, siempre que la sanción sea firme.

Artículo 117. Cooperación policial

La policía local y el resto de cuerpos de seguridad, en los ámbitos de sus competencias, cooperarán con los consejos insulares para la vigilancia, inspección y sanción de las infrac-ciones contra el patrimonio histórico de las Illes Balears.

Artículo 118. Fomento de la vigilancia

Para garantizar una conservación efectiva del patrimonio histórico, el Gobierno de las Illes Balears y los consejos insulares promoverán medidas de colaboración que potencien e incrementen su vigilancia, especialmente cuando pueda ser afectado por actos de expo-liación o destrucción.

DISPOSICIONES ADICIONALES

Primera.

1. Los bienes radicados en las Illes Balears que hayan sido declarados de interés cultu-ral, o hayan sido incluidos en el Inventario General de Bienes Muebles, de acuerdo con la Ley 16/1985, de 25 de junio, del patrimonio histórico español, pasan a tener respectiva-mente la consideración de bienes de interés cultural o de bienes catalogados del patrimonio histórico de las Illes Balears.

2. Los bienes referidos en el punto anterior serán inscritos de oficio en los registros correspondientes.

Segunda.

La exportación de bienes integrantes del patrimonio histórico se regirá por la legislación del Estado.

Tercera.

En el plazo de seis meses, contados a partir de la entrada en vigor de esta Ley, se constituirán las comisiones mixtas a que se refiere su artículo 4. En el mismo plazo, se deberán constituir la Junta Interinsular del Patrimonio Histórico y la Comisión de Valoración del Patrimonio Histórico.

Cuarta. Creación y mantenimiento del Museo de Formentera

1. En el plazo máximo de tres años, a partir de la entrada en vigor de esta Ley, el Gobierno de las Illes Balears, otorgará un convenio de financiación con el Consejo Insular de Eivissa y Formentera con el objeto de que esta corporación insular cree el Museo de Formentera.

2. Este instrumento de colaboración, que no supondrá ninguna carga económica para el Consejo Insular de Eivissa y Formentera, incluirá los gastos anuales de mantenimiento del Museo de Formentera.

Quinta. Régimen de preferencia normativa y usos permitidos en BIC y en los bienes catalogados

1. Serán de aplicación en los bienes que hayan sido declarados bienes de interés cultural o bienes catalogados las medidas derivadas del régimen de patrimonio histórico-artístico con preferencia a las medidas contenidas en la normativa territorial y urbanística.

2. En los bienes de interés cultural y en los bienes catalogados situados en suelo rústico se podrán autorizar actividades permanentes culturales, medioambientales y educativas sin necesidad de la previa declaración de interés general, sin perjuicio de que sean exigibles las preceptivas licencias municipales de actividades.

Si la autorización de estos usos comporta la realización de cualquier tipo de obra, deberá obtenerse la correspondiente autorización previa de la Comisión Insular de Patrimonio u órgano competente del consejo insular respectivo.

DISPOSICIONES TRANSITORIAS

Primera.

Los procedimientos regulados en esta ley, que se hayan iniciado antes de su entrada en vigor, se regirán de acuerdo con la normativa anterior.

Segunda. Regulación de los museos de las Illes Balears

En el plazo de seis meses, a partir de la entrada en vigor de esta Ley, el Gobierno de las Illes Balears, previa audiencia a los consejos insulares y a los interesados, aprobarán un decreto que determinará y regularán la condición de los museos legalmente constituidos en las Illes Balears.

Tercera. Redacción de los catálogos municipales

1. Los ayuntamientos de las Illes Balears que no tengan Catálogo de Protección del Patrimonio Histórico aprobado definitivamente, dispondrán hasta el día 1 de enero de 2009 para modificar sus instrumentos de planeamiento general con la finalidad de incluir el Catálogo de Protección del Patrimonio Histórico.

2. En el caso de incumplirse este plazo, la formación del Catálogo de protección del patrimonio histórico deberá tramitarse conjuntamente con la primera revisión del instrumento de planeamiento general que se redacte.

DISPOSICIÓN DEROGATORIA

1. Quedan derogadas las normas de igual o inferior rango que contradigan o se opongan a lo que dispone esta Ley.

2. Quedan derogadas expresamente las disposiciones siguientes:

a) La Ley 3/1987, de 18 de marzo, de medidas de fomento del patrimonio histórico de las Illes Balears.

b) El Decreto de las Illes Balears 94/1991, de 31 de octubre, por el que se regula la declaración de los bienes de interés cultural de la Comunidad Autónoma de las Islas Baleares, de acuerdo con la Ley 16/1985, de 25 de junio, del patrimonio histórico español, y con el Real Decreto 111/1986, de 10 de enero, de desarrollo parcial de la citada ley, dada la Sentencia del Tribunal Constitucional 17/1991, de 31 de enero, y por el cual se crea el Registro de Bienes de Interés Cultural de la Comunidad Autónoma de las Islas Baleares, así como el Inventario del patrimonio cultural mueble de esta comunidad.

c) El Decreto de las Illes Balears 54/1986, de 10 de junio, por el que se regulan las comisiones de patrimonio histórico-artístico y las posteriores modificaciones de éste.

d) El Decreto de las Illes Balears 18/1984, de 23 de febrero, de creación de la Comisión en materia de Arqueología y Etnología de Baleares.

DISPOSICIONES FINALES

Primera.

En el plazo de un año, a contar desde la entrada en vigor de esta Ley, el Gobierno de las Illes Balears deberá presentar al Parlamento un proyecto de ley de los archivos, bibliotecas y museos de las Illes Balears.

Segunda.

Se autoriza al Gobierno de las Illes Balears para dictar las disposiciones de aplicación y desarrollo de esta ley que sean necesarias, y, en particular, actualizar por decreto la cuantía de las sanciones fijadas en el artículo 108 de la presente Ley.

Tercera.

En todo lo no previsto en esta Ley, será de aplicación la Ley 16/1985, de 25 de junio, del patrimonio histórico español.

Cuarta.

Esta ley entrará en vigor al día siguiente de su publicación en el «Butlletí Oficial de les Illes Balears».

• LEY 18/2019, DE 8 DE ABRIL, DE SALVAGUARDIA DEL PATRIMONIO CULTURAL INMATERIAL DE LAS ILLES BALEARS

BO. Illes Balears 13 abril 2019, núm. 48, [pág. 15013].
BOE 7 mayo 2019, núm. 109, [pág. 48285].

LA PRESIDENTA DE LAS ILLES BALEARS

Sea notorio a todos los ciudadanos que el Parlamento de las Illes Balears ha aprobado y yo, en nombre del Rey y de acuerdo con lo que se establece en el artículo 48.2 del Estatuto de Autonomía, tengo a bien promulgar la siguiente:

LEY

EXPOSICIÓN DE MOTIVOS

I.

Con la entrada del siglo XXI, la realidad social y cultural de las Illes Balears ha proseguido con una intensa y profunda transformación. Unos cambios globales que se han trasladado a la realidad más próxima y que se han hecho sentir en la estructura de la población: más del 41% de incremento de la población en menos de veinte años; en la economía: la integración monetaria y la crisis económica y financiera; en la intensísima huella antrópica sobre el territorio; en la sociedad multicultural: en las Illes Balears convive ciudadanía procedente de más de 160 nacionalidades, transformada en tasas que oscilan entre el 23% y el 31% de población extranjera en Eivissa y Formentera; en las interferencias culturales de los visitantes: más de 15 millones anuales de turistas; en los medios de comunicación y en el impacto de las redes sociales, de manera muy notable.

Estos cambios han afectado, igualmente, a los ámbitos de la cultura y el patrimonio y, específicamente, al entorno de lo que hasta ahora se ha conocido como cultura popular y tradicional. Además, los cambios y las transformaciones se han acentuado y acelerado en lo que se lleva de siglo y, como muy bien ya se decía en el preámbulo de la Ley 1/2002, de 19 de marzo, de cultura popular y tradicional de las Illes Balears, la cultura popular y tradicional debe afrontar unas situaciones que no facilitan su continuidad ni su desarrollo. Sin embargo, lo que precisamente se valora, entre otras cosas, de la cultura popular y tradicional es su vigencia, más o menos vigorosa, y su capacidad de adaptación a una nueva realidad que afecta, como quedará patente, a la misma denominación, la definición y el enfoque de las manifestaciones culturales de los pueblos de las Illes Balears, pero también a su marco normativo y representativo, adaptándose a la nueva situación social y cultural a la que se ha hecho referencia.

La aprobación por parte de la UNESCO, en el año 2003, de la Convención para la Salvaguarda del Patrimonio Cultural Inmaterial, la entrada en vigor el 20 de abril de 2006 y la posterior aprobación de las Directrices operativas para la aplicación de la Convención para la Salvaguarda del Patrimonio Cultural Inmaterial (2008) han puesto sobre la agenda de las diferentes administraciones este «nuevo» concepto y toda una serie de atributos que le son consustanciales. En el caso del Estado, a partir de las pocas referencias que hace la Ley 16/1985, del patrimonio histórico español, esta preocupación se ha traducido en la aprobación del Plan Nacional de Salvaguarda del Patrimonio Cultural Inmaterial (2011) y, más adelante, en la de la Ley 10/2015, de 26 de mayo, para la salvaguarda del patrimonio cultural inmaterial, mientras que en las diferentes comunidades autónomas, más allá de iniciativas legislativas, se han puesto en marcha los inventarios del patrimonio cultural inmaterial, que son unos de los primeros y más claros compromisos que establece la Convención.

Sin embargo, conviene no perder de vista que esta nueva visión de la cultura popular y tradicional supone una actualización y una firme línea de continuidad de la concepción y la regulación que hasta ahora, con más o menos fortuna, ha sido propia. En las Illes Balears, el avance hacia la democratización institucional, las legítimas aspiraciones de autogobierno y la progresiva normalización social de la cultura propia a lo largo de las cuatro últimas décadas han permitido la recuperación gradual de su prestigio, la recuperación de su condición de símbolo identitario y la percepción de instrumento de validez social. El arraigo al territorio y el apoyo activo de la ciudadanía que habita en el mismo son los garantes de su continuidad y vigencia social.

Esta capacidad de adaptación a la realidad y el cambio de percepción, igualmente en proceso de reformulación, abren la puerta a la actualización del concepto. Tal como se define en la Ley 1/2002, de 19 de marzo, mencionada, se entiende por cultura popular y tradicional el conjunto de las manifestaciones de la memoria y de la vida colectiva de los pueblos de las Illes Balears, tanto de las que todavía se mantienen vigentes como de las que han desaparecido a causa de los cambios históricos y sociales.

Nos encontramos, por lo tanto, ante una visión temporal, de orientación retrospectiva —de mirada hacia el pasado—, que se materializa a través de la memoria y que prevé la recuperación de las manifestaciones desaparecidas. En cambio, el patrimonio cultural inmaterial, aunque prevé igualmente esta dimensión temporal, lo hace con una tendencia prospectiva —de mirada hacia el futuro—, con la pretensión de transmitirlas y legarlas a las generaciones futuras. Incorpora, además, el sentido de adaptación y recreación constante y, a través de su carácter vivo, interactúa con la naturaleza y su historia, y les infunde un sentimiento de identidad y continuidad.

Otra faceta importante y también nueva del patrimonio cultural inmaterial con respecto a la cultura popular y tradicional es el énfasis sobre el hecho del reconocimiento, de sus portadores, de las manifestaciones culturales como parte integrante de su patrimonio cultural. Dejando de lado el hecho relevante del reconocimiento que hacen las comunidades, los grupos y, en algunos casos, las personas, el conjunto de manifestaciones que se considera integradas y formadoras del patrimonio cultural inmaterial son los usos, las representaciones, las expresiones, los conocimientos y las técnicas, junto con los bienes muebles, los bienes inmuebles, las instalaciones y los espacios culturales y naturales que le son inherentes.

Algo casi idéntico de lo que se entendía incluido en el concepto de cultura popular y tradicional: todo lo que hace referencia al conjunto de las manifestaciones culturales, tanto materiales como inmateriales, como son: la música y los instrumentos, los bailes, la indumentaria, las fiestas, las costumbres, las técnicas y los oficios, la gastronomía, los juegos, los deportes, las danzas rituales o religiosas, las representaciones, las creaciones literarias y todas las otras actividades que tienen —de manera menos definida— carácter tradicional y que han sido o que son populares.

En el concepto de patrimonio cultural inmaterial el protagonismo pasa del objeto —de la manifestación, del proceso o del bien— al sujeto portador que lo protagoniza y lo reconoce. Canónicamente se entiende por portador de una determinada manifestación cultural susceptible de considerarla patrimonio inmaterial a la comunidad, al grupo o a la persona que reconozca esta manifestación como parte integrante de su patrimonio cultural en función de su aportación identitaria.

La segunda cuestión relevante que destaca de la definición de patrimonio cultural inmaterial es la noción de legado, es decir, el patrimonio se transmite de generación en generación. Un hecho, el de la transmisión, que supone continuidad y selección; solo se transmite aquello que se reconoce y se transmite en función de este reconocimiento y de esta valoración. Por otra parte, una vez conocido el objeto, es evidente que, en ningún caso, se pueden usurpar a sus actores las manifestaciones que les son inherentes, y no se puede hacer porque, de hecho, las manifestaciones del patrimonio cultural inmaterial existen como atributos suyos.

De igual manera, por la misma vigencia y potestad de los actores que reconocen, recrean y transmiten su propio patrimonio, su conservación y protección solo está en sus manos. No dejar perder, no dejar desaparecer una determinada manifestación del patrimonio cultural inmaterial solo es posible si sus actores (comunidades, grupos o personas) la mantienen operativa (la reconocen, la actualizan y la transmiten) y garantizan su viabilidad. Por todo ello, parece mucho más adecuado hablar, en todo caso, de salvaguarda del patrimonio cultural inmaterial. Este cometido solo es posible si se entiende como la acción de garantizar a los portadores del patrimonio cultural inmaterial las condiciones mínimas para ejercer su cotidianidad vital y las condiciones de libertad.

Por ello, hay que favorecer las diversas manifestaciones en las que esta cultura se expresa. De la supervivencia de este conjunto de manifestaciones, conocimientos, actividades y creencias pasados y presentes de la memoria colectiva, se hace responsable la sociedad civil, especialmente en el ámbito asociativo.

II.

A partir de la Convención para la Salvaguarda del Patrimonio Inmaterial de la UNESCO del año 2003, a la que el Estado se adhirió en 2006, las iniciativas de carácter normativo que regulan el entorno de la cultura popular y tradicional y de sus manifestaciones patrimoniales han sido diversas en el ámbito estatal, pero también en el autonómico y el insular.

La Constitución Española incorpora, en materia de cultura, un sistema competencial complejo. Por un lado, consagra como un principio rector de la política social y económica, el patrimonio histórico, cultural y artístico en el artículo 46, de acuerdo con el cual los poderes públicos deben garantizar la conservación y deben promover el enriquecimiento del patrimonio histórico, cultural y artístico de los pueblos de España y de los bienes que lo integran, cualquiera que sea su régimen o su titularidad. Y, por el otro, el artículo 148 establece que las comunidades autónomas pueden asumir competencias, como indica en el apartado 16, en patrimonio monumental de interés de la comunidad autónoma, y el fomento de la cultura, de la investigación y, en su caso, de la enseñanza de la lengua de la comunidad autónoma de acuerdo con el apartado 17 del mismo artículo.

Estas competencias deben compatibilizarse con la del artículo 149.1.28, que atribuye al Estado la competencia exclusiva en materia de defensa del patrimonio cultural, artístico y monumental español contra la exportación y la expoliación; museos, bibliotecas y archivos de titularidad estatal, sin perjuicio de la gestión que hagan las comunidades autónomas.

En desarrollo de estas competencias, la Ley 16/1985, de 25 de junio, de patrimonio histórico español, contiene una referencia explícita a los valores inmateriales culturales con la regulación en el título IV del patrimonio etnográfico.

No obstante, el impulso más decisivo del patrimonio inmaterial se sitúa en el ámbito del derecho internacional con la Convención para la Salvaguarda del Patrimonio Cultural Inmaterial de la UNESCO, del año 2003, a la que se adhirió el Estado español en el año 2006, y se concreta con la aprobación de la Ley estatal 10/2015, de 26 de mayo, para la salvaguarda del patrimonio cultural inmaterial.

En las Illes Balears, el artículo 34 del Estatuto de Autonomía, aprobado por la Ley Orgánica 1/2007, de 28 de febrero, de reforma del Estatuto de Autonomía de las Illes Balears, atribuye a la comunidad autónoma la competencia exclusiva respecto a la protección y el fomento de la cultura autóctona y del legado histórico de las Illes Balears. También el artículo 30.25 le atribuye la competencia exclusiva en materia de patrimonio monumental, cultural, histórico, artístico, arquitectónico, arqueológico, científico y paisajístico, sin perjuicio de lo que dispone el artículo 149.1.28 de la Constitución. Así como el artículo 70.6 atribuye a los consejos insulares la competencia propia en materia de patrimonio monumental, cultural, histórico, artístico, arquitectónico, arqueológico y paisajístico en su ámbito territorial, el artículo 70.18 del Estatuto les atribuye las competencias en materia de cultura.

En el ámbito autonómico, además de la Ley 12/1998, de patrimonio histórico de las Illes Balears, que hace referencia al patrimonio etnológico (artículos 65, 66 y 67, y las modificaciones concretas que introduce de manera provisional o transitoria la Ley 8/2004, de 23 de diciembre, de medidas tributarias, administrativas y de función pública, con la figura del bien de interés cultural inmaterial), con respecto al patrimonio cultural inmaterial, se cuenta, como marco de referencia principal, con la Ley 1/2002, de 19 de marzo, de cultura popular y tradicional y, específicamente, con respecto al maltrato animal en su participación en actos lúdicos y festivos, se promulgó la Ley 9/2017, de 3 de agosto, que regula las corridas de toros y la protección de los animales en las Illes Balears.

Asimismo, desde la aprobación de la Ley 1/2002, de 19 de marzo, mencionada, esta norma se ha desarrollado con toda una serie de reglamentos que han promovido el Gobierno de las Illes Balears y los consejos insulares en su marco competencial. Así pues, se han aprobado el Reglamento del Consejo Asesor de Cultura Popular y Tradicional de Mallorca; el Reglamento de funcionamiento de la Comisión Asesora de Cultura Popular de Menorca; el Reglamento de funcionamiento del Consejo Asesor de Cultura Popular y Tradicional de Eivissa y Formentera; el Reglamento del procedimiento a seguir para la declaración de Fiestas de Interés Cultural del Consejo Insular de Eivissa y Formentera; el Reglamento de funcionamiento del Consejo Asesor de Cultura Popular y Tradicional de Eivissa; el Reglamento del procedimiento a seguir para la declaración de Fiestas de Interés Cultural del Consejo Asesor de Eivissa; el Reglamento sobre el procedimiento a seguir para la declaración de Fiestas de Interés Cultural en la isla de Mallorca; y el Decreto por el que se regulan la organización y el funcionamiento del Consejo Asesor de Cultura Popular y Tradicional de las Illes Balears.

Por otra parte, la Ley Orgánica 1/2007, de 28 de febrero, de reforma del Estatuto de Autonomía de las Illes Balears, prevé la creación del Consejo Insular de Formentera, hecho que se materializaba el 10 de julio de 2007 y que, más allá de la relevancia institucional y representativa, daba lugar a un ajuste necesario de la nueva realidad institucional.

Al fin y al cabo, debe ser un desarrollo normativo que es necesario tener en consideración a la hora de actualizar el marco legal, sin perder de vista, pero, lo que determina la misma Convención: que se debe tener en cuenta únicamente el patrimonio cultural inmaterial que sea compatible con los instrumentos internacionales de derechos humanos y con los imperativos de respeto mutuo entre comunidades, grupos y personas y con el desarrollo sostenible.

III.

Esta ley, de acuerdo con el ejercicio de la competencia exclusiva que el Estatuto de Autonomía vigente en el artículo 34.1 otorga a las Illes Balears en materia de protección y de fomento de la cultura autóctona y del legado histórico, pretende garantizar la salvaguarda del patrimonio cultural inmaterial de Mallorca, Menorca, Eivissa y Formentera y, por lo tanto, del conjunto de las Illes Balears. Asimismo, y en coherencia con el Estatuto de Autonomía, en virtud de los artículos 12.4 y 70.6, deben ser los consejos insulares las instituciones idóneas para impulsar y para llevar a cabo la salvaguarda y el fomento del patrimonio cultural inmaterial en el ámbito territorial de las islas respectivas.

Asimismo, esta ley cumple con los principios establecidos en el artículo 129 de la Ley 39/2015, que dispone que en el ejercicio de la iniciativa legislativa y la potestad reglamentaria, el conjunto de las administraciones públicas debe actuar de acuerdo con los principios de necesidad, eficacia, proporcionalidad, seguridad jurídica, transparencia, eficiencia, estabilidad presupuestaria y sostenibilidad financiera.

De acuerdo con los principios de necesidad y eficacia, la iniciativa normativa se fundamenta en una identificación clara de las finalidades perseguidas. Así, se justifica, en primer lugar, por la necesidad de actualizar la regulación autonómica y adaptarla a las nuevas demandas y realidades surgidas desde la publicación de la Ley 1/2002.

Respecto al principio de proporcionalidad, esta norma contiene la regulación imprescindible para atender la necesidad que se debe cubrir y a la cual responde.

La seguridad jurídica también preside esta ley, ya que se ejerce de manera coherente con el resto del ordenamiento jurídico, nacional, autonómico y de la Unión Europea, y genera un marco normativo estable, predictible, integrado, claro y de certeza, que facilita el conocimiento y la comprensión de lo que se entiende por cultura popular y tradicional y patrimonio inmaterial.

En virtud del principio de transparencia, el anteproyecto de ley se incluyó en el Plan Anual Normativo del Gobierno de las Illes Balears para el año 2018 y se sometió al trámite de la consulta pública en los términos que indica el artículo 133 de la mencionada Ley 39/2015. Asimismo, el principio de transparencia también se ha garantizado con los trámites de audiencia y de información pública que prevén los artículos 43 a 45 de la Ley 4/2001, de 14 de marzo, del Gobierno de las Illes Balears.

Conforme al principio de eficiencia, con el fin de racionalizar, en su aplicación, la gestión de los recursos públicos, esta ley no prevé cargas administrativas innecesarias o accesorias para la consecución de los objetivos finales.

IV.

Las consideraciones expuestas se reflejan en el articulado, que se estructura en treinta y cinco artículos, distribuidos en seis capítulos, dos disposiciones adicionales, una disposición derogatoria y tres disposiciones finales. Así, el capítulo I establece el objeto de la ley y define el patrimonio cultural inmaterial, y describe cómo se manifiestan y se fijan los conceptos de salvaguarda y de portadores. Se enumeran, igualmente, los requisitos y las características del patrimonio cultural inmaterial, así como los deberes de actuación y los objetivos generales que deben perseguir las administraciones públicas en esta materia.

El capítulo II establece el régimen de salvaguarda del patrimonio cultural inmaterial, haciendo énfasis en la documentación y el inventario. El reconocimiento y la valoración del patrimonio cultural inmaterial se formaliza jerárquicamente mediante la declaración de Bien de Interés Cultural Inmaterial Compartido, en el caso de bienes comunes en todo el archipiélago; de Bien de Interés Cultural Inmaterial, y de Bien Catalogado Inmaterial, a través de un procedimiento declaratorio que concluye con la inscripción en los registros pertinentes.

En el capítulo III se detallan las medidas de salvaguarda de los bienes inmateriales declarados de interés cultural, se garantiza su accesibilidad y se determinan las exigencias a las que obliga su declaración, tanto con respecto al planeamiento urbanístico como a la protección de los bienes materiales vinculados.

En el capítulo IV se establecen las actuaciones y medidas de protección, promoción y fomento del patrimonio cultural inmaterial de las Illes Balears, a través de las actuaciones en materia de educación, de protección y de igualdad; así como de medidas de promoción hacia el exterior y los intercambios entre las diferentes islas; y de fomento con la convocatoria de líneas de ayudas, entre otras.

En el capítulo V se dotan los órganos consultivos de las administraciones públicas de las Illes Balears en las materias reguladas por esta ley. En concreto, se crea el Consejo Asesor del Patrimonio Cultural Inmaterial de las Illes Balears, y se establece que los consejos insulares deben crear órganos similares para llevar a cabo los objetivos de salvaguarda y promoción del patrimonio cultural inmaterial en el marco de sus competencias.

En el capítulo VI se contemplan las asociaciones y fundaciones de interés de patrimonio cultural inmaterial.

CAPÍTULO I. Disposiciones generales

Artículo 1. Objeto
Esta ley tiene por objeto regular la salvaguarda del patrimonio cultural inmaterial de las Illes Balears, darlo a conocer, fomentarlo, difundirlo e investigarlo.

Artículo 2. Concepto de patrimonio cultural inmaterial
1. De conformidad con esta ley, se entiende por patrimonio cultural inmaterial los usos, las representaciones, las expresiones, los conocimientos y las técnicas, junto con los instrumentos, los objetos, los artefactos y cualquier otro soporte material vinculado a los bienes inmateriales objeto de salvaguarda, así como los espacios, los lugares y los itinerarios culturales y naturales que le son inherentes, y que las comunidades, los grupos y, en algunos casos, las personas reconozcan como parte integrante de su patrimonio cultural.

2. Este patrimonio cultural inmaterial, que se transmite de generación en generación, lo recrean constantemente las comunidades, los grupos o las personas en función de su entorno, la interacción con la naturaleza y su historia, lo cual les infunde un sentimiento de identidad y continuidad y contribuye, por lo tanto, a promover el respeto a la diversidad cultural y a la creatividad humana.

3. De conformidad con esta ley, será objeto de salvaguarda el patrimonio cultural inmaterial compatible con los instrumentos internacionales de derechos humanos y con respeto mutuo entre las comunidades, los grupos y las personas, con la protección el respeto y la dignidad de los animales y con el desarrollo sostenible, de acuerdo con lo que prevén los artículos 4.2, 6 y 8 de esta ley.

Artículo 3. Ámbitos del patrimonio cultural inmaterial
El patrimonio cultural inmaterial se manifiesta, en particular, en los siguientes ámbitos:

a) Formas de comunicación, tradiciones y expresiones orales y sus producciones, incluidas la lengua y sus modalidades y particularidades lingüísticas como vehículo del patrimonio cultural inmaterial, así como la toponimia tradicional como instrumento para la denominación geográfica del territorio.

b) Actividades productivas, procesos y técnicas artesanales tradicionales.

c) Fiestas, creencias, rituales y ceremonias.

d) Artes del espectáculo, representaciones, juegos y deportes tradicionales.

e) Manifestaciones sonoras, música, danzas y bailes tradicionales.

f) Salud, alimentación, gastronomía y elaboraciones culinarias.

g) Conocimientos y usos relacionados con la naturaleza y el universo, aprovechamientos específicos y percepción del territorio.

h) Formas de sociabilidad colectiva y de organización social, así como los usos y las costumbres tradicionales y el derecho consuetudinario de cada una de las islas, incluida la tradición jurídica privativa propia de cada isla.

Artículo 4. Concepto de salvaguarda

1. De conformidad con esta ley, se entiende por salvaguarda las medidas encaminadas a garantizar la viabilidad del patrimonio cultural inmaterial, es decir, reforzar las diversas condiciones, materiales o inmateriales, que son necesarias para la transformación y la interpretación continuas de este patrimonio, así como para su transmisión a las generaciones futuras.

2. Estas medidas de salvaguarda deben tomar como base la participación de la ciudadanía, la interculturalidad y el desarrollo sostenible, así como el resto de principios generales que se detallan en el artículo 8 de esta ley.

3. Las medidas de salvaguarda comprenden la identificación, la documentación, la investigación, la preservación, la protección, la promoción, el reconocimiento, la transmisión —básicamente a través del sistema educativo y de educación no formal—, la difusión y la revitalización de este patrimonio en sus diferentes aspectos.

Artículo 5. Portadores del patrimonio cultural inmaterial

1. A los efectos de esta ley, se entienden por comunidades, grupos o personas portadores de elementos del patrimonio cultural inmaterial aquellos que reconocen la manifestación inmaterial como parte integrante de su patrimonio cultural, tal como se definen en los apartados 2, 3 y 4 siguientes.

2. Las comunidades son redes de personas que mantienen vivas las expresiones del patrimonio cultural inmaterial, estén o no constituidas oficialmente como asociaciones o colectivos, y que son las legítimas poseedoras de estos bienes y conocimientos. Comparten una vinculación y un sentido de identidad, a partir de una relación histórica arraigada en la práctica y en la transmisión de su patrimonio cultural inmaterial o en su compromiso con este.

3. Los grupos o las entidades culturales sin ánimo de lucro los forman las personas —pertenecientes a una o varias comunidades— que comparten conocimientos y técnicas específicas relacionados con la creación y la recreación del patrimonio cultural inmaterial, y que tienen entre sus objetivos el mantenimiento, la transmisión y otras medidas de salvaguarda de este patrimonio.

4. Las personas o los individuos —pertenezcan a la misma comunidad o a diversas— son los que poseen un conocimiento, una costumbre, una técnica, una experiencia u otra característica notoria y que se significan por su contribución especial a la salvaguarda del patrimonio cultural inmaterial y a la transmisión de sus valores a su comunidad y a la sociedad en general.

Artículo 6. Características del patrimonio cultural inmaterial objeto de salvaguarda

1. El patrimonio cultural inmaterial, manteniendo la esencia y el espíritu de cada manifestación, debe ser compatible con el respeto a los derechos humanos, con el respeto mutuo entre comunidades, grupos y personas, con la igualdad de género, con la salud de las personas, con la protección y el respeto hacia los animales, con el desarrollo sostenible, con la integridad de los ecosistemas y con los valores y principios que inspiran el ordenamiento jurídico.

2. Asimismo, los elementos o las manifestaciones del patrimonio cultural inmaterial deben cumplir las siguientes características:

a) Pertenencia: que el elemento se enmarque en la definición que establece esta ley.

b) Representatividad: que el elemento sea referente de los procesos históricos, culturales y de identidad de las comunidades, los grupos o las personas portadores de las Illes Balears y, no obstante, sea dinámico y tenga la capacidad de adaptarse y crearse de nuevo y de reinterpretar elementos de otras comunidades, siempre dentro del equilibrio del respeto hacia la esencia de la manifestación.

c) Relevancia: que el elemento lo valoren y reconozcan socialmente las comunidades, los grupos o las personas portadores de las Illes Balears, y tenga significación social.

d) Identidad colectiva y vigencia: que el elemento sea de naturaleza colectiva, que se transmita de generación en generación como un legado, valor o tradición cultural, que sea vigente, preserve su función sociocultural y represente un testimonio de una tradición o expresión cultural viva.

e) Interculturalidad: que el elemento se enmarque en el respeto mutuo entre comunidades, grupos y personas, en el respeto a la diversidad, genere el diálogo intercultural y propicie la integración en el territorio de acogida.

f) Equidad: que el uso, el disfrute y los beneficios derivados del elemento sean justos y equitativos respecto de las comunidades, los grupos o las personas que se identifiquen con este, y tengan en cuenta los usos y las costumbres tradicionales y el derecho consuetudinario de las comunidades locales en cada isla.

g) Sostenibilidad: que el elemento pueda contribuir a un mayor desarrollo sostenible de la población, sobre la base de las prácticas tradicionales, en los ámbitos económico, ambiental, social y cultural y, por lo tanto, que pueda contribuir a una mejor calidad de vida de las personas y a una relación equilibrada entre la sociedad y la naturaleza.

Artículo 7. Actuaciones de las administraciones públicas

1. Constituye un deber de las administraciones públicas de las Illes Balears fomentar el patrimonio cultural inmaterial, en los marcos competenciales respectivos, a fin de que este se manifieste plenamente en los ámbitos sociales y culturales de las Illes Balears, y asegurar así su pervivencia en el futuro.

2. De conformidad con lo que prevé el apartado anterior, las administraciones públicas deben perseguir los siguientes objetivos generales:

a) Promover el conocimiento y el inventario de las manifestaciones, así como de los agentes portadores, ámbitos, bienes y creaciones del patrimonio cultural inmaterial de las islas de Mallorca, Menorca, Eivissa y Formentera.

b) Difundir el patrimonio cultural inmaterial en todos los ámbitos.

c) Potenciar la valoración social y cultural de las distintas manifestaciones del patrimonio cultural inmaterial.

d) Fomentar, especialmente mediante instrumentos económicos y presupuestarios, las manifestaciones reguladas en esta ley.

e) Dar apoyo a las iniciativas de dinamización sociocultural y asociativas relacionadas con la materia objeto de esta ley.

f) Fomentar, a través de líneas de actuación y ayuda específicas, el intercambio y el conocimiento de las diferentes manifestaciones culturales inmateriales propias de cada isla o comunes a todas, así como la proyección exterior y la interrelación con el resto de territorios de habla catalana y del resto del Estado.

3. De acuerdo con el artículo 12.4 del Estatuto de Autonomía, las instituciones propias deben orientar la función de poder público en el sentido de consolidar y desarrollar las características de nacionalidad común de los pueblos de las Illes Balears, así como las peculiaridades de cada isla en materia de patrimonio cultural inmaterial, como vínculo de solidaridad entre sí.

CAPÍTULO II. Régimen de salvaguarda del patrimonio cultural inmaterial

Artículo 8. Principios generales de las actuaciones de salvaguarda

Las actuaciones de los poderes públicos sobre los bienes del patrimonio cultural inmaterial que sean objeto de salvaguarda deben respetar, en su preparación y desarrollo, los siguientes principios generales:

a) Los principios y valores contenidos en el Estatuto de Autonomía de las Illes Balears, en la Constitución Española y en el derecho de la Unión Europea, así como, en general, los derechos y deberes fundamentales que estos establezcan, en especial, la libertad de expresión.

b) El principio de igualdad y no discriminación. El carácter tradicional de las manifestaciones inmateriales de la cultura en ningún caso debe amparar el desarrollo de acciones que constituyan vulneración del principio de igualdad de género.

c) El protagonismo de los portadores del patrimonio cultural inmaterial, como titulares, mantenedores y legítimos usuarios de este, así como el reconocimiento y respeto mutuos.

d) El principio de participación, con el objeto de respetar, mantener e impulsar el protagonismo de los portadores del patrimonio cultural inmaterial, las organizaciones y las asociaciones ciudadanas en la recreación, la transmisión y la difusión del patrimonio cultural inmaterial.

e) El principio de accesibilidad, que haga posible el conocimiento y el disfrute de las manifestaciones culturales inmateriales y el enriquecimiento cultural de la ciudadanía, sin perjuicio de los usos consuetudinarios por los que se rige el acceso a determinados elementos de estas manifestaciones.

f) El principio de comunicación cultural como garante de la interacción, el reconocimiento, el acercamiento, el entendimiento mutuo y el enriquecimiento entre las manifestaciones culturales inmateriales, mediante la acción de colaboración entre las administraciones públicas y las comunidades o los grupos portadores de los bienes culturales inmateriales.

g) El dinamismo inherente al patrimonio cultural inmaterial, que por naturaleza es un patrimonio vivo, recreado y experimentado en tiempo presente y responde a prácticas en cambio continuo, que protagonizan las comunidades, los grupos y las personas que deben ser los garantes de la evolución y del dinamismo de las manifestaciones que protagonizan.

h) La sostenibilidad de las manifestaciones culturales inmateriales, de manera que se eviten las alteraciones cuantitativas y cualitativas de sus elementos culturales ajenas a las comunidades portadoras y gestoras de estas manifestaciones. Las actividades turísticas nunca deben vulnerar las características esenciales ni el desarrollo propio de las manifestaciones, a fin de que se pueda compatibilizar la apropiación y el disfrute público con el respeto a los bienes y a sus protagonistas.

i) La consideración de la dimensión cultural inmaterial de los bienes muebles e inmuebles que sean objeto de protección como bienes culturales.

j) Las actuaciones que se adopten para salvaguardar los bienes jurídicos protegidos deben respetar en todo caso los principios de garantía de la libertad de establecimiento y la libertad de circulación que establece la normativa vigente en materia de unidad de mercado.

Artículo 9. Documentación e inventario del patrimonio cultural inmaterial

1. Los elementos y las manifestaciones culturales inmateriales de las Illes Balears se deben identificar y documentar en los inventarios de los consejos insulares respectivos y en el de la Administración de la comunidad autónoma.

2. Corresponde a los consejos insulares elaborar y gestionar el inventario del patrimonio cultural inmaterial de Mallorca, Menorca, Eivissa y Formentera, respectivamente, en el

cual se deben recoger las manifestaciones a través de las que se expresa este patrimonio, sin perjuicio de la coordinación necesaria con la Administración de la comunidad autónoma.

3. Los datos que figuran en los inventarios insulares respectivos y el autonómico del patrimonio cultural inmaterial son públicos. Las administraciones públicas de las Illes Balears deben garantizar a la ciudadanía que pueda acceder a los datos contenidos en los inventarios mediante el establecimiento de una red descentralizada de transmisión de datos.

4. Todos los bienes etnológicos vinculados al patrimonio cultural inmaterial, tanto aquellos que se conservan vivos en la actualidad como aquellos que han desaparecido, deben ser objeto de protección, fomento, estudio y documentación, y se deben plantear medidas concretas para recuperar aquellos que estén en peligro de desaparición. El Gobierno de las Illes Balears y los consejos insulares, en el marco de sus competencias deben establecer los programas de investigación adecuados para conseguirlo.

5. Los ayuntamientos deben contribuir en el marco de sus competencias, en la medida de sus posibilidades, a fomentar y promover el conocimiento y el inventario del patrimonio de cultura inmaterial de su término municipal.

Artículo 10. Apropiación indebida

Las administraciones públicas deben velar, en el ámbito de sus competencias, para que las personas que no tienen legitimación no se apropien indebidamente del patrimonio cultural inmaterial a través del reconocimiento de derechos de propiedad intelectual o industrial, ni puedan utilizar ni malversar los elementos con usos no apropiados.

Artículo 11. Categorías del patrimonio cultural inmaterial

De conformidad con esta ley, se reconocen tres categorías de protección del patrimonio cultural inmaterial de las Illes Balears:

1. Las manifestaciones comunes al conjunto de las islas, representativas de una identidad compartida que el Gobierno de las Illes Balears reconozca como Bienes de Interés Cultural Inmaterial Compartido (BICIMCO).

2. Las manifestaciones más representativas del patrimonio cultural inmaterial de cada una de las islas que los consejos insulares respectivos declaren como Bienes de Interés Cultural Inmaterial (BICIM).

3. Los bienes o las manifestaciones que, a pesar de no tener la relevancia que permitiría declararlos Bienes de Interés Cultural Inmaterial, tengan suficiente significación y valor para constituir un bien que se debe proteger singularmente, que los consejos insulares respectivos declaren Bienes Catalogados Inmateriales (BCI).

Artículo 12. Bienes de Interés Cultural Inmaterial Compartido

Las manifestaciones más representativas del patrimonio cultural inmaterial que, además, compartan todas las Illes Balears se deben declarar Bienes de Interés Cultural Inmaterial Compartido. Su relevancia y representatividad les confiere señas de identidad que comparte el conjunto de los pueblos de las Illes Balears.

Artículo 13. Procedimiento de declaración de los Bienes de Interés Cultural Inmaterial Compartido

1. La declaración de Bienes de Interés Cultural Inmaterial Compartido requerirá el correspondiente procedimiento, que debe iniciar de oficio el Gobierno de las Illes Balears o a instancia de otra administración pública, comunidad, grupo o persona. Los acuerdos que no se incoen se deben motivar y notificar a las personas interesadas.

2. El inicio del procedimiento de declaración de un bien de interés cultural inmaterial compartido se debe notificar, de forma motivada, a los cuatro consejos insulares, que

deben declararlo Bien de Interés Cultural Inmaterial, de acuerdo con el procedimiento establecido en el artículo 15 de esta ley.

3. El expediente de declaración de Bien de Interés Cultural Inmaterial Compartido debe contener:

a) Copia del expediente de declaración de Bien de Interés Cultural Inmaterial de cada uno de los consejos insulares.

b) Informe preceptivo favorable del Consejo Asesor del Patrimonio Cultural Inmaterial de las Illes Balears y de al menos una de las instituciones consultivas previstas en el artículo 33 de esta ley.

4. La declaración se debe llevar a cabo por acuerdo del Consejo de Gobierno de las Illes Balears y se debe adoptar en el plazo máximo de un año, a contar a partir de la fecha en que los cuatro consejos insulares hayan notificado la declaración de Bien de Interés Cultural Inmaterial. Una vez acabado el plazo no se podrá volver a iniciar el procedimiento hasta que no hayan transcurrido dos años.

5. La declaración de un bien de interés cultural inmaterial compartido se debe publicar en el *Butlletí Oficial de les Illes Balears.*

Artículo 14. Bienes de Interés Cultural Inmaterial

Las manifestaciones más representativas del patrimonio cultural inmaterial se deben declarar Bienes de Interés Cultural Inmaterial.

Artículo 15. Procedimiento de declaración de los Bienes de Interés Cultural Inmaterial

1. La declaración de Bienes de Interés Cultural Inmaterial requiere la incoación previa de un procedimiento, que debe iniciar de oficio el órgano competente del consejo insular respectivo, por iniciativa propia, a propuesta de los órganos consultivos en materia de patrimonio cultural inmaterial, o a instancia de otra administración pública, comunidad, grupo o persona. La decisión de no iniciación se debe motivar y notificar a las personas interesadas.

2. La incoación del procedimiento de declaración de un bien de interés cultural inmaterial se debe notificar a los portadores y al ayuntamiento o ayuntamientos vinculados con el bien cultural inmaterial, que deben emitir un informe previo y preceptivo, y debe publicarse en el *Butlletí Oficial de les Illes Balears.*

3. Con la incoación del procedimiento de declaración de un bien de interés cultural inmaterial ya son de aplicación, en lo que corresponda, las medidas de salvaguarda establecidas en esta ley.

4. En la instrucción del procedimiento se debe dar audiencia a las entidades públicas, privadas, comunidades y grupos de personas, con o sin personalidad jurídica, que organicen, promuevan o tengan un vínculo destacado con el bien cultural inmaterial, y a los titulares de derechos reales sobre los bienes muebles e inmuebles que se quieren declarar vinculados al bien o la manifestación inmaterial.

También se debe abrir un periodo máximo de información pública de dos meses de duración.

5. El expediente de declaración de bien de Interés Cultural Inmaterial debe contener:

a) Los informes que haya redactado el personal técnico competente en los que se recojan las peculiaridades históricas y etnológicas que determinen el contexto social y cultural del bien.

b) Una descripción del bien, que debe acompañarse con documentación fotográfica, audiovisual o de otro tipo, cuando sea posible.

c) Una descripción en la que se enumeren los usos, las representaciones, las expresiones, los conocimientos y las técnicas que comporta.

d) La identificación de las comunidades, los grupos o las personas portadores.

e) Los ámbitos geográficos y los espacios en los que se llevan o se han llevado a cabo tradicionalmente.

f) Los bienes materiales, muebles e inmuebles, que están vinculados con el bien porque le dan apoyo y lo caracterizan de manera singular.

g) Un diagnóstico en el que se expongan los riesgos y las amenazas que afectan al elemento.

h) El testimonio del consentimiento previo, libre e informado, de las comunidades, los grupos o las personas portadores del bien cultural inmaterial.

i) Un informe de la administración competente del consejo insular que haya iniciado el procedimiento de declaración sobre el cumplimiento de los requisitos y las características del patrimonio cultural inmaterial del elemento que se quiera declarar Bien de Interés Cultural Inmaterial.

j) El informe favorable del Consejo Asesor del Patrimonio Cultural Inmaterial de las Illes Balears, los informes favorables del Consejo Asesor del Patrimonio Cultural Inmaterial de la isla correspondiente y el informe favorable de una de las instituciones científicas, técnicas o universitarias de prestigio o competencia reconocidas que se hayan determinado en lo que se establece en el artículo 33 de esta ley.

6. La declaración puede contener bienes muebles o inmuebles vinculados al elemento inmaterial que deben estar incluidos en la relación o el inventario pertinente que se haya incorporado al informe histórico y descriptivo, que debe prever, asimismo, su plan de salvaguarda.

7. La declaración de Bien de Interés Cultural Inmaterial se debe llevar a cabo por acuerdo del pleno del consejo insular correspondiente, oídos los municipios concernidos y con el informe previo del Consejo Asesor del Patrimonio Cultural Inmaterial de la isla correspondiente; el informe, igualmente favorable, de una de las instituciones científicas, técnicas o universitarias de prestigio o competencia reconocidas que se hayan determinado en lo que se establece en el artículo 33 de esta ley; y el informe del Consejo Asesor del Patrimonio Cultural Inmaterial de las Illes Balears, a propuesta del órgano competente. La declaración se debe notificar a las personas interesadas.

8. La declaración de un bien de interés cultural inmaterial se debe publicar en el *Butlletí Oficial de les Illes Balears*.

9. El acuerdo de declaración de Bien de Interés Cultural Inmaterial se debe adoptar en el plazo de veinte meses a contar a partir de la fecha en la que se haya incoado el procedimiento. Una vez transcurrido el plazo mencionado, si en este procedimiento no se dicta una resolución expresa, el silencio se entenderá desestimatorio. No se puede volver a iniciar el procedimiento de declaración en los dos años siguientes, a menos que lo soliciten entidades públicas o privadas o grupos de personas que organicen, promuevan o tengan un vínculo destacado con el bien cultural inmaterial.

10. A partir del momento de la declaración, y con una periodicidad quinquenal, los portadores estarán obligados a llevar a cabo el seguimiento y la revisión del Bien de Interés Cultural Inmaterial, y a informar al consejo insular pertinente de las conclusiones de esta revisión. En este proceso se deben tomar como base los criterios que justificaron la declaración. En caso de que se hayan alterado sustantivamente los marcos temporales, físicos o materiales (cambio o celebración fuera de sus fechas tradicionales, del marco geográfico tradicional, de sus bienes materiales inherentes, entre otros), se debe modificar la declaración o revocarla.

Si no se ha hecho la revisión, la debe realizar la administración del consejo insular, sin perjuicio de que, de forma subsidiaria, pueda repercutir los costes en los portadores.

Artículo 16. Registro de los Bienes de Interés Cultural Inmaterial Compartido y de los Bienes de Interés Cultural Inmaterial

1. Los Bienes de Interés Cultural Inmaterial Compartido y los Bienes de Interés Cultural Inmaterial deben inscribirse en los registros regulados en los artículos 12 y 13 de la Ley 12/1998, de 21 de diciembre, del patrimonio histórico de las Illes Balears, en los cuales también se debe anotar preventivamente la incoación de los expedientes de declaración.

2. Es obligación de las entidades públicas o privadas o grupos de personas que organizan o promueven el Bien de Interés Cultural Inmaterial comunicar a los registros correspondientes todos los actos jurídicos y técnicos que les puedan afectar.

Artículo 17. Procedimiento para modificar o dejar sin efecto las declaraciones de Bienes de Interés Cultural Inmaterial Compartido y de Bienes de Interés Cultural Inmaterial

Para modificar o dejar sin efecto una declaración de Bien de Interés Cultural Inmaterial Compartido y de Bien de Interés Cultural Inmaterial se deben seguir los mismos trámites y requisitos que son necesarios para hacer una declaración, con el informe previo y vinculante de las instituciones a las que hace referencia el artículo 15.5.j) anterior, y siempre que se acredite que ha habido una alteración sustancial de los criterios que motivaron y justificaron la declaración.

Artículo 18. Bienes Catalogados Inmateriales

1. Tienen la consideración de Bienes Catalogados Inmateriales los bienes que, a pesar de no tener la relevancia que les permita ser declarados Bienes de Interés Cultural Inmaterial, tienen suficiente significación y valor para constituir un bien que se debe proteger singularmente.

2. La competencia para hacer la declaración de Bienes Catalogados Inmateriales corresponde al consejo insular al que está vinculado el elemento o la manifestación inmaterial.

3. El procedimiento lo debe iniciar de oficio el órgano competente del consejo insular respectivo, por iniciativa propia, a propuesta de los órganos consultivos en materia de patrimonio cultural inmaterial o a instancia de otra administración pública, comunidad, grupo o persona directamente relacionados con el elemento cultural inmaterial.

4. El expediente de declaración de Bien Catalogado Inmaterial debe contener la documentación que establece el artículo 15.5 anterior, excepto el informe favorable de una de las instituciones científicas, técnicas o universitarias de prestigio o competencia reconocidas que se determine en lo que se establece en el artículo 33 de esta ley.

5. La declaración puede contener bienes muebles o inmuebles vinculados al elemento o a la manifestación inmaterial que se quiere salvaguardar.

6. El acuerdo de declaración de un bien catalogado inmaterial se debe inscribir en el Catálogo general del patrimonio histórico de las Illes Balears, que se regula en el artículo 18 de la Ley 12/1998, de 21 de diciembre, del patrimonio histórico de las Illes Balears, en el cual también se debe anotar preventivamente la incoación de los expedientes de declaración.

7. El acuerdo de declaración se debe adoptar en el plazo de doce meses a contar desde la fecha en que se haya incoado el procedimiento. Una vez transcurrido el plazo mencionado sin que se haya dictado y notificado, se entenderá que se desestima la declaración. No se puede volver a iniciar el procedimiento de declaración hasta que no haya transcurrido un año, a menos que lo soliciten entidades públicas o privadas o grupos de personas que organicen, promuevan o tengan un vínculo destacado con el elemento cultural inmaterial.

8. Para dejar sin efecto una declaración, hay que seguir el mismo procedimiento que se ha establecido para hacer esta declaración.

9. A partir del momento de la declaración, y con una periodicidad quinquenal, sus portadores quedan obligados a llevar a cabo el seguimiento y la revisión del Bien Catalogado Inmaterial, y a informar a la administración declarante, en su caso, de las conclusiones de esta revisión. En este proceso se deben tomar como base los criterios que justificaron la declaración. En caso de que se hayan alterado sustantivamente los marcos temporales, físicos o materiales (cambio o celebración fuera de sus fechas tradicionales, del marco geográfico tradicional, de sus bienes materiales inherentes, entre otros), se debe modificar la declaración o revocarla. Si los portadores no han hecho la revisión, deberá realizarla la administración declarante.

10. Los acuerdos de modificación o que dejan sin efectos las declaraciones de un bien catalogado inmaterial se deben inscribir en el Catálogo general del patrimonio histórico de las Illes Balears, que se regula en el artículo 18 de la Ley 12/1998, de 21 de diciembre, del patrimonio histórico de las Illes Balears.

CAPÍTULO III. Medidas de salvaguarda del patrimonio cultural inmaterial

Artículo 19. Medidas de salvaguarda de los bienes culturales inmateriales declarados de interés cultural

1. Las administraciones deben promover las políticas públicas que sean necesarias con el fin de garantizar la salvaguarda del patrimonio cultural inmaterial.

2. La salvaguarda del patrimonio cultural inmaterial tiene como finalidad llevar a cabo acciones que tengan como objetivo dinamizar, revitalizar, comunicar, difundir, promocionar, fomentar, proteger y transmitir a las nuevas generaciones este patrimonio.

3. Para cada bien del patrimonio cultural inmaterial que se haya declarado de interés cultural la administración competente puede crear o reconocer un órgano de gestión específico que, por ser representativo de la comunidad, el grupo o las personas portadores del bien, esté legitimado para proponer y establecer medidas de salvaguarda para conservar y transmitir el bien declarado de interés cultural.

4. El departamento competente del consejo insular respectivo debe velar para que los bienes culturales inmateriales declarados de interés cultural mantengan los valores que justificaron su declaración y, con esta finalidad, debe adoptar las siguientes medidas de orden jurídico, técnico, administrativo y financiero adecuadas:

a) Dirigir a las comunidades, los grupos o las personas que promueven o gestionan los bienes culturales inmateriales declarados, en caso de que existan, las recomendaciones que considere necesarias para mantener sus valores esenciales.

b) Favorecer la creación o el refuerzo de instituciones de formación en la documentación, la investigación y la gestión del patrimonio cultural inmaterial, así como la transmisión de este patrimonio en los foros y los espacios destinados a su manifestación y expresión.

c) Fomentar estudios científicos, técnicos y artísticos, así como metodologías de investigación, para la salvaguarda eficaz del patrimonio cultural inmaterial y, en particular, del patrimonio cultural inmaterial que esté en peligro.

d) Atender, de acuerdo con las disponibilidades presupuestarias, las solicitudes de ayudas para el mantenimiento y la conservación de los bienes culturales inmateriales declarados.

e) Garantizar el acceso al patrimonio cultural inmaterial y respetar al mismo tiempo los usos consuetudinarios que rigen el acceso a determinados elementos de este patrimonio.

f) Velar por la divulgación, la visibilidad y la promoción del conocimiento de los bienes culturales inmateriales declarados, potenciando el estudio y facilitando el acceso a toda su documentación.

g) Velar por la conservación de los soportes materiales del patrimonio cultural inmaterial, tanto mueble como inmueble, y de los espacios que le son inherentes, siempre que esta protección permita su mantenimiento, evolución y uso habitual.

h) Mantener a los portadores informados sobre el patrimonio cultural inmaterial que esté en peligro y sobre las actuaciones de salvaguarda que se recomiendan.

5. Corresponde al departamento competente del consejo insular respectivo articular y, en su caso, regular medidas de seguimiento y de actualización de los bienes culturales inmateriales declarados.

6. El Gobierno de las Illes Balears, los consejos insulares, en sus ámbitos respectivos, así como los ayuntamientos y otros entes locales, en el ámbito de sus competencias, deben velar por la difusión y la promoción de los bienes culturales inmateriales declarados.

Artículo 20. Acceso a los bienes culturales inmateriales declarados de interés cultural

El acceso a los bienes culturales inmateriales declarados de interés cultural debe facilitarse a toda la sociedad. Por ello, la administración debe fomentar su conocimiento, acceso y difusión.

Las comunidades, los grupos o las personas portadores, así como los promotores y gestores de bienes culturales inmateriales, están obligados a permitir:

a) El examen y el estudio de los bienes culturales inmateriales declarados a las personas que investiguen de instituciones científicas, técnicas o universitarias de prestigio o competencia reconocidas en el artículo 33 de esta ley.

b) El acceso público, sin perjuicio de los usos consuetudinarios por los que se rige el acceso a determinados elementos de estas manifestaciones culturales.

Artículo 21. Planeamiento urbanístico

1. Las normas y los planes urbanísticos que afecten al espacio o inmueble que está vinculado al bien cultural inmaterial declarado no pueden tener determinaciones que puedan impedir u obstaculizar el desarrollo de las manifestaciones culturales correspondientes.

2. Los planes y las normas urbanísticos se deben ajustar a lo que establece el apartado 1 anterior antes de que se aprueben, o, si estaban vigentes antes de la declaración, se deben modificar.

3. En cualquier caso, prevale el régimen derivado de haber declarado un bien cultural inmaterial de interés cultural con respecto al espacio o inmueble que se le vincule, sobre lo que puedan establecer los planes y las normas urbanísticos, mientras que la adaptación no se produzca.

Artículo 22. Protección de los bienes materiales vinculados a los bienes culturales inmateriales declarados de interés cultural

1. Las administraciones públicas deben velar por el respeto y por la conservación de los lugares, espacios, itinerarios y por los soportes materiales en los que se sustenten los bienes culturales inmateriales declarados objeto de protección, siempre que esta protección permita su mantenimiento, evolución y uso habitual.

2. Las personas propietarias o titulares de otros derechos reales sobre los bienes muebles e inmuebles que se declaren vinculados a bienes culturales inmateriales declarados de interés cultural deben permitir que aquellos sirvan de soporte del bien cultural inmaterial, previo requerimiento del departamento competente del consejo insular. En este caso, el consejo insular asumirá la responsabilidad de la conservación y la integridad del bien durante su uso.

3. Asimismo, se pueden declarar Bienes de Interés Cultural Inmaterial Compartido, Bienes de Interés Cultural Inmaterial o Bienes Catalogados Inmateriales, de manera singular

y de acuerdo con la Ley 12/1998, de 21 de diciembre, del patrimonio histórico de las Illes Balears, los bienes muebles e inmuebles vinculados a bienes culturales inmateriales declarados en la medida que constituyan elementos de coherencia, unidad o significado que justifique protegerlos. Pueden ser instrumentos, objetos, artefactos y espacios culturales que sean inherentes al bien cultural inmaterial declarado.

4. La declaración de estos bienes materiales vinculados a bienes culturales inmateriales declarados se podrá hacer de manera simultánea y coordinada con el procedimiento de declaración de Bienes de Interés Cultural Inmaterial Compartido, Bienes de Interés Cultural Inmaterial o Bienes Catalogados Inmateriales.

5. Los bienes muebles y los espacios vinculados al desarrollo de los bienes culturales inmateriales declarados pueden ser objeto de medidas de protección conforme a la legislación urbanística y de ordenación del territorio de las administraciones competentes.

CAPÍTULO IV. Actuaciones y medidas de protección, promoción y fomento del patrimonio cultural inmaterial

Artículo 23. Actuaciones en materia de educación

La administración educativa debe prever en los currículos de los diferentes niveles, etapas, ciclos, grados y modalidades del sistema educativo el conocimiento del patrimonio cultural inmaterial y del patrimonio etnológico, propio de cada localidad y general de cada una de las Illes Balears. Asimismo, debe promover, entre el alumnado, la participación activa en la comprensión, la conservación y la difusión del patrimonio cultural inmaterial.

Artículo 24. Actuaciones en materia de protección

1. Los bienes culturales inmateriales declarados de interés cultural deben tener un plan de salvaguarda como instrumento de gestión. Este plan debe definir una metodología de actuación y un programa de acciones que tengan como finalidad la coordinación de las iniciativas de las diversas entidades a favor de los bienes culturales inmateriales declarados. El plan de salvaguarda lo deberán elaborar y ejecutar las comunidades, los grupos o las personas que promueven o gestionan los bienes culturales inmateriales declarados de interés cultural, con la colaboración, el apoyo y el asesoramiento, si es necesario, del departamento competente del consejo insular respectivo.

2. Los planes de salvaguarda son sistemas de gestión dinámicos que se deben actualizar periódicamente. Las modificaciones significativas que se hagan en el plan se deberán comunicar al departamento competente del consejo insular respectivo.

3. Las comunidades, los grupos o las personas que hayan elaborado el plan de salvaguarda deberán elaborar, de manera quinquenal, un informe de los resultados obtenidos, una evaluación de su eficacia y las modificaciones correspondientes para mejorarlo. Este informe se deberá entregar al departamento competente del consejo insular respectivo.

Artículo 25. Actuaciones en materia de igualdad

Las actuaciones que se lleven a cabo en el ámbito del patrimonio cultural inmaterial deben respetar lo que establece la normativa reguladora en materia de igualdad entre mujeres y hombres, mediante medidas que prevean:

a) Incentivar las producciones artísticas y culturales que fomenten los valores de igualdad.

b) Impulsar la recuperación del bagaje y la contribución de la mujer a lo largo de la historia.

c) Promover y garantizar la igualdad de oportunidades entre mujeres y hombres en la participación en las fiestas tradicionales y en la cultura popular, y corregir estereotipos sexistas.

Artículo 26. Medidas de promoción

En el ámbito del patrimonio cultural inmaterial, la Administración de la comunidad autónoma de las Illes Balears, de acuerdo con los consejos insulares respectivos, debe velar, particularmente, para que se hagan efectivos los siguientes objetivos:

a) Promover la proyección exterior del patrimonio cultural inmaterial propio de cada una de las Illes Balears.

b) Fomentar los intercambios y favorecer el conocimiento recíproco de las manifestaciones del patrimonio cultural inmaterial de las diferentes islas.

c) Complementar las iniciativas especialmente relevantes que, para la consecución del objeto de esta ley, impulsen otras entidades, públicas o privadas, territoriales o no.

Artículo 27. Medidas de fomento

La consejería competente en materia de cultura del Gobierno de las Illes Balears debe promover las siguientes acciones:

a) Abrir líneas de ayudas para campañas de inventario del patrimonio cultural inmaterial y programas de investigación aplicada.

b) Promover iniciativas de difusión del patrimonio cultural inmaterial mediante el trabajo en red, con el fin de mejorar los intercambios de conocimientos entre las cuatro islas.

c) Trabajar en el reconocimiento y la patrimonialización de las expresiones y las manifestaciones del patrimonio cultural inmaterial, con el fin de restituirlo a sus portadores.

CAPÍTULO V. Órganos consultivos

Artículo 28. Órganos consultivos en materia de patrimonio cultural inmaterial

1. El Gobierno de las Illes Balears y los consejos insulares respectivos se deben dotar de órganos colegiados de carácter consultivo en materia de patrimonio cultural inmaterial.

2. Estos órganos colegiados deben tener un carácter asesor con funciones de participación, de impulso y de coordinación, para contribuir a la investigación, la protección y la difusión del patrimonio cultural inmaterial de las Illes Balears y para ayudar a su reconocimiento y visibilidad.

Artículo 29. El Consejo Asesor del Patrimonio Cultural Inmaterial de las Illes Balears

1. Se crea el Consejo Asesor del Patrimonio Cultural Inmaterial de las Illes Balears, que es el órgano consultivo de las administraciones públicas de las Illes Balears en las materias reguladas en esta ley, que por medio de la participación, el impulso y la coordinación debe contribuir a la investigación, el seguimiento, la protección, la visualización y la difusión del patrimonio cultural inmaterial de las Illes Balears.

2. El Consejo Asesor está integrado por una presidencia y diez vocalías, de entre las cuales se debe escoger la vicepresidencia.

3. La presidencia y dos vocalías las debe nombrar el consejero o la consejera del Gobierno de las Illes Balears competente en la materia que regula esta ley.

4. Las vocalías restantes, por cuartas partes, las debe nombrar el consejero o la consejera competente de los consejos insulares respectivos, una de las cuales debe ocuparla un funcionario o una funcionaria del departamento competente en la materia que regula esta ley, y la otra, una persona con competencia reconocida en el ámbito del patrimonio cultural inmaterial.

5. La secretaría, con voz pero sin voto, la debe dotar la consejería competente del Gobierno de las Illes Balears con el personal y los medios suficientes para cumplir adecuadamente las funciones que se le atribuyan.

6. La organización y el funcionamiento del Consejo Asesor del Patrimonio Cultural Inmaterial de las Illes Balears se deben establecer reglamentariamente.

7. En la composición del Consejo Asesor se debe fomentar la presencia equilibrada de mujeres y hombres.

Artículo 30. Funciones consultivas

Son funciones del Consejo Asesor del Patrimonio Cultural Inmaterial de las Illes Balears:

a) Asesorar a la Administración de la comunidad autónoma y, con petición previa, a los consejos insulares y los ayuntamientos, en el ejercicio de las funciones que tienen encomendadas en materia de patrimonio cultural inmaterial.

b) Emitir informe en los procedimientos de declaración de Bienes de Interés Cultural Inmaterial Compartidos, de Bienes de Interés Cultural Inmaterial y de Bienes Catalogados Inmateriales.

c) Proponer las acciones que considere convenientes para la salvaguarda, la protección, la promoción y la difusión del patrimonio cultural inmaterial.

d) Cualquier otra función que, de acuerdo con el objeto de esta ley, le encomiende el Gobierno de las Illes Balears, el consejero o la consejera competente en esta materia o, en su caso, los propios consejos insulares, mediante peticiones vehiculadas a través de la consejería competente del Gobierno de las Illes Balears.

Artículo 31. Propuestas e iniciativas

El Consejo Asesor del Patrimonio Cultural Inmaterial de las Illes Balears puede llevar a cabo sus funciones, entre otras, con las siguientes propuestas e iniciativas:

a) Hacer propuestas, a iniciativa propia, a las administraciones públicas en las materias relacionadas con el objeto de esta ley.

b) Proponer iniciativas y actuaciones en el establecimiento de líneas de investigación, en la definición de un plan de publicaciones y de difusión y de programas de dinamización patrimonial, en la detección de nuevas fuentes de financiación y de apoyo a las entidades e instituciones del sector, en el ámbito de la educación, y en todas las materias que incidan en la mejora de las funciones y las actividades vinculadas a la investigación, la protección, la visibilización y la difusión del patrimonio cultural inmaterial de las Illes Balears.

c) Prestar asesoramiento técnico en las cuestiones que le someta el departamento competente en materia de cultura en el ámbito del fomento y la protección del patrimonio cultural inmaterial y, en especial, en las relativas al desarrollo de la legislación sobre patrimonio cultural u otros ámbitos legislativos que puedan afectar al patrimonio inmaterial.

d) Prestar asesoramiento técnico sobre los procesos de protección y salvaguarda del patrimonio etnológico que se deriven del desarrollo de la Convención para la Salvaguarda del Patrimonio Cultural Inmaterial y de la Convención para la Protección del Patrimonio Mundial Cultural y Natural, ambas de la UNESCO.

e) Proponer las acciones que considere convenientes que permitan difundir, entre los colectivos implicados y la sociedad en general, aquello que se relaciona con la naturaleza y sus funciones.

f) Detectar el estado y las necesidades de los diversos sectores y agentes que estén vinculados al patrimonio cultural inmaterial de las Illes Balears, y hacer su seguimiento.

g) Llevar a cabo cualquier otra propuesta e iniciativa de naturaleza análoga que le encomiende la persona titular del departamento competente de la Administración de la comunidad autónoma de las Illes Balears en la materia que regula esta ley.

Artículo 32. Órganos insulares de consulta

Cada consejo insular debe crear órganos similares al Consejo Asesor del Patrimonio Cultural Inmaterial de las Illes Balears para ejercer mejor sus competencias en las materias reguladas en esta ley. En este caso, el consejo mencionado y los órganos insulares de consulta deben colaborar en la consecución de los objetivos de salvaguarda y promoción del patrimonio cultural inmaterial. La organización y el funcionamiento de estos órganos se deben establecer reglamentariamente por el consejo insular respectivo.

Artículo 33. Instituciones consultivas

De conformidad con lo que disponen los artículos 13.3.b), 15.5.j), 15.7, 17, 18.4 y 20.a) de esta ley, son instituciones consultivas:

a) La Universidad de las Illes Balears.

b) El Instituto de Estudios Baleáricos.

c) El Instituto Menorquín de Estudios.

d) El Instituto de Estudios Ibicencos.

e) La Obra Cultural Balear de Formentera.

f) Las entidades de valía y capacidad que el Consejo Asesor del Patrimonio Cultural Inmaterial de las Illes Balears haya calificado como tales.

En caso de que la administración competente lo considere necesario, se deben solicitar los informes pertinentes al personal técnico y a los organismos adecuados.

CAPÍTULO VI. Asociaciones y fundaciones que tienen por objeto el patrimonio cultural inmaterial

Artículo 34. Declaración de interés cultural inmaterial

1. A efectos de esta ley, pueden ser declaradas de interés cultural inmaterial las asociaciones y fundaciones legalmente constituidas que ejerzan principalmente sus funciones en las Illes Balears y tengan como una de sus finalidades básicas la realización de actividades relacionadas con la cultura popular y tradicional de las Illes Balears.

2. La declaración se producirá a solicitud de la entidad interesada y de acuerdo con el procedimiento que reglamentariamente se establezca, en el que deben acreditarse, en todo caso, las circunstancias siguientes:

a) Estar inscrita en el registro administrativo correspondiente.

b) Llevar a cabo ordinariamente más de dos terceras partes de las actividades en el campo de la cultura popular y tradicional.

c) Presentar un funcionamiento regular de los órganos de dirección.

d) Tener un arraigo efectivo en el ámbito territorial o en el sector cultural que desarrollen su actividad.

e) En el caso de las entidades de base asociativa, tener una estructura y un funcionamiento democráticos.

3. Las circunstancias establecidas en el apartado anterior deben verificarse en relación a un periodo de tiempo no inferior a los tres años anteriores a la fecha de presentación de la solicitud.

4. Corresponde al Gobierno acordar su declaración de interés cultural inmaterial, de acuerdo con los consejos insulares y con el informe previo del Consejo Asesor de Patrimonio de Cultura Inmaterial.

Artículo 35. Efectos de la declaración

El otorgamiento de la declaración regulada en el artículo anterior supone, para las entidades que la hayan recibido, los derechos siguientes:

a) A ser destinatarias preferentes de las ayudas y las subvenciones que se establezcan a favor de las entidades que actúan en el campo de la cultura popular y tradicional.

b) A obtener los beneficios fiscales previstos en la legislación vigente.

c) A disfrutar de las ventajas que se establezcan en las ordenanzas locales reguladoras de los diversos servicios municipales.

Disposición adicional primera. Inventarios de patrimonio cultural inmaterial de los consejos insulares

Durante el primer año, a contar desde la entrada en vigor de esta ley, los consejos insulares elaborarán o actualizarán el inventario del patrimonio cultural inmaterial de su territorio, con la colaboración de la Administración de la comunidad autónoma de las Illes Balears.

Disposición adicional segunda. Fiestas de Interés Cultural

Las manifestaciones declaradas Fiestas de Interés Cultural mediante la Ley 1/2002, de 19 de marzo, de cultura popular y tradicional de las Illes Balears, pasan a tener la consideración de Bienes de Interés Cultural Inmaterial (BICIM) y deberán inscribirse de oficio en los registros correspondientes.

Disposición derogatoria Normas que se derogan

1. Quedan derogadas todas las disposiciones de rango igual o inferior que se opongan a lo que dispone esta ley, la contradigan o sean incompatibles con ella.

2. Quedan derogados, en particular, el párrafo segundo del artículo 5 y el apartado 3 del artículo 67 de la Ley 12/1998, de 21 de diciembre, del patrimonio histórico de las Illes Balears.

3. Queda igualmente derogada la Ley 1/2002, de 19 de marzo, de cultura popular y tradicional de las Illes Balears.

Disposición final primera. Modificación de la Ley 12/1998, de 21 de diciembre (LIB 1998, 308), del patrimonio histórico de las Illes Balears

Se modifica el artículo 1 de la Ley 12/1998, de 21 de diciembre, del patrimonio histórico de las Illes Balears, al que se añade el apartado siguiente:

"4. También forman parte del patrimonio histórico de las Illes Balears los bienes que integran el patrimonio cultural inmaterial, de conformidad con lo que establece la legislación especial".

Disposición final segunda. Desarrollo reglamentario

Se faculta al Gobierno de las Illes Balears y a los consejos insulares, en el ámbito de sus competencias respectivas, para dictar las normas reglamentarias que sean necesarias para desarrollar esta ley.

Disposición final tercera. Entrada en vigor

Esta ley entrará en vigor el día siguiente al de su publicación en el *Butlletí Oficial de les Illes Balears*.

Por tanto, ordeno que todos los ciudadanos guarden esta Ley y que los Tribunales y las Autoridades a los que corresponda la hagan guardar.

5. COMUNIDAD AUTÓNOMA DE CANARIAS

• LEY 11/2019, DE 25 DE ABRIL, DE PATRIMONIO CULTURAL DE CANARIAS

BO. Canarias 13 mayo 2019, núm. 90, [pág. 16602].
BOE 12 junio 2019, núm. 140, [pág. 61264].

Sea notorio a todos los ciudadanos y ciudadanas que el Parlamento de Canarias ha aprobado y yo, en nombre del Rey y de acuerdo con lo que establece el artículo 47.1 del Estatuto de Autonomía de Canarias, promulgo y ordeno la publicación de la Ley 11/2019, de 25 de abril, de Patrimonio Cultural de Canarias.

PREÁMBULO

I.

El artículo 137.1 del Estatuto de Autonomía de Canarias atribuye a la Comunidad Autónoma de Canarias competencia exclusiva en materia de cultura, patrimonio histórico, artístico, monumental, arquitectónico, arqueológico y científico y en materia de museos que no sean de titularidad estatal; correspondiéndole a la Comunidad Autónoma de Canarias, de acuerdo con el artículo 137.3 del Estatuto de Autonomía de Canarias, la competencia de ejecución en materia de museos de titularidad estatal cuya gestión no se reserve el Estado, a través de los instrumentos de cooperación que, en su caso, puedan establecerse. Todo ello sin perjuicio de lo dispuesto en el artículo 149.1.28.ª de la Constitución, que atribuye al Estado competencia exclusiva en materia de defensa del patrimonio cultural, artístico y monumental español contra la exportación y la expoliación; museos, bibliotecas y archivos de titularidad estatal, sin perjuicio de su gestión por parte de las comunidades autónomas; y en el artículo 149.2 de la Constitución, según el cual: "Sin perjuicio de las competencias que podrán asumir las comunidades autónomas, el Estado considerará el servicio de la cultura como deber y atribución esencial y facilitará la comunicación cultural entre las comunidades autónomas, de acuerdo con ellas". Asimismo, según el artículo 46 de la Constitución, los poderes públicos garantizarán la conservación y promoverán el enriquecimiento del patrimonio histórico, cultural y artístico de los pueblos de España y de los bienes que lo integran, cualquiera que sea su régimen jurídico y su titularidad. La ley penal sancionará los atentados contra este patrimonio.

En ejercicio de esas competencias, el Parlamento de Canarias aprobó en el año 1999, la Ley de Patrimonio Histórico de Canarias, norma que supuso un hito en el ámbito del patrimonio histórico, pues, hasta entonces, no se había contado con la cobertura normativa necesaria en esta materia, desde que nuestro Estatuto de Autonomía atribuyera a la Comunidad Autónoma de Canarias competencia legislativa en materia de patrimonio histórico y cultural, salvo las expresamente reservadas al Estado.

La Ley de 1999 pretendía, dentro del marco constitucional, adaptar la materia que nos ocupa a las peculiaridades de nuestro archipiélago y configurar un régimen jurídico y una articulación organizativa tendente a la protección, la conservación, la investigación, la restauración, la difusión y el disfrute social del legado cultural de nuestro pueblo.

La situación de partida está constituida, por tanto, por la existencia de una ley anterior, la Ley 4/1999, de 15 de marzo, de Patrimonio Histórico de Canarias, a la que esta ley viene a sustituir, por haber quedado obsoleta después del tiempo transcurrido desde su entrada en vigor, debido a la evolución que ha sufrido la materia regulada, tanto desde el punto de vista del concepto de patrimonio histórico o cultural, como desde el punto de vista de los instrumentos de protección del mismo, y sus conexiones con las demás disciplinas que, no regulando el ámbito patrimonial, tienen, sin embargo, incidencia en el mismo.

Otros derechos y conceptos que estudian hoy los especialistas precisan ser incorporados a esta ley. La equiparación de oportunidades y el derecho al disfrute del patrimonio cultural para todas las personas, en cada una de sus manifestaciones, nos llevan a establecer un diálogo entre la accesibilidad universal y el patrimonio cultural. Dos mundos que se expresan de forma diferente que deben acercarse, estudiando y buscando medidas particulares, de modo que garanticen la igualdad de oportunidades de las personas con discapacidad.

La regulación de los bienes de interés cultural (BIC) en la norma de 1999 ha promovido un incremento significativo de los bienes a los que se atribuye esta categoría, quedando la figura en muchos casos desvirtuada por no haberse reservado a bienes con valores patrimoniales verdaderamente excepcionales.

Desde el punto de vista procedimental, la necesidad de denuncia de mora, para poder caducar los procedimientos de declaración de un bien como BIC, ha generado la paralización o la prolongación excesiva del tiempo de tramitación de los procedimientos, por lo que se hace necesaria la supresión del indicado trámite, en concordancia con las prescripciones normativas sobre el silencio administrativo previstas en la Ley 39/2015, de 1 de octubre, del Procedimiento Administrativo Común de las Administraciones Públicas.

Los instrumentos de protección regulados en la ley anterior no han sido aprobados por la mayor parte de los ayuntamientos de Canarias, dejando sin proteger un número considerable de bienes que ostentan valores patrimoniales dignos de ser preservados, por lo que han resultado ineficaces e insuficientes para cumplir el objetivo de la protección del patrimonio cultural.

La norma nueva pretende reflejar la experiencia acumulada a lo largo de los años de aplicación de la Ley 4/1999, de 15 de marzo, en la protección, la conservación y el acrecentamiento del patrimonio histórico, que pasa a denominarse patrimonio cultural por tratarse de una acepción más actual, en línea con los convenios internacionales que regulan la materia. Asimismo, trata de resolver algunas dudas interpretativas que la Ley 4/1999 planteaba, mejorando la sistemática y la concordancia del texto anterior. La nueva norma pretende, igualmente, resolver el problema de la inactividad de ciertas administraciones públicas a la hora de aprobar los instrumentos de protección del patrimonio cultural, generando con ello la más absoluta desprotección de los bienes que lo integran.

La presente ley contiene la regulación de todos aquellos aspectos relativos a las competencias de las administraciones públicas canarias, a los órganos e instituciones consultivas, a las categorías de bienes e instrumentos de protección, así como el régimen común y específico de protección de los bienes del patrimonio cultural de Canarias. No obstante, la ley contempla, en su artículo 15, como competencia de la Administración pública de la Comunidad Autónoma de Canarias, la inspección de los cabildos insulares y ayuntamientos en el ejercicio de las competencias que les atribuya la presente ley, siendo asimismo competente para resolver los procedimientos de declaración de los BIC incoados y tramitados por los cabildos insulares; así como ejercer por subrogación de los cabildos insulares los derechos de tanteo y retracto en relación con los bienes de interés cultural o bienes catalogados en los supuestos en que los cabildos insulares no ejerzan esta potestad y ejercer, por subrogación de los cabildos insulares, la potestad expropiatoria en los supuestos en que los cabildos insulares no ejerzan esta potestad. El ejercicio de estas competencias, en los términos establecidos en la presente ley, obedece a la necesidad de dar solución al problema de la inactividad de ciertas administraciones públicas a la hora de aprobar los instrumentos de protección del patrimonio cultural, generando con ello la más absoluta desprotección de los bienes que lo integran, o de no ejercer los derechos de tanteo y retracto o del ejercicio de la potestad expropiatoria, con la finalidad de protección, recuperación, conservación, acrecentamiento, difusión y fomento del patrimonio cultural de Canarias.

Por otra parte, el texto legal configura el Consejo del Patrimonio Cultural de Canarias como el máximo órgano asesor y consultivo de las administraciones públicas canarias en materia de patrimonio cultural, atribuyéndole la finalidad esencial de contribuir a la coordinación y armonización de la política de las administraciones públicas en esta materia, así como facilitar la comunicación y el intercambio de programas de actuación, información y difusión entre las mismas. Este perfil, más político que técnico, y de ámbito regional, hace necesario que la presente ley garantice que en el mismo estén representados cada uno de los cabildos insulares, la Federación Canaria de Municipios, las dos diócesis de Canarias, la Real Academia Canaria de Bellas Artes de San Miguel Arcángel, los colegios oficiales de arquitectos y arquitectos técnicos, las asociaciones ciudadanas de reconocida dedicación a la defensa del patrimonio cultural, las universidades canarias, los museos de titularidad pública y los privados de reconocido prestigio, así como cualquier institución técnica o científica, a fin de contribuir al logro de las finalidades que han sido atribuidas al Consejo del Patrimonio Cultural de Canarias.

Sin embargo, las comisiones insulares de patrimonio cultural y los consejos municipales de patrimonio cultural tendrán un perfil eminentemente técnico y cumplirán con la finalidad de prestar asesoramiento a sus respectivas administraciones. Es este carácter técnico el que determina que en la ley se disponga que la composición de estos órganos atenderá a criterios de cualificación técnica y no tanto política, dejando que sean los cabildos insulares o los ayuntamientos, en su caso, quienes por vía reglamentaria establezcan la composición, el funcionamiento y el régimen de dichos órganos, garantizando, en base a las competencia de cada una de las administraciones públicas canarias que, en las comisiones insulares de patrimonio cultural, esté representada la Comunidad Autónoma de Canarias, como administración de ámbito territorial superior, y en los consejos municipales de patrimonio cultural, se garantice la representación del cabildo insular correspondiente, como administración de ámbito territorial superior. Asimismo, y en la medida de lo posible, según se establezca en los respectivos reglamentos, en los citados órganos podrán estar representados la Federación Canaria de Municipios, la Real Academia Canaria de Bellas Artes de San Miguel Arcángel, las universidades canarias, los colegios oficiales de arquitectos, y las asociaciones ciudadanas de reconocida dedicación a la defensa del patrimonio cultural. La presente ley, dada la cualificación técnica que se requiere a los miembros de los referidos órganos, ha preferido no establecer una lista cerrada de representantes, sino que sea cada Administración la que, a través de su reglamento, y en función de sus necesidades y posibilidades, establezca su composición.

De acuerdo con lo prevenido en el artículo 129 de la Ley 39/2015, de 1 de octubre, del Procedimiento Administrativo Común de las Administraciones Públicas, la presente ley cumple con los principios de necesidad, eficacia, proporcionalidad, seguridad jurídica, transparencia y eficiencia. Los principios de necesidad y eficacia se cumplen por las razones de interés general, pues la ley tiene por finalidad la protección, la recuperación, la conservación, el acrecentamiento, la difusión y el fomento, así como la investigación, la valorización y la transmisión a generaciones futuras y la puesta en valor del patrimonio cultural de Canarias, constituyendo la misma el instrumento más adecuado para la consecución de estos fines en el ámbito de la Comunidad Autónoma de Canarias. En virtud del principio de proporcionalidad, la presente ley contiene la regulación de todos aquellos aspectos relativos a las competencias de las administraciones públicas canarias, de los órganos e instituciones consultivas, las categorías de bienes e instrumentos de protección, así como los regímenes común y específico de protección de los bienes del patrimonio cultural de Canarias, la inspección y el régimen sancionador, necesarios todos ellos para la consecución de los fines que se persiguen con la misma. La aprobación del presente texto legal es la medida menos restrictiva posible de derechos, pues impone a sus destinatarios solo aquellas obligaciones estrictamente necesarias, ya que la importancia del patrimonio cultural de Canarias —que está constituido por los bienes muebles, inmuebles, las manifestaciones inmateriales de la cultura popular y tradicional, con valor histórico, artístico, arquitectónico, arqueológico, etnográfico, bibliográfico, documental, lingüístico, paisajístico, industrial, científico o técnico o de cualquier otra naturaleza cultural—, merece un marco regulatorio que garantice su conservación y su trasmisión a futuras generaciones. Respecto al principio de seguridad jurídica, este rige en todo el contenido de la ley, armonizando todas las cuestiones que aborda con el resto del ordenamiento jurídico para generar un marco normativo estable, predecible, integrado, claro y de certidumbre, y respetando el orden competencial entre el Estado y la Comunidad Autónoma de Canarias establecido en la Constitución y en el Estatuto de Autonomía, así como las competencias de las administraciones locales e insulares. La presente ley se ha tramitado conforme a los principios de transparencia y participación ciudadana, sustanciándose con carácter previo a la elaboración del texto normativo una consulta pública, a través del portal web del departamento competente en materia de patrimonio cultural, habiéndose recabado la opinión de los sujetos y de las organizaciones más representativas potencialmente afectados por la norma. Finalmente, en aplicación del principio de eficiencia, se ha procedido a adoptar, en la medida de lo posible, las medidas de simplificación y de reducción de cargas administrativas en los procedimientos administrativos que se regulan, evitando, cuando no fuera necesario, hacer continuas remisiones al desarrollo reglamentario, habiéndose hecho un esfuerzo de racionalización, en su aplicación, sobre la gestión de los recursos públicos.

II.

La presente ley se estructura en 150 artículos, diez títulos, cinco disposiciones adicionales, diez disposiciones transitorias, una disposición derogatoria y tres disposiciones finales.

El título I, dedicado a las disposiciones generales, expone el objeto y el ámbito de aplicación de la ley, en el que se incluyen definiciones de patrimonio cultural inmueble, mueble, e inmaterial; incluye el principio de unidad del patrimonio cultural de Canarias, con un carácter más amplio del previsto en la ley anterior. Se integran, asimismo, un precepto dedicado a los derechos y deberes de la ciudadanía y otro sobre la colaboración institucional en la materia. Se añade un artículo dedicado a la colaboración de la Iglesia católica, en tanto que titular de una parte considerable del patrimonio, posibilitando que en la comisión mixta entre Gobierno e Iglesia participen también representantes de los cabildos. Un último precepto regula la vinculación del patrimonio cultural con otras políticas sectoriales, como la educación, la ordenación del territorio, el paisaje, la conservación de la naturaleza, el desarrollo rural, el turismo y cualesquiera otras que puedan tener afección sobre el patrimonio cultural.

Destaca en este título la inclusión, dentro de la enumeración de los valores que debe poseer un bien para poderlo considerar parte integrante del patrimonio cultural de Canarias, de los valores paisajísticos, industriales o lingüísticos, no contemplados en la normativa anterior.

El título II viene a regular el modelo de amparo del patrimonio cultural, describiendo los niveles de protección a los que se puede someter, y distinguiendo entre: a) bienes de interés cultural (BIC) y b) bienes catalogados, que, a su vez, pueden gozar de grados de protección integral, ambiental y parcial. Los bienes catalogados, a su vez, se pueden incluir en catálogos municipales y, cuando tienen un interés insular, en catálogos insulares. Respecto de los inmuebles catalogados que tengan naturaleza arqueológica, se diferencia entre protección integral, preventiva y potencial, calificaciones que resultan novedosas.

Se define el concepto de entorno de protección de un bien, definición que la ley anterior integraba en la regulación de los BIC y que la presente ley prefiere incluir en este apartado genérico dedicado al modelo de protección, por no ser un término exclusivo de aquellos bienes y resultar de aplicación también a otros bienes sometidos a otros niveles de protección, como los bienes que se incluyan en los catálogos insulares, que deberán, en su caso, incluir un entorno de protección.

Los tipos de intervención en bienes inmuebles se definen en este título, por considerar que se trata de conceptos generales que conviene unificar, en aras de la seguridad jurídica, añadiéndose, frente a las intervenciones previstas en la ley anterior, las intervenciones de investigación, valoración, mantenimiento, reconstrucción, restructuración y remonta.

Se refiere también este título, a los instrumentos de protección, creando, de manera novedosa, la figura de los catálogos insulares de bienes patrimoniales culturales, en los que se integran aquellos bienes que, sin gozar de la relevancia que define a los bienes de interés cultural, ostenten valores patrimoniales que deban ser preservados, y tengan un interés insular. Por otra parte, las anteriores figuras de protección de ámbito municipal (catálogos arquitectónicos, cartas arqueológicas, cartas etnográficas) se vienen a refundir en un solo catálogo municipal de bienes patrimoniales culturales, tanto muebles como inmuebles e inmateriales.

Por último, este título define el Sistema de Información del Patrimonio Cultural de Canarias, que viene a sustituir a lo que la Ley 4/1999 denominaba centro de documentación del patrimonio histórico de Canarias, intentando, con este cambio de concepto, abarcar toda la amplitud de un sistema que integre toda la información patrimonial de Canarias, cualquiera que sea su origen, para ponerla a disposición del público en general, democratizando de esta manera el patrimonio cultural de Canarias, sin perjuicio del respeto a la protección de datos de carácter personal y de la posibilidad de no difundir datos referentes a la ubicación de determinados bienes cuando por su fragilidad esta difusión pudiera derivar en daños para los mismos.

El título III clarifica y sistematiza las competencias que las administraciones públicas canarias ostentan en el área que nos ocupa, en su capítulo I, recopilando algunas de las competencias que aparecían en el anterior texto dispersas a lo largo del articulado de la ley. Añade nuevas competencias, insistiendo en las relativas a la difusión, la integración del conocimiento y valoración del patrimonio en la educación no formal, el apoyo y colaboración con las entidades y asociaciones culturales comprometidas con la recuperación, conservación, difusión y gestión del patrimonio cultural y la potenciación de los usos bajo el respeto de los valores intrínsecos, como factor de desarrollo.

El mismo capítulo I, después de enumerar las competencias de todas las administraciones públicas implicadas en la materia patrimonial, dedica un precepto a cada una de estas administraciones, a saber, Comunidad Autónoma de Canarias, cabildos insulares y ayuntamientos. Como novedad, se atribuye de manera expresa la potestad reglamentaria al Gobierno de Canarias, quien podrá iniciar, tramitar y resolver los procedimientos para la declaración como bien de interés cultural, de manifestaciones de carácter inmaterial, cuyo ámbito sea superior al insular, y a petición de las comunidades u organizaciones representativas. Asimismo, se explicita la competencia autonómica para crear y mantener el Sistema de Información del Patrimonio Cultural de Canarias, gestionar el Registro de Bienes de Interés Cultural, la creación de museos de interés insular, la creación de parques arqueológicos y etnográficos, entre otras, intentando recopilar competencias que se encontraban dispersas a lo largo del articulado en el texto de la Ley 4/1999.

A los cabildos insulares se les encomienda la aprobación de los catálogos insulares y la decisión sobre la inclusión de un determinado bien en dicho catálogo, correspondiéndoles, asimismo, la autorización de intervenciones y usos en bienes de interés cultural y en bienes incluidos en el catálogo insular. En el caso de conjuntos históricos sin plan especial de protección en vigor, el cabildo asume, igualmente, la competencia autorizatoria, pues, una vez aprobado y en vigor el respectivo plan especial, corresponde ejercerla al ayuntamiento.

Finaliza el capítulo I con las competencias que se atribuyen a los ayuntamientos, que consisten, principalmente, en la vigilancia, colaboración con otras administraciones, difusión, divulgación, así como la elaboración y aprobación de sus catálogos municipales, y de los planes especiales de protección, para las categorías de bienes de interés cultural que lo exigen.

Se dedica el capítulo II a los órganos e instituciones consultivas, cuya regulación, sin perjuicio del principio de autonomía local, procura promover la creación, en aquellos municipios que cuenten con un conjunto histórico declarado, de un consejo municipal de patrimonio cultural, y de todos los ayuntamientos de Canarias, de crear unidades de patrimonio para la asistencia técnica a la corporación, en la materia y unidades especializadas de la policía local, para la vigilancia de los bienes situados en su término municipal.

Al Consejo del Patrimonio Cultural de Canarias, máximo órgano asesor y consultivo de las administraciones públicas en las materias reguladas en la ley, se le atribuye la finalidad de contribuir a la coordinación y armonización de las políticas de las administraciones públicas de Canarias y facilitar la comunicación y el intercambio de programas de actuación, información y difusión. Su composición, funciones específicas y régimen de funcionamiento se remiten a la regulación reglamentaria, si bien se dispone que, en todo caso, deberá asegurarse la representación de los cabildos, de la Federación Canaria de Municipios, de los colegios oficiales de arquitectos, de las asociaciones ciudadanas de reconocida dedicación a la defensa del patrimonio cultural, de las universidades canarias o de otras instituciones técnicas o científicas, así como la representación de los museos de titularidad pública y de los privados de reconocido prestigio, respetando, en todo caso, el principio de presencia equilibrada entre mujeres y hombres.

Las comisiones insulares de patrimonio, por su parte, se conciben como órganos colegiados, de carácter técnico, más que político, en las que participará el Gobierno de Canarias, en aras de la consecución del principio de coordinación administrativa.

Se establece con carácter potestativo la creación, por los ayuntamientos, de consejos municipales de patrimonio, especialmente en el caso de ayuntamientos con un conjunto histórico declarado, mientras que toda corporación municipal deberá aprobar la creación de una unidad de patrimonio como órgano de asistencia técnica en la materia, si bien, en el ejercicio de la autonomía local, su composición dependerá del personal y recursos de que se disponga.

Se prevé, por último, la posibilidad de que tanto el Gobierno como los cabildos insulares puedan designar otras instituciones consultivas, en su respectivo ámbito territorial, al margen de las que con carácter tasado cita el precepto, incluyendo los museos insulares y otros museos públicos, en función de la materia objeto de consulta.

Regula el título IV las categorías de bienes del patrimonio cultural de Canarias, y los instrumentos de protección. En cuanto a las categorías de bienes, comienza regulando en su capítulo I los bienes de interés cultural con una sección 1.ª dedicada a las normas generales sobre estos bienes. En esta sección resulta novedosa la inclusión de dos nuevas categorías de BIC: paisaje cultural, como lugar en el que confluyen bienes patrimoniales materiales e inmateriales representativos de la evolución histórico-cultural, cuyo carácter sea resultado de la acción e interacción de factores naturales y humanos y, en su caso, con valores paisajísticos y ambientales para convertirse en soporte de la identidad de una comunidad; y sitio industrial, entendido como lugar que contiene bienes vinculados con los modos de extracción, producción, comercialización, transporte o equipamiento relacionados con la cultura industrial, técnica o científica.

También constituye una novedad la clasificación de los BIC cuando se trata de bienes inmateriales, integrando las categorías previstas en la Ley 10/2015, de 26 de mayo, para la salvaguarda del patrimonio cultural inmaterial, adaptadas a nuestras singularidades, en cuanto a incluir, los juegos y deportes autóctonos, la cultura inmaterial de la emigración canaria y los conocimientos y usos relacionados con el cielo y la mar.

La sección 2.ª del capítulo I incluye los preceptos dedicados al procedimiento para la declaración de un bien de interés cultural, destacando, como novedad, la regulación de la caducidad del procedimiento de declaración por el mero transcurso del plazo para resolver, sin necesidad de denunciar la mora. Todo ello en consonancia con la normativa general del procedimiento administrativo, razón por la cual se amplía el plazo de tramitación y resolución, que pasa de doce a veinticuatro meses; la posibilidad de que el Gobierno de Canarias incoe el procedimiento cuando se trata de manifestaciones del patrimonio cultural inmaterial de ámbito regional, y siempre que medie petición de comunidades portadoras u organizaciones relacionadas con el bien en cuestión, es otra de las previsiones que no estaba contemplada en la anterior normativa. Finalmente, la sección 3.ª regula los conjuntos históricos, caracterizada por la particularidad y especificidad que supone su protección a través de planes especiales de protección, cuya formulación y aprobación corresponde al ayuntamiento respectivo, con informe favorable del cabildo insular y dictamen previo de la comisión insular de patrimonio cultural.

Por último, los capítulos II y III regulan los bienes catalogados, esto es, bienes que, teniendo valores patrimoniales de importancia, a diferencia de los bienes de interés cultural, estos no resultan tan excepcionales como para otorgar la máxima protección que supone la declaración de BIC. Estos bienes se califican como bienes catalogados, distinguiendo la ley entre aquellos que tienen un interés insular, que se deben integrar en el instrumento de protección de carácter insular, el catálogo insular (capítulo II), y aquellos otros que no poseen dicho alcance, que deben incluirse en los catálogos municipales (capítulo III). Los catálogos insulares son competencia de los cabildos insulares, a los cuales corresponde tramitarlos, aprobarlos y gestionarlos, debiendo formar parte del contenido de los planes insulares de ordenación (sección 1.ª). Sin embargo, la inclusión de un bien concreto en el catálogo insular requiere la tramitación de un procedimiento tasado, regulado en la sección 2.ª del capítulo II, que puede ser iniciado de oficio por el cabildo insular o bien a instancia de parte, en el que destaca un trámite de audiencia e información pública, el informe técnico de la unidad de patrimonio y la resolución por acuerdo del pleno. El plazo máximo para resolver y notificar este procedimiento será de un año, transcurrido el cual sin haberse declarado se produce la caducidad del procedimiento.

En cuanto a los catálogos municipales (capítulo III), su tramitación y aprobación corresponde a los ayuntamientos, en su respectivo ámbito territorial. El principio de jerarquía regirá las relaciones entre estos dos instrumentos de protección del patrimonio cultural de Canarias, de manera que los catálogos insulares, en caso de conflicto, prevalecerán sobre aquellos de ámbito municipal en las referencias que contengan ambos sobre un mismo bien y si existiere contradicción entre ambos. Cabe indicar, asimismo, que, una vez aprobado el catálogo insular, la inclusión de cada bien deberá seguir el procedimiento previsto en la ley, que contempla los trámites de audiencia e información pública y se resuelve por acuerdo del pleno, previo informe favorable de la comisión insular de patrimonio cultural. Por otra parte, la ley establece el plazo de dos años, para la adaptación de los catálogos municipales incompatibles con el catálogo insular respectivo, en caso de incongruencia. El capítulo III contiene de manera prolija los criterios para la catalogación de bienes inmuebles, así como el contenido de los catálogos municipales, indicando el contenido mínimo de la memoria, de la normativa y de las fichas de cada bien.

Dedica la ley su título V al régimen común de protección y conservación del patrimonio cultural de Canarias, que contiene unas normas generales aplicables a todas las categorías de bienes, incluyendo el deber general de protección y conservación; la utilización de los bienes de manera compatible con sus valores; los requerimientos de las administraciones públicas en caso de incumplimiento de estos deberes, así como las medidas de ejecución subsidiaria y multas coercitivas; las medidas cautelares de aplicación cuando se infrinjan los deberes de conservación y adecuado uso; el principio de imprescriptibilidad de la protección de la legalidad y el restablecimiento del orden jurídico perturbado; las normas generales sobre el comercio de bienes muebles; las autorizaciones preceptivas; la regulación de los planes, instrumentos, programas y proyectos con incidencia sobre el patrimonio cultural; y la limitación del aprovechamiento urbanístico cuando desaparezca un bien integrante del patrimonio cultural de Canarias, esté o no incluido en alguno de los instrumentos de protección previstos en la ley.

El título VI contempla el régimen de protección del patrimonio, no ya el común, al que se dedicaba el título anterior, sino el específico, aplicable a cada bien en función del nivel de protección que le corresponda.

Así pues, a todos los bienes integrados en algún tipo de instrumento de protección se les aplican los tres artículos del capítulo I, referidos a los expedientes de ruina ordinario o inminente, que requerirán, en todo caso, autorización del cabildo respectivo y la inspección periódica de edificaciones incluidas en los instrumentos de protección, que se hallaren cerrados, sin uso, infrautilizados o que presenten fachadas faltas de mantenimiento.

El capítulo II contiene normas específicas para los bienes de interés cultural y los bienes incluidos en catálogos insulares, incluyendo el acceso a dichos bienes con obligación de permitir la visita pública, al menos, cuatro días al mes o un día por semana; la prohibición de enajenación de ciertos bienes muebles; la autorización previa para cualquier intervención o cambio de uso en los bienes muebles, que será otorgada por el cabildo insular, entendiéndose desestimada por el transcurso del plazo de tres meses sin que se hubiera emitido; las intervenciones permitidas en los bienes muebles, fijando los criterios de intervención y los requisitos mínimos que ha de poseer el proyecto de intervención; y las autorizaciones para las intervenciones o cambios de uso que afecten a bienes inmuebles, que también requerirán autorización del cabildo, con la necesidad de previo informe favorable de la comisión insular respectiva, si se trata de bienes de interés cultural, y sin necesidad del informe de la comisión insular, cuando se trate de bienes incluidos en el catálogo insular. Continúa el capítulo con la regulación de las intervenciones permitidas en bienes inmuebles de interés cultural o incluidos en un catálogo insular, describiendo los criterios de intervención a seguir y el proyecto de intervención; la regulación de los derechos de tanteo y retracto, cuyo ejercicio atribuye al cabildo y, en su defecto, al Gobierno de Canarias; la señalización de los bienes de interés cultural; y, por último, la legitimación para su expropiación.

El capítulo III del título VI contiene dos preceptos específicos aplicables a las intervenciones en los conjuntos históricos, destacando, por primera vez y en consonancia con la Ley 4/2017, de 13 de julio, del Suelo y de los Espacios Naturales Protegidos de Canarias, la competencia de los ayuntamientos para autorizar las intervenciones en los conjuntos históricos que tengan plan especial de protección aprobado.

El último capítulo de este título, el IV, "Normas específicas de los bienes incluidos en catálogos municipales de bienes patrimoniales culturales", remite a los catálogos municipales, que en las fichas referentes a cada bien establecerán el grado de protección y los tipos de intervención permitidos en los bienes catalogados que se incluyan en estos instrumentos de protección.

A los patrimonios específicos se refiere el título VII, que se divide en cinco capítulos relativos a cada uno de dichos patrimonios: capítulo I, "Patrimonio arqueológico, con especial mención al patrimonio subacuático; capítulo II, "Patrimonio etnográfico"; capítulo III, "Patrimonio industrial"; capítulo IV, "Patrimonio documental y bibliográfico"; y capítulo V, "Patrimonio inmaterial", como figura especialmente novedosa, que intenta aglutinar las manifestaciones de este rico patrimonio que hasta ahora se encontraba, en alguna de sus representaciones, incluido en el patrimonio etnográfico o, simplemente, no regulado.

El título VIII se titula "Museos y colecciones museográficas" y en él se aborda el concepto de museo como institución abierta al público, accesible, inclusiva, intercultural y sostenible, al servicio de la sociedad y de su desarrollo, que, como agente de transformación social y generadora de conocimiento, reúne, conserva, ordena, documenta, investiga, difunde y exhibe de forma científica, estética y didáctica, para fines de estudio, educación, disfrute y promoción científica y cultural colecciones de bienes muebles de valor histórico, artístico, científico, técnico o de cualquier otra naturaleza cultural. Dentro de este título también se introduce la descripción y la introducción del concepto de colección museográfica para todas aquellas colecciones de bienes que no cumplan todos los requisitos necesarios para ser consideradas museos, si bien prevén la visita pública, el acceso del personal investigador y condiciones básicas de custodia y conservación de sus fondos. Asimismo, el título incluye las funciones y deberes de los museos y las colecciones museográficas.

Por último, se afianza la competencia del Gobierno de Canarias en la materia, siendo competente para autorizar la creación de museos de ámbito insular, si bien para la creación de museos públicos y concertados de ámbito inferior al insular, de museos privados y colecciones museográficas se presentará ante el correspondiente cabildo insular una declaración responsable manifestando contar con los requisitos establecidos en la ley.

El título IX, por su parte, contiene preceptos relativos a las medidas de fomento, que están, en todo caso, vinculadas a las disponibilidades presupuestarias y que pueden estar constituidas por ayudas y subvenciones; los beneficios fiscales, que se remiten a la legislación específica estatal, autonómica o local; el pago de deudas mediante la dación de bienes del patrimonio cultural de Canarias; el acceso preferente al crédito oficial o subsidiado con fondos públicos cuando se destina a obras de conservación, restauración, recuperación o difusión de dichos bienes; el uno coma cinco por ciento cultural, que se genera como consignación de las obras públicas que se financien total o parcialmente con fondos del capítulo 6, de los presupuestos de la Administración pública de la Comunidad Autónoma de Canarias, sus organismos autónomos o entidades que integran el sector público con presupuesto limitativo; el fomento de la difusión, la enseñanza y la investigación en materia de patrimonio cultural; y, por último, el establecimiento de la distinción de "protector del patrimonio cultural de Canarias", que será otorgada por la Administración pública de la comunidad autónoma a aquellas personas físicas o jurídicas que se distingan por su contribución a la protección y difusión del patrimonio cultural.

El título X unifica la regulación de la inspección del patrimonio cultural y del régimen sancionador, dedicando a cada una de estas materias un capítulo. Se ordena el sistema de competencias para la tramitación y resolución de los procedimientos sancionadores, otorgando la relativa a las infracciones muy graves y graves a la Administración de la Comunidad Autónoma de Canarias, mientras que la tramitación y resolución de los procedimientos por infracciones leves se residencia en los cabildos insulares. Se refuerzan las infracciones administrativas en materia de patrimonio, en el sentido de que los tipos infractores se vinculan a la gravedad de los daños producidos. Se establece la imprescriptibilidad de la obligación de reparar el daño causado. La graduación de las sanciones tiene en cuenta diversos criterios, como la intencionalidad o el grado de culpabilidad, la continuidad o persistencia en la conducta infractora, la naturaleza de los perjuicios causados o la reincidencia, entendiendo por tal la comisión, en el término de un año, de más de una infracción de la misma naturaleza, cuando así lo declare una resolución firme en vía administrativa.

Asimismo, se incluyen seis disposiciones adicionales. La primera confiere el carácter de inspector colaborador de la alta inspección a los funcionarios guardas forestales y agentes del medio ambiente; la segunda incorpora la canaricultura deportiva o de competición a esta ley; la tercera prevé la dotación económica y personal necesaria para el cumplimiento de los objetivos y obligaciones de esta ley; la cuarta establece que los yacimientos paleontológicos se regirán por la normativa de espacios naturales protegidos de Canarias; la quinta preceptúa que hasta que reglamentariamente se regulen las actuaciones paleontológicas en yacimientos o zonas con elementos o piezas en estado fósil en territorio autonómico, resultará de aplicación el reglamento autonómico sobre intervenciones arqueológicas; y la sexta regula al personal con funciones de inspección del patrimonio cultural, instando un plazo de tres años a la administración para que proceda a convocar los correspondientes procesos selectivos.

Por otro lado, las disposiciones transitorias abordan, respectivamente, la primera la incorporación de las cartas arqueológicas y etnográficas a los instrumentos de protección regulados en la ley, en el plazo de tres años; la segunda, contiene un régimen transitorio del patrimonio paleontológico; la tercera, la obligación de las personas físicas o jurídicas, públicas o privadas, en posesión de objetos arqueológicos considerados de dominio público de comunicarlo en el plazo de un año a la Comunidad Autónoma de Canarias; la cuarta se encarga de disponer qué normas son aplicables a los procedimientos en trámite; la quinta la caducidad de los procedimientos de declaración de bien de interés cultural, de aquellos procedimientos iniciados, si en el plazo de un año no se culminara por el cabildo respectivo la fase de instrucción; y la sexta establece un plazo de tres años para la elaboración y aprobación de los catálogos municipales o la adaptación de los existentes a las disposiciones de la ley; la séptima y octava regulan, respectivamente, la retirada de los rótulos, carteles, anuncios y demás soportes publicitarios en conjuntos históricos, en el plazo de seis meses desde la aprobación del plan especial respectivo, la retirada de instalaciones eléctricas y telefónicas en conjuntos históricos, en el plazo de un año desde la aprobación del citado plan, sin perjuicio de la ejecución subsidiaria de las administraciones públicas; y, finalmente, la novena, conforme a la cual los municipios que cuenten con la declaración de conjunto histórico en su ámbito territorial, en el plazo de dieciocho meses a contar desde la entrada en vigor de la presente ley, deberán alcanzar, como mínimo, la aprobación inicial de un plan especial de protección, bien en desarrollo de los respectivos planes generales, bien de forma autónoma, de conformidad con lo establecido en el artículo 146.2.c) de la Ley 4/2017, de 13 de julio, del Suelo y de los Espacios Naturales Protegidos de Canarias; finalmente, la décima fija un plazo de seis meses para elaborar el reglamento para la concesión del uno coma cinco por ciento destinado a inversión en patrimonio cultural de Canarias.

La disposición derogatoria única deroga expresamente la Ley 4/1999, de 15 de marzo, de Patrimonio Histórico de Canarias, y las disposiciones de igual o inferior rango que se opongan a lo dispuesto en la presente ley.

Finalmente, las tres disposiciones finales establecen, respectivamente, la habilitación para el desarrollo reglamentario de la ley, la obligatoria modificación en el plazo de seis meses del reglamento sobre procedimiento de declaración y régimen jurídico de los bienes de interés cultural y por último, su entrada en vigor al mes de su publicación en el Boletín Oficial de Canarias.

TÍTULO I. Disposiciones generales

Artículo 1. Objeto

La presente ley tiene por objeto establecer el régimen jurídico del patrimonio cultural de Canarias con el fin de garantizar su identificación, protección, recuperación, conservación, acrecentamiento, difusión y fomento, así como su investigación, valorización y transmisión a generaciones futuras, de forma que sirva a la ciudadanía como una herramienta de cohesión social, desarrollo sostenible y fundamento de la identidad cultural.

Artículo 2. Ámbito de aplicación

1. La presente ley es de aplicación al patrimonio cultural de Canarias.

2. El patrimonio cultural de Canarias está constituido por los bienes muebles, inmuebles, manifestaciones inmateriales de las poblaciones aborígenes de Canarias, de la cultura popular y tradicional, que tengan valor histórico, artístico, arquitectónico, arqueológico, etnográfico, bibliográfico, documental, lingüístico, paisajístico, industrial, científico, técnico o de cualquier otra naturaleza cultural, cualquiera que sea su titularidad y régimen jurídico.

Artículo 3. Definiciones

1. A los efectos de la presente ley, se entiende por:

a) Patrimonio cultural inmueble: el constituido por los bienes culturales que no pueden ser trasladados de un lugar a otro, por estar vinculados al terreno.

b) Patrimonio cultural mueble: el formado por los bienes culturales que pueden ser trasladados o transportados sin perder su identidad patrimonial cultural.

c) Patrimonio cultural inmaterial: el correspondiente a los usos, representaciones, expresiones, conocimientos y técnicas de las poblaciones aborígenes de Canarias, de la cultura popular y tradicional que las comunidades, grupos y, en algunos casos, individuos reconozcan como parte integrante del patrimonio cultural de Canarias.

2. Las referencias contenidas en la presente ley al lugar en el que se ubique un bien deberán ser entendidas, para las manifestaciones del patrimonio inmaterial, como el ámbito territorial en el que se desarrollen o produzcan con independencia de su situación, titularidad y régimen jurídico.

Artículo 4. Principio de unidad del patrimonio cultural de Canarias

1. Todos los bienes integrantes del patrimonio cultural de Canarias forman parte del legado cultural de esta comunidad autónoma, con independencia de dónde se hallen situados y de la Administración pública que tenga encomendada su protección.

2. El Gobierno de Canarias velará por la investigación, salvaguarda, difusión y proyección exterior y, en su caso, el retorno a Canarias de aquellos bienes del patrimonio cultural de Canarias que se encuentren fuera de su ámbito territorial.

3. Se procurará, mediante acuerdo de los museos o centros competentes, la devolución de las piezas a su isla de origen, garantizando su correcta exposición, custodia y conservación.

Artículo 5. Derechos y deberes

1. Toda persona tiene derecho al acceso, el conocimiento y el disfrute, así como a la transmisión y divulgación del patrimonio cultural de Canarias en los términos establecidos en la ley.

2. Cualquier persona física o jurídica, pública o privada, está obligada a proteger el patrimonio cultural de Canarias, a actuar con la diligencia debida en su uso y a cumplir los deberes establecidos en esta ley.

3. En cumplimiento de lo previsto en la presente ley, cualquier persona física o jurídica, pública o privada, está legitimada para actuar ante las administraciones públicas o ante los tribunales en defensa del patrimonio cultural de Canarias, de acuerdo con lo dispuesto en la legislación estatal.

Artículo 6. Colaboración institucional

1. Todas las administraciones públicas canarias colaborarán y se coordinarán en el ejercicio de sus competencias y funciones para contribuir al logro de los objetivos de esta ley.

2. Las entidades locales cooperarán en la custodia, protección, conservación, difusión de los valores que contengan los bienes integrantes del patrimonio cultural situado en su ámbito territorial. Tendrán la obligación de comunicar al departamento de la Administración pública de la Comunidad Autónoma de Canarias competente en materia de patrimonio cultural todo hecho que pueda poner en peligro la integridad de los bienes pertenecientes al patrimonio cultural. Todo ello sin perjuicio de las funciones que expresamente les atribuye esta ley.

3. La Administración pública de la Comunidad Autónoma de Canarias adoptará las medidas necesarias para colaborar con la Administración del Estado, con las de las restantes comunidades autónomas, y con las entidades que integran la Administración local, en la salvaguarda del patrimonio cultural, en su difusión nacional e internacional, y en el fomento de intercambios culturales.

Artículo 7. Colaboración de la Iglesia católica

1. La Iglesia católica, en cuanto titular de una parte importante del patrimonio cultural de Canarias, garantizará la protección, la conservación y la difusión del mismo, colaborando a tal fin con las administraciones públicas.

2. Una comisión mixta, formada por el Gobierno de Canarias, los cabildos insulares, la Federación Canaria de Municipios y la Iglesia católica en Canarias, establecerá el marco de colaboración y coordinación necesario para elaborar y desarrollar planes de intervención conjunta.

Artículo 8. Políticas sectoriales

Los poderes públicos integrarán la protección del patrimonio cultural en las políticas sectoriales en materia de educación, investigación, ordenación del territorio, urbanismo, paisaje, conservación de la naturaleza, desarrollo rural, turismo, industria, servicios sociales, accesibilidad, cultura, deporte y ciencia y cualesquiera otras que puedan tener una afección sobre el patrimonio cultural.

TÍTULO II. Modelo de protección

Artículo 9. Niveles de protección

1. Los bienes que componen el patrimonio cultural de Canarias se clasificarán en alguno de los siguientes niveles de protección:

a) Bienes de interés cultural. Se declararán bienes de interés cultural aquellos bienes muebles, inmuebles e inmateriales más sobresalientes de valor histórico, artístico, arquitectónico, arqueológico, etnográfico, bibliográfico, documental, lingüístico, paisajístico, industrial, científico o técnico o de naturaleza cultural, así como los que constituyan testimonios singulares de la cultura canaria.

b) Bienes catalogados. Serán bienes catalogados aquellos bienes muebles, inmuebles e inmateriales del patrimonio cultural de Canarias que ostenten los valores a los que se refieren los artículos 39 y 50 de la presente ley que sean incluidos en catálogos insulares o municipales, respectivamente.

2. Los bienes catalogados de carácter inmueble podrán alcanzar los siguientes grados de protección:

a) Integral: protege la totalidad de los elementos del inmueble y de sus espacios libres vinculados, dentro de los límites de los criterios de intervención establecidos en la presente ley.

b) Ambiental: protege los elementos del inmueble que conforman su particular ambiente exterior, en tanto que contribuyen al entorno urbano o rural en el que radica: volumen, alturas generales y de forjados, cubiertas, fachadas, muros que conforman su tipología, patios, espacios no edificados y elementos interiores.

c) Parcial: protege uno o más elementos específicos, que habrán de detallarse.

3. Respecto a los inmuebles catalogados por sus valores arqueológicos, se establecerá alguno de los siguientes grados de protección:

a) Integral: protege la totalidad del yacimiento.

b) Preventiva: protege el yacimiento de forma cautelar hasta que se determine su protección integral o su exclusión del catálogo, previa recuperación de la totalidad de la información científica que contenga a través de la oportuna actividad arqueológica. En cualquier caso, para proceder a su exclusión del catálogo, se tendrán que cumplir de manera estricta los procedimientos y fases que se establezcan reglamentariamente, que estarán orientados a garantizar la inexistencia de valor arqueológico.

c) Potencial: protege los espacios delimitados en que se presuma la existencia de evidencias arqueológicas y se considere necesario adoptar medidas preventivas.

Artículo 10. Entorno de protección

A los efectos de esta ley, se entiende por entorno de protección la zona exterior al inmueble, continua o discontinua, que da apoyo ambiental al bien, con independencia de los valores patrimoniales que contenga, cuya delimitación se realizará a fin de prevenir, evitar o reducir la incidencia de obras, actividades o usos que repercutan en el bien a proteger, en sus perspectivas visuales, contemplación, estudio o en la apreciación y comprensión de sus valores. La delimitación del entorno de protección deberá considerar la relación del bien con el área territorial a la que pertenece y se amparará, entre otros, en aspectos geográficos, visuales, ambientales y en la presencia de otros bienes patrimoniales culturales que contribuyan a reforzar sus valores. El entorno será lo suficientemente amplio como para posibilitar el entendimiento y la comprensión del bien y permitir la continuidad espacial del mismo.

Artículo 11. Tipos de intervención

1. Las intervenciones en bienes inmuebles se clasifican, a los efectos de la presente ley, en las siguientes categorías:

a) Investigación: acciones que tengan como objetivo ampliar el conocimiento sobre el bien o su estado de conservación y que afecten directamente a su soporte material. Incluye acciones y procedimientos necesarios para elaborar un diagnóstico y caracterizar los materiales y los riesgos que afectan al bien.

b) Valorización: medidas y acciones sobre los bienes culturales o su ámbito próximo que tengan por objeto permitir su apreciación, facilitar su interpretación y acrecentar su difusión, especialmente en el ámbito educativo, y su función social.

c) Mantenimiento: actividades cotidianas, continuas o periódicas de escasa complejidad técnica sobre el soporte material de los bienes o su ámbito próximo para que mantengan sus características, funcionalidad y longevidad, sin que se produzca ninguna sustitución o introducción de nuevos elementos.

d) Conservación: intervenciones que tengan por finalidad la realización de estrictas actuaciones de mantenimiento, en cumplimiento de las obligaciones de las personas titulares o poseedoras de los bienes, sobre las condiciones de seguridad, salubridad y ornato de las edificaciones, así como las reparaciones y reposiciones de las instalaciones. En este tipo de intervenciones se deberán utilizar materiales originales o, en todo caso, sustituirlos por otros de las mismas características.

e) Consolidación: acciones que tengan por objeto el afianzamiento y refuerzo de elementos estructurales e instalaciones para asegurar la estabilidad y el adecuado funcionamiento del inmueble en relación con las necesidades del uso a que sea destinado. En este tipo de intervenciones se utilizarán materiales cuya función estructural sea la misma que la original, debiendo justificarse la introducción de materiales y sistemas constructivos diferentes cuando fuera necesario.

f) Restauración: acciones que pretendan, mediante la reparación o reposición de elementos estructurales o accesorios del inmueble, restituir sus condiciones originales.

g) Rehabilitación: intervenciones de adecuación, mejora de las condiciones de habitabilidad o redistribución del espacio interior manteniendo las características tipológicas del inmueble.

h) Reconstrucción: intervenciones de carácter excepcional que tengan por objeto la reposición parcial de elementos destruidos o desaparecidos, debidamente documentados, debiendo respetar en todo caso la autenticidad del inmueble, entre otros, en cuanto a materiales y técnicas constructivas.

i) Reestructuración: intervenciones de carácter excepcional que tengan por objeto la construcción de una nueva estructura, manteniendo las fachadas y cerramientos exteriores de las edificaciones originales y aquellos elementos singulares o representativos de la edificación.

j) Remonta y ampliación: acciones de carácter excepcional que impliquen la modificación motivada de los parámetros de altura y de crecimiento horizontal en los inmuebles con protección ambiental y parcial, siempre que no se produzcan efectos negativos en el inmueble o en el ambiente urbano o rural en el que se insertan.

2. Las intervenciones en bienes muebles se podrán clasificar en:

a) Conservación. Conjunto de medidas que se limitan a prevenir y retardar su deterioro, con la finalidad de asegurar la mayor duración posible de la configuración material del objeto considerado.

b) Restauración. Intervención dirigida a restituir la unidad física, estructural y estética del objeto considerado.

Artículo 12. Instrumentos de protección del patrimonio cultural de Canarias

1. Los bienes integrantes del patrimonio cultural de Canarias, a los efectos de su protección, deberán incluirse en alguno de los siguientes instrumentos:

a) Registro de Bienes de Interés Cultural.

b) Catálogo insular de bienes patrimoniales culturales.

c) Catálogo municipal de bienes patrimoniales culturales.

2. El Registro de Bienes de Interés Cultural será gestionado por el departamento de la Administración pública de la Comunidad Autónoma de Canarias competente en materia de patrimonio cultural, y en él se anotarán los actos que afecten a los bienes de interés cultural incoados o declarados.

3. Los catálogos insulares de bienes patrimoniales culturales serán elaborados y gestionados por los cabildos insulares, respecto de los bienes situados en su ámbito territorial que,

sin estar comprendidos en el nivel de protección establecido en el artículo 9.1, letra a), de la presente ley, para los bienes de interés cultural, ostenten valores patrimoniales de los mencionados en el artículo 2, que deban ser especialmente preservados y que tengan interés insular.

4. Los catálogos municipales de bienes patrimoniales culturales serán elaborados y gestionados por los ayuntamientos, respecto de los bienes ubicados en su término municipal que, sin estar comprendidos en el nivel de protección establecido en el artículo 9.1, letra a), de la presente ley, para los bienes de interés cultural, ni tener interés insular, ostenten los valores patrimoniales a que se refiere el artículo 2, que deban ser especialmente preservados.

5. Los catálogos insulares y los catálogos municipales se regirán por el principio de jerarquía, de modo que el contenido de los catálogos municipales no podrá estar en contradicción con el de los catálogos insulares respecto a las determinaciones sobre un mismo bien salvo que el bien considerado disponga un régimen jurídico más protector.

6. Las personas propietarias, poseedoras y titulares de derechos reales sobre los bienes integrantes del patrimonio cultural de Canarias están obligadas a colaborar en la confección de dichos instrumentos, permitiendo el examen de los bienes y aportando la información de que dispongan para su adecuada documentación.

7. Por el departamento de la Administración pública de la Comunidad Autónoma de Canarias competente en materia de patrimonio cultural, se aprobarán modelos normalizados con el contenido mínimo de las fichas de los catálogos insulares y de los catálogos municipales de bienes patrimoniales culturales.

Artículo 13. Sistema de Información del Patrimonio Cultural de Canarias

1. Los datos contenidos en los instrumentos de protección del patrimonio cultural de Canarias, los incluidos en los instrumentos a los que se refiere la normativa específica sobre patrimonio documental y bibliográfico, así como los existentes en los fondos de los museos de Canarias y otros datos que se estime conveniente a efectos de protección del patrimonio cultural, se integrarán en el Sistema de Información del Patrimonio Cultural de Canarias, gestionado por el departamento de la Administración pública de la Comunidad Autónoma de Canarias competente en materia de patrimonio cultural, donde se recopilarán y mantendrán actualizados en soportes informáticos.

2. La información contenida en el Sistema de Información del Patrimonio Cultural de Canarias será accesible a la ciudadanía con sujeción a la normativa reguladora de protección de datos de carácter personal, a excepción de la información relativa a la ubicación de los bienes, cuando de su difusión se pudieran derivar daños para los mismos.

3. Asimismo, la información de que se disponga en el referido sistema se facilitará al departamento de la Administración pública de la Comunidad Autónoma de Canarias competente en materia de ordenación del territorio, a los efectos de su inclusión en el Sistema de Información Territorial de Canarias.

TÍTULO III. Competencias de las administraciones públicas canarias y de los órganos e instituciones consultivos

CAPÍTULO I. Competencias de las administraciones públicas canarias

Artículo 14. Disposiciones generales

En el marco de sus respectivas competencias, las administraciones públicas de Canarias, respecto del patrimonio cultural de Canarias, deberán:

a) Asegurar su mantenimiento, conservación y utilización compatible con los valores que ostenta, con independencia de su titularidad y régimen jurídico, garantizando que su gestión se produzca sin merma de su potencialidad y de modo compatible con la finalidad de protección, preservándolo para las generaciones futuras, bien llevando a cabo directamente las medidas oportunas, bien facilitando a entidades públicas y personas físicas y jurídicas privadas las ayudas pertinentes para el cumplimiento de dichos fines.

b) Incrementar el conocimiento, aprecio y respeto por los valores del patrimonio cultural de Canarias, promoviendo su uso y disfrute como bien social de un modo compatible con su preservación.

c) Crear y mantener los órganos y unidades administrativas encargados de su gestión, dotándolos de personal adecuado con capacitación técnica y medios suficientes para el cumplimiento de los fines que le son encomendados.

d) Proceder a la documentación detallada y exhaustiva de los bienes muebles, inmuebles e inmateriales de interés histórico, artístico, arquitectónico, arqueológico, etnográfico, bibliográfico, documental, lingüístico, paisajístico, industrial, científico, técnico o de cualquier otra naturaleza cultural, mediante los instrumentos que se definen en esta ley, manteniéndolos actualizados y en soportes informáticos, gráficos y documentales adecuados para su uso por otras administraciones públicas, personal investigador y particulares.

e) Facilitar y promover la accesibilidad física e intelectual a los bienes culturales que radiquen en sus respectivos ámbitos territoriales.

f) Promover la investigación tendente a profundizar en el conocimiento de sus valores, impulsando la creación de centros especializados, facilitando el acceso de personal investigador a la información patrimonial, colaborando en la formulación y desarrollo de proyectos de investigación, así como a su difusión.

g) Impulsar la formación científica y técnica de especialistas en intervención, gestión y difusión del patrimonio cultural y propiciar la formación profesional en oficios tradicionales relacionados con su preservación.

h) Integrar su conocimiento y valoración en los currículos educativos de las enseñanzas en niveles no universitarios e impulsar estrategias de conocimiento o valoración en la educación no formal a través de programas específicos de difusión.

i) Evitar que se produzcan daños y sancionar, en su caso, a las personas su pérdida, deterioro o la puesta en peligro de sus valores.

j) Desarrollar iniciativas tendentes al retorno o devolución a la isla de origen de los bienes del patrimonio cultural que, por cualquier circunstancia, se encuentren fuera de esta, siempre que sea posible.

k) Apoyar y colaborar con las entidades y asociaciones culturales comprometidas con la recuperación, conservación, difusión y gestión del patrimonio cultural.

l) Potenciar usos del patrimonio cultural, bajo el respeto a los valores intrínsecos, como factor de desarrollo siempre sobre parámetros de autenticidad y sostenibilidad.

m) Diseñar la política preventiva y de emergencias en materia del patrimonio cultural.

Artículo 15. Competencias de la Administración pública de la Comunidad Autónoma de Canarias

1. Corresponde a la Comunidad Autónoma de Canarias la competencia exclusiva sobre el Patrimonio Histórico canario, sin perjuicio de las competencias que correspondan al Estado o estén atribuidas a las entidades locales.

2. En particular, corresponde a la Administración pública de la Comunidad Autónoma de Canarias:

a) Ejercer la potestad reglamentaria en materia de patrimonio cultural.

b) Coordinar las actuaciones de las administraciones públicas canarias, así como fomentar la colaboración y cooperación entre las administraciones implicadas, por razón de la materia o del territorio, en la tutela y gestión del patrimonio cultural de Canarias.

c) Ejercer la alta inspección de los cabildos insulares y ayuntamientos en el ejercicio de las competencias que les atribuya la presente ley, de conformidad con la normativa legal vigente en materia de municipios y cabildos.

d) Incoar, instruir y resolver los procedimientos de declaración de los bienes de interés cultural, respecto de los bienes muebles e inmuebles adscritos a su patrimonio o a los servicios públicos gestionados por ella, así como respecto de los bienes inmateriales cuyo ámbito de manifestación sea superior al insular, previa solicitud de las comunidades u organizaciones representativas.

e) Resolver los procedimientos de declaración de los bienes de interés cultural incoados y tramitados por los cabildos insulares.

f) Gestionar el Registro de Bienes de Interés Cultural de Canarias.

g) Crear y gestionar el Sistema de Información del Patrimonio Cultural de Canarias.

h) Promover acuerdos y relaciones de colaboración con otras comunidades autónomas, Administración General del Estado, instituciones europeas y organismos internacionales o entes públicos extranjeros.

i) Autorizar y ordenar las actividades arqueológicas en los términos que se establezca reglamentariamente, sin perjuicio de las medidas cautelares que puedan adoptar otras administraciones competentes.

j) Promover y coordinar la política de investigaciones del patrimonio cultural de Canarias con otras administraciones e instituciones competentes.

k) Difundir y divulgar el conocimiento y la valoración de los bienes culturales de Canarias, integrándolos en los distintos niveles educativos, definiendo y estableciendo líneas de actuación y programas orientados a este fin, en colaboración con las restantes administraciones públicas.

l) Planificar la política de conservación y protección del patrimonio cultural de Canarias, en coordinación con los cabildos insulares.

m) Planificar la política museística de la comunidad autónoma, en coordinación con los cabildos insulares, y decretar los museos de interés regional.

n) Autorizar la creación de los museos de interés insular.

ñ) Incoar, instruir y resolver los procedimientos por infracciones administrativas, en los supuestos establecidos en la presente ley.

o) Ejercer, por subrogación de los cabildos insulares, los derechos de tanteo y retracto en relación con los bienes de interés cultural o bienes catalogados, en los supuestos en que los cabildos insulares no ejerzan esta potestad.

p) Ejercer, por subrogación de los cabildos insulares, la potestad expropiatoria, en los supuestos en que los cabildos insulares no ejerzan esta potestad.

q) Autorizar la creación y realizar el seguimiento de parques arqueológicos y etnográficos.

r) Tramitar la aceptación de donaciones, herencias o legados a favor de la comunidad autónoma, con independencia del órgano que se señale como beneficiario, relativos a toda clase de bienes que constituyan expresión o testimonio de la creación humana y tengan un valor patrimonial.

s) Autorizar la consulta de los documentos constitutivos del patrimonio documental en los casos legalmente establecidos.

t) Comunicar a la Administración del Estado las actuaciones administrativas en materia de protección del patrimonio cultural.

u) Autorizar la recepción de las piezas arqueológicas donadas individualmente o a través de colecciones, así como aquellas localizadas de forma casual.

v) Las demás competencias reconocidas en esta ley y aquellas que no estén atribuidas expresamente a otras administraciones públicas por esta u otras leyes.

w) Marcar unas directrices que garanticen y den prioridad a la protección de bienes patrimoniales en peligro de desaparición o especialmente afectados así como a los bienes

patrimoniales que son representativos de la cultura canaria pero que están infrarrepresen-
tados en las catalogaciones.

3. La Administración pública de la Comunidad Autónoma de Canarias actúa, además,
por subrogación, en los supuestos previstos en esta ley, en caso de incumplimiento por los
cabildos insulares del ejercicio de sus competencias.

Artículo 16. Competencias de los cabildos insulares

Corresponden a los cabildos insulares las siguientes competencias:

a) Incoar e instruir los procedimientos de declaración de bien de interés cultural, ele-
vándolos al Gobierno de Canarias para su resolución, así como los procedimientos de
desafectación y modificación de estos bienes.

b) Elaborar, gestionar y mantener los catálogos insulares de bienes patrimoniales culturales.

c) Incoar, tramitar y resolver los procedimientos de inclusión de bienes situados en su ámbito
territorial en el correspondiente catálogo insular, en los términos previstos en la presente ley.

d) Autorizar intervenciones y usos en los bienes de interés cultural comunicándolo a la
comunidad autónoma.

e) Autorizar intervenciones y usos en los bienes del catálogo insular comunicándolo a
la comunidad autónoma.

f) Autorizar intervenciones y usos en los conjuntos históricos que no tengan en vigor el
preceptivo plan especial de protección.

g) Suspender las obras de demolición total o parcial de los inmuebles integrantes del
patrimonio cultural, o declarados bien de interés cultural o sobre los cuales se haya iniciado
el procedimiento de declaración de bien de interés cultural.

h) Emitir informe preceptivo y vinculante en la tramitación de los planes especiales de
protección de conjuntos históricos, sitios históricos, zonas arqueológicas y paisajes culturales.

i) Emitir informe preceptivo y vinculante en la tramitación de aquellos instrumentos de
planeamiento territorial y urbanístico que afecten a bienes de interés cultural o bienes del
catálogo insular.

j) Suspender las intervenciones y usos que se lleven a cabo sin las autorizaciones preceptivas establecidas en esta ley, así como las actividades arqueológicas que no se realicen
de acuerdo con las condiciones señaladas en la autorización.

k) Adoptar, en caso de urgencia, medidas cautelares para impedir las actuaciones que
signifiquen riesgo de destrucción o deterioro para el patrimonio cultural de Canarias.

l) Hacer uso de los derechos de tanteo y retracto de los bienes del patrimonio cultural
de Canarias en los casos previstos en esta ley.

m) Definir la política insular en materia de conservación, restauración y prevención de
riesgos del patrimonio cultural, ejecutando las intervenciones necesarias a tal fin, en coordinación con la Comunidad Autónoma de Canarias y los ayuntamientos.

n) Diseñar y ejecutar la política museística de interés insular.

ñ) Autorizar la creación de los museos de ámbito municipal, comunicándolo a la Comunidad Autónoma de Canarias.

o) Diseñar y ejecutar la política de parques arqueológicos, parques etnográficos de
interés insular.

p) Difundir y divulgar los bienes integrantes del patrimonio cultural de Canarias que
radiquen en su ámbito insular.

q) Ejercer la potestad expropiatoria en los casos previstos en esta ley.

r) Ejercer la potestad inspectora en los términos atribuidos por esta ley.

s) Incoar, instruir y resolver los procedimientos por infracciones administrativas, en los
supuestos establecidos en la presente ley.

Artículo 17. Competencias de los ayuntamientos

Corresponde a los ayuntamientos:

a) Elaborar, gestionar y mantener los catálogos municipales de bienes patrimoniales culturales.

b) Formular, tramitar y aprobar los planes especiales de protección que establezcan la ordenación de los bienes de interés cultural con categoría de conjunto histórico, sitio histórico, zona arqueológica y paisaje cultural que no excedan de su término municipal.

c) Vigilar el patrimonio cultural existente en su término municipal, notificando al cabildo insular la existencia de cualquier acción u omisión que suponga riesgo de destrucción o deterioro de sus valores, sin perjuicio de la inmediata adopción de las medidas cautelares que sean precisas para la preservación de los mismos, notificándolas de inmediato al cabildo insular.

d) Colaborar en la ejecución de las medidas cautelares adoptadas por otras administraciones públicas para la protección y conservación de los bienes integrantes del patrimonio cultural de Canarias.

e) Elevar a los cabildos insulares iniciativas en materia de protección y conservación de los bienes integrantes del patrimonio cultural localizados en su término municipal.

f) Promover junto con los cabildos insulares la creación y colaborar en la gestión de los parques arqueológicos, de los parques etnográficos.

g) Difundir y divulgar los bienes integrantes del patrimonio cultural de Canarias que radiquen en su término municipal.

CAPÍTULO II. Órganos e instituciones consultivos

Artículo 18. Consejo del Patrimonio Cultural de Canarias

1. El Consejo del Patrimonio Cultural de Canarias es el máximo órgano asesor y consultivo de las administraciones públicas de Canarias en las materias reguladas por esta ley.

2. El Consejo del Patrimonio Cultural de Canarias tiene como finalidades esenciales contribuir a la coordinación y armonización de la política de las administraciones públicas de Canarias en esta materia, así como facilitar la comunicación y el intercambio de programas de actuación, información y difusión entre las mismas.

3. La composición, las funciones y el régimen de funcionamiento del Consejo del Patrimonio Cultural de Canarias se regularán reglamentariamente, debiendo, en todo caso, asegurarse la representación de cada uno de los cabildos insulares, de la Federación Canaria de Municipios, de la Real Academia Canaria de Bellas Artes de San Miguel Arcángel, de los colegios oficiales de arquitectos, de las asociaciones ciudadanas de reconocida dedicación a la defensa del patrimonio cultural, de las universidades canarias o de otras instituciones técnicas o científicas, así como la representación de los museos de titularidad pública y de los privados de reconocido prestigio y de personas expertas en la materia y defensoras del patrimonio cultural, respetando, en todo caso, el principio de presencia equilibrada entre mujeres y hombres.

4. Los procedimientos que deban ser informados preceptivamente por el Consejo del Patrimonio Cultural de Canarias deberán ser dictaminados previamente por ponencias técnicas en las que participen representantes de los cabildos insulares competentes en las materias a dictaminar, así como personas expertas designadas por el departamento de la Administración pública de la comunidad autónoma competente en materia de patrimonio cultural.

Artículo 19. Comisiones insulares de patrimonio cultural

Los cabildos insulares crearán comisiones insulares de patrimonio cultural como órganos técnicos asesores de la Administración insular. El cabildo respectivo determinará reglamentariamente su composición, funciones y régimen de funcionamiento, atendiendo mayoritariamente a criterios de cualificación técnica de sus miembros. Se garantizará la representación del Gobierno de Canarias y de la Federación Canaria de Municipios, la Real Academia Canaria de Bellas Artes de San Miguel Arcángel, de las universidades canarias, de los colegios oficiales de arquitectos y de las asociaciones ciudadanas de reconocida dedicación a la defensa del patrimonio cultural y de personas expertas en la materia, respetando, en todo caso, el principio de presencia equilibrada entre mujeres y hombres.

Artículo 20. Consejos municipales de patrimonio cultural y unidades municipales de patrimonio cultural

1. Los ayuntamientos, especialmente los que cuenten con conjunto histórico declarado, deberán crear consejos municipales de patrimonio cultural, que actuarán como órganos técnicos asesores de la Administración municipal. El ayuntamiento respectivo determinará reglamentariamente su composición, funciones y régimen de funcionamiento, que atenderá a criterios de cualificación técnica de sus miembros, debiendo quedar garantizada la representación del cabildo insular correspondiente y, en la medida de lo posible, de los colegios oficiales de arquitectos, de los redactores de los planes municipales de ordenamiento urbanístico, de las universidades públicas canarias, de las asociaciones ciudadanas de reconocida dedicación a la defensa del patrimonio cultural y de las personas que ostenten la consideración de cronista oficial, u otra denominación con fines y objetivos similares, en los municipios que cuenten con dichas figuras, respetando en todo caso, el principio de presencia equilibrada entre mujeres y hombres.

2. Los ayuntamientos crearán una unidad municipal de patrimonio cultural, constituida por una o varias personas empleadas públicas, con la adecuada cualificación, que asumirán la asistencia técnica a la corporación municipal en materia de patrimonio cultural. También podrán crear una unidad especializada de policía para la vigilancia de los bienes del patrimonio cultural de Canarias situados en su término municipal.

3. Cuando razones motivadas por la capacidad de los ayuntamientos, por la entidad del patrimonio cultural radicado en los mismos o por la unidad patrimonial a proteger, así lo aconsejen, podrán constituirse consejos intermunicipales de patrimonio cultural. En las mismas circunstancias podrán crearse unidades intermunicipales de patrimonio cultural en los términos previstos para las mancomunidades de municipios.

Artículo 21. Otras instituciones consultivas

Son instituciones consultivas de las administraciones públicas de Canarias el Museo Canario, el Instituto de Estudios Canarios, los museos insulares y otros museos públicos, en función de la materia, las universidades canarias, los institutos científicos oficiales y aquellas otras que la Comunidad Autónoma de Canarias o los cabildos insulares designen, sin perjuicio del asesoramiento que pueda recabarse de otras corporaciones profesionales y entidades culturales.

TÍTULO IV. Categorías de bienes e instrumentos de protección

CAPÍTULO I. Bienes de interés cultural

Sección 1. Normas generales

Artículo 22. Régimen general

1. Se declararán bienes de interés cultural aquellos que ostenten valores sobresalientes de carácter histórico, artístico, arquitectónico, arqueológico, etnográfico, bibliográfico, documental, lingüístico, paisajístico, industrial, científico o técnico o de cualquier otra naturaleza cultural, así como los que constituyan testimonios singulares de la cultura canaria.

2. La declaración de bien de interés cultural implica el establecimiento de un régimen singular de protección y tutela, llevando implícita la declaración de utilidad pública y de interés social a efectos de expropiación, en los términos señalados en la presente ley.

3. Los bienes inmuebles declarados bien de interés cultural son inseparables de su entorno terrestre y marino.

Artículo 23. Clasificación de los bienes de interés cultural inmuebles

Los bienes inmuebles que sean declarados bien de interés cultural lo serán con arreglo a alguna de las categorías que se definen a continuación:

a) Monumento: Bienes que constituyen realizaciones arquitectónicas y de ingeniería u obras de escultura y que ostenten valores históricos, artísticos, arquitectónicos, etnográficos, industriales, científicos o técnicos.

b) Conjunto histórico: Agrupación de bienes inmuebles que forman una unidad de asentamiento claramente delimitable, de carácter urbano o rural, continua o dispersa, o núcleo individualizado de inmuebles, cuya estructura física sea reflejo de la evolución de una comunidad humana, con independencia del valor de los elementos singulares que la integran. Se podrán incluir en esta categoría los referentes paisajísticos que contribuyan a conformar su imagen histórica.

c) Jardín histórico: Espacio delimitado, producto de la ordenación por el ser humano de elementos naturales, complementado o no con estructuras de fábrica y caracterizado por sus valores históricos, artísticos, estéticos, sensoriales o botánicos.

d) Sitio histórico: Lugar vinculado a acontecimientos relevantes o recuerdos del pasado, tradiciones populares o creaciones culturales singulares de interés histórico, incluidos aquellos elementos naturales que hayan tenido significación histórica.

e) Zona arqueológica: Lugar donde existen bienes muebles o inmuebles de interés relevante para la Historia de Canarias, cuyo estudio y valoración requieran la aplicación de la metodología arqueológica.

f) Sitio etnográfico: Lugar que contiene bienes vinculados a formas de vida, cultura y actividades tradicionales.

g) Paisaje cultural: Lugar en el que confluyen bienes patrimoniales materiales e inmateriales, representativos de la evolución histórico-cultural, cuyo carácter sea resultado de la acción e interacción de factores naturales y humanos y, en su caso, con valores paisajísticos y ambientales, para convertirse en soporte de la identidad de una comunidad.

h) Sitio industrial: Lugar que contiene bienes vinculados con los modos de extracción, producción, comercialización, transporte o equipamiento relacionados con la cultura industrial, técnica o científica.

Artículo 24. Clasificación de los bienes de interés cultural muebles

Los bienes muebles podrán ser declarados de interés cultural con arreglo a alguna de las categorías siguientes:

a) Bien mueble: Aquel que de forma individual reúne los valores patrimoniales culturales para su declaración.

b) Bien mueble vinculado: Aquel incluido expresamente como tal en el acto de declaración como bien de interés cultural de un inmueble. En el caso de que no haya sido vinculado en el momento de la declaración del inmueble donde radica, podrá serlo posteriormente, a través de un procedimiento incoado al efecto.

c) Colección de bienes muebles: Conjunto de bienes que reúnen los valores patrimoniales culturales para su declaración al ser considerados como una unidad.

Artículo 25. Clasificación de los bienes de interés cultural inmateriales

Los bienes inmateriales que componen el patrimonio cultural de Canarias podrán ser declarados de interés cultural con arreglo a una o varias de las categorías siguientes:

a) Tradiciones y expresiones orales, incluidas las modalidades y particularidades lingüísticas del español hablado en Canarias, así como la toponimia tradicional como instrumento para la concreción de la denominación geográfica de los territorios.

b) Cultura inmaterial de la emigración canaria.

c) Artes del espectáculo.

d) Usos sociales, rituales y actos festivos.

e) Conocimientos y usos relacionados con la naturaleza, el cielo y la mar.

f) Técnicas artesanales tradicionales.

g) Gastronomía, elaboraciones culinarias y alimentación.

h) Aprovechamientos específicos de los paisajes naturales.

i) Formas de socialización colectiva y organizaciones.

j) Manifestaciones sonoras, música y danza tradicional.

k) Juegos y deportes autóctonos.

Sección 2. Procedimiento de declaración de un bien de interés cultural

Artículo 26. Declaración de un bien de interés cultural

La declaración de bien de interés cultural requerirá la previa tramitación del procedimiento administrativo que se establezca reglamentariamente, en el que quede garantizada la participación pública, sin perjuicio de lo establecido en esta ley.

Artículo 27. Iniciación del procedimiento de declaración

1. La declaración de bien de interés cultural requerirá la previa incoación y tramitación del correspondiente procedimiento administrativo.

2. El inicio del procedimiento de declaración de un bien de interés cultural se acordará de oficio por el cabildo insular respecto de aquellos bienes que se encuentren en su respectivo ámbito insular, a instancia de otra Administración pública o bien a instancia de cualquier otra persona física o jurídica. En este último caso, la administración actuante deberá acordar, en el plazo de tres meses, la incoación del procedimiento o, en su caso, la inadmisión o desestimación de la petición. Una vez transcurrido el mencionado plazo sin que se haya notificado pronunciamiento alguno por la administración actuante, la persona solicitante podrá entender desestimada su solicitud y deducir frente a la misma los recursos que en derecho procedan en ejercicio de los derechos e intereses legítimos que la amparen.

3. La Administración pública de la Comunidad Autónoma de Canarias será competente para iniciar, tramitar y resolver, de oficio o bien a instancia de cualquier otra persona física o jurídica, los procedimientos de declaración de bien de interés cultural respecto a:

a) Los bienes muebles e inmuebles adscritos a su patrimonio o a servicios públicos gestionados por ella.

b) Los bienes que constituyan patrimonio cultural de carácter inmaterial, siempre que su ámbito de manifestación sea superior al insular, y previa solicitud de las comunidades u organizaciones representativas del bien.

c) Cualquier bien, mueble, inmueble o inmaterial, cuando, habiendo recabado motivadamente del respectivo cabildo insular dicha iniciación, este requerimiento no hubiera sido atendido en el plazo de dos meses.

4. Cuando la Administración pública de la Comunidad Autónoma de Canarias inicie el procedimiento a instancia de una persona física o jurídica, se acordará, en el plazo de

tres meses, la incoación del procedimiento o, en su caso, la inadmisión o desestimación de la petición. Una vez transcurrido el mencionado plazo sin que se haya notificado pronunciamiento alguno por la Administración actuante, la persona solicitante podrá entender desestimada su solicitud y deducir frente a la misma los recursos que en derecho procedan en ejercicio de los derechos e intereses legítimos que la amparen.

Artículo 28. Contenido y efectos del inicio

1. La resolución de inicio de un procedimiento de declaración de un bien de interés cultural deberá establecer la delimitación provisional del bien y su entorno de protección, en su caso, así como, cuando proceda, criterios de intervención en el bien y su entorno.

2. El inicio del procedimiento para la declaración de un bien de interés cultural determinará la aplicación transitoria del mismo régimen de protección previsto para los bienes ya declarados como de interés cultural y su entorno de protección, en su caso.

3. Iniciado el procedimiento para la declaración de un bien de interés cultural, y durante su tramitación, en el bien objeto de protección solo se permitirá la realización de las obras y actuaciones que por fuerza mayor hubieren de llevarse a cabo y de aquellas otras de conservación y consolidación indispensables para preservar los valores patrimoniales.

4. Iniciado el procedimiento y durante su tramitación, cualquier intervención en el bien objeto de protección y su entorno deberá ser autorizada por los cabildos insulares, previo dictamen favorable de la comisión insular, siempre que no perjudique de forma manifiesta los valores del bien.

5. El inicio del procedimiento de declaración de un bien de interés cultural se anotará con carácter preventivo en el Registro de Bienes de Interés Cultural por el departamento de la Administración pública de la Comunidad Autónoma de Canarias competente en materia de patrimonio cultural, que lo comunicará al Registro de Bienes de Interés Cultural dependiente de la Administración General del Estado y al Registro de la Propiedad, cuando se trate de bienes inmuebles.

Artículo 29. Notificación y publicación de la resolución de inicio

1. La resolución por la que se inicie el procedimiento para la declaración de un bien de interés cultural será notificada a las personas interesadas, al ayuntamiento en cuyo término municipal radique el bien, cuando se trate de un inmueble y al cabildo insular correspondiente, si se trata de un procedimiento incoado por la Administración autonómica.

2. La notificación a las personas interesadas podrá sustituirse por la publicación en los diarios oficiales, en el caso de que la destinataria sea una pluralidad indeterminada de personas.

3. El acto de iniciación será publicado mediante anuncio en el Boletín Oficial de Canarias.

4. Cuando se trate de patrimonio inmaterial será suficiente la publicación de su inicio en el Boletín Oficial de Canarias.

Artículo 30. Instrucción y tramitación

1. La instrucción y tramitación del procedimiento de declaración de bien de interés cultural corresponderá a la Administración pública que haya iniciado el procedimiento. La tramitación incluirá audiencia a las personas interesadas y se someterá a información pública, debiendo recabarse, asimismo, el dictamen de, al menos, dos de las instituciones consultivas previstas en la presente ley.

2. En el supuesto de que los bienes sean de titularidad eclesiástica, se solicitará el parecer de la comisión mixta a que hace referencia el artículo 7.2 de la presente ley.

3. El procedimiento de declaración de bien de interés cultural que se instruya deberá contener, al menos, la descripción del bien y, cuando se trate de un inmueble, su delimitación definitiva, así como su entorno de protección, añadiéndose la documentación cartográfica que corresponda y estableciendo los criterios de intervención en el bien y su entorno.

Artículo 31. Plazo de resolución y declaración de caducidad

1. El procedimiento para la declaración de bien de interés cultural deberá resolverse y notificarse en el plazo máximo de veinticuatro meses desde el inicio del procedimiento, sin perjuicio del plazo de suspensión del procedimiento previsto en la legislación de procedimiento administrativo común.

2. Transcurrido dicho plazo sin resolución expresa, se declarará la caducidad del procedimiento, no pudiendo volverse a iniciar hasta que transcurran dos años desde la declaración de caducidad, salvo cuando medie solicitud de la propia persona titular del bien, de las personas interesadas cuando se trate de un bien inmaterial, o de dos de las instituciones consultivas reconocidas por esta ley.

3. La declaración de caducidad del procedimiento corresponderá a la persona titular del departamento de la Administración competente para iniciar y tramitar en procedimiento, en cada caso.

Artículo 32. Finalización del procedimiento

1. La declaración de un bien de interés cultural se realizará mediante decreto del Gobierno de Canarias, a propuesta de la persona titular del departamento de la Administración pública de la Comunidad Autónoma de Canarias competente en materia de patrimonio cultural y previo informe favorable del Consejo del Patrimonio Cultural de Canarias. La solicitud de este informe tendrá efectos suspensivos del plazo de resolución del procedimiento que medie entre la petición de informe favorable, que deberá comunicarse a las personas interesadas, y la recepción del informe, que igualmente deberá ser comunicada a las mismas, de acuerdo con lo establecido en la legislación de procedimiento administrativo común. En los casos de pluralidad de personas interesadas, dicha comunicación será sustituida por publicación en el Boletín Oficial de Canarias. Este plazo de suspensión no podrá exceder en ningún caso los tres meses. En caso de no recibirse el informe en el plazo indicado, proseguirá el procedimiento.

2. El decreto por el que se declare un bien de interés cultural deberá contener, al menos, la descripción del bien y, cuando se trate de un inmueble, su delimitación definitiva, así como su entorno de protección, añadiéndose la documentación cartográfica que corresponda y estableciendo los criterios de intervención en el bien y su entorno.

3. Cuando la declaración se refiera a bienes inmateriales deberá precisar los elementos esenciales cuya alteración supondría un menoscabo de los valores que motivaron aquella, con objeto de permitir la evolución natural de este tipo de manifestaciones.

4. El decreto por el que se declare un bien de interés cultural se publicará en el Boletín Oficial de Canarias y se comunicará a las personas interesadas y a las administraciones públicas competentes por razón del territorio. En el supuesto de zonas arqueológicas, se podrá omitir la publicación de los datos de localización del yacimiento que puedan ponerlo en peligro.

5. Cuando un inmueble declarado bien de interés cultural contenga en su interior bienes muebles íntimamente ligados a su historia, se procederá a relacionarlos, quedando adscritos al mismo y gozando de igual protección, con la categoría de bien mueble vinculado. Su transmisión o enajenación solo podrá realizarse juntamente con la de aquel.

6. La declaración de un bien inmueble como bien de interés cultural determinará, en su caso, la necesidad de adaptar el planeamiento urbanístico cuyas determinaciones resulten

incompatibles con los valores que motivaron dicha declaración, en el plazo máximo de dos años. Esta adaptación se realizará de conformidad con la normativa vigente en materia de ordenación del territorio.

Artículo 33. Registro de Bienes de Interés Cultural de Canarias

1. Los bienes declarados bien de interés cultural serán inscritos en el Registro de Bienes de Interés Cultural de Canarias, cuya gestión corresponderá al departamento de la Administración de la Comunidad Autónoma de Canarias competente en materia de patrimonio cultural. A cada bien se le asignará un código para su identificación.

2. El Registro de Bienes de Interés Cultural de Canarias tendrá por objeto la anotación e inscripción de los actos que afecten a la identificación y localización de dichos bienes, reflejará todos los actos que se realicen sobre los bienes inscritos cuando afecten al contenido de la declaración y dará fe de los datos en él consignados. También se anotará preventivamente la iniciación de los procedimientos de declaración.

3. Las personas titulares de derechos reales sobre un bien de interés cultural deberán comunicar los actos jurídicos que puedan afectar a este para su anotación en el Registro de Bienes de Interés Cultural de Canarias.

4. De las inscripciones y anotaciones en el Registro de Bienes de Interés Cultural de Canarias se dará cuenta al Registro General de Bienes de Interés Cultural de la Administración General del Estado.

5. Los datos del Registro de Bienes de Interés Cultural serán públicos, salvo las informaciones que deban protegerse por razón de la seguridad de los bienes o de las personas titulares, la intimidad de las personas y los secretos comerciales y científicos protegidos por la legislación, así como los datos afectados por la normativa vigente en materia de protección de datos de carácter personal.

Artículo 34. Inscripción en el Registro de la Propiedad

Cuando se trate de bienes inmuebles, se instará de oficio la inscripción de su declaración en el Registro de la Propiedad.

Artículo 35. Desafectación total o parcial y modificaciones

1. Para dejar sin efecto la declaración de bien de interés cultural o modificar su contenido habrá de seguirse el mismo procedimiento que para su declaración.

2. No podrá invocarse como causa para desafectar total o parcialmente un bien de interés cultural la que derive del incumplimiento de las obligaciones establecidas en la presente ley.

Sección 3. Conjuntos históricos

Artículo 36. Protección de los conjuntos históricos

Los conjuntos históricos de Canarias, como unidades representativas del proceso evolutivo de una determinada comunidad, deberán ser protegidos y conservados atendiendo a sus valores patrimoniales culturales peculiares, prohibiéndose aquellas intervenciones que introduzcan elementos que devalúen sus valores y fisonomía histórica.

Artículo 37. Planes especiales de protección

1. La ordenación y gestión del área afectada por la declaración de conjunto histórico se establecerá mediante la formulación de un plan especial de protección, elaborado conforme a criterios que garanticen su preservación.

2. Esta obligación se mantendrá aun cuando exista otro instrumento de ordenación territorial o urbanístico que ordene su ámbito.

3. El plan especial de protección, formulado por el ayuntamiento correspondiente, deberá alcanzar, como mínimo, la aprobación inicial, en el plazo de dieciocho meses desde la declaración del conjunto histórico.

4. La tramitación del plan especial de protección de un conjunto histórico se llevará a cabo en los términos y plazos que se establecen en la normativa urbanística, requiriéndose, en todo caso, antes de la aprobación definitiva, el informe favorable del cabildo insular, previo dictamen de la comisión insular de patrimonio cultural. Dicho informe se entenderá emitido en sentido favorable si transcurridos tres meses desde la entrada de la documentación en el registro del cabildo insular este no se hubiera pronunciado, salvo con respecto a aquellas determinaciones del plan que sean contrarias a las normas vigentes. Estas normas regirán también para los casos de revisión o modificación de sus determinaciones.

5. La Administración pública de la Comunidad Autónoma de Canarias, a través de los departamentos competentes en materia de urbanismo y patrimonio cultural, y los cabildos insulares cooperarán técnica y económicamente con los ayuntamientos para la formulación y gestión de los planes especiales de protección.

6. Si una vez en vigor el plan especial de protección se comprueba que su aplicación está propiciando la pérdida de valores patrimoniales del conjunto histórico, como consecuencia de carencias, errores o defectos del contenido del plan, el cabildo insular podrá instar a su modificación.

7. En caso de inactividad municipal en la elaboración o modificación de los planes especiales de protección de los conjuntos históricos en el plazo de dos años desde su declaración, el cabildo insular deberá proceder a la subrogación en lugar del ayuntamiento.

Artículo 38. Contenido básico de los planes especiales de protección

1. Los planes especiales de protección de los conjuntos históricos de Canarias contendrán, al menos, las determinaciones siguientes:

a) La normativa reguladora de la edificación, así como las obras y los usos admitidos.

b) Los criterios de conservación, consolidación, restauración, rehabilitación, reconstrucción, reestructuración y remonta de los inmuebles, con un programa específico de actuaciones que contemplen la accesibilidad universal para los catalogados, en la medida de lo posible.

c) Los criterios relativos al ornato de edificios y espacios libres, viales y sus pavimentos, mobiliario urbano, señalizaciones, cromatismo y demás elementos ambientales y de calidad acústica y paisajísticos, incluidas especies vegetales de significativo porte que estén asociadas, programando las inversiones necesarias para su ejecución.

d) La definición del sistema de circulación viaria, transportes, accesos, zonas peatonales y espacios destinados a aparcamiento.

e) Las medidas de fomento que se estimen necesarias en orden a promover la revitalización del conjunto histórico.

f) Las propuestas de modelos de gestión integrada del conjunto histórico.

g) El análisis y la valoración de la potencialidad arqueológica del subsuelo y de las edificaciones con valor histórico y, en caso de afección, las medidas protectoras adecuadas para la ejecución de las actividades arqueológicas que se proyecten o se consideren necesarias.

h) Los criterios y determinaciones para la conservación de fachadas y cubiertas, incluyendo entre otros elementos las carpinterías y elementos constructivos asociados, como chimeneas, hornos, poyos, cruces, aljibes, acequias, empedrado o enlosado de la vía.

2. El plan especial de protección deberá incluir un catálogo de inmuebles singulares, espacios libres, especies vegetales de significativo porte u otras estructuras significativas, según lo dispuesto en el artículo 50 de la presente ley.

CAPÍTULO II. Bienes incluidos en catálogos insulares de bienes patrimoniales culturales

Sección 1. Régimen general

Artículo 39. Catálogos insulares de bienes patrimoniales culturales

1. Los catálogos insulares de bienes patrimoniales culturales constituyen el instrumento de protección en el que se incluyen aquellos bienes muebles, inmuebles e inmateriales del patrimonio cultural de Canarias de interés insular que, sin gozar de la relevancia que define los bienes de interés cultural, ostenten valores históricos, artísticos, arquitectónicos, arqueológicos, etnográficos, bibliográficos, documentales, lingüísticos, paisajísticos, industriales, científicos o técnicos o de cualquier otra naturaleza cultural, que deban ser especialmente preservados.

2. Los catálogos insulares de bienes patrimoniales culturales formarán parte del contenido de los planes insulares de ordenación.

Artículo 40. Competencia

1. Son competentes para elaborar, aprobar y gestionar el catálogo insular de bienes patrimoniales culturales los cabildos en cuyo ámbito territorial radiquen dichos bienes, estando obligados a mantenerlo actualizado.

2. Los cabildos insulares son competentes para incoar, tramitar y resolver los procedimientos de inclusión de los bienes situados en su ámbito insular en el catálogo insular de bienes patrimoniales culturales.

Sección 2. Procedimiento

Artículo 41. Iniciación del procedimiento para la inclusión de un bien

1. La inclusión de un bien en el catálogo insular de bienes patrimoniales culturales requerirá la previa incoación y tramitación del correspondiente procedimiento administrativo.

2. El inicio del procedimiento de inclusión de un bien en el catálogo insular de bienes patrimoniales culturales se acordará de oficio por el cabildo insular respecto de aquellos bienes que se encuentren en su respectivo ámbito insular, o bien a instancia de cualquier otra persona física o jurídica. En este último caso, la administración actuante deberá acordar, en el plazo de tres meses, la incoación del procedimiento o, en su caso, la inadmisión o desestimación de la petición. Una vez transcurrido el mencionado plazo sin que se haya notificado pronunciamiento alguno por la administración actuante, la persona solicitante podrá entender desestimada su solicitud y deducir frente a la misma los recursos que en derecho procedan en ejercicio de los derechos e intereses legítimos que lo amparen.

3. La iniciación del procedimiento para la inclusión en los catálogos insulares se podrá realizar para varios bienes de manera conjunta, a fin de agilizar y simplificar los procedimientos.

Artículo 42. Contenido y efectos de la iniciación

1. La resolución de inicio de un procedimiento para la inclusión de un bien en el catálogo insular de bienes patrimoniales culturales deberá establecer la delimitación provisional del bien y su entorno de protección, en su caso.

2. El inicio del procedimiento para la inclusión de un bien en el catálogo insular determinará la aplicación transitoria del mismo régimen de protección previsto para los bienes ya incluidos y su entorno de protección, en su caso.

3. Iniciado el procedimiento para la inclusión de un bien en el catálogo insular, y durante su tramitación, en el bien objeto de protección solo se permitirá la realización de obras y actuaciones que por fuerza mayor hubieren de llevarse a cabo y de aquellas otras de conservación y consolidación indispensables para preservar los valores patrimoniales.

4. Cualquier intervención deberá ser autorizada por los cabildos insulares.

Artículo 43. Notificación y publicación de la resolución de inicio

1. La resolución de inicio de un procedimiento para la inclusión de un bien en el catálogo insular de bienes patrimoniales culturales será notificada a las personas interesadas, al ayuntamiento en cuyo término municipal radique el bien, cuando se trate de un inmueble, y a la Comunidad Autónoma de Canarias.

2. La notificación a las personas interesadas podrá sustituirse por la publicación en los diarios oficiales, en el caso de que la destinataria sea una pluralidad indeterminada de personas.

3. El acto de inicio será publicado mediante anuncio en el Boletín Oficial de Canarias.

4. Cuando se trate de patrimonio inmaterial será suficiente la publicación de la incoación en el Boletín Oficial de Canarias.

5. El inicio del procedimiento para la inclusión de un bien en el catálogo insular de bienes patrimoniales culturales se anotará con carácter preventivo en el catálogo insular de bienes patrimoniales culturales.

Artículo 44. Instrucción y tramitación

1. La instrucción y tramitación del procedimiento para la inclusión de un bien en el catálogo insular de bienes patrimoniales culturales se hará por el cabildo insular que haya iniciado el procedimiento. La tramitación incluirá audiencia a las personas interesadas y se someterá a información pública.

2. Durante la instrucción del procedimiento deberá recabarse de la unidad competente en materia de patrimonio cultural de cada cabildo insular informe sobre los valores patrimoniales del bien.

Artículo 45. Plazo de resolución y caducidad

1. El procedimiento para la inclusión de un bien en el catálogo insular deberá resolverse y notificarse en el plazo máximo de doce meses desde el inicio del procedimiento, sin perjuicio de los plazos de suspensión del procedimiento previstos en la legislación de procedimiento administrativo común.

2. Transcurrido dicho plazo sin resolución expresa, se declarará la caducidad del procedimiento, no pudiendo volverse a iniciar hasta que transcurra un año desde la fecha de la resolución de caducidad, salvo cuando medie instancia del propio titular del bien, de la comisión insular de patrimonio cultural, del departamento de la Administración pública de la comunidad autónoma competente en materia de patrimonio cultural o de personas interesadas cuando se trate de un bien inmaterial.

3. La declaración de caducidad del procedimiento podrá realizarse por el órgano que en el cabildo insular tenga atribuida la competencia en materia de patrimonio cultural.

Artículo 46. Finalización del procedimiento

1. Previo informe favorable de la comisión insular de patrimonio cultural, mediante acuerdo del pleno del cabildo insular correspondiente, se acordará la inclusión de los bienes patrimoniales culturales en el catálogo insular.

2. El acuerdo del pleno del cabildo insular deberá contener, al menos, la descripción del bien y, cuando se trate de un inmueble, su delimitación definitiva, así como su entorno de protección, añadiéndose la documentación cartográfica que corresponda y estableciendo los criterios de intervención en el bien y en su entorno.

3. El acuerdo plenario deberá notificarse a las personas interesadas, al ayuntamiento en que radique el bien, y al departamento de la Administración pública de la comunidad autónoma competente en materia de patrimonio cultural.

4. Asimismo, el acto de declaración deberá publicarse en el Boletín Oficial de Canarias.

5. En el supuesto de bienes de carácter arqueológico, se podrá omitir la publicación de los datos de localización del yacimiento que puedan ponerlo en peligro.

Artículo 47. Efecto de la inclusión de un bien en el catálogo insular de bienes patrimoniales culturales

1. Cuando un inmueble contenga en su interior bienes muebles íntimamente ligados a su historia, se procederá a relacionarlos, quedando adscritos al mismo y gozando de igual protección. Su transmisión o enajenación solo podrá realizarse juntamente con la de aquel.

2. La declaración de inclusión de un bien inmueble en el catálogo insular determinará, en su caso, la necesidad de adaptar el planeamiento urbanístico y los catálogos municipales cuyas determinaciones resulten incompatibles con los valores que motivaron dicha declaración, en el plazo máximo de dos años. Esta adaptación se realizará de conformidad con la normativa vigente en materia de ordenación del territorio.

Artículo 48. Inscripción en el catálogo insular de bienes patrimoniales culturales

1. Las personas titulares de derechos reales sobre un bien incluido en el catálogo insular deberán comunicar los actos jurídicos que puedan afectar a este, para su anotación en el catálogo insular de bienes patrimoniales culturales.

2. De las inscripciones y anotaciones practicadas en el catálogo se dará cuenta al departamento de la Administración pública de la comunidad autónoma competente en materia de patrimonio cultural, para su inclusión en el Sistema de Información de Patrimonio Cultural de Canarias.

3. El acceso al catálogo insular será público, salvo las informaciones que sea necesario proteger por razón de seguridad de los bienes o de sus titulares, intimidad de las personas o secretos comerciales o científicos protegidos por la ley.

Artículo 49. Desafectación total o parcial y modificaciones

1. Para dejar sin efecto la inclusión de un bien en el catálogo insular de bienes patrimoniales culturales o modificar su contenido habrá de seguirse el mismo procedimiento que para su inclusión.

2. No podrá invocarse como causa para desafectar total o parcialmente la que derive del incumplimiento de las obligaciones establecidas en la presente ley.

CAPÍTULO III. Bienes incluidos en catálogos municipales de bienes patrimoniales culturales

Artículo 50. Catálogos municipales de bienes patrimoniales culturales

1. Los catálogos municipales de bienes patrimoniales culturales constituyen el instrumento de protección en el que se incluyen aquellos bienes muebles e inmuebles del patrimonio cultural de Canarias que, sin gozar de la relevancia que define los bienes de interés cultural, ostenten valores históricos, artísticos, arquitectónicos, arqueológicos, etnográficos,

bibliográficos, documentales, lingüísticos, paisajísticos, industriales, científicos o técnicos o de cualquier otra naturaleza cultural, que deba ser especialmente preservados, sin que el estado de conservación de estos bienes sea obstáculo para que sean catalogados.

2. Los ayuntamientos facilitarán la accesibilidad a dichos catálogos por medios telemáticos.

3. Los catálogos municipales de bienes patrimoniales culturales tienen la consideración de instrumentos de ordenación municipal cuyo objeto es el de completar las determinaciones de los instrumentos de planteamiento relativas a la conservación, protección o mejora del patrimonio histórico, artístico, arquitectónico, paisajístico, arqueológico, etnográfico, ecológico, científico o técnico, de conformidad con la normativa vigente en materia de ordenación del territorio.

4. Los catálogos municipales no podrán, en ningún caso, contradecir las determinaciones de los catálogos insulares respectivos con respecto a un mismo bien.

Artículo 51. Criterios para la catalogación de bienes inmuebles

La inclusión de bienes en los catálogos municipales habrá de considerar ponderadamente, al menos, los siguientes criterios:

a) De antigüedad, representatividad cronológica o tipológica, de testimonio o rareza.

b) De calidad o interés artístico, material, constructivo, técnico o industrial.

c) De relación, de valoración de conjunto, urbano, rural, paisajístico o ambiental.

d) Históricos, sociales, simbólicos, personales o de autoría.

e) De presencia o potencialidad de bienes patrimoniales, ocultos o en riesgo.

Artículo 52. Contenido de los catálogos municipales

1. Los catálogos municipales deberán contener la identificación precisa de los bienes o espacios que, por sus valores históricos, artísticos, arquitectónicos, arqueológicos, etnográficos, bibliográficos, documentales, lingüísticos, paisajísticos, industriales, científicos o técnicos, requieren de un régimen específico de conservación, estableciendo el grado de protección que les corresponda y los tipos de intervención permitidos en cada caso.

2. El contenido mínimo de la memoria de los catálogos incluirá:

a) Un estudio previo de carácter histórico, artístico y cultural de los bienes.

b) El análisis, diagnóstico y pronóstico del estado de conservación de los bienes.

c) Control legal y normativo.

d) Criterios de catalogación.

e) Criterios generales sobre el contenido de las fichas.

f) Valoración sobre la incidencia en los valores protegidos y medidas preventivas, en su caso.

g) Propuesta y alcance de la intervención desde el punto de vista teórico, técnico y económico.

h) Plan de medidas de fomento, mantenimiento, gestión, economía y plazos.

3. El contenido mínimo de la normativa de los catálogos incluirá:

a) La explicación y desarrollo de las determinaciones de las fichas.

b) La aplicación de medidas de protección y de fomento.

c) Los criterios, técnicas y materiales a emplear en las intervenciones.

4. El contenido mínimo de las fichas de los catálogos incluirá:

a) Su identificación precisa: dirección postal, propietario, referencia catastral, coordenadas geográficas UTM, cota, plano de situación y una fotografía de cada fachada o alzado.

b) Descripción general y de detalles, tipología, uso, orientación, composición, número de plantas, superficie ocupada, superficie construida y edificabilidad actual, clase y categoría de suelo.

c) Planos de planta, alzados y secciones.

d) Datos históricos pertinentes, edad, autor, propietarios, bibliografía.

e) Criterios de valoración del conjunto y de sus partes, incluso de elementos discordantes o perdidos, valor o potencialidad informativa de la construcción y valor o potencialidad arqueológica del subsuelo.

f) Delimitación del bien y de su entorno, en su caso, justificadamente.

g) Estado de conservación, patologías, riesgos y medidas a adoptar.

h) Grado de protección asignado al conjunto, o a cada una de sus partes, y su justificación.

i) Tipos de intervenciones permitidas.

j) Criterios de intervención particular, en su caso.

k) Edificabilidad permitida.

l) Usos compatibles.

m) Medidas de fomento.

Artículo 53. Competencia

Son competentes para elaborar, aprobar y gestionar el catálogo municipal de bienes patrimoniales culturales los ayuntamientos en cuyo municipio radiquen los bienes, estando obligados a mantenerlo actualizado.

Artículo 54. Procedimiento

1. La aprobación del catálogo municipal de bienes patrimoniales culturales requerirá la previa incoación y tramitación del correspondiente procedimiento administrativo.

2. El inicio del procedimiento de aprobación del catálogo municipal de bienes patrimoniales culturales se acordará de oficio por el ayuntamiento respecto de aquellos bienes que se encuentren en su respectivo ámbito municipal.

3. Los catálogos podrán formularse como documentos integrantes del planeamiento territorial o urbanístico o como instrumentos de ordenación autónomos. En este último supuesto, en su formulación, tramitación y aprobación se estará a lo previsto para los planes especiales de ordenación.

4. El procedimiento para la aprobación del catálogo municipal de bienes patrimoniales culturales deberá resolverse y notificarse en el plazo máximo de doce meses, desde el inicio del procedimiento. La aprobación del catálogo, mediante acuerdo del pleno del ayuntamiento, requerirá previo informe preceptivo favorable del cabildo insular correspondiente. La solicitud de este informe tendrá efectos suspensivos del plazo de resolución del procedimiento que medie entre la petición de informe favorable, que deberá comunicarse a las personas interesadas, y la recepción del informe, que igualmente deberá ser comunicada a los mismos, de acuerdo con lo establecido en la legislación de procedimiento administrativo común. Este plazo de suspensión no podrá exceder en ningún caso de tres meses. En caso de no recibirse el informe en el plazo indicado, proseguirá el procedimiento.

5. Una vez entre en vigor el catálogo municipal, el ayuntamiento comunicará y remitirá copia del mismo, al cabildo insular correspondiente, y al departamento de la Administración pública de la comunidad autónoma competente en materia de patrimonio cultural.

Artículo 55. Registro de bienes y espacios incluidos en los catálogos municipales

1. En cada cabildo insular se llevará un registro público de carácter administrativo en el que se inscribirán todos los bienes y espacios incluidos en los catálogos municipales de

la respectiva isla. La inscripción se efectuará de oficio, una vez entren en vigor los distintos planes o, en su caso, los catálogos. A estos registros se podrá acceder por medios telemáticos.

2. Los cabildos insulares anotarán en dicho registro, con carácter preventivo:

a) Los bienes catalogables que sean objeto de protección por los planes o catálogos en tramitación, desde el momento de su aprobación inicial.

b) Aquellos otros que sean objeto de las declaraciones reguladas en la presente ley, desde la incoación de los respectivos procedimientos.

TÍTULO V. Régimen común de protección y conservación del patrimonio cultural de canarias

Artículo 56. Régimen común de protección y conservación

1. El régimen común de protección y conservación será de aplicación a todas las categorías de bienes que integran el patrimonio cultural de Canarias.

2. Junto con este régimen común de protección y conservación, resultará también de aplicación el régimen específico de protección establecido en la presente ley, en función de cada tipología de bienes que integran el patrimonio cultural de Canarias.

Artículo 57. Deber general de protección y conservación

1. Las personas propietarias, poseedoras y titulares de derechos reales sobre los bienes integrantes del patrimonio cultural de Canarias estarán obligadas a conservarlos, mantenerlos, restaurarlos, custodiarlos y protegerlos adecuadamente para asegurar su integridad y evitar su pérdida, deterioro o destrucción.

El deber de conservación de los bienes inmuebles integrantes del patrimonio cultural de Canarias alcanza hasta el importe de los trabajos correspondientes que no rebasen el límite del contenido normal de aquellos, representado por el cincuenta por ciento del coste de una construcción de nueva planta de similares características e igual superficie construida o, en su caso, de idénticas dimensiones que la preexistente, realizada con los mismos materiales o similares y manteniendo la configuración original, la tipología constructiva y la morfología y los elementos originales del inmueble.

2. Las administraciones públicas de Canarias, en el ámbito de sus respectivas competencias, garantizarán la protección y conservación de los bienes del patrimonio cultural de Canarias, con independencia de su titularidad o régimen jurídico de protección, con objeto de hacer compatible su protección con la finalidad del uso y disfrute por la ciudadanía y su preservación para las generaciones futuras.

3. Las autoridades eclesiásticas garantizarán la protección y conservación de todos los bienes de los que la Iglesia sea propietaria, poseedora o titular de derechos reales, responsabilizándose de su uso y custodia.

4. El daño que se cause a los bienes del patrimonio cultural de Canarias deberá ser reparado de acuerdo con el grado de responsabilidad que corresponda.

5. Las actuaciones de conservación y/o restauración de los bienes protegidos deberán ser realizadas por profesionales conservadores-restauradores con titulación superior oficial.

Artículo 58. Incumplimiento de las obligaciones de protección y conservación

1. Cuando las personas a que se hace mención en el artículo anterior, no cumplieran las obligaciones de conservación, mantenimiento, restauración, custodia y protección adecuadamente, el ayuntamiento en cuyo término municipal radique el bien, les requerirá para que lleven a cabo dichas actuaciones, poniéndolo de inmediato en conocimiento del

cabildo insular. Si el ayuntamiento no efectuase este requerimiento, el cabildo insular podrá efectuarlo por subrogación.

2. El incumplimiento del requerimiento previsto en los apartados anteriores, facultará a la Administración actuante para adoptar cualquiera de las siguientes medidas:

a) Ejecución subsidiaria, a costa y en nombre de la persona obligada.

b) Imposición de hasta diez multas coercitivas con periodicidad mínima mensual, por valor máximo, cada una de ellas, del diez por ciento del coste estimado de las actuaciones ordenadas. El importe de estas multas coercitivas impuestas quedará afectado a la cobertura de los gastos que genere efectivamente la ejecución subsidiaria, sin perjuicio de la repercusión del coste de las obras a la persona propietaria, poseedora o titular de derechos reales sobre el bien afectado. La multa coercitiva es independiente de las sanciones que pudieran imponerse con tal carácter y compatible con ellas.

Artículo 59. Medidas cautelares

1. Si las personas afectadas por los deberes de protección y conservación no cumplieran con las obligaciones de conservación, mantenimiento, restauración, custodia y protección adecuadamente, el cabildo insular en cuyo ámbito territorial radique el bien, en casos de urgencia, adoptará las medidas cautelares necesarias para garantizar las indicadas obligaciones.

2. Por parte de la Administración pública de la Comunidad Autónoma de Canarias, en los casos de acreditada urgencia, se podrá actuar de oficio o interesar del respectivo cabildo insular, la adopción de las medidas cautelares necesarias para garantizar la protección y conservación de los bienes del patrimonio cultural de Canarias. De no adoptarse las medidas por parte del cabildo insular, la Administración autonómica procederá a adoptar las indicadas medidas.

3. También podrá el ayuntamiento en cuyo término se encuentre el bien, ante el incumplimiento de las obligaciones previstas en el apartado anterior, y en caso de urgencia debidamente acreditada, proponer las medidas cautelares que se estimen necesarias, dando cuenta inmediata de ellas al respectivo cabildo insular, para que, en un plazo máximo de treinta días, se pronuncie sobre el levantamiento, la confirmación o la modificación de la medida propuesta.

4. Las medidas referidas en los apartados anteriores podrán consistir en la suspensión de obras, actividades, emisiones o vertidos, así como cualquier actividad necesaria para el cese o disminución de los riesgos o efectos perjudiciales sobre el bien a proteger, incluido el desalojo de sus ocupantes y, excepcionalmente, su consolidación estructural o su traslado, de acuerdo con la legislación aplicable.

5. El plazo máximo de vigencia de las medidas cautelares será de seis meses, a contar desde su adopción. Antes de que finalice el plazo de seis meses, la Administración competente deberá incoar el correspondiente procedimiento para la inclusión del bien de que se trate en alguno de los instrumentos de protección establecidos la presente ley, si no estuviere ya incluido.

Artículo 60. Protección de la legalidad y restablecimiento del orden jurídico perturbado

La Administración podrá, en cualquier momento, ejercer sus potestades de protección de la legalidad y restablecimiento del orden jurídico perturbado.

Artículo 61. Comercio de bienes muebles

1. Sin perjuicio de la competencia exclusiva del Estado en materia de defensa del patrimonio cultural, artístico y monumental español contra la exportación y la expoliación, el departamento de la Administración pública de la Comunidad Autónoma de Canarias com-

petente en materia de patrimonio cultural aprobará el modelo de libro de registro en el que las personas físicas o jurídicas que ejerzan habitualmente el comercio de bienes muebles integrantes del patrimonio cultural de Canarias deberán anotar, en el plazo de un mes, las transacciones que efectúen sobre dichos bienes.

2. En el libro de registro se anotarán las partes intervinientes en la transacción, el precio establecido, así como los datos del objeto a transmitir, con una descripción sucinta y la documentación gráfica necesaria.

Artículo 62. Autorizaciones preceptivas

1. Las resoluciones por las que se concedan las autorizaciones que sean preceptivas en virtud de la presente ley deberán dictarse y notificarse en el plazo máximo de tres meses, contados desde la fecha en que la solicitud haya tenido entrada en el registro de la Administración competente para su tramitación. Se exceptúan aquellas autorizaciones que tengan establecido, por esta u otras disposiciones legales, otro plazo específico de resolución.

2. Cuando las solicitudes de autorización se refieran a intervenciones o cambios de uso en bienes protegidos en alguno de los instrumentos previstos en esta ley, el órgano competente para el otorgamiento de licencias de obra deberá remitir al cabildo insular respectivo, competente para dictar la resolución de autorización, el informe técnico municipal.

3. En ningún caso se entenderán adquiridas por silencio administrativo facultades o derechos que contravengan la normativa sobre patrimonio cultural aplicable.

Artículo 63. Planes, programas, instrumentos y proyectos con incidencia sobre el patrimonio cultural

1. Todos los planes, instrumentos, programas y proyectos relativos a ámbitos como el paisaje, el desarrollo rural, las infraestructuras o cualquier otro que puedan suponer una afección sobre elementos del patrimonio cultural de Canarias que ostenten alguno de los valores del artículo 2 deberán ser sometidos a informe favorable del cabildo insular, que establecerá las medidas protectoras, correctoras y compensatorias que considere necesarias para la salvaguarda del patrimonio cultural afectado.

2. En el caso de planes, instrumentos, programas o proyectos sometidos a un procedimiento de evaluación ambiental, por suponer una afección al patrimonio cultural de Canarias, serán preceptivos y determinantes los informes de los correspondientes órganos ambientales.

Artículo 64. Limitación del aprovechamiento urbanístico

La desaparición de los bienes integrantes del patrimonio cultural de Canarias, cuando no obedezca a causas de fuerza mayor, estén en alguno de los instrumentos de protección previstos en esta ley o con procedimiento incoado al efecto, no podrá implicar la obtención de un aprovechamiento urbanístico mayor que el preexistente.

TÍTULO VI. Régimen específico de protección del patrimonio cultural de Canarias

CAPÍTULO I. Normas comunes a los bienes incluidos en instrumentos de protección

Artículo 65. Normas comunes

Las normas contenidas en el presente capítulo serán de aplicación a aquellos bienes del patrimonio cultural de Canarias incluidos en alguno de los instrumentos de protección previstos en la presente ley.

Se tendrá presente, en relación con los bienes referidos en el primer párrafo, la normativa de accesibilidad universal.

Artículo 66. Expedientes de ruina

1. El inicio por un ayuntamiento de un procedimiento para la declaración de ruina ordinaria o ruina inminente de inmuebles incluidos en alguno de los instrumentos de protección previstos en esta ley deberá ser notificada a los órganos del respectivo cabildo insular y de la Administración de la comunidad autónoma competente en materia de patrimonio cultural, para su intervención, como partes interesadas en el mismo.

2. La declaración de ruina ordinaria de un inmueble incluido en alguno de los instrumentos de protección previstos en esta ley, en atención a sus valores individualizados, requerirá autorización previa del cabildo insular y no implicará su demolición, requiriéndose para ella su previa desafectación, exclusión del instrumento de protección o revisión del grado de protección que tenga atribuido.

3. En caso de ruina inminente, las medidas necesarias para evitar daños a las personas o a otros inmuebles protegidos por esta ley solo darán lugar a los actos de demolición que sean estrictamente indispensables para proteger adecuadamente valores superiores y requerirán autorización previa del cabildo insular, que deberá emitirse en un plazo máximo de tres días hábiles, entendiéndose estimada en caso de silencio administrativo y previéndose, en todo caso, la reposición de los elementos retirados.

4. Cuando el deficiente estado de conservación sea consecuencia del incumplimiento por parte de las personas propietarias, poseedoras y titulares de derechos reales de los deberes establecidos en la presente ley no se extinguirá su deber de conservación y se les exigirá la ejecución de obras que permitan su mantenimiento.

5. Se presumirá que la situación física de los inmuebles declarados en situación legal de ruina es imputable a las personas propietarias, poseedoras y, en su caso, titulares de derechos reales, en aquellos casos en que hayan desatendido los requerimientos y medidas dictados por las administraciones públicas.

6. En caso de que el cabildo respectivo o, en su defecto, la Administración pública de la Comunidad Autónoma de Canarias, acuerde la expropiación de un inmueble de los señalados en este artículo, podrá tomar como base para la tasación del bien a expropiar el valor declarado por la propiedad en el expediente de ruina. Para la determinación del justiprecio del suelo se estará a lo dispuesto en la legislación estatal sobre régimen del suelo y valoraciones.

Artículo 67. Inspección periódica de edificaciones

1. Las personas propietarias, poseedoras y titulares de derechos reales sobre inmuebles incluidos en alguno de los instrumentos de protección previstos en esta ley que no cumplieran con el deber de protección general del patrimonio cultural ni con la diligencia debida en su uso, deberán encomendar a una persona técnica competente facultativa con titulación habilitante la realización de una inspección dirigida a determinar el estado del inmueble y las obras de conservación, restauración o rehabilitación que fueran precisas para mantener el inmueble en un estado compatible con la preservación de sus valores.

2. Dicha persona técnica facultativa consignará los resultados de su inspección emitiendo un informe técnico, con descripción de, al menos, los siguientes extremos:

a) Los desperfectos y deficiencias apreciadas, sus posibles causas y las medidas prioritarias recomendables para asegurar su estabilidad, ornato, seguridad, estanqueidad y consolidación estructurales, así como para mantener y recuperar las condiciones de habitabilidad y uso efectivo según el destino propio de la edificación.

b) El grado de ejecución y efectividad de las medidas adoptadas y de los trabajos realizados para cumplimentar las recomendaciones contenidas en los informes técnicos de las inspecciones periódicas anteriores.

3. De dicho informe deberá presentarse copia en el ayuntamiento del término municipal en el que se encuentre ubicada la edificación, cada cinco años, mientras el inmueble no cumpliera con el deber de protección general del patrimonio cultural ni con la diligencia debida en su uso, o no se efectúen las obras que se señalen en los informes de inspección. Asimismo, podrá requerir de las personas propietarias la presentación de los informes técnicos resultantes de las inspecciones periódicas y, en caso de comprobar que estas no se han realizado, ordenar su práctica o realizarlas en sustitución y a costa de los obligados. El ayuntamiento comunicará, en el plazo de un mes, al respectivo cabildo insular los informes técnicos de las inspecciones realizadas en cumplimiento de este precepto.

CAPÍTULO II. Normas específicas de los bienes de interés cultural y bienes incluidos en catálogos insulares de bienes patrimoniales culturales

Artículo 68. Normas comunes

Las normas contenidas en el presente capítulo serán de aplicación a aquellos bienes del patrimonio cultural de Canarias declarados de interés cultural o los incluidos en los catálogos insulares de bienes patrimoniales culturales, sin perjuicio de la aplicación de las normas comunes establecidas en la presente ley para los bienes incluidos en los instrumentos de protección.

Artículo 69. Acceso a los bienes

1. Las personas propietarias, poseedoras y titulares de derechos reales sobre un bien de interés cultural o incluido en el catálogo insular, o en trámite de declaración o inclusión, están obligadas a permitir:

a) El acceso por parte del personal autorizado de la Administración en el ejercicio de sus funciones inspectoras.

b) Su estudio al personal investigador debidamente autorizados por el respectivo cabildo insular.

c) En el caso de bienes muebles, la cesión temporal por un plazo de tres meses al año, para su exposición, previo requerimiento de la Administración pública interesada.

d) En el caso de tratarse de bienes inmuebles declarados de interés cultural o en trámite de declaración, la visita pública será al menos cuatro días al mes, o un día por semana, en horas y días previamente señalados.

El cumplimiento de esta obligación podrá ser dispensado total o parcialmente por la consejería competente en materia de patrimonio cultural cuando exista causa justificada. El deber de permitir el acceso no se extenderá a los espacios que constituyan domicilio particular o en los que pueda resultar afectado el derecho a la intimidad personal y familiar. En todo caso, se podrá establecer, después de dar audiencia a las personas propietarias, poseedoras, arrendatarias y, en general, titulares de derechos reales afectados, un espacio mínimo susceptible de visita pública.

2. La obligaciones establecidas en los apartados a) y b) del apartado primero de este artículo no serán aplicables a los inmuebles incluidos en los conjuntos históricos, o situados en los entornos de protección, que no tengan la condición individual de bien de interés cultural ni se encuentren incluidos en el catálogo insular de bienes patrimoniales culturales ni se hallen en trámite de declaración o inclusión.

Artículo 70. Prohibición de enajenación de bienes muebles

1. Los bienes muebles declarados de interés cultural o incluidos en el catálogo insular que estén en posesión de instituciones eclesiásticas no podrán ser transferidos, enajenados

o cedidos a entidades mercantiles o a particulares, todo ello de acuerdo con la legislación del Estado.

2. Tampoco podrán ser enajenados estos bienes cuando pertenezcan a las administraciones públicas de Canarias, salvo las transmisiones que se hagan en favor de otras administraciones públicas, que requerirán informe favorable del Consejo del Patrimonio Cultural de Canarias.

Artículo 71. Autorización previa para intervenciones en bienes muebles

1. Será necesaria la autorización del respectivo cabildo insular para la realización de cualquier intervención o cambio de uso en los bienes muebles declarados de interés cultural o incluidos en un catálogo insular de bienes patrimoniales culturales.

2. La resolución del cabildo insular por la que se conceda la autorización deberá dictarse y notificarse en el plazo máximo de tres meses contados desde la fecha en que la solicitud haya tenido entrada en el registro de la Administración competente para su tramitación.

3. Se entenderá desestimada la solicitud cuando transcurra el plazo del plazo máximo de tres meses sin que se haya notificado resolución expresa.

4. Una vez notificada la resolución de autorización, la intervención autorizada deberá iniciarse en el plazo de un año, transcurrido el cual, sin haberse iniciado, se producirá la caducidad automática de la autorización, salvo que se hubiera solicitado y obtenido expresamente prórroga de su vigencia.

5. No están sujetos a autorización el traslado o cambio de ubicación de los bienes para su exposición temporal o utilización en actos litúrgicos.

6. De tratarse de un bien propiedad de la Iglesia católica o de alguna de las instituciones a ella vinculadas será, además, preceptivo el informe de la comisión mixta contemplada en el artículo 7.2 de esta ley.

Artículo 72. Intervenciones en bienes muebles

1. En los bienes muebles declarados de interés cultural o incluidos en el catálogo insular solo se admitirán intervenciones de conservación y restauración o usos compatibles con los valores que aconsejan su protección. Estas intervenciones atenderán a criterios que respeten la integridad del bien, conservando las aportaciones de otras épocas siempre que no supongan una degradación del bien original, debiendo quedar justificado documentalmente estas posibles intervenciones tanto en el proyecto como en la memoria de intervención. Los materiales empleados deberán cumplir con los criterios de idoneidad, estabilidad y reversibilidad.

2. Corresponde al respectivo cabildo insular la competencia para inspeccionar, en todo momento, las labores de conservación y restauración de estos bienes, los cambios de uso, así como su traslado o cambio de ubicación.

3. La intervención será detallada en un proyecto suscrito por persona o equipo interdisciplinar que cuenten con titulación oficial y cualificación suficiente en materia de investigación, conservación, restauración o rehabilitación de bienes integrantes del patrimonio cultural en función de las intervenciones que se proyecten que, asimismo, supervisarán su ejecución.

4. El proyecto deberá respetar las aportaciones históricas en el bien y basarse en el principio de mínima intervención, prevaleciendo la conservación y debiendo emplear materiales compatibles con criterios de reversibilidad, estabilidad y durabilidad.

5. El proyecto de intervención deberá tener el siguiente contenido mínimo:

a) Estudio histórico, artístico y cultural de bien.

b) Análisis técnico y científico, diagnóstico y pronóstico del estado de conservación del bien.

c) Metodología, criterios, técnicas y materiales a emplear.

d) Los resultados científicos y la documentación gráfica y fotográfica deberán incluirse en el proyecto.

e) Incidencia sobre los valores protegidos.

f) Plan de mantenimiento.

g) Lugar en el que se efectuará la intervención.

h) Plazo estimado de ejecución.

6. El proceso de intervención deberá ser documentado para su constancia posterior en una memoria de la intervención donde se recoja toda la metodología, procedimientos, materiales, resultados técnicos, conclusiones y medidas preventivas para su preservación.

7. Si durante la intervención aparecieran signos o elementos desconocidos que pudieran suponer una autoría diferente a la atribuida hasta ese momento o un cambio significativo en la obra original, deberá darse cuenta inmediata al respectivo cabildo insular, ordenando este, en su caso, la suspensión de la obra o actividades. La suspensión durará hasta tanto se determine con certeza y se permita expresamente la continuación de aquellas, o se resuelva la iniciación del procedimiento de protección adecuado, sin que la medida cautelar adoptada pueda exceder el plazo de seis meses.

8. Si la conservación de tales bienes muebles se viera amenazada por la falta de condiciones del lugar donde se hallen, el respectivo cabildo insular podrá ordenar su traslado y depósito provisional hasta que se resuelvan las circunstancias que motivaron dicha orden. En el caso de bienes eclesiásticos, estos serán trasladados a depósitos de la misma institución que reúnan las condiciones de seguridad y medioambientales adecuadas.

9. El traslado o cambio de ubicación de los bienes requerirá autorización del respectivo cabildo insular, debiendo adoptarse las medidas necesarias para evitar cualquier riesgo de pérdida o deterioro. La solicitud de autorización deberá determinar el día previsto para el traslado o cambio de ubicación, su carácter temporal o definitivo y el origen y destino del bien.

El cabildo insular podrá señalar las condiciones técnicas a que deba ajustarse el traslado o cambio de ubicación verificando su cumplimiento a través de la oportuna inspección.

Artículo 73. Autorización previa para intervenciones en bienes inmuebles

1. En los bienes inmuebles declarados de interés cultural o con procedimiento incoado al efecto será necesaria la autorización del respectivo cabildo insular, previo dictamen favorable de la comisión insular, para la realización de cualquier intervención, interior o exterior, o el cambio de uso. De dicha autorización se dará cuenta al Registro de Bienes de Interés Cultural, para su constancia. Asimismo, en los bienes inmuebles incluidos en el catálogo insular o con procedimiento iniciado al efecto también será necesaria la autorización del cabildo insular para la realización de cualquier intervención, interior o exterior, o el cambio de uso, sin que sea preceptivo el dictamen de la comisión insular.

2. En inmuebles situados en los entornos de protección de aquellos bienes referidos en el apartado anterior, las intervenciones en el exterior, así como las obras de nueva planta, las instalaciones y los cambios de uso precisarán autorización previa del respectivo cabildo insular, sin que sea preceptivo el dictamen de la comisión insular.

3. Lo dispuesto en los apartados precedentes será de aplicación para colocar en fachadas y cubiertas de los inmuebles declarados bien de interés cultural y los situados en su entorno de protección toda clase de rótulos, señales, símbolos, cerramientos, rejas, antenas, cables, conducciones aparentes y elementos análogos, que, en la medida de lo posible, quedarán ocultos.

4. La resolución del cabildo insular por la que se conceda la autorización deberá dictarse y notificarse en el plazo máximo de tres meses, contados desde la fecha en que la solicitud haya tenido entrada en el registro de la Administración competente para su tramitación.

5. Se entenderá desestimada la solicitud cuando transcurra el plazo máximo de tres meses sin que se haya notificado resolución expresa.

6. Cuando se trate de un bien propiedad de la Iglesia católica o de alguna de las instituciones a ella vinculadas será, además, preceptivo el informe de la comisión mixta contemplada en el artículo 7.2 de esta ley.

7. Las autorizaciones a que se refiere este artículo son previas e independientes de la licencia municipal y de cualquier otra autorización que fuera pertinente por razón de la localización territorial o del uso, determinando su omisión la nulidad de pleno derecho de estas.

8. Cuando la autorización administrativa otorgada en virtud de esta ley contenga condicionantes para la ejecución de la intervención o el desarrollo del uso, su contenido se incorporará a las cláusulas de la licencia, permiso o concesión correspondiente, entendiéndose nula de pleno derecho, en caso contrario.

9. En casos de actuaciones urgentes cuando exista riesgo de daños para los bienes o las personas, en cualquiera de los bienes a los que se refiere el presente artículo, la preceptiva autorización del respectivo cabildo insular deberá emitirse en un plazo máximo de tres días hábiles, previo informe del personal técnico insular, entendiéndose el silencio administrativo en sentido positivo.

Artículo 74. Intervenciones en bienes inmuebles

1. Las intervenciones o cambios de uso en bienes de interés cultural o incluidos en el catálogo insular de bienes patrimoniales culturales, o en trámite de declaración o inclusión, irán encaminados a su conservación, restauración, consolidación, rehabilitación y puesta en valor, evitando las remodelaciones o reintegración de elementos perdidos, salvo cuando se utilicen partes originales de los mismos y pueda probarse su autenticidad. Si se añadiesen materiales o elementos indispensables para su estabilidad o mantenimiento, las adiciones deberán ser reconocibles y evitar las confusiones miméticas, así como documentarse debidamente. Las intervenciones atenderán a criterios de mínima intervención, discreción, seguridad, estabilidad, durabilidad y reversibilidad.

2. Se podrán efectuar, en los bienes a los que se hace referencia en el apartado anterior, intervenciones de reconstrucción, reestructuración y remonta, siempre y cuando no afecten a los valores patrimoniales que justificaron su declaración de interés cultural o su inclusión en el catálogo insular.

3. Con carácter general, las intervenciones respetarán las características y los elementos materiales esenciales del inmueble, sin perjuicio de que, excepcionalmente pueda autorizarse el uso de elementos, técnicas, formas, materiales y lenguajes artísticos o estéticos contemporáneos para la mejor adaptación del bien a su uso.

4. Las intervenciones respetarán las aportaciones de todas las épocas existentes, salvo que los elementos añadidos supongan una degradación del bien considerado y su eliminación fuere necesaria para permitir su mejor interpretación, requiriéndose, en todo caso, la previa acreditación técnica de ambos extremos, emitida por persona con título oficial especialista en la materia. Las partes suprimidas quedarán debidamente documentadas en la correspondiente ficha del registro o del catálogo insular.

5. Las actuaciones encaminadas a poner en uso los bienes, o a adaptarlos a la normativa vigente en cada momento, deberán asegurar el respeto a los valores que motivaron su declaración, las características tipológicas de ordenación espacial, volumétricas y

morfológicas del inmueble, así como a los elementos estructurales y ornamentales de valor patrimonial que posean.

6. La intervención será detallada en un proyecto suscrito por persona o equipo interdisciplinar que cuenten con titulación oficial y cualificación suficiente en materia de investigación, conservación, restauración o rehabilitación de bienes integrantes del patrimonio cultural en función de las intervenciones que se proyecten que, asimismo, supervisarán su ejecución.

7. El proyecto de intervención sobre estos bienes deberá motivar justificadamente las actuaciones que se aparten de la mera consolidación o conservación, detallando los aportes y sustituciones o eliminaciones planteados.

8. El proyecto de intervención deberá tener el siguiente contenido mínimo:

a) Estudio histórico, artístico y cultural de bien, con valoración de los trabajos a realizar por una persona titulada en Historia o Historia del Arte.

b) Análisis, diagnóstico y pronóstico del estado de conservación del bien.

c) Propuesta y alcance de la intervención desde el punto de vista teórico, técnico y económico.

d) Metodología, técnicas y materiales a emplear.

e) Incidencia sobre los valores protegidos y medidas preventivas, en su caso.

f) Plan de mantenimiento.

g) Plazo estimado de ejecución.

h) Proyecto técnico a nivel de proyecto de ejecución, donde se atienda cuanta normativa afecte al inmueble, tipo de obra o intervención, y visado por el colegio profesional correspondiente.

9. El proceso de intervención deberá ser documentado para su constancia posterior.

Artículo 75. Medidas de protección de bienes muebles existentes en los inmuebles a intervenir

Al elaborarse proyectos de intervención en bienes inmuebles donde existan bienes muebles susceptibles de resultar afectados por las actuaciones a ejecutar, los proyectos deberán contemplar las medidas de protección que impidan su pérdida o deterioro.

Artículo 76. Derechos de tanteo y retracto

1. Quien tratare de enajenar un bien de interés cultural o incluido en un catálogo insular de bienes patrimoniales culturales deberá comunicarlo al respectivo cabildo insular, con indicación del precio, las condiciones de la transmisión, la identidad de la persona adquiriente y el lugar y la fecha de celebración. Las personas subastadoras deberán comunicar, igualmente, en el plazo de tres meses, las subastas públicas en que se pretenda enajenar cualesquiera bienes de estas características.

2. Dentro del mes siguiente a la comunicación anterior, el respectivo cabildo insular podrá hacer uso del derecho de tanteo, para sí o para cualquier entidad de derecho público, obligándose al pago del precio convenido o del remate.

3. Si el respectivo cabildo insular no ejerciera el derecho de tanteo, deberá notificarlo, dentro del mismo plazo al departamento de la Administración pública de la Comunidad Autónoma de Canarias competente en materia de patrimonio cultural, a fin de que este pueda subrogarse en el citado derecho, dentro del plazo de dos meses siguientes a la notificación.

4. Si la pretensión de enajenación y sus condiciones no fueren notificadas correctamente, se podrá ejercer, en los mismos términos previstos para el tanteo, el derecho de retracto, en el plazo de seis meses contados a partir de la fecha en la que se tenga conocimiento de las condiciones y del precio de la enajenación.

5. Este precepto no resulta aplicable a los inmuebles integrantes de los conjuntos históricos, o incluidos en su entorno de protección, que no tengan la condición singular de bien de interés cultural ni se encuentren incluidos en el catálogo insular de bienes patrimoniales culturales ni se hallen en trámite de declaración o inclusión.

6. Los registros de la propiedad y mercantiles no inscribirán documento alguno por el que se transmita la propiedad o cualquier otro derecho real sobre los bienes a que hace referencia este artículo sin que se acredite haber cumplido cuantos requisitos en él se recogen.

Artículo 77. Señalización

Los bienes de interés cultural deberán estar debidamente señalizados, de acuerdo con los modelos normalizados que sean establecidos mediante orden de la persona titular del departamento de la Administración pública de la Comunidad Autónoma de Canarias competente en materia de patrimonio cultural.

Artículo 78. Legitimación para expropiar

1. La declaración de bien de interés cultural o la inclusión de un bien en un catálogo insular conlleva implícita la declaración de utilidad pública e interés social a efectos de su expropiación, sin que ello determine la declaración de la necesidad de ocupación ni el inicio del correspondiente procedimiento de expropiación.

2. A los expresados efectos, aquellas construcciones situadas en los entornos de protección que perturben la contemplación o apreciación de los valores de bienes declarados de interés cultural se considerarán de utilidad pública e interés social.

3. Del mismo modo, podrán expropiarse los bienes declarados de interés cultural cuando se incumplan las prescripciones específicas sobre su uso y conservación establecidas en la presente ley o en los instrumentos de protección que les afecten.

CAPÍTULO III. Normas específicas de los conjuntos históricos

Artículo 79. Normas comunes

1. La conservación de los conjuntos históricos comportará el mantenimiento de sus valores históricos, su estructura urbana y arquitectónica y las características generales del ambiente y del paisaje urbano o rural.

2. Las determinaciones contenidas en los instrumentos urbanísticos de carácter general, relativas a la obligatoriedad de garajes en edificios de nueva planta o rehabilitados, instalaciones de servicios u otras que alteren la calidad histórica de los conjuntos históricos, no serán preceptivas, estándose a lo dispuesto sobre el particular en los respectivos planes especiales de protección aprobados conforme a la normativa urbanística.

3. Se prohíben las modificaciones en las alineaciones y rasantes tradicionales, alteraciones de edificabilidad, parcelaciones y agregaciones de inmuebles, excepto cuando estas modificaciones se contemplen específicamente en los planes especiales de protección por contribuir a conservar el carácter del conjunto histórico o su revitalización.

4. Las instalaciones eléctricas, telefónicas o cualquier otra que requiera el tendido de cables deberán estar soterradas, prohibiéndose expresamente las aéreas y las adosadas a las fachadas. Las antenas, pantallas de recepción de ondas, paneles solares u objetos y elementos similares en cubiertas serán acordes con la imagen histórica del conjunto histórico.

5. Los rótulos comerciales que no tengan justificación histórica se permitirán únicamente si van ajustados a los huecos de fachada. En caso de que el hueco posea un valor patrimonial singular que impida la instalación de rótulos en él, estos tendrán un diseño integrado,

sin alterar la morfología de la misma. Asimismo, se prohíben las vallas publicitarias que afecten a los valores presentes en el ámbito de los conjuntos históricos.

6. La iluminación se colocará de modo que no se perciban los focos o luminarias desde el nivel de la calle, y solo cuando ello no sea posible, dicha iluminación no podrá afectar a las vistas y perspectivas de los edificios con valor cultural, quedando integrada con los otros elementos del mobiliario urbano, salvo justificación de que esta medida perjudique los valores del bien y la calidad ambiental del cielo, quedando reducida la contaminación lumínica del cielo.

7. Las calles y callejones con empedrados o adoquinados históricos mantendrán su pavimento original, si bien incorporarán en la medida de lo posible la accesibilidad en el proyecto y en la intervención. La reposición de las partes perdidas deberá efectuarse con materiales iguales o similares en forma, color o textura y dejando un testigo del pavimento original.

8. La demolición de un inmueble catalogado únicamente se permitirá cuando haya sido declarado, de conformidad con la legalidad vigente, en estado de ruina, debiendo, en todo caso, asegurarse, el mantenimiento de la fachada y de aquellos elementos arquitectónicos relevantes que coadyuven a la formación del ambiente histórico característico, sin que pueda implicar la obtención de un mayor aprovechamiento urbanístico que el preexistente.

9. Se promoverá la progresiva peatonalización y/o semipeatonalización de los conjuntos históricos, en su totalidad o en parte de ella.

Artículo 80. Intervenciones en conjuntos históricos

1. Hasta la entrada en vigor del plan especial de protección, todas las intervenciones a ejecutar en el ámbito de un conjunto histórico o en su entorno de protección, precisarán autorización previa del cabildo insular respectivo.

2. Desde la entrada en vigor del plan especial de protección, el ayuntamiento respectivo será competente para autorizar directamente las obras y usos que afecten a inmuebles incluidos en el ámbito del conjunto histórico o en su entorno de protección, que no tengan la condición individual de bien de interés cultural, ni se encuentren incluidos en el catálogo insular de bienes patrimoniales culturales, ni se hallen en trámite de declaración o inclusión. El ayuntamiento deberá comunicar la licencia o autorización concedida al cabildo insular respectivo en un plazo máximo de diez días.

3. El cabildo insular ordenará, de forma cautelar, la suspensión de aquellas intervenciones o usos contrarios al plan aprobado que estén dentro de la delimitación del conjunto histórico o en su entorno de protección.

4. Las obras de las administraciones públicas, incluidos los propios ayuntamientos, que se lleven a cabo en los conjuntos históricos o en su entorno de protección, y únicamente cuando no se hallen previstas en el plan especial de protección, necesitarán asimismo autorización previa del cabildo correspondiente.

CAPÍTULO IV. Normas específicas de los bienes incluidos en catálogos municipales de bienes patrimoniales culturales

Artículo 81. Normas comunes

Las normas contenidas en el presente capítulo serán de aplicación a aquellos bienes incluidos en los catálogos municipales de bienes patrimoniales culturales, sin perjuicio de la aplicación de las normas comunes establecidas en la presente ley para los bienes incluidos en los instrumentos de protección.

Artículo 82. Intervenciones permitidas y grados de protección

1. El régimen de protección de cada bien será el establecido en el catálogo municipal respectivo, en función de su grado de protección y el tipo de intervención permitida, resultando necesaria la obtención de licencia para cualquier intervención exterior o interior.

2. En las correspondientes fichas individualizadas del catálogo, que se ajustarán a los contenidos mínimos establecidos por la presente ley y a los aprobados por el departamento de la Administración de la Comunidad Autónoma de Canarias competente en materia de patrimonio cultural, los tipos de intervención deberán estar vinculados y directamente relacionados con los grados de protección, permitiéndose en los inmuebles con protección integral únicamente las intervenciones de mantenimiento, conservación, restauración y consolidación, salvo las excepciones establecidas en el artículo 74.

TÍTULO VII. Patrimonios específicos

CAPÍTULO I. Patrimonio arqueológico

Artículo 83. Bienes integrantes

1. El patrimonio arqueológico de Canarias está integrado por los bienes muebles e inmuebles pertenecientes a las poblaciones aborígenes de Canarias, cuyo estudio exige la aplicación de metodología arqueológica y que se encuentren en la superficie, subsuelo, medio subacuático o hayan sido extraídos de su contexto original.

2. A efectos de esta ley, se entiende por yacimiento arqueológico el lugar o el área que contiene evidencias de actividad humana de interés histórico y para cuyo estudio e interpretación son esenciales las técnicas de investigación arqueológica.

Artículo 84. Régimen de protección

La protección de los bienes constitutivos del patrimonio arqueológico se llevará a cabo mediante su inclusión en alguno de los instrumentos de protección previstos en la presente ley.

Artículo 85. Dominio público

Los bienes integrantes del patrimonio arqueológico que sean descubiertos en virtud de excavaciones, remociones de tierra, obras o por azar, pertenecen al dominio público, todo ello de acuerdo con la legislación del Estado.

Artículo 86. Posesión de objetos arqueológicos

Las personas físicas o jurídicas poseedoras de bienes integrantes del patrimonio arqueológico serán responsables de su seguridad y conservación, debiendo comunicar su existencia y condiciones de obtención al departamento de la Administración pública de la comunidad autónoma competente en materia de patrimonio cultural. Podrán, asimismo, hacer entrega de los bienes al museo arqueológico o de ciencias naturales que designe el departamento de la Administración pública de la comunidad autónoma competente en materia de patrimonio cultural, pudiendo solicitar que en los rótulos de exposición se haga constar su identidad y la procedencia de los bienes.

Artículo 87. Bienes arqueológicos de interés cultural

1. Podrán ser declarados bienes de interés cultural, con la categoría de zona arqueológica, aquellos bienes integrantes del patrimonio arqueológico que ostenten valores sobresalientes. Asimismo, los yacimientos arqueológicos funerarios serán conservados con las piezas óseas una vez finalizado su estudio. Por razones de interés general y con carácter

excepcional, podrá procederse al traslado de dichas piezas indicando en todo caso esta circunstancia.

2. No obstante lo anterior, quedan declarados bien de interés cultural:

a) Con la categoría de zona arqueológica: todos los sitios, lugares, cuevas, abrigos o soportes que contengan manifestaciones rupestres y naturales de interés histórico.

b) Con la categoría de bien mueble: todas las colecciones de cerámica, incluidos ídolos y pintaderas, pertenecientes a las poblaciones aborígenes de Canarias, cualquiera que sea su ubicación y estado de conservación.

c) Con la categoría de bien mueble de especial sensibilidad: las momias, fardos, mortajas funerarias y restos antropológicos de las poblaciones aborígenes. Estos restos humanos deben preservarse con gran tacto y respeto por los sentimientos de dignidad humana que tienen todos los pueblos.

3. Las zonas arqueológicas requerirán de un plan especial de protección, tramitado y aprobado conforme a la normativa urbanística, previo informe preceptivo y vinculante emitido por el departamento de la Administración pública de la Comunidad Autónoma de Canarias competente en materia de biodiversidad.

Artículo 88. Protección cautelar de los yacimientos

1. Las administraciones públicas de Canarias colaborarán entre sí y con el Cuerpo General de la Policía Canaria, las policías locales y el resto de los cuerpos y fuerzas de seguridad del Estado para adoptar las medidas oportunas en orden a impedir la alteración o destrucción de los yacimientos arqueológicos y el coleccionismo privado.

2. La persona física o jurídica, sea pública o privada, que promueva obras o actuaciones que afecten a un yacimiento arqueológico incluido en alguno de los instrumentos de protección previstos en la presente ley deberá realizar la correspondiente solicitud de licencia, comunicación previa o autorización que proceda, así como realizar y aportar un estudio de impacto arqueológico, elaborado por persona con título oficial, especialista en la materia, relativo a la incidencia de las obras o actuaciones sobre los valores arqueológicos del área afectada, comprensivo de las medidas preventivas y correctoras que, en su caso, fuera preciso adoptar. Las condiciones y medidas de control recogidas en el informe técnico de la Administración competente deberán quedar recogidas en la licencia o autorización que corresponda.

3. Si fuere pertinente, la Administración competente podrá disponer que se realice la oportuna actividad arqueológica en orden a evaluar los efectos de la actuación, así como a determinar las posibles medidas protectoras a adoptar durante la obra, trazados alternativos y demás condicionantes dirigidos a la salvaguarda del yacimiento, que deberán incorporarse a las licencias o autorizaciones preceptivas. En tales casos, la financiación de la actividad arqueológica correrá a cargo de la persona promotora de las actuaciones, salvo acreditación de insuficiencia económica para realizar dicha intervención.

Artículo 89. Parques arqueológicos

1. Se podrán crear parques arqueológicos, acondicionados para la visita pública, en lugares previamente declarados zona arqueológica que, por su integración en el entorno natural y territorial, faciliten su comprensión y disfrute compatibles con la preservación de sus valores culturales.

2. La creación de los parques arqueológicos se llevará a cabo por decreto del Gobierno de Canarias, a propuesta del cabildo insular respectivo o a solicitud de los propietarios, una vez tramitado el correspondiente procedimiento y previo informe del Consejo del Patrimonio Cultural de Canarias. Asimismo, la creación de estos parques deberá ajustarse a los condicionantes ambientales establecidos en informe preceptivo y vinculante emitido por

el departamento de la Administración pública de la comunidad autónoma competente en materia de biodiversidad.

3. La propuesta o la solicitud deberán ir acompañadas de un proyecto que justifique la conveniencia de la creación del parque desde el punto de vista de su repercusión didáctica y recreativa, intervenciones arqueológicas necesarias, en su caso, medidas de protección y acondicionamiento previstas, dotación de medios humanos y materiales, financiación y régimen de gestión.

4. A los efectos previstos en la legislación urbanística, los parques arqueológicos se consideran elementos integrantes de la estructura general del territorio, vinculados a los sistemas generales, dotaciones y equipamientos.

Artículo 90. Actividades arqueológicas

1. Tendrán la consideración de actividades arqueológicas aquellas actuaciones que, mediante el empleo de la metodología arqueológica, tengan por finalidad descubrir, documentar o investigar restos materiales correspondientes a cualquier momento histórico, tanto en el medio terrestre como en el acuático.

2. Las actividades arqueológicas se clasifican en:

a) Excavación arqueológica: remoción en superficie, en el subsuelo o en medio subacuático que se realice con la finalidad de descubrir, documentar o investigar restos arqueológicos.

b) Sondeo: remoción de terreno, limitada en cuanto a su área de intervención, realizada con la finalidad de comprobar la existencia de restos arqueológicos muebles o inmuebles, su naturaleza, delimitación o secuencia histórica.

c) Prospección: exploración superficial sin remoción de terrenos, incluyendo los procedimientos geofísicos o electromagnéticos, tanto terrestre como subacuática, dirigida a la localización, el estudio, la investigación o el examen de datos para la detección de restos arqueológicos.

d) Reproducción de manifestaciones rupestres: conjunto de tareas de campo orientadas al estudio, la documentación gráfica sistemática y la reproducción de manifestaciones rupestres de interés histórico.

e) Consolidación y restauración: intervención en yacimiento arqueológico encaminada a favorecer su conservación y puesta en valor.

f) Control arqueológico: supervisión presencial por personal técnico cualificado de las actividades o actuaciones que afecten o puedan afectar a un ámbito en que exista o se presuma la existencia de evidencias arqueológicas, de tal forma que se evite cualquier afección o puedan establecerse las medidas oportunas que permitan la conservación o documentación, en su caso, de las piezas o evidencias o elementos de interés arqueológico que aparezcan en el transcurso de aquellas.

g) Análisis estratigráfico de estructuras arquitectónicas: análisis con metodología arqueológica, mediante la aplicación del método estratigráfico, de estructuras arquitectónicas con la finalidad de documentar e investigar la secuencia histórica o evolutiva de las edificaciones.

h) Estudio de materiales arqueológicos.

Artículo 91. Autorización de actividades arqueológicas

1. La realización de actividades arqueológicas deberá ser previamente autorizada por el departamento de la Administración pública de la comunidad autónoma competente en materia de patrimonio cultural con el fin de garantizar su nivel técnico, su carácter sistemático y evitar la pérdida de información científica, salvo las labores de control arqueológico, que requieren mera comunicación de su inicio, finalización y memoria de resultados.

2. La autorización, acompañada del proyecto, deberá ser notificada al cabildo insular, que podrá, en cualquier momento, inspeccionar el desarrollo de las actividades autorizadas.

3. El procedimiento y requisitos de la autorización se determinarán reglamentariamente y requerirán el previo consentimiento de la persona propietaria del terreno afectado, salvo en los casos de prospección arqueológica, que no requiere de dicho consentimiento, o cuando el departamento de la Administración pública de la comunidad autónoma competente en materia de patrimonio cultural para autorizar declare expresamente la especial relevancia de la actividad arqueológica para el patrimonio cultural de Canarias. En ambos casos, bastará una comunicación al propietario de su inicio y finalización.

4. La solicitud de autorización deberá ir acompañada de proyecto técnico elaborado por persona o equipo interdisciplinar con título oficial especialista en la materia, que acredite la conveniencia e interés científico de la actividad.

Cuando se considere que la solicitud carece manifiestamente de fundamento, o no se acompañe de la documentación necesaria, se dará un plazo de subsanación de la misma, de conformidad con lo establecido en la normativa de procedimiento administrativo común.

5. Cuando la actividad afecte a bienes de interés cultural, requerirá informe del cabildo insular, que deberá ser emitido en el plazo de tres meses, transcurrido el cual sin haberlo emitido, el departamento de la Administración pública de la comunidad autónoma competente en materia de patrimonio cultural podrá proseguir las actuaciones.

6. La autorización para realizar actividades arqueológicas se otorgará caso por caso, prohibiéndose las autorizaciones genéricas a individuos o entidades concretas.

7. El departamento de la Administración pública de la comunidad autónoma competente en materia de patrimonio cultural podrá encargar en los lugares, sean públicos o privados, donde se presuma la existencia de restos arqueológicos, actividades arqueológicas que, de no existir el consentimiento de la persona propietaria del terreno afectado, requerirán previa autorización judicial.

8. El plazo para resolver y notificar el procedimiento de autorización de actividades arqueológicas será de un mes, transcurrido el cual sin haberse resuelto y notificado el procedimiento, la solicitud deberá entenderse desestimada.

Artículo 92. Resultados de la actividad arqueológica

1. Al finalizar la actividad o la fase de la misma autorizada, la persona o equipo titular de la autorización deberá entregar la memoria y demás documentación que se establezca, en el plazo fijado en la autorización. Copia de esta memoria será presentada en el cabildo insular respectivo.

2. Los objetos obtenidos, debidamente inventariados y catalogados, serán depositados en el museo arqueológico o de ciencias naturales insular que corresponda por razón de la ubicación del yacimiento, en el caso de que se trate de objetos integrantes del patrimonio arqueológico, o, en su caso y de forma temporal, cuando la isla de que se trate no disponga de infraestructura museística, en el espacio que se determine en la autorización, sin perjuicio de su cesión temporal a efectos de exposición. De igual modo, los objetos recuperados que no formen parte del patrimonio arqueológico serán depositados, en su caso, en la institución museística que se indique por el órgano autorizante en materia de patrimonio cultural.

3. El órgano autonómico para conceder la autorización se reserva el derecho a publicar o difundir la memoria en los medios de comunicación científica que considere oportunos, previa conformidad de las personas autoras y sin perjuicio del derecho de propiedad intelectual que les asista.

4. Por orden del departamento competente en materia de patrimonio cultural se establecerán modelos normalizados de memorias de las actividades arqueológicas.

Artículo 93. Desplazamiento de estructuras arqueológicas

1. Excepcionalmente, cuando razones de interés público o utilidad social obliguen a trasladar estructuras o elementos de valor arqueológico por resultar inviable su mantenimiento en su sitio originario o peligrar su conservación, se documentarán científica y detalladamente sus elementos y características, a efectos de garantizar su reconstrucción y localización en el sitio que determine el departamento de la Administración pública de la comunidad autónoma competente en materia de patrimonio cultural, de acuerdo con la naturaleza del lugar y de los vestigios hallados.

2. El traslado será anotado en el instrumento de protección correspondiente, de entre los previstos en esta ley, manteniéndose todos los datos relativos a la localización originaria, características del entorno y estructuras afectadas por el traslado, con el fin de evitar la pérdida o disminución de la información científica y cultural.

Artículo 94. Hallazgos casuales

1. Quienes, como consecuencia de remociones de tierra, obras de cualquier índole o por azar, descubran restos arqueológicos deberán suspender de inmediato la obra o actividad y ponerlo en conocimiento de cualquiera de las administraciones públicas competentes en materia de patrimonio cultural, en un plazo máximo de veinticuatro horas. No se podrá hacer público el hallazgo hasta haber realizado la citada comunicación y adoptando las medidas cautelares de protección adecuadas, a fin de no poner en peligro los bienes localizados o hallados. Las personas descubridoras y propietarias del lugar en que hubiere sido encontrado el objeto tendrán derecho, en concepto de premio en metálico, a la mitad del valor que en tasación legal se le atribuya, que se distribuirá entre ellas por partes iguales. Si fuesen dos o más las personas localizadoras, descubridoras o propietarias se mantendrá igual proporción. El incumplimiento de las obligaciones previstas en el presente apartado, privará a la persona descubridora y, en su caso, a la persona propietaria del derecho al premio indicado, todo ello sin perjuicio de las responsabilidades a que hubiere lugar y las sanciones que procedan.

2. La Administración que hubiera tomado conocimiento del hecho adoptará de inmediato las medidas cautelares que garanticen la preservación de los bienes hallados, ordenando, en su caso, la suspensión de la obra o actividad que hubieren dado lugar al hallazgo o acordando la realización de la actuación que resulte necesaria, incluso la retirada de los materiales localizados o encontrados si esta última resultara imprescindible para garantizar la integridad o seguridad de los bienes.

3. La adopción de las medidas anteriores deberá ser comunicada al cabildo insular y al departamento de la Administración pública de la comunidad autónoma competente en materia de patrimonio cultural, en el plazo de veinticuatro horas siguientes al momento en que se produjo la localización o el hallazgo.

4. Si la medida cautelar consistiera en la suspensión de la obra o actividad, esta se mantendrá hasta tanto se determine con certeza el carácter de los restos encontrados y se permita expresamente la continuación de la obra o actividad o se resuelva, en su caso, la iniciación del procedimiento de protección adecuado, sin que la medida cautelar adoptada pueda exceder del plazo de seis meses, todo ello de conformidad con lo dispuesto en el artículo 59 de esta ley.

5. Los hallazgos deberán ser mantenidos en el lugar de su descubrimiento hasta que el departamento de la Administración pública de la comunidad autónoma competente en materia de patrimonio cultural autorice la realización de la oportuna actividad arqueológica, si la índole del hallazgo lo demanda.

6. La adopción de medidas cautelares prevista en el presente artículo no siempre dará lugar a derechos indemnizatorios a favor de los perjudicados, salvo en el caso de que la

suspensión de la obra o actividad superara el plazo de seis meses establecido en el apartado 4 de este artículo.

Artículo 95. Patrimonio arqueológico subacuático

1. A los efectos de esta ley, pertenecen al patrimonio arqueológico subacuático todos los rastros de existencia humana que hayan estado bajo el agua, parcial o totalmente, de forma periódica o continua, por lo menos durante cien años susceptibles de ser estudiados y conocidos a través de métodos arqueológicos, hayan sido extraídos o no del medio en el que se encuentran.

2. Los bienes pertenecientes al patrimonio arqueológico subacuático se incluirán en los catálogos insulares de bienes patrimoniales culturales, sin perjuicio de su declaración como bien de interés cultural, si concurren en ellos los valores patrimoniales culturales sobresalientes, previstos para ello.

3. La actuación sobre el patrimonio cultural subacuático se basará en los principios siguientes:

a) Colaboración administrativa en aplicación de las normas de navegación marítima y portuaria, para la coordinación de actuaciones cuando deba llevarse a cabo la identificación, la exploración, el rastreo, la localización y la extracción de bienes de esta naturaleza con especial referencia a las competencias de la Armada Española en los buques y embarcaciones de Estado naufragados o hundidos.

b) La conservación in situ del patrimonio cultural subacuático deberá considerarse la opción prioritaria antes de autorizar o emprender actividades sobre ese patrimonio.

c) El patrimonio cultural subacuático recuperado se depositará, se guardará y se gestionará de tal forma que se asegure su preservación a largo plazo.

d) Se propiciará el acceso responsable y no perjudicial del público al patrimonio cultural subacuático in situ, con fines de observación o documentación para favorecer la sensibilización del público hacia ese patrimonio, así como su reconocimiento y protección.

4. El departamento de la Administración pública de la comunidad autónoma competente en materia de patrimonio cultural establecerá las medidas necesarias para proteger los yacimientos arqueológicos subacuáticos que se encuentran en las aguas adscritas a los puertos de su titularidad o cuya gestión corresponda al Gobierno de Canarias, así como para protegerlos de aquellas actividades que los pongan en peligro.

5. No se podrán realizar operaciones de dragado ni de cualquier otra clase que supongan remoción o afección al fondo en las áreas incluidas en instrumentos de protección previstos en esta ley, sin la previa autorización del cabildo insular.

6. Las actividades turísticas, deportivas, científicas o culturales consistentes en la visita a los pecios hundidos a los que se refiere esta sección deberán contar con la autorización del departamento de la Administración pública de la comunidad autónoma competente en materia de patrimonio cultural.

7. El personal responsable de las inmersiones organizadas por empresas y asociaciones de buceo que pretendan realizar actividades de visita a los pecios a los que se refiere esta sección deberá contar con una habilitación específica, obtenida según una mínima formación adecuada, y ajustar su actividad al calendario, el programa y las condiciones que establezca en su autorización al departamento competente en materia de patrimonio cultural.

8. Reglamentariamente se establecerán las condiciones y procedimientos oportunos para obtener las autorizaciones, habilitaciones y formación a que se refieren los párrafos anteriores.

CAPÍTULO II. Patrimonio etnográfico

Artículo 96. Concepto

1. El patrimonio etnográfico de Canarias está compuesto por todos los bienes muebles, inmuebles, espacios, lugares o elementos que constituyan testimonio y expresión relevantes de la identidad, la cultura y las formas de vida tradicionales de Canarias.

A los efectos de su inclusión en los instrumentos de protección previstos en esta ley, se considerará que ostentan valores etnográficos los siguientes elementos:

a) Los lugares que conserven manifestaciones de significativo interés histórico de la relación tradicional y popular entre el medio físico y las comunidades humanas que lo han habitado o utilizado, especialmente aquellos paisajes culturales entendidos como territorio o espacio humanizado, cuya antropización ha configurado un modelo específico de interacción con el entorno.

b) Los espacios o elementos vinculados a tradiciones populares, creencias, ritos y leyendas especialmente significativos.

c) Las construcciones y conjuntos que manifiesten de forma notable las técnicas constructivas, formas y tipos tradicionales de las distintas zonas de Canarias resultado del hábitat popular, como poblados de casas o cuevas y haciendas.

d) Los bienes muebles e inmuebles ligados a las actividades productivas preindustriales tradicionales y populares, a las actividades primarias y extractivas, hidráulicas, a la recolección y a las actividades artesanales tradicionales, así como a los conocimientos técnicos, saberes, herramientas, prácticas profesionales y tradiciones ligadas a los oficios artesanales. Especialmente, la loza (alfarería) tradicional y su técnica ancestral, así como el BIC Seda de El Paso, en La Palma.

e) Los elementos representativos del mobiliario y el ajuar doméstico tradicionales, la vestimenta y el calzado.

f) La documentación gráfica y audiovisual, como grabados, fotografías, fotografías minuteras y dibujos, que contengan referencias y elementos documentales sobre la vida, usos y costumbres, personajes y lugares.

g) Bienes muebles e inmuebles relacionados con el transporte, acarreo y comercio, especialmente las redes de comunicación tradicionales, tales como caminos, cañadas o similares, así como la toponimia, el callejero tradicional y las marcas.

2. La anterior relación de bienes, actividades y manifestaciones se entiende como enunciativa y no limitativa y comprenderá cualesquiera otros aspectos ligados a la cultura tradicional y popular de Canarias.

Artículo 97. Clasificación

Integran el patrimonio etnográfico:

a) Los bienes inmuebles, tales como las edificaciones, las instalaciones, las partes o los conjuntos de estas, cuyo modelo es expresión de conocimientos adquiridos, arraigados y transmitidos de forma consuetudinaria y utilizados tradicionalmente por las comunidades o grupos de personas.

b) Los bienes muebles, tales como objetos e instrumentos que constituyen la manifestación o el producto de actividades laborales, estéticas y lúdicas propias de cualquier grupo humano, arraigadas o transmitidas consuetudinariamente.

c) Los bienes inmateriales constituidos por los conocimientos, actividades, saberes, técnicas tradicionales y cualesquiera otras expresiones que procedan de modelos, funciones y creencias propias de la vida tradicional de Canarias.

Artículo 98. Régimen de protección

La protección de los bienes muebles e inmuebles constitutivos del patrimonio etnográfico se llevará a cabo mediante la inclusión en alguno de los instrumentos de protección previstos en la presente ley.

Artículo 99. Parques etnográficos

1. Son parques etnográficos los espacios, previamente declarados de interés cultural con la categoría de sitio etnográfico, en los que sea significativa la presencia de elementos del patrimonio etnográfico inmueble y que permiten su utilización para la visita pública con fines didácticos y culturales de forma compatible con su conservación y su integración en el entorno.

2. Son aplicables a los parques etnográficos las disposiciones previstas para los parques arqueológicos.

Artículo 100. Desplazamiento de estructuras etnográficas

Excepcionalmente, cuando razones de interés público o utilidad social obliguen a trasladar estructuras o elementos de valor etnográfico por resultar inviable su mantenimiento en su sitio originario o peligrar su conservación, se documentarán científica y detalladamente sus elementos y características, a efectos de garantizar su reconstrucción y localización en el sitio que determine el órgano del cabildo insular competente en materia de patrimonio cultural.

CAPÍTULO III. Patrimonio industrial

Artículo 101. Concepto

Integran el patrimonio industrial los bienes muebles e inmuebles que, por su valor tecnológico, arquitectónico o científico, constituyen manifestaciones tecnológicas o de ingeniería.

Artículo 102. Clasificación

El patrimonio industrial se clasifica en:

a) Bienes inmuebles: las fábricas, las edificaciones o las instalaciones que son expresión y testimonio de sistemas vinculados a la producción técnica e industrial, aun cuando hayan perdido su uso original o permanezcan sin utilizar, y el paisaje industrial.

b) Bienes muebles: los vehículos, las máquinas, los instrumentos y las piezas tecnológicas o de ingeniería, aun cuando hayan perdido su uso original o permanezcan sin utilizar.

Artículo 103. Régimen de protección

La protección de los bienes muebles e inmuebles constitutivos del patrimonio industrial se llevará a cabo mediante su inclusión en alguno de los instrumentos de protección previstos en la presente ley.

CAPÍTULO IV. Patrimonio documental y bibliográfico

Artículo 104. Concepto

El patrimonio documental y bibliográfico está constituido por cuantos bienes de esta naturaleza, reunidos o no en archivos, bibliotecas u otros centros de depósito cultural, se declaran integrantes del mismo.

Artículo 105. Régimen jurídico

El patrimonio documental y bibliográfico de Canarias se regirán por su legislación específica y, en lo no previsto en ella, por las disposiciones de esta ley que sean de aplicación.

CAPÍTULO V. Patrimonio inmaterial

Artículo 106. Concepto

Tendrán la consideración de patrimonio cultural inmaterial los usos, representaciones, expresiones, conocimientos y técnicas que las comunidades, los grupos y, en algunos casos, los individuos reconozcan como parte integrante de su patrimonio cultural y, en particular, a título meramente enunciativo, los siguientes:

a) Las tradiciones y expresiones orales, incluidas las modalidades y particularidades lingüísticas del español de Canarias, la terminología y grafismos de origen aborigen, el silbo gomero y otras manifestaciones del lenguaje silbado, refranes, poemas, décimas, leyendas, así como sus formas de expresión y transmisión.

b) La toponimia tradicional, como instrumento para la concreción de la denominación geográfica de los territorios, así como el término "Canarias" en sentido amplio y la terminología que de él se derive.

La toponimia aborigen científicamente admitida que no sea de uso habitual se procurará que figure junto a la actual señalética de carreteras.

c) Las manifestaciones festivas, competitivas, gastronómicas, lúdicas y recreativas, así como sus representaciones tradicionales y populares, con sus correspondientes instrumentos, útiles y complementos, así como la canaricultura como actividad competitiva, social y cultural autóctona y tradicional.

d) Los conocimientos y usos relacionados con la naturaleza y el universo.

e) El aprovechamiento de los saberes relacionados con la medicina popular.

f) El aprovechamiento de los paisajes naturales.

g) Las formas de socialización colectiva y organizaciones.

h) Las manifestaciones sonoras, música y danza tradicionales, así como sus representaciones tradicionales y populares, con sus correspondientes instrumentos, útiles y complementos.

i) Las técnicas artesanales tradicionales.

j) La técnica de la fotografía minutera.

k) La gastronomía, elaboraciones culinarias y alimentación.

Artículo 107. Principios generales

Las actuaciones de los poderes públicos sobre los bienes del patrimonio cultural inmaterial que sean objeto de salvaguarda deberán respetar, en su preparación y desarrollo, los siguientes principios generales:

a) El principio de igualdad y no discriminación, garantizando la participación más amplia posible de la diversidad de mujeres y hombres en los procesos de toma de decisiones sobre la definición, la conservación, la transmisión, la recreación y la gestión del patrimonio cultural, atendiendo a la estructuración simultánea de las desigualdades de género y otras desigualdades sociales en función de la clase, la etnia, la edad, entre otras.

b) El protagonismo de las comunidades portadoras, como titulares, mantenedoras y legítimas usuarias del mismo.

c) El principio de participación, con el objeto de mantener e impulsar el protagonismo de los grupos, comunidades portadoras, organizaciones y asociaciones ciudadanas en la recreación, transmisión y difusión del mismo.

d) El dinamismo inherente al patrimonio cultural inmaterial, que por naturaleza es un patrimonio vivo, que responde a prácticas en continuo cambio.

e) La sostenibilidad de las manifestaciones culturales inmateriales, evitándose las alteraciones cuantitativas y cualitativas de los elementos culturales ajenas a las comunidades portadoras y gestoras de las mismas.

Artículo 108. Régimen de protección

1. La protección de los bienes que integran el patrimonio inmaterial se llevará a cabo mediante su inclusión en alguno de los instrumentos previstos en esta ley.

2. Los bienes integrantes del patrimonio cultural inmaterial se recopilarán e inventariarán en soportes estables que posibiliten su transmisión a las generaciones futuras, promoviendo para ello su investigación y documentación.

3. Las administraciones públicas velarán por el respeto, la conservación y la protección del patrimonio cultural inmaterial mediante su promoción, difusión, estudio y recopilación.

4. Los medios audiovisuales públicos promoverán el reconocimiento y uso de la modalidad lingüística canaria.

TÍTULO VIII. Museos y colecciones museográficas

Artículo 109. Definición de museo

1. Los museos son instituciones de carácter permanente abiertas al público, accesibles, inclusivas, interculturales y sostenibles, al servicio de la sociedad y de su desarrollo, que, como agentes de transformación social y generadores de conocimiento, reúnen, conservan, ordenan, documentan, investigan, difunden y exhiben de forma científica, estética y didáctica, para fines de estudio, educación, disfrute y promoción científica y cultural, colecciones de bienes muebles de valor histórico, artístico, científico, técnico o de cualquier otra naturaleza cultural.

2. Los museos de Canarias y los fondos que contienen forman parte del patrimonio cultural de Canarias y quedan sujetos a lo dispuesto en la presente ley.

3. En tanto no se apruebe normativa específica, los museos se regirán por las disposiciones previstas en este título.

Artículo 110. Funciones de los museos

Son funciones de los museos:

a) La conservación, catalogación, restauración y exhibición ordenada de las colecciones.

b) La investigación en el ámbito de sus colecciones, de su especialidad o de su respectivo ámbito cultural a través del estudio, inventariado y catálogo de sus colecciones y la elaboración de tesauros de los mismos, dándose a conocer mediante publicaciones.

c) La organización periódica de exposiciones científicas y divulgativas de carácter cultural.

d) La elaboración y publicación de catálogos y monografías de sus fondos.

e) El desarrollo de una actividad didáctica con respecto a sus contenidos.

f) El acceso a sus fondos al personal investigador y a la ciudadanía, excepto cuando suponga peligro para su integridad.

g) Responder con diligencia a las peticiones formuladas por la ciudadanía para la retirada de la exposición al público de bienes que puedan herir la sensibilidad.

h) Otras funciones que en sus normas estatutarias o por disposición legal o reglamentaria se les encomiende.

Artículo 111. Colección museográfica

Son colecciones museográficas aquellos conjuntos de bienes culturales o naturales que, sin reunir todos los requisitos propios de los museos, se encuentran expuestos de manera permanente al público y faciliten el acceso del personal investigador, garantizando las condiciones de conservación y seguridad, y sean creados con arreglo a esta ley.

Artículo 112. Funciones de las colecciones museográficas

a) La protección y conservación de sus bienes.

b) La documentación con criterios científicos de sus fondos.

c) La exhibición ordenada de sus fondos.

d) El fomento y la promoción del acceso público a sus fondos.

e) Cualquiera otra función que en sus normas estatutarias o por disposición legal o reglamentaria se les encomiende.

Artículo 113. Deberes generales de los museos y colecciones museográficas

a) Mantener un registro e inventario actualizado de sus fondos.

b) Informar al público y a la consejería competente en materia de museos del horario y condiciones de visita.

c) Facilitar el acceso a las personas interesadas en la investigación de sus fondos.

d) Elaborar y remitir a la consejería competente en materia de museos las estadísticas y datos informativos sobre sus fondos, actividad, visitantes y prestación de servicios.

e) Difundir los valores culturales de los bienes custodiados.

f) Garantizar la seguridad, conservación y protección de sus fondos.

g) Permitir la inspección de la organización y los servicios prestados, así como de sus instalaciones, fondos y documentación por la consejería competente en materia de museos.

h) Cualesquiera otros que se determinen por disposición legal o reglamentaria.

Artículo 114. Clasificación

1. El régimen jurídico de los museos de Canarias se determina en función de su titularidad, ámbito territorial y contenido temático.

2. Atendiendo a su titularidad, los museos de Canarias se clasifican en museos públicos, concertados y privados.

3. Según su ámbito territorial, los museos se clasifican en autonómicos, insulares y municipales.

4. Por razón de su contenido temático, se clasifican en museos de historia, arqueología, etnografía, de la humanidad, de ciencias, de la naturaleza, ecomuseos, de sitio, de bellas artes, de arte sacro o cualquier otra denominación, en función de su contenido. Esta clasificación no tiene carácter exhaustivo, pudiendo adoptarse otras referencias o combinarse varias de estas materias en la misma institución museística.

Artículo 115. Museos públicos

1. Son museos públicos los gestionados por las administraciones públicas de Canarias.

2. Los museos públicos deben estar suficientemente dotados de medios técnicos y humanos, de manera que puedan cumplir con suficiencia sus funciones normales de conservación, investigación y difusión de los fondos que albergan. En todo caso, contarán con una persona en la dirección y conservación con titulación adecuada, en función del contenido temático del museo.

3. En especial, los museos públicos de ámbito autonómico o insular, con independencia de su contenido temático, prestarán atención particular a su condición de centro de investigación. En su memoria anual se consignará obligatoriamente un apartado específico referido a la investigación desarrollada, el número de personas becarias, las tesis doctorales que se realizan, las publicaciones y demás datos que acrediten la solvencia científica de la institución.

4. Las administraciones públicas de Canarias garantizarán el acceso de la ciudadanía a los museos públicos, con especial atención a la promoción de las visitas escolares, sin perjuicio de las restricciones que, por razón de la conservación de los bienes en ellos custodiados, de los servicios que prestan o de la función de la propia institución, puedan establecerse.

Artículo 116. Museos concertados

1. Son museos concertados aquellos que, constituidos por personas físicas o jurídicas privadas, cubren al menos el treinta por ciento de sus presupuestos con ayudas o subvenciones públicas.

2. Para acogerse al régimen de museo concertado, las personas titulares deberán suscribir un convenio de concertación con la Administración pública que corresponda a su ámbito territorial, donde se especifiquen las condiciones de tutela, financiación y régimen de participación de dicha Administración en sus órganos directivos.

3. Las personas titulares de museos concertados deberán garantizar la seguridad y conservación de los fondos adscritos al museo, la correcta exhibición y difusión de los mismos y el desarrollo de la investigación.

4. Cuando las personas titulares no ejecuten las obligaciones establecidas en el apartado anterior, o aquellas que se deriven de su régimen de concertación, la Administración tutelante podrá proceder a la retirada total o parcial de la financiación, denunciando el convenio de concertación.

5. Los museos concertados deberán permitir el acceso del personal investigador a sus fondos en condiciones de igualdad y sin restricciones injustificadas, así como facilitar, en la medida en que sus medios lo permitan, el desarrollo de programas de investigación que realicen otras entidades científicas en su ámbito.

Artículo 117. Museos privados

1. Tendrán la consideración de museos privados las colecciones particulares que no constituyan museos concertados, siempre que el acceso de la ciudadanía a los mismos sea autorizado por el respectivo cabildo insular.

2. Los museos privados deberán tener sus fondos debidamente inventariados y en condiciones de seguridad y conservación, permitiendo el acceso del personal investigador.

3. El Gobierno de Canarias y los cabildos insulares podrán inspeccionar las instalaciones y fondos de los museos privados con el fin de comprobar el cumplimiento de las condiciones de seguridad y conservación de los bienes depositados.

4. En caso de peligro para la conservación de los materiales, previo requerimiento, la Administración podrá ordenar la ejecución de obras, el depósito provisional de los fondos en otra institución hasta tanto perduren las circunstancias que dieron lugar a dicha medida o, en última instancia, remover la autorización.

Artículo 118. Política de museos

1. La Administración pública de la comunidad autónoma, en coordinación con los cabildos insulares, desarrollará las actuaciones precisas para que todas las islas cuenten con un museo insular, dotado de instalaciones y medios técnicos suficientes para cubrir con solvencia las funciones atribuidas a los mismos en esta ley.

2. De la misma manera, los cabildos insulares, en coordinación con los municipios, gestionarán la creación de museos de historia donde se muestre la evolución histórica de la comunidad y su entorno natural.

3. En colaboración con las autoridades eclesiásticas, podrán crearse museos de arte sacro donde se exhiban objetos artísticos retirados de usos litúrgicos sin llegar a descontextualizar las piezas destinadas a ser objeto de culto religioso o a desvalorizar sus emplazamientos originales.

Artículo 119. Museos arqueológicos y de sitio

1. Los museos arqueológicos de Canarias tendrán siempre y únicamente carácter insular, albergando los fondos generados por la cultura material de cada isla, sin perjuicio de

que puedan exhibirse piezas determinadas de diferentes islas, a fin de presentar una visión comparativa de la historia de Canarias.

2. Son museos de sitio aquellas instalaciones que conservan y exhiben únicamente estructuras halladas en el mismo lugar o en el entorno cercano, así como los objetos arqueológicos a ellas asociados.

3. Los museos de sitio dependerán, en todo caso, de los museos arqueológicos insulares, como dependencias propias de los mismos. Deberán estar dotados de suficientes elementos de protección y conservación de los objetos que alberguen, así como los necesarios para proporcionar su estudio y difusión.

Artículo 120. Creación de los museos y colecciones museográficas

1. La creación de museos públicos de ámbito insular se realizará por el departamento de la Administración pública de la Comunidad Autónoma de Canarias competente en materia de museos, delimitando su ámbito territorial y su contenido temático, siendo gestionados por los cabildos insulares.

2. Para la creación de museos públicos y concertados de ámbito inferior al insular y de museos privados, se presentará ante el correspondiente cabildo insular una declaración responsable manifestando contar con los siguientes requisitos:

a) Plan director del museo, constando las líneas maestras del futuro del museo respecto de sus necesidades.

b) Proyecto arquitectónico, con estudio detallado de las instalaciones previstas y de su adecuación y seguridad para las personas visitantes y colecciones, y en cumplimiento con la legislación aplicable en cuanto a instalaciones de uso público.

c) Plan museológico.

d) Plan de gestión, detallando financiación, presupuesto y personal necesarios y suficientes, así como los medios con que el centro está dotado.

e) Inventario de fondos con los que se cuenta.

f) Régimen de visitas.

g) Estatutos o normas de organización y gobierno, cuando se trate de museos gestionados por las administraciones públicas.

3. Para la creación de colecciones museográficas, se presentará ante el correspondiente cabildo insular una declaración responsable manifestando contar con los siguientes requisitos:

a) Exposición permanente, coherente y ordenada.

b) Inventario de sus fondos.

c) Apertura al público con carácter fijo, continuado o periódico.

d) Medidas de seguridad adecuadas y suficientes para sus fondos.

e) Medidas de accesibilidad para facilitar la investigación y la consulta de sus fondos.

4. En la declaración responsable, cuyo modelo será establecido por el correspondiente cabildo insular, se harán constar los datos de la persona titular y del centro museístico, manifestando el cumplimiento de los requisitos exigidos, así como el compromiso a mantener su cumplimiento durante el tiempo de vigencia de la actividad y comunicar cualquier cambio que se produzca en ellos, además de disponer de la documentación acreditativa que corresponda a efectos de su comprobación por la Administración.

5. La presentación de la declaración responsable habilitará, a los efectos previstos en esta ley y sin perjuicio de otras exigencias legales, para el ejercicio de la actividad desde ese mismo día con carácter indefinido.

Artículo 121. Sistema Canario de Museos

1. Constituye el Sistema Canario de Museos el conjunto organizado de todos los museos públicos, concertados y privados con acceso de la ciudadanía a los mismos, que, bajo los principios de cooperación y coordinación, actúan conjuntamente a los efectos de promoción, investigación, protección y difusión del patrimonio museográfico de Canarias.

2. El departamento de la Administración pública de la comunidad autónoma competente en materia de museos, en coordinación con quienes sean titulares de los museos, mantendrá un inventario actualizado de los fondos, los medios y las dotaciones con que cuentan los museos de Canarias, de las actividades de investigación y difusión que realizan y de los servicios que prestan.

3. En todo caso, se garantizará la unidad documental del inventario del patrimonio de todos los centros museísticos de Canarias, con independencia de su titularidad, ámbito territorial, contenido temático y carácter, mediante soportes informáticos regularizados.

Artículo 122. Registro de Museos y Colecciones de Canarias

1. Se crea el Registro de Museos de Canarias, adscrito al departamento de la Administración pública de la comunidad autónoma competente en materia de museos.

2. El departamento de la Administración pública de la comunidad autónoma competente en materia de museos procederá de oficio a la inscripción en el Registro de Museos y Colecciones de Canarias de los museos públicos de ámbito insular. La inscripción de los museos públicos y concertados de ámbito inferior al insular, los museos privados y las colecciones museográficas se inscribirán a instancia del correspondiente cabildo insular, conforme al contenido de la declaración responsable. El indicado departamento de la Administración pública de la comunidad autónoma podrá cancelar la inscripción en el registro, mediante resolución motivada y previa audiencia de los interesados, cuando por el mismo se constate la inexactitud, falsedad u omisión, de carácter esencial, de cualquier dato que contenga la declaración responsable o cuando se produzca el incumplimiento sobrevenido de algún requisito. Dicha cancelación supondrá la inhabilitación para el ejercicio de la actividad sobre la que se hubiera emitido la declaración responsable.

3. Sin perjuicio de lo dispuesto en el apartado anterior, en el registro deberán figurar, al menos, los datos relativos a la titularidad, órganos rectores, domicilio, ámbito territorial, contenido temático, carácter, fondos que custodia y normas de funcionamiento.

4. El departamento de la Administración pública de la comunidad autónoma competente en materia de museos mantendrá el registro actualizado, tanto de los museos y colecciones como de sus fondos y dotación de servicios.

5. Asimismo, la información de que se disponga en el referido registro se facilitará al departamento competente en materia de ordenación del territorio del Gobierno de Canarias, a los efectos de su inclusión en el Sistema de Información Territorial de Canarias.

Artículo 123. Control de los fondos museísticos

1. Todos los museos de Canarias contarán con:
a) Un libro-registro.
b) Un registro de depósitos.

2. Todos los bienes integrantes del patrimonio cultural de Canarias que, por cualquier título, distinto del depósito, custodie el museo deberán:
a) Ser anotados en el libro-registro del museo por orden cronológico de su ingreso, haciendo constar el título por el que ingresan y los datos que permitan su perfecta identificación.
b) Marcarse con el número de inscripción mediante la impresión de aquel por el procedimiento más adecuado a la naturaleza de los fondos.

3. Los bienes que ingresen en el museo en concepto de depósito se inscribirán en el registro de depósitos, haciendo constar los datos que permitan su identificación. Las bajas de dichos bienes se anotarán en el indicado registro. Las salidas temporales de los bienes custodiados se anotarán en el registro de depósito y en el libro-registro.

Artículo 124. Inventario del museo

Los fondos de los museos de Canarias, sean públicos, concertados o privados, deberán estar debidamente documentados en el inventario del museo. Sus responsables deberán facilitar a la Administración de la comunidad autónoma una copia del inventario donde consten todos los bienes que custodien, se encuentren o no expuestos al público, así como, al término de cada año natural, copia fehaciente del libro-registro y del registro de depósitos en el que aparezcan debidamente consignadas las incidencias producidas durante el año.

Artículo 125. Traslados de los fondos

Quienes sean titulares de los museos de Canarias darán cuenta al departamento de la Administración pública de la Comunidad Autónoma de Canarias competente en materia de museos de los traslados de los fondos fuera de su territorio, aunque fuese en concepto de depósito temporal.

TÍTULO IX. Medidas de fomento

Artículo 126. Medidas de fomento

1. Las administraciones públicas establecerán medidas de fomento para la conservación, investigación, documentación, recuperación, restauración, difusión y puesta en valor o uso del patrimonio cultural de Canarias, de acuerdo con las disponibilidades presupuestarias.

2. Las medidas de fomento podrán ser:
a) Subvenciones o ayudas.
b) Beneficios fiscales.
c) Pago con bienes culturales.
d) Acceso preferente a crédito oficial o subsidiado con fondos públicos.
e) Inversión en patrimonio cultural.
f) Difusión, enseñanza e investigación.
g) Distinciones.
h) Cualesquiera otras que pudieran concederse con sujeción a la legislación vigente.

3. En el otorgamiento de las medidas de fomento previstas en este artículo que tengan carácter económico, se fijarán las garantías necesarias para evitar la especulación con los bienes sobre los que recaigan.

4. Si en el plazo de diez años, a contar desde el otorgamiento de la medida de fomento de carácter económico, la Administración pública de la Comunidad Autónoma de Canarias, o el respectivo cabildo insular, adquirieren el bien, se deducirá del precio de adquisición la cantidad equivalente al importe actualizado de la medida de fomento, que se considerará como pago a cuenta.

5. Las personas físicas o jurídicas que no cumplan el deber de conservación y demás obligaciones establecidas en esta ley no podrán acogerse a medidas de fomento.

Artículo 127. Subvenciones o ayudas

Las subvenciones o ayudas que se concedan para la conservación, investigación, documentación, recuperación, restauración, difusión y puesta en valor o uso del patrimonio cultural de Canarias, estarán sometidas a la legislación específica en la materia.

Artículo 128. Beneficios fiscales

Los bienes de interés cultural y los bienes catalogados gozarán de los beneficios fiscales que, en el ámbito de las respectivas competencias, determinen la legislación del Estado, la legislación de la Comunidad Autónoma de Canarias o las ordenanzas locales.

Artículo 129. Pago con bienes culturales

1. Las personas físicas o jurídicas propietarias de bienes de interés cultural o bienes catalogados, deudoras de la Hacienda de la comunidad autónoma por cualquier causa o título podrán hacer pago total o parcial de sus deudas mediante la dación de tales bienes. Tratándose de tributos cedidos por el Estado, se estará a lo dispuesto en la normativa estatal.

2. Se podrá efectuar el pago de deudas mediante bienes culturales previa oferta presentada por la persona interesada ante el departamento de la Administración pública de la Comunidad Autónoma de Canarias competente en materia de hacienda, que podrá aceptar el pago, previo informe favorable del departamento de la misma Administración competente en materia de patrimonio cultural, respecto del interés de los bienes para la Comunidad Autónoma de Canarias, en el que se incluirá una valoración de los mismos.

3. Tratándose de deudas tributarias, con la presentación de la oferta de la persona interesada se entenderá suspendido el procedimiento recaudatorio, que se reanudará con la denegación del pago de la deuda con bienes culturales. De presentarse la oferta una vez vencido el periodo de pago voluntario, la deuda no dejará de devengar los intereses que legalmente corresponda.

4. La cuantía mínima a partir de la cual se podrá llevar a cabo el pago de deudas con la Hacienda de la Comunidad Autónoma de Canarias, se establecerá por orden de la persona titular del departamento de la Administración pública de la Comunidad Autónoma de Canarias competente en materia de hacienda.

Artículo 130. Acceso preferente al crédito oficial o subsidiado con fondos públicos

1. Los presupuestos de la Comunidad Autónoma de Canarias y de los cabildos insulares incluirán anualmente fondos específicos con destino a la conservación, investigación, documentación, recuperación, restauración, difusión y puesta en valor o uso de bienes integrantes del patrimonio cultural de Canarias.

2. Las personas físicas o jurídicas, propietarias, poseedoras o titulares de derechos reales sobre bienes de interés cultural, o bienes catalogados, tendrán derecho de acceso preferente a tales fondos.

Artículo 131. Inversión en patrimonio cultural de Canarias

1. En el presupuesto de licitación de cada obra pública, con valor estimado superior a trescientos mil euros, que se financie total o parcialmente con créditos consignados en inversiones reales de los presupuestos de la Administración pública de la Comunidad Autónoma de Canarias, sus organismos autónomos y entidades que se integran en el sector público con presupuesto limitativo, se consignará un importe correspondiente, al menos, al uno coma cinco por ciento del presupuesto de licitación para destinarlo a investigación, documentación, conservación, restauración, difusión, enriquecimiento, puesta en valor o uso o redacción de instrumentos de protección del patrimonio cultural de Canarias.

2. El uno coma cinco por ciento a que se refiere el apartado anterior generará o ampliará los créditos del departamento de la Administración pública de la Comunidad Autónoma de Canarias competente en materia de patrimonio cultural.

3. En el caso de que la obra pública se ejecute en virtud de concesión administrativa, el porcentaje mínimo del uno coma cinco por ciento se aplicará al importe total de ejecución de la obra.

Artículo 132. Difusión, enseñanza e investigación

1. La Administración pública de la Comunidad Autónoma de Canarias, los cabildos insulares y los ayuntamientos de Canarias promoverán el conocimiento del patrimonio cultural mediante las adecuadas campañas públicas de divulgación y sensibilización, así como su aprecio general como base imprescindible de toda política de protección y fomento del mismo.

2. La Administración pública de la Comunidad Autónoma de Canarias promoverá la enseñanza especializada y la investigación en las materias relativas a la conservación y el enriquecimiento del patrimonio cultural de Canarias y establecerá los medios de colaboración adecuados a dicho fin con las universidades y los centros de formación e investigación especializados, públicos y privados.

Artículo 133. Distinciones

El departamento de la Administración pública de la Comunidad Autónoma de Canarias competente en materia de patrimonio cultural, mediante orden de la persona titular del mismo, podrá conceder el distintivo de "protector del patrimonio cultural de Canarias" a todas aquellas personas físicas o jurídicas que se distingan especialmente por su contribución a la protección y difusión de aquel. Las personas beneficiarias podrán hacer uso de dicha distinción en todas las manifestaciones propias de su actividad.

TÍTULO X. Inspección del patrimonio cultural y régimen sancionador

CAPÍTULO I. Inspección del patrimonio cultural

Artículo 134. Inspección del patrimonio cultural

1. La inspección del patrimonio cultural es la función que los correspondientes órganos administrativos competentes realizan para la vigilancia y el control de la legalidad en sus respectivos ámbitos. Su ejercicio es de inexcusable observancia para las administraciones a las que esta ley atribuye competencias respecto a la tutela de los bienes integrantes del patrimonio cultural de Canarias.

2. La labor de inspección se realizará bajo la superior autoridad y dirección de la persona titular del respectivo órgano competente, por el personal funcionario al que se atribuya este cometido dentro de cada uno de ellos. Dicho personal funcionario deberá ostentar titulación superior adecuada y preferentemente con experiencia en tareas de conservación y difusión.

Artículo 135. Ejercicio de la actividad inspectora

1. En el ejercicio de la actividad inspectora, el personal inspector tendrá la consideración de agente de la autoridad, con las facultades que le confiere la normativa vigente.

2. En el ejercicio de sus funciones, estará provisto de la correspondiente acreditación, expedida por el órgano competente, con la que se identificará en el desempeño de sus funciones, pudiendo recabar auxilio del Cuerpo General de la Policía Canaria y del resto de cuerpos y fuerzas de seguridad.

Artículo 136. Funciones de la inspección

Las funciones de la inspección de patrimonio cultural se desempeñarán mediante las siguientes actuaciones:

a) Vigilar y controlar el cumplimiento de la normativa vigente en materia de protección del patrimonio cultural.

b) Levantar actas y emitir informes sobre el estado de los bienes integrantes del patrimonio cultural de Canarias, así como de las intervenciones que sobre ellos se realicen.

c) Proponer a los órganos competentes la adopción de medidas cautelares o cualquier otra actuación que se estime necesaria para el mejor cumplimiento de los fines de protección del patrimonio cultural.

d) Cualquier otra función que se atribuya legal o reglamentariamente.

CAPÍTULO II. Régimen sancionador

Sección 1. Infracciones

Artículo 137. Concepto y clasificación de infracciones

1. Son infracciones administrativas en materia de protección del patrimonio cultural las acciones y omisiones que supongan incumplimiento de las obligaciones establecidas en esta ley.

2. Las infracciones en materia de patrimonio cultural se clasifican en leves, graves y muy graves.

Artículo 138. Infracciones leves

1. Constituyen infracciones leves en materia de patrimonio cultural de Canarias:

a) Incumplir el régimen de visita pública o con fines de estudio previamente establecido.

b) Obstaculizar el acceso de las personas representantes de la Administración pública a bienes con posibles valores patrimoniales, durante la tramitación de los instrumentos de protección previstos en esta ley.

c) No notificar las transmisiones onerosas en los supuestos previstos en esta ley.

d) No comunicar los actos jurídicos o los traslados que afecten a los bienes declarados de interés cultural, los incluidos en el catálogo insular o municipal, o con procedimiento incoado al efecto, así como la omisión o inexactitud de los datos que deban constar en el correspondiente instrumento de protección.

e) No llevar el libro de registro de las transmisiones que afecten a bienes muebles declarados de interés cultural, los incluidos en el catálogo insular o municipal, o con procedimiento incoado al efecto, así como la omisión o inexactitud de los datos que deben constar en el correspondiente instrumento de protección.

f) No comunicar en tiempo y forma las subastas que afecten a bienes integrantes del patrimonio cultural de Canarias, en los casos previstos por esta ley.

g) Omitir el deber de conservación cuando dicha omisión comporte daños leves.

h) No comunicar al cabildo insular competente la apertura de expedientes de ruina, o sus incidencias, en los casos previstos por esta ley.

i) No entregar, en el plazo conferido para ello y previo requerimiento, los materiales arqueológicos o la documentación resultantes de una actividad arqueológica autorizada.

j) Realizar actividades arqueológicas autorizadas sin adoptar las medidas de protección o sin cumplir las condiciones establecidas en la autorización, cuando comporten daños leves.

k) Obstaculizar el ejercicio de la potestad inspectora.

l) No cumplir las órdenes de ejecución en bienes incluidos en alguno de los instrumentos de protección de esta ley, o con procedimiento incoado al efecto, cuando haya precedido requerimiento de la Administración en caso de que, como consecuencia de ello, se produjeren daños leves en el bien objeto de dichas órdenes.

m) No comunicar a la Administración pública competente en el plazo establecido un hallazgo casual de restos arqueológicos, o difundir su conocimiento antes de haber realizado la citada comunicación.

n) No comunicar cualquier hallazgo o afección en los bienes, acaecidos en el curso de una actividad de control arqueológico, si ello comporta daños leves en dichos bienes.

ñ) No comunicar al cabildo insular correspondiente, en el plazo legalmente establecido, las licencias otorgadas en el ámbito del conjunto histórico cuando este cuente con plan especial de protección en vigor.

o) No colaborar en la confección de los instrumentos de protección del patrimonio cultural de Canarias.

p) Realizar sin la preceptiva autorización o licencia o incumpliendo las condiciones de su otorgamiento cualquier intervención o cambio de uso sobre bienes integrantes del patrimonio cultural de Canarias, si ello comporta daños leves.

q) Otorgar licencias o autorizaciones para la realización de intervenciones en bienes de interés cultural o bienes catalogados, contraviniendo las determinaciones de los catálogos insular o municipal, o del plan especial de protección del bien de interés cultural, cuando dicha infracción conlleve daños leves en el bien.

r) No acatar las medidas cautelares reguladas en esta ley, si comporta daños leves para el bien objeto de las mismas.

s) No cumplir las medidas de protección determinadas en el informe derivado de la inspección periódica de edificaciones regulada en el artículo 67, cuando conlleve daños leves.

t) Alterar o manipular yacimientos arqueológicos, si ello comporta daños leves.

u) Separar sin autorización los bienes muebles vinculados a inmuebles declarados bien de interés cultural incluidos en un catálogo insular, o con procedimiento incoado al efecto.

v) Incumplir la obligación de comunicar los traslados que afecten a bienes muebles declarados de interés cultural, catalogados, o con procedimiento incoado al efecto, o incumplir las medidas de seguridad impuestas en la autorización de traslado, cuando como consecuencia de la infracción se produzcan daños leves en el bien.

w) Destruir o alterar los elementos destinados a la protección de bienes patrimoniales culturales.

x) Destruir o alterar los rótulos, señales o paneles que contengan información relativa a los bienes patrimoniales culturales.

y) No efectuar o no cumplir las actuaciones de control arqueológico, si ello comporta daños leves a bienes del patrimonio cultural de Canarias.

2. También se considerará infracción leve cualquier incumplimiento de obligaciones contenidas en esta ley cuando no esté expresamente tipificado como infracción grave o muy grave.

Artículo 139. Infracciones graves

Constituyen infracciones graves en materia de patrimonio cultural de Canarias:

a) Realizar sin la preceptiva autorización o licencia o incumpliendo las condiciones de su otorgamiento cualquier intervención o cambio de uso sobre bienes integrantes del patrimonio cultural de Canarias, si ello comporta daños graves.

b) Otorgar licencias o autorizaciones para la realización de intervenciones en bienes de interés cultural o bienes catalogados, contraviniendo las determinaciones de los catálogos insular, municipal, o del plan especial de protección del bien de interés cultural, cuando dicha infracción conlleve daños graves.

c) Omitir el cumplimiento del deber de conservación cuando dicha omisión suponga daños graves para el inmueble considerado.

d) Realizar sin la preceptiva autorización o incumpliendo las condiciones de su otorgamiento cualquier tipo de actividad arqueológica, si ello conlleva daños graves.

e) No paralizar inmediatamente cualquier tipo de actuación en un lugar donde se haya producido un hallazgo casual de restos arqueológicos.

f) Ocultar a la Administración los hallazgos casuales de yacimientos u bienes arqueológicos.

g) No comunicar a la autoridad competente los objetos o colecciones de materiales arqueológicos que se posean por cualquier concepto, o no entregarlos en los casos previstos en esta ley, así como hacerlos objeto de tráfico.

h) Ejecutar cualquier tipo de manipulación mecánica o de contacto sobre grabados o pinturas rupestres que causen daños a los grafismos o a su soporte natural o removerlos de sus emplazamientos originales.

i) Incumplir la obligación de comunicación de los traslados que afecten a bienes muebles declarados de interés cultural, catalogados, o con procedimiento incoado al efecto, o incumplir las medidas de seguridad impuestas en la autorización de traslado, cuando como consecuencia de la infracción se produzcan daños graves en el bien.

j) No cumplir, cuando haya precedido requerimiento de la Administración, las órdenes de ejecución de obras de conservación en bienes de interés cultural o bienes catalogados, cuando haya precedido requerimiento de la Administración, en caso de que, como consecuencia de la omisión o dilación en el cumplimiento, se produjeren daños graves en el bien objeto de dichas órdenes.

k) No comunicar cualquier hallazgo o afección en los bienes del patrimonio cultural de Canarias acaecidos en el curso de una actividad de control arqueológico, si comporta daños graves.

l) Otorgar licencia sobre bienes de interés cultural o bienes catalogados sin la autorización del cabildo insular o incumpliendo las condiciones de su otorgamiento, si ello comporta daños graves.

m) Otorgar licencia en contra de las determinaciones de los planes especiales de protección de los conjuntos históricos o de los catálogos insulares, si ello comporta daños graves.

n) No acatar las medidas cautelares reguladas en esta ley, cuando conlleve daños graves.

ñ) No cumplir las medidas de protección determinadas en el informe derivado de la inspección periódica de edificaciones regulada en el artículo 67, cuando conlleve daños graves.

o) Alterar o manipular yacimientos arqueológicos, si ello comporta daños graves.

p) No efectuar o cumplir las actuaciones de control arqueológico, si ello comporta daños graves a bienes del patrimonio cultural de Canarias.

Artículo 140. Infracciones muy graves

Constituyen infracciones muy graves en materia de patrimonio cultural de Canarias:

a) Demoler total o parcialmente, sin autorización para ello, cualquier bien de interés cultural, bien catalogado, o con procedimiento incoado al efecto, o, en su caso, cualquier elemento específicamente protegido.

b) Destruir o alterar significativamente un yacimiento arqueológico.

c) Llevar a cabo cualquier tipo de actividad arqueológica sin autorización para ello, cuando se produzcan daños muy graves en el bien.

d) No adoptar las medidas de protección o incumplir los condicionantes establecidos en intervenciones arqueológicas autorizadas, si ello diera lugar a daños muy graves en los bienes.

e) No cumplir las órdenes de ejecución que recaigan sobre un bien de interés cultural o bien catalogado, o con procedimiento incoado al efecto, cuando haya precedido requerimiento de la Administración, y que por omisión o dilación se produjeran daños muy graves en el bien objeto de dichas órdenes.

f) Otorgar licencia sin previa autorización administrativa, o incumpliendo las condiciones de esta, cuando fueran preceptivas, o en contra de la protección otorgada por las determinaciones de un catálogo insular, o de un plan especial de protección, cuando dicha licencia tuviere por objeto la demolición parcial de un bien de interés cultural, bienes catalogados o comportara daños irreversibles a un yacimiento arqueológico.

g) No entregar, a requerimiento de la Administración, bienes arqueológicos.

h) Ejercer el tráfico mercantil con bienes a los que se refiere el artículo 61 de la presente ley.

i) Perder o deteriorar los objetos arqueológicos que se posean en calidad de depositario, en el supuesto de que exista dolo o negligencia grave.

j) Omitir el cumplimiento del deber de conservación, cuando dicha omisión suponga daños muy graves para el bien considerado.

k) No comunicar inmediatamente cualquier hallazgo o afección en los bienes culturales acaecidos en el curso de una actividad de control arqueológico, si comporta daños muy graves.

l) No cumplir las medidas cautelares reguladas en el artículo 59 de la presente ley, cuando conlleve daños muy graves para el patrimonio cultural de Canarias.

m) No cumplir las medidas de protección determinadas en el informe previsto en el artículo 67 de la presente ley, cuando conlleve daños muy graves.

n) Alterar o manipular yacimientos arqueológicos, si ello comporta daños muy graves.

ñ) No comunicar los traslados que afecten a un bien de interés cultural, bienes incluidos en un catálogo insular, o con procedimiento incoado al efecto, cuando, como consecuencia de la falta de medidas de seguridad durante el traslado, se produjeran daños muy graves para el objeto protegido.

Artículo 141. Responsables

1. Son responsables de las infracciones, además de quienes hayan cometido las acciones u omisiones en que la infracción consista:

a) Las personas promotoras, por lo que respecta a la realización ilegal de obras.

b) Las personas directoras de la obra, por lo que respecta a la realización ilegal de obras y al incumplimiento de las órdenes de suspensión.

c) Quienes, conociendo la comisión de la infracción, obtengan un beneficio económico de la realización de los hechos constitutivos de infracción.

d) Las corporaciones locales que otorguen licencias o autorizaciones contraviniendo esta ley o que incurran en cualquier otra infracción tipificada en ella.

2. Las sanciones que se impongan por motivo de unos mismos hechos a varios responsables, tendrán carácter independiente entre sí.

Sección 2. Sanciones

Artículo 142. Sanciones

1. Las infracciones cuyos daños puedan ser evaluados económicamente serán sancionadas con multa del tanto al cuádruple del valor del daño causado. En caso contrario, se sancionarán con arreglo a la siguiente escala:

a) Las infracciones leves, con multa hasta tres mil euros.

b) Las infracciones graves, con multa desde tres mil un euros hasta ciento cincuenta mil euros.

c) Las infracciones muy graves, con multa desde ciento cincuenta mil un euros hasta seiscientos mil euros.

2. Cuando la cuantía de la multa resulte inferior al beneficio obtenido con la comisión de la infracción, la sanción será incrementada hasta el límite del beneficio.

3. Cuando de la comisión de una infracción derive necesariamente la comisión de otra u otras infracciones, se deberá imponer únicamente la sanción correspondiente a la infracción más grave cometida.

4. Los importes de las multas impuestas por la comisión de infracciones previstas en esta ley se destinarán a medidas que reviertan en beneficio del patrimonio cultural de Canarias.

Artículo 143. Graduación

La graduación de las sanciones se realizará de acuerdo con el principio de proporcionalidad, observando la debida idoneidad y necesidad de la sanción a imponer y su adecuación a la gravedad del hecho constitutivo de infracción, considerando especialmente los siguientes criterios:

a) El grado de culpabilidad o la existencia de intencionalidad.

b) La continuidad o persistencia de la conducta infractora.

c) La naturaleza de los perjuicios causados.

d) La reincidencia, por comisión en el término de un año de más de una infracción de la misma naturaleza, cuando así haya sido declarado por resolución firme en vía administrativa.

Artículo 144. Obligación de reparación

1. Las infracciones de las que se deriven daños para el patrimonio cultural de Canarias llevarán aparejada una resolución que imponga la sanción que resulte procedente, donde la Administración podrá ordenar al infractor la reparación de los daños causados, mediante órdenes de ejecución, para restituir el bien afectado a su estado anterior. En el supuesto de inmuebles, en ningún caso podrá obtenerse mayor edificabilidad que la del bien afectado.

2. El incumplimiento de esta obligación de reparación facultará a la Administración para actuar de forma subsidiaria, realizando las obras y actuaciones necesarias a cargo del infractor y utilizando, en su caso, la vía de apremio para reintegrarse de su coste.

3. La obligación de reparación y restitución de los bienes a su estado originario será imprescriptible.

Sección 3. Procedimiento sancionador

Artículo 145. Procedimiento sancionador

Será de aplicación la normativa estatal vigente reguladora del procedimiento sancionador y de los principios de la potestad sancionadora.

Artículo 146. Órganos administrativos competentes

1. La competencia para incoar procedimientos sancionadores por la comisión de infracciones muy graves y graves corresponderá a la persona titular del centro directivo del departamento de la Administración pública de la Comunidad Autónoma de Canarias competente en materia de patrimonio cultural.

2. La competencia para incoar procedimientos sancionadores por la comisión de infracciones leves corresponderá al órgano competente en materia de patrimonio cultural del cabildo insular correspondiente.

3. El departamento de la Administración pública de la comunidad autónoma competente en materia de patrimonio cultural podrá actuar por subrogación si comunicase a un cabildo insular la existencia de una presunta infracción leve y este no incoase el procedimiento sancionador en el plazo de un mes a contar desde la comunicación.

4. El órgano competente para incoar el procedimiento sancionador podrá adoptar las medidas provisionales que sean necesarias para evitar daños a los bienes integrantes del patrimonio cultural de Canarias, lo que supondrá la suspensión de cualquier actividad que ponga en riesgo su conservación.

5. En el ámbito de la Administración pública de la Comunidad Autónoma de Canarias, el órgano competente para sancionar por la comisión de infracciones muy graves y graves será el que se determine en cada momento en la norma reguladora de la estructura orgánica del departamento de la Administración pública de la comunidad autónoma competente en materia de patrimonio cultural. Corresponderá a los cabildos insulares determinar el órgano competente para sancionar por la comisión de infracciones leves.

Artículo 147. Denuncia

1. Cualquier persona física o jurídica podrá denunciar los hechos que pudieran ser constitutivos de infracción en materia de protección del patrimonio cultural.

2. La formulación de denuncia no vincula al órgano competente para iniciar el procedimiento sancionador, si bien deberá comunicar a quien la hubiera formulado los motivos por los que, en su caso, no procede la iniciación del procedimiento.

Artículo 148. Conductas constitutivas de ilícito penal

1. En cualquier momento del procedimiento sancionador en el que los órganos competentes juzguen que los hechos también pueden ser constitutivos de ilícito penal, se lo comunicarán al Ministerio Fiscal, solicitarán testimonio sobre las actuaciones practicadas con respecto a la comunicación y acordarán la suspensión del procedimiento sancionador hasta que recaiga resolución judicial firme, lo que se notificará a la persona interesada.

En estos supuestos, así como cuando se tenga conocimiento de que se está desarrollando un proceso penal sobre el mismo hecho, sujeto y fundamento, se suspenderá el procedimiento sancionador y se solicitará del órgano judicial comunicación sobre las actuaciones adoptadas.

2. La sanción penal excluirá la imposición de sanción administrativa cuando se produzca identidad de sujeto, hecho y fundamento jurídico, pero no excluye la adopción de medidas de restablecimiento de la legalidad y reparación de los daños causados.

3. En todo caso, los hechos declarados probados por resolución penal firme vinculan a los órganos administrativos con respecto a los procedimientos sancionadores que se tramiten.

Artículo 149. Plazo de resolución del procedimiento sancionador

El plazo máximo para resolver y notificar el procedimiento sancionador será de un año, desde la fecha del acuerdo de iniciación. Transcurrido este plazo, sin perjuicio de las posibles interrupciones de su cómputo por causas imputables a las personas interesadas o por la suspensión del procedimiento, se declarará la caducidad del procedimiento, pudiendo volver a iniciarse en tanto no haya prescrito la infracción.

Artículo 150. Prescripción

1. Las infracciones administrativas tipificadas en esta ley prescriben:

a) Las muy graves, a los cinco años.
b) Las graves, a los tres años.
c) Las leves, al año.
2. Las sanciones previstas en esta ley prescribirán:
a) Las impuestas por infracciones muy graves, a los cinco años.
b) Las impuestas por infracciones graves, a los tres años.
c) Las impuestas por infracciones leves, al año.
3. El cómputo del plazo de la prescripción se iniciará:
a) El de las infracciones, desde el día en que se hayan cometido o desde que se tenga conocimiento efectivo de ellas. En los casos de infracciones continuadas o permanentes, el plazo comenzará a correr desde que finalizó la conducta infractora.
b) El de las sanciones, desde el día siguiente a aquel en que sea ejecutable la resolución por la que se impone la sanción o haya transcurrido el plazo para recurrirla. Interrumpirá la prescripción la iniciación, con conocimiento de la persona interesada, del procedimiento de ejecución, volviendo a transcurrir el plazo si aquel está paralizado durante más de un mes por causa no imputable a la persona infractora. En el caso de desestimación presunta del recurso de alzada interpuesto contra la resolución por la que se impone la sanción, el plazo de prescripción de la sanción comenzará a contarse desde el día siguiente a aquel en que finalice el plazo legalmente previsto para la resolución de dicho recurso.
4. La prescripción se interrumpe:
a) La de las infracciones, por la iniciación, con conocimiento de la persona interesada, del procedimiento sancionador, reanudándose el plazo de prescripción si el procedimiento estuviese paralizado durante más de un mes por causa no imputable a la persona presunta responsable.
b) La de las sanciones, por la iniciación, con conocimiento de la persona interesada, del procedimiento de ejecución, volviendo a transcurrir el plazo si aquel está paralizado durante más de un mes por causa no imputable a la persona infractora.

DISPOSICIONES ADICIONALES

Primera. De los funcionarios coadyuvantes en las funciones de vigilancia, protección y custodia de la alta inspección y de los servicios insulares de patrimonio cultural e histórico
1. Los funcionarios de las guarderías forestales y los agentes de medio ambiente, tendrán el carácter de inspectores colaboradores de la alta inspección y de los correspondientes servicios insulares de patrimonio cultural e histórico, a los efectos del artículo 136 de esta ley y con respeto a su normativa reguladora específica.
2. La Alta Inspección de la Comunidad Autónoma de Canarias y los correspondientes servicios insulares de protección del patrimonio cultural e histórico podrán solicitar el apoyo o colaboración de estos funcionarios a través de sus correspondientes centros directivos.

Segunda. Regulación de la canaricultura deportiva o de competición
Con carácter general, la canaricultura de competición, en Canarias, se regirá por la presente ley hasta su regulación específica, integrándose, a tal fin, las entidades que se dediquen a ello en la Federación Ornitológica Canaria.

Tercera. Dotación económica y personal técnico
1. Los presupuestos de la Comunidad Autónoma de Canarias incorporarán dotación económica suficiente para dar cumplimiento a los objetivos y obligaciones previstos en la presente ley.

2. La Administración de la comunidad autónoma, por sí misma o través de cualquier organismo autónomo o entidad empresarial de titularidad autonómica, habilitará y potenciará líneas de financiación con el objeto de dotar de la oportuna asistencia técnica a los ayuntamientos o mancomunidades de municipios para los objetivos y obligaciones previstos en esta ley, y de manera particular, para la creación de unidades municipales o intermunicipales de patrimonio, así como para la tramitación y elaboración de planes de actuación e instrumentos de protección, quedando facultado legalmente para su creación si fuera necesario.

Cuarta. Yacimientos paleontológicos

El patrimonio paleontológico de Canarias, formado por los bienes muebles e inmuebles que contienen elementos representativos de la evolución de los seres vivos, así como los componentes geológicos y paleoambientales de la cultura, se regirá por la normativa sobre espacios naturales protegidos de Canarias.

Quinta. Régimen del patrimonio paleontológico

Hasta tanto se regulen reglamentariamente las actuaciones paleontológicas en yacimientos o zonas con elementos o piezas en estado fósil en la Comunidad Autónoma de Canarias, las intervenciones que se desarrollen se ajustarán a lo previsto en el Decreto 262/2003, de 23 de septiembre, por el que se aprueba el Reglamento sobre Intervenciones Arqueológicas en la Comunidad Autónoma de Canarias.

A estos efectos, el patrimonio paleontológico de Canarias está formado por los bienes muebles e inmuebles que contienen elementos representativos de la evolución de los seres vivos, así como los componentes geológicos y paleoambientales de la cultura.

Sexta. Personal con funciones de inspección del patrimonio cultural

1. Las administraciones públicas canarias, en el plazo máximo de tres años desde la entrada en vigor de la presente ley, convocarán los procedimientos selectivos que permitan que todo el personal que desempeñe funciones de inspección del patrimonio cultural quede integrado como personal funcionario en cuerpos, escalas, especialidades o en puestos de trabajo, en su caso, del Grupo A, Subgrupo A1.

2. El personal funcionario y laboral que, a la entrada en vigor de esta ley, esté desempeñando funciones de inspección del patrimonio cultural en cualquiera de las administraciones públicas canarias a las que esta ley atribuye competencias respecto a la tutela de bienes integrantes del patrimonio cultural de Canarias, podrá seguir desempeñando las citadas funciones hasta que finalicen los procedimientos selectivos que se prevén en el apartado anterior.

3. El personal funcionario de carrera y el personal laboral fijo que, estando en la situación regulada en esta disposición, no participe o no supere los procedimientos selectivos previstos en el apartado primero, quedará en su actual cuerpo, escala, especialidad o puesto de trabajo, en su caso, a extinguir.

DISPOSICIONES TRANSITORIAS

Primera. Incorporación de las cartas arqueológicas y etnográficas municipales a los instrumentos de protección

Las cartas arqueológicas y etnográficas previstas en la Ley 4/1999, de 15 de marzo, de Patrimonio Histórico de Canarias, aprobadas o en trámite de aprobación a la entrada en vigor de la presente ley deberán incorporarse a alguno de los instrumentos de protección señalados en esta ley y al Sistema de Información del Patrimonio Cultural de Canarias en un plazo máximo de tres años. No obstante, aquellas cartas que se encuentren incorporadas a otros instrumentos de ordenación de ámbito insular, podrán quedar automáticamente integradas en el catálogo insular respectivo, previa comunicación al departamento de la Administración pública de la Comunidad Autónoma de Canarias competente en materia de patrimonio cultural.

Segunda. Régimen transitorio del patrimonio paleontológico

1. Los patrimonios paleontológicos declarados como bienes de interés cultural antes de la entrada en vigor de la presente ley deberán incorporarse a los instrumentos de ordenación previstos en la normativa sobre espacios naturales protegidos de Canarias en el plazo máximo de dos años.

2. En tanto no se incorporen a los instrumentos de ordenación previstos en la normativa sobre espacios naturales protegidos de Canarias, continuarán rigiéndose por las cartas paleontológicas municipales u otros instrumentos aprobados al amparo de la Ley 4/1999, de 15 de marzo, de Patrimonio Histórico de Canarias.

3. Las actuaciones paleontológicas que se realicen en yacimientos o zonas con elementos o piezas en estado fósil en la comunidad autónoma deberán ser autorizadas de acuerdo con el Reglamento sobre intervenciones arqueológicas en la Comunidad Autónoma de Canarias, en tanto no se apruebe su reglamento específico.

Tercera. Personas físicas o jurídicas, públicas o privadas, en posesión de objetos arqueológicos considerados de dominio público

Las personas físicas o jurídicas, públicas o privadas, que a la entrada en vigor de la presente ley estuvieran en posesión de objetos arqueológicos considerados de dominio público deberán comunicarlo o depositarlos en los términos previstos en el artículo 86 de la presente ley, en el plazo de un año.

Cuarta. Normas aplicables a los procedimientos en trámite

Los procedimientos administrativos de cualquier clase iniciados con anterioridad a la entrada en vigor de esta ley se ajustarán a las normas aplicables en el momento de incoación, salvo lo dispuesto en la disposición siguiente, para la caducidad de los procedimientos para la declaración como bien de interés cultural.

Quinta. Caducidad de los procedimientos de declaración de bien de interés cultural

Los procedimientos incoados para la declaración de un bien de interés cultural con anterioridad a la entrada en vigor de la presente ley que se encuentren en fase de instrucción por los cabildos insulares, caducarán de forma automática, si no se concluyera el periodo de instrucción en el plazo de veinticuatro meses, desde la entrada en vigor de la presente ley.

Sexta. Plazo para la elaboración y aprobación de catálogos municipales o adaptación de los existentes

1. En el plazo de tres años desde la entrada en vigor de la presente ley todos los municipios de Canarias que carezcan de catálogo municipal deberán elaborar y aprobar sus correspondientes catálogos municipales, o adaptar los existentes a los términos de la presente ley.

2. La Administración pública de la Comunidad Autónoma de Canarias y las entidades locales, a través de los correspondientes convenios, cooperarán técnica y económicamente para el cumplimiento de la obligación anterior.

Séptima. Rótulos, carteles, anuncios y demás soportes publicitarios en conjuntos históricos

En el plazo de seis meses desde la entrada en vigor del plan especial del respectivo conjunto histórico, las entidades mercantiles y comerciales deberán retirar los rótulos, carteles, anuncios y demás soportes publicitarios de las fachadas y cubiertas de los inmuebles pertenecientes a los conjuntos históricos. Transcurrido dicho plazo, los ayuntamientos instarán a retirar dichos elementos mediante órdenes de ejecución.

Octava. Instalaciones eléctricas y telefónicas en conjuntos históricos

En el plazo de un año desde la entrada en vigor del plan especial del respectivo conjunto histórico, los ayuntamientos deberán acordar con las compañías suministradoras de electricidad y telefonía la retirada de cables y conducciones aparentes en los inmuebles pertenecientes a los conjuntos históricos y su conducción subterránea, debiendo llevarse a ejecución en el plazo máximo de dos años desde la aprobación del acuerdo. Transcurrido dicho plazo, los cabildos insulares, juntamente con la Administración pública de la Comunidad Autónoma de Canarias, ejecutarán la retirada y conducción subterránea, repercutiendo los costos en las compañías suministradoras.

Novena. Planes especiales de protección

Los municipios que cuenten con la declaración de conjunto histórico en su ámbito territorial, en el plazo de dieciocho meses a contar desde la entrada en vigor de la presente ley, deberán alcanzar, como mínimo, la aprobación inicial de un plan especial de protección, bien en desarrollo de los respectivos planes generales, bien de forma autónoma, de conformidad con lo establecido en el artículo 146.2.c) la Ley 4/2017, de 13 de julio, del Suelo y de los Espacios Naturales Protegidos de Canarias.

Los procedimientos de aprobación y los contenidos básicos de los planes especiales de protección, de aquellos municipios que establezcan la ordenación de los bienes de interés cultural con categoría de sitio histórico y zona arqueológica, se desarrollarán reglamentariamente a partir de la entrada en vigor de esta ley.

Esta competencia será asumida por el cabildo correspondiente cuando el ayuntamiento carezca de los medios técnicos o económicos para ello.

Décima. Plazo para la elaboración del reglamento para la concesión del uno coma cinco por ciento destinado a inversión en patrimonio cultural de Canarias

El reglamento que desarrollará las medidas y criterios para la concesión del uno coma cinco por ciento destinado a inversión en patrimonio cultural de Canarias, establecido en el artículo 131 de la presente ley, se elaborará en el plazo de seis meses desde la entrada en vigor de la misma.

DISPOSICIÓN DEROGATORIA

Única. Derogación normativa

1. Queda derogada expresamente la Ley 4/1999, de 15 de marzo, de Patrimonio Histórico de Canarias, a excepción de las disposiciones adicionales primera a cuarta.

2. Asimismo, quedan derogadas cuantas normas de igual o inferior rango se opongan a lo dispuesto en la presente ley.

DISPOSICIONES FINALES

Primera. Habilitación para el desarrollo reglamentario

El Gobierno de Canarias, en el ámbito de sus competencias, dictará cuantas disposiciones resulten necesarias para el desarrollo de esta ley.

Segunda. Modificación del Decreto 111/2004, de 29 de julio, por el que se aprueba el Reglamento sobre Procedimiento de Declaración y Régimen Jurídico de los Bienes de Interés Cultural

El Gobierno deberá modificar, en el plazo de seis meses desde la entrada en vigor de la presente ley, el Decreto 111/2004, de 29 de julio, por el que se aprueba el Reglamento sobre Procedimiento de Declaración y Régimen Jurídico de los Bienes de Interés Cultural, con el objetivo de que cualquier persona física o jurídica, pública o privada, pueda solicitar la iniciación del procedimiento de declaración de bien de interés cultural sin las cargas económicas que se derivan de los requisitos impuestos para ello.

Tercera. Entrada en vigor

La presente ley entrará en vigor al mes de su publicación en el Boletín Oficial de Canarias.

Por tanto, ordeno a la ciudadanía y a las autoridades que la cumplan y la hagan cumplir.

• LEY 4/1999, DE 15 DE MARZO, DE PATRIMONIO HISTÓRICO DE CANARIAS

BO. Canarias 24 marzo 1999, núm. 36, [pág. 3764]. BOE 9 abril 1999, núm. 85, [pág. 13278].

Nota de vigencia:
Ley derogada salvo las disposiciones adicionales primera, segunda, tercera y cuarta por disposición derogatoria única de Ley canaria núm. 11/2019, de 25 de abril

Disposición adicional primera.

1. Se crean en el seno de la Administración Pública de la Comunidad Autónoma de Canarias, y encuadradas en el Cuerpo Superior Facultativo, las siguientes escalas de funcionarios de carrera:
– Escala de Arqueólogos.
– Escala de Archiveros.
– Escala de Bibliotecarios.
– Escala de Documentalistas.
– Escala de Conservadores y Restauradores.

2. Se crean en el seno de la Administración Pública de la Comunidad Autónoma de Canarias y encuadradas en el Cuerpo Facultativo de Técnicos de Grado Medio, las siguientes escalas de funcionarios de carrera:
– Escala de Archiveros Ayudantes.
– Escala de Bibliotecarios Ayudantes.
– Escala de Técnicos en Conservación y Restauración Ayudantes.

3. Se crean en el seno de la Administración Pública de la Comunidad Autónoma de Canarias, y encuadradas en el Cuerpo de Auxiliares Técnicos, las siguientes escalas de funcionarios de carrera:
– Escala Auxiliar de Bibliotecas, Archivos y Centros de Documentación.
– Escala de Auxiliares de Conservación y Restauración.

Disposición adicional segunda.

1. Las escalas indicadas en el apartado 1 de la disposición adicional primera estarán integradas por funcionarios del grupo A que estén en posesión del título de doctor, licenciado universitario o equivalente que los habilite para desempeñar las funciones atribuidas a aquéllos.

2. Corresponden a la Escala de Arqueólogos las funciones de gestión, estudio y propuestas técnico-científicas y de asesoramiento vinculadas a la custodia y conservación de los elementos arqueológicos que conforman el patrimonio histórico canario.

3. Corresponden a la Escala de Archiveros las funciones de gestión, estudio y propuestas técnico-científicas y de asesoramiento vinculadas a la organización interna, programación y la gestión de los archivos en sus vertientes científica, técnica y administrativa.

4. Corresponden a la escala de Bibliotecarios las funciones superiores, relacionadas con la estructuración interna y el desarrollo de la actividad propia de las bibliotecas, en sus distintos aspectos científico, técnico y administrativo.

5. Corresponden a la escala de Documentalistas las funciones de selección, adquisición y registro, si procede, o localización de los documentos primarios (libros, revistas, documentos de archivo, fotografías, textos legales, etc.) en su caso, para la elaboración de los documentos secundarios (resumen documental).

6. Corresponde a la Escala de Conservadores y Restauradores las funciones de gestión, estudio y propuestas técnico-científicas y de asesoramiento vinculadas al diagnóstico sobre el estado de conservación y con la elaboración de programas de consolidación, restaura-

ción y rehabilitación de los bienes muebles e inmuebles del patrimonio histórico, llevando a cabo el seguimiento y control de la conservación de los bienes que se encuentren bajo su responsabilidad, elaborando los estudios e informes sobre su estado y estableciendo las medidas preventivas de diagnóstico y conservación de los mismos para su posterior tratamiento.

Disposición adicional tercera.

1. Las escalas indicadas en el apartado 2 de la disposición adicional primera estarán integradas por funcionarios del grupo B que estén en posesión del título de diplomado universitario, el equivalente en la especialidad de archivos y bibliotecas o cualquier otro que los habilite para realizar las funciones a aquéllas atribuidas.

2. Corresponden a los funcionarios de la escala de Archiveros Ayudantes las funciones relacionadas con la colaboración directa en la dirección científica, técnica y administrativa de los archivos y especialmente aquellas relacionadas con la organización y descripción de los fondos de toda naturaleza.

3. Compete a los funcionarios de la escala de Bibliotecarios Ayudantes la cooperación inmediata en las funciones directivas de las bibliotecas y especialmente aquellas relativas a la organización y tratamiento técnico de los fondos bibliográficos.

4. Corresponde a la Escala de Técnicos de Conservación y Restauración Ayudantes las funciones relacionadas con el diagnóstico sobre el estado de conservación y con la elaboración de programas de consolidación, restauración de bienes muebles e inmuebles del patrimonio histórico.

5. Corresponde a la Escala de Auxiliares de Conservación y Restauración el desarrollo de actividades de trámite, colaboración y apoyo a los funcionarios de cuerpos superiores y facultativos con funciones relacionadas con el diagnóstico sobre el estado de conservación y con la elaboración de programas de consolidación, restauración de bienes muebles e inmuebles de patrimonio histórico.

Disposición adicional cuarta.

La escala indicada en el apartado tres de la disposición adicional primera estará integrada por funcionarios del Grupo C, que estén en posesión del título de Bachiller Superior, Formación Profesional de segundo grado o equivalente.

6. COMUNIDAD AUTÓNOMA DE CANTABRIA: LEY 11/1998, DE 13 DE OCTUBRE, DE PATRIMONIO CULTURAL DE CANTABRIA

BO. Cantabria 2 diciembre 1998, núm. 240, [pág. 7310].
BOE 12 enero 1999, núm. 10, [pág. 1216].

La Constitución Española consagra en algunos de sus artículos el libre uso y disfrute por parte de los ciudadanos de toda manifestación cultural. El Estado y el resto de los poderes públicos promoverán y tutelarán el mencionado libre uso y disfrute (artículo 44).

En este sentido, es más taxativo el artículo 46 del Texto Constitucional merced al cual los poderes públicos serán los encargados de garantizar la conservación, promoción y enriquecimiento del Patrimonio Histórico, Cultural y Artístico de los pueblos de España y de los bienes que lo integran.

De manera más específica (artículo 148, apartados 15, 16 y 17), la Constitución de 1978 apunta la posibilidad de que las Comunidades Autónomas asuman competencias en materia de Patrimonio Cultural, entendido éste en su sentido más amplio. También en este sentido, debe ser destacado el artículo 149.1.28, del mismo texto constitucional, en el que se destaca la delimitación de responsabilidades entre el Estado y las Comunidades Autónomas.

Así, en el Estatuto de Autonomía para Cantabria, en el Título II «de las competencias de Cantabria», artículo 22, apartados 12, 13, 14 y 15, se especifican cuáles son las materias competenciales en lo que respecta al Patrimonio Cultural por parte de la Diputación Regional de Cantabria.

La conocida Sentencia del Tribunal Constitucional 17/1991, de 31 de enero, sobre delimitación de competencias entre el Estado y las Comunidades Autónomas en materia de Patrimonio Histórico, ha dejado suficientemente consolidado el estado de la cuestión legal en este amplio y complejo campo de la cultura. El Patrimonio Cultural es un testimonio fundamental de la trayectoria histórica y de la identidad de Cantabria.

Desde esta perspectiva, y en virtud de ello, la Comunidad Autónoma de Cantabria ha decidido dotarse de una ley específica que asuma y contemple las peculiaridades culturales de Cantabria, preservándolas y promoviéndolas como aportaciones de su tierra y de sus gentes a las culturas española, europea y universal. Así, la Ley de Patrimonio Cultural de Cantabria tiene como objetivos fundamentales los de defender, proteger y conservar dicho Patrimonio para que las actuales y futuras generaciones de ciudadanos disfruten ahora y en el futuro de una herencia ancestral que ha dado forma a través de las diversas etapas de la historia a la Comunidad Autónoma de Cantabria. Pero, también, la Ley de Patrimonio Cultural de Cantabria pretende superar algunas limitaciones de la Ley de Patrimonio Histórico Español de 25 de junio de 1985, debidas, sobre todo, a la escasa regulación de algunos aspectos cruciales para la conservación del Patrimonio Cultural, a la ausencia de desarrollo legislativo hasta la fecha y a la propia superación, por imperativo del tiempo, de algunos de los conceptos recogidos en la normativa estatal. Es por esta última razón, por lo que se ha elegido regular en detalle algunos de los aspectos que presentan una problemática más compleja y variada en el ámbito del Patrimonio Cultural. En este mismo sentido, hay que ser consciente de que esta Ley, no obstante, exigirá un serio esfuerzo posterior, en unos casos, de desarrollo de leyes específicas y, en otros, de reglamentos y normas que posibiliten el funcionamiento real de la gestión del Patrimonio Cultural de Cantabria.

La denominación «Patrimonio Cultural», persigue acoger un concepto mucho más amplio que el propuesto por el más tradicional «Patrimonio Histórico», ya que entre los bienes culturales que deban protegerse, se hallan no sólo los muebles e inmuebles, sino el amplio patrimonio inmaterial, entre el que se encuentran las manifestaciones de la cultura popular tradicional de Cantabria. Pero desde otro punto de vista, el término «Patrimonio Cultural» expresa mucho más nítidamente que el de «Patrimonio Histórico» la especificidad del patrimonio a proteger, al referirse a aquel que ha ido conformando la identidad de Cantabria a lo largo de los tiempos. Una gran parte del Patrimonio Cultural de Cantabria está relacionado con los entes locales y han sido los Ayuntamientos y las Juntas Vecinales quienes se han encargado, en muchos casos, de su conservación. Esta Ley recoge las relaciones de coordinación y colaboración con los Ayuntamientos, Juntas Vecinales y municipios de Cantabria.

En otro orden de cosas, la Ley de Patrimonio Cultural de Cantabria profundiza en diversos aspectos de la organización administrativa de dicho patrimonio, tanto en lo que se refiere a órganos asesores como a aquellos estrictamente coordinadores y de gestión, todo ello enfocado a un correcto uso del Patrimonio Cultural desde un doble punto de vista: Por un lado, desde la perspectiva más proteccionista y, por otro, desde la óptica de la puesta en valor de dicho Patrimonio Cultural, haciéndolo, por tanto, compatible con un racional y duradero uso como recurso económico. Todo ello dentro de la esfera de articulación de los distintos órganos que, o bien de forma consultiva o como gestores, contribuirán, junto con la colaboración de las corporaciones locales o la de la Iglesia Católica, iniciativa privada, asociaciones y particulares al mejor cumplimiento de los objetivos de esta Ley. Sin embargo, se es plenamente consciente de que no podrá acometerse ninguna labor duradera y verdaderamente constructiva en materia de Patrimonio Cultural sin la colaboración activa de los ciudadanos de Cantabria. Desde esta evidencia, se crea la figura del Voluntario Cultural, cuya labor se centrará en la colaboración desinteresada con la Consejería de Cultura y Deporte y con el resto de las Administraciones Públicas en lo que se refiera a protección y promoción del Patrimonio Cultural de Cantabria.

La división de los bienes culturales en Bienes de Interés Cultural, Bienes Catalogados y Bienes Inventariados persigue la triple finalidad de definir con más precisión el verdadero interés de todos los componentes del patrimonio, involucrar a todas las Administraciones en su protección y gestión y avanzar un paso más en el propio concepto de Patrimonio Cultural. Por otra parte, la mayor definición de algunas figuras de carácter urbanístico como la de entorno de protección, facilitará la labor a los gestores del Patrimonio Cultural. En este sentido, la imbricación de esta Ley con la normativa urbanística la dota de un mejor y más preciso potencial protector respecto a otras leyes similares. No obstante, esta cualidad, de mayor penetración y profundización en la problemática particular de cada uno de los distintos tipos de Patrimonio Cultural, no sólo es particular del patrimonio inmueble o edificado, sino que también es inherente al patrimonio arqueológico, que en Cantabria presenta cualidades específicas, y al etnográfico, por poner dos ejemplos. Pero también otros patrimonios y sus problemas, hasta ahora mucho más desatendidos y de más difícil defensa y protección, como el bibliográfico o el documental quedan reflejados especialmente en la presente Ley. Por otro lado, esta Ley pretende profundizar en la preocupación por la conservación y rehabilitación del llamado «patrimonio menor» y la cultura material popular, expresada en los numerosos testimonios etnográficos de los ámbitos rurales y marineros. Así como en la atención a las relaciones entre naturaleza y paisaje o en la recuperación de los espacios industriales y mineros abandonados.

Además, la protección del Patrimonio Cultural de Cantabria, lleva aparejadas otro tipo de medidas como las de fomento o las sancionadoras que persiguen el objetivo, aparentemente contradictorio, de defender y acrecentar dicho patrimonio. Para ello, se articulan toda una serie de medidas que tienen un denominador común: lograr el respeto por todos los ciudadanos de Cantabria del patrimonio heredado de otras épocas e imbuirles de la obligación de transmitirlo en el mejor estado posible. Y así, junto a medidas de carácter corrector y sancionador, se ofrecen otras de cariz auxiliador y promotor. Es evidente, no obstante, que el éxito de cualquier acción de conservación y puesta en valor del Patrimonio Cultural de Cantabria, depende tanto de ese tipo de medidas como de la capacidad de los propios órganos gestores para movilizar y concienciar a los ciudadanos en defensa y promoción de esa herencia recibida. Para ello, es inexcusable potenciar el conocimiento de ésta. Los inventarios, los catálogos, la implicación de los medios de comunicación y la introducción de este tipo de conocimiento en el sistema de enseñanza serán piezas fundamentales para conseguir los objetivos inicialmente propuestos. No debe olvidarse, entre las medidas de fomento, la racionalización de recursos dedicados a la conservación y potenciación del Patrimonio Cultural de Cantabria. La casi permanente contradicción entre las limitaciones presupuestarias y las ingentes y permanentes necesidades derivadas de la amplitud y variedad del patrimonio regional, exige una adecuada asignación de recursos. Se pretende, pues, paliar en gran medida esta divergencia entre recursos y necesidades mediante la elaboración de un Plan Trienal de Patrimonio Cultural de Cantabria, en el que se trate de armonizar no solamente los dos factores fundamentales antes citados, recursos y necesidades, sino que dicho Plan ayudará a definir las relaciones entre la función real que el sistema de Bienes Culturales de Cantabria ofrece a la sociedad y los requerimientos que los ciudadanos de Cantabria demandan de dicho sistema.

No hay que olvidar que estamos en la época de las nuevas tecnologías y que éstas pueden ser un excelente medio —no sólo de catalogación— sino también de difusión. Esta Ley recoge el compromiso de la Diputación Regional de utilizar, siempre que sea posible, los medios informáticos y tecnológicos más avanzados para dar a conocer nuestro Patrimonio.

La presente Ley de Patrimonio Cultural de Cantabria habrá, pues, de servir fundamentalmente de palanca de apoyo para la preservación y potenciación de la herencia cultural recibida y que identifica a Cantabria como tal en el contexto del Estado español y que, al tiempo, la imbrica en la cultura universal. El Plan Trienal y la financiación para las políticas de conservación del patrimonio se basarán en un porcentaje de los presupuestos de la Comunidad Autónoma y de las obras de infraestructura que acometa. Además, profundizará en la participación de los Ayuntamientos en la gestión y conservación del Patrimonio Histórico Cultural mediante sistemas de cofinanciación en los Bienes de Interés Local o aquellos otros inventariados o catalogados en los distintos municipios.

Por otro lado, el Plan Trienal contribuirá a la creación de una Red Comarcal de Archivos, Bibliotecas y Museos que estimule la descentralización y facilite el acceso del conjunto de la población a los bienes culturales.

TÍTULO I. Disposiciones generales

Artículo 1. Objeto de la Ley de Patrimonio Cultural de Cantabria
El objeto de esta Ley es regular el Patrimonio Cultural de Cantabria.

Artículo 2. Finalidades de la Ley de Patrimonio Cultural de Cantabria

1. La presente Ley tiene como finalidad la protección, conservación y rehabilitación, fomento, conocimiento y difusión del Patrimonio Cultural de Cantabria, así como su investigación y transmisión a generaciones futuras.

2. La Administración Autonómica orientará su actuación, en relación con el Patrimonio Cultural, de acuerdo con las siguientes finalidades:

a) Promover las condiciones que hagan posible, en relación con los bienes culturales, el ejercicio del derecho a la cultura y su mejor garantía de conservación, además de facilitar el disfrute de dichos bienes por todos los ciudadanos.

b) Difundir el conocimiento y estimular el aprecio de los bienes culturales que son seña de identidad cultural de Cantabria.

c) Establecer fluidas relaciones de colaboración, coordinación y cooperación con las demás Administraciones del Estado, Autonómicas y Locales.

d) Facilitar la participación y colaboración ciudadana en la consecución de los objetivos de la presente Ley.

e) Contribuir al diálogo y a la comunicación cultural con los demás pueblos de España.

f) Adoptar las adecuadas medidas legales, científicas, técnicas, administrativas y financieras necesarias para la identificación, incremento, protección, conservación, difusión y rehabilitación del Patrimonio Cultural de Cantabria; y para la creación de programas de aprendizaje a nivel regional tanto para la formación de aquellos encargados de la intervención sobre el Patrimonio Cultural, como para la correcta gestión del mismo.

Artículo 3. Ámbito de la Ley de Patrimonio Cultural de Cantabria

1. El Patrimonio Cultural de Cantabria está constituido por todos los bienes relacionados con la cultura e historia de Cantabria, mereciendo por ello una protección y defensa especiales, con objeto de que puedan ser disfrutados por los ciudadanos y se garantice su transmisión, en las mejores condiciones, a las generaciones futuras.

2. Integran el Patrimonio Cultural de Cantabria los bienes muebles, inmuebles e inmateriales de interés histórico, artístico, arquitectónico, paleontológico, arqueológico, etnográfico, científico y técnico. También forman parte del mismo el patrimonio documental y bibliográfico, los conjuntos urbanos, los lugares etnográficos, las áreas de protección arqueológica, los espacios industriales y mineros, así como los sitios naturales, jardines y parques que tengan valor artístico, histórico o antropológico y paisajístico.

Artículo 4. Competencias de la Comunidad Autónoma de Cantabria

1. Corresponde a la Comunidad Autónoma de Cantabria la competencia exclusiva sobre el Patrimonio Cultural de Cantabria, sin perjuicio de las competencias que estén atribuidas expresamente al Estado o correspondan a la Administración Local.

2. Las distintas Administraciones Públicas colaborarán para que las competencias respectivas se ejerzan con arreglo a lo establecido en esta Ley. Todo ello sin perjuicio de las funciones que específicamente se les encomiende mediante esta Ley o en virtud de la Ley de 25 de junio de 1985, de Patrimonio Histórico Español. Las Corporaciones Locales pondrán en conocimiento de la Consejería de Cultura y Deporte las dificultades y necesidades que se les susciten en el ejercicio de sus competencias en esta materia, así como cualquier propuesta que pueda contribuir a la mejor consecución de la finalidad de esta Ley.

3. Las instituciones públicas y privadas cooperarán a la mejor consecución de los fines previstos en esta Ley.

Artículo 5. Deberes de la Administración Autonómica de Cantabria

En relación con los bienes integrantes del Patrimonio Cultural de Cantabria, son deberes de la Administración Autonómica de Cantabria, en el ejercicio de sus respectivas competencias:

a) Crear y mantener los órganos y unidades administrativas encargados de su gestión, dotándoles de personal adecuado con capacitación técnica y medios suficientes para el cumplimiento de los fines que le son encomendados por esta Ley.

b) Proceder a la documentación detallada y exhaustiva de los bienes inmuebles, muebles e inmateriales que lo integran, mediante los registros, inventarios, catálogos y demás instrumentos que se definen en esta Ley, manteniéndolos actualizados y en soportes informáticos y gráficos adecuados para su uso por las Administraciones Públicas particulares e investigadores.

c) Promover la investigación, desarrollando nuevos y más eficaces métodos y técnicas de intervención que aseguren un tratamiento adecuado en las actuaciones sobre los bienes históricos de Cantabria, y proceder a su difusión pública mediante la publicación de la documentación científica resultante.

d) Integrar su conocimiento y valoración en los programas educativos de la Comunidad Autónoma, propiciando asimismo la formación profesional en oficios tradicionales y la dotación de especialistas en su conservación, restauración y rehabilitación.

e) Fomentar el respeto y aprecio por los valores históricos del Patrimonio Cultural de Cantabria, promoviendo su disfrute como bien social compatibilizándolo en el mayor grado posible con su preservación.

f) Asegurar su conservación, bien llevando a cabo las obras necesarias y adoptando las medidas oportunas en cada caso, bien facilitando a entidades públicas y personas físicas y jurídicas privadas las ayudas pertinentes para el cumplimiento de dichos fines.

g) Garantizar su protección, evitando que se produzcan daños intencionados y sancionando a cuantos lo deterioren o pongan en peligro de desaparición.

h) Desarrollar todo tipo de iniciativas tendentes al retorno de los elementos de interés histórico y cultural que, por cualquier circunstancia, se encuentren fuera del territorio de la Comunidad Autónoma de Cantabria.

Artículo 6. Colaboración de las Corporaciones Locales

1. Los Ayuntamientos, Mancomunidades y otras Entidades Locales tienen la obligación de proteger, defender, realzar y dar a conocer el valor de los bienes integrantes del Patrimonio Cultural de Cantabria que estén situados en su término municipal. Reglamentariamente se establecerán, previa consulta con la Federación de Municipios de Cantabria, las relaciones de colaboración y coordinación de las Corporaciones Locales con cuantos órganos ejecutivos, de gestión y asesores se desarrollen en aplicación de esta Ley.

2. Les corresponde, asimismo, adoptar en caso de urgencia las medidas cautelares necesarias para salvaguardar los bienes del Patrimonio Cultural de Cantabria que viesen su integridad gravemente amenazada.

3. En todo caso, los Ayuntamientos y demás organismos públicos de ámbito local, deberán notificar a los órganos competentes de la Comunidad Autónoma, con la mayor rapidez posible, cualquier amenaza o daño que sufran los bienes culturales comprendidos en su área territorial de actuación.

4. Igualmente deberán formular y tramitar los Planes Especiales de Protección de los Conjuntos Históricos, estableciendo las medidas de fomento necesarias al objeto de conseguir su conservación y revitalización.

5. Tramitarán la aprobación, o inclusión en la normativa urbanística vigente, del Catálogo Arquitectónico Municipal con objeto de tutelar y conservar los edificios y elementos de valor situados en el término de la entidad municipal.

6. Los Ayuntamientos y otras Entidades Locales velarán especialmente, a través de sus servicios de disciplina urbanística, para que se cumplan estrictamente las disposiciones vigentes respecto a los Conjuntos Históricos y demás bienes protegidos.

7. También podrán elevar a la Consejería de Cultura y Deporte las iniciativas en materia de obras de protección y conservación de los bienes históricos situados en su municipio, a fin de que éstos las incluyan en el Plan de Patrimonio Cultural de Cantabria.

8. Asimismo, podrán colaborar con la Consejería de Cultura y Deporte en la creación y gestión de los Parques Arqueológicos, u otros relacionados según lo establecido en el apartado 2 del artículo 3 de la presente Ley en el marco de los convenios de colaboración que al efecto se suscriban.

9. Entre sus atribuciones estará también la de gestionar la creación de Museos de ámbito municipal o, en colaboración con otros Ayuntamientos, de ámbito comarcal.

10. Podrán delegarse competencias de la Comunidad Autónoma de Cantabria, mediante convenio, en las Corporaciones Locales interesadas.

Artículo 7. Colaboración con otros poderes públicos

La Comunidad Autónoma de Cantabria colaborará estrechamente con el resto de las Administraciones y poderes públicos estatales y supraestatales en el ejercicio de sus funciones y competencias para la defensa del Patrimonio Cultural de Cantabria, mediante relaciones recíprocas de plena comunicación, cooperación y asistencia mutua.

Artículo 8. Colaboración con la Iglesia Católica

1. La Iglesia Católica, como titular de una parte muy importante del Patrimonio Cultural de Cantabria, velará por la protección, la conservación y la difusión de este Patrimonio y, con esta finalidad, colaborará con la Administración de la Comunidad Autónoma en materia de Patrimonio Cultural.

2. Una Comisión Mixta entre la Administración de la Comunidad Autónoma y la Iglesia Católica establecerá el marco de colaboración entre ambas instituciones. Dicha Comisión tendrá carácter consultivo en relación con cuantas intervenciones afecten a bienes integrantes del Patrimonio Cultural de Cantabria en poder de la Iglesia, cualquiera que sea la categoría a la que pertenezcan.

3. Las autoridades eclesiásticas velarán por que el ejercicio de las actividades propias del culto religioso garantice, de forma adecuada, la protección y conservación de los bienes históricos consagrados al uso litúrgico.

Artículo 9. Colaboración de los particulares

1. Las personas que observasen peligro de destrucción o deterioro de un bien integrante del Patrimonio Cultural de Cantabria deberán, en el menor tiempo que les fuera posible, ponerlo en conocimiento de la Comunidad Autónoma de Cantabria, que comprobará el objeto de la denuncia y actuará con arreglo a lo dispuesto en esta Ley.

2. Cualquier persona física o jurídica está legitimada para la defensa del Patrimonio Cultural de Cantabria ante los órganos competentes y los Tribunales de Justicia, en cumplimiento de lo previsto en esta Ley.

3. Será pública la acción para exigir ante los órganos administrativos correspondientes y los Tribunales de lo Contencioso-Administrativo el cumplimiento de lo previsto en esta Ley para la defensa de los bienes integrantes del Patrimonio Cultural de Cantabria.

4. Los órganos competentes de la Administración Autonómica incentivarán la colaboración con cuantas asociaciones, fundaciones y particulares deseen contribuir a la conservación y difusión del Patrimonio Cultural de Cantabria, quienes, en virtud de dichas contribuciones podrán acogerse a las medidas de fomento y beneficios establecidos por la Administración para estos fines.

5. Al fin previsto en el apartado anterior, se crea la figura del voluntario cultural. Podrá serlo cualquier persona física o jurídica interesada en la conservación del patrimonio. Será nombrado por el Consejero a propuesta conjunta de la Consejería de Cultura y Deporte y del Ayuntamiento donde desarrolle su actividad. La regulación de esta figura honorífica y voluntaria se establecerá mediante la pertinente normativa reglamentaria.

Artículo 10. Órganos administrativos de gestión y coordinación

1. La estructura orgánica y funcional de cuantos órganos de gestión sean necesarios para el ejercicio de las funciones encomendadas a la Administración Autonómica por esta Ley se establecerá mediante decreto del Gobierno de Cantabria.

2. Una Comisión Mixta establecerá el marco de cooperación y coordinación en materia de Patrimonio Cultural entre la Administración de la Comunidad Autónoma y las Administraciones Locales.

Artículo 11. Órganos asesores

1. Son órganos asesores de la Consejería de Cultura y Deporte de la Comunidad Autónoma de Cantabria en materia de Bienes de Interés Cultural, de Bienes de Interés Local y, en general, de Patrimonio Cultural, los siguientes:

a) Las instituciones y organismos de ámbito territorial igual o superior a la Comunidad Autónoma en cuanto que les puedan interesar y manifiesten su aceptación según lo establecido en la presente Ley.

b) Las instituciones y organismos que puedan crearse por decreto del Gobierno de Cantabria.

2. Por razones de estricta competencia, especialidad y operatividad se crearán las siguientes Comisiones adscritas a la Consejería de Cultura y Deporte, cuyo funcionamiento y composición se establecerán reglamentariamente, y en todas ellas habrá un representante de la Federación de Municipios de Cantabria:

a) Comisión Técnica de Patrimonio Arqueológico y Paleontológico.

b) Comisión Técnica de Patrimonio Mueble Artístico y Museos.

c) Comisión Técnica de Patrimonio Edificado.

d) Comisión Técnica de Patrimonio Documental y Bibliográfico.

e) Comisión Mixta Comunidad Autónoma-Iglesia.

f) Comisión Técnica de Patrimonio Etnográfico y Paisaje.

g) Comisión Técnica de Patrimonio Científico y Tecnológico.

Asimismo, cuantas otras se considere necesario establecer con carácter global o específico, coyuntural o permanente.

3. La Administración podrá, por razones de especificidad, recabar también el asesoramiento de otras entidades culturales, profesionales y civiles.

4. La Consejería de Cultura y Deporte de la Comunidad Autónoma de Cantabria podrá establecer convenios con otras entidades públicas y privadas para el desarrollo de funciones consultivas y de asesoramiento.

Artículo 12. Organismos y entes instrumentales de gestión de los bienes culturales

1. Cuando, para la gestión de los bienes culturales singulares, sea precisa la creación de Patronatos u otros órganos especializados de gestión, se garantizará que, entre los representantes públicos, haya miembros de todas las Administraciones afectadas y entidades públicas y, en particular, del Ayuntamiento en el que se encuentre el bien. Se procurará, asimismo, garantizar la colaboración ciudadana por medio de la presencia en dichos órganos de especialistas y expertos y de personas relacionadas con el bien cultural de que se trate.

2. Cuando, por razones de eficacia administrativa, convenga la gestión de los bienes culturales en régimen de autonomía, se podrá dotar de personalidad jurídica a los órganos de gestión de los Bienes de Interés Cultural referidos en el apartado anterior.

3. Se reestructura el Instituto de Estudios Cántabros bajo la denominación de Instituto de Estudios Cántabros y del Patrimonio, cuya composición, estructura orgánica y funciones se determinarán reglamentariamente.

TÍTULO II. De los bienes culturales

CAPÍTULO I. Disposiciones Generales

Artículo 13. Categorías de protección

Los bienes que integran el Patrimonio Cultural de Cantabria se protegerán mediante su inclusión en alguna de las siguientes categorías:

a) Bien de Interés Cultural. Serán aquellos que se declaren como tales y se inscriban en el Registro General de Bienes de Interés Cultural de Cantabria.

b) Bien de Interés Local o Catalogado. Serán aquellos que se declaren como tales y se incorporen al Catálogo General de los Bienes de Interés Local de Cantabria.

c) Bien Inventariado. Serán aquellos que se incorporen al Inventario General del Patrimonio de Cantabria.

Artículo 14. Clasificación

A los efectos de esta Ley, cualquier bien integrante del Patrimonio Cultural de Cantabria por alguna de las categorías de protección previstas en el artículo anterior, se podrá clasificar como:

a) Inmueble.

b) Mueble.

c) Inmaterial.

CAPÍTULO II. Bienes de Interés Cultural

Artículo 15. Definición

1. Podrán alcanzar la declaración de Bien de Interés Cultural aquellos bienes inmuebles, muebles o inmateriales que por sus específicas cualidades definen por sí mismos un aspecto destacado de la cultura de Cantabria.

2. Los bienes muebles e inmuebles declarados de Interés Cultural podrán serlo de forma individual o como colección, como obra de autor o como conjunto tipológico.

3. A todos los efectos, tendrán consideración de Bienes de Interés Cultural aquellos bienes muebles que expresamente se señalen como integrantes de un inmueble declarado de Interés Cultural.

4. Podrá declararse Bien de Interés Cultural la obra de autores vivos, siempre y cuando tres órganos asesores de los previstos en esta Ley emitan informe favorable, y medie la autorización expresa del propietario o su adquisición por la Administración.

Artículo 16. Procedimiento de declaración de Bien de Interés Cultural

1. La declaración de Bien de Interés Cultural requerirá la previa tramitación del correspondiente procedimiento administrativo.

2. La iniciación del procedimiento se realizará de oficio, pudiendo ser promovida por cualquier persona física o jurídica.

La solicitud de declaración de Bien de Interés Cultural se entenderá denegada transcurridos tres meses desde su presentación sin que se haya dictado y notificado resolución expresa.

Contra la denegación del inicio del procedimiento se podrán interponer los recursos procedentes.

Artículo 17. Inicio del procedimiento

1. El acuerdo de inicio del procedimiento será dictado por la persona titular de la Dirección General competente en materia de Patrimonio Cultural.

2. El acuerdo de inicio del procedimiento será notificado tanto a los interesados como al Ayuntamiento en que se ubique el Bien.

3. El acuerdo de inicio será publicado en el «Boletín Oficial de Cantabria» y en el «Boletín Oficial del Estado».

4. La iniciación de un procedimiento para la declaración de Bien de Interés Cultural determinará, respecto al bien afectado, la aplicación inmediata y provisional del régimen

de protección previsto en la presente Ley para los bienes ya declarados. En caso de bienes muebles, además, será de aplicación lo establecido en el artículo 43 de la presente Ley.

Artículo 18. Instrucción del procedimiento

1. En el procedimiento que se instruya habrá de constar informe favorable de dos de los órganos asesores a que se refiere la presente Ley. Si transcurridos tres meses desde la solicitud del informe, éste no hubiera sido emitido, se considerará favorable a la declaración. Así mismo, se recabará el informe del Ayuntamiento donde radique el bien.

2. Recabados los informes a que se refiere el apartado anterior, o transcurrido el plazo establecido para su emisión, se abrirá un período de información pública por un plazo mínimo de un mes, y se dará audiencia a los interesados y, en el caso de bienes inmuebles, al Ayuntamiento en que se ubique el bien.

3. El expediente contendrá:

a) Descripción clara y exhaustiva del bien objeto de declaración que facilite su correcta identificación y, en caso de inmuebles, las partes integrantes, pertenencias, accesorios y bienes muebles y documentales que, por su vinculación con el inmueble, pasarán también a ser considerados a todos los efectos de Interés Cultural.

b) Informe exhaustivo y pormenorizado de su estado de conservación, donde podrán adjuntarse sugerencias y criterios básicos para regir futuras intervenciones.

c) Entorno afectado por la declaración. Se efectuará la delimitación con precisión del perímetro de protección del bien del que se trate, en el que se señalarán los accidentes geográficos y características naturales que configuren dicho entorno, subrayando los que potencien su protección, contemplación y estudio.

4. Realizados los trámites anteriores se formulará la propuesta que corresponda para la resolución del procedimiento.

Artículo 19. Resolución del procedimiento

1. Corresponde al Gobierno de Cantabria, a propuesta de la persona titular de la Consejería competente en materia de Patrimonio Cultural, acordar la declaración de Bien de Interés Cultural.

2. El acuerdo de declaración describirá con claridad, precisión y exhaustividad el bien objeto de la declaración, incluyéndolo dentro de una de las clases y tipologías de bienes muebles, inmuebles o inmateriales. En el caso de los inmuebles, describirá su delimitación geográfica, el entorno afectado, las partes integrantes, pertenencias, accesorios y bienes muebles y documentales que por su vinculación hayan de ser objeto de incorporación en la declaración. Se incluirá igualmente el régimen de protección del bien en sí mismo y del entorno afectado.

3. La resolución del procedimiento deberá ser dictada y notificada en el plazo máximo de doce meses, contados a partir de la fecha del acuerdo de inicio. Transcurrido dicho plazo, se producirá la caducidad del procedimiento. Todo ello, sin perjuicio del plazo de suspensión del procedimiento previsto en la legislación de procedimiento administrativo común.

No podrá iniciarse nuevo procedimiento respecto del mismo bien salvo que tres de los órganos asesores previstos en esta Ley lo soliciten o lo haga el propietario o propietarios del bien. Esta previsión no será aplicable a los supuestos de terminación del procedimiento por caducidad.

Artículo 20. Notificación y publicación de la declaración

La declaración de Bien de Interés Cultural será notificada a los interesados y al Ayuntamiento en que radique el bien, y será publicado en el «Boletín Oficial de Cantabria» y en el «Boletín Oficial del Estado».

Artículo 21. Procedimiento para dejar sin efecto una declaración

1. La declaración de un Bien de Interés Cultural únicamente podrá dejarse sin efecto siguiendo los mismos trámites y requisitos necesarios para su declaración.

2. No podrán invocarse como causas determinantes para dejar sin efecto la declaración de un Bien de Interés Cultural las derivadas del incumplimiento de las obligaciones de conservación y mantenimiento recogidas en esta Ley, sin perjuicio de la exigencia de la responsabilidad que proceda.

Artículo 22. Registro General de Bienes de Interés Cultural de Cantabria

1. Los Bienes de Interés Cultural serán inscritos en el Registro General de Bienes de Interés Cultural de Cantabria. A cada bien se le expedirá una Denominación Oficial asociada a un código para su identificación. En este Registro también se anotarán preventivamente la incoación de los expedientes en fase de declaración. Corresponde a la Consejería de Cultura y Deporte la gestión de este Registro.

2. El Registro General de Bienes de Interés Cultural tiene por objeto la anotación e inscripción de los actos que afecten a la identificación, localización, propiedad y grado de conservación de los Bienes de Interés Cultural, cuando afecten al contenido de la declaración.

3. Cualquier inscripción relativa a un bien, efectuada de oficio o a instancia de parte, aunque ésta no sea el titular de dicho bien, deberá ser notificada a su titular, y será obligación de éste comunicar el registro de todos los actos jurídicos y técnicos que puedan afectar a dicho bien.

4. El acceso al Registro General de Bienes de Interés Cultural será público en los términos que se establezcan reglamentariamente, siendo precisa la autorización del titular del bien para la consulta pública de datos relativos a:

a) La situación jurídica y valor de los bienes inscritos.

b) Su localización en el caso de bienes muebles.

5. De las inscripciones y anotaciones en el Registro General de Bienes de Interés Cultural se dará cuenta al Registro General de Bienes de Interés Cultural del Estado, a fin de que haga las correspondientes inscripciones y anotaciones en el mismo.

Artículo 23. Denominación Oficial de Bien de Interés Cultural

1. A los Bienes declarados de Interés Cultural se les asignará por el Registro General de Bienes de Interés Cultural la correspondiente Denominación Oficial que los identifique, donde se reflejarán todos los actos jurídicos, intervenciones materiales o accidentales que sufran.

2. El título oficial de Bien de Interés Cultural deberá contener:

a) Acuerdo de resolución de declaración, o de incoación en su defecto.

b) Clasificación que corresponda de acuerdo con la presente Ley.

c) Descripción pormenorizada del bien —gráfica, escrita, cartográfica y fotográfica— que facilite su correcta identificación y, en caso de que las hubiere, las partes integrantes, pertenencias, accesorios y bienes muebles y documentales vinculados al inmueble. Asimismo, contendrá la descripción del origen y valores culturales del bien.

d) En el caso de inmuebles, además, habrán de figurar perfectamente definidos el entorno y todas las relaciones con el área territorial a que pertenece, así como el régimen urbanístico de protección que le es aplicable tanto al bien como a su entorno, en atención a su adecuada protección, contemplación y estudio.

e) Igualmente habrá de figurar en el expediente la determinación de la compatibilidad del uso con la correcta conservación del bien que se pretenda declarar. En caso de que el uso a que viene destinándose el referido bien fuese incompatible con la adecuada conservación del mismo, podrá establecerse su cese y modificación.

f) Información exhaustiva sobre el estado de conservación del bien, pudiéndose incluir en la declaración los criterios básicos que regirán las futuras intervenciones. Asimismo, se irán anotando, entre otros, los sucesivos informes técnicos, proyectos e intervenciones de conservación, restauración, reestructuración, modificación, que se realicen a medida que vayan sucediendo. Será obligación del organismo competente que las autorice quien tenga que comunicarlas al Registro General.

g) Circunstancias relativas a la propiedad y usos, transmisiones, traslados transitorios y subvenciones públicas que haya podido recibir para las acciones de conservación. Será obligación de la propiedad su comunicación al Registro General. Todas éstas u otras circunstancias se anotarán a medida que se vayan produciendo.

h) Copia de todos los informes que se hayan elaborado en relación con el bien durante la tramitación y resolución del expediente de declaración. Además, se incorporará, a medida que sucedan, copia de todos los expedientes administrativos que se produzcan desde el momento de la declaración en adelante.

i) Régimen de visitas, que se regulará de acuerdo con la Consejería de Cultura y Deporte.

j) Cualquier otro documento o documentos que la Consejería de Cultura y Deporte estime pertinente incluir.

3. La Denominación estará depositada en el Registro General de Bienes de Interés Cultural de la Dirección General de Cultura de la Comunidad de Cantabria y en el Instituto del Patrimonio Cultural de Cantabria. Se facilitarán copias de la inscripción y de las sucesivas actualizaciones tanto a la propiedad como a las Corporaciones Locales del sitio donde se halle radicado el bien.

4. El contenido de dicha Denominación resumido servirá para confeccionar una guía que deberá exponerse de forma visible en aquellos Bienes de Interés Cultural que puedan ser objeto de visita, consulta o investigación. Asimismo, se proveerá a las oficinas locales de información turística y a cuantos particulares o asociaciones civiles lo soliciten.

Artículo 24. Señalización

Los Bienes de Interés Cultural de Cantabria deberán estar debidamente señalizados, mediante carteles de diseño y tamaño apropiados a su naturaleza, donde se describan las características más relevantes del objeto protegido y las condiciones de su visita. Los símbolos iconográficos serán comunes a cada tipología de Bien de Interés Cultural, ostentando un logotipo común a todo el Patrimonio Cultural de Cantabria, con independencia de la Administración que tenga encomendada su gestión. La tipología empleada y la localización de las señales deberán ser especialmente cuidadosas con su integración en el entorno.

Artículo 25. Inscripciones en el Registro de la Propiedad

Cuando se trate de monumentos y lugares culturales, la Consejería de Cultura y Deporte instará de oficio la inscripción gratuita de la declaración de Bien de Interés Cultural en el Registro de la Propiedad.

Artículo 26. Definición

1. Podrán alcanzar la denominación de Bienes Culturales de Interés Local o Bienes Catalogados aquellos bienes inmuebles, muebles o inmateriales que, sin gozar a priori de la relevancia que define a los Bienes de Interés Cultural, definan por sí mismos un aspecto destacado de la identidad cultural de una localidad o de un municipio. Dichos bienes serán incluidos en el catálogo del Patrimonio Cultural de Cantabria.

2. Los bienes muebles Catalogados o de Interés Local podrán serlo de forma individual, como colección, como obra de autor o como conjunto tipológico.

3. A todos los efectos, tendrán consideración de Bienes Culturales de Interés Local aquellos bienes muebles que expresamente se señalen como integrantes de un inmueble catalogado de Interés Local.

4. De forma excepcional se podrá declarar Bien de Interés Local la obra de autores vivos, siempre y cuando tres órganos asesores de los previstos en esta Ley emitan informe favorable, la obra tenga una antigüedad superior a cincuenta años, y medie la autorización expresa del propietario o su adquisición por la Administración.

CAPÍTULO III. De los Bienes de Interés Local

Artículo 27. Procedimiento de declaración de Bien de Interés Local

1. La declaración de Bien de Interés Local requerirá la previa tramitación del correspondiente procedimiento administrativo.

2. La iniciación del procedimiento se realizará de oficio, pudiendo ser promovida por cualquier persona física o jurídica.

La solicitud se entenderá denegada transcurridos tres meses desde su presentación sin que se haya dictado y notificado resolución expresa.

Contra la resolución denegatoria del inicio del procedimiento se podrán interponer los recursos procedentes.

Artículo 28. Inicio del procedimiento

1. El acuerdo de inicio del procedimiento será dictado por la persona titular de la Dirección General competente en materia de Patrimonio Cultural.

2. El acuerdo de inicio del procedimiento será notificado tanto a los interesados como al Ayuntamiento en que se ubique el Bien.

3. El acuerdo de inicio será publicado en el «Boletín Oficial de Cantabria» y en el «Boletín Oficial del Estado».

4. La iniciación de un procedimiento para la declaración de Bien de Interés Local determinará, respecto al bien afectado, la aplicación inmediata y provisional del régimen de protección previsto en la presente Ley para los bienes ya declarados. En caso de bienes muebles, además, será de aplicación lo establecido en el artículo 43 de la presente Ley.

Artículo 28. bis Instrucción del procedimiento

1. En el procedimiento que se instruya habrá de constar informe favorable de dos de los órganos asesores a que se refiere el apartado 1 del artículo 11 de la presente Ley. Si transcurridos tres meses desde la solicitud del informe, éste no hubiera sido emitido, se considerará favorable a la declaración. Así mismo, se recabará el informe del Ayuntamiento donde radique el bien.

2. Recabados los informes a que se refiere el apartado anterior, o transcurrido el plazo establecido para su emisión, se abrirá un período de información pública por un plazo mínimo de un mes, y se dará audiencia a los interesados y, en el caso de bienes inmuebles, al Ayuntamiento en que se ubique el bien.

3. El expediente contendrá:

a) Descripción clara y exhaustiva del bien objeto de catalogación que facilite su correcta identificación y, en caso de inmuebles, las partes integrantes, pertenencias, accesorios y bienes muebles y documentales que, por su vinculación con el inmueble, pasarán también a ser considerados a todos los efectos de Interés Local.

b) Informe exhaustivo y pormenorizado de su estado de conservación, donde podrán adjuntarse sugerencias y criterios básicos para regir futuras intervenciones.

c) Entorno afectado por la declaración. Se efectuará la delimitación con precisión del perímetro de protección del bien del que se trate, en el que se señalarán los accidentes geográficos y características naturales que configuren dicho entorno, subrayando los que potencien su protección, contemplación y estudio.

4. Realizados los trámites anteriores se formulará la propuesta que corresponda para la resolución del procedimiento.

Artículo 29. Resolución del procedimiento

1. Corresponde al titular de la Consejería competente en materia de Patrimonio Cultural, a propuesta del titular de la Dirección General, acordar la declaración de Bien Cultural de Interés Local.

2. La resolución de declaración describirá con claridad, precisión y exhaustividad el bien objeto de catalogación, incluyéndolo dentro de una de las clases y tipologías de bienes muebles, inmuebles o inmateriales. En el caso de los inmuebles, describirá su delimitación geográfica, el entorno afectado, las partes integrantes, pertenencias, accesorios y bienes muebles y documentales que por su vinculación hayan de ser objeto de incorporación en la declaración. Se incluirá igualmente el régimen de protección del bien en sí mismo y del entorno afectado.

3. La resolución del procedimiento deberá ser dictada y notificada en el plazo máximo de doce meses, contados a partir de la fecha del acuerdo de inicio. Transcurrido dicho plazo, se producirá la caducidad del procedimiento.

No podrá iniciarse nuevo procedimiento respecto del mismo bien salvo que tres de los órganos asesores previstos en esta Ley lo soliciten o lo haga el propietario o propietarios del bien. Esta previsión no será aplicable a los supuestos de terminación del procedimiento por caducidad.

Artículo 30. Catálogo de Bienes de Interés Local de Cantabria

1. Los Bienes de Interés Local serán inscritos en el Catálogo de Bienes de Interés Local de Cantabria. A cada Bien se le asignará la Denominación Oficial asociada a un código para su identificación. En este Registro se anotarán preventivamente la incoación de los expedientes en declaración. Corresponde a la Consejería de Cultura y Deporte la gestión de este Catálogo.

2. La Denominación Oficial estará depositada en el Catálogo de Bienes de Interés Local de la Consejería de Cultura y Deporte de la Comunidad Autónoma de Cantabria.

3. El Catálogo de Bienes de Interés Local tiene por objeto la protección del Patrimonio Cultural de Cantabria mediante la anotación e inscripción de los actos que afecten a la identificación, localización, propiedad y grado de conservación de los Bienes de Interés Local, cuando afecten al contenido de la declaración, dando fe de los datos en él consignados. Su contenido será el mismo que el de las denominaciones oficiales de Bienes Declarados de Interés Cultural y que se describe en el artículo 23 de esta Ley.

4. Cualquier inscripción relativa a un bien, efectuada de oficio y también la realizada a instancia de parte, aunque ésta no sea el titular de dicho bien, deberá ser notificada a su titular y será obligación de éste el comunicar al Registro todas las incidencias jurídicas y técnicas que puedan afectar a dicho bien.

5. El acceso al Catálogo de Bienes de Interés Local será público en los términos que se establezcan reglamentariamente, siendo precisa la autorización del titular del bien para la consulta pública de los datos relativos a:

a) La situación jurídica del bien y valor de los bienes inscritos.

b) Su localización en el caso de los bienes muebles.

6. De las inscripciones y anotaciones en el Registro General de Bienes de Interés Local se dará cuenta al Registro General de Bienes de Interés Cultural del Estado, a fin de que haga las correspondientes inscripciones y anotaciones en el mismo y a la Federación de Municipios de Cantabria.

Artículo 31. Inscripciones en el Registro de la Propiedad

Cuando se trate de monumentos y jardines o sitios históricos, la Consejería de Cultura y Deporte instará de oficio la inscripción gratuita de la declaración de Bien de Interés Local en el Registro de la Propiedad.

Artículo 32. Procedimiento para dejar sin efecto una declaración

1. La declaración de un Bien de Interés Local únicamente podrá dejarse sin efecto siguiendo los mismos trámites y requisitos necesarios para su declaración.

2. No pueden invocarse como causas determinantes para dejar sin efecto la declaración de un Bien de Interés Local las derivadas del incumplimiento de las obligaciones de conservación y mantenimiento previstas en esta Ley.

CAPÍTULO IV. De los restantes bienes integrantes del Patrimonio Cultural de Cantabria

Artículo 33. Definición

1. Además de los Bienes de Interés Cultural y de los Bienes Culturales de Interés Local también forman parte del Patrimonio Cultural de Cantabria todos aquellos bienes muebles, inmuebles e inmateriales que constituyen puntos de referencia de la cultura de la Comunidad Autónoma de Cantabria y que, sin estar incluidos entre los anteriores, merecen ser conservados.

2. La Consejería de Cultura y Deporte establecerá los cauces necesarios con los propietarios, públicos o privados, de estos bienes para facilitar su inclusión en el citado inventario.

Artículo 34. Inscripción de bienes

1. La inclusión de un bien en el Inventario General del Patrimonio Cultural de Cantabria podrá ser realizada de forma individual o colectiva.

2. La iniciación del procedimiento se realizará de oficio, pudiendo ser promovida por cualquier persona física o jurídica.

La solicitud se entenderá denegada transcurridos tres meses desde su presentación sin que se haya dictado y notificado resolución expresa.

Contra la resolución denegatoria del inicio del procedimiento de inclusión de un bien en el Inventario General del Patrimonio Cultural se podrán interponer los recursos procedentes.

3. El procedimiento para su inclusión de un bien en el Inventario General del Patrimonio Cultural de Cantabria conllevará los siguientes trámites:

a) El acuerdo de inicio del procedimiento será dictado por la persona titular de la Dirección General competente en materia de Cultura, y será notificado a los interesados y al Ayuntamiento o Ayuntamientos en donde radique el bien. El acuerdo de inicio será publicado en el Boletín Oficial de Cantabria.

b) Se otorgará audiencia a los propietarios y al Ayuntamiento o Ayuntamientos interesados en el caso de que el bien objeto del procedimiento sea inmueble. Así mismo, se abrirá un período de información pública por un plazo mínimo de veinte días.

c) En el expediente deberá constar informe favorable de uno de los órganos asesores previstos en esta Ley. Si éste no se emitiese en el plazo de un mes a partir de la fecha de su solicitud, se considerará favorable a la inclusión.

d) El procedimiento se resolverá mediante resolución de la persona titular de la Dirección General competente en materia de Patrimonio Cultural. El plazo máximo para resolver y notificar la resolución será de seis meses a partir de la fecha de inicio del procedimiento. Transcurrido dicho plazo se producirá la caducidad del procedimiento.

3. El inicio de un procedimiento para la inclusión de un bien en el Inventario General de Patrimonio Cultural de Cantabria determinará, en relación al bien afectado, la aplicación provisional del mismo régimen de protección previsto para los Bienes Inventariados.

Artículo 34. bis [Procedimiento de exclusión]

1. La exclusión de un Bien Inventariado del Inventario General del Patrimonio Cultural de Cantabria se someterá a los mismos trámites y requisitos necesarios para su inclusión en el Inventario.

2. No se podrá invocar como causas determinantes de la exclusión del bien del Inventario las derivadas del incumplimiento de las obligaciones de conservación y mantenimiento previstas en esta Ley, sin perjuicio de la exigencia de la responsabilidad que proceda.

CAPÍTULO V. Del Inventario General del Patrimonio Cultural de Cantabria

Artículo 35. El Inventario General del Patrimonio Cultural de Cantabria

1. Se constituye el Inventario General del Patrimonio Cultural de Cantabria como instrumento administrativo y científico básico de protección, conservación, difusión y transmisión a las generaciones futuras de todos los bienes culturales presentes en la Comunidad Autónoma. Su estructura, contenido y consulta serán regulados reglamentariamente.

2. El Inventario General del Patrimonio Cultural de Cantabria está formado por el Registro de los Bienes de Interés Cultural, el Catálogo de los Bienes de Interés Local y todos aquellos bienes a los que hace referencia el artículo 2 de esta Ley, y que, sin estar incluidos entre los anteriores, merezcan ser conservados.

3. El Inventario General del Patrimonio Cultural de Cantabria tiene por objetivos:

a) Facilitar la tutela jurídico-administrativa de los bienes integrantes del Patrimonio Cultural de Cantabria a través de las diversas modalidades de inscripción previstas en esta Ley.

b) Contribuir al conocimiento del Patrimonio Cultural de Cantabria, sirviendo de apoyo a las actividades de investigación, conservación y enriquecimiento del mismo, así como a la planificación administrativa.

c) Colaborar en la divulgación del Patrimonio Cultural de Cantabria, mediante el acceso y consulta de su contenido.

4. El Inventario General del Patrimonio Cultural de Cantabria estará depositado en la Consejería de Cultura y Deporte de la Comunidad de Cantabria y en cualquier otra Consejería si el bien tiene algún tipo de relación con la misma.

Artículo 36. Contenido de los expedientes inventariados

En la inclusión de un bien inventariado habrá de constar:

a) Régimen de propiedad.

b) Descripción gráfica y escrita del bien de que se trate, tanto externa como interna, y sus contenidos.

c) Fecha y autor del bien, si ello fuera posible.

d) Todos aquellos datos e informaciones que la Consejería de Cultura y Deporte estime pertinente incluir en el expediente del bien inventariado.

Artículo 37. Conexión del Inventario General con los catálogos urbanísticos municipales

1. La inclusión de inmuebles con protección integral en los catálogos urbanísticos conllevará, una vez aprobado definitivamente, el instrumento de planeamiento correspondiente y, si así lo acuerda la Consejería de Cultura y Deporte, su ingreso en el Inventario General del Patrimonio Cultural de Cantabria.

2. La exclusión o el cambio de categoría de bienes culturales incluidos en el Inventario se notificará a la Dirección General de Urbanismo y Vivienda y al municipio o municipios donde radica el bien, para su inclusión en los correspondientes catálogos urbanísticos.

3. Los Bienes Inventariados incluidos en los catálogos urbanísticos se regularán por lo dispuesto en la normativa urbanística.

TÍTULO III. Del régimen de protección y conservación del Patrimonio Cultural de Cantabria

CAPÍTULO I. Régimen general de protección y conservación del Patrimonio Cultural de Cantabria

Artículo 38. Protección general

1. Todos los bienes que integran el Patrimonio Cultural de Cantabria gozarán de las medidas de protección establecidas por esta Ley.

2. Los poderes públicos garantizarán la protección, conservación, enriquecimiento y difusión del Patrimonio Cultural de Cantabria.

3. La Consejería de Cultura y Deporte y los Ayuntamientos, en su ámbito de acción, velarán por la pervivencia de todos los bienes integrantes del Patrimonio Cultural de Cantabria, correspondiendo a la Consejería de Cultura y Deporte autorizar cualquier intervención que les afecte.

Artículo 39. Deber general de conservación

1. Los propietarios, titulares de derechos reales y poseedores de bienes integrantes del Patrimonio Cultural de Cantabria, aunque no hayan sido inventariados, están obligados a conservarlos y protegerlos debidamente para asegurar su integridad y evitar su pérdida, destrucción o deterioro.

2. Con el fin de verificar el cumplimiento de este deber de conservación, los órganos competentes de la Comunidad Autónoma de Cantabria están facultados para adoptar las medidas de inspección que consideren necesarias. Los propietarios y poseedores de bienes culturales afectados deberán facilitar el acceso a ellos y a las demás actuaciones que emprenda la Administración.

3. Si a resultas de la actividad de inspección, o por cualquier otro cauce, se descubre la existencia de actuaciones que, por su acción u omisión, puedan hacer peligrar la debida conservación del bien cultural, la Comunidad Autónoma de Cantabria adoptará las medidas oportunas para poner fin a dicha situación incluyendo la posibilidad de su arreglo a costa del responsable de su deterioro.

4. Cuando dichas actuaciones afecten a bienes culturales no declarados, la Administración deberá iniciar, en el plazo de veinte días hábiles, el correspondiente procedimiento para su declaración como Bien de Interés Cultural, Bien de Interés Local o Bien Inventariado.

5. Los ciudadanos están legitimados para el ejercicio de cualquier actuación administrativa en relación con la defensa del patrimonio cultural de Cantabria; la Administración autonómica facilitará la colaboración de éstos, tal y como se contempla en el artículo 9 de la presente Ley.

Artículo 40. Cargas de protección

Cuando exista peligro inminente de pérdida o deterioro de un Bien de Interés Cultural, Local o Inventariado, las Administraciones Públicas deberán iniciar actuaciones de protección en las que se precisarán las medidas imprescindibles que el titular del bien adoptará para su conservación.

Artículo 41. Ordenes de suspensión y paralización

1. Cuando la Administración advierta la realización de obras, actividades o usos que puedan comprometer la integridad física o la pervivencia de los valores que hacen reconocible un Bien Cultural como tal, ordenará su inmediata suspensión y paralización.

2. También podrá ordenar, a cargo de los responsables de los daños causados ilícitamente, las medidas de demolición, reconstrucción, reparación y las demás que resulten adecuadas para la reposición del bien a su estado originario. Dichas medidas lo serán sin perjuicio de las sanciones que puedan acordarse.

Artículo 42. Facilidad de acceso, inspección e investigación

1. Los propietarios, titulares de derechos reales y poseedores de bienes integrantes del Patrimonio Cultural de Cantabria facilitarán el acceso, con fines de inspección, a la Administración competente, que podrá recabar cuantas informaciones crea pertinentes para su inclusión, si procede, en el Inventario General del Patrimonio Cultural de Cantabria. Igualmente, estarán obligados a permitir el acceso de investigadores acreditados por la Administración competente, previa solicitud motivada, a los bienes declarados de Interés Cultural o de Interés Local. El cumplimiento de esta obligación sólo podrá ser dispensado por la Administración cuando, en atención a las circunstancias concurrentes, entienda que existe causa suficientemente justificada para ello.

2. La Administración autonómica procurará la colaboración de los propietarios, titulares de derechos reales y poseedores de bienes integrantes del Patrimonio Cultural de Cantabria, estableciendo cuantas medidas de fomento crea necesarias.

3. La obligación de permitir la visita pública no alcanza a los bienes catalogados ni a los inventariados, salvo acuerdo de la Administración y de sus propietarios o titulares.

4. Sobre los Bienes Culturales no Declarados de Interés Cultural recaen los deberes de información e investigación a favor de aquellas personas que sean acreditadas por la Administración. El cumplimiento de estos deberes se hará compatible con los derechos al honor, la propia imagen y la intimidad de las personas.

5. Reglamentariamente se desarrollarán las condiciones y el procedimiento para el cumplimiento de los anteriores deberes. En todo caso y para los Bienes de Interés Cultural, en lo que se refiere a las visitas públicas, serán gratuitas durante varios días al año, en fechas y horarios que se fijarán mediante acuerdo adoptado al respecto.

Artículo 43. Derechos de tanteo y retracto

1. La enajenación de Bienes de Interés Cultural o de Interés Local requerirá la previa autorización administrativa.

2. La Administración Regional podrá ejercer, en beneficio propio o en el de las Corporaciones municipales o entes privados sin ánimo de lucro que persigan fines culturales, el derecho de tanteo sobre los bienes que se vayan a enajenar. Dicho derecho deberá ser ejercido dentro de los dos meses siguientes a la presentación de la solicitud de autorización.

3. La enajenación de derechos reales sobre Bienes Inventariados queda sujeta a la carga de comunicación previa a la Administración. Dentro del mes siguiente a dicha comunicación, la Consejería de Cultura y Deporte podrá, en beneficio propio o en el de las

Corporaciones municipales de la Comunidad de Cantabria y de entidades privadas no lucrativas, ejercer el derecho de tanteo.

4. Asimismo, deberá comunicarse previamente la enajenación de aquellos bienes que, aunque no estén declarados de Interés Cultural, posean una antigüedad superior a los doscientos años.

5. Las mencionadas solicitudes de autorización y comunicación deberán comprender el precio y demás circunstancias de la enajenación proyectada, sin perjuicio de lo establecido en la normativa estatal.

6. La Consejería de Cultura y Deporte de la Comunidad Autónoma de Cantabria dispondrá del derecho de retracto sobre dichas transmisiones cuando éstas afecten a bienes declarados de Interés Cultural. Este derecho lo podrá ejercer en el plazo de tres meses desde que se tenga conocimiento fehaciente de la enajenación, y, en cualquier momento, cuando no se hubiera realizado la comunicación que permitiera ejercer el derecho de tanteo o, cuando las circunstancias en que definitivamente se realizó la enajenación, fueran distintas de las notificadas con carácter previo a las mismas.

7. Las obligaciones del presente artículo alcanzan a los propietarios y titulares de derechos reales, a las personas que medien y actúen en su representación y, cuando se transmitan mediante pública subasta, a los subastadores. Los requisitos y cargas que se establezcan afectan también, en el caso de los lugares culturales, a los bienes reseñados singularmente en la declaración.

Artículo 44. Limitaciones a la transmisión

Los bienes declarados de Interés Cultural y los de Interés Local que sean propiedad de la Comunidad Autónoma de Cantabria o de las entidades locales, serán imprescriptibles, inalienables e inembargables, salvo las transmisiones que puedan efectuarse entre entes públicos territoriales.

Artículo 45. Expropiación

1. Los deberes de conservación establecidos en el presente capítulo serán causa de interés social a los efectos de la expropiación total o parcial del bien integrante del Patrimonio Cultural de Cantabria.

2. La Consejería de Cultura y Deporte de la Comunidad Autónoma de Cantabria y las Corporaciones locales podrán ejecutar subsidiariamente, por sí mismas o encargándoselo a terceros, las medidas de protección referidas en el artículo 39 de esta Ley que afecten a los propietarios, titulares o poseedores de otros derechos reales sobre el bien. Si hicieran uso de esta facultad exigirán el pago inmediato de su coste.

3. En el caso de incumplimiento de las órdenes de protección referidas en el artículo 39, la Administración podrá imponer multas coercitivas por un importe de hasta un diez por ciento de la obra u obligación dejada de ejecutar. Dichas multas se podrán reiterar mensualmente.

4. Se consideran asimismo de interés social, a los efectos de su expropiación, las obras y adquisiciones necesarias para la conservación de los Bienes de Interés Cultural, Interés Local y, en particular las destinadas a la creación, ampliación o mejora de museos, archivos y bibliotecas. Esta declaración alcanza también a los bienes inmuebles comprendidos en un conjunto histórico o en un lugar cultural de cualquier clase y a todos aquellos que formen parte de una delimitación de entorno, ya se refiera éste a un bien mueble o inmueble.

5. Los edificios o terrenos en que vayan a situarse construcciones o instalaciones destinadas al cumplimiento de los fines de esta Ley, podrán ser expropiados de acuerdo con la legislación vigente. A tales efectos, la declaración de Bien de Interés Cultural conlleva

implícita la declaración de utilidad pública e interés social de la expropiación de los bienes incluidos en ella.

6. Con los mismos fines, podrá acordarse la expropiación de las construcciones que impidan la contemplación de bienes declarados de Interés Cultural, o que constituyan causa de riesgo o perjuicio para los mismos, y de cuantos puedan comprometer, perturbar o aminorar las características ambientales y de disfrute de los conjuntos y bienes integrantes del Patrimonio Cultural de Cantabria.

7. Del mismo modo, podrán expropiarse los bienes declarados de Interés Cultural cuando se incumplan las prescripciones específicas sobre su uso y conservación establecidas en los instrumentos de protección que les afecten, o cuando se comprometa la conservación del bien por incumplimiento del propietario de sus deberes de conservación.

Artículo 46. Impacto o efecto ambiental

1. La Consejería de Cultura y Deporte habrá de ser informada de los planes, programas y proyectos, tanto públicos como privados, que por su incidencia sobre el territorio puedan implicar riesgos de destrucción o deterioro del Patrimonio Cultural de Cantabria. Entre ellas, habrán de ser incluidas todas las figuras relativas al planeamiento urbanístico.

2. Una vez informada, la Consejería de Cultura y Deporte habrá de establecer aquellas medidas protectoras y correctoras que considere necesarias para la protección del Patrimonio Cultural de Cantabria.

3. En la tramitación de todas las evaluaciones de impacto ambiental, el órgano administrativo competente en materia de medio ambiente solicitará informe de la Consejería de Cultura y Deporte e incluirá en la declaración ambiental las consideraciones y condiciones resultantes de dicho informe.

Artículo 47. Actuaciones

1. Los poderes públicos procurarán, por cualquier medio técnico, la conservación, consolidación y mejora de los bienes integrantes del Patrimonio Cultural de Cantabria.

2. Los bienes declarados de Interés Cultural, y los bienes declarados de Interés Local no podrán ser sometidos a tratamiento alguno, ni cambiar de uso o destino, sin autorización expresa de la Consejería con competencia en materia de Patrimonio Cultural previa a la concesión de licencia en el caso de los inmuebles.

3. Las actuaciones sobre los Bienes de Interés Cultural y de Interés Local deberán ir acompañadas por un proyecto visado por la Administración y por los órganos profesionales competentes. En aquellas actuaciones que excedan la mera conservación, la Administración podrá exigir la redacción de un Plan Director en el que se especificarán las actuaciones que debieran tener prioridad.

4. Quedan exceptuadas del requisito de proyecto de conservación las actuaciones de emergencia que resulte necesario realizar en el caso de riesgo grave para las personas o el Patrimonio Cultural de Cantabria. Estas actuaciones se limitarán a aquellas que sean las estrictamente necesarias, reponiéndose los elementos retirados al término de las mismas.

5. La situación de emergencia deberá acreditarse mediante informe suscrito por técnico competente, que será puesto en conocimiento de la Consejería de Cultura y Deporte antes de iniciarse las actuaciones. Al término de las intervenciones deberá presentarse informe descriptivo de su naturaleza, alcance y resultados.

6. Las actuaciones de emergencia previstas en este artículo podrán tener la consideración de obras de emergencia a los efectos de su contratación administrativa.

7. Cualquier proyecto de intervención en un bien declarado de Interés Cultural o de Interés Local habrá de incorporar un informe técnico sobre su importancia artística, histórica o arqueológica, elaborado por un técnico competente en cada una de las materias.

8. Una vez concluida la intervención, la dirección facultativa realizará una memoria en la que figure, al menos, la descripción pormenorizada de la obra ejecutada y de los tratamientos aplicados, así como la documentación gráfica del proceso seguido.

9. El plazo para resolver la autorización será de dos meses. Si no recae resolución expresa dentro de dicho plazo, la autorización se entenderá desestimada.

10. Las actuaciones sobre Bienes Culturales Inventariados deberán ser previamente notificadas a la Administración.

11. La autorización se entenderá caducada si transcurrieran dos años sin haberse iniciado las actuaciones para las que fue solicitada.

Dicha caducidad deberá ser declarada formalmente en procedimiento administrativo tramitado con audiencia al interesado.

Podrá prorrogarse la vigencia de la autorización por una sola vez y por un año. La solicitud de prórroga deberá presentarse con un mes de antelación a la expiración de la vigencia de la autorización original, y deberá dictarse resolución antes de que termine el referido plazo de vigencia, entendiéndose denegada en caso contrario.

CAPÍTULO II. Protección de los bienes del Patrimonio Cultural

Sección 1ª. Régimen general de aplicación a los bienes inmuebles

Artículo 48. Definición

A los efectos de esta Ley, son bienes inmuebles los enumerados en el artículo 334 del Código Civil y cuantos elementos puedan considerarse consustanciales con los edificios y formen parte de los mismos o de su entorno, o lo hayan formado, aunque en el caso de poder ser separados constituyan un todo perfecto de fácil aplicación a otras construcciones o usos distintos del suyo original, cualquiera que sea la materia de que están formados y aunque su separación no perjudique visiblemente al mérito cultural, histórico o artístico del inmueble al que estén asociados.

Artículo 49. Tipología de los bienes inmuebles que forman parte del Patrimonio Cultural de Cantabria

1. Los bienes inmuebles que forman el Patrimonio Cultural de Cantabria pueden ser declarados:
   a) Monumento.
   b) Conjunto Histórico.
   c) Lugar Cultural.
   d) Zona Arqueológica.
   e) Lugar Natural.

2. Tendrá la consideración de Monumento:
La construcción u obra de la actividad humana, de relevante interés histórico, artístico, arqueológico, etnográfico, paleontológico, tanto de antecedentes inmediatos de la raza humana como de los seres vivos en general, científico o técnico, con inclusión de los muebles, instalaciones y accesorios que expresamente se señalen como parte integrante del mismo, y que por sí sola constituya una unidad singular.

3. Tendrán la consideración de Conjuntos Históricos:
Las agrupaciones de bienes inmuebles que forman una unidad de asentamiento, continua o dispersa condicionada por una estructura física.

4. Tendrán la consideración de Lugares Culturales:
   a) Los lugares relacionados con hechos históricos, actividades, asentamientos humanos y transformaciones del territorio o con un edificio o una estructura, independientemente de

que se hallen en estado de ruina o hayan desaparecido, donde la localización por sí misma posee los valores del artículo 1 de la presente Ley, entre otros, históricos, arqueológicos, técnicos o culturales.

b) Cuando se produzca una concentración, sucesión o proximidad de estos lugares formando una entidad cultural significativa y topológicamente definible estamos ante un paisaje cultural o una ruta histórica.

5. Los Lugares Culturales a su vez podrán ser:

a) Jardín histórico: Composición arquitectónica y vegetal que, desde el punto de vista de la historia, del arte o de la ciencia tiene un interés público.

b) Sitios Históricos: Paisaje definido, evocador de un acontecimiento memorable.

c) Lugares de Interés Etnográfico: Aquel paraje natural, conjunto de construcciones o instalaciones vinculadas a formas de vida, cultura y actividades tradicionales. En ocasiones, sólo son los entornos materiales de prácticas y creencias intangibles.

d) Paisaje Cultural: Partes específicas del territorio, formadas por la combinación del trabajo del hombre y de la naturaleza, que ilustran la evolución de la sociedad humana y sus asentamientos en el espacio y en el tiempo y que han adquirido valores reconocidos socialmente a distintos niveles territoriales, gracias a la tradición, la técnica o a su descripción en la literatura y obras de arte. Tendrán consideración especial los paisajes de cercas y las estructuras de mosaico en las áreas rurales de Cantabria.

e) Rutas Culturales: Estructuras formadas por una sucesión de paisajes, lugares, estructuras, construcciones e infraestructuras ligadas a un itinerario de carácter cultural.

f) Museos.

g) Archivos.

h) Bibliotecas.

6. Zona Arqueológica. Por su especial incidencia en Cantabria y su específico tratamiento metodológico, se crea esta figura que corresponde a todo aquel lugar o paraje natural en donde se hallen bienes muebles e inmuebles, independientemente de si se hallaren en superficie, en el subsuelo o bajo las aguas territoriales. Los yacimientos arqueológicos que conformen la zona arqueológica deberán presentar una unidad en función de su cronología, tipología, situación o relación con otros valores de carácter cultural o natural.

7. Lugar Natural es aquel paraje natural que, por sus características geológicas o biológicas y por su relación con el Patrimonio Cultural, se considere conveniente proteger y no tenga la consideración de Parque Natural o Nacional.

Sección 2ª. Régimen general de protección de los bienes inmuebles

Artículo 50. De los entornos. Definición

1. Se entiende por entorno de un bien inmueble declarado de Interés Cultural o catalogado de Interés Local el espacio, edificado o no, próximo al bien, que permite su adecuada percepción y comprensión, considerando tanto la época de su construcción, como su evolución histórica, que da apoyo ambiental y cultural al mismo y que permite la plena percepción y comprensión cultural del bien y cuya alteración puede afectar a su contemplación o a los valores del mismo.

2. El entorno puede incluir edificios o conjuntos de edificios, solares, fincas en todos los casos con el correspondiente subsuelo, tramas urbanas y rurales, accidentes geográficos y elementos naturales o paisajísticos; sin perjuicio de que éstos se hallen muy próximos o distantes del bien o que constituyan un ámbito continuo o discontinuo.

Artículo 51. Delimitación del entorno afectado

1. A los expedientes de declaración e incoación de Bienes de Interés Cultural o de Interés Local, se deberá adjuntar la delimitación del entorno afectado.

2. En la definición del entorno afectado de un conjunto histórico, la delimitación, debidamente justificada, se efectuará siguiendo los criterios del artículo 48 de esta Ley, debiendo definir inequívocamente los límites, incluyendo un plano a la escala adecuada. El ámbito delimitado podrá ser continuo o discontinuo.

Artículo 52. Actuaciones en el entorno afectado

1. Toda actuación urbanística en el entorno de protección de un Bien de Interés Cultural o de Interés Local, incluyendo los cambios de uso, en tanto no se haya aprobado la figura urbanística de protección del mismo, será aprobado por la Consejería de Cultura y Deporte, que estará facultada para determinar los criterios y condiciones de intervención, atendiendo a las determinaciones generales de esta Ley y las definidas en el expediente de declaración si las hubiera.

2. La Consejería de Cultura y Deporte tendrá también como función la autorización de la colocación de elementos publicitarios y de instalaciones aparentes en el entorno de protección.

3. Se respetarán los plazos exigidos al respecto y señalados en el apartado 9 del artículo 47 de esta Ley.

4. En el caso de que esté aprobado el instrumento de planeamiento de protección del entorno afectado, la autorización de la intervención competerá al Ayuntamiento, que deberá comunicar la intención de conceder la licencia a la Consejería de Cultura y Deporte con una antelación de diez días a su concesión definitiva.

Artículo 53. De las actuaciones e intervenciones sobre bienes inmuebles

1. Todas las actuaciones sobre bienes inmuebles irán encaminadas a su conservación, consolidación, rehabilitación y mejora de acuerdo con los siguientes criterios:

a) Se respetarán las características esenciales del inmueble y cualquier cambio de uso tendrá en cuenta la estructura original del edificio, decoración y su relación con el entorno, sin perjuicio de que puedan autorizarse con carácter excepcional el uso de elementos, técnicas y materiales actuales para la mejor adaptación del bien a su uso y para valorar determinados elementos o épocas.

b) La conservación, recuperación, restauración, rehabilitación y reconstrucción del bien, así como su mejora y utilización, respetará o acrecentará los valores del mismo, sin perjuicio de que puedan utilizarse técnicas, formas y lenguajes artísticos o estéticos contemporáneos para conseguir la mejor adaptación del bien a su uso o la valoración cultural del mismo. Especialmente, se conservarán las características topológicas, morfológicas, espaciales y volumétricas más significativas.

c) Se evitarán los intentos de reconstrucción, salvo cuando se utilicen partes originales de los mismos y pueda probarse su autenticidad, mediante los correspondientes estudios arqueológicos e históricos.

d) Si se añadiesen materiales o partes indispensables para su estabilidad o mantenimiento, las adiciones deberán ser reconocibles y evitar las confusiones miméticas que falseen la autenticidad histórica. En cualquier caso, deberán integrarse armónicamente con el bien y su entorno.

e) Se respetarán las aportaciones de todas las épocas existentes. La eliminación de algunas de ellas sólo se autorizará con carácter excepcional y siempre que los elementos que traten de suprimirse supongan una evidente degradación del bien y su eliminación fuera necesaria para permitir una mejor interpretación histórica del mismo. Las partes suprimidas deberán quedar debidamente documentadas.

f) Siempre que sea posible, se utilizarán técnicas y materiales tradicionales. Cuando se utilizaren técnicas constructivas modernas, éstas deberán ser reversibles y adecuadas a las condiciones climatológicas y a la escala del proyecto. En cualquier caso, deberán estar avaladas por la experiencia y por anteriores utilizaciones en las que tales intervenciones hayan demostrado no representar ningún peligro para el bien intervenido.

g) Queda prohibida la colocación de publicidad comercial y de cualquier clase de instalación aparente (entre otros, antenas, cables, conducciones y rótulos), que alteren los valores culturales del bien, sus relaciones con el entorno o la contemplación del conjunto. No obstante, podrán autorizarse por la Consejería de Cultura y Deporte aquellas instalaciones provisionales que sirvan para facilitar la conservación y rehabilitación de los Bienes de Interés Cultural y de Interés Local y sus entornos. Se valorará y, en su caso, se introducirán las medidas correctoras oportunas para restablecer las condiciones acústicas o de textura y aromas acordes con la naturaleza del patrimonio afectado.

2. En el caso de los Conjuntos Históricos:

a) Se mantendrá la estructura urbana o rural del conjunto, las características ambientales y la silueta paisajista.

b) No se permitirán modificaciones de alineaciones, alteraciones de la edificabilidad, parcelaciones ni agregaciones de inmuebles; excepto que contribuyan a la conservación general del conjunto. Las propuestas de nuevas alineaciones y rasantes, las alteraciones de la edificabilidad, los cambios de usos, las parcelaciones y agregaciones estarán debidamente justificadas, debiendo contribuir a la protección o desarrollo adecuado del conjunto, procurando tanto la conservación del núcleo como su consideración como una estructura social viva adaptable a los nuevos tiempos.

c) Se mantendrá la vegetación característica de la zona.

d) Las canalizaciones de las diversas infraestructuras estarán enterradas; las antenas, pantallas receptoras y dispositivos similares se situarán procurando causar el mínimo impacto sobre la imagen del conjunto.

e) La colocación de rótulos publicitarios y comerciales se reglamentará a fin de evitar la alteración de la percepción de los monumentos y la degradación ambiental del conjunto. No obstante, podrán autorizarse por la Consejería de Cultura y Deporte aquellas instalaciones provisionales que sirvan para facilitar o financiar la conservación y rehabilitación de los Bienes de Interés Cultural y de Interés Local, así como sus entornos.

3. En el caso de los Lugares Culturales o de los entornos de los Bienes:

a) Se mantendrá la estructura urbana o rural, las características ambientales y la silueta paisajística de los distintos componentes del lugar.

b) El volumen, la forma, las texturas y el color de las nuevas intervenciones no alterará el carácter arquitectónico y paisajístico del lugar, ni perturbará la percepción del bien.

c) Se mantendrá la vegetación característica de la zona.

d) La colocación de rótulos publicitarios y comerciales, canalizaciones y demás infraestructuras se ordenará reglamentariamente a fin de evitar la alteración de la percepción de los monumentos y la degradación ambiental del conjunto.

e) Se prohíben aquellos movimientos de tierras que modifiquen sustancialmente la topografía y la geomorfología del territorio.

f) Se prohíben la acumulación de materiales y todas aquellas actividades que degraden la contemplación, o el mero acceso al bien de que se trate.

Artículo 54. Desplazamiento

Un inmueble declarado Bien de Interés Cultural o de Interés Local es inseparable de su entorno. No podrá procederse a su desplazamiento salvo que resulte imprescindible por causa de fuerza mayor o interés social, previa autorización de la Consejería competente en materia de Patrimonio Cultural, en cuyo caso será preciso adoptar las oportunas medidas en aquello que pueda afectar al subsuelo. Para la consideración de causa de fuerza mayor o de interés social será preceptivo el informe favorable de, al menos, dos de las instituciones consultivas competentes en esta materia contempladas en esta Ley y previo informe del Ayuntamiento afectado.

El plazo para resolver y notificar será de tres meses, transcurridos los cuales la autorización deberá entenderse denegada.

Artículo 55. Licencias

1. La obtención de las autorizaciones necesarias según la presente Ley, no altera la obligatoriedad de obtener licencia municipal y las demás licencias o autorizaciones que fueren precisas.

2. No podrán otorgarse licencias para la realización de obras que, con arreglo a la presente Ley, requieran cualquier autorización administrativa, hasta que ésta fuese concedida.

3. Las obras realizadas sin cumplir lo establecido en el apartado anterior serán ilegales y, en su caso, la Consejería de Cultura y Deporte ordenará su paralización y, si fuera preciso, su reconstrucción o demolición con cargo al responsable de la infracción.

Artículo 56. La protección de los bienes y el planeamiento urbanístico

1. La resolución de la declaración y la Denominación Oficial de un Bien de Interés Cultural o de Interés Local que afecte a bienes inmuebles debe indicar las medidas urbanísticas que se deben adoptar para su mejor protección.

2. Estas medidas podrán consistir en la revisión del planeamiento vigente o en la elaboración de uno de los instrumentos de planeamiento citados.

3. En todo caso, las determinaciones contenidas en los regímenes específicos de protección de un bien declarado, surtirán efecto directamente prevaleciendo sobre el planeamiento urbanístico vigente, que debe adaptarse a las mismas.

4. Los planes urbanísticos deberán recoger explícitamente aquellos edificios que están declarados Bien de Interés Cultural, Bien de Interés Local o Bien Inventariado o tengan incoados el expediente para su declaración, indicando el entorno de protección en los casos que proceda.

5. Los planes urbanísticos considerarán, a efectos de reparto de beneficios y cargas, las limitaciones que la declaración de un inmueble como Bien de Interés Cultural, Bien de Interés Local o su inclusión en un entorno afectado pueda conllevar.

6. La aprobación de cualquier instrumento urbanístico, que afecte a los Bienes Declarados de Interés Cultural o Bien de Interés Local o incluidos en el entorno de protección de cualesquiera de ellos, requerirá el informe favorable de la Consejería de Cultura y Deporte con carácter previo. Se entenderá la existencia de informe favorable en el caso de que transcurran tres meses desde la presentación de la solicitud sin existir contestación. En todo caso, la Consejería de Cultura y Deporte puede definir justificadamente las directrices para su redacción.

7. Cuando la elaboración o adecuación del planeamiento especial competa al Ayuntamiento y éste se inhiba de sus obligaciones, la Consejería de Cultura y Deporte podrá redactar y ejecutar dicho Plan Especial subsidiariamente, previo informe de la Comisión Técnica correspondiente.

Artículo 57. Declaración de ruina

1. Deberá comunicarse urgentemente a la Consejería de Cultura y Deporte la incoación de cualquier expediente de declaración de ruina que afecte a:

a) Muebles e inmuebles declarados o incoados Bien de Interés Cultural, Bienes de Interés Local o Inventariados.

b) Bienes que, careciendo de dicha condición, formen parte de un Conjunto Histórico, de un lugar cultural o de un entorno de protección.

2. La Consejería de Cultura y Deporte estará legitimada para actuar como parte en el expediente de declaración de ruina.

Artículo 58. Requisitos y efectos de la declaración de ruina

1. La ruina de los bienes mencionados en el artículo anterior sólo podrá ser declarada cuando se dé una situación de ruina física irrecuperable con la concurrencia de las siguientes circunstancias:

a) Existencia de daños tales que hagan peligrar las condiciones mínimas de seguridad y que exijan la reposición de más de la mitad de los elementos estructurales que tengan una misión portante o sustentante del inmueble.

b) La ausencia de ayudas económicas para afrontar el coste de las obras que excedan de dicho porcentaje.

2. La declaración de ruina implica el derecho, para aquellos sobre quienes recaen cargas de conservación, a acceder a las ayudas económicas públicas que se convoquen para este fin, siempre que reúnan los requisitos necesarios.

3. No obstante, dichas ayudas no alcanzarán a aquellos bienes cuya ruina sea consecuencia del incumplimiento, por sus obligados, del deber de conservación. En este caso, la Administración ordenará, incluso en el propio expediente de declaración de ruina, la ejecución de las actuaciones omitidas o la suspensión de las lesivas para el inmueble. De no cumplirse dichas órdenes por sus destinatarios, la Administración las ejecutará subsidiariamente, según lo establecido en los artículos 39 y 40 de esta Ley.

4. Cuando exista peligro inminente para la seguridad de otros bienes o de las personas, el titular del bien y, en su defecto, la Administración, deberá adoptar las medidas necesarias para evitarlo. Si fueran precisas las obras de fuerza mayor, se preverá la reposición de los elementos que se hayan retirado.

5. La declaración de ruina o la simple incoación del expediente tendrá la consideración de utilidad pública para iniciar la expropiación forzosa del inmueble afectado. En dicho supuesto, para el cálculo del justiprecio, no se tomará en cuenta más que el valor del suelo.

Artículo 59. De la demolición

1. El deber de conservación de los bienes declarados de Interés Cultural, de Interés Local o Inventariados no cesa porque el inmueble haya sido declarado en ruina.

2. Excepcionalmente, sólo se podrá acordar la demolición total o parcial de un Bien de Interés Cultural cuando, previa existencia de una declaración de ruina, se pronuncien favorablemente a dicha demolición al menos dos de los órganos asesores previstos en el artículo 11 de esta Ley. En dicho procedimiento, que deberá ser tramitado por la Consejería competente en materia de Patrimonio Cultural, se dará audiencia al Ayuntamiento en cuyo término se encuentre el bien. En ningún caso se podrá demoler el inmueble sin la autorización de la Consejería competente en materia de patrimonio cultural, y sin previa firmeza de la declaración de ruina.

3. De igual manera, sólo excepcionalmente podrá autorizarse la demolición de un Bien de Interés Local o Inventariado con las condiciones reseñadas en el apartado anterior.

4. La demolición de Bienes declarados de Interés Cultural, de Interés Local o Catalogados, o Inventariados será acordada por el órgano competente para la declaración de Bien
de Interés Cultural, de Interés Local o Catalogado o Inventariado.

5. No podrá demolerse ningún inmueble en el que la declaración de ruina sea consecuencia del incumplimiento de los deberes de conservación por sus obligados.

6. La persona titular de la Dirección General competente en materia de Patrimonio
Cultural podrá ordenar la suspensión inmediata de las obras de demolición de aquellos
bienes inmuebles que, aunque no estuviesen declarados, catalogados o inventariados, fueran portadores de algunos de los valores culturales protegidos por esta Ley. En un plazo no
superior a seis meses deberá incoarse el procedimiento correspondiente para su declaración como bien perteneciente a cualesquiera de las tres categorías anteriores y adoptar las
medidas cautelares necesarias para su integridad.

Sección 3ª. Regímenes específicos de protección de los bienes inmuebles

Artículo 60. Régimen de los Bienes de Interés Cultural

Los bienes inmuebles declarados de Interés Cultural así como su entorno, gozarán de
la protección prevista en

a) El régimen general contenido en el Capítulo I del Título III de la presente Ley.

b) El régimen general de los bienes inmuebles contenidos en la Sección Primera del
Capítulo II del Título III de la presente Ley.

c) Los regímenes específicos de los bienes inmuebles contenidos en la presente sección.

d) Los regímenes de los Patrimonios específicos contenidos en el Título IV de la presente
Ley y que les sean de aplicación.

e) El que le sea de aplicación a través de la correspondiente Denominación Oficial a la
que habrá de ajustar la planificación territorial o urbanística y cuya aprobación precisará
del informe vinculante de la Consejería de Cultura y Deporte.

Artículo 61. Régimen de los Monumentos declarados Bien de Interés Cultural

1. Será preceptiva la autorización de la Consejería competente en materia de Cultura
para:

a) Cualquier intervención sobre el Monumento o en su entorno de protección delimitado.

b) El cambio de uso o aprovechamiento del inmueble o de algún otro inmueble contenido en su entorno, si no existiera una figura de planeamiento que regulara específicamente
dicho entorno.

c) La incoación de expedientes de ruina del inmueble o de algún otro inmueble contenido en su entorno, si no existiera una figura de planeamiento que regulara específicamente
dicho entorno.

2. Dicha autorización se entenderá denegada si no se emite transcurridos dos meses
desde la presentación de la solicitud.

3. La potestad de la Consejería de Cultura y Deporte a la que hace referencia el artículo anterior se ejercerá en el marco de los criterios básicos y generales fijados en los
artículos 51 y 52 de la presente Ley, y de los criterios específicos que pueda contener cada
declaración, sin perjuicio del margen de apreciación discrecional necesario para valorar
en cada supuesto la compatibilidad de la intervención proyectada con la conservación de
los valores culturales del bien.

4. Los Ayuntamientos notificarán a la Consejería de Cultura y Deporte, simultáneamente
a la notificación al interesado, las licencias urbanísticas que afecten a bienes declarados
de Interés Cultural.

5. Si no existiera una figura de planeamiento que regulara específicamente el caso de ruina y demolición total o parcial del inmueble o de algún otro inmueble contenido en el entorno de protección, es competencia exclusiva de la Consejería de Cultura y Deporte la incoación y resolución de expedientes de ruina. La Consejería recibirá informe vinculante sobre el caso de, al menos, dos de las instituciones consultivas competentes en materia de Patrimonio Cultural.

6. Cualquier intervención sobre el monumento se hará de acuerdo a lo dispuesto en los artículos 51 y 52 de la presente Ley.

7. Se procurará el mantenimiento del aprovechamiento y uso característicos. Sólo si se salvaguardan los valores culturales del monumento, el planeamiento general o los planes especiales de conservación y rehabilitación podrán autorizarse aprovechamientos y usos distintos.

Artículo 62. Régimen de los Conjuntos Históricos. Planeamiento de Conjuntos Históricos declarados Bien de Interés Cultural

1. La declaración como Bien de Interés Cultural de un Conjunto Histórico implica la obligación de los Ayuntamientos afectados de elaborar un Plan Especial o instrumento de protección equivalente.

2. La aprobación definitiva de este Plan requerirá el informe favorable de la Consejería de Cultura y Deporte, que se entenderá positivo, si no ha contestado en ningún sentido, transcurridos tres meses desde su presentación.

3. La obligatoriedad de dicha normativa no podrá excusarse en la preexistencia de otro planeamiento contradictorio con la protección, ni en la preexistencia previa de planeamiento general.

Artículo 63. Contenido del planeamiento de Conjuntos Históricos declarados Bien de Interés Cultural

1. Los planes especiales que se elaboren en ejecución de la presente Ley deberán atenerse en su redacción a la legislación vigente y a los siguientes criterios:

a) Procurarán el mantenimiento general de la estructura urbana, de los espacios libres, de los edificios, de las alineaciones y rasantes y de la estructura parcelaria, también de las características generales del ambiente y de la silueta paisajística, y determinarán aquellas reformas que puedan servir a la recuperación, conservación o mejora del conjunto.

b) Contendrá un catálogo exhaustivo de todos los elementos que conforman el Conjunto Histórico, incluidos aquéllos de carácter ambiental, vegetación incluida, señalados con precisión en un plano topográfico a escala adecuada, en aquellos casos donde fuera preciso. A los elementos singulares se les dispensará una protección integral definiendo, si no lo estuviera, el entorno afectado y los criterios de intervención. Para el resto de los elementos y espacios libres se fijará el nivel de protección adecuado.

c) Procurarán el mantenimiento general de los usos tradicionales de la edificación, del conjunto y de los espacios libres; y a tal fin regularán el régimen de los usos característicos, compatibles y prohibidos; y determinarán aquellas alteraciones que puedan servir a la recuperación o mejora de los edificios y los espacios libres.

d) Contendrán normas para la protección de la edificación registrada, catalogada e inventariada, para la nueva edificación y para la conservación y mejora de los espacios públicos. Dichas normas deberán regular todos los elementos que se puedan superponer a la edificación y a los espacios públicos y se guiarán por el contenido de los artículos 51 y 52 de la presente Ley. En las nuevas edificaciones se prohibirán las actuaciones miméticas que falsifiquen los lenguajes arquitectónicos tradicionales.

e) Incorporarán normas para la protección del patrimonio arqueológico y paleontológico en el ámbito territorial afectado por la declaración, que han de incluir el deber de verificación de la existencia de restos de dicha naturaleza en cualquier movimiento del terreno que se lleve a cabo.

f) Establecerán un programa para la redacción y ejecución de los proyectos de mejora encaminado a la rehabilitación del conjunto o de áreas específicas del mismo, a la mejor adecuación de los espacios urbanos, de las infraestructuras y de las redes de instalaciones públicas y privadas a las exigencias histórico ambientales.

g) Igualmente, se propondrán las medidas de fomento que se estimen necesarias en orden a promover la revitalización del Conjunto Histórico.

h) Se incluirán, igualmente, propuestas de modelos de gestión integrada del Conjunto Histórico.

2. Todas las actuaciones estarán presupuestadas en un programa económico-financiero donde se concreten las inversiones necesarias para desarrollar las previsiones del Plan Especial.

Artículo 64. Autorización de obras en Conjuntos Históricos declarados Bienes de Interés Cultural

1. En tanto no se apruebe definitivamente la normativa urbanística de protección a que se hace referencia en el artículo 62 de esta Ley, la concesión de licencias o la ejecución de las ya otorgadas antes de la declaración de Conjunto Histórico precisará autorización de la Consejería con competencia en materia de Patrimonio Cultural en un plazo máximo de tres meses, transcurridos los cuales se puede considerar denegada. No se admitirán modificaciones en las alineaciones y rasantes existentes, incrementos o alteraciones del volumen, parcelaciones ni agregaciones y, en general, cambios que afecten a la armonía del conjunto.

2. La potestad de la Consejería de Cultura y Deporte a la que hace referencia el artículo anterior se ejercerá en el marco de los criterios básicos y generales fijados en los artículos 51 y 52 de esta Ley y de los criterios específicos que pueda contener cada declaración, sin perjuicio del margen de apreciación discrecional necesario para valorar en cada supuesto la compatibilidad de la intervención proyectada con la conservación de los valores culturales del bien.

3. Los Ayuntamientos notificarán a la Consejería de Cultura y Deporte, simultáneamente a la notificación al interesado, las licencias urbanísticas que afecten a bienes declarados de Interés Cultural.

4. Una vez aprobado definitivamente el Plan Especial de Protección, los Ayuntamientos serán competentes para autorizar las obras que lo desarrollan, incluidas las de los entornos de los Monumentos declarados, debiendo dar cuenta a la Consejería con competencia en materia de Patrimonio Cultural de todas las licencias concedidas en un plazo máximo de diez días. En todo caso, las intervenciones arqueológicas o sobre monumentos integrantes del conjunto requerirán la autorización de la Consejería con competencia en materia de Patrimonio Cultural. Las obras contrarias al Plan Especial serán ilegales, y la Consejería con competencia en materia de Patrimonio Cultural paralizará dichas obras y, si fuera preciso, ordenará su reconstrucción o demolición, sin perjuicio de lo dispuesto en la legislación urbanística.

Artículo 65. Régimen de los lugares declarados de Interés Cultural

1. Los Lugares Culturales, así como su entorno, se ordenarán mediante planes especiales de protección u otro instrumento de planeamiento que cumpla las exigencias establecidas en los artículos 62 y 63 de esta Ley, en especial relativo a los regímenes específicos,

actuaciones sobre conjuntos y lugares culturales y régimen de los Conjuntos Históricos declarados Bien de Interés Cultural. El régimen de autorizaciones de obras en los Lugares Culturales será el mismo que el artículo 64 regula para los Conjuntos Históricos.

2. Cualquier remoción de tierras de una zona arqueológica o zona paleontológica habrá de ser autorizada por la Consejería competente en materia de Patrimonio Cultural, con independencia o no de que exista un instrumento básico de protección. Transcurrido el plazo de tres meses para resolver y notificar la resolución, la solicitud se entenderá denegada.

Artículo 66. Bienes de Interés Local

1. Los bienes inmuebles catalogados, así como su entorno, gozarán de la protección prevista en:

a) El régimen general contenido en el Capítulo I del Título III de la presente Ley.

b) El régimen general de los bienes inmuebles contenido en la Sección Primera del Capítulo II del Título III de la presente Ley.

c) Los regímenes específicos de los bienes inmuebles contenidos en la presente sección.

d) Los regímenes de los Patrimonios específicos contenidos en el Título IV y que les sean de aplicación.

e) El que le sea de aplicación a través de la correspondiente Denominación Oficial a la que habrá de ajustarse la planificación territorial o urbanística y cuya aprobación precisará el informe vinculante de la Consejería de Cultura y Deporte.

2. Cualquier intervención o cambio de uso en un inmueble de Interés Local precisará de autorización de la Consejería competente en materia de Patrimonio Cultural en los términos del artículo 47. Las actuaciones en su entorno se regirán por lo dispuesto en el artículo 52. Si se trata de un Conjunto Histórico Artístico con plan especial de protección, se regirá por lo dispuesto en el artículo 64.

3. La Consejería de Cultura y Deporte podrá suspender cautelarmente cualquier obra o intervención no autorizada en un bien inmueble catalogado para el cumplimiento de los fines previstos en la presente Ley.

4. La incoación y declaración de procedimientos de ruina y demolición se regulará según lo dispuesto en los artículos 57, 58 y 59 de la presente Ley.

Artículo 67. Bienes Inventariados

1. Los Bienes Inventariados gozarán de una protección cuyo objetivo es evitar su desaparición, y estarán bajo la responsabilidad de los Ayuntamientos y de la Consejería de Cultura y Deporte, que habrá de recibir notificación de cualquier intervención o cambio de uso en un plazo de diez días previos a la concesión de la licencia o, en su caso, autorización por el organismo competente.

2. La Consejería con competencia en materia de Patrimonio Cultural podrá ser parte en el expediente de declaración de ruina y de derribo o demolición, tal y como se describe en los artículos 57, 58 y 59 de esta Ley.

Sección 4ª. Régimen general de los bienes muebles

Artículo 68. Definición

A los efectos previstos en esta Ley, además de los enumerados en el artículo 335 del Código Civil, tienen la consideración de bienes muebles aquellos de carácter y valor histórico, artístico, etnográfico, arqueológico, paleontológico, bibliográfico, documental, tecnológico o científico, susceptibles de ser transportados, no estrictamente consustanciales con la estructura de inmuebles, cualquiera que sea su soporte material.

Artículo 69. Conservación y restauración

1. Los bienes muebles declarados de Interés Cultural y los de Interés Local deberán ser conservados en su integridad, dando cumplimiento al régimen general de protección aprobado con su categoría.

2. Cualquier intervención en un bien mueble declarado de Interés Cultural o de Interés Local habrá de ser previamente autorizada por la Consejería de Cultura y Deporte, que recabará cuantos informes estime necesarios tanto de instituciones públicas o privadas dedicadas a la conservación y restauración de bienes culturales, como de los órganos asesores y consultivos previstos en esta Ley.

3. Por lo que se refiere a bienes culturales de la Iglesia Católica se atenderá, además, a lo expuesto en el artículo 6 de esta Ley.

4. Los proyectos de intervención sobre dichos bienes tendrán que incorporar un informe sobre su valor cultural. Asimismo, incluirá una evaluación justificativa de la intervención que se propone, diagnóstico de daños, presupuesto, tratamientos, criterios de intervención y de mantenimiento previstos.

5. Compete a la Consejería de Cultura y Deporte autorizar o denegar las intervenciones. Dicha autorización deberá resolverse en el plazo máximo de dos meses, salvo prórroga decidida excepcionalmente por la Consejería de Cultura y Deporte, que deberá ser notificada al solicitante, indicando las razones que la han motivado.

6. La dirección de los procesos de conservación o restauración habrá de recaer en técnico competente. La Consejería de Cultura y Deporte llevará un registro de empresas y profesionales facultados para ejercer estas actividades en la Comunidad Autónoma de Cantabria. La inclusión en dicho registro se hará conforme a un reglamento y unas normas elaboradas al efecto.

7. Durante el proceso de intervención, la Consejería de Cultura y Deporte podrá inspeccionar los trabajos realizados y adoptar cuantas medidas estime oportunas para asegurar el cumplimiento de los criterios establecidos en la autorización de la intervención.

8. Una vez concluido el proceso de conservación o restauración, la dirección facultativa realizará una memoria en la que figure, al menos, la descripción pormenorizada de la intervención ejecutada y de los tratamientos aplicados, así como documentación gráfica del proceso seguido. Dicha memoria pasará a formar parte de los expedientes de declaración o catalogación del bien en cuestión.

Artículo 70. Colecciones públicas

A todos los bienes que formen parte de museos, archivos o bibliotecas dependientes de la Administración Pública Regional, les serán de aplicación los mecanismos de protección establecidos en la presente Ley para los bienes declarados de Interés Cultural o de Interés Local.

Artículo 71. Traslados

1. Los propietarios y poseedores legítimos de bienes culturales muebles de Interés Cultural o los de Interés Local deberán comunicar a la Consejería competente en materia de Patrimonio Cultural los traslados de lugar de dichos bienes para su anotación en el Registro General de Bienes de Interés Cultural o en el Catálogo General de los Bienes de Interés Local de Cantabria, respectivamente, indicando su origen y destino, y si aquel traslado se hace con carácter temporal o definitivo.

2. Los bienes muebles que fuesen reconocidos como inseparables de un inmueble declarado de Interés Cultural o de Interés Local estarán sometidos al destino de éste, y su separación, siempre con carácter excepcional, exigirá la previa autorización de la Consejería competente en materia de Patrimonio Cultural.

Artículo 72. Comercio

1. Los bienes muebles declarados Bien de Interés Cultural podrán ser objeto de comercio, previa comunicación a la Consejería de Cultura y Deporte.

2. Con carácter general, el resto de los bienes muebles del Patrimonio Cultural de Cantabria podrán ser objeto de comercio de acuerdo con las normas que reglamentariamente se establezcan.

3. Las personas y entidades privadas que se dediquen habitualmente al comercio de bienes muebles integrantes del Patrimonio Cultural de Cantabria llevarán un libro de registro legalizado por la Consejería de Cultura y Deporte, en el cual se constatarán las transacciones efectuadas. Se anotarán en el citado libro los datos de identificación del objeto y las partes que intervengan en cada transacción.

4. A los efectos de su posible inclusión en el Inventario del Patrimonio Cultural de Cantabria, los propietarios, poseedores y personas o entidades que ejerzan habitualmente el comercio de bienes culturales muebles habrán de comunicar a la Consejería con competencia en materia de Patrimonio Cultural la existencia de los mismos antes de proceder a su transmisión a terceros, haciendo constar el precio convenido.

En ningún caso se podrán enajenar los bienes cuyo comercio queda prohibido en aplicación de esta ley o de la legislación estatal en la materia ex art. 149.1.28 CE.

Artículo 73. Actuaciones de urgencia

1. En el caso de que un bien mueble de Interés Cultural o de Interés Local requiera la adopción de medidas urgentes de conservación o custodia, la Consejería de Cultura y Deporte podrá exigir a su propietario la ejecución de los trabajos que se estimen oportunos, o bien podrá ejecutarlos subsidiariamente en caso de incumplimiento por el titular del bien afectado.

2. Asimismo, la Consejería de Cultura y Deporte podrá ordenar el depósito provisional de bienes muebles de Interés Cultural o de Interés Local en lugares adecuados, procurando respetar, siempre que sea posible, el cumplimiento de la finalidad que los mismos tengan asignada, en tanto el lugar de su ubicación original no cumpla las condiciones necesarias para la debida conservación de aquéllos.

Artículo 74. Cesión en depósito

Los propietarios y poseedores legítimos de objetos y colecciones de bienes culturales calificados como de Interés Local podrán acordar con las Administraciones Públicas la cesión en depósito de los mismos en los plazos y condiciones que se establezcan reglamentariamente. En todo caso, la cesión en depósito conllevará el derecho de la Administración a exponer al público los bienes depositados, salvo que con ello pudieran perjudicarse intereses legítimos de personas o grupos sociales y así quede debidamente justificado.

TÍTULO IV. De los regímenes específicos

CAPÍTULO I. Del Patrimonio Arqueológico y Paleontológico

Artículo 75. Concepto

Integran el Patrimonio Arqueológico y Paleontológico de Cantabria todos los bienes muebles, inmuebles y emplazamientos de interés histórico, así como toda la información medioambiental relacionada con la actividad humana que sean susceptibles de ser investigados con la aplicación de las técnicas propias de la arqueología, hayan sido descubiertos o no, estén enterrados o en superficie, en aguas litorales o continentales, incluyendo los testimonios de arqueología industrial y minera.

Artículo 76. Definición de actuación arqueológica

1. Se consideran actuaciones arqueológicas y paleontológicas aquellas que tengan como finalidad descubrir, documentar o investigar restos arqueológicos o paleontológicos, o la información cronológica y medioambiental relacionada con los mismos.

2. Se consideran actuaciones arqueológicas y paleontológicas de carácter preventivo:

a) La realización de inventarios de yacimientos, en cuanto que requieran prospección del territorio. Estos son la relación y catálogo de yacimientos, hallazgos aislados y áreas de protección arqueológica, con expresa indicación de su tipología, cronología y localización geográfica.

b) Los controles y seguimientos arqueológicos. Estos consisten en la supervisión de obras en proceso de ejecución en las que podría verse afectado el Patrimonio Arqueológico y el establecimiento de medidas oportunas que permitan la conservación o documentación de las evidencias o elementos de interés arqueológico o paleontológico que aparezcan en el transcurso de las mismas.

c) Los estudios de evaluación de impacto ambiental. Estos consisten en los documentos técnicos en los que se incluye la incidencia que un determinado proyecto, obra o actividad pueda tener sobre los elementos que componen el patrimonio histórico, en general, y arqueológico y paleontológico, en particular.

d) La consolidación y restauración, así como actuaciones de cerramiento, vallado o cubrición de restos arqueológicos o paleontológicos.

3. Se consideran actuaciones arqueológicas y paleontológicas de investigación:

a) Las excavaciones arqueológicas. Se entiende por excavación arqueológica las remociones sistemáticas de terreno y la recogida de materiales de la superficie, del subsuelo, o en medio subacuático, que se realicen con el fin de descubrir e investigar cualquier clase de restos históricos o paleontológicos, así como los componentes geológicos relacionados con los mismos. A efectos de la presente Ley tendrá esta misma consideración la toma de muestras destinada a análisis cronológicos, medioambientales o de cualquier otro tipo conocido o por descubrir.

b) Las prospecciones arqueológicas. Se entiende por prospección arqueológica la exploración sistemática y delimitada en la superficie, sin remoción del terreno, o subacuática para la detección de vestigios arqueológicos, visibles o no. Estos engloban la observación y reconocimiento sistemático de la superficie, así como la aplicación de técnicas especializadas de teledetección.

En la prospección subacuática sólo podrán realizarse desplazamientos moderados de arena sin extracción ni remoción de material arqueológico alguno, siempre que se haga constar expresamente en el permiso administrativo.

c) Los estudios de arte rupestre. Se entiende por estudio de arte rupestre al conjunto de tareas de campo orientadas al conocimiento, registro, documentación gráfica y reproducción de manifestaciones rupestres y de su contexto. A los efectos de la presente Ley, tendrá esta consideración cualquier toma de muestras sobre las evidencias parietales o sus soportes, la cual tendrá que ser autorizada explícitamente.

4. Se consideran intervenciones de salvamento aquéllas destinadas a adoptar las medidas necesarias cuando exista peligro inmediato de pérdida o destrucción de bienes del Patrimonio Arqueológico.

Artículo 77. Autorizaciones

1. La autorización para cualesquiera de las actuaciones arqueológicas definidas en el artículo anterior será otorgada por la Consejería competente en materia de Patrimonio Cultural, siendo su función exclusiva la concesión, modificación o renovación y, en los casos en que resulte procedente, la suspensión de los permisos correspondientes. El otorgamiento

de la autorización será comunicado al Ayuntamiento dentro de cuyo ámbito territorial se desarrolle la actuación.

2. Podrá solicitar autorización cualquier persona física en posesión de una titulación idónea de grado universitario con acreditada profesionalidad en el campo de la arqueología, o los representantes de una empresa, centro o institución de investigación arqueológica, con solvencia en el campo de la arqueología.

No obstante, no podrán solicitar autorización ni, en el caso de actuaciones arqueológicas de investigación, solicitar la financiación a que se refiere el artículo 80:

a) Quienes incumplan la obligación de remitir a la Consejería competente en materia de Patrimonio Cultural, en tiempo y forma, la memoria científica con los resultados de los trabajos arqueológicos realizados, a que se refiere el artículo 88, hasta la entrega de la misma;

b) Quienes hayan sido sancionados mediante resolución firme por infracciones contra el Patrimonio Cultural.

3. Las excavaciones que se realicen por investigadores o instituciones extranjeras, además de la normativa establecida en esta Ley, deberán contar con un codirector español. Los informes y la memoria de la excavación se presentarán en castellano.

4. El centro, institución o empresa del que forme parte el director de una actuación arqueológica, se responsabilizará de la calidad científica de los trabajos y de la protección y conservación de los materiales, hasta su entrega al Museo Regional de titularidad pública que determine la Administración, en el plazo y forma que se establezca. Igualmente, se hará cargo de cualquier responsabilidad civil subsidiaria.

Cuando la autorización haya recaído sobre una persona física, ella se responsabilizará de lo dispuesto en el apartado anterior.

5. La solvencia de las personas físicas y jurídicas para la realización de actuaciones arqueológicas de gestión y de salvamento será informada por la Comisión Técnica de Patrimonio Arqueológico y Paleontológico o de cualquiera de los órganos asesores citados en el artículo 11 de esta Ley, con definición expresa de los ámbitos en que puedan intervenir en función de la titulación académica y la experiencia que se acredite.

En cualquier caso, las obligaciones desde el punto de vista científico serán las mismas que para las actuaciones de investigación.

6. La autorización será denegada cuando no concurra la capacitación profesional adecuada o el proyecto arqueológico presentado resulte inadecuado para la intervención pretendida.

7. Las autorizaciones se otorgarán por año natural, salvo que la actuación arqueológica tenga una duración inferior, en cuyo caso la vigencia de la autorización se limita a la duración de la actuación arqueológica autorizada. En todo caso, las autorizaciones caducan el día 31 de diciembre del año natural.

Podrá prorrogarse anualmente la vigencia de la autorización. La solicitud de prórroga deberá presentarse con un mes de antelación a la expiración de la vigencia de la autorización original, y deberá dictarse resolución antes de que termine el referido plazo de vigencia, entendiéndose denegada en caso contrario.

Artículo 77. bis Tramitación y resolución

1. Sin perjuicio de las especialidades que se puedan establecer en esta Ley, las solicitudes de autorización para realizar actuaciones arqueológicas, que podrán presentarse en cualquier momento del año natural, estarán acompañadas por la siguiente documentación:

a) En el caso de las actuaciones arqueológicas de carácter preventivo y de salvamento:

1°. Proyecto de la actuación arqueológica, que indicará los objetivos, trabajos y técnicas a utilizar en la actuación, medidas de protección de los restos que se puedan descubrir, así como el equipo técnico de que se vaya a disponer para su realización.

2°. Carta de contratación.

b) En el caso de las actuaciones arqueológicas de investigación:

1°. Proyecto que deberá reflejar: la idoneidad sobre la conveniencia y el interés científico de la actuación; los objetivos, trabajos y técnicas a utilizar; medidas de protección de los restos que se puedan descubrir; así como el equipo técnico de que se va a disponer adjuntando documentación específica de la titulación y experiencia en Arqueología del director o directores.

2°. Memoria económica que refleje las fuentes de financiación públicas y privadas con que se dispone para que el proyecto sea viable.

3°. En los casos en que proceda, autorización de la persona propietaria del terreno relativa a la ocupación del mismo. La obtención de dicha autorización será responsabilidad, en todo caso, de la persona que dirija las actuaciones arqueológicas.

2. Durante la instrucción del procedimiento se recabarán los informes que se estimen necesarios, en particular de la Comisión Técnica de Patrimonio Arqueológico y Paleontológico, para adoptar la resolución del procedimiento.

3. La resolución será dictada por la persona titular de la Dirección General competente en materia de Patrimonio Cultural en un plazo de seis meses transcurridos los cuales la solicitud deberá entenderse denegada.

Artículo 77. ter Autorizaciones de actividades en cuevas naturales con interés arqueológico

1. Las visitas, exploraciones espeleológicas y de otras características en cavidades naturales con interés arqueológico deberán contar con una autorización de la Consejería competente en materia de Patrimonio Cultural. Mediante resolución del Consejero competente en materia de Patrimonio Cultural se determinarán las cuevas para las que no sea precisa dicha autorización.

2. El procedimiento para obtener dicha autorización será el siguiente:

a) Los interesados presentarán la solicitud de autorización ante la Consejería competente en materia de Patrimonio Cultural con un mes de antelación a la vista proyectada y, en el caso de que esta se pretenda realizar en los meses de julio y agosto, con dos meses de antelación.

La solicitud deberá ser presentada individualmente o de forma colectiva por todos los grupos interesados en realizar la visita.

A la solicitud se acompañará, informe favorable de la Federación Cántabra de Espeleología con relación a la solvencia espeleológica de la solicitud.

b) En el caso de las visitas espeleológicas de exploración, además del informe de la Federación Cántabra de Espeleología a que se refiere el apartado anterior, la solicitud deberá adjuntar la siguiente documentación:

1°. Un plan de trabajo, en el que se deberá señalar las fechas en las que se realizará la exploración.

2°. Las cuevas o zona geográfica completa que se quieran estudiar, indicada a ser posible en coordenadas de las hojas 17/50.000 del Instituto Geográfico y Catastral.

3°. El número de participantes.

4°. Los planes generales de estudio.

5°. Informe de la Federación Cántabra de Espeleología efectuando la distribución de la zona de trabajo.

La distribución de las zonas de trabajo realizadas por la Federación deberá contar con el visto bueno de la Consejería competente en materia de Cultura.

c) Corresponde a la persona titular de la Dirección General competente en materia de Patrimonio Cultural dictar la resolución del procedimiento.

3. Las autorizaciones de visita espeleológica de exploración caducan en el año natural en que fueron expedidos y tienen vigencia para las fechas que en los mismos se determinen.

4. Los interesados autorizados tendrán la obligación de presentar, al final de cada exploración, dos memorias detalladas del trabajo realizado, acompañadas de planos e informes, así como títulos de las publicaciones donde aparecerán los estudios realizados.

La presentación de las memorias en el plazo establecido será condición para obtener cualquier autorización de visita a las cavidades naturales con interés arqueológico de Cantabria.

5. Los hallazgos de tipo arqueológico, histórico o prehistórico aparecidos fortuitamente en las cuevas deberán ser puestos en conocimiento de la Consejería competente en materia de Patrimonio Cultural.

6. Queda prohibido realizar cualquier tipo de deterioro, colmatación, obra o alteración de las cavidades naturales sin la preceptiva autorización de la Consejería competente en materia de Patrimonio Cultural, cuya tramitación se desarrollará reglamentariamente.

7. Transcurrido el plazo para resolver y notificar el procedimiento para otorgar las autorizaciones previstas en este artículo, la solicitud se entenderá denegada.

Artículo 78. Actuaciones ilícitas

1. Se consideran ilícitas y sus responsables serán sancionados conforme a lo dispuesto en la presente Ley y en el Código Penal, todas aquellas actuaciones arqueológicas realizadas sin el correspondiente permiso de la Consejería de Cultura y Deporte, o las que se hagan contraviniendo los términos en que se ha concedido la autorización, así como las obras de remoción de tierra, de demolición o cualquiera otra realizada con posterioridad en el lugar donde se haya producido un hallazgo casual de restos arqueológicos o paleontológicos que no hubiera sido comunicado inmediatamente a la Administración competente.

2. Se prohíbe el uso de detectores de metales y aparatos de tecnología similar fuera de las actuaciones legalmente autorizadas en el marco de esta Ley.

Artículo 79. Desplazamiento de estructuras arqueológicas

1. Excepcionalmente, cuando razones de interés público o utilidad social obliguen a trasladar estructuras o elementos de valor arqueológico, por resultar inviable su mantenimiento en su sitio originario, o peligrar su conservación, se documentarán científica y detalladamente sus elementos y características, a efectos de garantizar su reconstrucción y localización en el lugar que determine la Consejería de Cultura y Deporte, que será quien autorice la intervención.

2. El traslado será anotado en el Inventario Arqueológico correspondiente y en su caso en el Registro General de Bienes de Interés Cultural, manteniéndose todos los datos relativos a la localización originaria y las características del entorno, y estructuras afectadas por el traslado, con el fin de evitar la pérdida o disminución de la información científica.

3. Serán de aplicación los mismos criterios para la documentación de sitios con valor paleontológico, estén declarados o no de interés cultural y cuyas características puedan ser objeto de transformación, por degradación del lugar y su entorno.

Artículo 80. Financiación de las actuaciones arqueológicas de investigación

1. Las actuaciones arqueológicas de investigación previamente autorizadas podrán ser financiadas de conformidad con lo previsto en la normativa general de subvenciones, así como las correspondientes bases reguladoras y convocatorias anuales que se aprueben al efecto.

2. La obtención de una autorización para efectuar una actuación arqueológica de investigación es independiente de la convocatoria de subvenciones para la financiación de esta clase de actuaciones arqueológicas.

3. Tendrán prioridad para ser financiados por la Administración autonómica aquellos proyectos de actuación arqueológica de investigación que se ajusten a las líneas de investigación fijadas periódicamente por la Consejería competente en materia de Patrimonio Cultural en el Plan Regional de arqueología a propuesta de la Comisión Técnica de Patrimonio Arqueológico y Paleontológico.

Artículo 81. Conservación y restauración

1. Todos los proyectos de excavación arqueológica deberán prever en su presupuesto la cantidad suficiente para la protección eficaz del yacimiento a lo largo del proceso de intervención y para la conservación de los materiales hasta que se efectúe su depósito.

2. Finalizados los trabajos, el director de la actuación presentará a la Consejería de Cultura y Deporte en un plazo máximo de tres meses, una memoria con las recomendaciones que considere oportunas de cara a la conservación y protección del yacimiento, y, en su caso, de la excavación.

Artículo 82. Dominio público

1. A los efectos de la presente Ley, tienen la consideración de dominio público todos los objetos y restos materiales de interés arqueológico y paleontológico descubiertos como consecuencia de excavaciones arqueológicas u otros trabajos sistemáticos, remoción de tierras, obras de cualquier índole, o producidos de forma casual.

2. La Consejería de Cultura y Deporte podrá ordenar la ejecución de intervenciones arqueológicas en cualquier terreno, público o privado, en donde se constate o presuma la existencia de un yacimiento o restos arqueológicos. En caso de que la intervención se desarrolle en terreno privado, el propietario tendrá derecho a las indemnizaciones que contemple la legislación.

Artículo 83. Seguimiento arqueológico

1. La Consejería de Cultura y Deporte, como medida preventiva, podrá ordenar el seguimiento arqueológico, entendido como supervisión por un arqueólogo, de cualquier proceso de obras que afecte o pueda afectar a un espacio en donde se presuma la existencia de restos arqueológicos.

2. Los gastos que ocasione este seguimiento serán costeados de acuerdo al apartado 6 del artículo siguiente.

Artículo 84. Suspensión de obras

"1. Si durante la ejecución de una obra, sea del tipo que fuere, se hallan restos u objetos con valor arqueológico, el promotor o la dirección facultativa de la obra paralizarán inmediatamente los trabajos, tomarán las medidas adecuadas para la protección de los restos, y comunicarán su descubrimiento de acuerdo con lo contemplado en el artículo 85 de la presente Ley.

2. En el plazo de quince días, a contar desde la comunicación a la que se refiere el apartado 1 de este artículo, la Consejería competente en materia de Patrimonio Cultural llevará a cabo las actividades de comprobación correspondientes, a fin de determinar el interés y el valor arqueológico de los hallazgos, y dictará resolución motivada, autorizando el reinicio de las obras o estableciendo el plazo de suspensión hasta completar la investigación.

3. La suspensión de las obras podrá ser objeto de compensación económica, en los términos establecidos en la legislación vigente en materia de responsabilidad patrimonial de las Administraciones Públicas.

4. En las zonas, solares o edificaciones en que se presuma la existencia de restos arqueológicos o paleontológicos o a instancia de la Administración, el propietario o promotor

de las obras que se realicen deberá aportar un estudio con anterioridad a su inicio donde se evalúe el impacto que pueda tener el proyecto sobre el Patrimonio Arqueológico. El estudio deberá ser realizado por un arqueólogo, que haya obtenido la preceptiva autorización de la Consejería de Cultura y Deporte.

5. En el caso de que la Consejería de Cultura y Deporte estime necesaria la realización de una actuación arqueológica, el propietario o promotor de la obra deberá asumir la financiación de los costes de la intervención.

6. Si se tratase de un particular, la Administración ayudará a financiar la actuación arqueológica si ésta supera el dos por ciento del presupuesto global de la obra. Si el promotor de la obra es una Administración Pública o concesionario, el coste de las intervenciones arqueológicas será asumido íntegramente por la entidad promotora.

Artículo 85. Hallazgos casuales

1. Son hallazgos casuales, aquellos producidos por el azar como resultado de una remoción de tierras efectuada con fines no arqueológicos, una demolición o una obra de cualquier otro tipo en lugares donde no se presuma la existencia de restos muebles o inmuebles. No requiere, no obstante, que el hallazgo para ser casual sea consecuencia de una remoción de tierras, pudiendo ser admitidos como hallazgos casuales los que tengan por causa hechos naturales.

2. El hallazgo casual de restos arqueológicos deberá comunicarse a la mayor brevedad posible, especialmente si se observa un riesgo inminente para el Patrimonio, y, en cualquier caso, en un plazo no superior a las cuarenta y ocho horas a la Consejería de Cultura y Deporte o al puesto de la Guardia Civil o Policía Nacional más próximo. El órgano de la Administración Pública que hubiera tomado conocimiento del hecho, adoptará de inmediato las medidas cautelares que garanticen la preservación de los bienes arqueológicos hallados, instando en su caso la suspensión de la obra o actividades que hubieren dado lugar al hallazgo. La suspensión durará hasta que se determine con certeza el carácter arqueológico de los restos encontrados y se permita expresamente la continuación de las obras, o se resuelva en su caso la iniciación del procedimiento de protección adecuado a cada caso, todo ello de conformidad con el artículo 40 de la presente Ley.

3. El descubridor tendrá derecho a un premio cuando el hallazgo sea casual, tenga carácter mueble, no se haya realizado en una zona declarada o incoada Bien de Interés Cultural, o Bien de Interés Local, y no haya sido extraído innecesariamente de su contexto.

4. No tendrán derecho al premio personas autorizadas para realizar actividades arqueológicas o espeleológicas por la Consejería de Cultura y Deporte, así como los profesionales de la materia, ni tampoco las que sean producto de actividades ilícitas o no autorizadas.

5. El descubridor y el propietario del terreno en que se encontrase el hallazgo casual tendrán derecho a percibir en concepto de premio, una cantidad económica que se distribuirá entre ellos a partes iguales. La resolución será dictada por la persona titular de la Consejería competente en materia de Patrimonio Cultural previo informe de la Comisión Técnica de Patrimonio Arqueológico y Paleontológico de la Consejería competente en materia de Patrimonio Cultural.

Artículo 86. Posesión de objetos arqueológicos

1. Los poseedores de objetos arqueológicos pertenecientes al Patrimonio Cultural de Cantabria, sean personas privadas o entes públicos de cualquier naturaleza, tienen el deber de declarar la existencia de los objetos que por cualesquiera circunstancias posean con anterioridad a la entrada en vigor de esta Ley, en la forma y plazo que se determinan en la disposición transitoria cuarta de esta Ley, así como de entregarlos en los supuestos

previstos en el apartado 2 de dicha disposición transitoria. Los efectos de retroactividad tendrán como año límite el de 1911, año en que se promulgó la Ley de Excavaciones y Antigüedades.

2. Los poseedores son responsables de la conservación y seguridad de los objetos arqueológicos en tanto no los entreguen en la forma establecida. Cualquier deterioro de su estado, pérdida o sustracción será sancionada conforme se dispone en esta Ley.

3. Las personas que entreguen objetos o colecciones arqueológicas en los Museos establecidos a tal efecto, tendrán derecho a que se haga constar tal circunstancia en los rótulos de exposición de dichos bienes. En ningún caso se podrá condicionar la exhibición de lo entregado a que los fondos de una misma colección o legado se presenten físicamente juntos, en salas especiales, o cualquier otra circunstancia que interfiera en la correcta exposición y entendimiento de los materiales depositados.

Artículo 87. Contratación

1. Las actuaciones de la Consejería de Patrimonio Cultural en materia arqueológica podrán realizarse a través de los procedimientos de contratación previstos en la normativa vigente en materia de contratación pública.

2. Las actuaciones tendentes a evitar el deterioro o destrucción del Patrimonio Arqueológico de Cantabria que deban efectuarse sin dilación, tendrán la consideración de obras de emergencia a los efectos de lo previsto en la normativa vigente en materia de contratación pública.

Artículo 88. Obligaciones

1. Los directores de actuaciones arqueológicas autorizadas quedan sujetos a las siguientes obligaciones:

a) Comunicación del comienzo y fin de las tareas de campo a la Consejería competente en materia de Patrimonio Cultural.

b) Presentación de un informe preliminar dentro de los tres meses siguientes a la finalización del trabajo y siempre antes de hacer pública la información obtenida en el curso de la actuación arqueológica. En dicho informe se deberá incluir una relación de los restos arqueológicos encontrados con ocasión de los trabajos realizados.

c) Entrega a la Consejería competente en materia de Patrimonio Cultural de una Memoria Científica con los resultados de los trabajos arqueológicos, así como de los materiales que aparezcan, en un plazo no superior a un año. No obstante, este plazo puede ser prorrogado por períodos anuales, para lo cual será necesario presentar solicitud razonada de dicha prórroga con un mes de antelación a la expiración del plazo inicial, siendo oída la Comisión Técnica para el Patrimonio Arqueológico y Paleontológico con carácter previo a la resolución de dicha solicitud.

La Memoria podrá ser publicada por la Consejería competente en materia de Patrimonio Cultural. En caso de que, transcurrido un año desde su entrega, la Consejería no la hubiera editado, el interesado podrá publicar los resultados donde considere oportuno.

d) Asumir personalmente la dirección de los trabajos arqueológicos de campo, salvo caso de delegación excepcional y ocasional en persona que reúna los requisitos necesarios para desempeñar la dirección de los mismos.

e) Llevar un inventario o registro numerado de las piezas y materiales, que entregará en el Museo de titularidad autonómica que se determine en cada caso, ordenado, unido a éstos y antes del comienzo de la campaña posterior. Asimismo, deberá permitir el libre acceso a los mismos a las personas que designe la persona titular de la Consejería competente en materia de Patrimonio Cultural, a las que se informará sobre el desarrollo de los trabajos.

f) Permitir y facilitar las labores de control del personal de la Consejería competente en materia de Patrimonio Cultural.

2. Los materiales deberán entregarse en el Museo de titularidad autonómica de que determine la Consejería competente en materia de Patrimonio Cultural, en la forma que se establezca y en el plazo de un año a partir de la fecha de la finalización de los trabajos.

Artículo 89. Figuras de protección

1. Los bienes integrantes del Patrimonio Arqueológico de Cantabria cuentan con las siguientes figuras de protección:

a) Yacimiento Arqueológico. Lugar en que se conservan vestigios materiales o latentes de actividad humana o de su contexto natural.

b) Zona Arqueológica. Conjunto de yacimientos arqueológicos que presentan unidad en función de su cronología, tipología, ubicación o relación con otros valores de carácter cultural o natural.

c) Parque Arqueológico. Yacimiento, conjunto de yacimientos o zona arqueológica en que confluyan elementos relevantes que permitan su rentabilidad social como espacio visitable con fines de educación y disfrute.

d) Área de Protección Arqueológica. Lugar donde por evidencias materiales, antecedentes históricos o por otros indicios, se presuma la existencia de restos arqueológicos o paleontológicos.

2. Todos los Yacimientos Arqueológicos incluidos en el Inventario Arqueológico Regional contarán con un régimen de protección idéntico a los Bienes de Interés Cultural, aunque formalmente no haya sido incoado el expediente para su declaración.

3. Todos los Yacimientos o Zonas Arqueológicas contarán con un entorno de protección del que son inseparables con especial atención a su contexto natural.

4. Para las Zonas Arqueológicas se deberá redactar un Plan Especial. Los Parques Arqueológicos deberán contar con un Plan Director que regule las iniciativas e inversiones que deban realizarse. La creación de Parques Arqueológicos se llevará a cabo por Decreto del Gobierno de Cantabria, previa propuesta del Consejero de Cultura y Deporte, quien a su vez habrá sido informado por la Comisión Técnica de Patrimonio Arqueológico y Paleontológico. El Plan Director de los Parques Arqueológicos contará con un proyecto donde se justifique la conveniencia de la creación del Parque desde el punto de vista de su repercusión didáctica y recreativa y se contemplen las intervenciones arqueológicas necesarias, obras de protección y acondicionamiento previstas, dotación de medios humanos y materiales, financiación y régimen de gestión.

5. Los propietarios de terrenos donde se localicen las Zonas Arqueológicas podrán promover la creación de Parques Arqueológicos mediante la presentación de un proyecto a la Consejería de Cultura y Deporte donde se concrete el régimen de uso, visitas, protección y demás condiciones que se establezcan reglamentariamente.

Artículo 90. Áreas de protección arqueológica

1. Las áreas de protección arqueológica serán declaradas por resolución del Consejero de Cultura y Deporte, con audiencia previa a los interesados y al Ayuntamiento afectado e informe de la Comisión Técnica competente.

2. La declaración será publicada en el «Boletín Oficial de Cantabria» y las áreas serán inscritas en un registro creado al efecto e incluidas en el Inventario Arqueológico Regional.

Artículo 91. Documentación arqueológica

1. Se entiende por documentación arqueológica toda la documentación inédita o publicada de actuaciones realizadas, el inventario arqueológico, la base de datos bibliográfica

y los bienes muebles depositados en los Museos y otros centros de titularidad pública dependientes de la Administración regional.

2. La Consejería de Cultura y Deporte propiciará la recopilación de la documentación arqueológica que permita disponer de un conocimiento amplio del territorio de Cantabria en cuanto a su realidad y potencial arqueológico, y en lo relativo a trabajos de investigación, prospección y excavación realizados en el mismo.

3. La documentación arqueológica inédita tendrá acceso restringido. Los investigadores podrán acceder a la misma mediante petición razonada y avalada, cuando se considere oportuno por parte de la Administración regional, oída la Comisión Técnica de Patrimonio Arqueológico y Paleontológico.

Artículo 92. Inventario Arqueológico Regional

1. La Consejería de Cultura y Deporte deberá confeccionar y actualizar bianualmente un Inventario Arqueológico Regional en el que se recojan los yacimientos arqueológicos, las áreas de protección arqueológica y los hallazgos aislados. Se facilitará una copia del Inventario a la Federación de Municipios de Cantabria.

2. La publicación o divulgación de cualquier inventario de yacimientos deberá contar con un informe favorable de la Consejería de Cultura y Deporte, a fin de evitar que puedan difundirse de modo indiscriminado datos que supongan un riesgo para la conservación del Patrimonio Arqueológico de Cantabria. En definitiva, el Inventario Arqueológico Regional constituye un documento interno de la Consejería de Cultura y Deporte para planificar la gestión, administración y tutela del Patrimonio Arqueológico y Paleontológico.

3. La Consejería de Cultura y Deporte establecerá los mecanismos adecuados para confeccionar el inventario de cavidades de Cantabria, como mecanismo que facilite posteriormente las investigaciones culturales y científicas en el karst de Cantabria. Igualmente, potenciará las posibilidades de protección de este rico patrimonio subterráneo.

Artículo 93. Impacto ambiental

1. La Consejería de Cultura y Deporte habrá de ser informada de los planes, programas y proyectos, tanto públicos como privados, que por su incidencia sobre el territorio, puedan implicar riesgo de destrucción o deterioro del Patrimonio Cultural de Cantabria.

2. Todo proyecto sometido a evaluación de impacto ambiental según la legislación vigente, deberá incluir informe arqueológico con el fin de incluir en la Declaración de Impacto Ambiental las consideraciones o condiciones resultantes de dicho informe.

3. La realización de un informe arqueológico para la evaluación del impacto ambiental de una obra, proyecto o actividad, deberá disponer de un permiso de la Consejería de Cultura y Deporte.

4. El arqueólogo que realice el informe deberá entregar en el plazo de diez días desde la conclusión del mismo una copia a la Consejería de Cultura y Deporte.

5. Para la realización del Informe deberá cumplirse la normativa vigente contenida en el Reglamento de Actuaciones Arqueológicas.

Artículo 94. Planeamiento

1. Los planes urbanísticos o territoriales deberán tener en cuenta tanto el Patrimonio Arqueológico conocido como el no conocido o presunto.

2. Los planes especiales de los Conjuntos Históricos, Sitios Históricos y Lugares Culturales y Naturales deberán tener igualmente en cuenta el Patrimonio Arqueológico. Si además el lugar está declarado Zona Arqueológica, deberán coordinarse ambos planes especiales.

3. Para la realización de Planes Espaciales en Zonas Arqueológicas declaradas Bien de Interés Cultural deberá contarse con la autorización de la Consejería de Cultura y Deporte.

4. Aquellas Zonas Arqueológicas que pasen a considerarse Parque Arqueológico y aquellas que cuenten con un potencial interés turístico, deberán disponer de un Plan Director.

Artículo 95. Patrimonio Arqueológico Sumergido

1. Dadas las especiales características que tiene el Patrimonio Arqueológico Sumergido, las intervenciones en el mismo deberán contar con garantías específicas respecto a la seguridad personal de los intervinientes, así como de la calidad de las mismas.

2. Los miembros de los grupos que realicen las tareas subacuáticas deberán contar con titulación oficial de buceador correspondiente a la profundidad en que se actúe.

3. Se exigirá, en estos casos, la existencia de un laboratorio que asegure el correcto tratamiento y la conservación de los materiales recuperados, así como garantías suficientes para la protección del yacimiento, de su entorno, y de los materiales no extraídos.

CAPÍTULO II. Del Patrimonio Etnográfico

Artículo 96. Concepto

El Patrimonio Etnográfico de Cantabria se halla integrado por espacios, bienes materiales, conocimientos y actividades que son expresivos de la cultura y de los modos de vida que, a través del tiempo. han sido y son característicos de las gentes de Cantabria.

Artículo 97. Definición

1. Son considerados como espacios de interés etnográfico las instalaciones y los lugares del territorio regional dotados de un alto contenido cultural en el ámbito de las costumbres, las tradiciones o las creencias de la región.

2. Igualmente, se consideran espacios de interés etnográfico los paisajes culturales que, por su especial significación, se constituyen en nítidos exponentes de la relación establecida a lo largo del tiempo entre la comunidad humana que la habita en su seno y el medio natural que le da soporte y particularmente los paisajes de cercas y las estructuras de mosaico en las áreas rurales.

3. Los bienes materiales que conforman el Patrimonio Etnográfico están integrados por bienes de carácter inmueble y por bienes de carácter mueble.

4. Incluyen los bienes inmuebles del Patrimonio Etnográfico todas aquellas construcciones que se ajusten a patrones transmitidos por vía de la costumbre, y que dan vida a formas y tipos propios de las distintas comarcas de Cantabria.

5. Dentro de los bienes muebles del Patrimonio Etnográfico se encuentran todos aquellos objetos ligados a las actividades de las gentes de Cantabria, cuyos modelos respondan a técnicas enraizadas en la región.

6. Se hallan incluidos, igualmente, dentro de los bienes materiales del Patrimonio Etnográfico, los bienes de carácter mueble o inmueble ligados a la actividad productiva, tecnológica e industrial de Cantabria, tanto en el pasado como en el presente, en cuanto exponentes de los modos de vida de las gentes de Cantabria.

Cuando se trate de bienes pertenecientes a este apartado que, siendo vestigios del pasado, no resulten accesibles con metodología etnográfica sino arqueológica, les será de aplicación lo dispuesto en esta Ley para el Patrimonio Arqueológico.

7. Asimismo, forman parte del Patrimonio Etnográfico de Cantabria aquellos conocimientos, prácticas y saberes, transmitidos consuetudinariamente, y que forman parte del acervo cultural de la región y particularmente las fiestas populares, las manifestaciones folklóricas, la música tradicional y folk, y el vestuario histórico.

Artículo 98. Deber de protección y conservación

1. La inscripción en el Registro, Catálogo o Inventario, según proceda, de un espacio, bien material o inmaterial de interés etnográfico, conllevará la salvaguarda de sus valores y, consecuentemente, la obligación, por parte de la Administración regional y las Administraciones afectadas, de adoptar las medidas conducentes a su protección, promoción, divulgación y potenciación.

A sabiendas del instrumento primordial que representan, la Administración regional dispondrá en todo momento de un registro, de un inventario y de un catálogo, detalladamente elaborados, del Patrimonio Etnográfico de Cantabria, incluyendo tanto los espacios como los bienes materiales y los inmateriales.

2. La inscripción específica en el Registro General de Bienes de Interés Cultural de Cantabria de un lugar cultural de interés etnográfico o, en su caso, de un bien material o inmaterial, llevará implícita la salvaguarda de los valores que se pretende preservar, así como la necesaria coordinación de los planeamientos urbanísticos, medioambientales y de otros que concurrieran a los efectos pertinentes.

3. La Consejería de Cultura y Deporte cuidará particularmente la salvaguarda de todos aquellos espacios que cobijen artefactos preindustriales y que, por sí mismos, o juntamente con su entorno, comporten ejemplos significativos de las actividades preindustriales en la región.

4. Análogamente, la Consejería de Cultura y Deporte reforzará su empeño en la conservación de cuantos bienes o espacios resulten ilustrativos del proceso industrializador en la región, con especial consideración hacia los conjuntos tecnológicos y las construcciones donde se albergaron. Se extiende esta consideración hacia los medios de transporte y la infraestructura viaria.

5. La Administración regional, considerando la fragilidad del patrimonio etnográfico material, mueble e inmueble, sometido a la acción del cambio social y a una permanente desaparición debido a su cese por falta de uso, adoptará las medidas necesarias para la elaboración de los estudios tendentes a su conocimiento. En este sentido, prestará una especial atención a los lugares públicos que tengan una relación clara con la identidad de Cantabria, tanto en tiempos ancestrales como más recientes, que pueden desempeñar otras funciones actualmente, pero que no deben perder su primitivo significado. Así, se protegerán y promocionarán, entre otros, los bienes inmuebles y muebles de casas de concejo, escuelas, fuentes, puentes o caminos, siempre que tengan esa relación antes aludida.

6. En cuanto al Patrimonio Etnográfico inmaterial o latente, compuesto por un caudal de prácticas y saberes transmitidos tanto por la fuerza de la costumbre como de forma oral, cuya extrema vulnerabilidad se deduce de su propia esencia y características, la Consejería de Cultura y Deporte promoverá y adoptará todas las medidas oportunas conducentes a la recogida, plasmación en soporte material y estudio, además de su registro y catalogación, garantizando de este modo su transmisión a las generaciones venideras.

En este sentido, merecerán particular atención los conocimientos ligados con los tradicionales modos de vida de la región, así como las costumbres jurídicas, los rituales, las creencias, la música, los bailes, las canciones, la literatura oral, los juegos y todas aquellas manifestaciones sujetas a los cánones de la cultura regional.

De igual modo, la Consejería de Cultura y Deporte velará por el registro de las formas orales que integran el habla cotidiana de los valles y comarcas de Cantabria y que dan vida a la idiosincrasia de cada comarca.

7. La información relativa a los bienes etnográficos que no constituyan objetos materiales, tales como el patrimonio oral, anteriormente citado, relativo a usos y costumbres, tradiciones, técnicas y conocimientos será recopilada y salvaguardada en soportes estables

que posibiliten su transmisión a las generaciones futuras, promoviendo para ello su documentación e investigación.

8. Considerando la enorme riqueza del Patrimonio Etnográfico de Cantabria, y habida cuenta del menoscabo que ha sufrido con el paso del tiempo, tanto por la pérdida de significado, como por el uso irracional del mismo, los poderes públicos regionales garantizarán la existencia de un programa de actuaciones temporalmente actualizado, que distinga entre las ordinarias y las urgentes, a fin de obtener el deseado grado de protección. A tal efecto, el programa de actuaciones en materia etnográfica tendrá en cuenta tanto el carácter original o significativo de los elementos patrimoniales, como su valor identitario (sic) para el conjunto de la región o para los colectivos humanos que la integran.

9. La Consejería de Cultura y Deporte promocionará especialmente los festivales y fiestas populares que tengan como objetivo la exaltación de las costumbres, las tradiciones y el folklore de Cantabria.

CAPÍTULO III. Del Patrimonio Documental

Artículo 99. Definición

—

Artículo 99 derogado por la disposición derogatoria única de la Ley [CANTABRIA] 3/2002, 28 junio, de Archivos de Cantabria (B.O.C. 9 julio/B.O.E. 24 julio)

Artículo 100. Deber de conservación y protección

1. Las instituciones y entidades públicas a que afecta esta Ley tienen la obligación de conservar debidamente organizados y, en su caso, catalogados los fondos documentales de sus archivos y ponerlos a disposición tanto de las Administraciones Públicas como de usuarios en general, en los términos que marquen las disposiciones legales, estando prohibida su destrucción, salvo lo que se disponga reglamentariamente.

2. El Patrimonio Documental de Cantabria gozará de la máxima protección y tutela y su utilización quedará subordinada a su conservación.

3. Todas las personas que hayan ocupado cargos públicos están obligadas, al cesar en ellos, a entregar la totalidad de los documentos que, en función de su cargo, hubieran generado, a su sucesor o al archivo del organismo en el que hayan desarrollado su función pública.

4. Los poseedores de bienes integrantes del Patrimonio Documental de Cantabria, con arreglo a los criterios anteriores expuestos, están obligados a comunicar su existencia a la Consejería de Cultura y Deporte, a la que solicitarán permiso para su venta, intercambio, transmisión y cambio de titularidad, ya supongan un traslado dentro o fuera de la Comunidad Autónoma o una exportación. La Consejería de Cultura y Deporte podrá ejercer en todo caso los derechos de tanteo y retracto.

5. Los poseedores de dicho patrimonio están obligados a su adecuada conservación y a impedir la destrucción, división o merma de los mismos y a permitir su uso para investigación y difusión cultural, sin menoscabo de la protección de los datos de carácter personal de acuerdo con las disposiciones legales vigentes.

6. La Consejería de Cultura y Deporte arbitrará medios económicos y técnicos para que los titulares privados puedan mantener unas instalaciones adecuadas para la conservación y utilización de sus fondos documentales cuya conservación y seguridad estén en peligro.

En todo caso, la Consejería de Cultura y Deporte promoverá el traslado temporal de fondos documentales a instalaciones propias, sin que ello suponga pérdida de propiedad ni titularidad. Dicho traslado se realizará en las condiciones que los propietarios estimen convenientes, dentro del marco legal.

7. La Consejería de Cultura y Deporte procurará la reproducción sistemática de fondos documentales de interés para Cantabria conservados fuera de la misma, así como su conservación y difusión en instalaciones propias.

Artículo 101. Facilidad de acceso, inspección e investigación

1. La Consejería de Cultura y Deporte tiene funciones de inspección sobre todo el Patrimonio Documental de Cantabria.

2. Todas las personas tienen derecho a la consulta de los documentos del Patrimonio Documental de Cantabria, de acuerdo con los principios señalados en esta Ley y demás disposiciones vigentes.

Artículo 102. Figuras de protección

1. Los fondos documentales integrados en un inmueble que haya obtenido la calificación de Bien de Interés Cultural o Bien de Interés Local, tendrán asimismo la consideración de Bien de Interés Cultural o Bien de Interés Local, y sólo podrán separarse del inmueble por razones de conservación y accesibilidad, apreciadas y motivadas por la Consejería de Cultura y Deporte.

2. La Consejería con competencia en materia de Cultura, al tener conocimiento de la existencia de un archivo o conjunto documental, recabará a sus titulares la información necesaria y permiso para su examen, e iniciará de oficio la declaración de Bien de Interés Cultural o Bien de Interés Local, si de acuerdo con lo establecido en esta Ley procediere. Desde el momento en que la iniciación del procedimiento sea publicada en el «Boletín Oficial de Cantabria» y en el «Boletín Oficial del Estado» se le aplicará la protección prevista por la Ley.

Artículo 103. Ciclo vital de los documentos

—

Artículo 103 derogado por la disposición derogatoria única de la Ley [CANTABRIA] 3/2002, 28 junio, de Archivos de Cantabria (B.O.C. 9 julio/B.O.E. 24 julio)

Artículo 104. Del Inventario General de Bienes Documentales y Archivos

La Consejería de Cultura y Deporte confeccionará un Inventario General de Bienes Documentales y Archivos, cualquiera que sea su titularidad, en el que se anotarán todos los datos precisos para su identificación, localización y demás incidencias que puedan afectarles. Se facilitará una copia a la Federación de Municipios de Cantabria.

Artículo 105. Del Sistema de Archivos de Cantabria

1. Se crea el Archivo de la Comunidad Autónoma de Cantabria con el fin de recoger, custodiar y tratar para su conservación y uso los documentos producidos y acumulados por:

a) Los órganos administrativos, ejecutivos y legislativos de la Comunidad Autónoma de Cantabria.

b) Las personas jurídicas en cuyo capital participan mayoritariamente o por otras entidades dependientes y por las personas privadas, físicas o jurídicas, gestoras de servicios públicos en lo relacionado con la gestión de dichos servicios.

c) Igualmente, podrá recoger aquella documentación declarada Bien de Interés Cultural que por compra, donación, depósito o cualquier otro medio de adquisición previsto en el ordenamiento jurídico se pueda incorporar con fines de custodia, protección y uso.

2. —

Número 2 del artículo 105 derogado por la disposición derogatoria única de la Ley [CANTABRIA] 3/2002, 28 junio, de Archivos de Cantabria (B.O.C. 9 julio/B.O.E. 24 julio)

3. La Consejería elaborará un plan específico de apoyo a la creación de archivos locales y comarcales.

Números 4 y 5 del artículo 105 derogados por la disposición derogatoria única de la Ley [CANTABRIA] 3/2002, 28 junio, de Archivos de Cantabria (B.O.C. 9 julio/B.O.E. 24 julio)

CAPÍTULO IV. Del patrimonio bibliográfico

Sección 1ª. Del patrimonio bibliográfico

Artículo 106. Definición

1. Son bienes integrantes del Patrimonio Bibliográfico de Cantabria las obras de investigación o de creación manuscritas, impresas, de imágenes, de sonidos o reproducidas en cualquier tipo de soporte.

2. Integran el Patrimonio Bibliográfico de Cantabria:

a) Los ejemplares de la producción bibliográfica que son objeto de depósito legal y los que tienen alguna característica relevante que los individualice.

b) Los ejemplares de obras integrantes de la producción bibliográfica de las que no conste la existencia de, al menos, dos ejemplares en bibliotecas públicas de Cantabria.

c) Las obras de más de cien años de antigüedad, las obras manuscritas y las obras de menor antigüedad que hayan sido reproducidas en soportes de caducidad inferior a los cien años.

d) Los bienes comprendidos en fondos conservados en bibliotecas de titularidad pública cuyo interés radique en su valor.

e) Todas las obras y los fondos bibliográficos conservados en Cantabria que, pese a no estar comprendidos en los apartados anteriores, estén integrados en ellos por resolución del Consejero de Cultura y Deporte, atendiendo a su singularidad, a su unidad temática o al hecho de haber sido reunidos por una personalidad relevante.

Artículo 107. Figuras de protección

Los bienes integrantes del Patrimonio Bibliográfico de singular relevancia podrán ser declarados Bienes de Interés Cultural, Bienes de Interés Local y Bienes del Inventario General, individualmente o como colección.

Artículo 108. Facilidad de acceso, inspección e investigación

1. Tendrán el carácter de públicos los fondos recogidos en las bibliotecas definidas como de uso público. Dicha conceptuación se entenderá a los efectos de acceso libre, que sólo se limitan de forma circunstancial para salvaguardar la seguridad del fondo y el fin de la biblioteca.

2. Para garantizar dicho acceso, las bibliotecas de uso público incluidas en el ámbito de ampliación de esta Ley deberán informar a los usuarios de sus fondos y facilitar gratuitamente la utilización y consulta.

A este mismo fin se establecerán mecanismos de colaboración interbibliotecaria para conseguir un mejor rendimiento social y cultural de los recursos disponibles, junto a la cooperación con otras redes y centros externos a la Comunidad Autónoma para el intercambio de información y aprovechamiento de nuevas tecnologías.

Artículo 109. Deber de conservación y protección

1. Los titulares de fondos privados recogidos en bibliotecas de uso privado están obligados a la correcta conservación material y a la no destrucción, división ni merma de los mismos, quedando para ello sujetos a la inspección de la Administración competente.

2. Los fondos privados podrán cederse o depositarse en bibliotecas de uso público en las condiciones que sus propietarios estimen adecuadas, pudiéndose optar por cualesquiera de las fórmulas contractuales que prevea la legislación vigente.

3. La Consejería de Cultura y Deporte de la Comunidad de Cantabria dispondrá los medios oportunos para que los fondos bibliográficos y hemerográficos de interés público sean reproducidos en microfilm o en cualquier otro soporte que permita la mejor conservación y difusión del Patrimonio Bibliográfico de Cantabria.

4. En cualquier caso, en cuanto a comercio, conservación, traslados y actuaciones de urgencia, se aplicará la legislación sobre bienes muebles e inmuebles.

Artículo 110. Del Catálogo Colectivo de Patrimonio Bibliográfico

La Consejería de Cultura y Deporte confeccionará un Catálogo Colectivo de Patrimonio Bibliográfico, cualquiera que sea su titularidad, en el que se anotarán todos los datos precisos para la identificación y localización de los fondos bibliográficos de interés público. Se facilitará una copia a la Federación de Municipios de Cantabria.

Sección 2ª. De las bibliotecas

Artículo 111. Definición

1. A los efectos de esta Ley, se entiende también por biblioteca el centro cultural donde se reúnen, ordenan, conservan y difunden los materiales que el artículo 105 de esta Ley señala como susceptibles de integrar en el Patrimonio Bibliográfico y que cuenta con los correspondientes servicios y personal técnico para proveer y facilitar el acceso a ellos en atención a las necesidades de información, investigación, educación, cultura y esparcimiento.

2. Quedan excluidas del ámbito de aplicación de esta Ley las bibliotecas de titularidad estatal, salvo aquellas para cuya gestión el Gobierno de Cantabria firme un convenio.

3. Las bibliotecas pueden ser de uso privado o de uso público:

a) Las bibliotecas de uso privado son las de propiedad privada, individual o colectiva, destinadas al uso de sus propietarios.

b) Las bibliotecas de uso público son las de titularidad pública y las de titularidad privada que, por prestar un servicio público, hayan suscrito un convenio con la Consejería de Cultura y Deporte por el que se establezca un estatuto de fiancionamiento (sic).

Artículo 112. De la red local y comarcal de bibliotecas

La Consejería de Cultura y Deporte elaborará un plan específico de apoyo a la creación y potenciación de las bibliotecas públicas, locales y comarcales.

Artículo 113. Del Sistema Regional de Bibliotecas

Se crea el Sistema de Bibliotecas de Cantabria, cuyas funciones, en relación con el Patrimonio Bibliográfico y la lectura pública se desarrollarán en una ley específica.

CAPÍTULO V. De los museos

Artículo 114. Definición

Artículo 115. Funciones de los Museos autonómicos

Artículo 116. De los Museos privados

Artículo 117. De los Museos de la Comunidad Autónoma. Creación y reglamentación

Artículo 118. Tratamiento de los fondos

Artículo 119. Derecho de visita y accesibilidad

Artículo 120. Reproducciones

Artículo 121. Del deber de protección, conservación y fomento de los Museos

Capítulo V del Título IV derogado por la Disposición Derogatoria Única de la Ley [CAN-TABRIA] 5/2001, 19 noviembre, de Museos de Cantabria (B.O.C. 28 noviembre)

TÍTULO V. De las medidas de fomento

Artículo 122. Subvenciones a particulares, entidades locales e instituciones sin ánimo de lucro

1. Cuando el coste de las medidas de conservación impuestas a los propietarios de los Bienes de Interés Cultural de Cantabria supere el límite de sus deberes ordinarios de conservación, podrán concederse subvenciones con destino a la financiación de medidas de conservación y rehabilitación por el exceso resultante.

2. En los mismos supuestos, podrán concederse subvenciones directas a personas y entidades privadas, cuando se acredite la carencia de medios económicos suficientes para afrontar el coste del deber de conservación.

3. Las ayudas para la conservación y restauración de los bienes de la iglesia pertenecientes al Patrimonio Cultural de Cantabria se llevarán a cabo dentro de lo establecido en esta Ley y de los acuerdos de ámbito superior mediante convenios específicos con las instituciones eclesiásticas, en el marco de la planificación trienal aprobada por el Gobierno de Cantabria.

4. En ningún caso, el importe total de la participación de la Administración de la Comunidad Autónoma de Cantabria en la restauración de Bienes de Interés Cultural propiedad de particulares podrá superar el cincuenta por ciento del valor total de las obras, salvo aquellas que se hagan por imperativo de la conservación de los mismos, en cuyo caso la cuantía de la participación no superará los dos tercios del valor total de la actuación.

Artículo 123. Investigación, conservación y difusión

1. El Gobierno de Cantabria podrá adoptar las medidas necesarias para la financiación de la adquisición de Bienes Declarados de Interés Cultural y de Interés Local, a fin de destinarlos a un uso general que asegure su protección. Asimismo, adoptará las medidas necesarias para que tales bienes tengan acceso preferente al crédito oficial.

2. Las ayudas de las Administraciones Públicas para la investigación, documentación, conservación, recuperación, restauración y difusión de los bienes integrantes del Patrimo-

nio Cultural de Cantabria se concederán de acuerdo a los criterios de publicidad, concurrencia y objetividad, y dentro de las previsiones presupuestarias.

3. Las medidas de fomento a que se refiere este título, se adoptarán respetando las garantías necesarias para evitar la especulación con bienes que se adquieran, conserven, restauren o mejoren con las ayudas públicas.

4. Las personas y entidades que no cumplan los deberes de protección y conservación establecidos por esta Ley no podrán acogerse a las medidas de fomento.

5. El Gobierno de Cantabria puede propiciar la participación de entidades privadas y de particulares en la financiación de las actuaciones de fomento a que se refiere este título. Si se tratase de un particular, la Consejería de Cultura y Deporte podrá colaborar en la financiación del coste de la ejecución del proyecto, estableciéndose reglamentariamente el porcentaje y las fórmulas de colaboración convenientes.

6. Cuando se trate de obras de reparación urgente, la Consejería de Cultura y Deporte podrá conceder una ayuda con carácter de anticipo reintegrable que será inscrita en el Registro General de Bienes de Interés Cultural, en el Catálogo de Bienes de Interés Local de Cantabria o en el Inventario del Patrimonio Cultural de Cantabria, según corresponda, y en caso de tratarse de bienes inmuebles, en el Registro de la Propiedad en los términos que reglamentariamente se establezcan.

7. A los efectos de lo contemplado en este artículo, el Consejo de Gobierno de Cantabria utilizará, preferentemente, tratamientos informáticos o de otras nuevas tecnologías que faciliten su inclusión en Internet u otras redes similares.

Artículo 124. Inversiones culturales

1. A los efectos de concretar las obligaciones establecidas en esta Ley, se contemplarán en los Presupuestos Generales de la Comunidad Autónoma los recursos necesarios para fines de investigación, difusión, promoción, acrecentamiento, conservación, restauración y rehabilitación del Patrimonio Cultural de Cantabria, el cual será gestionado por la Consejería de Cultura y Deporte. Estos recursos serán, al menos, el uno por ciento de los fondos destinados cada año a obras públicas en los Presupuestos Generales de la Comunidad Autónoma y se consignarán en una partida específica.

2. Las inversiones culturales que el Estado haga en Cantabria determinadas por la Ley del Patrimonio Histórico Español se harán con informe previo de la Consejería de Cultura y Deporte sobre los sectores y ámbitos culturales que se consideren prioritarios.

3. Para un mejor cumplimiento del objeto de la presente Ley, el Gobierno de Cantabria consignará, en los Presupuestos Generales de cada año, los recursos precisos para utilizar, siempre que sea posible, los medios informáticos y de cualesquiera otras nuevas tecnologías e incluirá el Patrimonio Cultural de Cantabria en Internet u otras redes informáticas.

4. Se destinarán, de igual forma, el uno por ciento de las inversiones en infraestructuras para la rehabilitación paisajística y del patrimonio cultural afectado.

Artículo 125. Pagos con bienes culturales

El pago de tributos con bienes del Patrimonio Cultural de Cantabria en los impuestos de sucesiones y donaciones se llevará a cabo a través del régimen previsto en la legislación estatal.

Artículo 126. Beneficios fiscales

Los bienes declarados de Interés Cultural y de Interés Local gozarán de los beneficios fiscales que establezca la legislación correspondiente.

Artículo 127. Plan del Patrimonio Cultural de Cantabria

1. El Plan del Patrimonio Cultural de Cantabria es el instrumento administrativo de evaluación de las necesidades de conservación y asignación racional y equilibrada de los recursos disponibles para la investigación, difusión, promoción, protección, conservación mejora y acrecentamiento de los bienes integrantes del Patrimonio Cultural de Cantabria.

2. El Plan tendrá carácter trienal, y en el mismo se programarán las inversiones necesarias para asumir las necesidades detectadas en las diferentes categorías del patrimonio artístico, arquitectónico, arqueológico, etnográfico científico, técnico, documental, bibliográfico y todas aquellas manifestaciones y variantes del Patrimonio Cultural de Cantabria especificadas en el artículo 2 de esta Ley.

3. El Plan del Patrimonio Cultural de Cantabria será informado por cada una de las Comisiones Asesoras del artículo 11 de la presente Ley, y elevado al Gobierno de Cantabria para su aprobación.

4. Aprobado el Plan, sus directrices orientarán a las Administraciones Públicas en el ejercicio de sus competencias, y vinculará al logro de sus objetivos la política de inversiones, transferencias y subvenciones que se programen para el cumplimiento de sus finalidades.

5. Teniendo en cuenta la riqueza de la tradición oral existente en Cantabria relacionada con, entre otros, cuentos, leyendas o juegos, sobre todo en el mundo rural, que corren el riesgo de perderse para siempre, y la importancia que tiene su conservación para la historia y para la identidad de nuestra región, se establecerá, desde la Consejería de Cultura y Deporte, un programa urgente de actuaciones destinadas a su conservación, edición, divulgación y publicación para conocimiento de los escolares y de todos los ciudadanos.

TÍTULO VI. Del régimen sancionador

Artículo 128. Infracciones. Clases

1. Constituyen infracciones administrativas en materia del Patrimonio Cultural de Cantabria las acciones u omisiones que supongan el incumplimiento de las obligaciones establecidas en esta Ley.

2. Las infracciones en materia de protección del Patrimonio Cultural de Cantabria se clasificarán en leves, graves y muy graves.

Artículo 129. Infracciones leves

Constituyen infracciones leves:

a) Otorgar licencias municipales para actuaciones urbanísticas en Bienes Inventariados sin la preceptiva comunicación previa a la Consejería competente en materia de Cultura.

b) Realizar cualquier intervención en un Bien Inventariado sin la preceptiva comunicación previa a la Consejería competente en materia de Cultura.

c) Incumplir una orden de ejecución de obras de conservación en Bienes de Interés Cultural, de Interés Local o Inventariados acordada por la Consejería competente en materia de Cultura, cuando no se hayan producido daños en el bien protegido.

d) Incumplir una orden de suspensión de obras en Bienes de Interés Cultural, de Interés Local o Inventariados acordada por la Consejería competente en materia de Cultura, tenga o no carácter provisional, cuando no se hayan producido daños en el bien protegido.

e) Incumplir la obligación de comunicar a la Consejería competente en materia de Cultura los traslados que afecten a Bienes de Interés Cultural o de Interés Local, cuando no se hayan producido daños en el bien protegido.

f) Incumplir la obligación de comunicar a la Consejería competente en materia de Cultura, en los términos previstos en esta Ley, la transmisión onerosa de la propiedad o de cualquier derecho real sobre Bienes de Interés Cultural, de Interés Local o Inventariados.

g) Colocar rótulos, señales, símbolos, cerramientos o rejas en las fachadas o cubiertas de los Bienes de Interés Cultural o de Interés Local, sin contar previamente con la preceptiva autorización administrativa.

h) No permitir la visita pública de los bienes culturales en las condiciones previamente establecidas.

i) Realizar actuaciones arqueológicas o espeleológicas sin la preceptiva autorización de la Consejería competente en materia de Cultura, o contraviniendo los términos en que fue concedida ésta, cuando no se hayan producido daños en los bienes protegidos.

j) Realizar intervenciones en un yacimiento arqueológico sin adoptar las medidas de protección o condicionantes establecidos en la autorización otorgada a tal efecto, cuando no se hayan producido daños en los bienes protegidos.

k) Incumplir una orden de suspensión de obras adoptada tras el hallazgo de restos u objetos con valor arqueológico, cuando no se hayan producido daños en los mismos.

l) Incumplir la obligación de comunicar a la autoridad competente los objetos o colecciones de materiales arqueológicos que se posean por cualquier concepto, o la de entregarlos en los casos previstos en esta Ley.

m) Hacer objeto de tráfico los objetos o colecciones de materiales arqueológicos que se posean por cualquier concepto.

n) Obstruir el ejercicio de la potestad de inspección de la Administración sobre los bienes integrantes del Patrimonio Cultural de Cantabria.

ñ) Impedir u obstruir el acceso de los investigadores a los Bienes de Interés Cultural, de Interés Local o Inventariados.

o) Utilizar detectores de metales o aparatos de tecnología similar en actuaciones arqueológicas ilícitas, tal y como se definen en el artículo 78 de esta Ley.

p) El incumplimiento por parte de los directores de las actuaciones arqueológicas de las obligaciones que establece la presente Ley.

Artículo 130. Infracciones graves

Constituyen infracciones graves:

a) Otorgar licencias municipales para actuaciones urbanísticas en Bienes de Interés Cultural o de Interés Local, o en su entorno de protección, sin la autorización previa de la Consejería competente en materia de Cultura cuando resulte preceptiva, o contraviniendo los Planes Especiales aprobados para la protección de dichos bienes.

b) Realizar cualquier intervención en un Bien de Interés Cultural o de Interés Local, o en su entorno de protección, sin la autorización previa de la Consejería competente en materia de Cultura, o del Ayuntamiento correspondiente si se hubiera aprobado un Plan Especial para la protección de dichos bienes.

c) Incumplir una orden de ejecución de obras de conservación en Bienes de Interés Cultural, de Interés Local o Inventariados acordada por la Consejería competente en materia de Cultura, cuando se hayan producido daños en el bien protegido que no sean irreparables.

d) Incumplir una orden de suspensión de obras en Bienes de Interés Cultural, de Interés Local o Inventariados acordada por la Consejería competente en materia de Cultura, tenga o no carácter provisional, cuando se hayan producido daños en el bien protegido que no sean irreparables.

e) Incumplir la obligación de comunicar a la Consejería competente en materia de Cultura los traslados que afecten a Bienes de Interés Cultural o de Interés Local, cuando se hayan producido daños en el bien protegido que no sean irreparables.

f) Incumplir el deber de protección y conservación de Bienes de Interés Cultural, de Interés Local o Inventariados por parte de sus propietarios, titulares de derechos reales o poseedores, cuando se hayan producido daños en el bien protegido que no sean irreparables.

g) Realizar actuaciones arqueológicas o espeleológicas sin la preceptiva autorización de la Consejería competente en materia de Cultura, o contraviniendo los términos en que fue concedida ésta, cuando se hayan producido daños en los bienes protegidos que no sean irreparables.

h) Realizar intervenciones en un yacimiento arqueológico sin adoptar las medidas de protección o condicionantes establecidos en la autorización otorgada a tal efecto, cuando se hayan producido daños en los bienes protegidos que no sean irreparables.

i) Incumplir una orden de suspensión de obras adoptada tras el hallazgo de restos u objetos con valor arqueológico, cuando se hayan producido daños en los mismos que no sean irreparables.

j) Incumplir la obligación de comunicar a la autoridad competente los objetos o colecciones de materiales arqueológicos que se posean por cualquier concepto, o la de entregarlos en los casos previstos en esta Ley, cuando se hayan producido daños en los mismos que no sean irreparables.

k) Ejecutar cualquier tipo de manipulación mecánica o de contacto sobre grabados o pinturas rupestres que cause daños a los grafismos o a su soporte natural, o removerlos de sus emplazamientos originales.

l) Incumplir el deber de llevar el libro de registro a que están obligados todos los particulares que se dediquen al comercio de bienes muebles integrantes del Patrimonio Cultural de Cantabria, así como la omisión o inexactitud de datos que deban constar en el mismo.

m) La retención ilícita o el depósito indebido de bienes muebles objeto de protección en esta Ley.

n) La separación no autorizada de bienes muebles vinculados a Bienes Inmuebles declarados de Interés Cultural o de Interés Local.

ñ) La comisión de la tercera infracción leve en materia de protección del Patrimonio Cultural de Cantabria.

Artículo 131. Infracciones muy graves

Constituyen infracciones muy graves:

a) La demolición, total o parcial, de un Bien de Interés Cultural, de Interés Local o Inventariado de naturaleza inmueble, sin la preceptiva autorización administrativa.

b) La reconstrucción, total o parcial, de un Bien de Interés Cultural o de Interés Local de naturaleza inmueble sin la preceptiva autorización administrativa, o de uno Inventariado sin la preceptiva comunicación previa.

c) Todas aquellas acciones u omisiones que conlleven la pérdida, destrucción o deterioro irreparable de Bienes de Interés Cultural, de Interés Local o Inventariados, sean muebles o inmuebles.

d) La comisión de la tercera infracción grave en materia de protección del Patrimonio Cultural de Cantabria.

Artículo 132. Las infracciones en función del daño causado

Se consideran como infracciones leves, graves o muy graves, en función del daño potencial o efectivo al Patrimonio Cultural de Cantabria:

a) La realización de obras con remoción o demolición en un lugar en que se hubiese realizado un hallazgo casual.

b) La utilización sin la debida autorización de sistemas, técnicas y métodos de detección de bienes integrantes del Patrimonio Cultural de Cantabria, tanto en el suelo como en el subsuelo, en medio terrestre o acuático.

Artículo 133. Responsables

Se considerarán responsables de las infracciones recogidas en esta Ley, quienes hayan cometido los actos y omisiones en que la infracción consista. En todo caso, los promotores o propietarios, así como los directores de intervenciones cuando contravengan alguna de las disposiciones establecidas en esta ley o en la correspondiente autorización. También se considerarán responsables los que conociendo la comisión de una infracción obtengan un beneficio económico de la realización de los hechos constitutivos de infracción.

Artículo 134. Sanciones

1. En los casos en que el daño causado al Patrimonio Cultural de Cantabria pueda ser valorado económicamente, la infracción será sancionada con multa que será como mínimo el valor del daño causado y como máximo del cuádruplo del valor del daño causado.

2. En el resto de los casos procederán las siguientes sanciones:

a) Infracciones leves: Sanción de 100 a 3.000 euros.

b) Infracciones graves: Sanción de 3.001 a 150.000 euros.

c) Infracciones muy graves: Sanción de 150.001 a 600.000 euros y, en el caso de infracciones muy graves del artículo 131 c) cometidas por profesionales, inhabilitación para intervenir en materia de Patrimonio Cultural durante un período de hasta diez años.

3. Sin perjuicio de lo dispuesto en los apartados anteriores, la cuantía de la sanción no podrá ser en caso alguno inferior al beneficio obtenido como resultado de la actuación infractora.

4. La graduación de las multas se realizará en función de la gravedad de la infracción, de las circunstancias atenuantes o agravantes que concurran, de la importancia de los bienes afectados, del perjuicio causado o que hubiese podido causarse al Patrimonio Cultural de Cantabria y del grado de intencionalidad del interviniente.

5. Las multas que se impongan a distintos sujetos como consecuencia de una misma infracción tendrán carácter independiente entre sí.

Artículo 135. Órganos competentes

La competencia para la imposición de las sanciones previstas en el artículo anterior corresponde:

a) A la persona titular de la Dirección General competente en materia de Patrimonio Cultural para resolver los procedimientos iniciados por infracciones leves y graves.

b) A la persona titular de la Consejería competente en materia de Patrimonio Cultural del Gobierno de Cantabria para resolver los procedimientos iniciados por infracciones muy graves.

Artículo 136. Procedimiento

1. Los procedimientos sancionadores que se inicien y resuelvan por infracciones previstas en esta Ley se tramitarán de conformidad con lo previsto en la legislación sobre régimen jurídico y procedimiento administrativo de aplicación a la Administración de la Comunidad Autónoma de Cantabria.

2. La iniciación del procedimiento sancionador, se realizará por resolución de la Dirección General competente en materia de Patrimonio Cultural.

3. El procedimiento sancionador deberá ser resuelto y notificado en el plazo de un año desde su iniciación, salvo que se den posibles causas de interrupción o suspensión previstas en la legislación sobre régimen jurídico y procedimiento administrativo de aplicación a la Administración de la Comunidad Autónoma de Cantabria.

Artículo 137. Reparación y decomiso

1. Las infracciones de las que se deriven daños al Patrimonio Cultural de Cantabria conllevarán, siempre que sea posible, la obligación de reparación y restitución de las cosas

a su debido estado, así como, en todo caso, la indemnización de los daños y perjuicios causados.

2. En caso de incumplimiento de dicha obligación, la Consejería de Cultura y Deporte realizará, siempre que sea posible, las intervenciones reparadoras necesarias a cargo del infractor.

3. Los órganos competentes para imponer una sanción podrán acordar, como medida cautelar, el decomiso de los materiales y útiles empleados en la actividad ilícita, así como acordar el depósito cautelar de los bienes integrantes del Patrimonio Cultural que se hallen en posesión de personas que se dediquen a comerciar con ellos si no pueden acreditar su adquisición lícita.

Artículo 138. Prescripción

Las infracciones administrativas de lo dispuesto en la presente Ley prescribirán a los diez años de haberse cometido o descubierto en el caso de las muy graves, y a los cinco años en las graves y leves.

DISPOSICIÓN ADICIONAL

Primera.

Los bienes radicados en la Comunidad de Cantabria que hayan sido declarados Bienes de Interés Cultural o incluidos en el Inventario General de Bienes Muebles del Ministerio de Cultura al amparo de la Ley 16/1985, de 25 de junio, del Patrimonio Histórico Español, pasan a tener la condición, salvo aquellos en los que es competente la Administración del Estado conforme al apartado b) del artículo 6 de dicha Ley, de Bienes de Interés Cultural en las condiciones que recoge la presente Ley.

Segunda.

Quedan declarados Bienes de Interés Cultural por ministerio de esta Ley las cuevas, abrigos y lugares que contengan manifestaciones de arte rupestre.

Tercera. Régimen de las intervenciones arqueológicas a desarrollar en procesos de exhumación de víctimas de la Guerra Civil y la Dictadura

Hasta tanto no sea aprobada y entre en vigor una Ley que regule en nuestra Comunidad Autónoma el procedimiento para realizar la exhumación de personas desaparecidas violentamente durante la Guerra Civil y la represión política posterior será de aplicación en los procesos de exhumación que se lleven a cabo en la Comunidad Autónoma de Cantabria el Protocolo de actuación en exhumaciones de víctimas de la Guerra Civil y la Dictadura, publicada mediante la Orden PRE/2568/2011, de 26 de setiembre, por la que se publica el Acuerdo del Consejo de Ministros de 23 de septiembre de 2011, de conformidad con lo previsto en la Ley 52/2007, de 26 de diciembre, por la que se reconocen y amplían derechos y se establecen medidas a favor de quienes padecieron persecución o violencia durante la guerra civil y la dictadura.

Cuarta. Exención de informes y autorizaciones en Conjuntos Histórico-Artísticos con Plan Especial aprobado conforme a la Ley 16/1985, de 25 de junio, de Patrimonio Histórico Español.

La concesión de licencias de obra en los Conjuntos Histórico-Artísticos que dispongan de Plan Especial aprobado conforme a la Ley 16/1985, de 25 de junio, de Patrimonio Histórico Español y con anterioridad a la entrada en vigor de la Ley de Cantabria 11/1998, de 13 de octubre, de Patrimonio Cultural de Cantabria les será aplicable el régimen previsto en el artículo 64, por lo que no precisarán de autorización ni de informe de la Consejería competente en materia de Patrimonio Cultural, sin perjuicio de la notificación de la licencia urbanística concedida.

La concesión de licencias de obra en los Conjuntos Histórico-Artísticos que dispongan de Plan Especial aprobado conforme a la Ley 16/1985, de 25 de junio, de Patrimonio Histórico Español y con anterioridad a la entrada en vigor de la Ley de Cantabria 11/1998, de 13 de octubre, de Patrimonio Cultural de Cantabria les será aplicable el régimen previsto en el artículo 64, por lo que no precisarán de autorización ni de informe de la Consejería competente en materia de Patrimonio Cultural, sin perjuicio de la notificación de la licencia urbanística concedida.

Quinta. Denominación de la Consejería

Todas las referencias que se realizan en la Ley a la Consejería de Cultura y Deporte deberán entenderse realizadas a la Consejería competente en materia de Patrimonio Cultural. En consecuencia, todas las referencias efectuadas a la persona titular de la Consejería de Cultura y Deporte deben entenderse realizadas a la persona titular competente en materia de Patrimonio Cultural.

DISPOSICIONES TRANSITORIAS

Primera.

Los expedientes iniciados para declaración de Bienes de Interés Cultural y de inclusión de bienes en el Inventario General de bienes muebles iniciados al amparo de la Ley 16/1985, de 25 de junio, del Patrimonio Histórico Español, en curso en el momento de la entrada en vigor de la presente Ley y que afecten a bienes culturales de interés para la Comunidad Autónoma de Cantabria, finalizarán la tramitación por las previsiones de dicha Ley estatal. De ser favorable la resolución final, les será de aplicación la previsión contenida en la disposición adicional primera de la presente Ley.

Segunda.

La Consejería de Cultura y Deporte deberá tomar las medidas oportunas, a la mayor brevedad posible, para actuar con los mismos criterios en los bienes declarados con anterioridad a la entrada en vigor de esta Ley.

Tercera.

Los Museos de titularidad privada que, a la entrada en vigor de esta Ley, se hallen abiertos al público deberán ajustarse en el plazo de un año a las prescripciones que les resulten de aplicación conforme se dispone en la presente Ley y, de no haberla obtenido antes, solicitar la correspondiente autorización.

Cuarta.

1. En el plazo de dos años a partir de la entrada en vigor de esta Ley, las personas privadas y entidades públicas y privadas que por cualquier título o motivo, incluso en concepto de depósito, posean objetos arqueológicos, deberán comunicar la existencia de los mismos y las condiciones de su obtención al órgano competente de la Administración de la Comunidad Autónoma, o depositarlos en el Museo Arqueológico Regional, cuya dirección dispondrá las medidas oportunas para su documentación y depósito definitivo.

2. Los objetos señalados que, por razón de la legislación aplicable en el momento de su adquisición, sean considerados de dominio público, deberán entregarse en cualquier caso en el plazo previsto en el apartado anterior. Transcurrido dicho plazo, y previo requerimiento, la Administración procederá a su recuperación de oficio.

Quinta.

En el plazo de dos años a partir de la entrada en vigor de esta Ley, las personas privadas y entidades públicas y privadas que, por cualquier título o motivo, incluso en concepto de depósito, posean bienes documentales y bibliográficos de interés público, deberán comunicar la existencia de los mismos y las condiciones de su obtención al órgano competente de la Administración de la Comunidad Autónoma, o depositarlos en el Archivo Histórico Provincial o Biblioteca Pública, cuyas direcciones dispondrán las medidas oportunas para su documentación y depósito definitivo.

Sexta.

1. En el plazo de dos años, los comerciantes y entidades mercantiles procederán a retirar los rótulos, carteles, anuncios y demás soportes publicitarios de las fachadas y cubiertas de los Conjuntos Históricos, sustituyéndolos por otros adecuados a lo dispuesto en el apartado 2 del artículo 52 de esta Ley. Transcurrido dicho plazo, los Ayuntamientos y, en su defecto, la Consejería de Cultura y Deporte procederán a retirar dichos elementos, aplicando la correspondiente sanción, como infracción de carácter leve.

2. En el mismo plazo, las compañías suministradoras de electricidad y telefonía deberán acordar con la Consejería de Cultura y con los Ayuntamientos el modo y forma en que llevarán a cabo la retirada de cables y conducciones aparentes de las fachadas de edificios en los Conjuntos Históricos y su conducción subterránea, que se llevará a cabo junto con la del alumbrado en el plazo máximo de cuatro años a partir de la entrada en vigor de esta Ley. A partir de dicha fecha, la Administración de la Comunidad Autónoma, podrá proceder a ejecutar la retirada de dichas conducciones y su instalación subterránea, repercutiendo los costos en las compañías suministradoras, con aplicación de la correspondiente sanción, como infracción de carácter grave.

Séptima.

En el plazo de dos años, los Ayuntamientos en cuya jurisdicción se encuentren sitos Conjuntos Históricos, deberán iniciar los trámites tendentes a la confección de los correspondientes Planes Especiales.

Octava.

Los procedimientos administrativos de cualquier clase iniciados con anterioridad a la entrada en vigor de esta Ley, se ajustarán a las normas aplicables en el momento de su incoación.

Novena.

En el plazo de doce meses a partir de la publicación de la presente Ley, deberán estar constituidas las Comisiones Técnicas referidas en el artículo 10.2 de esta Ley, así como deberá estar elaborado el Reglamento de su funcionamiento. Mientras tanto, seguirán vigentes las referidas en el Decreto 104/1995, de 27 de octubre, por el que se modifica parcialmente el Decreto 27/1990, de 30 de mayo, sobre desarrollo del Instituto para la Conservación del Patrimonio Histórico y Monumental de Cantabria.

DISPOSICIÓN DEROGATORIA

Única.

1. Queda derogado el Decreto 23/1988, de 20 de abril, sobre el Consejo del Patrimonio Cultural de Cantabria.

2. Quedan derogadas todas aquellas normas de igual o inferior rango en lo que contradigan o se opongan a lo dispuesto en la presente Ley.

DISPOSICIONES FINALES

Primera.
Se autoriza al Gobierno de Cantabria a dictar cuantas disposiciones de aplicación y desarrollo de la presente Ley sean necesarias.

Segunda.
La presente Ley entrará en vigor a los veinte días siguientes de su publicación en el «Boletín Oficial de Cantabria».

Tercera. Cláusula de género
Todas las referencias contenidas en la Ley de Patrimonio Cultural expresadas en masculino gramatical, cuando se refieran a personas físicas deben entenderse referidas indistintamente a mujeres y hombres y a sus correspondientes adjetivaciones femeninas o masculinas.

7. COMUNIDAD AUTÓNOMA DE CASTILLA-LA MANCHA: LEY 4/2013, DE 16 DE MAYO, DE PATRIMONIO CULTURAL DE CASTILLA-LA MANCHA

DO. Castilla-La Mancha 24 mayo 2013, núm. 100, [pág. 14189].
BOE 7 octubre 2013, núm. 240, [pág. 81970].

Exposición de motivos

I.

La presente ley tiene por objeto la conservación, protección y enriquecimiento del Patrimonio Cultural existente en la Comunidad Autónoma de Castilla-La Mancha, para su difusión y transmisión a las generaciones venideras y el disfrute por la actual generación. Con ello se pretende, por un lado, cumplir el objetivo de protección y realce del paisaje y del patrimonio histórico y artístico establecido para la Junta de Comunidades de Castilla-La Mancha en el artículo 4.Cuatro.g) de su Estatuto de Autonomía, aprobado por Ley Orgánica 9/1982, de 10 de agosto, y, por otro, dotar a los poderes públicos regionales de los instrumentos necesarios para cumplir con su deber de garantizar la conservación y promoción del enriquecimiento del patrimonio histórico, cultural y artístico de los pueblos de España y de los bienes que lo integran, proclamado en el artículo 46 de la Constitución Española de 1978.

La Ley 4/1990, de 30 de mayo, del Patrimonio Histórico de Castilla-La Mancha, supuso un hito en el ordenamiento jurídico autonómico, al ser la primera ley que vino a regular con carácter general el Patrimonio Histórico de nuestra Región, siendo innovadora en algunos contenidos como en el de la extensión del concepto de Bien de Interés Cultural al área de la arqueología industrial y al ámbito de la etnografía, pero fuertemente dependiente de la normativa estatal en otros contenidos tales como categorías de protección, procedimientos de inclusión de bienes en tales categorías y régimen legal de protección. Así, durante sus más de veinte años de vigencia dicha norma autonómica ha venido aplicándose conjuntamente con la Ley 16/1985, de 25 de junio, del Patrimonio Histórico Español y con los Reglamentos que han desarrollado esta última, lo que ha ocasionado no pocos problemas no ya sólo porque las peculiaridades de nuestro patrimonio histórico requerían una ley propia más completa sino también porque ambas leyes no se han adaptado a los cambios operados en nuestro ordenamiento jurídico por leyes posteriores así como a los cambios producidos en la práctica diaria de la gestión del patrimonio histórico.

Por otro lado, hay ámbitos del patrimonio cultural que no se han regulado en esta ley porque se considera que deben ser objeto de leyes específicas dada su singularidad. Es el caso de los Parques Arqueológicos, que tienen su propia ley, la Ley 4/2001, de 10 de mayo, de los museos, cuya regulación contenida en la Ley 4/1990, de 30 de mayo, queda vigente mientras no sea objeto de una ley específica, y los paisajes culturales, que dada su relación con el medio ambiente, deberá ser objeto de una ley que contemple conjuntamente los aspectos culturales y naturales merecedores de protección.

II.

Una primera razón que justifica la aprobación de esta ley es la necesidad de actualizar el concepto de Patrimonio Cultural de manera que el mismo comprenda en un sentido amplio el valor histórico, artístico, arqueológico, paleontológico, etnográfico, industrial, científico y técnico, ya reconocidos en la norma anterior. Actualización que también se pretende conseguir con la extensión de dicho concepto al denominado patrimonio inmaterial, en el sentido marcado por la Unesco en la Convención para la Salvaguarda del Patrimonio

Cultural Inmaterial, suscrito en París el 17 de octubre de 2003, ratificada por España el 25 de octubre de 2006.

Otra razón que justifica la presente ley es la necesidad de crear categorías de protección propias, la descripción del procedimiento que ha de tramitarse para la inclusión de los bienes con mayor valor cultural en dichas categorías y los efectos legales de dicha inclusión. Con ello se pretende acercar al gestor autonómico a la realidad cultural de Castilla-La Mancha y facilitar así el cumplimiento del deber que tiene de velar por la conservación de dicha realidad.

También se pretende garantizar a la ciudadanía el acceso al patrimonio cultural y el cumplimiento de los derechos que la Legislación vigente les reconoce en sus relaciones con la Administración Regional en este ámbito de actuación.

Por otro lado, la creación del Catálogo del Patrimonio Cultural de Castilla-La Mancha y la regulación del Inventario del Patrimonio Cultural de Castilla-La Mancha garantizan el adecuado registro y documentación de todos los bienes de la Comunidad Autónoma de forma indubitada y precisa.

La complejidad de las actuaciones que se realizan sobre los bienes integrantes del Patrimonio Cultural de Castilla-La Mancha aconsejaba hacer hincapié en el procedimiento de autorización y tipos de intervenciones y, en particular, posibilitando las actuaciones preventivas y velando por conciliar los intereses culturales con los urbanísticos y medioambientales.

Asimismo, con esta regulación específica se pretende adaptar la regulación del patrimonio documental a la Ley 19/2002, de 24 de octubre, de Archivos Públicos de Castilla-La Mancha, que derogó el artículo 24.1 y parte del capítulo II, del título III, de la Ley 4/1990, de 30 de mayo, del Patrimonio Histórico de Castilla-La Mancha.

La presente ley pretende dar un impulso a la actividad de fomento de la Administración Regional de Castilla-La Mancha, recogiendo otras medidas, además del porcentaje cultural que ya se recogía en la Ley 4/1990, de 30 de mayo.

Por último, se dota de un nuevo régimen de inspección así como de un completo procedimiento sancionador, necesario para velar por el adecuado cumplimiento de la presente ley.

III.

Las materias reguladas por esta ley se encuentran dentro de las competencias legislativas atribuidas a la Junta de Comunidades de Castilla-La Mancha por los artículos 31.1.16ª y 31.1.17ª del Estatuto de Autonomía de Castilla-La Mancha, aprobado por Ley Orgánica 9/1982, de 10 de agosto, según redacción dada a ese artículo por la Ley Orgánica 3/1997, de 3 de julio, completándose con esta ley el régimen normativo existente en el ordenamiento jurídico autonómico pues tras la reforma operada en la normativa estatal sobre patrimonio histórico tras la sentencia del Tribunal Constitucional número 17/1991, de 31 de enero, se puso de manifiesto un mayor ámbito la competencial de las Comunidades Autónomas en la materia de patrimonio cultural y, en concreto, para efectuar la declaración formal de inclusión de los bienes en alguna de las categorías de protección previstas en la legislación, siempre que tuvieran prevista esta competencia en sus Estatutos de Autonomía.

IV.

La presente ley se estructura en siete títulos, con un total de 82 artículos, cinco disposiciones adicionales, tres disposiciones transitorias, una disposición derogatoria y cinco disposiciones finales.

El título preliminar, «Disposiciones Generales», describe el objeto de la ley, su ámbito de aplicación, el deber de colaboración institucional, el deber de colaboración de los particulares, regula el Consejo Regional de Patrimonio Cultural de Castilla-La Mancha, crea la Junta de Valoración de Bienes del Patrimonio Cultural de Castilla-La Mancha y determina otras instituciones consultivas y asesoras en materia de patrimonio cultural.

El título I, «Figuras de protección y Catálogo del Patrimonio Cultural de Castilla-La Mancha», consta de tres capítulos, «Figuras de protección en el Patrimonio Cultural de Castilla-La Mancha», «Procedimiento para la declaración de un bien como Bien de Interés Cultural, Bien de Interés Patrimonial o Elemento de Interés Patrimonial» y «Del Catálogo del Patrimonio Cultural de Castilla-La Mancha».

En el primer capítulo se establece la clasificación de las figuras de protección jurídica en que pueden incluirse los bienes. Se establecen dos nuevas figuras de protección. A la declaración de Bien de Interés Cultural se suman la declaración de Bien de Interés Patrimonial y la declaración de Elemento de Interés Patrimonial.

La declaración de protección puede encuadrarse en alguna de las figuras establecidas. En el caso de los Bienes de Interés Cultural se han mantenido las categorías establecidas en la Ley 4/1990, de 30 de mayo, pero incorporando la de Zona Paleontológica porque es indispensable para categorizar un tipo de bienes muy específico.

En el caso de los Bienes de Interés Patrimonial se han contemplado un número menor de categorías. No se han reflejado categorías análogas o similares a las de Bienes de Interés Cultural correspondientes a Jardines Históricos, Conjuntos Históricos o Sitios Históricos porque se considera que estos bienes presentan características excepcionales y complejas que les hacen merecedores de la máxima protección.

La creación de esta clase de protección obedece a la necesidad puesta de manifiesto por la experiencia de contar con categorías intermedias que posibiliten una protección jurídica de bienes relevantes pero no singulares y sobresalientes del Patrimonio Cultural. de esta manera son posibles medidas y actuaciones sobre estos bienes que no son tan restrictivas como en el caso de los Bienes de Interés Cultural.

Los Elementos de Interés Patrimonial son objeto de declaración para proteger elementos que conservan los valores patrimoniales pero que están integrados en inmuebles que en su conjunto han perdido su valor cultural.

El capítulo II del título I describe el procedimiento para realizar las declaraciones. La iniciación del procedimiento será la misma en todas las clases, ya que únicamente a partir del examen exhaustivo de la descripción y documentación se puede justificar la protección propuesta. La diferencia viene una vez establecido el valor cultural pues la instrucción y terminación del procedimiento serán distintas.

En el capítulo III se crea el Catálogo del Patrimonio Cultural de Castilla-La Mancha como un registro oficial y regular que garantiza una adecuada gestión de los bienes con mayor valor cultural, que son los definidos en los dos capítulos anteriores.

El título II, «Régimen de protección y conservación del Patrimonio Cultural de Castilla-La Mancha», consta de tres capítulos, «Régimen común de protección y conservación», «Régimen de protección de los bienes catalogados» y «Régimen de protección de los Bienes de Interés Cultural». En este título se establece el régimen de protección al que están sometidos los bienes que forman parte del Patrimonio Cultural de Castilla-La Mancha, distinguiéndose entre un régimen común, aplicable a aquellos bienes en los que concurra alguno de los valores citados en el artículo primero de esta ley, un régimen de protección más intenso, sólo aplicable a aquellos bienes que hayan sido objeto de una declaración formal y, por tanto, incluidos en el Catálogo del Patrimonio Cultural de Castilla-La Mancha y, por último, un nivel máximo de protección aplicable a los bienes declarados de Interés Cultural.

Se destaca en cuanto al régimen general de protección y conservación de todos los bienes del Patrimonio Cultural de Castilla-La Mancha la unificación de cuestiones relativas a las intervenciones y actuaciones posibles en los bienes así como en la definición de los criterios que deben regir dichas intervenciones. Se insiste en la necesidad de argumentar dichas intervenciones de manera documentada, en que se realicen por parte de los profesionales habilitados para ellas y en que sean abordadas desde una óptica multidisciplinar.

Se introduce la necesaria coordinación en materia de patrimonio cultural con los diferentes instrumentos de planeamiento urbanístico y de gestión medioambiental.

En relación con los bienes muebles se regula el comercio de los mismos mediante la creación de un registro de comerciantes y libro de registro de transacciones. de esta manera, se pretende el control sobre el tráfico de bienes muebles como medida de carácter preventivo en el comercio ilícito de bienes.

Por último, se amplía lo recogido en la Ley 4/1990 en dos aspectos sustanciales como son la definición de entorno de protección de un bien y la descripción del contenido de un plan especial.

El título III, «Documentación e Inventario del Patrimonio Cultural de Castilla-La Mancha» garantiza la imprescindible tarea de incrementar el conocimiento del Patrimonio Cultural de Castilla-La Mancha mediante la labor de documentación e inventario de todos los bienes integrantes del mismo, en particular de aquellos que no se conocen en absoluto o sólo en parte. Así, el título se estructura en dos capítulos. El capítulo I «Disposiciones Comunes» recoge la necesidad de ampliar este conocimiento reconociendo el valor propio de los bienes etnológicos como resultado de las experiencias culturales propias de Castilla-La Mancha así como la necesidad de conocer en profundidad el patrimonio industrial, en mayor riesgo por su cercanía con la realidad actual.

La ley incorpora la regulación del Inventario de los bienes del Patrimonio Cultural. La función del Inventario es la recopilación de todos los bienes integrantes del Patrimonio Cultural de la región. Este inventario es un documento abierto, dado que a él se incorpora todo el conocimiento que se adiciona debido a las intervenciones sobre el patrimonio ya conocido pero también a las intervenciones propiamente de investigación sobre el mismo así como a las intervenciones derivadas de la concertación interadministrativa en la gestión, ordenación y desarrollo del territorio.

Es, además, un instrumento indispensable de gestión preventiva de las afecciones que pueda sufrir el Patrimonio Cultural de Castilla-La Mancha.

La función del Inventario venía siendo realizada por la denominada Carta Arqueológica en la Ley 4/1990, de 30 de mayo. Sin embargo, dicho concepto resultaba fuertemente restrictivo en cuanto a los bienes que deben ser objeto de su consideración y ha resultado ampliamente superado por la práctica diaria. Por esta razón, la regulación del Inventario resulta más acorde con la realidad.

El Inventario es, además, un instrumento en la gestión en la ordenación del territorio. Se establece de forma inequívoca la interrelación entre el Patrimonio Cultural y la Ordenación del Territorio.

El capítulo II, «Intervenciones sobre el Patrimonio Arqueológico y Paleontológico», se dedica a delimitar los tipos de intervenciones sobre este patrimonio que es definido para establecer por un lado la diferencia entre ambos y por otro la aplicación del método arqueológico en la documentación de la materialidad de todos los bienes inmuebles del Patrimonio Cultural. Estas intervenciones se reflejan en este título porque su vocación es precisamente la documentación de aquello que no se conoce.

El título IV «El patrimonio documental y bibliográfico» se aplica a la nueva regulación de este patrimonio, adaptándolo a la Ley 19/2002, de 24 de octubre, de Archivos Públicos de Castilla-La Mancha, que derogó parcialmente el capítulo II, del título III, de la Ley

4/1990, de 30 de mayo, del Patrimonio Histórico de Castilla-La Mancha. La singularidad de este tipo de patrimonio justifica un título específico dado que el resto de la ley está dedicado casi en su totalidad a lo que se ha venido denominando tradicionalmente como patrimonios especiales: el patrimonio arqueológico, el patrimonio etnológico y el patrimonio industrial.

El título V, «De las medidas de fomento», recoge diferentes vías a través de las cuales se pretende fomentar la actividad de investigación, documentación, conservación, recuperación, restauración y divulgación de los bienes integrantes del Patrimonio Cultural de Castilla-La Mancha, tales como las económicas —subvenciones, beneficios fiscales y porcentaje cultural— y medios para luchar contra la especulación y promover el enriquecimiento del citado patrimonio mediante la figura de los pagos con bienes culturales. Se incluye, además, el fomento del conocimiento del Patrimonio Cultural en el ámbito educativo reglado así como la colaboración con universidades y centros de investigación.

El título VI, «Actividad inspectora y régimen sancionador» se introduce como una novedad importante en la protección del Patrimonio Cultural, prácticamente inexistente en la Ley 4/1990, de 30 de mayo. Se desglosa en dos capítulos, «Actividad inspectora», que dota al personal funcionario competente como agente de la autoridad, se establece el marco legal dentro del cual ha de desarrollarse el ejercicio de esta función, detallándose en qué consiste la misma, el personal que puede ejercitarla, las normas de actuación, el deber de cumplimentar actas de inspección y los deberes de los interesados. El capítulo II regula el «Régimen sancionador», hasta ahora dependiente en cuanto al procedimiento y la imposición de sanciones de la Ley 16/1985, de 25 de junio, estableciéndose una regulación propia y más exhaustiva. Se tipifican las infracciones y las sanciones, la prescripción, el procedimiento que ha de tramitarse y la competencia para sancionar. Además, se recoge la obligación de reparación de los daños causados y se concreta el régimen de responsabilidades.

TÍTULO PRELIMINAR. Disposiciones generales

Artículo 1. Objeto

1. La presente ley tiene por objeto la conservación, protección y enriquecimiento del Patrimonio Cultural existente en la Comunidad Autónoma de Castilla-La Mancha para su difusión y transmisión a las generaciones venideras y el disfrute por la actual generación, sin perjuicio de las competencias que al Estado le atribuyen la Constitución y el resto del ordenamiento jurídico.

2. El Patrimonio Cultural de Castilla-La Mancha está constituido por los bienes muebles, inmuebles y manifestaciones inmateriales, con valor histórico, artístico, arqueológico, paleontológico, etnográfico, industrial, científico, técnico, documental o bibliográfico de interés para Castilla-La Mancha.

3. Los bienes y manifestaciones que reúnan alguno de los valores citados en el apartado 2 podrán ser declarados de Interés Cultural, de Interés Patrimonial o elementos de Interés Patrimonial con arreglo a lo previsto en esta ley.

Artículo 2. Ámbito de aplicación

La presente ley es de aplicación al Patrimonio Cultural de Castilla-La Mancha. Corresponde a la Junta de Comunidades de Castilla-La Mancha la aplicación de esta norma, en el marco de la distribución de competencias que le atribuye el Estatuto de Autonomía y la Constitución Española.

Artículo 3. Colaboración institucional

1. Todas las Administraciones Públicas de Castilla-La Mancha colaborarán y se coordinarán en el ejercicio de sus competencias y funciones para contribuir al logro de los objetivos de esta ley.

2. Las entidades locales colaborarán en la protección, conservación y difusión de los valores que contengan los bienes integrantes del Patrimonio Cultural situados en su ámbito territorial. Tendrán la obligación de comunicar a la

Consejería competente en esta materia, todo hecho que pueda poner en peligro la integridad de los bienes pertenecientes al Patrimonio Cultural. Todo ello sin perjuicio de las funciones que expresamente les atribuya esta ley.

En los casos de urgencia, en coordinación con la Consejería competente en materia de Patrimonio Cultural, adoptarán las medidas preventivas que sean necesarias para salvaguardar los bienes antes referidos que viesen amenazada su existencia, su conservación o su integridad.

3. La Junta de Comunidades de Castilla-La Mancha adoptará las medidas necesarias para facilitar su colaboración con las demás Administraciones Públicas, así como con instituciones públicas o privadas. Fomentará intercambios culturales y promoverá la celebración de convenios y acuerdos en beneficio del Patrimonio Cultural castellano-manchego.

Artículo 4. Colaboración de los particulares

1. Las personas que observen peligro de destrucción, deterioro o pérdida en un bien integrante del Patrimonio Cultural de Castilla-La Mancha deberán ponerlo en conocimiento de la Consejería competente en materia de patrimonio cultural de la Administración Regional, del Ayuntamiento en cuyo término municipal se encuentre el bien y de las Fuerzas y Cuerpos de Seguridad del Estado.

2. Esta comunicación no otorga a quien la formula la condición de persona interesada, sin perjuicio de que se le informe del inicio del procedimiento que, en su caso, pueda tramitarse.

3. Las asociaciones, fundaciones y particulares contribuirán a la conservación y difusión del Patrimonio Cultural de Castilla-La Mancha, pudiendo acogerse a las medidas de fomento y beneficios establecidos por la administración.

Artículo 5. El Consejo Regional del Patrimonio Cultural de Castilla-La Mancha

1. Se crea el Consejo Regional del Patrimonio Cultural de Castilla-La Mancha como órgano colegiado consultivo y asesor de la Comunidad Autónoma de Castilla-La Mancha en materias relativas al Patrimonio Cultural de Castilla-La Mancha. Dicho Consejo está adscrito a la Consejería competente en materia de Patrimonio Cultural.

2. Este órgano tiene como finalidad:

a) Propiciar una acción coordinada de las Administraciones Públicas en la conservación y acrecentamiento del Patrimonio Cultural de Castilla-La Mancha.

b) Estimular la participación ciudadana e institucional en la protección del Patrimonio Cultural castellano-manchego, facilitando el intercambio de la información existente sobre dicho Patrimonio.

3. La composición, funcionamiento y funciones específicas se establecerán reglamentariamente.

Artículo 6. Instituciones con funciones consultivas

1. Tienen funciones consultivas las Comisiones Provinciales del Patrimonio Cultural, los Institutos de Estudios Provinciales y Locales, los Colegios Profesionales en los ámbitos relacionados con sus respectivas profesiones, la Universidad de Castilla-La Mancha y las

instituciones consultivas citadas en la normativa estatal sobre Patrimonio Histórico. Todo ello sin perjuicio del asesoramiento que pueda recabarse de otros organismos profesionales, instituciones científicas y entidades culturales.

2. Se crea la Junta de Valoración de Bienes del Patrimonio Cultural de Castilla-La Mancha como órgano asesor de la Administración Regional para valorar los bienes culturales que la Administración Regional se proponga adquirir y para emitir informe sobre el ejercicio por parte de la Administración Regional del derecho de tanteo y retracto a que se refiere esta ley.

La composición, organización y funcionamiento de este órgano asesor, que estará adscrito a la Consejería competente en materia de Patrimonio Cultural, se determinará reglamentariamente.

TÍTULO I. Figuras de protección y Catálogo del Patrimonio Cultural de Castilla-La Mancha

CAPÍTULO I. Figuras de protección en el Patrimonio Cultural de Castilla-La Mancha

Artículo 7. Figuras de protección

Los bienes integrantes del Patrimonio Cultural de Castilla-La Mancha podrán ser declarados Bienes de Interés Cultural, Bienes de Interés Patrimonial y Elementos de Interés Patrimonial.

Artículo 8. Bienes de Interés Cultural

1. Los bienes integrantes del Patrimonio Cultural de Castilla-La Mancha que reúnan de forma singular y sobresaliente alguno de los valores recogidos en el artículo 1.2 podrán ser declarados Bienes de Interés Cultural de forma genérica o en alguna de las siguientes categorías:

a) Bienes inmuebles:

1° Monumento: construcción u obra producto de la actividad humana, de sobresaliente interés histórico, arquitectónico, arqueológico, artístico, etnológico, industrial, científico o técnico, con inclusión de los muebles, instalaciones y accesorios que expresamente se señalen como parte integrante del mismo y constituyan una unidad. Dicha consideración de Monumento es independiente de su estado de conservación, valor económico, antigüedad, titularidad, régimen jurídico y uso.

2° Jardín Histórico: el espacio delimitado, producto de la ordenación por el ser humano de elementos naturales, en ocasiones complementado con estructuras de fábrica, y estimado de interés en función de su origen o pasado histórico o de sus valores estéticos, sensoriales o botánicos.

3° Conjunto Histórico: agrupación de bienes inmuebles que forman una unidad de asentamiento, continua o dispersa, condicionada por una estructura física representativa de la evolución que ha tenido una comunidad humana, por ser testimonio de su cultura o porque constituya un valor de uso y disfrute para la colectividad, aunque individualmente no tengan una especial relevancia. Asimismo, es conjunto histórico cualquier núcleo individualizado de inmuebles comprendidos en una unidad superior de población y que reúna esas mismas características y pueda ser claramente delimitado.

4° Sitio Histórico: lugar vinculado a acontecimientos del pasado, tradiciones populares o creaciones culturales de valor histórico, etnológico, o antropológico.

5° Zona Arqueológica: lugar en el que existen bienes muebles o inmuebles susceptibles de ser estudiados con metodología arqueológica, hayan sido o no extraídos, y tanto si se encuentran en la superficie como en el subsuelo o bajo las aguas.

6° Zona Paleontológica: lugar en el que existen vestigios fosilizados o no que son manifestación del pasado geológico y de la evolución de la vida en la tierra, hayan sido o no extraídos y tanto si se encuentran en la superficie como en el subsuelo o bajo las aguas.

b) Bienes muebles:

1°. Bien Mueble Unitario. Aquel que individualmente cuenta con alguno de los valores establecidos en el primer párrafo de este artículo.

2° Conjunto. Grupo de bienes muebles que si bien individualmente reúnen los valores antes referidos, están relacionados por cuestiones de uso o de producción históricamente documentados.

3° Colección. Grupo de bienes relacionados de forma posterior a su creación por motivos personales o institucionales.

c) Bienes inmateriales. Manifestaciones culturales vivas asociadas a un grupo humano y dotado de significación colectiva.

2. Excepcionalmente podrá declararse Bien de Interés Cultural la obra de autores vivos, siempre y cuando una de las instituciones consultivas citadas en el artículo 6.1 emita informe favorable y medie autorización expresa del propietario o se adquiera la obra por la administración.

Artículo 9. Bienes de Interés Patrimonial

Los bienes integrantes del Patrimonio Cultural de Castilla-La Mancha que reúnan de forma relevante alguno de los valores del artículo 1.2 podrán ser declarados Bienes de Interés Patrimonial de forma genérica o en alguna de las siguientes categorías:

a) Bienes inmuebles:

1° Construcción de Interés Patrimonial: Inmueble producto de la actividad humana de relevante interés histórico, arquitectónico, arqueológico, artístico, etnológico, científico o técnico.

2° Yacimiento arqueológico de Interés Patrimonial: Lugar en el que existen bienes muebles o inmuebles susceptibles de ser estudiados con metodología arqueológica, hayan sido o no extraídos y tanto si se encuentran en la superficie, en el subsuelo o bajo las aguas, y se les reconozca un relevante valor patrimonial.

3° Yacimiento paleontológico de Interés Patrimonial: Lugar en el que existen vestigios fosilizados o no que son manifestación del pasado geológico y de la evolución de la vida en la tierra, hayan sido o no extraídos, tanto si se encuentran en la superficie, en el subsuelo o bajo las aguas, y se les reconozca un relevante valor patrimonial.

b) Bienes muebles, individualmente o como conjunto.

c) Bienes inmateriales.

Artículo 10. Elementos de Interés Patrimonial

Se podrá declarar Elemento de Interés Patrimonial aquella parte de un inmueble que no tenga los valores necesarios para ser declarado Bien de Interés Cultural o Bien de Interés Patrimonial pero reúna alguno de los valores del artículo 1.2.

CAPÍTULO II. Procedimiento para la declaración de un bien como Bien de Interés Cultural, Bien de Interés Patrimonial o Elemento de Interés Patrimonial

Artículo 11. Procedimiento de declaración

1. La declaración de Bien de Interés Cultural, Bien de Interés Patrimonial o Elemento de Interés Patrimonial requerirá la previa tramitación del correspondiente procedimiento admi-

nistrativo por la Consejería competente en materia de Patrimonio Cultural. La iniciación del procedimiento se realizará siempre de oficio por la Dirección General competente en esta materia, bien por propia iniciativa, por petición razonada de otros órganos o administraciones, o de cualquier persona física o jurídica.

2. En caso de promoverse la iniciación del procedimiento por los interesados, deberá resolverse y notificarse en el plazo de tres meses sobre si procede o no la incoación. El transcurso de este plazo sin que se haya contestado a la parte solicitante producirá la desestimación de la solicitud por silencio administrativo.

Artículo 12. Notificación y publicación de la iniciación

1. La iniciación del procedimiento para la declaración de Bien de Interés Cultural, Bien de Interés Patrimonial o Elemento de Interés Patrimonial se hará pública en todo caso en el Diario Oficial de Castilla-La Mancha, notificándose además a los interesados. Cuando por el ámbito afectado por la declaración exista una pluralidad indeterminada de personas afectadas o la Consejería competente considere que la notificación a un solo interesado es insuficiente para garantizar la notificación a todos, la publicación sustituirá a la notificación en los términos establecidos por la normativa reguladora del procedimiento administrativo común.

2. El inicio del procedimiento de declaración se comunicará a los Ayuntamientos en cuyo término municipal esté ubicado el bien al que se refiera el procedimiento.

Artículo 13. Efectos de la iniciación del procedimiento de declaración

1. La eficacia de la resolución por la que se inicia el procedimiento para la declaración de un Bien de Interés Cultural, un Bien de Interés Patrimonial o un Elemento de Interés Patrimonial, se producirá a partir del día siguiente al de su publicación en el Diario Oficial de Castilla-La Mancha.

2. La iniciación del procedimiento para la declaración en la figura de protección correspondiente determinará respecto al bien afectado la aplicación inmediata y provisional del régimen de protección previsto en esta ley para los bienes ya declarados.

3. La iniciación del procedimiento de declaración de Bien de Interés Cultural de un inmueble supondrá la comprobación de las licencias ya otorgadas.

La entidad local deberá suspender la ejecución de las licencias otorgadas hasta que la Consejería competente en materia de patrimonio cultural se pronuncie sobre la compatibilidad de las mismas con los valores del inmueble en proceso de declaración. Dicho pronunciamiento deberá realizarse en un plazo de tres meses. En el caso de que la Consejería no resolviese en el plazo citado la entidad local podrá levantar la suspensión de la licencia. Cuando como consecuencia de este pronunciamiento la licencia municipal hubiera de revocarse o, en su caso, modificarse, deberá realizarse conforme dispone el *Decreto Legislativo 1/2010, de 18 de mayo*, por el que se aprueba el Texto Refundido de la Ley de Ordenación del Territorio y de la Actividad Urbanística de Castilla-La Mancha.

Artículo 14. Instrucción del procedimiento

1. La tramitación del expediente de declaración de un Bien de Interés Cultural, un Bien de Interés Patrimonial o un Elemento de Interés Patrimonial contendrá los siguientes aspectos, cuya concreción dependerá de la naturaleza del bien a declarar:

a) Descripción clara y exhaustiva, con documentación gráfica o audiovisual, del objeto de la declaración, que facilite su correcta identificación, así como sus antecedentes históricos.

b) Los informes técnicos necesarios, elaborados desde las distintas disciplinas científicas y artísticas aplicables a la naturaleza del bien, que justifiquen el interés que reviste y el estado de conservación del mismo.

c) En caso de bienes inmuebles, la identificación y descripción de las partes integrantes, pertenencias, accesorios y bienes muebles que, por su vinculación con el inmueble, hayan de ser incorporados a la declaración, los cuales se considerarán inseparables del inmueble declarado.

d) Cuando su situación así lo requiera, se definirá un entorno de protección, en el que habrán de figurar las relaciones del objeto de la declaración con dicho entorno. El entorno de protección se define como un área territorial constituido por los inmuebles y espacios cuya alteración pudiera afectar a los valores del objeto, a su contemplación, apreciación o estudio. Puede, además, contener elementos con valores patrimoniales accesorios o adicionales, relacionados con el objeto a declarar. En cualquier caso, la definición de dicho entorno debe ser explícita, reflejarse con documentación gráfica y planimétrica y contener la descripción de todos los elementos que lo configuran.

e) La determinación de la compatibilidad del uso al que se dedica el bien que se pretenda declarar con su correcta conservación.

f) Cuando se considere necesario para la adecuada conservación de los bienes declarados, se incorporarán a la declaración los criterios que deberán regir las intervenciones sobre los mismos.

2. En la instrucción del expediente de declaración se podrá recabar de los propietarios, poseedores o demás titulares de derechos reales el examen directo del bien, así como las informaciones que la Administración Regional considere necesarias. Ésta, igualmente, cuando proceda, recabará información complementaria de las personas o entidades que por su competencia en alguno de los aspectos del expediente puedan contribuir a la mejor resolución del mismo.

3. Para la declaración de un Bien de Interés Cultural, habrá de constar informe favorable de una de las instituciones consultivas a que se refiere el artículo 6.1.

4. Se abrirá un periodo de información pública por un plazo mínimo de un mes, cuyo inicio se hará público y se notificará en la misma forma que el inicio del procedimiento regulado en el artículo 12.

Artículo 15. Terminación del procedimiento

1. De los Bienes de Interés Cultural:

a) Corresponderá al Consejo de Gobierno, a propuesta de la persona titular de la Consejería competente en materia de Patrimonio Cultural, acordar la declaración de Bien de Interés Cultural. El acuerdo de declaración tendrá un extracto de los aspectos a que se refiere el artículo 14.1 donde se recoja las características más significativas del bien declarado.

b) El acuerdo de declaración habrá de adoptarse y notificarse en el plazo máximo de doce meses a contar desde la fecha de publicación de la iniciación en el Diario Oficial de Castilla-La Mancha. El vencimiento del plazo máximo establecido sin que se haya dictado y notificado resolución expresa producirá la caducidad del procedimiento. Corresponderá al órgano que inició el procedimiento dictar resolución de caducidad del procedimiento, ordenando el archivo de las actuaciones. No podrá volver a iniciarse el procedimiento caducado en los dos años siguientes al de su archivo, salvo que alguna de las instituciones consultivas reconocidas por la Comunidad Autónoma lo solicitase o así lo hiciera el propietario del bien.

2. De los Bienes de Interés Patrimonial:

a) Corresponderá al titular de la Consejería competente en Patrimonio Cultural, resolver el procedimiento para la declaración de un Bien de Interés Patrimonial. La resolución de declaración tendrá un extracto de los aspectos a que se refiere el artículo 14.1 donde se recoja las características más significativas del bien declarado.

b) La resolución de declaración habrá de adoptarse y notificarse en el plazo máximo de nueve meses a contar desde la publicación de la iniciación en el Diario Oficial de Castilla-La Mancha. El vencimiento del plazo máximo establecido sin que se haya dictado y notificado resolución expresa producirá la caducidad del procedimiento. La forma y efectos de la caducidad serán los mismos que los establecidos en el apartado 1, letra b), de este artículo.

3. De los Elementos de Interés Patrimonial:

a) Corresponderá al titular de la Consejería competente en Patrimonio Cultural, resolver el procedimiento para la declaración de un elemento de Interés Patrimonial. La resolución de declaración tendrá un extracto de los aspectos a que se refiere el artículo 14.1 donde se recoja las características más significativas del bien declarado.

b) La resolución de declaración habrá de adoptarse y notificarse en el plazo máximo de seis meses a contar desde la fecha de la publicación de la iniciación en el Diario Oficial de Castilla-La Mancha. El vencimiento del plazo máximo establecido sin que se haya dictado y notificado resolución expresa producirá la caducidad del procedimiento. La forma y efectos de la caducidad serán los mismos que los establecidos en el apartado 1, letra b), de este artículo.

Artículo 16. Notificación y publicación de la declaración

El acuerdo o resolución de declaración de un Bien de Interés Cultural, Bien de Interés Patrimonial o Elemento de Interés Patrimonial se harán públicos en todo caso en el Diario Oficial de Castilla-La Mancha, notificándose además a los interesados y al Ayuntamiento en cuyo término municipal esté ubicado el bien al que se refiera el procedimiento.

Cuando por el ámbito afectado por la declaración exista una pluralidad indeterminada de personas afectadas o la Consejería competente considere que la notificación a un solo interesado es insuficiente para garantizar la notificación a todos, la publicación sustituirá a la notificación en los términos establecidos en la normativa reguladora del procedimiento administrativo común.

Artículo 17. Procedimiento para dejar sin efecto una declaración

1. La declaración de un Bien de Interés Cultural, Bien de Interés Patrimonial o Elemento de Interés Patrimonial, en todo o en parte, únicamente podrá dejarse sin efecto cuando hayan dejado de reunir los valores a que se refiere el artículo 1.2. El procedimiento que habrá de tramitarse será el mismo que se ha establecido para la declaración.

2. La alteración de las condiciones que motivaron la declaración de un bien no será causa determinante para su descatalogación si el nuevo estado en que se encuentra el bien se debe al incumplimiento de las obligaciones establecidas por esta ley.

Artículo 18. Inscripción de la declaración de Bien de Interés Cultural en el Registro de la Propiedad

La Consejería competente en materia de Patrimonio Cultural instará de oficio la inscripción en el Registro de la Propiedad de la declaración de Bien de Interés Cultural cuando se trate de monumentos y jardines históricos, así como de aquellas otras categorías de protección cuando se trate de bienes individualmente declarados.

CAPÍTULO III. Del Catálogo del Patrimonio Cultural de Castilla-La Mancha

Artículo 19. Catálogo del Patrimonio Cultural de Castilla-La Mancha

1. Se crea el Catálogo del Patrimonio Cultural de Castilla-La Mancha como instrumento para la protección y gestión de los bienes en él incluidos.

2. El Catálogo del Patrimonio Cultural de Castilla-La Mancha será único y en él se inscribirán los Bienes de Interés Cultural, los Bienes de Interés Patrimonial y los Elementos de Interés Patrimonial.

Artículo 20. Inscripción de los bienes en el Catálogo del Patrimonio Cultural de Castilla-La Mancha

1. Cada uno de los bienes inscritos en el Catálogo recibirá un código para su identificación.

2. En el Catálogo de Patrimonio Cultural de Castilla-La Mancha se anotarán las actuaciones que afecten a la identificación y localización de los bienes en él inscritos, los actos que se realicen sobre ellos cuando afecten al contenido de la declaración, y dará fe de los datos en él consignados.

3. Los titulares de bienes inscritos en este Catálogo comunicarán a la Consejería competente en la materia, cualquier intervención o traslado, así como todos los actos jurídicos y las circunstancias que puedan afectar a dicho bien para su anotación.

4. A los mismos efectos, los entes locales de Castilla-La Mancha comunicarán a la Consejería competente en la materia, cualquier licencia concedida u obra que afecte a estos bienes, salvo que ya lo hubieran comunicado con anterioridad en cumplimiento de lo establecido en esta ley.

5. De las inscripciones y anotaciones que se practiquen en el Catálogo del Patrimonio Cultural de Castilla-La Mancha se dará cuenta al Registro General de Bienes de Interés Cultural y al Inventario General de Bienes Muebles, en los casos en que proceda.

Artículo 21. Organización del Catálogo del Patrimonio Cultural de Castilla-La Mancha

La gestión del Catálogo del Patrimonio Cultural de Castilla-La Mancha corresponderá a la Consejería competente en materia de Patrimonio Cultural. Su organización y funcionamiento se establecerá reglamentariamente.

Artículo 22. Acceso al Catálogo del Patrimonio Cultural de Castilla-La Mancha

1. El acceso al Catálogo será público en los términos que se establezca reglamentariamente.

2. No serán de acceso público aquellas informaciones que deban ser protegidas por razones de seguridad de los bienes o de sus titulares, por el respeto a la intimidad de las personas y de los secretos comerciales o científicos protegidos por la ley.

3. La información relativa a los bienes incluidos en el Catálogo del Patrimonio Cultural de Castilla-La Mancha que puedan revelar datos significativos que pongan en riesgo su conservación será considerada de acceso restringido en los términos que se establezcan reglamentariamente.

4. Será precisa la autorización expresa del titular del bien para la consulta pública de los datos relativos a:

a) La situación jurídica y valor de los bienes inscritos.

b) Su localización, en caso de bienes muebles.

c) Datos de carácter personal, cuando así venga exigido por la normativa reguladora de los datos de carácter personal.

TÍTULO II. Régimen de protección y conservación del Patrimonio Cultural de Castilla-La Mancha

CAPÍTULO I. Régimen común de protección y conservación

Artículo 23. Deber de conservación y uso

1. Los propietarios, poseedores y demás titulares de derechos reales sobre bienes integrantes del Patrimonio Cultural de Castilla-La Mancha están obligados a conservarlos, cuidarlos y protegerlos adecuadamente para asegurar su integridad y evitar su pérdida, deterioro o destrucción.

2. Los poderes públicos garantizarán la conservación, protección y enriquecimiento del Patrimonio Cultural de Castilla-La Mancha de acuerdo con lo establecido en esta ley y en la normativa urbanística que resulte de aplicación.

3. Cuando los propietarios, poseedores o demás titulares de derechos reales sobre bienes integrantes del Patrimonio Cultural castellano-manchego no realicen las actuaciones necesarias para el cumplimiento de las obligaciones previstas en el apartado 1, la Consejería competente en materia de Patrimonio Cultural les requerirá para que lleven a cabo dichas actuaciones.

4. El incumplimiento del requerimiento previsto en el apartado tres faculta a la citada Consejería a tomar alguna de estas medidas:

a) Ejecución subsidiaria a costa del obligado.

b) Imposición de multas coercitivas de hasta 6.000 euros con periodicidad mensual, hasta el límite del coste de las actuaciones, al que deberá quedar afectado la imposición de las multas. La multa coercitiva es independiente de las sanciones que puedan imponerse con tal carácter y compatible con ellas.

5. Las medidas adoptadas al amparo de lo establecido en este artículo se comunicarán al Ayuntamiento en cuyo término municipal se encuentre el inmueble de cuya conservación se trata en el plazo de diez días a contar desde su adopción.

6. La Administración Regional podrá realizar de modo directo las actuaciones necesarias en el caso de bienes inmuebles si así lo requiere la más eficaz conservación de los bienes, en cuyo caso la ocupación temporal se realizará conforme a lo dispuesto en la normativa reguladora de la expropiación forzosa.

7. Tratándose de bienes muebles podrá la Administración Regional ordenar el depósito de los bienes muebles en centros de carácter público, rigiéndose a estos efectos por lo dispuesto en el Código Civil respecto al depósito necesario, que se mantendrá mientras no desaparezcan las causas que originaron dicha necesidad.

Artículo 24. Acceso al Patrimonio Cultural de Castilla-La Mancha

1. Los propietarios, poseedores y demás titulares de derechos reales sobre bienes integrantes del Patrimonio Cultural de Castilla-La Mancha estarán obligados a permitir el acceso a dichos bienes en los siguientes casos:

a) Acceso con fines de inspección, que deberá ajustarse a lo establecido en el capítulo I del título VI.

b) Acceso para la realización de los informes necesarios en la tramitación de los procedimientos de declaración de los bienes integrantes del Patrimonio Cultural de Castilla-La Mancha.

c) Acceso de investigadores debidamente autorizados por la Consejería competente en materia de Patrimonio Cultural. En la autorización deberá fijarse expresamente el ámbito de actuación y los límites del acceso.

2. En el caso de los bienes muebles, en los casos previstos en el apartado 1, se podrá acordar el depósito de los bienes en un centro que reúna las condiciones adecuadas para su examen, conservación y custodia. La Consejería competente en materia de cultura establecerá los términos en que deberán ser depositados.

3. Se deberá facilitar la visita pública a los bienes integrantes del Patrimonio Cultural de Castilla-La Mancha en las condiciones que se determinen reglamentariamente. En todo caso, en los Bienes inmuebles de Interés Cultural la visita deberá ser gratuita durante cuatro días al mes, en días y horario prefijado, el cual debe ser objeto de difusión.

En el caso de Bienes muebles de Interés Cultural se podrá sustituir la visita pública por el depósito del bien, por acuerdo entre las partes.

4. Los propietarios, poseedores y demás titulares de derechos reales de bienes muebles declarados de Interés Cultural están obligados a prestarlos, para exposiciones temporales que se organicen o promuevan por la Administración Regional. Dicha obligación no excederá de cinco meses dentro de un periodo de dos años.

5. Los actos y disposiciones administrativas mediante los cuales se establezcan las condiciones para el cumplimiento de los deberes previstos en este artículo deberán garantizar el respeto a la intimidad personal y familiar.

6. La Administración Regional podrá dispensar el cumplimiento de las obligaciones contempladas en este artículo basándose en motivos técnicos de conservación o en la necesidad de proteger el derecho citado en el apartado 5 o cualquier otro cuya protección prevalezca sobre el derecho de acceso regulado en este artículo.

Artículo 25. Comercio de bienes muebles

1. Las personas y entidades que se dediquen habitualmente, en los términos que se establezcan reglamentariamente, al comercio de bienes entre los que se encuentren muebles integrantes del Patrimonio Cultural de CastillaLa Mancha deberán inscribirse en un Registro de comerciantes creado al efecto por la Consejería competente en materia de Patrimonio Cultural.

2. Las personas y entidades señaladas en el apartado uno llevarán un libro de registro legalizado por la Consejería competente en materia de Patrimonio Cultural, en el cual harán constar las transacciones que efectúen de bienes integrantes del Patrimonio Cultural. Se anotarán en el citado libro los datos de identificación del objeto y las partes que intervengan en cada transacción, de las cuales se dará cuenta semestralmente a la Consejería competente en materia de Patrimonio Cultural.

Artículo 26. Instrumentos de ordenación territorial y urbanística y actividades a las que se aplica la Evaluación de Impacto Ambiental

1. La Consejería competente en materia de Patrimonio Cultural deberá emitir informe de los procedimientos de aprobación, modificación y revisión de los instrumentos de ordenación territorial y urbanística y de las actividades a las que se aplica la evaluación de impacto ambiental, que será vinculante en las materias que afecten al Patrimonio Cultural. Dicho informe deberá ser emitido en el plazo de un mes.

2. En el caso de que durante el procedimiento de aprobación de cualquier instrumento de ordenación territorial y urbanística, se produjeran modificaciones en estos como consecuencia de los informes sectoriales o del resultado del trámite de información pública que afectaran al contenido del informe al que se refiere el apartado anterior o a los bienes que en él se identifiquen como integrantes del Patrimonio Cultural de Castilla-La Mancha, previamente a la aprobación definitiva del instrumento de planeamiento de ordenación territorial y urbanístico deberá recabarse un segundo informe, con los mismos efectos, de la Consejería competente en materia de Patrimonio Cultural.

Artículo 27. Autorización de intervenciones en bienes inmuebles

1. Cualquier intervención que se proyecte realizar en un inmueble del Patrimonio Cultural de Castilla-La Mancha, requerirá autorización previa de la Consejería competente en materia de Patrimonio Cultural, que contendrá las condiciones y plazos de ejecución de dicha intervención.

2. La autorización de la Consejería competente en materia de Patrimonio Cultural deberá tener carácter previo a la concesión de la licencia municipal que fuese necesaria. A estos efectos, el ente local competente para conceder la licencia deberá velar porque cualquier

intervención a realizar en un inmueble incluido en el Inventario del Patrimonio Cultural de Castilla-La Mancha cuente con la autorización a que se refiere el apartado uno.

3. El promotor o propietario que proyecte realizar dicha intervención deberá aportar un estudio redactado por técnicos competentes en cada una de las materias afectadas, que deberá contener al menos:

a) Justificación de la intervención.

b) Descripción de los valores patrimoniales del bien y estado de conservación del mismo, estableciendo las causas que inciden en su deterioro.

c) Estudios previos que garanticen un adecuado conocimiento del bien y de su desarrollo histórico.

d) Propuesta técnica de la actuación con indicación de metodología, productos y materiales. Se tratará de una propuesta de actuación integral y de carácter multidisciplinar, de acuerdo con los criterios de un equipo técnico cuya composición estará determinada por las características del inmueble y el tipo de intervención a llevar a cabo.

e) Efectos que la intervención pueda tener en el bien y en los bienes muebles con valor cultural que puedan estar contenidos en el mismo.

f) Programa de mantenimiento y conservación.

4. A la vista de dicho estudio, la Consejería competente en materia de Patrimonio Cultural podrá autorizar la intervención y, en su caso, establecerá los condicionantes que deberán ser incorporados al proyecto de intervención, en su caso.

5. El plazo máximo para resolver y notificar la resolución expresa sobre las autorizaciones que se soliciten en aplicación de este artículo será de tres meses, a contar desde que la solicitud tenga entrada en el registro del órgano competente para resolver, transcurridos los cuales sin haber sido notificada la resolución, los interesados que la hubieran solicitado podrán entenderla desestimada por silencio administrativo.

6. Las autorizaciones concedidas a tal efecto podrán ser suspendidas o revocadas en caso de incumplimiento o alteración de los requisitos citados en el apartado 3 o de las condiciones impuestas en la propia autorización, previo trámite de audiencia a los interesados.

7. La obtención de las autorizaciones exigidas en la presente ley no exime de la obligación de obtener licencia municipal o cualesquiera otras autorizaciones que sean precisas.

8. Concluida la intervención el promotor o propietario de la misma deberá presentar informe suscrito por técnico competente en el plazo y en los términos señalados en la autorización. La Consejería competente en materia de
Patrimonio Cultural dictará resolución a la vista de dicho informe dando por finalizada la intervención, en su caso, y estableciendo las medidas de protección y conservación adecuadas.

9. La Consejería citada comunicará, a los ayuntamientos donde se localice la intervención las autorizaciones concedidas, remitiéndoles copia de las mismas, en el plazo de un mes, a contar desde su expedición.

Artículo 28. Criterios de intervención en bienes inmuebles

1. Cualquier intervención en un inmueble incluido en el Patrimonio Cultural de Castilla-La Mancha estará encaminada a su conservación y preservación, de acuerdo con los siguientes criterios:

a) Se establecerá como criterio básico de actuación la mínima intervención, con el objeto de asegurar la conservación y adecuada transmisión de los valores del bien de acuerdo con el artículo 1.2.

b) Se respetará la información histórica, los materiales tradicionales, los métodos de construcción y las características esenciales del bien, sin perjuicio de que pueda autorizarse el uso de elementos, técnicas y materiales actuales para la mejor conservación del mismo.

c) Se conservarán las características volumétricas, estéticas, ornamentales y espaciales del inmueble, así como las aportaciones de distintas épocas. La eliminación de alguna de ellas deberá estar claramente documentada y convenientemente justificada en orden a la adecuada conservación de los bienes afectados.

d) Se evitarán los intentos de reconstrucción. Cuando la aportación de materiales sea indispensable para la estabilidad y el mantenimiento del inmueble, esta habrá de ser justificada, reconocible y sin discordancia estética o funcional con el resto del mismo. No podrán realizarse reconstrucciones que conduzcan a confusiones miméticas que falseen su autenticidad histórica, salvo cuando se utilicen partes originales de los mismos y pueda probarse su procedencia.

e) La administración podrá inspeccionar en cualquier momento de la intervención el bien inmueble, para velar por el cumplimiento de lo dispuesto en este artículo.

2. Estas intervenciones no podrán alterar los valores arquitectónicos, visuales y paisajísticos del bien, incluido su entorno de protección. En particular, en dicho entorno se evitará cualquier contaminación visual que impida o distorsione la contemplación del bien.

Artículo 29. Autorización de intervenciones en bienes muebles

1. Las intervenciones sobre un bien mueble del Patrimonio Cultural de Castilla-La Mancha requerirán autorización previa de la Consejería competente en materia de Patrimonio Cultural, que contendrá las condiciones y plazos de ejecución de dicha intervención.

2. La propuesta para la realización de estas intervenciones será redactada por técnico competente y deberá contener al menos:

a) Justificación de la intervención.

b) Análisis interdisciplinar relativo a los valores patrimoniales del bien, estado de conservación del mismo y razones de su deterioro.

c) Propuesta técnica de la intervención con indicación de metodología, productos y materiales.

d) Lugar de realización de la intervención.

3. El plazo máximo para resolver y notificar la resolución expresa sobre las autorizaciones que se soliciten en aplicación de este artículo será de tres meses, a contar desde que la solicitud tenga entrada en el registro del órgano competente para resolver, transcurridos los cuales sin haber sido notificada la resolución, los interesados que la hubieran solicitado podrán entenderla desestimada por silencio administrativo.

4. Las autorizaciones concedidas a tal efecto podrán ser suspendidas o revocadas en caso de incumplimiento o alteración de los requisitos citados en el apartado 2 o de las condiciones impuestas en la propia autorización, previo trámite de audiencia a los interesados.

5. Concluida la intervención el promotor o propietario de la misma deberá presentar informe suscrito por técnico competente en el plazo y en los términos señalados en la autorización.

Artículo 30. Criterios de intervención en bienes muebles

Cualquier intervención en un bien mueble del Patrimonio Cultural de Castilla-La Mancha estará encaminada a su conservación y preservación, de acuerdo con los siguientes criterios:

a) Se establece como criterio básico la mínima intervención, dando prioridad a aquellos tratamientos que aseguren la mínima manipulación directa de las obras en beneficio de la conservación preventiva.

b) En el caso de ser necesarias, las intervenciones respetarán las aportaciones históricas que en los bienes se documenten, siempre que constituyan un valor propio de los mismos. La eliminación de alguna de ellas sólo se autorizará cuando esta esté suficientemente documentada, suponga una degradación del bien y permita una mejor interpretación histórica y cultural del mismo.

c) Cualquier intervención de reintegración deberá ser adecuadamente justificada y diferenciada y respetará la estructura, fisonomía y estética del bien.

d) Los materiales empleados en los diversos tratamientos deberán ser compatibles con el original y su eficacia e inocuidad suficientemente comprobados y contrastados. En su elección se tendrán en cuenta criterios de reversibilidad.

Artículo 31. Suspensión de intervenciones

1. La Consejería competente en materia de Patrimonio Cultural podrá impedir el derribo y suspender cualquier clase de obra o intervención en todos aquellos bienes en que aprecie la concurrencia de alguno de los valores a los que hace mención el artículo 1.2.

2. La Consejería citada ordenará la realización de los informes que estime necesarios para resolver en un plazo máximo de dos meses, a contar desde la suspensión, sobre la continuación o no de las actuaciones interrumpidas, estableciendo las condiciones que en su caso procedan para la protección de los citados valores, incluido el inicio del procedimiento de declaración de Bien de Interés Cultural, Bien de Interés Patrimonial o de Elemento de Interés Patrimonial. Si en el citado plazo no hubiera recaído resolución alguna podrán proseguir las obras o intervenciones.

3. La suspensión de las actuaciones, así como las condiciones que pudieran establecerse referidas en el apartado 2, no comportarán derecho a indemnización alguna.

CAPÍTULO II. Régimen de protección de los bienes catalogados

Artículo 32. Derechos de tanteo y de retracto

1. Toda pretensión de enajenación de un bien declarado de Interés Cultural o de Interés Patrimonial, mueble o inmueble, habrá de ser notificada a la Consejería competente en materia de Patrimonio Cultural, con indicación del precio y las condiciones en que se propongan realizar aquella, sin perjuicio de lo establecido en la normativa estatal.

En los Conjuntos Históricos el ejercicio de este derecho se verá limitado a aquellos bienes inmuebles que hayan sido declarados Bien de Interés Cultural de modo individualizado.

2. En el plazo de dos meses desde la recepción de la notificación prevista en el apartado anterior, la Administración Regional podrá ejercer el derecho de tanteo para sí, o para cualquier entidad de derecho público quedando en tal caso la entidad beneficiaria obligada a abonar el precio por el que se iba a enajenar el bien de que se trate. Tanto la Administración Regional como, en su caso, la entidad beneficiaria, se obligarán al pago del precio en un periodo no superior a dos ejercicios presupuestarios, salvo que el particular interesado acepte otras formas de pago.

3. Sin perjuicio de lo establecido anteriormente las entidades locales en donde radiquen dichos bienes podrán ejercer subsidiariamente estos derechos sobre los mismos, previa notificación y renuncia de la Consejería competente en materia de Patrimonio Cultural. Transcurrido el plazo de dos meses sin que la Administración Regional hubiese hecho pronunciamiento alguno se entenderá que renuncia al ejercicio de este derecho preferente.

4. Los subastadores deben notificar a la Consejería competente en materia de Patrimonio Cultural con un plazo de antelación de dos meses, la fecha y lugar de celebración de las subastas, cualquiera que sea la naturaleza de estas, en las que se pretenda enajenar cualquier bien incluido en el Catálogo del Patrimonio Cultural de Castilla-La Mancha. Los subastadores tendrán la obligación de comunicar el precio de remate a la Administración

Regional, que podrá ejercitar el derecho de adquisición preferente en el plazo de 10 días desde la recepción de dicha comunicación.

5. Si la pretensión de enajenación y sus condiciones no fuesen notificadas correctamente, la Administración Regional podrá ejercer, en los mismos términos previstos para el derecho de tanteo, el derecho de retracto en el plazo de seis meses a partir de la fecha en que se tenga conocimiento fehaciente de la enajenación.

Artículo 33. Cambios de titularidad: supuestos especiales

1. Los bienes incluidos dentro del Catálogo del Patrimonio Cultural de Castilla-La Mancha y que sean propiedad de la Administración Regional o de las entidades locales serán imprescriptibles, inalienables e inembargables, salvo las transmisiones que puedan efectuarse entre las Administraciones Públicas.

2. Los bienes muebles declarados de Interés Cultural y de Interés Patrimonial de los que sean titulares las instituciones eclesiásticas no podrán transmitirse por título oneroso o gratuito ni cederse a particulares ni a entidades mercantiles. Dichos bienes sólo podrán ser enajenados o cedidos al Estado, a entidades de derecho público o a otras instituciones eclesiásticas.

Artículo 34. Expropiación forzosa

1. A efectos de lo establecido en la normativa reguladora de la expropiación forzosa, se considera causa de interés social para el ejercicio de la misma:

a) El incumplimiento de las obligaciones de protección y conservación de los bienes incluidos dentro del Catálogo del Patrimonio Cultural de Castilla-La Mancha.

b) La necesidad de ampliar las excavaciones en un yacimiento arqueológico o paleontológico declarado como Bien de Interés Cultural o Bien de Interés Patrimonial, dada la relevancia de los restos que se encuentren, previa ocupación temporal conforme a la normativa de expropiación forzosa.

c) La existencia de inmuebles que impidan o perturben la utilización, la contemplación, el acceso o el disfrute de los Bienes de Interés Cultural y Bienes de Interés Patrimonial, que atenten contra la armonía ambiental o que generen riesgo para su conservación.

d) Las necesidades de suelo para la realización de obras destinadas al acceso y a la conservación de Bienes de Interés Cultural y de los destinados a la creación, ampliación y mejora de museos, archivos y bibliotecas de interés para Castilla-La Mancha.

2. Las entidades locales, en el ámbito de su competencia, podrán ejercitar la potestad expropiatoria al amparo de lo previsto en el apartado anterior debiendo notificar previamente su propósito a la Administración Regional, que tendrá preferencia en su ejercicio. Transcurrido el plazo de dos meses sin que la Administración Regional hubiese hecho pronunciamiento alguno se entenderá que renuncia al ejercicio de este derecho preferente.

Artículo 35. Autorización de demolición en bienes catalogados

1. El inicio de un procedimiento para la declaración de situación legal de ruina o de ruina física inminente de algún inmueble incluido en el Catálogo del Patrimonio Cultural de Castilla-La Mancha, se comunicará a la Consejería competente en materia de Patrimonio Cultural que deberá emitir informe favorable para la protección de los valores culturales del bien.

2. No podrá procederse a la demolición de un bien inmueble incluido en el Catálogo del Patrimonio Cultural de Castilla-La Mancha, afectado por el procedimiento a que se refiere en el apartado uno, sin la autorización de la Consejería competente en materia de Patrimonio Cultural que valorará las medidas oportunas a adoptar para la protección de sus valores culturales.

3. En caso de tener que adoptarse medidas urgentes la Consejería competente en materia de Patrimonio Cultural deberá emitir un informe previo en el plazo de 24 horas, a contar desde la entrada en el registro de la citada Consejería de la comunicación a que se refiere el apartado 1.

4. Las modificaciones que se produzcan en los bienes inmuebles catalogados deberán ser reflejadas en el Catálogo del Patrimonio Cultural de Castilla-La Mancha.

CAPÍTULO III. Régimen de protección de los Bienes de Interés Cultural

Artículo 36. Nivel máximo de protección

1. Los bienes declarados de Interés Cultural gozarán de la máxima protección y tutela.

2. La utilización de los Bienes de Interés Cultural estará siempre subordinada a que no se ponga en peligro su conservación y sus valores. Cualquier cambio de uso, segregación o agregación, habrán de ser autorizados por la Consejería competente en materia de Patrimonio Cultural.

Sección 1. Régimen de bienes inmuebles

Artículo 37. Desplazamientos

Un inmueble declarado Bien de Interés Cultural es inseparable de su entorno. No podrá procederse a su desplazamiento salvo por causa de fuerza mayor o interés social y deberá ser autorizado por la Consejería competente en materia de Patrimonio Cultural que establecerá las medidas de protección y conservación del propio Bien de Interés Cultural, así como de las zonas afectadas.

Artículo 38. Prohibiciones en inmuebles declarados de Interés Cultural

En los inmuebles declarados de Interés Cultural queda prohibida la instalación de publicidad, cables, antenas, conducciones y cualquier otro elemento que perjudique la adecuada conservación del inmueble o menoscabe la apreciación del bien dentro de su entorno. Excepcionalmente, de manera motivada y en base a criterios técnicos podrá autorizarse la instalación de dichos elementos por parte de la Consejería competente en materia de Patrimonio Cultural.

Artículo 39. Conservación de Conjuntos Históricos

1. La conservación de los Conjuntos Históricos comportará el mantenimiento de la estructura arquitectónica, urbana y paisajística.

2. La declaración de un Conjunto Histórico, determina la obligación para el Ayuntamiento en cuyo término municipal se localice, de redactar un plan especial de protección del área afectada u otro instrumento de los previstos en la legislación urbanística o de ordenación del territorio que cumpla en todo caso los objetivos establecidos en esta ley.

3. La normativa de actuación recogerá la necesaria armonización de la conservación del conjunto con el mantenimiento de la ciudad como estructura viva, desde las necesarias adecuaciones edificatorias en sus aspectos estructurales y de habitabilidad, las adaptaciones a los nuevos usos y la presencia de los equipamientos sociales necesarios.

4. No se admitirán las sustituciones de inmuebles, las modificaciones en las alineaciones y rasantes existentes, las alteraciones de volumen, ni de edificabilidad, parcelaciones, agregaciones y, en general, ningún cambio que afecte a la armonía del conjunto. No obstante, podrán admitirse variaciones, con carácter excepcional, siempre que contribuyan a la conservación general del bien.

Artículo 40. Planeamiento urbanístico en Conjuntos Históricos.

Los planes especiales o instrumentos de Conjuntos Históricos a que se refiere el artículo 39.2, además de los contenidos exigidos por la normativa urbanística, contendrán:

a) Un catálogo de todos los elementos unitarios significativos, tanto inmuebles edificados como espacios libres, interiores y exteriores, y otras estructuras que conformen el área afectada, señalados con precisión en una cartografía adecuada.

b) Cada elemento unitario del catálogo deberá tener definidos los valores culturales que deban ser objeto de conservación, su nivel de conservación así como los tipos de actuación y la compatibilidad de los usos con dicha conservación.

c) Un estudio histórico que determine los elementos tipológicos básicos de las construcciones y de la estructura o morfología del espacio afectado que deba ser objeto de conservación.

d) Los criterios relativos a las actuaciones en relación con fachadas, cubiertas, edificabilidad, volúmenes, alturas, alineaciones, parcelaciones y agregaciones y cualquier otra instalación o infraestructura, que contribuyan a la conservación del Conjunto Histórico.

e) La justificación de las modificaciones de alineaciones, edificabilidad, volúmenes, alturas, parcelaciones o agregaciones que, excepcionalmente, el plan proponga.

Artículo 41. Conservación de Sitios Históricos, Zonas Arqueológicas y Zonas Paleontológicas

1. La conservación de los Sitios Históricos, Zonas Arqueológicas y Zonas Paleontológicas comporta el mantenimiento de los valores propios definidos en la declaración de Bien de Interés Cultural, así como la protección de los bienes afectados.

2. La declaración de un Sitio Histórico, Zona Arqueológica y Zona Paleontológica determinará, en su caso, la obligación para el Ayuntamiento en cuyo término municipal se localice, de redactar un plan especial de protección del área afectada u otro instrumento de los previstos en la legislación urbanística o de ordenación del territorio que cumpla en todo caso los objetivos establecidos en esta ley.

Artículo 42. Autorización de obras en Bienes de Interés Cultural con Plan Especial u otro instrumento similar

1. Cuando exista Plan Especial u otro instrumento de los previstos en la legislación urbanística o de ordenación del territorio que cumpla en todo caso los objetivos establecidos en esta ley, los Ayuntamientos serán competentes para la autorización de obras, siempre que no afecten a bienes declarados de Interés Cultural o a sus entornos. Se notificarán a la Consejería competente en materia de Patrimonio Cultural las licencias concedidas en un plazo máximo de diez días.

2. Cuando existiendo la obligación de tener Plan Especial u otro instrumento de los previstos en la legislación urbanística o de ordenación del territorio que cumpla en todo caso los objetivos establecidos en esta ley, este no haya sido aprobado, cualquier intervención a realizar deberá ser autorizada por la Consejería competente en materia de Patrimonio Cultural de acuerdo con lo dispuesto en el artículo 27.

Sección 2. Régimen de los bienes muebles

Artículo 43. Autorizaciones de traslados

1. El traslado de bienes muebles declarados de Interés Cultural, deberá contar con la autorización de la Consejería competente en materia de Patrimonio Cultural, debiéndose especificar el origen y el destino del traslado, y si éste se hace con carácter temporal o definitivo.

2. Los bienes muebles incorporados a la declaración de un Bien de Interés Cultural inmueble no podrán ser trasladados, a excepción de circunstancias extraordinarias y por razones de salvaguarda y conservación, que en todo caso requerirá la previa autorización de la Consejería competente en materia de Patrimonio Cultural.

3. La Consejería competente en materia de Patrimonio Cultural podrá ordenar el traslado de bienes muebles en grave peligro de deterioro o desaparición, que serán depositados en el lugar que se determine.

4. El plazo para resolver y notificar la autorización a que se refiere este artículo y los efectos del silencio administrativo son los mismos que los establecidos en el artículo 29.3.

Artículo 44. Fondos de archivos, bibliotecas y museos

El régimen de protección establecido en la presente ley para los bienes muebles declarados de Interés Cultural, se aplicará también a todos los bienes que formen parte de las colecciones de los museos, de los archivos históricos y del fondo antiguo de las bibliotecas gestionados por la Administración Regional de Castilla-La Mancha, sin perjuicio de las normas especiales que les sean de aplicación.

Sección 3. Bienes inmateriales

Artículo 45. Protección de los bienes inmateriales

La protección de los bienes inmateriales declarados como Bien de Interés Cultural se realizará mediante la documentación, recopilación y registro en soporte no perecedero de los testimonios disponibles de estos bienes. En cualquier caso en la declaración de estos bienes se establecerán las medidas concretas de protección y fomento de los mismos.

TÍTULO III. Documentación e inventario del Patrimonio Cultural de Castilla-La Mancha

CAPÍTULO I. Disposiciones comunes

Artículo 46. Documentación del Patrimonio Cultural de Castilla-La Mancha

1. La Consejería competente en materia de Patrimonio Cultural propiciará la recopilación de la documentación que permita disponer de un conocimiento amplio del territorio de Castilla-La Mancha en cuanto a su realidad y potencial cultural y en lo relativo a trabajos de investigación, prospección y excavación realizados en el mismo.

2. La documentación inédita será de acceso restringido. Los investigadores podrán acceder a la misma mediante petición razonada y siempre y cuando dicho acceso no suponga un riesgo para la protección de los bienes documentados.

3. La documentación de aquel patrimonio característico y propio de las experiencias de Castilla-La Mancha así como el patrimonio referido al pasado tecnológico y productivo de esta región, serán objeto de especial consideración.

Artículo 47. Inventario del Patrimonio Cultural de Castilla-La Mancha

1. El Inventario del Patrimonio Cultural de Castilla-La Mancha reúne los bienes culturales existentes en el territorio de Castilla-La Mancha, incluidos los bienes del Catálogo del Patrimonio Cultural de Castilla-La Mancha, así como el resto de bienes que contengan alguno de los valores establecidos en el artículo 1.2.

2. En dicho Inventario se definirán los ámbitos de protección y prevención que deberán incluir:

a) Ámbitos de protección: las áreas delimitadas a partir de los datos en los cuales esté probada la existencia de elementos con valor patrimonial.

b) Ámbitos de prevención: las áreas delimitadas a partir de los datos en los cuales exista la presunción razonada de restos con valor patrimonial.

3. En los instrumentos de ordenación territorial y urbanística deberá tenerse en cuenta la información contenida en el Inventario del Patrimonio Cultural de Castilla-La Mancha.

4. En el caso de planeamientos generales los promotores de los mismos realizarán los trabajos necesarios para la elaboración del Inventario de acuerdo con las instrucciones que establezca la Consejería competente en materia de Patrimonio Cultural.

5. La Administración Regional colaborará con las entidades locales para la elaboración del Inventario en sus correspondientes ámbitos territoriales.

6. El contenido y el procedimiento para la realización del Inventario será objeto de desarrollo reglamentario.

Artículo 48. Actuaciones preventivas para la documentación y protección del Patrimonio Cultural

1. En los informes que la Consejería competente en materia de Patrimonio Cultural emita en cumplimiento de lo dispuesto en el artículo 26 se velará por garantizar que en los ámbitos urbanístico y medioambiental se recoja la documentación existente en el Inventario del Patrimonio Cultural de Castilla-La Mancha, así como las medidas de protección establecidas en esta ley.

2. En las zonas, parcelas, solares o edificaciones en los que existan o razonablemente se presuma la existencia de restos arqueológicos o paleontológicos el propietario o promotor de las obras que se pretendan realizar deberá aportar un estudio referente al valor histórico-cultural de la zona, parcela, solar o edificación y la incidencia que pueda tener en ellas el proyecto de obras. Estos estudios, se realizarán de acuerdo con lo dispuesto en los artículos 49 y 50.

3. La Consejería competente en materia de Patrimonio Cultural, a la vista del resultado de este trabajo, establecerá las condiciones que deben incorporarse a la licencia de obras. Los planes urbanísticos establecerán la obligatoriedad de este procedimiento en todas aquellas actuaciones en las que se determine su necesidad de acuerdo con la información histórico-patrimonial previa existente.

CAPÍTULO II. Intervenciones sobre el patrimonio arqueológico y paleontológico

Artículo 49. Intervenciones arqueológicas y paleontológicas

1. Por patrimonio arqueológico se entiende el conjunto de los bienes muebles e inmuebles y las manifestaciones con valores propios del patrimonio cultural susceptibles de ser estudiadas con metodología arqueológica, hayan sido o no extraídas y tanto si se encuentran en la superficie como en el subsuelo, o en una zona subacuática. Forman parte, así mismo, de este patrimonio el contexto y espacios asociados a estos bienes.

2. Por el patrimonio paleontológico se entiende el conjunto de yacimientos y restos fósiles, manifestación del pasado geológico y de la evolución de la vida en la tierra, hayan sido o no extraídos y tanto si se encuentran en la superficie como en el subsuelo, o en una zona subacuática. Así mismo forman parte de este patrimonio, los espacios asociados a ellos.

3. Sobre los elementos patrimoniales definidos en los apartados anteriores se pueden realizar los siguientes tipos de intervenciones:

a) Acondicionamiento previo y limpieza.

b) Prospección del territorio, incluida la que se realice mediante aparatos de detección estratigráfica o mineral, así como fotografía aérea y teledetección.

c) Sondeos de carácter estratigráfico.

d) Obtención de muestras y recogida de material.

e) Excavación arqueológica o paleontológica.

f) Control y seguimiento de movimiento de tierras.

g) Análisis estructural constructivo de inmuebles.

h) Reproducción y estudio directo de arte rupestre, entendidos como el conjunto de trabajos de campo orientados a la investigación y documentación gráfica, incluida cualquier tipo de manipulación o contacto con el soporte de los motivos figurados.

i) Cualquier otra intervención que tenga por finalidad descubrir, documentar, investigar o proteger los bienes a los que se refiere este artículo.

4. Los bienes que se documenten como consecuencia de las intervenciones definidas en el presente artículo deberán ser incluidos en el Inventario del Patrimonio Cultural de Castilla-La Mancha.

5. La difusión pública de la documentación procedente de este tipo de intervenciones deberá ser comunicada previamente a la Consejería competente en materia de Patrimonio Cultural. Dicha Consejería tendrá derecho preferente para la publicación científica de los resultados de estas intervenciones cuando hayan sido por ella promovidas o financiadas.

Artículo 50. Autorizaciones

1. Cualquier intervención de las definidas en el artículo 49 requerirá autorización previa de la Consejería competente en materia de Patrimonio Cultural de acuerdo con lo establecido en los artículos 27 y 29.

2. La autorización para realizar intervenciones arqueológicas y paleontológicas, obliga a los beneficiarios a entregar los objetos muebles obtenidos, debidamente conservados, siglados, inventariados, catalogados y acompañados del informe final correspondiente. El depósito se realizará en el plazo y lugar que la Consejería competente determine, teniendo en cuenta su proximidad al sitio de la actuación realizada y las circunstancias que la han hecho posible, además de su adecuada conservación, su mejor función cultural y científica.

3. El uso de detectores de metales y dispositivos de naturaleza análoga en ámbitos territoriales recogidos en el Inventario de Patrimonio Cultural de Castilla-La Mancha, deberá ser autorizado por la Consejería competente en materia de de patrimonio cultural.

Artículo 51. Actuaciones ilícitas

1. La realización de actuaciones encaminadas a la búsqueda u obtención de restos arqueológicos y paleontológicos que carezcan de la autorización a la que se refiere el artículo anterior o contravengan los términos de la misma, serán ilícitas y sancionadas conforme a lo dispuesto en la presente ley.

2. Será ilícita la realización de las actuaciones antes referidas en el lugar donde se haya producido un hallazgo casual de objetos arqueológicos o paleontológicos que no hubiera sido comunicado inmediatamente a la Consejería competente en materia de Patrimonio Cultural.

Artículo 52. Hallazgos casuales

1. Son hallazgos casuales los restos materiales con valor cultural descubiertos por azar o como resultado de remoción de tierras, demolición u obras donde no se presuma la existencia de restos patrimoniales.

2. El hallazgo casual de restos materiales con valor cultural se comunicará en un plazo máximo de cuarenta y ocho horas a la Consejería competente en materia de Patrimonio Cultural y a los Cuerpos y Fuerzas de Seguridad del Estado.

3. El órgano de la Administración Pública que hubiera tomado conocimiento del hecho, adoptará de inmediato las medidas oportunas para garantizar la preservación de los bienes hallados, instando, en su caso, la suspensión de las actividades que hubieren dado lugar al hallazgo.

4. Si durante la ejecución de una obra, sea del tipo que fuere, se hallan restos u objetos con valor cultural el promotor o la dirección facultativa de la obra paralizarán inmediatamente los trabajos y comunicarán su descubrimiento de acuerdo con lo contemplado en el presente artículo.

5. La Consejería competente en materia de Patrimonio Cultural podrá ordenar la paralización de actividades en aquellos lugares en los que se hallen, fortuitamente, bienes integrantes del patrimonio cultural por un periodo máximo de dos meses. Dicha Consejería determinará el carácter de los restos encontrados, y resolverá expresamente las medidas de protección de los mismos. La paralización de estas actividades no comportará derecho a indemnización.

6. El descubridor y el propietario del terreno en que se hubiese producido el hallazgo casual tendrán derecho a percibir de la Consejería competente en materia de Patrimonio Cultural, en concepto de premio, una cantidad económica que se distribuirá entre ellos a partes iguales y que será equivalente a la mitad del valor que en tasación legal se atribuya al bien.

7. El incumplimiento de las obligaciones previstas en este artículo privará al hallador y, en su caso, al propietario del derecho al premio indicado, quedando los objetos de forma inmediata a disposición de la Consejería competente en materia de Patrimonio Cultural y con independencia de las sanciones que procedan.

Artículo 53. Dominio Público

1. A los efectos de la presente ley, tienen la consideración de Dominio Público todos los bienes que reúnan los valores propios del Patrimonio Cultural, descubiertos como consecuencia de intervenciones definidas en los artículos 48 y 49, remoción de tierras, obras de cualquier índole, o producido de forma casual. Cuando se trate de hallazgos casuales, en ningún caso será de aplicación a tales objetos lo dispuesto en el artículo 351 del Código Civil.

2. Se exceptúa de lo dispuesto en este artículo el hallazgo de partes integrantes de la estructura arquitectónica de un inmueble incluido en el Catálogo del Patrimonio Cultural de Castilla-La Mancha siempre y cuando se reintegre en el inmueble.

Artículo 54. Ejecución forzosa

La Consejería competente en materia de Patrimonio Cultural podrá ordenar la ejecución de las intervenciones recogidas en el artículo 49 en cualquier terreno público o privado del territorio de Castilla-La Mancha, en el que exista o se presuma la existencia de restos con valor cultural. A efectos de la correspondiente indemnización se estará a lo dispuesto en la legislación sobre expropiación forzosa.

Artículo 55. Parques arqueológicos

Los espacios físicos que comprendan uno o varios Bienes de Interés Cultural declarados con categoría de zona arqueológica y tengan unas condiciones medioambientales adecuadas para la contemplación, disfrute y comprensión públicos, se podrán declarar Parque Arqueológico de acuerdo con la normativa al efecto.

TÍTULO IV. El Patrimonio documental y bibliográfico

Artículo 56. Patrimonio documental integrante del Patrimonio Cultural de Castilla-La Mancha

1. A los efectos de la presente ley se consideran integrantes del Patrimonio Cultural de Castilla-La Mancha el conjunto de los documentos y archivos producidos, recibidos o reunidos por las personas físicas o jurídicas, tanto públicas como privadas, ubicados en Castilla-La Mancha, que poseen, por su origen, antigüedad o valor cultural, interés para la Comunidad Autónoma en los términos establecidos en este título.

2. En concreto, integran el patrimonio documental de Castilla-La Mancha los documentos que se relacionan en alguno de los supuestos siguientes:

a) Los documentos producidos o recibidos, en el ejercicio de sus funciones y como consecuencia de una actividad política y administrativa, que sean de titularidad pública y estén ubicados en Castilla-La Mancha, ya se encuentren o no recogidos en archivos.

b) Los documentos de más de cuarenta años de antigüedad, ubicados en Castilla-La Mancha, producidos o recibidos, en el ejercicio de sus funciones, por personas jurídicas privadas de carácter religioso, político, sindical, cultural educativo o con fines sociales, que desarrollan su actividad en Castilla-La Mancha.

c) Los documentos, ubicados en Castilla-La Mancha, de más de cien años de antigüedad producidos o recibidos por cualquier persona física o jurídica privada, distinta a las citadas en el párrafo b), y aquellos documentos de menor antigüedad que hayan sido producidos en soportes de caducidad inferior a los cien años, como en el caso de los audiovisuales en soporte fotoquímico, magnético, electrónico o digital, conforme a lo que se establezca reglamentariamente.

d) Los documentos integrados en fondos documentales conservados en archivos de titularidad pública de Castilla-La Mancha.

e) Los documentos no comprendidos en los párrafos anteriores que se integren al mismo por resolución de la persona titular de la Consejería competente en materia de patrimonio cultural, previo informe del Consejo de Archivos de Castilla-La Mancha, sobre sus valores históricos o culturales.

f) Los documentos de los órganos de la Administración del Estado, de las Notarías y los Registros Públicos, de los órganos de la Administración de Justicia y de los órganos de la Unión Europea radicados en Castilla-La Mancha, sin perjuicio de la normativa que les sea aplicable.

3. Los bienes integrantes del patrimonio documental integrante del Patrimonio Cultural de Castilla-La Mancha podrán ser declarados como Bienes de Interés Cultural o Bienes de Interés Patrimonial, de acuerdo a las disposiciones de esta ley.

4. Serán aplicables las definiciones de documento y de archivo, así como la calificación como público o privado de los archivos, contenidas en la Ley 19/2002, de 24 de octubre, de Archivos de Castilla-La Mancha.

Artículo 57. Patrimonio bibliográfico integrante del Patrimonio Cultural de Castilla-La Mancha

1. A los efectos de lo previsto en esta ley forman parte del Patrimonio Cultural de Castilla-La Mancha:

a) Las obras literarias, históricas, científicas o artísticas de carácter unitario o seriado, en escritura manuscrita, impresa o registrada en lenguaje codificado en cualquier tipo o soporte, de las que no conste la existencia de al menos tres ejemplares en las bibliotecas públicas o en los servicios públicos responsables del depósito legal existentes en la Comunidad Autónoma.

b) Las obras y colecciones bibliográficas conservadas en Castilla-La Mancha que, sin estar incluidas en el párrafo a), se integren en el Patrimonio Bibliográfico por resolución de la Consejería competente en materia de Patrimonio Cultural, en virtud de sus características singulares o por haber sido producidas o reunidas por personas o entidades de especial relevancia en cualquier ámbito de actividad.

c) Los ejemplares producto de ediciones o emisiones de películas cinematográficas, fotografías, grabaciones sonoras, videograbaciones y material multimedia que reúnan alguna de las características que se establecen en los párrafos b) y c) cualquiera que sea el soporte o la técnica utilizados para su producción o reproducción.

d) Los ejemplares de las obras a que se refieren los párrafos a) y b) y c) producidos en Castilla-La Mancha que sean objeto de depósito legal.

2. Los bienes del patrimonio bibliográfico integrante del Patrimonio Cultural de Castilla-La Mancha podrán ser declarados como Bienes de Interés Cultural o Bienes de Interés Patrimonial, de acuerdo a las disposiciones de esta ley.

Artículo 58. Normativa aplicable y régimen de protección

1. El patrimonio documental público y privado, que formando parte de un archivo, esté integrado en el Sistema de Archivos de Castilla-La Mancha se regirán por lo dispuesto en la Ley 19/2002, de 24 de octubre, y por las disposiciones que la modifiquen o desarrollen. En lo no previsto en ellas será de aplicación cuanto se dispone con carácter general en la presente ley y en especial en su régimen de bienes muebles.

El patrimonio documental de Castilla-La Mancha depositado en los archivos privados no integrados en el Sistema de Archivos de Castilla-La Mancha se regirán por las disposiciones específicas establecidas en este título y en lo no previsto en el mismo le será de aplicación cuanto se dispone con carácter general en la presente ley y en especial en su régimen de bienes muebles.

2. El patrimonio bibliográfico integrante del Patrimonio Cultural de Castilla-La Mancha se regirá por cuanto se dispone con carácter general en la presente ley y en especial en su régimen de bienes muebles.

Artículo 59. Declaración de utilidad pública

Los edificios en que están instalados los Archivos, Bibliotecas y Museos de Castilla-La Mancha, así como los edificios o terrenos en que vayan a instalarse, podrán ser declarados de utilidad pública a los fines de su expropiación.

Esta declaración podrá extenderse a los edificios o terrenos contiguos cuando así lo requieran razones de seguridad para la adecuada conservación de los inmuebles o de los bienes que contengan.

Artículo 60. Instrumentos administrativos

La Consejería competente en materia de Patrimonio Cultural velará por la elaboración y actualización de los catálogos, censos y ficheros de los fondos que componen el Patrimonio Documental y Bibliográfico de Castilla-La Mancha.

Artículo 61. Obligaciones de los propietarios y poseedores de patrimonio documental

Los propietarios, poseedores y demás titulares de derechos reales sobre archivos y documentos privados integrantes del patrimonio documental además de las obligaciones que con carácter general se establecen en esta ley, deberán:

a) Conservarlos y mantenerlos organizados y descritos, debiendo entregar una copia del inventario a la Consejería competente en materia de Patrimonio Cultural.

b) Conservar de forma íntegra su organización. Para excluirlos o eliminarlos será necesaria la autorización de la Consejería competente en materia de Patrimonio Cultural.

c) Comunicar de forma previa y fehaciente a la Consejería competente en materia de Patrimonio Cultural cualquier enajenación o cambio de titularidad de la propiedad o posesión de los archivos o documentos.

Artículo 62. Depósito de documentos

1. Los propietarios y poseedores de archivos y documentos privados integrantes del patrimonio documental de Castilla-La Mancha, podrán depositarlos en el archivo que territorialmente corresponda entre los que integran el Sistema de Archivos de Castilla-La Mancha o, en su caso, en el lugar que indique la Consejería competente en materia de Patrimonio Cultural. A petición del interesado, el archivo público correspondiente hará constar la titularidad y procedencia de los fondos.

2. Podrán recuperarlos comunicando dicha intención con dos meses de antelación ante la Consejería competente en materia de Patrimonio Cultural, siempre que se garantice ante esta el cumplimiento de las obligaciones referidas en el artículo anterior.

3. Los titulares de archivos o documentos depositados en cualquiera de los centros que integran el Sistema de Archivos de Castilla-La Mancha podrán consultarlos libremente y obtener copia de los mismos.

Artículo 63. Salida de archivos y documentos del Patrimonio documental de Castilla-La Mancha

1. La salida de Castilla-La Mancha de archivos y documentos integrantes del patrimonio documental de Castilla-La Mancha tendrá que ser autorizada previamente por la Consejería competente en materia de Patrimonio Cultural quien podrá establecer las salvaguardas necesarias para garantizar la integridad del Patrimonio Cultural de interés para Castilla-La Mancha, en función de la titularidad de los archivos y documentos, su naturaleza y destino.

2. Cuando la salida de Castilla-La Mancha afecte a los documentos a que se refiere el artículo 56.2.f) la autorización establecida en el apartado 1 habrá de ajustarse a la normativa que sea aplicable a dichos documentos.

TÍTULO V. De las medidas de fomento

Artículo 64. Medidas económicas de fomento

1. La Consejería competente en materia de Patrimonio Cultural fomentará la investigación, documentación, conservación, recuperación, restauración y divulgación de los bienes integrantes del Patrimonio Cultural de Castilla-La Mancha, a través de subvenciones, ayudas y otras medidas económicas de fomento.

2. En el otorgamiento de las medidas económicas de fomento previstas en este artículo se fijarán las garantías necesarias para evitar la especulación con los bienes que con ellas se conserven, restauren o mejoren.

3. Si en el plazo de diez años a contar desde el otorgamiento de una de las subvenciones o ayudas a las que se refiere este artículo la Administración Regional de Castilla-La Mancha adquiere el bien, se deducirá del precio de adquisición una cantidad equivalente al importe actualizado de la ayuda, la cual se considerará como pago a cuenta.

4. Las personas y las entidades que no cumplan el deber de conservación establecido por esta ley o hayan sido sancionadas por la comisión de una infracción grave o muy grave de las tipificadas en esta ley en los cinco años anteriores, no podrán acogerse a las medidas de fomento previstas en este artículo.

5. La Junta de Comunidades de Castilla-La Mancha propiciará la participación de entidades públicas, privadas y de particulares en la financiación de las actuaciones de fomento previstas en la ley.

Artículo 65. Porcentaje cultural

1. En todos los contratos suscritos por la Junta de Comunidades de Castilla-La Mancha cuyo presupuesto exceda de 600.000,00 euros se incluirá una partida equivalente al menos al uno por ciento de la aportación autonómica destinada a trabajos de investigación, documentación, conservación, restauración, difusión y enriquecimiento del patrimonio cultural de Castilla-La Mancha o al fomento de la creatividad artística. La reserva a la que se refiere este apartado será de aplicación así mismo a los organismos autónomos, entidades públicas y empresas públicas dependientes de la Junta de Comunidades de Castilla-La Mancha.

2. Quedan exceptuadas de esta obligación:

a) Las obras que se realicen en cumplimiento de los objetivos de esta ley.

b) Las contrataciones públicas financiadas con fondos de carácter finalista.

c) Las contrataciones públicas que tengan por objeto el desarrollo de actuaciones de emergencia ciudadana.

El Consejo de Gobierno, por medio de decreto, podrá establecer otras excepciones distintas a las aquí previstas.

3. En el Reglamento de desarrollo de esta ley se determinará el sistema de aplicación concreto de los fondos resultantes de la consignación del 1 por 100 a que se refiere este artículo.

Artículo 66. Beneficios fiscales

Los titulares de derechos sobre bienes incluidos en el Catálogo del Patrimonio Cultural de Castilla-La Mancha disfrutarán de los beneficios fiscales que, en el ámbito de las respectivas competencias, determinen la legislación del Estado, la legislación de la Comunidad Autónoma de Castilla-La Mancha y las ordenanzas locales.

Artículo 67. Pagos con bienes culturales

1. El pago, total o parcial, de todo tipo de deudas contraídas con la Hacienda de la Comunidad Autónoma de Castilla-La Mancha podrá realizarse mediante la dación en pago con bienes incluidos en el Catálogo del Patrimonio Cultural. La Consejería competente en materia de Hacienda podrá aceptar dicha dación, previo informe favorable de la Consejería competente en materia de Patrimonio Cultural respecto del interés de los bienes para la Comunidad Autónoma de Castilla-La Mancha, en el que se incluirá, en su caso, la valoración del bien efectuada por la Junta de Valoración de Bienes del Patrimonio Cultural de Castilla-La Mancha.

2. El pago de tributos propios de la Comunidad Autónoma de Castilla-La Mancha o cedidos por el Estado con bienes incluidos en el Catálogo del Patrimonio Cultural se llevará a cabo conforme a lo dispuesto en la legislación tributaria autonómica o estatal que resulte de aplicación.

Artículo 68. Enseñanza e Investigación del Patrimonio Histórico

1. La Administración Regional fomentará el conocimiento y valoración del Patrimonio Cultural de Castilla-La Mancha en los distintos niveles educativos.

2. La Administración Regional promoverá la enseñanza especializada y la investigación en las materias relativas a la conservación y enriquecimiento del Patrimonio Cultural y establecerá los medios de colaboración adecuados a dicho fin con las Universidades y los centros de formación e investigación especializados, públicos y privados.

TÍTULO VI. Actividad inspectora y régimen sancionador
CAPÍTULO I. Actividad inspectora

Artículo 69. Inspección del Patrimonio Cultural

1. La Consejería competente en materia de Patrimonio Cultural ejercerá la potestad de inspección en las materias que se regulan en la presente ley y sus normas de desarrollo para la protección del Patrimonio Cultural de CastillaLa Mancha.

2. El ejercicio de la potestad de inspección prevista en esta ley y en sus disposiciones de desarrollo será ejercido por personal funcionario de la Consejería citada anteriormente que tendrá la condición de agente de la autoridad, con las facultades que le confiere la normativa vigente. En concreto todas aquellas que sean necesarias para recabar información, documentación y ayuda material para el adecuado cumplimiento de sus funciones.

3. El personal inspector estará provisto de la correspondiente acreditación, con la que se identificará en el desempeño de sus funciones.

4. El personal inspector en el ejercicio de sus actividades deberá observar el respeto debido al derecho constitucional a la intimidad personal y familiar.

5. Las actividades de inspección tendrán carácter confidencial y se deberá guardar el debido secreto profesional.

6. Todo ello sin perjuicio de las competencias que tengan atribuidas las Fuerzas y Cuerpos de Seguridad.

Artículo 70. Funciones de Inspección

El personal inspector tendrá, entre otras, las siguientes funciones:

a) Vigilancia e inspección del cumplimiento de la normativa vigente en materia de patrimonio cultural, con especial incidencia en la persecución y denuncia de su vulneración.

b) Informar y proponer a las administraciones y autoridades competentes sobre la adopción de medidas cautelares, correctivas y sancionadoras que juzgue convenientes para la conservación del Patrimonio Cultural.

c) Requerir en el ejercicio de sus funciones el auxilio de las Fuerzas y Cuerpos de Seguridad.

d) Levantar actas de inspección que gozarán de presunción de veracidad respecto de los hechos que en ellas se consignen.

e) Aquellas otras que, en función de su naturaleza, le encomiende la Consejería competente en materia de Patrimonio Cultural.

Artículo 71. Obligación de colaboración

1. Toda Administración Pública deberá prestar la colaboración que les sea requerida por el personal inspector a fin de permitirle realizar las correspondientes inspecciones y comprobaciones.

2. Todas aquellas personas responsables o poseedoras de un bien integrante del Patrimonio Cultural de Castilla-La Mancha, o de actividad que pudiera afectar al mismo, tendrán la obligación de prestar la colaboración necesaria para favorecer el desarrollo de las actividades inspectoras y deberán permitir:

a) La entrada y permanencia en los edificios, establecimientos y locales si están abiertos al público. Tratándose de domicilios particulares o lugares o edificios cuyo acceso requiera consentimiento del titular deberá obtenerse previamente autorización judicial conforme la Ley Orgánica del Poder Judicial.

b) El control del desarrollo de la actividad mediante el examen de instalaciones, documentos, libros, registros y demás instrumentos que permitan vigilar y comprobar el cumplimiento de la normativa aplicable.

c) La realización de copias de la documentación a que se refiere el apartado anterior, a expensas de la Administración Pública responsable de la inspección.

d) La obtención de información por los propios medios de la Administración Pública responsable de la inspección.

e) Y en general, cualquier otra actuación que sea necesaria para el adecuado ejercicio de la función inspectora.

CAPÍTULO II. Régimen sancionador

Artículo 72. Concepto de infracción y clasificación

1. Son infracciones administrativas en materia de protección del Patrimonio Cultural de Castilla-La Mancha las acciones u omisiones que supongan incumplimiento de las obligaciones establecidas en esta ley y todas aquellas que impliquen algún daño o perjuicio sobre bienes del Patrimonio Cultural, de acuerdo con lo establecido en los artículos siguientes.

2. Las infracciones tipificadas en este capítulo se sancionarán con carácter preferente a la prevista en la normativa urbanística cuando se aprecie identidad de sujeto, hecho y fundamento. En caso contrario se deberá aplicar el régimen sancionador previsto en la normativa correspondiente.

3. Las infracciones sobre el Patrimonio Cultural de Castilla-La Mancha se graduarán atendiendo a la siguiente clasificación: muy graves, graves y leves.

Artículo 73. Infracciones muy graves

Se consideran infracciones muy graves:

a) La destrucción o desplazamiento, total o parcial, de un bien declarado como Bien de Interés Cultural, o en proceso de declaración, sin la preceptiva autorización.

b) El otorgamiento de licencias municipales contraviniendo lo dispuesto en esta ley o el incumplimiento de las obligaciones que se disponen en la misma, cuando hayan implicado destrucción o daño irreparable a bienes integrantes del Patrimonio Cultural de Castilla-La Mancha.

c) La realización de cualquier intervención de las establecidas en los artículos 27, 29, 48 y 50 de esta ley sin la preceptiva autorización, o contraviniendo lo dispuesto en la misma, cuando los daños producidos en el patrimonio cultural sean graves o irreparables.

d) La utilización de detectores de metales u otros dispositivos de naturaleza análoga en bienes inscritos en el Catálogo del Patrimonio Cultural de Castilla-La Mancha, así como en los ámbitos de protección y prevención recogidos en los planeamientos generales, sin autorización, cuando se produzca remoción del terreno y el daño producido al patrimonio cultural sea grave e irreparable.

e) La segregación de un bien mueble que forma parte del objeto de declaración de un bien inmueble de Interés Cultural con categoría de Monumento, la segregación de los bienes muebles declarados como de Interés Cultural a modo de colección, sin la autorización correspondiente de la Consejería competente en materia de Patrimonio Cultural.

f) La omisión del deber de conservación cuando traiga como consecuencia la pérdida, destrucción o deterioro irreparable de bienes inscritos en el Catálogo del Patrimonio Cultural de Castilla-La Mancha.

g) Se considerará como infracción muy grave, en todo caso, toda actuación que implique un daño irreparable en aquellos bienes que formen parte del Patrimonio Cultural de Castilla-La Mancha, o que causen daños por un valor superior a 60.000 euros en dichos bienes.

Artículo 74. Infracciones graves

Se consideran infracciones graves:

a) La falta de comunicación por parte de las Entidades Locales de aquellos hechos de los que haya tenido conocimiento que pongan en peligro la integridad de los bienes pertenecientes al Patrimonio Cultural.

b) El incumplimiento del deber de conservación y mantenimiento de los bienes por parte de los propietarios, poseedores y demás titulares de derechos reales sobre bienes integrantes del Patrimonio Cultural de Castilla-La Mancha.

c) La denegación de acceso para el examen de un bien o de la información necesaria a efectos de velar por su conservación o para el inicio del procedimiento de declaración como bien integrante del Patrimonio Cultural de CastillaLa Mancha.

d) La falta de comunicación a la Consejería competente en materia de Patrimonio Cultural de cualquier intervención, traslado, acto jurídico o cualquier otra circunstancia que pueda afectar a los bienes inscritos en el Catálogo de Patrimonio Cultural de Castilla-La Mancha.

e) La denegación de acceso a los bienes declarados de Interés Cultural contraviniendo la normativa o resoluciones de la Consejería competente en materia de Patrimonio Cultural.

f) El incumplimiento de comunicación a la Consejería competente en materia de Patrimonio Cultural de las obligaciones establecidas en el artículo 33 de esta ley.

g) El incumplimiento de las obligaciones establecidas en el artículo 25 de esta ley.

h) El incumplimiento de la prohibición establecida en el artículo 33.2 de esta ley, referida a la transmisión de los bienes muebles de la Iglesia Católica.

i) La destrucción o el desplazamiento, total o parcial, de un bien declarado Bien de Interés Patrimonial, o de un Elemento de Interés Patrimonial, o en proceso de declaración, sin la preceptiva autorización.

j) El otorgamiento de licencias municipales contraviniendo lo dispuesto en esta ley o el incumplimiento de las obligaciones que se disponen en la misma.

k) La realización de alguna de las intervenciones establecidas en los artículos 27, 29, 48 y 50 de esta ley sin la preceptiva autorización, o en contra de lo dispuesto en la misma, cuando no sea constitutiva de infracción muy grave.

l) El incumplimiento del deber de comunicación de un hallazgo casual de restos con valor histórico-cultural, y la entrega de los mismos, tal y como se establece en el artículo 52 de esta ley.

m) La utilización de detectores de metales u otros dispositivos de naturaleza análoga en bienes inscritos en el Catálogo de Patrimonio Cultural de Castilla-La Mancha, así como en los ámbitos de protección y prevención recogidos en los planeamientos generales sin autorización, cuando no sea constitutiva de infracción muy grave.

n) La obstrucción de la actuación inspectora de la Consejería competente en materia de Patrimonio Cultural.

ñ) Se considerará como infracción grave toda actuación que cause daños por un valor de hasta 60.000 euros en bienes del patrimonio cultural de Castilla-La Mancha.

Artículo 75. Infracciones leves

Se consideran infracciones leves:

a) La falta de comunicación por parte de los particulares de aquellos hechos que pongan en peligro la integridad de los bienes pertenecientes al Patrimonio Cultural.

b) La instalación de publicidad, cables, antenas, conducciones y todo aquello que impida o menoscabe la apreciación de un Bien de Interés Cultural dentro de su entorno sin la preceptiva autorización por la Consejería competente en materia de Patrimonio Cultural.

c) El incumpliendo de las obligaciones establecidas en esta ley por los Ayuntamientos que no puedan ser calificas como infracción muy grave o grave.

d) El incumplimiento de cualesquiera obligaciones o requisitos establecidos en esta ley cuando no estén tipificados como infracción grave o muy grave.

Artículo 76. Responsables

1. Son responsables de las infracciones administrativas incluidas en esta ley los que resulten responsables de la realización de los hechos constitutivos de las mismas, aún a título de simple inobservancia, y en su caso, las entidades o empresas de quien dependan. En todo caso, los promotores o propietarios, así como los directores de intervenciones cuando contravengan alguna de las disposiciones establecidas en esta ley o en la correspondiente autorización. También se considerarán responsables los que conociendo la comisión de una infracción obtengan un beneficio económico de la realización de los hechos constitutivos de infracción.

2. Las sanciones impuestas a varios responsables por unos mismos hechos tendrán carácter independiente entre sí.

3. Cuando dos o más personas resulten responsables de una misma infracción y no se pudiese determinar el grado de participación de cada uno, se les considerará como responsables solidarios.

Artículo 77. Sanciones

1. Los responsables de las infracciones administrativas tipificadas en esta ley que hubieran ocasionado daños al patrimonio cultural valorables económicamente serán sancionados con multa del tanto al cuádruplo del valor del daño causado, salvo que de aplicar lo dispuesto en el apartado dos resultare multa de superior cuantía.

2. En caso de que el daño no se pueda valorar económicamente se atenderá a la siguiente escala:

a) Infracciones leves, multa de 100,00 euros hasta 6.000,00 euros.

b) Infracciones graves, multa de 6.000,01 euros hasta 150.000 euros.

c) Infracciones muy graves, multa de 150.000,01 hasta 1.000.000,00 euros.

3. Se podrán imponer como sanciones accesorias:

a) La no autorización por parte de la Consejería competente en materia de Patrimonio Cultural para intervenir en bienes del Patrimonio Cultural de Castilla-La Mancha por un período de cinco años al responsable de acciones tipificadas como muy graves o por un periodo de tres años si se trata de acciones tipificadas como graves.

b) Decomiso de los detectores de metales.

4. La imposición de sanciones dentro de un mismo grado se deberá realizar en función de las circunstancias atenuantes o agravantes que se establecen en el artículo 87, así como de la importancia del bien afectado y la dimensión del daño causado.

5. El importe recaudado por la imposición de estas sanciones se destinará a la conservación y protección del patrimonio cultural de Castilla-La Mancha.

Artículo 78. Atenuantes y agravantes

1. Serán circunstancias atenuantes, el reconocimiento de la responsabilidad y la reparación automática del daño causado.

2. Serán circunstancias agravantes, la reincidencia en la comisión de infracciones, y el incumplimiento de cualquier medida que haya sido establecida por la Consejería competente en materia de Patrimonio Cultural cuando no constituya infracción por si misma.

Artículo 79. Obligación de reparar el daño

1. La resolución que imponga la sanción por infracciones al patrimonio cultural deberá llevar aparejada la obligación de reparar los daños causados y, cuando no fuese posible, se deberá compensar dicho daño con actuaciones que pongan en valor el patrimonio cultural afectado.

2. El incumplimiento de esta obligación de reparación facultará a la Consejería competente en materia de patrimonio cultural para dictar órdenes de ejecución o, en su caso, actuar subsidiariamente, conforme dispone la legislación urbanística.

Artículo 80. Prescripción de infracciones y sanciones

1. El plazo de prescripción de las infracciones se computará desde el día en que se hubieran cometido; en el caso de infracciones continuadas se computará desde el día que cese dicha conducta.

2. El plazo de prescripción de las infracciones administrativas será de:
a) Leves: un año.
b) Graves: cinco años.
c) Muy graves: diez años.

3. El plazo de prescripción de las sanciones comenzará a computarse desde el día siguiente a que adquiera firmeza la resolución que impone la sanción.

4. El plazo de prescripción de las sanciones será de:
a) Leves: un año.
b) Graves: cinco años.
c) Muy graves: diez años.

Artículo 81. Procedimiento sancionador Medidas de carácter provisional.

1. Será de aplicación la normativa estatal reguladora del procedimiento sancionador, recogida en el Real Decreto 1398/1993, de 4 de agosto, por el que se aprueba el Reglamento del Procedimiento para el ejercicio de la Potestad Sancionadora. Reglamentariamente se podrá adaptar dicha normativa a las especialidades organizativas y de gestión propias de la Administración Regional.

2. El órgano competente para incoar el procedimiento sancionador podrá establecer las medidas provisionales que sean necesarias para evitar los daños a los bienes integrantes del Patrimonio Cultural de Castilla-La Mancha, que supondrá la suspensión de cualquier actividad que ponga en riesgo su conservación. En su caso, deberá establecer el lugar donde deban depositarse tanto los bienes culturales afectados, como los instrumentos que sean utilizados para la comisión de la infracción.

Cuando este riesgo sea grave y demande una urgente actuación de conservación, las medidas provisionales podrán ser adoptadas con carácter previo al inicio del procedimiento sancionador por el órgano competente para su iniciación con sujeción a las garantías previstas en el artículo 72 de la Ley 30/1992, de 26 de noviembre, de Régimen Jurídico de las Administraciones Públicas y del Procedimiento Administrativo Común.

3. Cuando la infracción pudiera afectar a actividades sobre las que pudieran ostentar competencias otras Administraciones Públicas y otros órganos de la Administración Regional, el instructor dará cuenta de la apertura del procedimiento sancionador al órgano competente por razón de la materia, para que ejercite sus competencias sancionadoras si hubiera lugar. Se dará igualmente cuenta al órgano competente de las medidas provisionales que se hubieran adoptado, sin perjuicio de las que adicionalmente pudiera adoptar éste en el ejercicio de sus competencias.

Artículo 82. Órganos sancionadores

1. La competencia para la iniciación e instrucción del correspondiente procedimiento sancionador se establecerá reglamentariamente.

2. La competencia para la resolución del procedimiento sancionador previsto en esta ley corresponde a los siguientes órganos y autoridades:

a) La persona titular de la Dirección General competente en materia de patrimonio cultural: sanciones de hasta 6.000,00 euros.

b) La persona titular de la Consejería competente en materia de patrimonio cultural: sanciones entre 6.000,01 euros y 150.000 euros.

c) El Consejo de Gobierno: sanciones superiores a 150.000,01 euros.

Disposición adicional primera. Patrimonio Cultural de la Iglesia Católica

La ejecución de lo establecido en la presente ley, en relación con el Patrimonio Cultural de la Iglesia Católica, podrá realizarse en el marco de convenios de colaboración entre ésta y la Junta de Comunidades de Castilla-La Mancha en materia de interés común.

Disposición adicional segunda. Habilitación para revisar declaraciones anteriores

Las declaraciones de los bienes a los que se refieren las disposiciones transitorias primera y segunda podrán ser revisadas para la determinación de los distintos regímenes de protección de acuerdo con la clasificación establecida en esta ley. Se habilita a la Consejería competente en materia de Patrimonio Cultural para establecer el procedimiento específico que haya de seguirse para aplicar esta disposición.

Disposición adicional tercera. Molinos de viento, silos, bombos, ventas y arquitectura negra

Los molinos de viento, silos, bombos, ventas, manifestaciones de la arquitectura negra y otros elementos etnográficos forman parte del Patrimonio Cultural de Castilla-La Mancha. Aquellos bienes entre los citados que sean merecedores de protección específica individualizada en razón de sus valores culturales podrán ser declarados en alguna de las figuras de protección conforme a lo establecido en el título I de la presente ley.

Disposición adicional cuarta. Competencia para la aceptación de donaciones, herencias o legados a favor de la Administración Regional

1. La aceptación de donaciones, herencias o legados a favor de la Junta de Comunidades de Castilla-La Mancha, aunque se señale como beneficiario a algún otro órgano de la administración, relativos a toda clase de bienes que tengan valor cultural conforme lo dispuesto en esta ley, corresponderá a la Consejería con competencias en materia de Patrimonio Cultural, entendiéndose aceptada la herencia a beneficio de inventario.

2. Corresponderá, asimismo, a dicha Consejería aceptar análogas donaciones en metálico que se efectúen con el fin específico y concreto de adquirir, restaurar o mejorar alguno de dichos bienes. El importe de esta donación se ingresará en la Tesorería de la Junta de Comunidades de Castilla-La Mancha y generará crédito en el concepto correspondiente del presupuesto de la Consejería competente en materia de Patrimonio Cultural.

3. Por la Consejería competente en materia de Patrimonio Cultural se informará a la Consejería competente en materia de patrimonio y, en su caso, de hacienda, de las donaciones, herencias o legados que se acepten conforme lo dispuesto en esta disposición adicional.

Disposición adicional quinta. Protección de inmuebles donde estén localizados archivos, bibliotecas y museos

1. Quedarán sometidos al régimen que la presente ley establece para los Bienes de Interés Cultural los inmuebles destinados a la instalación de Archivos, Bibliotecas y Museos de

titularidad de la Junta de Comunidades de Castilla-La Mancha, así como los bienes muebles integrantes del Patrimonio Histórico Español en ellos custodiados.

2. La Consejería competente en materia de Patrimonio Cultural podrá extender el régimen previsto en el apartado anterior a otros Archivos, Bibliotecas y Museos, integrados en los Sistemas de Castilla-La Mancha.

Disposición transitoria primera. Incorporación al Catálogo del Patrimonio Cultural de Castilla-La Mancha y al Inventario del Patrimonio Cultural de Castilla-La Mancha

1. Los bienes muebles e inmuebles pertenecientes al Patrimonio Cultural de Castilla-La Mancha que a la fecha de entrada en vigor de esta ley estuvieran declarados de Interés Cultural e inscritos en el Registro General de Bienes de Interés Cultural, pasarán a inscribirse en el Catálogo del Patrimonio Cultural de Castilla-La Mancha.

2. Los bienes que a la fecha de entrada en vigor de esta ley se encontraran recogidos en las cartas arqueológicas a que se refiere el artículo 20 de la Ley 4/1990, de 30 de mayo, se considerarán incluidos en el Inventario del Patrimonio Cultural de Castilla-La Mancha.

Disposición transitoria segunda. Bienes muebles incluidos en el Inventario General de Bienes Muebles

Los bienes conservados dentro del territorio de Castilla-La Mancha que, con anterioridad a la entrada en vigor de esta ley, formen parte del Inventario General de Bienes Muebles del Patrimonio Histórico Español previsto en el artículo 26 de la Ley 16/1985, de 25 de junio, del Patrimonio Histórico Español, se declararán de oficio y sin necesidad de trámites adicionales como bienes integrantes del Catálogo del Patrimonio Cultural de Castilla-La Mancha.

Disposición transitoria tercera. Declaraciones de Bienes de Interés Cultural en tramitación y entornos pendientes de delimitación

Los procedimientos de declaración de Bien de Interés Cultural iniciados con anterioridad a la entrada en vigor de esta ley, se regirán por la normativa en virtud de la cual se iniciaron.

Disposición derogatoria única. Derogación normativa

Quedan derogadas a la entrada en vigor de esta ley:

a) La Ley 4/1990, de 30 de mayo, de Patrimonio Histórico de Castilla-La Mancha, a excepción de su título IV «De los Museos» que quedará íntegramente en vigor.

b) La Orden de 20 de febrero de 1989 que regula las excavaciones, prospecciones y estudio de materiales arqueológicos y paleontológicos.

c) Todas aquellas disposiciones de igual o inferior rango que se opongan a lo dispuesto en esta ley.

Disposición final primera. Las Comisiones Provinciales de Patrimonio Histórico

Hasta que el artículo 6 no sea objeto de desarrollo reglamentario las Comisiones Provinciales de Patrimonio Histórico, cuya composición y funcionamiento están reguladas por el Decreto 165/1992, de 1 de diciembre, continuarán denominándose y regulándose conforme lo establecido en el citado Decreto.

Disposición final segunda. Actualización de cuantías

Las cuantías previstas en los artículos 23, 65 y 77 podrán ser actualizadas, por Decreto del Consejo de Gobierno de la Junta de Comunidades de Castilla-La Mancha.

Disposición final tercera. Supletoriedad de la normativa estatal

En lo no regulado por esta ley se aplicará con carácter supletorio la Legislación del Estado en materia de Patrimonio Histórico.

Disposición final cuarta. Habilitación de desarrollo normativo

Se autoriza al Consejo de Gobierno de la Junta de Comunidades de Castilla-La Mancha para el desarrollo reglamentario de esta ley.

Disposición final quinta. Entrada en vigor

La presente ley entrará en vigor a los veinte días de su publicación en el Diario Oficial de Castilla-La Mancha.

8. COMUNIDAD AUTÓNOMA DE CASTILLA Y LEÓN: LEY 12/2002, DE 11 DE JULIO, DE PATRIMONIO CULTURAL DE CASTILLA Y LEÓN

BO. Castilla y León 19 julio 2002, núm. 139-suplemento, [pág. 14]; rect. BO. Castilla y León, núm. 217, [pág. 14664]. (castellano)BOE 1 agosto 2002, núm. 183, [pág. 28477].

EXPOSICIÓN DE MOTIVOS

El Patrimonio Cultural de Castilla y León, en el que se incluyen los bienes de cualquier naturaleza y las manifestaciones de la actividad humana que, por sus valores, sirven como testimonio y fuente de conocimiento de la Historia y de la civilización, es, debido a su singularidad y riqueza, un valor esencial de la identidad de la Comunidad Autónoma. La salvaguarda, enriquecimiento y difusión de los bienes que lo integran, cualesquiera que sean su régimen y titularidad, son deberes encomendados a todos los poderes públicos, derivados del mandato que nuestro texto constitucional les dirige, para que promuevan y tutelen el acceso a la cultura y velen por la conservación y enriquecimiento del patrimonio histórico, cultural y artístico.

En virtud de lo dispuesto en el artículo 149.1 de la Constitución Española, y sin perjuicio de lo que establece el apartado 2 de dicho precepto, la Comunidad de Castilla y León es titular, con carácter exclusivo y en los términos del artículo 32.1.12ª de su Estatuto de Autonomía, de competencias en materia de patrimonio histórico, artístico, monumental, arqueológico, arquitectónico y científico. Le corresponden por ello las potestades legislativa y reglamentaria, así como la función ejecutiva, incluida la inspección, en todo lo referente a dichas materias que sea de interés para la Comunidad y no se encuentre reservado al Estado.

Desde la asunción de las competencias correspondientes por la Comunidad Autónoma, la mencionada potestad legislativa se ha ejercitado en las materias de Bibliotecas, Archivos y Patrimonio Documental y Museos, mediante la Ley 9/1989, de 30 de noviembre, la Ley 6/1991, de 19 de abril, y la Ley 10/1994, de 8 de julio respectivamente. La actuación en otros campos del Patrimonio Cultural, como son los regulados en esta Ley, se ha venido rigiendo por la legislación estatal, complementada y desarrollada por medio de reglamentos de la Administración de la Comunidad referentes, fundamentalmente, a cuestiones de organización y procedimiento.

La presente Ley pretende dar satisfacción a la necesidad de dotar a la Comunidad de Castilla y León de una norma que al mismo tiempo complete el conjunto de figuras de protección del Patrimonio Cultural hasta ahora aplicable, y proporcione un marco de actuación en esta materia más adecuado a nuestra realidad regional. Asimismo establece normas específicas aplicables a nuevas formas de actuación e intervención públicas y privadas sobre los bienes a los que afecta, que han cobrado auge en los últimos tiempos.

La Ley tiene como finalidad la protección, acrecentamiento y difusión del Patrimonio Cultural de Castilla y León, así como su investigación y transmisión a las generaciones futuras. Contiene para su consecución un conjunto de normas rectoras de la acción administrativa dirigida a la protección y acrecentamiento del Patrimonio Cultural de la Comunidad, y concreta los derechos y deberes concernientes a quienes realicen actuaciones que afecten a los bienes que lo integran.

El texto de la Ley está estructurado en un Título Preliminar, que contiene disposiciones generales sobre las distintas materias que constituyen el objeto de aquélla, y siete títulos que tratan, respectivamente, de la clasificación de los bienes que integran el Patrimonio Cultural de la Comunidad, de su régimen de protección y conservación, del patrimonio arqueológico, del patrimonio etnológico y lingüístico, del patrimonio documental y bibliográfico, de

las medidas de fomento y, por último, del régimen inspector y sancionador, además de una
parte final compuesta por tres disposiciones adicionales, tres transitorias, dos derogatorias
y tres disposiciones finales.

Partiendo de un concepto amplio de Patrimonio Cultural, en el que se integran los
bienes muebles, inmuebles, actividades y específicamente, el patrimonio documental y bibliográfico y lingüístico, la Ley contiene los principios, normas y procedimientos que han
de regir la política de protección de los bienes culturales en la Comunidad Autónoma. Para
ello establece en su Título preliminar los principios básicos de actuación de las distintas
instancias que intervienen en este ámbito, haciendo una referencia especial a la Iglesia
Católica, en consideración al destacado papel que desempeña en la conservación de una
parte muy importante de aquéllos.

La protección que se dispensa al Patrimonio Cultural de la Comunidad en virtud de
esta Ley se articula en tres regímenes que, en función del interés apreciado en los bienes
integrantes de aquél, determinan la aplicación de las distintas normas de la misma. El primero de dichos regímenes se refiere a todos los bienes en los que se aprecien los valores
definitorios de dicho Patrimonio. El segundo se refiere a los bienes incluidos en el Inventario
de Bienes del Patrimonio Cultural de Castilla y León, y el tercero a los bienes declarados
de interés cultural. En el Título I se definen estas categorías y se establecen las normas de
procedimiento que deben seguirse para la inclusión de los distintos bienes en ellas.

El nivel mayor de protección establecido es, como se ha dicho, el de los Bienes de Interés Cultural, en cuya regulación la Ley ha incorporado los planteamientos de la legislación
estatal vigente en el momento de su aprobación, aunque procurando completarla y clari-
ficarla en algunos extremos que en la práctica han resultado conflictivos o insuficientes. El
sistema de protección que establece la Ley, pretende seguir así las pautas y principios que
rigen en dicha legislación, con el propósito de propiciar la homogeneidad, coordinación y
colaboración interadministrativa que se consideran necesarias para la protección de estos
bienes.

La Ley, introduce, además, un segundo nivel de protección, el de los bienes inventariados, para complementar al anterior.

Pese al abandono que han sufrido durante largos períodos de nuestra Historia, son muy
numerosos en el territorio de Castilla y León los ejemplos de bienes culturales que, sin alcanzar el grado de excelencia que les haría merecedores de la declaración como Bienes de
Interés Cultural, presentan un incuestionable valor para su disfrute y utilización como exponentes de facetas de nuestra cultura tales como el arte, la historia o la técnica, así como la
vida, costumbres, lengua y economía tradicionales. La importancia que este valor confiere
a estos bienes, unida a su abundancia, dispersión y variedad, los convierten en elementos
caracterizadores de nuestro territorio y sociedad, haciendo necesaria la articulación de un
sistema adecuado para su protección y tutela, en el que se combinen la agilidad de los
procedimientos de declaración y control de intervenciones con las garantías que exige la
seguridad jurídica de sus titulares o poseedores. Por las razones anteriores se ha configurado para estos bienes una categoría y régimen de protección, como bienes inventariados,
de rango inferior a la de los Bienes de Interés Cultural, previéndose la descentralización
de las funciones de tutela para los bienes inmuebles, mediante la intervención municipal.

El Título II de la Ley contiene las normas especiales para la protección de los Bienes de
Interés Cultural e inventariados, junto con las que se aplican en general a todos los bienes
que integran el Patrimonio Cultural de Castilla y León de acuerdo con esta Ley. El Capítulo
I de este Título contiene los deberes y derechos generales que afectan a todo titular o poseedor de bienes integrantes del Patrimonio Cultural de Castilla y León, hayan o no hayan
sido calificados como Bienes de Interés Cultural o inventariados, así como las normas de
protección que son comunes a ambas categorías. Entre estas normas se incluyen las refe-

rentes a los derechos de tanteo y retracto instituidos en beneficio de las entidades públicas y no lucrativas, mediante los cuales se pretende favorecer la conservación y utilización de los bienes más significativos por tal clase de instituciones y garantizar el disfrute y conservación en la Comunidad Autónoma de los bienes muebles inventariados o declarados de interés cultural. Las normas de particular aplicación para la protección de los bienes inventariados y declarados de interés cultural se encuentran igualmente recogidas en este Título II, en sus Capítulos II y III, respectivamente. Todo ello conforma el régimen general de protección y conservación correspondiente a las categorías de bienes establecidas en la Ley, en el que se prevén las potestades administrativas y deberes necesarios para garantizar su conservación, así como la función de tutela sobre ellos que corresponde a la Administración competente.

En el Título III, referente al Patrimonio Arqueológico, la Ley mantiene expresamente vigentes en la Comunidad Autónoma algunas de las normas y medios de protección establecidos por la legislación estatal, en unos casos por razones de competencia material y en otros, como es el caso de los bienes susceptibles de ser trasladados por el territorio del Estado, por considerar que puede resultar más eficaz su protección si se utilizan categorías y medios homogéneos, que no planteen dudas sobre su aplicabilidad en las distintas Comunidades Autónomas.

Siguiendo los criterios expuestos, se ha completado en este Título el conjunto de actividades arqueológicas hasta ahora previsto en la legislación aplicable, añadiendo otras nuevas, como las de control arqueológico o los estudios directos con reproducción de arte rupestre, además de regular después, en el Título VI, los requisitos mínimos que deberán cumplirse en zonas arqueológicas y espacios análogos que se declaren como espacios culturales para la difusión de sus valores.

También en relación con el patrimonio arqueológico, la Ley, introduce algunas novedades encaminadas a reforzar la intervención preventiva en este campo, regulando, en distintos apartados, su tratamiento en los instrumentos de planeamiento urbanístico y en los estudios de evaluación de impacto ambiental. Así mismo se ha completado la normativa hasta ahora vigente sobre hallazgos casuales, con el fin de evitar la realización de actividades arqueológicas no autorizadas.

En el Título IV, que trata del patrimonio etnológico y lingüístico, tienen su marco de protección las manifestaciones inmateriales del Patrimonio Cultural, junto con los bienes, muebles o inmuebles que son testimonio de la cultura y vida tradicionales. Se prevé en él la adopción de medidas para su protección, adecuadas a la naturaleza de los distintos bienes incluidos en dicho concepto.

El Título V contiene la regulación concerniente al patrimonio documental y bibliográfico. Remite, para lo que se refiere al primero de ambos sectores del Patrimonio Cultural, a la legislación especial de la Comunidad Autónoma sobre Archivos y patrimonio documental. El patrimonio bibliográfico se extiende a las distintas formas de aparición de obras en ejemplares múltiples o para una pluralidad de destinatarios. Para los bienes que integran estos sectores se establece un régimen de protección afín al previsto en la Ley para los bienes muebles, con las especificidades que resultan necesarias en razón de sus peculiaridades y que se completa en la Disposición Adicional tercera.

El Título VI, referente a medidas de fomento, introduce algunas previsiones nuevas cuya finalidad es el mejor conocimiento, la comprensión de nuestro patrimonio y su difusión, tanto en el sistema educativo como mediante la implantación de servicios especializados.

El último de los Títulos de la Ley, dedicado al régimen inspector y sancionador, contiene la necesaria tipificación de las infracciones y sanciones correlativas a los deberes que impone la Ley, con sujeción a la normativa general sobre procedimiento administrativo más reciente, adecuándola a las peculiaridades que normalmente ofrecen las actividades ilícitas en materia de Patrimonio Cultural, según la experiencia proporcionada por la gestión.

TÍTULO PRELIMINAR. Disposiciones generales

Artículo 1. Finalidad

1. La presente Ley tiene por objeto el conocimiento, protección, acrecentamiento y difusión del Patrimonio Cultural de Castilla y León, así como su investigación y transmisión a las generaciones futuras.

2. Integran el Patrimonio Cultural de Castilla y León los bienes muebles e inmuebles de interés artístico, histórico, arquitectónico, paleontológico, arqueológico, etnológico, científico o técnico. También forman parte del mismo el patrimonio documental, bibliográfico y lingüístico, así como las actividades y el patrimonio inmaterial de la cultura popular y tradicional.

3. Los bienes más relevantes del Patrimonio Cultural de Castilla y León deberán ser declarados de interés cultural o inventariados con arreglo a lo previsto en esta Ley.

Artículo 2. Competencia

1. Corresponde a la Comunidad de Castilla y León la competencia exclusiva sobre el Patrimonio Cultural ubicado en su territorio, en los términos establecidos en la Constitución y en su Estatuto de Autonomía.

2. Sin perjuicio de las competencias que correspondan a los demás poderes públicos, son deberes y atribuciones esenciales de la Comunidad de Castilla y León garantizar la conservación de su Patrimonio Cultural, promover su investigación y enriquecimiento, así como fomentar y tutelar el acceso de los ciudadanos a estos bienes.

Artículo 3. Cooperación de las Administraciones públicas

1. La Comunidad de Castilla y León cooperará con la Administración del Estado en la difusión internacional del conocimiento de los bienes integrantes del Patrimonio Cultural castellano y leonés, en la recuperación de tales bienes cuando hubiesen sido ilícitamente exportados y en el intercambio de información científica, cultural y técnica con los demás Estados y con las organizaciones internacionales.

2. Las entidades locales tienen la obligación de proteger y promover la conservación y el conocimiento de los bienes integrantes del Patrimonio Cultural de Castilla y León que se ubiquen en su ámbito territorial. Los Ayuntamientos comunicarán inmediatamente a la Consejería de la Junta de Castilla y León competente en materia de cultura cualquier hecho o situación que ponga o pueda poner en peligro la integridad de tales bienes o perturbar su función social y adoptarán, en caso de emergencia y dentro de su propio ámbito de actuación, las medidas cautelares necesarias para defender y salvaguardar los bienes de dicho patrimonio que se encuentren amenazados.

3. La Comunidad de Castilla y León podrá establecer convenios de colaboración con otras Administraciones Públicas para el mejor cumplimiento de los objetivos establecidos en la presente Ley.

Artículo 4. Colaboración con la Iglesia Católica

1. La colaboración entre la Administración de la Comunidad de Castilla y León y la Iglesia Católica en las materias reguladas en la presente Ley se ajustará a lo dispuesto en los Acuerdos suscritos por el Estado Español y la Santa Sede.

2. Una Comisión Mixta formada por miembros de la Junta de Castilla y León y de la Iglesia Católica establecerá el marco de la coordinación entre ambas instituciones para elaborar y desarrollar planes de intervención conjunta.

Artículo 5. Cooperación y acción ciudadana

1. Las personas que observen peligro de destrucción o deterioro en un bien integrante del Patrimonio Cultural de Castilla y León deberán ponerlo inmediatamente en conocimiento de la Administración competente, que comprobará el objeto de la denuncia y actuará con arreglo a lo dispuesto en esta Ley.

2. Será pública la acción para exigir ante los órganos administrativos y judiciales el cumplimiento de lo previsto en esta Ley.

Artículo 6. Órganos e instituciones consultivas

1. Son órganos consultivos de la Consejería competente en materia de cultura, para la aplicación de esta Ley:

a) El Consejo del Patrimonio Cultural de Castilla y León.

b) La Junta de Valoración y Adquisición de Bienes Culturales de Castilla y León.

c) Aquellos otros que se determinen de forma reglamentaria.

2. Son instituciones consultivas de la Consejería competente en materia de cultura, para la aplicación de esta Ley:

a) Las Reales Academias.

b) Las Universidades de Castilla y León.

c) Aquellas otras que reglamentariamente se determinen.

3. La composición y funcionamiento del Consejo del Patrimonio Cultural de Castilla y León se determinarán por vía reglamentaria.

Artículo 7. Régimen jurídico aplicable a las distintas categorías de bienes

1. La protección y conservación del Patrimonio Cultural de Castilla y León se regirá por las siguientes normas:

a) Por el régimen común de protección establecido en esta Ley, aplicable a todos los bienes integrantes del Patrimonio Cultural de Castilla y León.

b) Por el régimen especial de protección establecido para los bienes inventariados.

c) Por el régimen especial de protección establecido para los bienes declarados de interés cultural.

2. A los efectos previstos en esta Ley tienen la consideración de bienes inmuebles, además de los enumerados en el artículo 334 del Código Civil, todos aquellos elementos que puedan considerarse consustanciales con los edificios y formen parte de ellos o la hubiesen formado en otro tiempo, aunque en el caso de poder ser separados constituyan un todo perfecto de fácil aplicación a otras construcciones o a usos distintos del suyo original, cualquiera que sea la materia de que estén formados y aunque su separación no perjudique visiblemente el mérito histórico o artístico del inmueble al que están adheridos.

3. Para la aplicación de los regímenes a que se refiere el apartado uno de este artículo en cuanto se refiera a los bienes integrantes del patrimonio arqueológico, documental, bibliográfico, etnográfico y lingüístico, se tendrán así mismo en cuenta sus normas especiales.

TÍTULO I. De la clasificación del Patrimonio Cultural

CAPÍTULO I. De la declaración de los Bienes de Interés Cultural

Artículo 8. Definición y clasificación

1. Los bienes muebles e inmuebles y actividades integrantes del Patrimonio Cultural de Castilla y León que reúnan de forma singular y relevante las características del artículo 1.2 de esta Ley serán declarados Bienes de Interés Cultural.

2. Los bienes muebles declarados de interés cultural podrán serlo de forma individual o como colección.

3. Los bienes inmuebles serán declarados de interés cultural atendiendo a las siguientes categorías: monumento, jardín histórico, conjunto histórico, sitio histórico, zona arqueológica, conjunto etnológico y vía histórica.

A los efectos de la presente Ley, tienen la consideración de:

a) Monumento: la construcción u obra producto de actividad humana, de relevante interés histórico, arquitectónico, arqueológico, artístico, etnológico, científico o técnico, con inclusión de los muebles, instalaciones o accesorios que expresamente se señalen como parte integrante de él, y que por sí solos constituyan una unidad singular.

b) Jardín histórico: el espacio delimitado, producto de la ordenación por el hombre de elementos naturales, a veces complementado con estructuras de fábrica, y estimado de interés en función de su origen o pasado histórico o de sus valores estéticos, sensoriales o botánicos.

c) Conjunto histórico: la agrupación de bienes inmuebles que forman una unidad de asentamiento, continua o dispersa, condicionada por una estructura física representativa de la evolución de una comunidad humana, por ser testimonio de su cultura o constituya un valor de uso y disfrute para la colectividad, aunque individualmente no tengan una especial relevancia. Asimismo, es conjunto histórico cualquier núcleo individualizado de inmuebles comprendidos en una unidad superior de población que reúna esas mismas características y pueda ser claramente delimitado.

d) Sitio histórico: el lugar o paraje natural vinculado a acontecimientos o recuerdos del pasado, tradiciones populares, creaciones culturales o literarias, y a obras del hombre que posean valor histórico, etnológico, paleontológico o antropológico.

e) Zona arqueológica: el lugar o paraje natural en el que existen bienes muebles o inmuebles susceptibles de ser estudiados con metodología arqueológica, hayan o no sido extraídos y tanto si se encuentran en la superficie como en el subsuelo o bajo las aguas.

f) Conjunto etnológico: paraje o territorio transformado por la acción humana, así como los conjuntos de inmuebles, agrupados o dispersos, e instalaciones vinculados a formas de vida tradicional.

g) Vía histórica: en el caso de vías de comunicación de reconocido valor histórico o cultural, cualquiera que sea su naturaleza.

En todos los supuestos anteriormente citados, la declaración de Bien de Interés Cultural afectará tanto al suelo como al subsuelo.

4. De forma excepcional podrá declararse Bien de Interés Cultural la obra de autores vivos, siempre y cuando dos de las instituciones consultivas a las que se refiere el artículo 6.2 de la presente Ley, emitan informe favorable y medie autorización expresa del propietario, o la adquisición de la obra por la Administración.

Artículo 9. Procedimiento de declaración

1. La declaración de Bien de Interés Cultural requerirá la previa incoación y tramitación del expediente administrativo por la Consejería competente en materia de cultura. La iniciación del procedimiento se realizará de oficio, pudiendo ser promovida a instancia de cualquier persona física o jurídica.

2. En caso de promoverse la iniciación del procedimiento a instancia de parte, la denegación de la incoación será motivada y habrá de notificarse a los solicitantes.

3. Se entenderá desestimada la solicitud de incoación si no recayere resolución expresa acerca de la misma en el plazo de seis meses desde la fecha en que hubiera sido recibida por el órgano competente para acordar la incoación.

Artículo 10. Notificación, publicación y efectos de la incoación

1. La incoación del expediente para la declaración de Bien de Interés Cultural será notificada a los interesados haciendo advertencia de lo previsto en el apartado 3 de este artículo. Se comunicará también al Ayuntamiento en cuyo término municipal esté ubicado el bien al que se refiera el procedimiento, a fin de que realice las actuaciones previstas en la presente Ley.

En el caso de incoarse expediente para la declaración de conjunto histórico, sitio histórico, zona arqueológica, conjunto etnológico o vías históricas, la notificación se efectuará mediante la publicación del acuerdo de iniciación en el «Boletín Oficial de Castilla y León» y su exposición en el tablón de edictos del Ayuntamiento, momento en que será de aplicación lo dispuesto en el apartado 3 de este artículo.

2. Sin perjuicio de su eficacia desde la notificación, el acuerdo de incoación del expediente correspondiente será publicado en el «Boletín Oficial de Castilla y León» y en el «Boletín Oficial del Estado». En caso de tratarse de bienes inmuebles se dará audiencia al Ayuntamiento correspondiente y se abrirá un período de información pública por un plazo mínimo de un mes.

3. La iniciación de procedimiento para la declaración de un Bien de Interés Cultural determinará, respecto al bien afectado, la aplicación inmediata y provisional del régimen de protección previsto en la presente Ley para los bienes ya declarados. En caso de bienes inmuebles, además, será de aplicación, en todo caso, lo establecido en el artículo 34 de la presente Ley.

Artículo 11. Contenido del expediente de declaración

1. En el expediente de declaración de un Bien de Interés Cultural obrarán las siguientes especificaciones:

a) Descripción clara y exhaustiva, con documentación gráfica, del bien objeto de la declaración, que facilite su correcta identificación.

b) En caso de inmuebles, las partes integrantes, pertenencias, accesorios y bienes muebles que, por su vinculación con el inmueble, hayan de ser incorporados a la declaración, los cuales se considerarán inseparables del inmueble declarado. Además, habrán de figurar definidas sus relaciones con el área territorial a la que pertenezca y, en el caso de monumentos o Jardines históricos, los elementos que conformen su entorno, que estará constituido por los inmuebles y espacios cuya alteración pudiera afectar a los valores propios del bien, su contemplación, apreciación o estudio.

c) La determinación de la compatibilidad del uso al que se dedique el bien que se pretenda declarar con su correcta conservación. Si el uso al que se viniera destinando el referido bien fuese incompatible con la adecuada conservación del mismo, podrá establecerse asimismo su cese o modificación.

d) Cuando se considere necesario para la adecuada conservación de los bienes declarados se incorporarán a la declaración criterios básicos, de carácter específico, que regirán las intervenciones sobre los mismos.

2. Para la declaración de un Bien de Interés Cultural habrá de constar informe favorable de, al menos, dos de las instituciones consultivas a que se refiera el artículo 6 de la presente Ley; además, se dará audiencia a los interesados.

Artículo 12. Conclusión y caducidad

1. Corresponde a la Junta de Castilla y León, a propuesta del titular de la Consejería competente en materia de cultura, acordar la declaración de Bien de Interés Cultural. La resolución del procedimiento por cualquiera de las restantes formas previstas en la Ley corresponderá al Consejero competente en materia de cultura.

2. La resolución de declaración tendrá el contenido al que se refiere el artículo 11.1 de la presente Ley.

3. El procedimiento habrá de resolverse en el plazo máximo de veinticuatro meses a partir de la fecha de su incoación. Si se produjera la caducidad del expediente, el procedimiento no podrá volver a iniciarse en los tres años siguientes, salvo que alguna de las instituciones consultivas reconocidas por la Comunidad Autónoma lo solicitase o así lo hiciera el propietario del bien.

Artículo 13. Notificación y publicación de la declaración

La resolución por la que se acuerde la declaración de Bien de Interés Cultural se publicará en el «Boletín Oficial de Castilla y León» y en el «Boletín Oficial del Estado» y será notificada a los interesados y al Ayuntamiento en el que radique el bien declarado, si éste fuera inmueble.

Artículo 14. Registro de Bienes de Interés Cultural de Castilla y León

1. Los Bienes de Interés Cultural serán inscritos en el Registro de Bienes de Interés Cultural de Castilla y León, cuya gestión corresponderá a la Consejería competente en materia de Cultura. A cada bien se le dará un código para su identificación.

2. El Registro de Bienes de Interés Cultural de Castilla y León tendrá por objeto la anotación e inscripción de los actos que afecten a la identificación y localización de dichos bienes, reflejará todos los actos que se realicen sobre los bienes inscritos cuando afecten al contenido de la declaración y dará fe de los datos en él consignados. También se anotará preventivamente la incoación de los expedientes de declaración.

3. Los titulares de Bienes de Interés Cultural comunicarán al Registro cualquier intervención o traslado, así como todos los actos jurídicos y aspectos técnicos que puedan afectar a dicho bien.

4. Cualquier inscripción relativa a un bien que se efectúe de oficio en el Registro de Bienes de Interés Cultural de Castilla y León, será notificada a su titular.

5. El acceso al Registro será público en los términos que se establezcan reglamentariamente, siendo precisa la autorización expresa del titular del bien para la consulta pública de los datos relativos a:

a) La situación jurídica y valor de los bienes inscritos.

b) Su localización, en caso de bienes muebles.

6. De las inscripciones y anotaciones que se practiquen en el Registro de Bienes de Interés Cultural se dará cuenta al Registro General de Bienes de Interés Cultural del Estado.

Artículo 15. Inscripción en el Registro de la Propiedad

La Consejería competente en materia de cultura instará de oficio la inscripción en el Registro de la Propiedad de la declaración de bien de interés cultural, cuando se trate de monumentos y jardines históricos.

Artículo 16. Procedimiento para dejar sin efecto una declaración

La declaración de un Bien de Interés Cultural, en todo o en parte, únicamente podrá dejarse sin efecto siguiendo los mismos trámites establecidos para su declaración.

CAPÍTULO II. Del Inventario de Bienes del Patrimonio Cultural de Castilla y León

Artículo 17. Objeto del Inventario

1. Los bienes muebles e inmuebles del Patrimonio Cultural de Castilla y León que, sin llegar a ser declarados de interés cultural, merezcan especial consideración por su notable

valor de acuerdo con lo establecido en el artículo 1.2 de la presente Ley, serán incluidos en el Inventario de Bienes del Patrimonio Cultural de Castilla y León.

2. Los bienes muebles podrán incluirse en el Inventario individualmente o como colección.

3. Los bienes inmuebles se incluirán en el Inventario en aquella de las siguientes categorías que resulte más adecuada a sus características:

a) Monumento inventariado: inmuebles a los que se refieren los apartados a) y b) del artículo 8.3 que, no siendo declarados de interés cultural, se les reconozca un destacado valor patrimonial.

b) Lugar inventariado: parajes o lugares a los que se refieren los apartados c), d), f) y g) del artículo 8.3 que, no siendo declarados de interés cultural, se les reconozca un destacado valor patrimonial.

c) Yacimiento arqueológico inventariado: lugares o parajes a los que se refiere el apartado e) del artículo 8.3 que, no siendo declarados de interés cultural, se les reconozca un destacado valor patrimonial o aquellos donde se presume razonablemente la existencia de restos arqueológicos.

Artículo 18. Inventario de Bienes del Patrimonio Cultural de Castilla y León

1. Se crea el Inventario de Bienes del Patrimonio Cultural de Castilla y León como instrumento de protección, estudio, consulta y difusión de los bienes muebles e inmuebles a que se refiere el artículo 7.1.b). Corresponde la gestión del Inventario a la Consejería competente en materia de cultura.

2. En el Inventario se inscribirán los datos que afecten a la identificación y localización de dichos bienes y se anotará de forma preventiva la iniciación de los procedimientos de inclusión en el mismo. La organización y funcionamiento del Inventario serán los que reglamentariamente se determinen.

3. El acceso al Inventario se regirá por lo previsto para el Registro de Bienes de Interés Cultural de Castilla y León en el artículo 14.5 de la presente Ley.

4. Los bienes inscritos en el Inventario de Bienes del Patrimonio Cultural de Castilla y León tendrán la consideración de bienes inventariados a los efectos de la aplicación de esa Ley.

Artículo 19. Iniciación del procedimiento de inclusión en el inventario

1. La inclusión de un bien en el Inventario de Bienes del Patrimonio Cultural de Castilla y León requerirá la previa tramitación del correspondiente procedimiento. La iniciación del procedimiento se hará de oficio, pudiendo ser promovida a solicitud de cualquier persona física o jurídica.

2. La denegación de la iniciación, cuando ésta haya sido promovida mediante solicitud, deberá ser motivada y habrá de notificarse a los solicitantes.

Artículo 20. Notificación, publicación y efectos de la incoación

1. El inicio del procedimiento al que se refiere el artículo anterior será notificado a los interesados. Se comunicará también al Ayuntamiento en cuyo término municipal esté ubicado el bien al que se refiera el procedimiento, a fin de que realice las actuaciones previstas en la presente Ley.

Cuando se trate de incluir en el Inventario un lugar inventariado o yacimiento arqueológico, la notificación se efectuará mediante la publicación del acuerdo de iniciación en el «Boletín Oficial de Castilla y León» y la exposición del acuerdo de iniciación en el tablón de edictos del Ayuntamiento, momento en que será de aplicación lo dispuesto en el apartado 3 de este artículo.

2. Cuando el procedimiento de inclusión afecte a un bien inmueble, se dará además audiencia al Ayuntamiento en cuyo término municipal radique y se abrirá un período de información pública por un plazo mínimo de un mes mediante la publicación del acuerdo de iniciación del procedimiento en el «Boletín Oficial de Castilla y León».

3. La incoación de procedimiento para la inclusión de un bien en el Inventario determinará, respecto al bien afectado, la aplicación inmediata y provisional del régimen de protección previsto en la presente Ley para los bienes ya inventariados. En caso de bienes inmuebles será de aplicación, en todo caso, lo establecido en el artículo 34 de la presente Ley.

4. De la iniciación del procedimiento para la inclusión en el Inventario de un bien mueble se dará cuenta al Inventario General de Bienes Muebles del Patrimonio Histórico Español dependiente de la Administración del Estado, para la correspondiente anotación preventiva.

Artículo 21. Contenido del expediente de inclusión en el Inventario

En todo expediente de inclusión de un bien en el Inventario de Bienes del Patrimonio Cultural de Castilla y León figurará la descripción que facilite su correcta identificación y además podrán establecerse las condiciones de protección, intervención y uso.

Si el objeto del expediente fuera un bien inmueble se podrán especificar, además, de los elementos que lo integren, la delimitación del área que resulte afectada por la inclusión de aquél en el Inventario.

Artículo 22. Terminación del procedimiento

1. La resolución del procedimiento de inclusión de un bien en el Inventario de Bienes del Patrimonio Cultural de Castilla y León corresponde al titular de la Consejería competente en materia de cultura, a propuesta de la Dirección General competente en materia de patrimonio histórico.

2. La resolución por la que se acuerde la inclusión será notificada a los interesados y al Ayuntamiento en el que se ubique el bien en la forma establecida en el artículo 13. En el caso de ser un inmueble se publicará en el «Boletín Oficial de Castilla y León».

3. De las inclusiones de bienes muebles en el Inventario de Bienes del Patrimonio Cultural de Castilla y León se dará cuenta al Inventario General de Bienes Muebles de la Administración del Estado para que se hagan las correspondientes inscripciones.

4. El procedimiento habrá de resolverse en el plazo máximo de dieciocho meses a partir de la fecha de su incoación. Si caducara el expediente, el procedimiento no podrá volver a iniciarse en los tres años siguientes, salvo que alguna de las instituciones consultivas reconocidas por la Comunidad Autónoma lo solicitase o así lo hiciera el propietario del bien.

Artículo 23. Procedimiento de exclusión de un bien del Inventario

Los trámites para excluir un bien del Inventario serán los mismos establecidos para su inclusión.

TÍTULO II. Régimen de conservación y protección del Patrimonio Cultural de Castilla y León

CAPÍTULO I. Régimen común de conservación y protección

Artículo 24. Deber de conservación

1. Los propietarios, poseedores y demás titulares de derechos reales sobre bienes integrantes del Patrimonio Cultural de Castilla y León están obligados a conservarlos, custodiarlos y protegerlos debidamente para asegurar su integridad y evitar su pérdida, destrucción o deterioro.

2. Los poderes públicos garantizarán la conservación, protección y enriquecimiento del Patrimonio Cultural de Castilla y León de acuerdo con lo establecido en esta Ley.

3. Cuando los propietarios, poseedores o titulares de derechos reales sobre bienes declarados de interés cultural o bienes inventariados no realicen las actuaciones necesarias para el cumplimiento de las obligaciones previstas en el apartado uno de este artículo, la Administración competente, previo requerimiento a los interesados, podrá ordenar su ejecución subsidiaria. Asimismo podrá conceder una ayuda con carácter de anticipo reintegrable, debiendo promover, en caso de bienes inmuebles, su inscripción en el Registro de la Propiedad de conformidad con lo previsto en la Ley del Patrimonio Histórico Español. La Administración podrá realizar de modo directo las obras necesarias si así lo requiriera la más eficaz conservación de los bienes y, también excepcionalmente, podrá ordenar el depósito de los bienes muebles en centros de carácter público en tanto no desaparezcan las causas que originaron dicha necesidad.

Artículo 25. Acceso al Patrimonio Cultural

1. Los propietarios, poseedores y demás titulares de derechos reales sobre los bienes integrantes del patrimonio cultural de Castilla y León facilitarán a la Administración competente el acceso a dichos bienes, con fines de inspección y de realización de los estudios previos e informes necesarios para la tramitación de los procedimientos de declaración como Bien de Interés Cultural o de inclusión en el Inventario que puedan afectarles.

2. En el caso de los bienes declarados de interés cultural o inventariados estarán, además, obligados a permitir el acceso de los investigadores previa solicitud motivada. Igualmente deberán facilitar la visita pública en las condiciones que se determinen, que en todo caso será gratuita durante cuatro días al mes, en días y horario prefijado, lo cual se anunciará.

La Administración competente en la materia podrá dispensar del cumplimiento de estas obligaciones cuando, en atención a las circunstancias concurrentes, entienda que existe causa suficientemente justificada para ello.

3. Los propietarios de bienes muebles inventariados o declarados y, en su caso, los demás titulares de derechos reales sobre dichos bienes, están obligados a prestarlos, con las debidas garantías, para exposiciones temporales que se organicen por los Organismos competentes para la ejecución de esta Ley, y a permitir su estudio a los investigadores, previa solicitud razonada. Para el cumplimiento de esta última obligación la Consejería competente en materia de cultura podrá acordar el depósito de los bienes afectados en un centro que reúna las condiciones adecuadas para su examen, conservación y custodia.

No será obligatorio realizar los préstamos y depósitos a que se refiere el párrafo anterior por un período superior a un mes por año.

4. Los actos y disposiciones administrativas mediante los cuales se establezcan las condiciones para el cumplimiento de los deberes previstos en este artículo deberán garantizar el respeto a la intimidad personal y familiar.

Artículo 26. Derechos de tanteo y de retracto

1. Toda pretensión de enajenación de un bien mueble declarado de interés cultural o inventariado, de un inmueble declarado con la categoría de monumento o jardín histórico, o inventariado con la categoría de monumento inventariado, habrá de ser notificada a la Consejería competente en materia de cultura, con indicación del precio y las condiciones en que se propongan realizar aquélla, sin perjuicio de lo establecido en el artículo 38 de la Ley 16/1985, de 25 de junio, del Patrimonio Histórico Español.

2. En el plazo de dos meses desde la notificación prevista en el apartado anterior, el órgano competente de la Junta de Castilla y León podrá ejercer el derecho de tanteo para

sí, para otras instituciones sin ánimo de lucro o para cualquier entidad de derecho público, obligándose al pago del precio convenido o del de remate de la subasta en un período no superior a dos ejercicios presupuestarios, incluido aquel en el que se ejercite el derecho de adquisición preferente salvo acuerdo con el interesado en otra forma de pago.

3. Los subastadores deben notificar igualmente, a la Consejería competente en materia de cultura, con un plazo de antelación de dos meses, la fecha y lugar de celebración de las subastas, cualquiera que sea la naturaleza de éstas, en las que se pretenda enajenar cualquier bien del Patrimonio Cultural de Castilla y León.

La Administración podrá ejercitar el derecho de adquisición preferente en el plazo de diez días hábiles desde la recepción de la notificación del precio de remate por el órgano competente para su ejercicio.

4. Si la pretensión de enajenación y sus condiciones no fuesen notificadas correctamente, la Administración podrá ejercer el derecho de retracto, en los términos del apartado dos, en el plazo de seis meses a partir de la fecha en que se tenga conocimiento fehaciente de la enajenación.

Artículo 27. Comercio de bienes muebles

Las personas y entidades que se dediquen habitualmente al comercio de bienes entre los que se encuentren muebles integrantes del Patrimonio Cultural de Castilla y León llevarán un libro de registro legalizado por la Consejería competente en materia de cultura, en el cual harán constar las transacciones que efectúen. Se anotarán en el citado libro los datos de identificación del objeto y las partes que intervengan en cada transacción.

Artículo 28. Cambios de titularidad: supuestos especiales

1. Los bienes declarados de interés cultural y los inventariados que sean propiedad de la Comunidad Autónoma o de las entidades locales serán imprescriptibles, inalienables e inembargables, salvo las transmisiones que puedan efectuarse entre las Administraciones Públicas.

2. Los bienes muebles declarados de interés cultural y los inventariados que estén en posesión de instituciones eclesiásticas se regirán, a estos efectos, por lo dispuesto en el artículo 28, en relación con la *disposición transitoria 5ª,* de la Ley 16/1985, de 25 de junio, del Patrimonio Histórico Español.

Artículo 29. Expropiación forzosa

1. El incumplimiento de las obligaciones de protección y conservación de los bienes declarados de interés cultural o inventariados será causa de interés social para la expropiación forzosa por la Administración.

2. Podrá acordarse igualmente la expropiación por causa de interés social de los inmuebles que impidan o perturben la utilización, la contemplación, el acceso o el disfrute de los Bienes de Interés Cultural, que atenten contra la armonía ambiental o que generen riesgo para su conservación.

3. La adquisición de los inmuebles necesarios para la instalación, ampliación o mejora de archivos, bibliotecas y museos de titularidad pública se considerará de utilidad pública a efectos de su expropiación forzosa por la Administración.

4. Los Ayuntamientos, en el ámbito de su competencia, podrán ejercitar la potestad expropiatoria al amparo de lo previsto en los apartados anteriores debiendo notificar previamente su propósito a la Administración de la Comunidad Autónoma, que tendrá preferencia en el ejercicio de tal potestad.

Artículo 30. Instrumentos de ordenación del territorio y evaluación de impacto ambiental

1. En la elaboración y tramitación de las evaluaciones establecidas por la legislación en materia de impacto ambiental y de los planes y proyectos regionales regulados en la legislación sobre ordenación del territorio, cuando las actuaciones a que se refieran puedan afectar al patrimonio arqueológico o etnológico, se efectuará una estimación de la incidencia que el proyecto, obra o actividad pueda tener sobre los mismos. Tal estimación deberá ser realizada por un técnico con competencia profesional en la materia y someterse a informe de la Consejería competente en materia de cultura, cuyas conclusiones serán consideradas en la declaración de impacto ambiental o instrumento de ordenación afectados.

2. En aquellos casos en los que las actuaciones puedan afectar, directa o indirectamente, a bienes declarados de interés cultural o inventariados, será preceptiva la autorización de la Consejería competente en materia de cultura.

Artículo 31. Suspensión de intervenciones

1. La Administración podrá impedir el derribo y suspender cualquier clase de obra o intervención en todos aquellos bienes en que aprecie la concurrencia de alguno de los valores a los que hace mención el artículo uno de esta Ley, aunque no hayan sido declarados de interés cultural ni incluidos en el Inventario.

2. La Administración podrá ordenar la realización de estudios complementarios y deberá resolver, en un plazo máximo de dos meses, a favor de la continuación de la obra o intervención iniciada estableciendo las condiciones que, en su caso, procedan para la preservación o documentación de los citados valores, o bien procederá a iniciar procedimiento de declaración de Bien de Interés Cultural o de inclusión en el Inventario.

3. La suspensión de las intervenciones citadas en este artículo no comportará derecho a indemnización alguna.

CAPÍTULO II. Régimen de los Bienes de Interés Cultural

Artículo 32. Régimen de protección

1. Los bienes declarados de interés cultural gozarán de la máxima protección y tutela.

2. La utilización de los bienes declarados de interés cultural estará siempre subordinada a que no se pongan en peligro sus valores. Cualquier cambio de uso habrá de ser autorizado por la Consejería competente en materia de cultura.

Artículo 33. Formalización de escrituras públicas

Para formalizar en escritura pública la adquisición de bienes declarados de interés cultural, o la transmisión de derechos reales de disfrute sobre estos bienes o inscribir los títulos correspondientes se estará a lo dispuesto en la Ley 16/1985, de 25 de junio, del Patrimonio Histórico Español.

Sección 1ª. Régimen de los bienes inmuebles

Artículo 34. Incoación y suspensión de licencias

1. La iniciación del procedimiento de declaración de Bien de Interés Cultural respecto de un inmueble determinará la suspensión del otorgamiento de nuevas licencias municipales de parcelación, edificación o demolición en las zonas afectadas, así como de los efectos de las ya otorgarlas. La suspensión se mantendrá hasta la resolución o caducidad del expediente incoado.

2. Las obras que, por causa de fuerza mayor, interés general o urgencia, hubiesen de realizarse con carácter inaplazable precisarán, en todo caso, autorización de la Consejería competente en materia de cultura.

Artículo 35. Desplazamientos

Un inmueble declarado Bien de Interés Cultural es inseparable de su entorno. No podrá procederse a su desplazamiento salvo en los términos fijados por la legislación estatal y, en cualquier caso, con el informe favorable previo de la Consejería competente en materia de cultura, en cuyo caso será preciso adoptar las cautelas necesarias en aquello que pueda afectar al suelo o subsuelo.

Artículo 36. Autorización de intervenciones

Cualquier intervención que pretenda realizarse en un inmueble declarado Bien de Interés Cultural habrá de ser autorizada por la Consejería competente en materia de cultura, con carácter previo a la concesión de la licencia municipal, salvo en los casos previstos en el artículo 44.2 de la presente Ley.

Artículo 37. Planeamiento urbanístico

1. La aprobación definitiva de cualquier planeamiento urbanístico que incida sobre el área afectada por la declaración de un inmueble como Bien de Interés Cultural requerirá el informe favorable de la Consejería competente en materia de cultura.

2. Si en el procedimiento de aprobación del planeamiento se produjeran modificaciones en éste, como consecuencia de los informes sectoriales o del resultado del trámite de información pública, que afectaran al contenido del informe al que se refiere el apartado anterior o a los bienes que en él se identifiquen como integrantes del Patrimonio Cultural de la Comunidad, el órgano competente para la aprobación definitiva del instrumento de planeamiento urbanístico deberá recabar un segundo informe, con los mismos efectos, de la Consejería competente en materia de cultura.

3. Los informes a los que se refieren los apartados anteriores se entenderán favorables si transcurrieran tres meses desde su petición y no se hubiesen emitido.

Artículo 38. Criterios de intervención en inmuebles

1. Cualquier intervención en un inmueble declarado Bien de Interés Cultural estará encaminada a su conservación y mejora, de acuerdo con los siguientes criterios:

a) Se procurará el máximo estudio y óptimo conocimiento del bien para mejor adecuar la intervención propuesta.

b) Se respetarán la memoria histórica y las características esenciales del bien, sin perjuicio de que pueda autorizarse el uso de elementos, técnicas y materiales actuales para la mejor adaptación del bien a su uso y para destacar determinados elementos o épocas.

c) Se conservarán las características volumétricas y espaciales definidoras del inmueble, así como las aportaciones de distintas épocas. En caso de que excepcionalmente se autorice alguna supresión, ésta quedará debidamente documentada.

d) Se evitarán los intentos de reconstrucción, salvo en los casos en los que la existencia de suficientes elementos originales así lo permita. No podrán realizarse reconstrucciones miméticas que falseen su autenticidad histórica. Cuando sea indispensable para la estabilidad y el mantenimiento del inmueble la adición de materiales, ésta habrá de ser reconocible y sin discordancia estética o funcional con el resto del inmueble.

2. En lo referente al entorno de protección de un bien inmueble, al volumen, a la tipología, a la morfología y al cromatismo, las intervenciones no podrán alterar los valores arquitectónicos y paisajísticos que definan el propio bien.

Artículo 39. Licencias

1. La obtención de las autorizaciones exigidas en la presente Ley no exime de la obligación de obtener licencia municipal o cualesquiera otras autorizaciones que sean precisas.

2. No podrán otorgarse licencias para la realización de obras que, con arreglo a la presente Ley, requieran cualquier autorización administrativa, hasta que ésta sea concedida.

3. Las obras realizadas sin la autorización prevista en el artículo 36 serán ilegales, y los Ayuntamientos y, en su caso, la Consejería competente en materia de cultura ordenarán, si fuese oportuno, su reconstrucción o demolición con cargo al responsable de la infracción sin perjuicio de incoar en su caso el correspondiente procedimiento sancionador.

Artículo 40. Declaración de ruina

1. Si a pesar de lo establecido en los artículos 24 y 32 llegase a iniciarse procedimiento de declaración de ruina de algún inmueble declarado Bien de Interés Cultural, la Consejería competente en materia de cultura estará legitimada para intervenir como interesado en dicho expediente, debiéndole ser notificada la apertura y las resoluciones que en el mismo se adopten.

En ningún caso podrá procederse a la demolición sin autorización de la Consejería competente en materia de cultura. Si el inmueble estuviera declarado con las categorías de monumento o jardín histórico, la resolución por la que se declare la ruina sólo podrá disponer la ejecución de las obras necesarias para su conservación o rehabilitación, previó informe de la Consejería competente en materia de cultura.

2. La situación de ruina producida por incumplimiento de los deberes de conservación establecidos en esta Ley conllevará la reposición, a cargo del titular de la propiedad, del bien a su estado primigenio.

3. En el supuesto de que la situación del inmueble conlleve peligro inminente de daños a personas, la entidad que incoase expediente de ruina habrá de tomar las medidas oportunas para evitar dichos daños, adoptando las medidas necesarias para garantizar el mantenimiento de las características y elementos singulares del edificio. Dichas medidas no podrán incluir más demoliciones que las estrictamente necesarias, y se atendrán a los términos previstos en la resolución de la Consejería competente en materia de cultura.

Artículo 41. Prohibiciones en monumentos y jardines históricos

1. En los monumentos y jardines históricos queda prohibida la instalación de publicidad, cables, antenas, conducciones aparentes y todo aquello que impida o menoscabe la apreciación del bien dentro de su entorno.

2. Se prohíbe también toda construcción que pueda alterar el volumen, la tipología, la morfología o el cromatismo de los inmuebles a los que hace referencia este artículo o perturbe su contemplación.

Artículo 42. Conservación de conjuntos históricos, sitios históricos, zonas arqueológicas y conjuntos etnológicos

1. La conservación de los conjuntos históricos comporta el mantenimiento de la estructura urbana y arquitectónica y de la silueta paisajística, así como de las características generales de su ambiente. Se considerarán excepcionales las sustituciones de inmuebles y sólo podrán realizarse en la medida que contribuyan a la conservación general del carácter del conjunto.

2. La conservación de los sitios históricos y conjuntos etnológicos comporta el mantenimiento de los valores históricos, etnológicos, paleontológicos y antropológicos, el paisaje y las características generales de su ambiente.

3. La conservación de las zonas arqueológicas comporta el mantenimiento de los valores históricos, paleontológicos y antropológicos, así como la protección de bienes afectados, ya hayan sido descubiertos o se encuentren ocultos en el subsuelo o bajo las aguas continentales.

4. Para el cumplimiento de lo dispuesto en los apartados anteriores, no se admitirán modificaciones en las alineaciones y rasantes existentes, alteraciones de volumen, ni de edificabilidad, parcelaciones, agregaciones y, en general, ningún cambio que afecte a la armonía de conjunto. No obstante, podrán admitirse estas variaciones, con carácter excepcional, siempre que contribuyan a la conservación general del bien, y estén comprendidas en la figura de planeamiento definida en el siguiente artículo.

5. En los sitios históricos y zonas arqueológicas queda prohibida la colocación de cualquier clase de publicidad, así como cables, antenas y conducciones aparentes. Sólo en el caso en que se sitúen sobre suelo urbano se podrán autorizar dichas instalaciones, siempre que guarden armonía con el ambiente en el que se encuentren.

Artículo 43. Planeamiento en conjuntos históricos, sitios históricos, zonas arqueológicas y conjuntos etnológicos

1. La declaración de un conjunto histórico, sitio histórico, zona arqueológica o conjunto etnológico determinará la obligación para el Ayuntamiento en cuyo término municipal radique, de redactar un plan especial de protección del área afectada u otro instrumento de los previstos en la legislación urbanística o de ordenación del territorio que cumpla en todo caso los objetivos establecidos en esta Ley.

2. La aprobación definitiva de este plan o instrumentos urbanísticos requerirá el informe favorable de la Consejería competente en materia de cultura, para cuya emisión será aplicable el procedimiento previsto en los apartados 2 y 3 del artículo 37 de esta Ley.

La obligatoriedad de dicho planeamiento no podrá excusarse en la preexistencia de otro contradictorio con la protección, ni en la inexistencia previa de planeamiento general.

3. Los instrumentos de planeamiento a los que se refiere este artículo establecerán para todos los usos públicos el orden de prioridad de su instalación en los edificios y espacios que fuesen aptos para ello. Igualmente contemplarán las posibles áreas de rehabilitación integrada que permitan la recuperación del área residencial y de las actividades económicas adecuadas.

4. Los instrumentos de planeamiento a que se refiere este artículo contendrán al menos:

a) Un catálogo exhaustivo de todos los elementos que conformen el área afectada, incluidos aquellos de carácter ambiental, señalados con precisión en un plano topográfico, definiendo las clases de protección y tipos de actuación para cada elemento.

b) Los criterios relativos a la conservación de fachadas y cubiertas e instalaciones sobre las mismas, así como de aquellos elementos más significativos existentes en el interior.

c) Los criterios para la determinación de los elementos tipológicos básicos de las construcciones y de la estructura o morfología del espacio afectado que deban ser objeto de potenciación o conservación.

d) La justificación de las modificaciones de alineaciones, edificabilidad, parcelaciones o agregaciones que, excepcionalmente, el plan proponga.

5. En el planeamiento se recogerán normas específicas para la protección del patrimonio arqueológico, que contemplarán, al menos, la zonificación de áreas de interés arqueológico, señaladas con precisión sobre plano topográfico, definiendo los niveles de protección y la compatibilidad de los usos con la conservación, así como los requisitos técnicos que hayan de regir la autorización de las actividades a las que se refiere el artículo 44.2.

6. En su redacción se contemplarán específicamente las instalaciones eléctricas, telefónicas o cualesquiera otras. Las antenas de televisión, pantallas de recepción de ondas y

dispositivos similares se situarán en lugares en los que no perjudiquen la imagen urbana o de conjunto. Sólo se autorizarán aquellos rótulos cuando guarden armonía con los valores de conjunto.

Artículo 44. Autorización de obras en conjuntos históricos, sitios históricos y zonas arqueológicas y conjuntos etnológicos

1. En tanto no se apruebe definitivamente el instrumento urbanístico de protección con el informe a que hace referencia el artículo 43.2 de la presente Ley, la concesión de licencias o la ejecución de las ya otorgadas antes de iniciarse el procedimiento de declaración así como la emisión de órdenes de ejecución, precisará, en el ámbito afectado por la declaración, resolución favorable de la Consejería competente en materia de cultura.

2. Una vez aprobados definitivamente los citados instrumentos urbanísticos, los Ayuntamientos serán competentes para autorizar las obras precisas para su desarrollo, siempre que no afecten a bienes declarados de interés cultural con la categoría de monumento o jardín histórico, o a sus entornos, debiendo dar cuenta a la Consejería competente en materia de cultura de las licencias concedidas en un plazo máximo de diez días. La competencia para autorizar excavaciones y prospecciones arqueológicas corresponderá en todo caso a dicha Consejería.

3. Las obras que se realicen al amparo de licencias que vulneren los citados instrumentos urbanísticos serán ilegales y la Consejería competente en materia de cultura habrá de ordenar su reconstrucción o demolición, u otras medidas adecuadas para reparar el daño, con cargo al Ayuntamiento que las hubiese otorgado, sin perjuicio de lo dispuesto en la legislación urbanística.

Sección 2ª. Régimen de los bienes muebles

Artículo 45. Autorizaciones previas

1. La modificación, restauración, traslado o alteración de cualquier tipo de bienes muebles declarados de interés cultural requerirá siempre autorización previa de la Consejería competente en materia de cultura.

2. Los bienes muebles que fuesen declarados de interés cultural como colección, no podrán disgregarse sin la autorización prevista en el apartado anterior.

3. El plazo máximo para resolver y notificar la resolución expresa sobre las autorizaciones que se soliciten en aplicación de este artículo será de seis meses, transcurridos los cuales sin haber sido notificada la resolución, los interesados que hubieran deducido la solicitud podrán entenderla desestimada por silencio administrativo.

Artículo 46. Traslados

1. Para solicitar autorización de traslado de bienes muebles declarados de interés cultural se comunicará a la Consejería competente en materia de cultura el origen y destino del traslado, y si éste se hace con carácter temporal o definitivo. La realización del traslado se comunicará a la Consejería para su anotación en el Registro de Bienes de Interés Cultural.

2. Los bienes muebles que, por su vinculación con un inmueble, sean incorporados a la declaración de interés cultural del mismo de acuerdo con lo previsto en los artículos 11.1.b) y 12 de esta Ley, estarán sometidos al destino de aquél, y su traslado, siempre con carácter excepcional, exigirá la previa autorización de la Consejería competente en materia de cultura, previo informe favorable de, al menos, dos de las instituciones consultivas a las que se refiere el artículo 6 de la Ley.

Artículo 47. Fondos de archivos y museos

El régimen de protección establecido en la presente Ley para los bienes muebles declarados de interés cultural se aplicará también a todos los bienes culturales que formen parte de las colecciones de los museos, de los archivos históricos y del fondo antiguo de las bibliotecas gestionados por la Administración de la Comunidad Autónoma, sin perjuicio de las normas especiales que les sean de aplicación.

CAPÍTULO III. Régimen de los bienes inventariados

Artículo 48. Régimen de los bienes muebles inventariados

1. Toda modificación, restauración, traslado, o alteración de cualquier tipo sobre bienes muebles inventariados, requerirá autorización previa de la Consejería competente en materia de cultura.

Dicha autorización se entenderá concedida si transcurrieran tres meses desde la recepción de la solicitud por el órgano competente y éste no hubiera dictado la correspondiente resolución.

2. Los bienes muebles incluidos en el inventario como colección no podrán disgregarse sin la autorización prevista enel apartado anterior.

Artículo 49. Régimen de los bienes inmuebles inventariados

1. Las condiciones de protección que figuren en la resolución por la que se acuerde la inclusión de un bien inmueble en el Inventario, serán de obligada observancia para los Ayuntamientos en el ejercicio de sus competencias urbanísticas.

2. La inclusión de un bien inmueble en el Inventario de Bienes del Patrimonio Cultural de Castilla y León determinará, para el Ayuntamiento en cuyo término municipal radique, la obligación de inscribirlo como tal con carácter definitivo en el catálogo urbanístico de elementos protegidos previsto en la normativa o instrumento de planeamiento urbanístico vigentes.

3. En tanto no se produzca la inclusión de los bienes inmuebles inventariados en el catálogo urbanístico de elementos protegidos al que se refiere el apartado anterior, o ante la inexistencia de éste, la realización de cualesquiera obras o intervenciones requerirá la autorización previa de la Consejería competente en materia de cultura.

4. Sin perjuicio de lo contemplado en los apartados anteriores, será de aplicación a los yacimientos arqueológicos inventariados la normativa específica sobre patrimonio arqueológico establecida en esta Ley y en las disposiciones que la desarrollen.

TÍTULO III. Del patrimonio arqueológico
CAPÍTULO I. Normas Generales

Artículo 50. Patrimonio arqueológico

Constituyen el patrimonio arqueológico de Castilla y León los bienes muebles e inmuebles de carácter histórico, así como los lugares en los que es posible reconocer la actividad humana en el pasado, que precisen para su localización o estudio métodos arqueológicos, hayan sido o no extraídos de su lugar de origen, tanto si se encuentran en la superficie como en el subsuelo o en una zona subacuática.

También forman parte de este patrimonio los restos materiales geológicos y paleontológicos que puedan relacionarse con la historia del hombre.

Artículo 51. Definición de las actividades arqueológicas

1. Tienen la consideración de actividades arqueológicas las prospecciones, excavaciones, controles arqueológicos y estudios directos con reproducción de arte rupestre que se definen en esta Ley, así como cualesquiera otras actividades que tengan por finalidad la búsqueda, documentación o investigación de bienes y lugares integrantes del patrimonio arqueológico.

2. Son prospecciones arqueológicas las observaciones y reconocimientos de la superficie o del subsuelo que se lleven a cabo, sin remoción del terreno, con el fin de buscar, documentar e investigar bienes y lugares integrantes del patrimonio arqueológico de cualquier tipo.

3. Son excavaciones arqueológicas las remociones de terreno efectuadas con el fin de descubrir e investigar bienes y lugares integrantes del patrimonio arqueológico de cualquier tipo.

4. Son controles arqueológicos las supervisiones de las remociones de terrenos que se realicen, en lugares en los que se presuma la existencia de bienes del patrimonio arqueológico pero no esté suficientemente comprobada, con el fin de evaluar y establecer las medidas oportunas de documentación y protección de las evidencias arqueológicas que, en su caso, se hallen.

5. Son estudios directos con reproducción de arte rupestre todas las tareas, entre ellas la reproducción mediante calco o por cualquier otro sistema, dirigidas a la documentación e investigación de las manifestaciones de arte rupestre.

Artículo 52. Órdenes para investigación

La Consejería competente en materia de cultura podrá ordenar la ejecución de excavaciones o prospecciones arqueológicas en cualquier terreno público o privado del territorio de Castilla y León en el que se presuma la existencia de bienes del patrimonio arqueológico. A efectos de la correspondiente indemnización regirá lo dispuesto en la legislación vigente sobre expropiación forzosa.

Artículo 53. Suspensión de obras

La Consejería competente en materia de cultura podrá ordenar la interrupción de obras por un período máximo de dos meses en los lugares en que se hallen fortuitamente bienes del patrimonio arqueológico. En dicho período de tiempo la Administración, a su cargo, realizará las intervenciones arqueológicas que considere oportunas para decidir sobre el inicio del procedimiento para su declaración del lugar como Bien de Interés Cultural o su inclusión en el Inventario, de conformidad con lo establecido en esta Ley. Dicha interrupción no comportará derecho a indemnización alguna.

Artículo 54. Instrumentos urbanísticos

1. Los instrumentos de planeamiento urbanístico que se aprueben, modifiquen o revisen con posterioridad a la entrada en vigor de esta Ley deberán incluir un catálogo de los bienes integrantes del patrimonio arqueológico afectados y las normas necesarias para su protección, conforme a lo previsto en esta Ley, redactado por técnico competente.

2. Para la redacción de dicho catálogo y normas, los promotores del planeamiento realizarán las prospecciones y estudios necesarios, facilitando la Administración de la Comunidad de Castilla y León los datos de los que disponga.

3. Los lugares en que se encuentren bienes arqueológicos se clasificarán como suelo rústico con protección cultural o, en su caso, con la categoría que corresponda de conformidad con el artículo 16.2 de la Ley 5/1999, de 8 de abril, de Urbanismo de Castilla y León, salvo aquellos que se localicen en zonas urbanas o urbanizables que hayan tenido tales clasificaciones con anterioridad a la entrada en vigor de esta Ley.

4. La aprobación del catálogo y normas a que se refiere este artículo requerirá el informe favorable de la Consejería competente en materia de cultura, en un plazo máximo de seis meses.

CAPÍTULO II. De las actividades arqueológicas y su autorización

Artículo 55. Autorización de actividades arqueológicas

1. Para la realización de las actividades arqueológicas que se definen en el artículo 51 de esta Ley o de trabajos de consolidación o restauración de bienes muebles o inmuebles del patrimonio arqueológico de Castilla y León, será siempre necesaria autorización previa y expresa de la Consejería competente en materia de cultura.

2. Para la obtención de las autorizaciones referidas el apartado anterior se exigirá el empleo de medios personales, profesionales y medios técnicos adecuados. Cuando se trate de actividades arqueológicas se exigirá la intervención de profesionales o equipos que cuenten con la titulación o acreditación que reglamentariamente se determine.

3. Para solicitar la autorización de actividades arqueológicas será necesaria la presentación de un programa detallado en el que se justifiquen su necesidad e interés científico y la disponibilidad de medios adecuados para la realización de los trabajos.

4. En la autorización de excavaciones arqueológicas la Administración determinará las áreas que se puedan excavar y establecerá zonas de reserva arqueológica que permitan realizar posteriores estudios.

5. Todo descubrimiento de bienes integrantes del Patrimonio Arqueológico que se produzca durante el desarrollo de las actividades a que se refiere este artículo deberá ser comunicado a la Consejería competente en materia de cultura inmediatamente o, en todo caso, al finalizar el plazo de la actividad autorizada. En ningún caso podrán darse a conocer a la opinión pública los descubrimientos antes de su comunicación a la Administración.

La Administración dictará resolución estableciendo las determinaciones necesarias para conservación y custodia de los bienes hallados en el plazo de treinta días desde la recepción de la anterior comunicación por el órgano administrativo competente.

6. Los titulares de autorizaciones para realizar excavaciones arqueológicas, garantizarán el mantenimiento y conservación de las estructuras y materiales que se hallen con ocasión de su ejecución durante el transcurso de las excavaciones y, en todo caso, hasta la terminación del plazo establecido para dictar la resolución a que se refiere el apartado anterior.

Los bienes muebles y restos separados de inmuebles que fueren descubiertos serán entregados para su custodia al Museo o centro que establezca la Consejería competente en materia de cultura, en el plazo y condiciones que ésta asimismo determine.

Artículo 56. Consecuencias del incumplimiento de obligaciones

El incumplimiento de las obligaciones que corresponden a los titulares de autorizaciones para la realización de actividades arqueológicas o de las condiciones y términos establecidos en aquéllas, podrá dar lugar a la suspensión de la autorización o a su revocación previa audiencia del interesado, sin perjuicio de las sanciones a que pudieran dar lugar, de conformidad a lo dispuesto en el título VII de esta Ley.

Artículo 57. Autorización de obras

1. Las solicitudes de autorización o licencia de obras que afecten a una zona arqueológica o a un yacimiento inventariado y supongan remoción de terrenos, deberán ir acompañadas de un estudio sobre la incidencia de las obras en el patrimonio arqueológico, elaborado por titulado superior con competencia profesional en materia de Arqueología.

2. La Consejería competente en materia de cultura, a la vista de las prospecciones, controles o excavaciones arqueológicas a las que se refiera el estudio, podrá establecer las condiciones que deban incorporarse a la licencia.

Artículo 58. Financiación de los trabajos arqueológicos

1. En los casos en que una actuación arqueológica resulte necesaria como requisito para la autorización o a consecuencia de cualquier tipo de obras que afecten a zonas o yacimientos declarados de interés cultural o a bienes inventariados integrantes del Patrimonio Arqueológico, el promotor deberá presentar proyecto arqueológico ante la Administración competente para su aprobación, previa a la ejecución de aquéllas.

2. La financiación de los trabajos arqueológicos a que se refiere este artículo correrá a cargo del promotor de las obras en el caso de que se trate de entidades de derecho público. Si se tratara de particulares, la Consejería competente en materia de cultura podrá participar en la financiación de los gastos mediante la concesión de ayudas en los términos que se fijen reglamentariamente, a no ser que se ejecute directamente el proyecto que se estime necesario.

CAPÍTULO III. De los descubrimientos arqueológicos

Artículo 59. Régimen de propiedad

Son bienes de dominio público todos los objetos y restos materiales que posean los valores propios del Patrimonio Cultural de Castilla y León y sean descubiertos como consecuencia de excavaciones, remociones de tierra u obras de cualquier índole o por azar. Cuando se trate de hallazgos casuales, en ningún caso será de aplicación a tales objetos lo dispuesto en el artículo 351 del Código Civil.

Artículo 60. Hallazgos casuales

1. Se consideran hallazgos casuales los descubrimientos de objetos y restos materiales que, poseyendo los valores que son propios del Patrimonio Cultural de Castilla y León, se produzcan por azar o como consecuencia de cualquier tipo de remociones de tierra, demoliciones u obras de cualquier otra índole.

2. En ningún caso tendrán la consideración de hallazgos casuales los bienes descubiertos en zonas arqueológicas, en yacimientos arqueológicos inventariados o en aquellos lugares incluidos en los catálogos de instrumentos urbanísticos a los que se refiere el artículo 54.

3. Todo hallazgo casual de bienes integrantes del patrimonio arqueológico de Castilla y León deberá ser comunicado inmediatamente por el hallador a la Consejería competente en materia de cultura, con indicación del lugar donde se haya producido.

4. Los promotores y la dirección facultativa deberán paralizar en el acto las obras, de cualquier índole, si aquéllas hubieren sido la causa del hallazgo casual, y comunicarán éste inmediatamente a la Administración competente, que en un plazo de dos meses determinará la continuación de la obra o procederá a iniciar el procedimiento para la declaración del lugar donde se produjera el hallazgo como Bien de Interés Cultural o para su inclusión en el Inventario. Dicha paralización no comportará derecho a indemnización.

5. En ningún caso se podrá proceder a la extracción de los hallazgos arqueológicos efectuados a menos que ésta fuera indispensable para evitar su pérdida o destrucción.

6. Una vez comunicado el descubrimiento, y hasta que los objetos sean entregados a la Administración competente, al descubridor le serán de aplicación las normas del depósito legal, salvo que los entregue a un museo público.

Artículo 61. Premios por descubrimientos

1. Los hallazgos casuales de bienes muebles darán derecho a percibir de la Consejería competente en materia de cultura, en concepto de premio en metálico, la mitad del valor que en tasación legal se atribuya a los objetos hallados. Esta cantidad se dividirá a partes iguales entre el hallador y el propietario de los terrenos. Si fuesen dos o más los halladores o propietarios se mantendrá igual proporción.

2. El incumplimiento de las obligaciones previstas en el artículo anterior privará al hallador y, en su caso, al propietario del derecho al premio indicado, quedando los objetos de forma inmediata a disposición de la Administración competente y con independencia de las sanciones que procedan.

TÍTULO IV. Del patrimonio etnológico y lingüístico

CAPÍTULO I. Del patrimonio etnológico

Artículo 62. Definición

1. Integran el patrimonio etnológico de Castilla y León los lugares y los bienes muebles e inmuebles, así como las actividades, conocimientos, prácticas, trabajos y manifestaciones culturales transmitidos oral o consuetudinariamente que sean expresiones simbólicas o significativas de costumbres tradicionales o formas de vida en las que se reconozca un colectivo, o que constituyan un elemento de vinculación o relación social originarios o tradicionalmente desarrollados en el territorio de la Comunidad de Castilla y León.

2. Se consideran incluidos en el patrimonio etnológico de Castilla y León aquellos bienes muebles o inmuebles, relacionados con la economía y los procesos productivos e industriales del pasado que se consideren de interés de acuerdo a lo referido en el artículo 1.2 de esta Ley.

Artículo 63. Medidas de protección

1. La protección de los bienes del patrimonio etnológico de Castilla y León se realizará declarándolos o inventariándolos con arreglo a lo previsto en esta Ley.

2. En el acto administrativo por el que se acordó la citada declaración o la inclusión en el Inventario se establecerán las normas específicas de protección de los valores que hubiese determinado la resolución adoptada.

3. Cuando los bienes etnológicos inmateriales estén en riesgo de desaparición, pérdida o deterioro, la Consejería competente en materia de cultura promoverá y adoptará las medidas oportunas conducentes a su estudio, documentación y registro por cualquier medio que garantice su transmisión y puesta en valor.

CAPÍTULO II. Del Patrimonio Lingüístico

Artículo 64. Definición

Integran el patrimonio lingüístico de Castilla y León las diferentes lenguas, hablas, variedades dialectales y modalidades lingüísticas que tradicionalmente se hayan venido utilizando en el territorio de la Comunidad de Castilla y León.

Artículo 65. Medidas de protección

1. La Administración competente adoptará las medidas oportunas tendentes a la protección y difusión de las distintas manifestaciones del patrimonio lingüístico de Castilla y León, tomando en consideración las características y circunstancias específicas de cada una de ellas.

2. Asimismo, velará por la integridad de los valores de las obras literarias y de pensamiento de autores vinculados al territorio de la Comunidad de Castilla y León, cuando no conste la existencia de particulares legitimados para el ejercicio de las acciones en defensa del derecho moral de autor.

TÍTULO V. Del patrimonio documental y bibliográfico

Artículo 66. Patrimonio documental

El patrimonio documental de Castilla y León se regirá por la Ley 6/1991, de 19 de abril, de los Archivos y del Patrimonio Documental de Castilla y León, y por las disposiciones que la modifiquen o desarrollen. En lo no previsto en ellas será de aplicación cuanto se dispone con carácter general en la presente Ley y en especial en su régimen de bienes muebles.

Artículo 67. Patrimonio bibliográfico

1. Forman parte del patrimonio bibliográfico de Castilla y León:

a) Las obras literarias, históricas, científicas o artísticas de carácter unitario o seriado, en escritura manuscrita, impresa o registrada en lenguaje codificado en cualquier tipo de soporte, de las que no conste la existencia de al menos tres ejemplares en las bibliotecas públicas o en los servicios públicos responsables del depósito legal existentes en la Comunidad Autónoma.

b) Las obras y colecciones bibliográficas conservadas en Castilla y León que, sin estar incluidas en el apartado anterior, se integren en el patrimonio bibliográfico por resolución de la Consejería competente en materia de cultura, en virtud de sus características singulares o por haber sido producidas o reunidas por personas o entidades de especial relevancia en cualquier ámbito de actividad.

c) Los ejemplares de las obras a que se refieren los apartados anteriores y el siguiente, producidos en Castilla y León que sean objeto del depósito legal.

2. Forman parte del Patrimonio Cultural y se les aplicará el régimen correspondiente al patrimonio bibliográfico los ejemplares producto de ediciones o emisiones de películas cinematográficas, fotografías, grabaciones sonoras, videograbaciones y material multimedia que reúnan alguna de las características que se establecen en el apartado anterior cualquiera que sea el soporte y la técnica utilizados para su producción o reproducción.

Artículo 68. Régimen de protección

1. El patrimonio bibliográfico se regirá por las normas que se establecen en este Título. En lo no previsto en ellas será de aplicación cuanto se dispone con carácter general en la presente Ley, y en especial en su régimen de bienes muebles.

2. Los bienes integrantes del patrimonio bibliográfico y documental podrán ser declarados como Bienes de Interés Cultural o inventariados conforme a lo establecido para los bienes muebles en esta Ley.

3. Para todo lo referente a la confección del Censo de los bienes integrantes del Patrimonio documental y del Catálogo Colectivo de los bienes integrantes del Patrimonio bibliográfico de Castilla y León y a los actos de disposición, exportación e importación de dichos bienes, serán aplicables las normas establecidas en la Legislación del Estado.

Artículo 69. Deberes de los titulares o poseedores

1. Los titulares o poseedores de bienes constitutivos del Patrimonio documental y bibliográfico estarán obligados a su conservación, debiendo facilitar la inspección por parte de los organismos competentes para comprobar la situación o estado de los bienes, y deberán

permitir su estudio por los investigadores, previa solicitud razonada de éstos. Los particulares podrán ser dispensados del cumplimiento de esta última obligación, en el caso de que suponga una intromisión en su derecho a la intimidad personal y familiar y a la propia imagen, en los términos que establece la legislación reguladora de esta materia.

2. La obligación de permitir el estudio de los investigadores podrá ser sustituida por la Administración competente, a petición del interesado, mediante el depósito temporal del bien en un archivo, biblioteca o centro análogo de carácter público que reúna condiciones adecuadas para la seguridad de los bienes y su investigación.

TÍTULO VI. De las medidas de fomento

Artículo 70. Normas generales

1. Las ayudas de las Administraciones públicas para la investigación, documentación, conservación, recuperación, restauración y difusión de bienes integrantes del patrimonio cultural de Castilla y León se concederán de acuerdo con los criterios de publicidad, concurrencia y objetividad, dentro de las previsiones presupuestarias.

2. En el otorgamiento de las ayudas a que se refiere este título se establecerán las medidas necesarias para evitar la especulación con bienes que se adquieran, restauren, conserven o mejoren con ayudas públicas.

3. Las personas que no cumplan los deberes de conservación establecidos por esta Ley, no podrán acogerse a medidas de fomento para los bienes afectados por el incumplimiento.

4. Las medidas de fomento podrán ser las siguientes:

a) Préstamos a través de convenios establecidos con entidades financieras colaboradoras.

b) Subvenciones de intereses de préstamos.

c) Subvenciones a fondo perdido.

d) Avales en garantía de préstamos concedidos por entidades financieras.

e) Asesoramiento y asistencia técnica.

f) Cualesquiera otras que puedan establecerse con sujeción a la legislación de la Comunidad de Castilla y León.

5. En los Presupuestos Generales de la Comunidad de Castilla y León para cada ejercicio se consignarán créditos destinados a la protección, conservación, enriquecimiento, estudio y difusión del Patrimonio Cultural de Castilla y León.

6. La Junta de Castilla y León aprobará programas plurianuales de actuación para la conservación, mejora y restauración del Patrimonio Cultural, acompañados de sus correspondientes planes de financiación.

Artículo 71. Uno por ciento cultural

1. En el presupuesto de licitación de cada obra pública, financiada total o parcialmente por la Comunidad Autónoma, se incluirá una partida equivalente al menos al uno por ciento de los fondos aportados por la Comunidad Autónoma con destino a financiar acciones de tutela del Patrimonio Cultural de Castilla y León, preferentemente en la propia obra o en su inmediato entorno. La Intervención General de la Comunidad Autónoma no fiscalizará de conformidad propuesta de gasto alguna en tanto no se acredite la retención del crédito preciso para tales acciones.

2. Si la obra pública hubiera de construirse y explotarse por particulares en virtud de concesión administrativa y sin la participación financiera de la Comunidad Autónoma, el uno por ciento se aplicará sobre el presupuesto total para su ejecución.

3. Quedan exceptuadas de lo dispuesto en los anteriores apartados las siguientes obras públicas:

a) Aquellas en que la aportación de la Comunidad Autónoma o del concesionario sea inferior a 300.506,05 euros, sin tener en cuenta los eventuales fraccionamientos en la contratación de una obra que pueda ser considerada unitaria o globalmente.

b) Las que se realicen para cumplir específicamente los objetivos de esta Ley.

4. Corresponde a la Consejería competente en materia de Cultura aprobar la normativa reglamentaria de desarrollo de la obligación establecida en este artículo. La misma Consejería establecerá directrices y objetivos para la aplicación de la citada partida, que se comunicarán a la Administración General del Estado, con la finalidad de que puedan servirle de guía para las inversiones que realice en la Comunidad Autónoma en aplicación del uno por ciento cultural determinado por la Legislación del Patrimonio Histórico Español.

Artículo 72. Educación cultural

1. La Administración competente impulsará, en los diferentes niveles, etapas, ciclos y grados del sistema educativo, materias y actividades para el conocimiento, interpretación y valoración del Patrimonio Cultural.

2. En los sitios históricos, zonas arqueológicas y conjuntos etnológicos podrán crearse centros destinados a potenciar su difusión, y a favorecer la participación de particulares y entidades en la gestión y difusión del patrimonio. Las obras o intervenciones que deban realizarse para ello estarían sujetas a las normas y requisitos establecidos en esta Ley.

Artículo 73. Instituto del Patrimonio Cultural de Castilla y León

1. La Junta de Castilla y León promoverá la creación del Instituto del Patrimonio Cultural de Castilla y León, a propuesta de la Consejería competente en materia de cultura.

2. El Instituto desarrollará actividades y programas de estudio, difusión, investigación, conservación y restauración del Patrimonio Cultural de Castilla y León y cualesquiera otras funciones que, en cumplimiento de los fines de esta Ley, se le atribuyan específicamente.

3. El Instituto podrá encargarse de la ejecución de las actividades del apartado anterior con financiación privada o pública, en este último caso, si procede, a través de convenios con otras administraciones y entidades.

Artículo 74. Espacios culturales

1. La Junta de Castilla y León podrá declarar como espacios culturales aquellos inmuebles declarados Bienes de Interés Cultural que, por sus especiales valores culturales y naturales, requieran para su gestión y difusión una atención preferente.

2. La declaración de un espacio cultural tendrá como finalidad la difusión de sus valores y fomentar las actividades que posibiliten el desarrollo sostenible de la zona afectada.

3. La declaración de un espacio cultural obligará a la aprobación de un plan de adecuación y usos que determine las medidas de conservación, mantenimiento, uso y programa de actuaciones. Para el desarrollo de las previsiones del plan, éste deberá prever la constitución de un órgano gestor responsable del cumplimiento de las normas de esta Ley.

4. En la declaración de un espacio cultural se tendrá en cuenta lo establecido en los apartados 1 y 2 de los artículos 9, 11.1 y 12 de la presente Ley.

Artículo 75. Beneficios fiscales

1. Los titulares de derecho sobre Bienes Culturales o sobre los incluidos en el Inventario, disfrutarán de los beneficios fiscales, que en el ámbito de las respectivas competencias, determinen la legislación del Estado, de la Comunidad o las ordenanzas locales.

2. Los propietarios de Bienes de Interés Cultural y de obras incluidas en el Inventario podrán ceder dichos bienes y derechos sobre los mismos en pago de sus deudas tributarias en la forma que reglamentariamente se determine.

TÍTULO VII. Del régimen inspector y sancionador

CAPÍTULO I. Actividad de Inspección

Artículo 76. Función inspectora en materia de Patrimonio Cultural

Las Administraciones Públicas, en función de sus competencias, podrán inspeccionar los bienes integrantes del Patrimonio Cultural de Castilla y León y las actividades que puedan afectarles, cualquiera que sea su titularidad, con el fin de comprobar el cumplimiento de las exigencias previstas en esta Ley y en sus normas de desarrollo.

Artículo 77. Personal encargado de la actividad inspectora

1. En el ámbito de competencias de la Administración de la Comunidad de Castilla y León la actividad de inspección será ejercida por personal técnico o facultativo, profesionalmente competente, de dicha Administración, debidamente habilitado y acreditado a este efecto por la Consejería competente en materia de cultura de acuerdo con las normas de esta Ley y de las que se dicten en su desarrollo.

2. En el ejercicio de la actividad inspectora, el personal habilitado al efecto tendrá la consideración de agente de la autoridad y, como tal, gozará de la protección y atribuciones establecidas en la normativa vigente, en especial, de las necesarias para recabar, de cualesquiera personas y entidades relacionadas con bienes y actividades relacionados con el Patrimonio Cultural, cuanta información, documentación y ayuda material le exija el adecuado cumplimiento de sus funciones.

Artículo 78. Funciones de inspección

El personal encargado de la actividad inspectora tendrá las funciones que reglamentariamente se le asignen y principalmente las siguientes:

a) Vigilancia e inspección sobre el cumplimiento de la normativa.

b) Descubrimiento, persecución y denuncia de infracciones.

c) Levantar las pertinentes actas por infracciones administrativas.

d) Proceder cautelarmente a la suspensión y precinto de actividades y establecimientos y la incautación de los bienes culturales o instrumentos utilizados en las actividades que se estimen constitutivas de infracción, de acuerdo con lo dispuesto en esta Ley.

e) Emitir informes sobre el estado de los bienes integrantes del Patrimonio Cultural de Castilla y León y de las intervenciones que sobre los mismos realicen.

f) Proponer la adopción de medidas cautelares o cualquier otra actuación que se estime necesaria para el mejor cumplimiento de los fines encomendados a las Administraciones competentes, cuando no tenga competencia para imponerlas de conformidad con lo previsto en esta Ley.

Artículo 79. Normas de actuación

1. El personal encargado de la actividad de inspección actuará provisto de la documentación que acredite su condición, estando obligado a exhibirla cuando se halle en el ejercicio de sus funciones, le sea o no requerida.

2. El personal encargado de la actividad de inspección, en el cumplimiento de sus funciones, podrá recabar el auxilio de las Fuerzas y Cuerpos de Seguridad del Estado y de la Policía Local conforme a la legislación vigente.

3. El personal encargado de la inspección estará facultado para acceder a los bienes integrantes del Patrimonio Cultural de la Comunidad y a los lugares donde se desarrollen actividades que puedan afectarles y permanecer libremente y en cualquier momento en ellos para el ejercicio de sus funciones.

4. Asimismo, previa citación razonada, podrá requerir la comparecencia de responsables e interesados en la sede del organismo responsable de la inspección.

5. La actuación inspectora tendrá siempre carácter confidencial. El personal que la realice observará el deber de secreto profesional.

Artículo 80. Actas de Inspección

1. El resultado de la inspección practicada será recogido en un acta, que se sujetará a los requisitos y modelo oficial que se determine.

2. Los hechos registrados en las actas de inspección tendrán valor probatorio, sin perjuicio de las pruebas en contrario que puedan señalar o aportar los propios administrados.

Artículo 81. Deberes de los interesados

El titular o responsable de los bienes o actividades, su representante legal o, en su defecto, el director, dependiente, empleado, o cualquier otra persona que en el momento de actuación tuvieren conferida la responsabilidad o posesión sobre un bien integrante del Patrimonio Cultural o estuvieren al frente de cualquier actividad que pudiere afectar al mismo, tendrán, en general, la obligación de prestar la colaboración necesaria para favorecer el desempeño de las funciones inspectoras y, en particular:

a) La entrada y permanencia en los edificios, establecimientos y locales, tanto si están abiertos al público como si son de acceso restringido.

b) El control del desarrollo de la actividad mediante el examen de instalaciones, documentos libros, registros y demás instrumentos que permitan vigilar y comprobar el cumplimiento de la normativa aplicable.

c) La realización de copias de la documentación a que se refiere el apartado anterior, a expensas de la Administración pública responsable de la inspección.

d) La obtención de información por los propios medios de la Administración pública responsable de la inspección.

CAPÍTULO II. Infracciones y Sanciones

Artículo 82. Infracciones administrativas

Constituyen infracciones administrativas, que se sancionarán conforme a lo previsto en la presente Ley, los hechos que a continuación se relacionan, clasificados en infracciones leves, graves y muy graves.

Artículo 83. Infracciones leves

Constituyen infracciones leves:

a) La falta de comunicación al Registro de Bienes de Interés Cultural de Castilla y León de los actos jurídicos y aspectos técnicos que afecten a los bienes en él inscritos y de los traslados que afecten a dichos bienes.

b) El incumplimiento de los deberes de permitir el estudio por investigadores, de facilitar la visita pública en los términos del artículo 25.2 y de facilitar el acceso a la Administración con fines de inspección, respecto a los bienes declarados de interés cultural e inventariados, ya se trate de bienes inmuebles como de muebles, patrimonio documental y bibliográfico.

c) El incumplimiento por parte de los propietarios, poseedores y demás titulares de derechos reales, de los deberes fijados en el artículo 24.1 de esta Ley.

d) La falta de notificación a la Consejería competente en materia de cultura de la ena-jenación o venta de un bien declarado de interés cultural o de un bien mueble inventariado en los términos fiados en el artículo 26 de la presente Ley.

e) El incumplimiento de los deberes establecidos en el art. 27 para los comerciantes de bienes muebles integrantes del Patrimonio Cultural de Castilla y León.

f) La falta de notificación a la Consejería competente en materia de cultura de las licen-cias que concedan los Ayuntamientos amparadas en un instrumento de los previstos en el artículo 43.

g) La modificación, restauración, traslado o alteración de bienes muebles inventariados sin la autorización prevista en el artículo 48.1, o contraviniendo los términos de la autori-zación obtenida.

h) El incumplimiento de las obligaciones de depósito legal establecidas en la normativa sobre dicha materia, respecto de bienes que deban integrar el patrimonio bibliográfico de conformidad con el artículo 67.

Artículo 84. Infracciones graves

Constituyen infracciones graves:

a) La realización de obras, traslados o intervenciones en los casos a que se refieren los artículos 34, 36, 41, 42.5, 45, 46.2, 49.3, 55, y 57 sin la autorización preceptiva de la Consejería competente en materia de cultura, o incumpliendo sus términos.

b) El incumplimiento de una orden de suspensión cautelar de obras o intervenciones en Bienes de Interés Cultural o inventariados, en los casos a que se refiere el artículo 31 de esta Ley, así como en aquellos lugares en que se hallen fortuitamente bienes del patrimonio arqueológico.

c) El incumplimiento del deber de paralizar las obras en los casos a que se refiere el artículo 60.4.

d) El cambio de uso de los bienes declarados de interés cultural sin la autorización que se exige en esta Ley.

e) El otorgamiento de licencias y la misión de órdenes de ejecución de obras o inter-venciones sin la autorización previa y preceptiva prevista en el artículo 44, contraviniendo los términos de la autorización o con incumplimiento de lo previsto en el artículo 49.2, así como la falta de adopción de medidas oportunas en el supuesto de ruina de los bienes señalados en el artículo 40.

f) La comisión de cualquiera de las infra0cciones tipificadas en el artículo 85, cuando recaigan sobre bienes incluidos en el Inventario de Bienes del Patrimonio Cultural de Cas-tilla y León.

g) El incumplimiento de los deberes de comunicación y entrega establecidos en los artículos 55, 60 y en la disposición transitoria primera de esta Ley.

h) La obstrucción al ejercicio de la función inspectora incumpliendo los deberes estable-cidos en el artículo 81.

Artículo 85. Infracciones muy graves

Constituyen infracciones muy graves:

a) El derribo, desplazamiento, remoción o destrucción, total o parcial, de inmuebles declarados Bienes de Interés Cultural, sin la preceptiva autorización.

b) La destrucción de bienes muebles declarados de interés cultural.

c) Cualesquiera otras acciones u omisiones que conlleven la pérdida, destrucción o deterioro irreparable de los bienes declarados de interés cultural.

Artículo 86. Responsabilidad

1. Se considerarán responsables de las infracciones recogidas en esta Ley, además de los que hayan cometido los actos y omisiones en que la infracción consista:

a) Los promotores, por lo que respecta a la realización ilegal de obras.

b) El director/es de la obra en lo que atañe al incumplimiento de las órdenes de suspensión o la ejecución de obras ilegales.

c) Los que, conociendo la comisión de la infracción, obtengan beneficio económico de la misma.

2. Las sanciones que se impongan a distintos responsables por motivo de unos mismos hechos tendrán carácter independiente entre sí.

3. Cuando en aplicación de la presente Ley dos o más personas resulten responsables de una infracción y no fuese posible determinar su grado de participación, serán solidariamente responsables a los efectos de las sanciones económicas que se deriven.

4. La responsabilidad administrativa derivada de las infracciones reguladas por esta Ley se extingue por el pago o cumplimiento de la sanción, por prescripción y, en el caso de personas físicas, por la muerte.

Artículo 87. Prescripción de infracciones y sanciones

1. Las infracciones administrativas leves prescribirán en el plazo de un año, las graves en el plazo de cinco años y las muy graves en el plazo de diez años.

2. En los mismos plazos prescribirán, respectivamente, las sanciones que se impongan por la comisión de infracciones administrativas leves, graves y muy graves.

3. El plazo de prescripción de las infracciones se computará desde el momento en que aquéllas se hubieren cometido o que la Administración tuviera conocimiento de su comisión.

4. El plazo de prescripción de las sanciones se computará desde el momento en que haya adquirido firmeza la resolución por la que aquéllas hubieren sido impuestas.

Artículo 88. Sanciones

1. Las infracciones de las que resulte lesión al Patrimonio Cultural de Castilla y León que pueda ser evaluada económicamente, serán sancionadas con multa del tanto al cuádruplo del valor del daño causado. En caso contrario se sancionarán con arreglo a la siguiente escala:

a) Las infracciones leves con multa de hasta 6.000 euros.

b) Las infracciones graves con una multa de hasta 150.000 euros.

c) Las infracciones muy graves con una multa de hasta 600.000 euros.

2. Cuando la cuantía de la multa resulte inferior al beneficio obtenido con la comisión de la infracción, la sanción será incrementada como mínimo hasta el límite del beneficio.

3. Las sanciones se graduarán de acuerdo con el principio de proporcionalidad y atendiendo a la gravedad de los daños o riesgos ocasionados, la importancia de los bienes culturales afectados, el grado de intencionalidad de los responsables de la infracción y la reincidencia.

4. En la realización ilícita de actividades que afectan al patrimonio arqueológico se considerará agravante la utilización de aparatos detectores de metales.

Los distribuidores o detallistas de aparatos detectores de metales deberán exhibir en lugar visible de sus establecimientos el texto de las disposiciones que al respecto establezca la Junta de Castilla y León.

5. Los hechos susceptibles de ser calificados con arreglo a dos o más preceptos de esta Ley, lo serán por aquel que suponga mayor sanción a la infracción cometida.

Artículo 89. Reparación de daños

1. En la misma resolución que imponga la sanción que resulte procedente, la Administración ordenará al infractor la reparación de los daños causados, mediante órdenes ejecutivas, para restituir el bien afectado a su estado anterior, siempre que sea posible.

2. El incumplimiento de esta obligación de reparación facultará a la Administración para actuar de forma subsidiaria, realizando las obras y actuaciones necesarias a cargo del infractor y utilizando, en su caso, la vía de apremio para reintegrarse de su coste.

Artículo 90. Procedimiento sancionador

1. El procedimiento para el ejercicio de la potestad sancionadora será el aplicable con carácter general en la Administración de la Comunidad de Castilla y León, sin perjuicio de las disposiciones especiales que se dicten en desarrollo de la presente Ley.

2. El órgano competente para incoar el procedimiento para la imposición de las sanciones previstas en esta ley, podrá acordar como medida cautelar la incautación de los bienes culturales o instrumentales utilizados en las actividades que se estimen constitutivas de infracción.

Artículo 91. Competencia sancionadora

La competencia para la imposición de las sanciones corresponde:

a) Al titular de la Dirección General competente en materia de Patrimonio Cultural: las multas hasta 60.000 euros (10.000.000 de pesetas).

b) Al Consejero competente en materia de cultura: las multas comprendidas entre 60.000 euros y 150.000 euros.

c) A la Junta de Castilla y León: las multas superiores a 150.000 euros.

DISPOSICIONES ADICIONALES

Primera.

Los bienes situados en el ámbito territorial de la Comunidad de Castilla y León que, con anterioridad a la entrada en vigor de esta Ley, tuviesen la consideración de Bienes de Interés Cultural o incluidos en el Inventario General de Bienes Muebles previsto en el artículo 26 de la Ley de Patrimonio Histórico Español, serán considerados, respectivamente, como bienes declarados de interés cultural o inventariados, mientras no sea revisada su clasificación con arreglo a las categorías establecidas en la presente Ley.

Segunda.

Tendrán la consideración de bienes incluidos en el Inventario de Bienes del Patrimonio Cultural de Castilla y León todos aquellos yacimientos arqueológicos recogidos en los catálogos de cualquier figura de planeamiento urbanístico aprobada definitivamente con anterioridad a la publicación de esta Ley, a excepción de los bienes declarados de interés cultural.

Tercera.

Sin perjuicio de lo dispuesto en la presente Ley, las Administraciones a quienes corresponda su aplicación quedarán también sujetas a los Acuerdos Internacionales válidamente celebrados por España.

La actividad de tales Administraciones estará asimismo encaminada al cumplimiento de las resoluciones y recomendaciones que, para la protección del Patrimonio Histórico, adopten los Organismos Internacionales de los que España sea miembro.

Cuarta.

Como medida preventiva contra la expoliación y el deterioro de los bienes muebles integrantes del Patrimonio Cultural de Castilla y León, la Administración promoverá la utilización de medios técnicos para reproducir dichos bienes, especialmente los incluidos en el patrimonio documental y bibliográfico, si lo requiere su conservación y difusión o lo aconsejan las condiciones de uso a que estén sometidos.

Quinta.

Las declaraciones de los bienes a los que se refiere la Disposición Adicional Primera podrán ser completadas o revisadas mediante la determinación y delimitación de los mismos, la declaración de los entornos y bienes muebles afectados por la declaración, la adecuación de su calificación a las categorías establecidas en la presente Ley o la aprobación de cualquiera de los elementos y criterios específicos previstos en la misma para la determinación de los distintos regímenes de conservación y protección. Los procedimientos y competencias administrativas que regirán para la aplicación de esta disposición se establecerán reglamentariamente.

Sexta.

La Administración de la Comunidad realizará las gestiones oportunas conducentes al retorno a la Comunidad Autónoma de aquellos bienes integrantes del Patrimonio Cultural de Castilla y León con claro interés para la misma que se encuentren fuera de su territorio.

Séptima.

—

Disposición adicional introducida por el artículo único de la Ley [CASTILLA Y LEÓN] 8/2004, 22 diciembre, de modificación de la Ley 12/2002, de 11 de julio, del Patrimonio Cultural de Castilla y León, el cual ha sido declarado inconstitucional y nulo por Sentencia del Tribunal Constitucional, Sala Pleno, 6 junio 2013

DISPOSICIONES TRANSITORIAS

Primera.

1. Quienes a la entrada en vigor de esta Ley se encuentren en posesión de bienes integrantes del patrimonio arqueológico de Castilla y León dispondrán del plazo de un año para comunicar la existencia de dichos bienes a la Administración competente, si no se hubiera comunicado con anterioridad, para su inclusión en los instrumentos de inventario legalmente previstos.

2. Los titulares de permisos para actividades arqueológicas obtenidos con anterioridad a la entrada en vigor de esta Ley dispondrán de tres años para entregar a la Administración competente la memoria final, el material gráfico o documental, el diario de la actividad y el Inventario de materiales arqueológicos hallados, realizados de conformidad con el Decreto 37/1985, de 11 de abril, y con las normas establecidas en los correspondientes permisos, así como para entregar los materiales hallados en el museo o centro designado por dicha Administración.

Segunda.

Los expedientes incoados con anterioridad a la entrada en vigor de esta Ley se tramitarán y resolverán según lo dispuesto en la norma por la que fueron incoados.

Tercera.

En tanto se elaboran las normas precisas para el desarrollo reglamentario de la presente Ley, serán de aplicación las existentes que no contravengan lo previsto en ella.

DISPOSICIÓN DEROGATORIA

Quedan derogados el Decreto 37/1985, de 11 de abril, por el que se establece la normativa de excavaciones arqueológicas y paleontológicas de la Comunidad de Castilla y León; los artículos 1, 3, 4 y 5 del Decreto 273/1994, de 1 de diciembre, sobre Competencias y Procedimientos en materia de Patrimonio Histórico en la Comunidad de Castilla y León, y cuantas disposiciones de igual o inferior rango se opongan a lo dispuesto en esta Ley.

DISPOSICIONES FINALES

Primera.

La cuantía de las sanciones previstas en esta Ley podrá ser actualizada, de acuerdo con el índice de precios al consumo por Decreto de la Junta de Castilla y León.

Segunda.

En lo no regulado por la presente Ley se aplicará con carácter supletorio la Legislación del Estado.

Tercera.

Se autoriza a la Junta de Castilla y León para dictar las normas necesarias para el desarrollo y ejecución de esta Ley.

9. COMUNIDAD AUTÓNOMA DE CATALUÑA: LEY 9/1993, DE 30 DE SEPTIEMBRE, DE PATRIMONIO CULTURAL CATALÁN

DO. Generalitat de Catalunya 11 octubre 1993, núm. 1807, [pág. 6748].

El patrimonio cultural es uno de los testimonios fundamentales de la trayectoria histórica y de identidad de una colectividad nacional. Los bienes que lo integran constituyen una herencia insustituible que es preciso transmitir en las mejores condiciones a las generaciones futuras. La protección, la conservación, el acrecentamiento, la investigación y la difusión del conocimiento del patrimonio cultural es una de las obligaciones fundamentales que tienen los poderes públicos. La Generalidad de Cataluña, de acuerdo con el artículo 9 del Estatuto de autonomía, y sin perjuicio de las competencias que el artículo 149.1.28 de la Constitución asigna al Estado tiene competencia exclusiva en esta materia. La Administración local de Cataluña, de acuerdo con la legislación local y con esta Ley, asume importantes atribuciones de protección del patrimonio cultural local, dentro de la esfera de sus competencias.

Esta Ley, que tiene un precedente ilustre en la Ley de 3 de julio de 1934 de conservación del patrimonio histórico, artístico y científico de Cataluña se debe considerar como el marco dentro del cual se situarán necesariamente las diferentes leyes sectoriales que han fijado la ordenación de cada sector específico. Así, la Ley de archivos, la Ley de museos, la Ley del sistema bibliotecario de Cataluña y la Ley de fomento y protección de la cultura popular y tradicional y del asociacionismo cultural tendrán como marco referencial la presente Ley del patrimonio cultural.

La Ley parte de un concepto amplio del patrimonio cultural de Cataluña, que engloba el patrimonio mueble, el patrimonio inmueble y el patrimonio inmaterial, ya sean de titularidad pública o privada, y las manifestaciones de la cultura tradicional y popular. Se regula la competencia de la Generalidad sobre la proyección exterior del patrimonio cultural, reconocida por la Sentencia del Tribunal Constitucional 17/1991, relativa a la Ley 16/1985, de 25 de junio, del patrimonio histórico español. Dada la importancia del patrimonio de la Iglesia católica, se hace una referencia expresa a los deberes de esta institución y al marco en el que se desplegará la colaboración entre la Administración de la Generalidad y dicha Iglesia para el cumplimiento de esta Ley.

Se establecen tres categorías de protección comunes a bienes muebles, inmuebles e inmateriales: los bienes culturales de interés nacional los bienes catalogados y el resto de bienes integrantes del amplio concepto de patrimonio cultural definido por el artículo 1. De acuerdo con la competencia reconocida por el Tribunal Constitucional en la citada Sentencia 17/1991, se atribuye al Gobierno de la Generalidad la facultad de declarar los bienes culturales de interés nacional, la categoría de protección de mayor rango, que corresponde a la de los bienes de interés cultural definida por la mencionada Ley del patrimonio histórico español.

La Ley crea una segunda esfera de protección de los bienes del patrimonio cultural de menor relevancia, los bienes catalogados, cuyos instrumentos de protección y de control recaen principalmente en los municipios. Esta figura se denomina bienes culturales de interés local. En relación a los bienes inmuebles de interés nacional, la Ley regula diferentes figuras de protección, en función de la tipología del bien. Los bienes inmuebles de interés local no sólo pueden ser catalogados en el marco de esta Ley, sino que también se mencionan los mecanismos de protección regulados por la legislación urbanística. En cuanto a los bienes muebles, su régimen específico pone el acento en el control del comercio. La Ley contiene también una regulación adicional del patrimonio arqueológico, que presenta como novedad principal la introducción de los espacios de protección arqueológica.

Entre las medidas de fomento y difusión destacan el establecimiento en el ámbito de la Administración de la Generalidad del denominado «uno por ciento cultural», la creación del Inventario del Patrimonio Cultural Catalán y los preceptos dedicados a la gestión de los monumentos para facilitar la visita pública de los mismos. De esta forma, la Ley no se detiene en los objetivos de protección y restauración del patrimonio cultural, sino que pretende dinamizar su difusión como consecuencia lógica de la consecución progresiva de aquellos objetivos. Se cumple así la prescripción del artículo 8.2 del Estatuto de autonomía, que impone a la Generalidad el deber de promover la participación de los ciudadanos en la cultura.

La Ley establece también la exigencia de calificaciones y titulaciones profesionales para determinadas actuaciones e intervenciones, con la finalidad de aumentar los niveles de protección de los bienes patrimoniales.

También regula el régimen sancionador, con la clasificación de las correspondientes infracciones y sanciones y la determinación de los órganos competentes para imponerlas, junto con el establecimiento de medidas cautelares y adicionales.

Se crea, finalmente, el Consejo Asesor del Patrimonio Cultural, como órgano consultivo de las administraciones públicas en las materias relacionadas con el patrimonio, para alcanzar los objetivos que marca la Ley.

TÍTULO PRELIMINAR. Disposiciones generales

Artículo 1. Objeto

1. Es objeto de esta Ley la protección, la conservación, el acrecentamiento, la investigación la difusión y el fomento del patrimonio cultural catalán.

2. El patrimonio cultural catalán está integrado por todos los bienes muebles o inmuebles relacionados con la historia y la cultura de Cataluña que por su valor histórico, artístico, arquitectónico, arqueológico, paleontológico, etnológico, documental, bibliográfico, científico o técnico merecen una protección y una defensa especiales, de manera que puedan ser disfrutados por los ciudadanos y puedan ser transmitidos en las mejores condiciones a las futuras generaciones.

3. También forman parte del patrimonio cultural catalán los bienes inmateriales integrantes de la cultura popular y tradicional y las particularidades lingüísticas, de acuerdo con la Ley 2/1993, de 5 de marzo, de fomento y protección de la cultura popular y tradicional y del asociacionismo cultural.

4. El Departamento de Cultura velará por el retorno a Cataluña de los bienes con valores propios del patrimonio cultural catalán que se hallen fuera de su territorio.

Artículo 2. Proyección exterior

La Administración de la Generalidad promoverá la difusión exterior del patrimonio cultural catalán y los intercambios culturales. También promoverá el establecimiento de tratados o convenios, en los términos establecidos por el Estatuto de autonomía de Cataluña.

Artículo 3. Colaboración entre las administraciones públicas

1. En el ejercicio de sus competencias respectivas, la Administración de la Generalidad, los consejos comarcales y los ayuntamientos velarán por la integridad del patrimonio cultural catalán, tanto público como privado, y por la protección, la conservación, el acrecentamiento, la difusión y el fomento de este patrimonio, estimulando la participación de la sociedad, por lo que se dotarán de los medios materiales y personales adecuados.

2. Las administraciones públicas colaborarán para que las competencias respectivas sean ejercidas, en el ámbito de esta Ley, de la mejor manera posible.

3. Los consejos comarcales y los ayuntamientos comunicarán inmediatamente a la Administración de la Generalidad cualquier situación de peligro en la que se encuentren los bienes integrantes del patrimonio cultural.

4. La Administración de la Generalidad informará a los correspondientes consejos comarcales y ayuntamientos de las actuaciones que lleve a cabo en aplicación de esta Ley.

Artículo 4. Colaboración de la Iglesia católica

1. La Iglesia católica, como titular de una parte muy importante del patrimonio cultural catalán, velará por la protección, la conservación y la difusión de este patrimonio y, con esta finalidad, colaborará con las diversas administraciones públicas de Cataluña.

2. Una comisión mixta entre la Administración de la Generalidad y la Iglesia católica establecerá el marco de colaboración y coordinación entre ambas instituciones y hará su seguimiento.

3. Reglamentariamente se determinará, si procede, la colaboración con la Administración local.

Artículo 5. Colaboración de los particulares

1. Todas las personas físicas y jurídicas están legitimadas para exigir el cumplimiento de la legislación de patrimonio cultural ante las administraciones públicas de Cataluña. La legitimación para recurrir ante los Tribunales de Justicia se rige por la legislación del Estado y de la Comunidad Europea.

2. Todo aquel que tenga conocimiento de una situación de peligro o de la destrucción consumada o inminente de un bien integrante del patrimonio cultural catalán lo comunicará inmediatamente a la Administración local correspondiente o al Departamento de Cultura.

Artículo 6. Municipios histórico-artísticos

1. Los municipios que tienen la consideración de histórico-artísticos según lo que determina la legislación municipal y de régimen local de Cataluña, crearán un órgano de estudio y propuesta para la preservación, la conservación la protección y la vigilancia de su patrimonio cultural. Si se trata de municipios de menos de mil habitantes, este órgano será creado por el consejo comarcal, que asegurará en él una presencia significativa del municipio afectado.

2. Corresponde a la potestad de autoorganización local determinar la composición y el funcionamiento de los órganos a los que se refiere el apartado 1, que contarán necesariamente con el apoyo de profesionales cualificados en el campo del patrimonio cultural, con las condiciones de formación y de titulación que sean establecidas por reglamento.

3. Los órganos a los que se refiere el apartado 1 emitirán informe previamente a la adopción de acuerdos municipales que afecten a la aprobación o a la modificación del planeamiento urbanístico.

4. Los municipios histórico-artísticos elaborarán un catálogo del patrimonio cultural inmueble de su término, en el que se especificarán las medidas de protección, de acuerdo con esta Ley y con la legislación urbanística.

5. Los municipios con un patrimonio arqueológico importante dispondrán de arqueólogo municipal, cuya obligatoriedad y cuyas funciones generales se especificarán por reglamento. Corresponde a la potestad de autoorganización local nombrar dicho arqueólogo y determinar sus funciones específicas.

TÍTULO I. Categorías de protección del patrimonio cultural
CAPÍTULO I. Bienes culturales de interés nacional

Artículo 7. Definición y clasificación

1. Los bienes más relevantes del patrimonio cultural catalán, tanto muebles como inmuebles, serán declarados de interés nacional.

2. Los bienes inmuebles se clasifican en:

a) Monumento histórico: construcción u otra obra material producida por la actividad humana que configura una unidad singular.

b) Conjunto histórico: agrupación de bienes inmuebles, continua o dispersa, que constituye una unidad coherente y delimitable, con entidad propia, aunque cada uno individualmente no tenga valores relevantes.

c) Jardín histórico: espacio delimitado que es fruto de la ordenación por parte del hombre de elementos naturales y que puede incluir estructuras de fábrica.

d) Lugar histórico: paraje natural donde se produce una agrupación de bienes inmuebles que forman parte de una unidad coherente por razones históricas y culturales a la que se vinculan acontecimientos o recuerdos del pasado o que contienen obras del hombre con valores históricos o técnicos.

e) Zona de interés etnológico: conjunto de vestigios, que pueden incluir intervenciones en el paisaje natural, edificios e instalaciones, que contienen en su seno elementos constitutivos del patrimonio etnológico de Cataluña.

f) Zona arqueológica: lugar donde hay restos de la intervención humana que solamente es susceptible de ser estudiado en profundidad con la metodología arqueológica, tanto si se encuentra en la superficie como si se encuentra en el subsuelo o bajo las aguas. En caso de que los bienes culturales inmuebles definidos por las letras a), b), c), d) y e) tengan en el subsuelo restos que solamente sean susceptibles de ser estudiados arqueológicamente, tendrán también la condición de zona arqueológica.

g) Zona paleontológica: lugar donde hay vestigios fosilizados que constituyen una unidad coherente y con entidad propia, aunque cada uno individualmente no tenga valores relevantes.

3. Los bienes muebles pueden ser declarados de interés nacional singularmente o como colección.

Artículo 8. Procedimiento de declaración

1. La declaración de bienes culturales de interés nacional requiere la incoación previa de un expediente, iniciado de oficio por la Administración de la Generalidad o bien a instancia de otra administración pública o de cualquier persona física o jurídica. Los acuerdos de no incoación serán motivados.

2. En la instrucción del expediente citado en el apartado 1 es necesario dar audiencia a los interesados. Si el expediente se refiere a bienes inmuebles, es necesario dar audiencia también al ayuntamiento correspondiente y abrir un período de información pública.

3. En el expediente al que se refiere el apartado 1 constará el informe favorable del Consejo Asesor del Patrimonio Cultural de Cataluña y también del Institut d'Estudis Catalans o de una de las instituciones científicas, técnicas o universitarias de prestigio o competencia reconocidos que se determinen por reglamento.

4. El expediente al que se refiere el apartado 1 contendrá informes históricos, arquitectónicos, arqueológicos y artísticos, acompañados de una completa documentación gráfica, además de un informe detallado sobre el estado de conservación del bien.

Artículo 9. Notificación, publicación y efectos de la incoación

1. La incoación del expediente de declaración de un bien cultural de interés nacional se notificará a los interesados y a los ayuntamientos de los municipios donde radica el bien. Además, y sin perjuicio de su eficacia desde la notificación, la resolución de incoación se publicará en el «Diari Oficial de la Generalitat de Catalunya» y en el «Boletín Oficial del Estado».

2. La incoación del expediente al que se refiere el apartado 1 conlleva la aplicación inmediata y provisional del régimen de protección establecido para los bienes culturales que ya han sido declarados de interés nacional.

3. En caso de bienes inmuebles, la incoación del expediente al que se refiere el apartado 1 conlleva, desde el momento en que se notifica al ayuntamiento, la suspensión de la tramitación de las licencias municipales de parcelación, edificación o derribo en la zona afectada, así como la suspensión de los efectos de las licencias ya concedidas. No obstante, el Departamento de Cultura puede autorizar la realización de las obras que sea manifiesto que no perjudican a los valores culturales del bien, autorización que será previa a la concesión de la licencia municipal, salvo que se trate de licencias concedidas antes de la incoación del expediente.

Artículo 10. Finalización del expediente de declaración

1. La declaración de bienes culturales de interés nacional será acordada por el Gobierno de la Generalidad, a propuesta del consejero de Cultura.

2. El acuerdo de declaración de bienes culturales de interés nacional se adoptará en el plazo de dieciocho meses a contar desde la fecha en que se ha incoado el expediente. La caducidad del expediente se produce si una vez transcurrido este plazo se solicita que se archiven las actuaciones y dentro de los treinta días siguientes no se dicta resolución. Una vez caducado el expediente, no se puede volver a iniciar dentro de los años siguientes, salvo que lo pida el titular del bien.

Artículo 11. Contenido de la declaración

1. La declaración de un bien cultural de interés nacional incluirá las siguientes especificaciones:

a) Una descripción clara y precisa del bien o los bienes, que permita su identificación, con sus pertenencias y accesorios, si los hubiera, y que determine, en el caso de que se tratara de bienes inmuebles, si la declaración incluye el subsuelo y, si procede, los bienes muebles vinculados al inmueble, los cuales también tendrán la consideración de bienes culturales de interés nacional.

b) En el caso de los bienes inmuebles, la clase que les ha sido asignado, de acuerdo con el artículo 7, y, si procede, la delimitación del entorno necesario para la protección adecuada del bien. El entorno, que puede incluir el subsuelo, está constituido por el espacio, ya sea edificado o no, que da apoyo ambiental al bien y cuya alteración puede afectar a los valores, a la contemplación o al estudio del mismo.

2. La declaración de un bien cultural de interés nacional establecerá, en caso de que el uso al que se destine el bien sea incompatible con su preservación, la paralización o la modificación de ese uso, en cuyo caso se fijará la indemnización correspondiente.

3. La declaración de un bien cultural de interés nacional puede incluir la determinación de los criterios básicos que, con carácter específico, regirán las intervenciones sobre dicho bien.

Artículo 12. Notificación y publicación de la declaración

La declaración de un bien cultural de interés nacional se notificará a los interesados y a los ayuntamientos de los municipios donde radica el bien. Además, la declaración se publicará en el «Diari Oficial de la Generalitat de Catalunya» y en el «Boletín Oficial del Estado».

Artículo 13. Registro de Bienes Culturales de Interés Nacional

1. Los bienes culturales de interés nacional serán inscritos en el Registro de Bienes Culturales de Interés Nacional, en el que también se anotará preventivamente la incoación de los expedientes de declaración. Corresponde al Departamento de Cultura gestionar este Registro.

2. El Registro de Bienes Culturales de Interés Nacional reflejará todos los actos que se realicen sobre los bienes en él inscritos, si pueden afectar al contenido de la declaración. Es obligación del titular de un bien cultural de interés nacional comunicar al Registro todos los actos jurídicos y técnicos que puedan afectar a dicho bien.

3. Los datos del Registro de Bienes Culturales de Interés Nacional son públicos, salvo las informaciones que deban protegerse debido a la seguridad de los bienes o de sus titulares, la intimidad de las personas y los secretos comerciales y científicos protegidos por la ley.

4. De las inscripciones y las anotaciones en el Registro de Bienes Culturales de Interés Nacional, se dará cuenta al Registro General de Bienes de Interés Cultural de la Administración del Estado, para que se hagan las consiguientes inscripciones y anotaciones en el mismo.

5. En caso de monumentos y jardines históricos, el Departamento de Cultura o el ayuntamiento correspondiente, si es su propietario, instarán de oficio la inscripción en el Registro de la Propiedad de la declaración de dichos bienes como bienes culturales de interés nacional.

Artículo 14. Procedimiento para dejar sin efecto una declaración

1. La declaración de un bien cultural de interés nacional únicamente puede dejarse sin efecto si se siguen los mismos trámites y requisitos que son necesarios para la declaración, con el informe previo, expreso y vinculante, de las instituciones a que se refiere el artículo 8.3.

2. No se pueden invocar como causas determinantes para dejar sin efecto la declaración de un bien cultural de interés nacional las que deriven del incumplimiento de las obligaciones de conservación y mantenimiento reguladas por esta Ley.

CAPÍTULO II. Bienes catalogados

Artículo 15. Definición

Los bienes integrantes del patrimonio cultural catalán que, pese a su significación e importancia, no cumplan las condiciones propias de los bienes culturales de interés nacional serán incluidos en el Catálogo del Patrimonio Cultural Catalán.

Artículo 16. Catalogación de bienes muebles

1. La inclusión de bienes muebles en el Catálogo del Patrimonio Cultural Catalán se hace por resolución del consejero de Cultura. Los bienes muebles pueden ser catalogados singularmente o como colección.

2. Son aplicables a la tramitación de expedientes de catalogación de bienes muebles las normas generales de procedimiento administrativo. La caducidad de los expedientes

se rige por el artículo 10, si bien en ese caso el plazo para resolver los expedientes es de dieciséis meses.

3. El Catálogo del Patrimonio Cultural Catalán reflejará todos los actos que se realicen sobre los bienes en él inscritos, si pueden afectar a su catalogación. Es obligación del titular de un bien catalogado comunicar al Catálogo todos los actos jurídicos y técnicos que puedan afectar dicho bien.

4. De las inscripciones en el Catálogo del Patrimonio Cultural Catalán es preciso dar cuenta al Inventario General de Bienes Muebles de la Administración del Estado, para que se hagan las correspondientes inscripciones.

Artículo 17. Catalogación de bienes inmuebles

1. La catalogación de bienes inmuebles se efectúa mediante su declaración como bienes culturales de interés local.

2. La competencia para la declaración de bienes culturales de interés local corresponde al pleno del ayuntamiento, en los municipios de más de cinco mil habitantes, y al pleno del consejo comarcal, en los municipios de hasta cinco mil habitantes. La declaración se llevará a cabo con la tramitación previa del expediente administrativo correspondiente, en el que constará el informe favorable de un técnico en patrimonio cultural.

3. El acuerdo de declaración de un bien cultural de interés local será comunicado al Departamento de Cultura, para que haga la inscripción del mismo en el Catálogo del Patrimonio Cultural Catalán.

4. La declaración de un bien cultural de interés local únicamente puede dejarse sin efecto si se sigue el mismo procedimiento prescrito para la declaración y con el informe favorable previo del Departamento de Cultura.

5. Toda la catalogación de bienes inmuebles contendrá los yacimientos arqueológicos del término municipal que han sido declarados espacios de protección arqueológica.

CAPÍTULO III. Los restantes bienes integrantes del patrimonio cultural catalán

Artículo 18. Definición

1. Además de los bienes culturales de interés nacional y los bienes catalogados forman parte también del patrimonio cultural catalán los bienes muebles e inmuebles que, pese a no haber sido objeto de declaración ni de catalogación, reúnen los valores descritos en el artículo 1.

2. En cualquier caso, forman parte del patrimonio cultural catalán los siguientes bienes muebles:

a) Las colecciones y los ejemplares singulares de zoología, botánica, mineralogía y anatomía y los objetos de interés paleontológico.

b) Los bienes que constituyen puntos de referencia importantes de la historia.

c) El producto de las intervenciones arqueológicas.

d) Los bienes de interés artístico.

e) El mobiliario, los instrumentos musicales, las inscripciones, las monedas y los sellos grabados de más de cien años de antigüedad.

f) El patrimonio etnológico mueble.

g) El patrimonio científico, técnico e industrial mueble.

h) El patrimonio documental y el patrimonio bibliográfico.

Artículo 19. Patrimonio documental

1. A los efectos de esta Ley, se entiende por documento toda expresión en lenguaje oral, escrito, de imágenes o de sonidos, natural o codificado, recogida en cualquier tipo

de soporte material, y cualquier otra expresión gráfica que constituya un testimonio de las funciones y actividades sociales del hombre y de los grupos humanos, con exclusión de las obras de investigación o de creación.

2. Integran el patrimonio documental de Cataluña los documentos que se incluyen en alguno de los supuestos siguientes:

a) Los documentos producidos o recibidos, en el ejercicio de sus funciones y como consecuencia de su actividad política y administrativa, por la Generalidad, por los entes locales y por las entidades autónomas, las empresas públicas y las demás entidades que dependen de ellos.

b) Los documentos de más de cuarenta años de antigüedad producidos o recibidos, en el ejercicio de sus funciones, por personas jurídicas de carácter privado que desarrollan su actividad en Cataluña.

c) Los documentos de más de cien años de antigüedad producidos o recibidos por cualquier persona física y los documentos de menor antigüedad que hayan sido producidos en soportes de caducidad inferior a los cien años, como en el caso de los audiovisuales en soporte fotoquímico o magnético, de acuerdo con lo que se establezca por reglamento.

d) Los documentos comprendidos en fondos conservados en archivos de titularidad pública de Cataluña.

e) Los documentos no comprendidos en los apartados anteriores que se integren al mismo por resolución del consejero o consejera de Cultura, previo informe del Consejo Nacional de Archivos, dados sus valores históricos o culturales.

3. Todos los documentos de los órganos de la Administración del Estado, de las notarías y los registros públicos y de los órganos de la Administración de justicia radicados en Cataluña forman parte también del patrimonio documental de Cataluña, sin perjuicio de la legislación del Estado que les sea aplicable.

4. Los documentos de los órganos de la Comunidad Europea radicados en Catalunya forman parte también del patrimonio documental de Cataluña, sin perjuicio de la normativa comunitaria que les sea aplicable.

Artículo 20. Patrimonio bibliográfico

1. A efectos de esta Ley, son bienes bibliográficos las obras de investigación o de creación manuscritas, impresas, de imágenes, de sonidos o reproducidas en cualquier tipo de soporte.

2. Integran el patrimonio bibliográfico de Cataluña los siguientes bienes bibliográficos:

a) Los ejemplares de la producción bibliográfica catalana que son objeto de depósito legal y los que tienen alguna característica relevante que los individualice.

b) Los ejemplares de obras integrantes de la producción bibliográfica catalana y de la relacionada por cualquier motivo con el ámbito lingüístico catalán de las que no conste que haya al menos dos ejemplares en bibliotecas públicas de Cataluña.

c) Las obras de más de cien años de antigüedad, las obras manuscritas y las obras de menor antigüedad que hayan sido producidas en soportes de caducidad inferior a los cien años, de acuerdo con lo que se establezca por reglamento.

d) Los bienes comprendidos en fondos conservados en bibliotecas de titularidad pública.

e) Todas las obras y los fondos bibliográficos conservados en Cataluña que, pese a no estar comprendidos en los apartados anteriores, estén integrados en ellos por resolución del consejero de Cultura, atendiendo a su singularidad, a su unidad temática o al hecho de haber sido reunidos por una personalidad relevante.

TÍTULO II. Protección del patrimonio cultural catalán

CAPÍTULO I. Régimen común de los bienes muebles e inmuebles

Sección 1ª. Régimen aplicable a todos los bienes integrantes del patrimonio cultural catalán

Artículo 21. Deber de conservación

1. Todos los bienes integrantes del patrimonio cultural catalán serán conservados por sus propietarios y poseedores. Se pueden establecer por reglamento procedimientos para la expurgación y la eliminación de determinadas clases de bienes, si no han sido declarados de interés nacional ni han sido catalogados.

2. Los titulares de bienes integrantes del patrimonio cultural facilitarán información sobre el estado de los bienes y sobre su utilización, si se lo pide la Administración.

3. Las personas referidas en el apartado 1, atendiendo al deber de información sobre el estado de los bienes, deben comunicar a la administración competente, de acuerdo con el artículo 36, cualquier cambio en el uso de los bienes, incluyendo la finalización de la actividad que se realiza en ellos, con el fin de que la Administración pueda asegurar que en esta nueva circunstancia se garantizarán los deberes de conservación y mantenimiento. A estos efectos, todos los propietarios y titulares de otros derechos reales y poseedores sobre estos bienes deben comunicar a la Administración las circunstancias a las que se refiere este apartado con un preaviso mínimo de seis meses, a fin de que la Administración conozca la situación y, en su caso, pueda tomar las medidas necesarias para garantizar la preservación efectiva de los bienes.

Artículo 22. Derechos de tanteo y de retracto

1. La Administración de la Generalidad puede ejercer el derecho de tanteo sobre las transmisiones onerosas de la propiedad o de cualquier derecho real sobre los bienes culturales de interés nacional, sobre los bienes muebles catalogados o sobre los restantes bienes muebles integrantes del patrimonio cultural catalán, con carácter preferente respecto de cualquier otra administración pública. Los consejos comarcales y los ayuntamientos pueden ejercer subsidiariamente el mismo derecho respecto de los bienes inmuebles de interés nacional.

2. Los propietarios o titulares de derechos reales sobre los bienes mencionados en el apartado 1 deben notificar fehacientemente al Departamento de Cultura la intención de transmitir los bienes o los derechos, y deben indicar su precio, las condiciones de la transmisión y la identidad del adquiriente. Si la transmisión afecta a un bien inmueble, el Departamento de Cultura debe comunicar esta circunstancia al consejo comarcal y al ayuntamiento correspondientes.

3. En el plazo de dos meses a contar desde la notificación a la que se refiere el apartado 2, la Administración de la Generalidad, y subsidiariamente los consejos comarcales y los ayuntamientos, pueden ejercer el derecho de tanteo. El derecho de tanteo puede ejercerse en beneficio de otras instituciones públicas o de entidades privadas sin ánimo de lucro, en las condiciones que en cada caso se establezcan.

4. Si la transmisión a la que se refiere el apartado 2 no se notifica o no se formaliza en las condiciones notificadas, la Administración de la Generalidad, y subsidiariamente los consejos comarcales y los ayuntamientos, pueden ejercer el derecho de retracto, en los mismos términos establecidos para el derecho de tanteo, en el plazo de dos meses a contar desde el momento en que la Generalidad tiene conocimiento fehaciente de la transmisión.

5. Lo establecido por el presente artículo no es aplicable a los inmuebles integrantes de conjuntos históricos que no tienen la condición de monumentos ni a los inmuebles incluidos en entornos de protección.

6. Los derechos de tanteo y retracto pueden ser ejercidos por los consejos comarcales y los ayuntamientos, respecto a los inmuebles catalogados, en los mismos términos que establecen los apartados anteriores. En caso de concurrencia, es preferente el derecho del ayuntamiento. Los propietarios o titulares de otros derechos reales sobre inmuebles catalogados deben notificar las transmisiones de los mismos al ayuntamiento y al consejo comarcal en los términos establecidos por el presente artículo.

7. La Administración de la Generalidad puede ejercer los derechos de tanteo y retracto sobre cualquier bien integrante del patrimonio cultural catalán que se subaste en Cataluña. A tal efecto, los subastadores deben notificar al Departamento de Cultura, con la antelación que se fije por reglamento, las subastas que afecten a los bienes mencionados. La Generalidad puede ejercer estos derechos en beneficio de otra entidad pública o de una entidad privada sin finalidad de lucro.

Artículo 23. Suspensión de intervenciones

1. El Departamento de Cultura puede impedir cualquier obra o intervención en bienes integrantes del patrimonio cultural no declarados de interés nacional. A este efecto, requerirá al ayuntamiento correspondiente para que adopte las medidas necesarias para la efectividad de la suspensión y, si éste no lo hace, puede adoptarlas subsidiariamente. El Departamento de Cultura, con el informe previo del ayuntamiento, resolverá en el plazo de dos meses a favor de la continuación de la obra o la intervención suspendida o a favor de la incoación de expediente de declaración de bien cultural de interés nacional.

2. A fin de preservar los valores culturales de un bien inmueble, los ayuntamientos podrán suspender la tramitación de la concesión de una licencia de obras y solicitar al Departamento de Cultura la incoación de un expediente de declaración de bien cultural de interés nacional.

Artículo 24. Exportación

La exportación o expedición de los bienes integrantes del patrimonio cultural catalán se rigen por la legislación del Estado o de la Comunidad Europea.

Sección 2ª. Régimen aplicable a los bienes culturales de interés nacional y a los bienes catalogados

Artículo 25. Deber de preservación y mantenimiento

1. Los propietarios, poseedores o titulares de derechos reales sobre bienes culturales de interés nacional o bienes catalogados los preservarán y mantendrán para asegurar la integridad de su valor cultural. El uso al que se destinen estos bienes garantizará siempre su conservación.

2. Los bienes culturales de interés nacional y los bienes catalogados no pueden ser destruidos.

3. Los propietarios, poseedores o titulares de derechos reales sobre bienes culturales de interés nacional o bienes catalogados permitirán el acceso de los especialistas a dichos bienes, a fin de que puedan estudiarlos y catalogarlos convenientemente.

Artículo 26. Derechos de tanteo y de retracto
—

Artículo 26 derogado por el número 2 del artículo 94 de la Ley [CATALUÑA] 5/2012, 20 marzo, de medidas fiscales, financieras y administrativas y de creación del impuesto sobre las estancias en establecimientos turísticos (D.O.G.C. 23 marzo)

Artículo 27. Escrituras públicas

Para la formalización de escrituras públicas de adquisición de bienes culturales de interés nacional o de bienes catalogados o de transmisión de derechos reales sobre estos bienes debe acreditarse previamente el cumplimiento de lo establecido por el artículo 22. Esta acreditación también es necesaria para la inscripción de los títulos correspondientes.

Artículo 28. Limitaciones a la transmisión

1. Los bienes culturales de interés nacional y los bienes muebles catalogados que son propiedad de la Generalidad o de las administraciones locales de Cataluña son imprescriptibles e inalienables, salvo las transmisiones que puedan efectuarse entre administraciones.

2. La transmisión de los bienes de las instituciones eclesiásticas se rige por la legislación estatal.

Sección 3ª. Régimen aplicable a los bienes culturales de interés nacional

Artículo 29. Programas de actuaciones de conservación

Los titulares de bienes culturales de interés nacional, en cumplimiento del deber de conservación, presentarán al Departamento de Cultura, si el mantenimiento adecuado de los bienes lo requiere, un programa que especifique la previsión de las actuaciones necesarias para la conservación de dichos bienes.

Artículo 30. Acceso a los bienes culturales de interés nacional

1. Los propietarios, poseedores y titulares de derechos reales sobre bienes culturales de interés nacional están obligados a permitir:

a) El examen y estudio de los bienes por los investigadores reconocidos por alguna institución académica, con la presentación previa de una solicitud razonada, avalada por el Departamento de Cultura.

b) La colocación de elementos señalizadores de su condición de bienes culturales de interés nacional.

c) La visita pública de los bienes, en las condiciones que se establezcan por reglamento, al menos cuatro días al mes y en días y horas previamente señalados.

2. A los efectos de lo que dispone el apartado 1.c), en la determinación del régimen de visitas se tendrá en cuenta el tipo de bienes, sus características y, en el caso de bienes inmuebles, el informe del ayuntamiento afectado. En casos justificados, el Departamento de Cultura puede dispensar, total o parcialmente, del régimen de visitas. En el caso de bienes muebles, el Departamento de Cultura puede establecer, como medida alternativa a la visita pública, el depósito de los bienes en un centro cultural, para que sean exhibidos en los plazos y con las condiciones que se establezcan por reglamento.

CAPÍTULO II. Régimen de protección de los bienes inmuebles

Sección 1ª. Régimen aplicable a los bienes inmuebles de interés nacional

Artículo 31. Revisión de licencias urbanísticas

Una vez producida la declaración de un inmueble como bien cultural de interés nacional el Departamento de Cultura emitirá, en el plazo de cuatro meses, habiendo oído al ayuntamiento correspondiente, un informe vinculante sobre las licencias urbanísticas suspendidas por la incoación del expediente. Si, como consecuencia de este informe, el ayuntamiento ha de modificar o anular una licencia, el Departamento de Cultura se hará cargo de la indemnización correspondiente, si procede, aplicando los criterios que establece la legislación urbanística.

Artículo 32. Prohibición de derribo

1. Los bienes inmuebles de interés nacional sólo pueden derribarse, parcial o totalmente, si han perdido los valores culturales que se tomaron en consideración a la hora de calificarlos. Previamente al derribo de los inmuebles es necesario haber efectuado los trámites necesarios para dejar sin efecto su declaración y, en caso de que tengan en el subsuelo restos de interés arqueológico, es necesario haber efectuado en el mismo la intervención arqueológica preceptiva.

2. Lo que establece el apartado 1 no es aplicable a los inmuebles integrantes de conjuntos históricos, lugares históricos, zonas de interés etnológico o entornos de protección, los cuales se rigen por lo que establece el instrumento de planeamiento al que hace referencia el artículo 33.2. A falta de este instrumento, sólo se puede hacer el derribo si lo ha autorizado previamente el Departamento de Cultura.

Artículo 33. Planeamiento urbanístico

1. En caso de que un inmueble sea declarado de interés nacional, los términos de la declaración prevalecen sobre los planes y las normas urbanísticas que afectan al inmueble, que se ajustarán a ellos antes de ser aprobados o bien, si ya eran vigentes antes de la declaración, mediante modificación.

2. En el caso de los conjuntos históricos, las zonas arqueológicas, las zonas paleontológicas, los lugares históricos y las zonas de interés etnológico y en el caso de los entornos de protección de cualquier bien cultural de interés nacional, el ayuntamiento correspondiente elaborará un instrumento urbanístico de protección o adecuará uno vigente. La aprobación de estos instrumentos de planeamiento requiere el informe favorable del Departamento de Cultura.

Artículo 34. Autorización de obras

1. Cualquier intervención que se pretenda realizar en un monumento histórico, un jardín histórico, una zona arqueológica o una zona paleontológica de interés nacional será autorizada por el Departamento de Cultura, en el plazo que se establezca por reglamento, previamente a la concesión de la licencia municipal.

2. En el caso de las intervenciones en bienes culturales de interés nacional diferentes a los mencionados en el apartado 1 y en todos los entornos de protección, la autorización del Departamento de Cultura sólo es preceptiva mientras no hayan sido aprobados los instrumentos de planeamiento a los que hace referencia el artículo 33.2.

3. Cualquier proyecto de intervención en un bien inmueble de interés nacional incluirá un informe sobre sus valores históricos, artísticos y arqueológicos y sobre su estado actual, y también de evaluación del impacto de la intervención que se propone.

4. La potestad del Departamento de Cultura a la que hacen referencia los apartados 1 y 2 se ejercerá en el marco de los criterios básicos y generales fijados por el artículo 35 y de los criterios específicos que pueda contener cada declaración, sin perjuicio del margen de apreciación discrecional necesario para valorar en cada supuesto la compatibilidad de la intervención proyectada con la preservación de los valores culturales del bien.

5. Los ayuntamientos notificarán al Departamento de Cultura, simultáneamente a la notificación al interesado, las licencias urbanísticas que afecten a bienes culturales de interés nacional.

6. Si, como consecuencia del mal estado de un inmueble de interés nacional, el ayuntamiento correspondiente debe adoptar medidas para evitar daños a terceros, es necesario que lo comunique previamente al Departamento de Cultura, el cual dispone de un plazo de cuarenta y ocho horas para determinar las condiciones a las que se sujetará la intervención.

Artículo 35. Criterios de intervención

1. Cualquier intervención en un monumento histórico, un jardín histórico, una zona arqueológica o una zona paleontológica de interés nacional respetará los criterios siguientes:

a) La conservación, recuperación, restauración, mejora y utilización del bien respetarán los valores que motivaron la declaración, sin perjuicio que pueda autorizarse el uso de elementos, técnicas y materiales contemporáneos para la mejor adaptación del bien a su uso y para valorar determinados elementos o épocas.

b) Se permitirá el estudio científico de las características arquitectónicas, históricas y arqueológicas del bien.

c) Se conservarán las características tipológicas de ordenación espacial, volumétricas y morfológicas más remarcables del bien.

d) Queda prohibido reconstruir total o parcialmente el bien, excepto en los casos en que se utilicen partes originales, así como hacer adiciones miméticas que falseen su autenticidad histórica.

e) Queda prohibido eliminar partes del bien, excepto en caso de que conlleven la degradación del bien o de que la eliminación permita una mejor interpretación histórica. En estos casos, es necesario documentar las partes que deban ser eliminadas.

f) Queda prohibido colocar publicidad, cables, antenas y conducciones aparentes en las fachadas y cubiertas del bien y colocar instalaciones de servicios públicos o privados que alteren gravemente su contemplación.

2. Las intervenciones en los conjuntos históricos de interés nacional respetarán los criterios siguientes:

a) Se mantendrán la estructura urbana y arquitectónica del conjunto y las características generales del ambiente y de la silueta paisajística. No se permiten modificaciones de alineaciones, alteraciones en la edificabilidad, parcelaciones ni agregaciones de inmuebles, excepto que contribuyan a la conservación general del carácter del conjunto.

b) Se prohíben las instalaciones urbanas, eléctricas, telefónicas y cualesquiera otras, tanto aéreas como adosadas a la fachada, que se canalizarán soterradas. Las antenas de televisión, las pantallas de recepción de ondas y los dispositivos similares se situarán en lugares en que no perjudiquen la imagen urbana o de parte del conjunto.

c) Se prohíbe colocar anuncios y rótulos publicitarios. Los rótulos que anuncien servicios públicos, los de señalización y los comerciales serán armónicos con el conjunto.

3. El volumen, la tipología, la morfología y el cromatismo de las intervenciones en los entornos de protección de los bienes inmuebles de interés nacional no pueden alterar el carácter arquitectónico y paisajístico del área ni perturbar la visualización del bien. En los entornos de los inmuebles de interés nacional se prohíbe cualquier movimiento de tierras que conlleve una alteración grave de la geomorfología y la topografía del territorio y cualquier vertido de basura, escombros o desechos.

Artículo 36. Autorización de los cambios de uso

1. Los cambios de uso de un monumento serán autorizados por el Departamento de Cultura, con informe del ayuntamiento afectado, previamente a la concesión de la licencia municipal correspondiente.

2. Los cambios de uso de los bienes culturales de interés local debe autorizarlos la administración que los ha declarado, ya sea un ayuntamiento o un consejo comarcal, y están condicionados al informe favorable del responsable de patrimonio del municipio afectado, de modo que el uso propuesto del bien cultural de interés local sea compatible con su protección.

Artículo 37. Desplazamiento de inmuebles

Los inmuebles de interés nacional son inseparables de su entorno. Sólo se puede proceder a hacer el alzamiento o el desplazamiento de los mismos en los términos fijados por la legislación estatal y, en cualquier caso, con el informe favorable previo del Departamento de Cultura, con la licencia urbanística correspondiente y una vez hecha la intervención arqueológica, si procede, en el subsuelo.

Artículo 38. Expropiación

La Administración de la Generalidad y las administraciones locales pueden acordar la expropiación, por causa de interés social, de los inmuebles que dificulten la utilización o la contemplación de los bienes culturales de interés nacional, atenten contra su armonía ambiental o conlleven un riesgo para su conservación.

Sección 2ª. Régimen aplicable a los bienes inmuebles catalogados

Artículo 39. Régimen de protección

La declaración de un inmueble como bien cultural de interés local conlleva la aplicación inmediata del régimen jurídico que esta Ley establece para los bienes catalogados. Cualquier norma adicional de protección de estos bienes se establecerá por medio de los instrumentos determinados por la legislación urbanística.

CAPÍTULO III. Régimen de protección de los bienes muebles

Sección 1ª. Régimen aplicable a todos los bienes muebles integrantes del patrimonio cultural catalán

Artículo 40. Deber de información

1. Los propietarios o poseedores de bienes muebles integrantes del patrimonio cultural catalán que se ajusten a las características y las condiciones que se establezcan por reglamento comunicarán su existencia al Departamento de Cultura, el cual lo notificará al ayuntamiento correspondiente.

2. El Departamento de Cultura puede requerir a los titulares de los bienes a los que se refiere el apartado 1 para que faciliten las informaciones necesarias sobre los bienes y permitan su examen material.

Artículo 41. Comercio

1. Las personas y las entidades que se dediquen habitualmente al comercio de bienes integrantes del patrimonio cultural catalán llevarán un libro-registro, legalizado por el Departamento de Cultura, en el que constarán las transacciones que afecten a los bienes a los que se refiere el artículo 40.1. Se anotarán en el libro-registro los datos de identificación del objeto y de las partes que intervienen en cada transacción.

2. El Departamento de Cultura llevará un registro de las empresas que se dedican habitualmente al comercio de los objetos a los que se refiere el apartado 1. Dichas empresas se inscribirán en el registro, con los requisitos que se establezcan por reglamento, para poder ejercer su actividad.

Artículo 42. Reproducción y restauración

El Departamento de Cultura y las administraciones públicas de Cataluña promoverán la utilización de medios técnicos para reproducir los bienes muebles integrantes del patrimonio cultural catalán, especialmente los incluidos en el patrimonio documental y bibliográfico, si lo requiere su conservación. También emprenderán las actuaciones necesarias para restaurar los fondos deteriorados o que se hallen en peligro de malograrse.

Sección 2ª. Régimen aplicable a los bienes muebles de interés nacional y a los bienes muebles catalogados

Artículo 43. Conservación

1. Cualquier modificación, reparación, restauración o actuación de otro tipo sobre bienes muebles de interés nacional o sobre bienes muebles catalogados no prevista en el programa de actuaciones regulado por el artículo 29 será aprobada previamente por el Departamento de Cultura.

2. Si la conservación de bienes muebles de interés nacional o de bienes muebles catalogados puede quedar comprometida por las condiciones de su lugar de ubicación, el Departamento de Cultura, con el informe previo del ayuntamiento afectado, acordará el depósito provisional de los mismos en un lugar que cumpla las condiciones adecuadas de seguridad y de conservación, con preferencia por los más cercanos a la ubicación original del bien. También acordará el depósito provisional de estos bienes en el caso de que los titulares incumplan la obligación de conservarlos.

Artículo 44. Comunicación de traslados

El traslado de bienes muebles de interés nacional o de bienes catalogados se comunicará al Departamento de Cultura, para que lo haga constar en el registro o el catálogo correspondientes. El Departamento de Cultura comunicará inmediatamente el traslado al ayuntamiento afectado.

Artículo 45. Integridad de las colecciones

1. Las colecciones declaradas de interés nacional o catalogadas que sólo siendo consideradas como una unidad reúnan los valores propios de estos bienes no pueden ser disgregadas por sus titulares o poseedores sin autorización del Departamento de Cultura.

2. Los bienes muebles declarados de interés nacional por su vinculación a un inmueble, de acuerdo con el artículo 11.1, son inseparables de éste sin autorización del Departamento de Cultura.

3. Se dará conocimiento a los ayuntamientos afectados de las disgregaciones de colecciones y de las separaciones de bienes muebles del inmueble al que pertenecen.

CAPÍTULO IV. Normas específicas de protección del patrimonio arqueológico

Artículo 46. Concepto de patrimonio arqueológico y regímenes de protección

1. Los bienes muebles e inmuebles de carácter histórico para cuyo estudio es preciso utilizar metodología arqueológica integran el patrimonio arqueológico catalán. También lo integran los elementos geológicos y paleontológicos relacionados con el ser humano y con sus orígenes y antecedentes.

2. La protección de los bienes a los que se refiere el apartado 1 se establece por medio de su declaración como bienes culturales de interés nacional o mediante su catalogación y, en cualquier caso, con la aplicación de las reglas específicas de este capítulo.

3. En la tramitación de proyectos de obras, instalaciones o actividades que se han de someter al procedimiento de evaluación de impacto ambiental y que afecten a bienes integrantes del patrimonio arqueológico, se solicitará informe del Departamento de Cultura.

Artículo 47. Autorización de intervenciones arqueológicas

1. La realización en el ámbito territorial de Cataluña de intervenciones arqueológicas y paleontológicas, terrestres o subacuáticas, requiere la autorización previa del Departamento de Cultura, sin perjuicio de la licencia municipal que sea preceptiva según la legislación urbanística. En caso de silencio del Departamento de Cultura, se entenderá que la autorización ha sido denegada.

2. Se consideran intervenciones arqueológicas y paleontológicas los estudios directos de arte rupestre y las prospecciones, los sondeos, las excavaciones, los controles y cualquier otra intervención, con remoción de terrenos o sin ella, que tenga por finalidad descubrir, documentar o investigar restos arqueológicos o paleontológicos.

3. Para el otorgamiento de la autorización a la que se refiere el apartado 1 es preciso acompañar la solicitud de un proyecto que acredite la conveniencia y el interés científico de la intervención, avale la idoneidad técnica y científica de los directores y garantice la capacidad económica de los promotores.

4. Se determinarán por reglamento los diferentes tipos de intervenciones arqueológicas, su alcance, los requisitos que deben cumplir las solicitudes, la titulación y la capacidad técnica de los directores y las condiciones a las que debe quedar sujeta la autorización.

Artículo 48. Intervenciones por obras en bienes inmuebles de interés nacional

1. Si el Departamento de Cultura determina, como requisito previo para la realización de cualquier tipo de obra que afecte a una zona arqueológica o paleontológica o a otro bien cultural inmueble de interés nacional, la necesidad de realizar intervenciones arqueológicas, el promotor presentará un proyecto arqueológico, de acuerdo con lo que establece el artículo 47.

2. Si el promotor al que se refiere el apartado 1 es un particular, el Departamento de Cultura colaborará en la financiación del coste de ejecución del proyecto.

Artículo 49. Espacios de protección arqueológica

1. Se consideran espacios de protección arqueológica los lugares que no han sido declarados de interés nacional donde, por evidencias materiales, por antecedentes históricos o por otros indicios, se presume la existencia de restos arqueológicos o paleontológicos.

2. Los espacios de protección arqueológica se determinan por resolución del consejero de Cultura, con audiencia previa de los interesados y del ayuntamiento afectado. Se dará cuenta al ayuntamiento y a los interesados de la resolución, que no será publicada en el «Diari Oficial de la Generalitat de Catalunya».

3. Los promotores de obras y de otras intervenciones en solares o edificaciones que se hallen en espacios de protección arqueológica presentarán, junto con la solicitud de licencia de obras, un estudio de la incidencia que las obras pueden tener en los restos arqueológicos, elaborado por un profesional especializado en esta materia. Para la concesión de la licencia es preciso el informe favorable del Departamento de Cultura. Este informe puede exigir, como condición para la ejecución de las obras, la realización y la ejecución de un proyecto arqueológico, cuya financiación se rige por lo dispuesto en el artículo 48.2 y en el cual puede colaborar el ayuntamiento afectado.

Artículo 50. Intervenciones arqueológicas de la Administración

El Departamento de Cultura puede ejecutar directamente las intervenciones arqueológicas que considere oportunas. También las corporaciones locales pueden ejecutarlas en el marco de sus competencias, con las garantías científicas y técnicas adecuadas, con la autorización previa del Departamento de Cultura de conformidad con lo establecido en el artículo 47. Estas actuaciones se inspirarán en el principio de mayor economía en los perjuicios que se puedan ocasionar a los particulares. Las indemnizaciones que puedan corresponder se rigen por lo que establece la legislación sobre expropiación forzosa.

Artículo 51. Descubrimiento de restos arqueológicos

1. Los descubrimientos de restos con valor arqueológico hechos por azar y los de carácter singular producidos como consecuencia de una intervención arqueológica se comunicarán en el plazo de cuarenta y ocho horas al Departamento de Cultura o al ayuntamiento correspondiente, y en ningún caso se puede dar conocimiento público de ellos antes de haber informado a dichas administraciones. El plazo para la comunicación de los descubrimientos que no tengan carácter singular y sean consecuencia de intervenciones arqueológicas se establecerá por reglamento.

2. El ayuntamiento que sea informado del descubrimiento de restos arqueológicos lo notificará al Departamento de Cultura en el plazo de una semana. Igualmente, el Departamento de Cultura notificará al ayuntamiento correspondiente los descubrimientos que le sean comunicados, y también informará de ello al propietario del lugar donde se haya efectuado el hallazgo.

3. El descubridor de restos arqueológicos hará entrega del bien, en el plazo de cuarenta y ocho horas, al ayuntamiento correspondiente, a un museo público de Cataluña o al Departamento de Cultura, salvo que sea necesario efectuar remoción de tierras para hacer la extracción del bien, dadas sus características, o salvo que se trate de un hallazgo subacuático, en cuyos supuestos el objeto permanecerá en el emplazamiento originario. Por lo que respecta a los descubrimientos como consecuencia de intervenciones arqueológicas, la regulación de la entrega se hará por reglamento. En todos los casos, mientras el descubridor no efectúa la entrega, se le aplican las normas del depósito legal.

4. Los derechos de carácter económico que puedan corresponder al descubridor de restos arqueológicos y al propietario del lugar donde se ha hecho el hallazgo se rigen por la normativa estatal. Estos derechos son satisfechos por la Administración de la Generalidad, salvo que ésta establezca acuerdos con otras administraciones públicas.

5. Corresponde al Departamento de Cultura determinar el lugar del depósito definitivo de los restos arqueológicos hallados, teniendo en cuenta los criterios de la mayor proximidad al lugar del hallazgo y de idoneidad de las condiciones de conservación y seguridad de los bienes, sin perjuicio de la aplicación de otros criterios derivados de las necesidades de la ordenación museística general.

Artículo 52. Suspensión de obras

1. Si durante la ejecución de una obra, sea del tipo que sea, se hallan restos u objetos con valor arqueológico, el promotor o la dirección facultativa de la obra paralizarán inmediatamente los trabajos, tomarán las medidas adecuadas para la protección de los restos y comunicarán su descubrimiento, en el plazo de cuarenta y ocho horas, al Departamento de Cultura, el cual dará traslado de esta comunicación al ayuntamiento.

2. En el plazo de veinte días a contar desde la comunicación a la que se refiere el apartado 1, el Departamento de Cultura llevará a cabo las actividades de comprobación correspondientes a fin de determinar el interés y el valor arqueológico de los hallazgos, en cuyas actividades colaborará el promotor de la obra, con los medios que tenga allí desplazados.

3. La suspensión de las obras a las que se refiere el apartado 2 no da lugar a indemnización. No obstante, la Administración puede ampliar el plazo de suspensión, si es necesario para completar la investigación arqueológica, en cuyo supuesto, si la obra es de promoción privada, se aplican las normas generales sobre responsabilidad de las administraciones públicas y no se aplica el plazo de dos meses establecido por el artículo 23.1.

Artículo 53. Titularidad de los descubrimientos

Los bienes que de acuerdo con el artículo 44 de la Ley del Estado 16/1985, de 25 de junio, del patrimonio histórico español, tienen la consideración de dominio público y son descubiertos en Cataluña se integran en el patrimonio de la Generalidad. No obstante, si los derechos económicos a los que hace referencia el artículo 51.4 son satisfechos por otra Administración pública, los bienes se integran en el patrimonio de esta Administración.

TÍTULO III. Medidas de fomento y difusión

CAPÍTULO I. Fomento

Artículo 54. Normas generales

1. Las ayudas de las administraciones públicas para la investigación, la documentación, la conservación, la recuperación, la restauración y la difusión de los bienes integrantes del patrimonio cultural se concederán de acuerdo con criterios de publicidad, concurrencia y objetividad y dentro de las previsiones presupuestarias.

2. En el otorgamiento de las medidas de fomento a las que se refiere este capítulo se fijarán las garantías necesarias para evitar la especulación con bienes que se adquieren, se conservan, se restauran o se mejoran con ayudas públicas.

3. Las personas y las entidades que no cumplan el deber de conservación establecido por esta Ley no se pueden acoger a las medidas de fomento.

4. La Generalidad puede propiciar la participación de entidades privadas y de particulares en la financiación de las actuaciones de fomento a las que se refiere este capítulo.

Artículo 55. Ayudas para la investigación, la conservación y la rehabilitación

1. La Administración de la Generalidad establecerá un programa anual de inversiones y ayudas para la investigación, la documentación, la conservación, la recuperación, la restauración y la mejora del patrimonio cultural, con las dotaciones presupuestarias correspondientes.

2. Si en el plazo de ocho años a contar desde el otorgamiento de una de las ayudas a las que se refiere el apartado 1 la Administración adquiere el bien, se deducirá del precio de adquisición una cantidad equivalente al importe de la ayuda o las ayudas, la cual se considera como pago a cuenta.

3. La Generalidad promoverá el acceso al crédito oficial para la financiación de las obras de conservación, mantenimiento, rehabilitación y excavación realizadas en bienes culturales de interés nacional.

Artículo 56. Ayudas para la adquisición

El Gobierno de la Generalidad adoptará las medidas necesarias para que la financiación de la adquisición de bienes culturales de interés nacional y de bienes culturales catalogados con la finalidad de destinarlos a un uso general que asegure su protección tenga acceso preferente al crédito oficial, en la forma y con los requisitos que establecen las normas que lo regulan.

Artículo 57. El 1,5% cultural

1. La Administración de la Generalidad debe reservar en los presupuestos de las obras públicas que financie total o parcialmente una partida mínima del 1,5% de su aportación, con el fin de invertirla en la conservación, la restauración, la excavación y la adquisición de los bienes protegidos por esta ley y en la creación artística contemporánea.

2. La reserva a la que se refiere el apartado 1 también se aplica sobre el presupuesto total de ejecución de las obras públicas que ejecuten los particulares en virtud de concesión administrativa de la Generalidad.

3. Se exceptúan de las medidas fijadas por los apartados 1 y 2 las siguientes obras públicas:

»a) Aquellas en las que la aportación de la Generalidad o del concesionario es inferior a 600.000 euros.

»b) Las que se hacen para cumplir específicamente los objetivos de esta ley.

»c) Las que se financian totalmente con cargo a transferencias de fondos finalistas o con fondos que ya tienen otra afectación por norma legal.

4. A los efectos de lo dispuesto en la letra a) del apartado 3, no se tienen en cuenta los eventuales fraccionamientos en la contratación de una obra que se pueda considerar unitaria o globalmente.

5. Los costes de las intervenciones arqueológicas a las que hacen referencia los artículos 48.2 y 49.3 tienen la consideración de aportación al 1,5% cultural.

6. Los criterios y la forma de aplicación de los fondos obtenidos de acuerdo con este artículo se determinarán por reglamento. En cualquier caso, tienen carácter preferente los bienes culturales que pueden quedar afectados directamente por la obra pública de la que se trate y los que se hallen situados en su entorno. El Departamento de Cultura emitirá informe previamente a la aplicación de los fondos.

7. La manera de efectuar la reserva establecida por el apartado 1 cuando se trate de inversiones realizadas por la Generalidad o alguna de las entidades de su sector público es mediante un importe agregado que tome como base de cálculo el importe del conjunto de las inversiones efectivamente ejecutadas en el ejercicio cerrado previo al anterior del presupuesto en elaboración que cumplan los requisitos establecidos en este artículo y las normas que lo desarrollen. La dotación en el presupuesto de esta cuantía se efectúa de forma diferenciada en un servicio específico a disposición del Departamento de Cultura.

7 *bis*. Cuando en un ejercicio no se aprueben los presupuestos y se esté en situación de prórroga presupuestaria debe regularizarse la aportación correspondiente al 1,5% cultural en el próximo presupuesto que se apruebe.

7 *ter*.

»a) En las obras ejecutadas por particulares en virtud de una concesión administrativa de la Generalidad o de cualquier entidad o ente público que dependa de la misma, la reserva debe hacerse del siguiente modo:

1.º Con carácter general, la persona concesionaria debe acreditar, en el momento de la formalización del contrato de obra pública, el ingreso de la reserva en la cuenta del tesoro.

2.º Excepcionalmente, previo informe favorable del Departamento de Cultura, la persona concesionaria puede efectuar la aplicación del 1,5% de manera directa, cumpliendo siempre la finalidad establecida por el apartado 1 y bajo el control y supervisión del Departamento. En el momento de finalización de la obra pública, la persona concesionaria debe acreditar la ejecución de los trabajos derivados de la aplicación del 1,5% cultural.

b) Los contratos de concesión de obra pública deben hacer constar cuál es la fórmula escogida para hacer efectiva la reserva del 1,5% cultural. En el caso de aplicación directa por parte de la persona concesionaria, los contratos de concesión deben incluir una cláusula según la cual la persona concesionaria, a efectos informativos y de conocimiento público, haga constar que los trabajos derivados de la aplicación del 1,5% cultural han sido financiados al amparo de la normativa del 1,5% gestionado por la Generalidad.

c) Si un contrato de concesión no indica cuál es la fórmula escogida, se entiende que se aplica la norma general.

d) Los departamentos de la Generalidad y las entidades de su sector público deben comunicar al Departamento de Cultura las concesiones administrativas, y sus eventuales modificaciones, de las que se derive la realización de obras públicas por el concesionario, a fin de que el Departamento de Cultura pueda realizar el seguimiento de la aplicación de los compromisos que derivan de la presente ley.

8. Las inversiones culturales que el Estado realice en Cataluña en aplicación del 1,5% cultural determinado por la Ley del patrimonio histórico español deben hacerse previo informe del Departamento de Cultura sobre los sectores y ámbitos culturales que se consideren prioritarios en cada momento.

Artículo 58. Pagos con bienes culturales

Los propietarios de bienes integrantes del patrimonio cultural pueden solicitar a la Administración de la Generalidad y a la Administración local la admisión de la cesión en propiedad de los mencionados bienes en pago de sus deudas. La aceptación de la cesión corresponde respectivamente al Departamento de Economía y Finanzas, con el informe previo del Departamento de Cultura, y al pleno de la corporación correspondiente.

Artículo 59. Beneficios fiscales

1. Los propietarios y los titulares de derechos sobre bienes culturales de interés nacional y sobre bienes culturales catalogados disfrutan de los beneficios fiscales que, en el ámbito de las respectivas competencias, determinan la legislación del Estado, la legislación de la Generalidad y las ordenanzas locales.

2. Los bienes culturales de interés nacional están exentos del impuesto sobre bienes inmuebles, en los términos fijados por la Ley del Estado 39/1988, de 28 de diciembre, de regulación de las haciendas locales. Las obras que tienen por finalidad la conservación, la mejora o la rehabilitación de monumentos declarados de interés nacional disfrutan también de exención del impuesto sobre construcciones, instalaciones y obras.

CAPÍTULO II. Difusión

Artículo 60. Inventario del Patrimonio Cultural Catalán

1. El Departamento de Cultura elaborará y mantendrá el Inventario del Patrimonio Cultural Catalán, el cual tiene como finalidad permitir la documentación y la recopilación sistemáticas la investigación y la difusión de todos los bienes que lo integran.

2. Los datos que figuran en el Inventario del Patrimonio Cultural Catalán son públicos. Excepcionalmente, por resolución del consejero de Cultura, se pueden excluir de consulta pública datos relativos a la situación jurídica, la localización y el valor de los bienes.

3. La Administración de la Generalidad garantizará a los ciudadanos la accesibilidad de los datos contenidos en el Inventario del Patrimonio Cultural Catalán, mediante el establecimiento de una red descentralizada de transmisión de datos.

4. Los museos, las bibliotecas, los archivos y los demás centros de depósito cultural que informaticen los datos documentales de sus fondos asegurarán y facilitarán la viabilidad del traspaso de la información al Inventario del Patrimonio Cultural Catalán, en el soporte y con el formato que sean determinados por el Departamento de Cultura.

Artículo 61. Visita pública y difusión

1. La Administración de la Generalidad velará para que la visita pública a los bienes culturales de interés nacional se efectúe en condiciones adecuadas de conservación, conocimiento y difusión de los bienes y de seguridad de los visitantes.

2. La Administración de la Generalidad promoverá la realización de reproducciones y copias de los bienes culturales de interés nacional con finalidades didácticas y de promoción turística, y hará constar en las mismas de forma visible su procedencia y su condición de copia, sin perjuicio del derecho de propiedad intelectual.

3. La Administración de la Generalidad fomentará el uso y disfrute del patrimonio cultural catalán como recurso de dinamización social y turística, respetando las necesidades de conservación y protección de los bienes y de su entorno establecidas por esta Ley.

Artículo 62. Gestión de los monumentos por parte de la Generalidad

1. Los monumentos y yacimientos arqueológicos abiertos a la visita pública y administrados por el Departamento de Cultura serán gestionados de acuerdo con los principios de desconcentración y participación, sin perjuicio de la aplicación de directrices comunes que garanticen su coherencia global.

2. La gestión de los monumentos y yacimientos a los que se refiere el apartado 1 garantizará el mantenimiento y la conservación de los mismos y potenciará su divulgación, para lo cual contarán con los elementos suficientes de señalización, guía y servicios complementarios.

3. El Gobierno de la Generalidad puede crear patronatos, integrados por representantes de la Generalidad y otras instituciones, entidades y personas relacionadas con los monumentos de que se trate, para que colaboren, asesoren y participen en la gestión de los monumentos y en las actividades que se desarrollen en ellos. El consejo comarcal y el ayuntamiento correspondientes estarán representados en estos patronatos.

4. El Gobierno de la Generalidad puede establecer que determinados monumentos, yacimientos arqueológicos o museos gestionados por la Generalidad sean administrados en régimen de autonomía económica, en los términos que se concreten por reglamento. Cada año, el responsable de la gestión de un monumento, un yacimiento o un museo acogido a este régimen presentará al Departamento de Cultura la justificación de los ingresos y la cuenta de gestión económica, los cuales quedan a disposición de la Intervención General de la Generalidad, de la Sindicatura de Cuentas y, si procede, del Tribunal de Cuentas.

Artículo 63. Cesión de uso de monumentos

El Gobierno de la Generalidad puede acordar la cesión del uso de bienes inmuebles de la Generalidad con valores culturales en favor de otras instituciones públicas o de entidades privadas, a fin de que, mediante su mejor utilización, se garanticen la conservación y el mantenimiento de los mismos.

Artículo 64. Instalación de museos, archivos y bibliotecas

1. La instalación de museos, de archivos y de bibliotecas es causa de interés social, a efectos de expropiación.

2. Son competentes para proceder a la expropiación a la que se refiere el apartado 1 la Administración de la Generalidad, los consejos comarcales y los ayuntamientos, en el ámbito de sus competencias respectivas.

Artículo 65. Enseñanza

1. El Gobierno de la Generalidad incluirá en los currículums de los diferentes niveles del sistema educativo reglado obligatorio el conocimiento del patrimonio cultural catalán.

2. La Generalidad promoverá el desarrollo de las enseñanzas especializadas en la conservación y el mantenimiento del patrimonio cultural, y puede establecer convenios de colaboración con las entidades privadas y los centros de formación especializados.

3. La Escuela de Administración Pública de Cataluña y la Escuela de Policía de Cataluña se ocuparán de que los funcionarios encargados de la administración o la custodia del patrimonio cultural tengan la preparación específica adecuada.

Artículo 66. Publicaciones

La Administración de la Generalidad promoverá la edición de publicaciones de investigación y de divulgación del patrimonio cultural catalán.

TÍTULO IV. Ejecución de esta Ley y régimen sancionador
CAPÍTULO I. Medidas para la ejecución de esta Ley

Artículo 67. Ejecución del deber de conservación

1. En caso de incumplimiento del deber de conservación de bienes culturales de interés nacional o de bienes muebles catalogados, el Departamento de Cultura puede ordenar a los propietarios, poseedores y titulares de derechos reales sobre dichos bienes la ejecución de las obras o la realización de las actuaciones que sean necesarias para preservarlos, conservarlos y mantenerlos. Estas medidas pueden ser adoptadas también por los ayuntamientos, si se refieren a bienes inmuebles catalogados. La Administración no puede ordenar la ejecución de obras o actuaciones por un importe superior al 50% del valor del bien, fijado por el Departamento de Cultura o por el ayuntamiento correspondiente por medio de la aplicación de los criterios establecidos por la legislación sobre expropiación forzosa.

2. Si los que están obligados a ello no ejecutan las actuaciones a las que hace referencia el apartado 1, el Departamento de Cultura o, si procede, el ayuntamiento correspondiente pueden hacer la ejecución subsidiaria de las mismas, a cargo de los obligados. En caso de peligro inminente para el inmueble, la Administración competente puede ejecutar las obras imprescindibles para salvaguardar el bien sin necesidad de requerimiento previo.

3. El Departamento de Cultura puede conceder, para la realización de las obras de conservación de los bienes culturales de interés nacional, una ayuda con carácter de anticipo reintegrable, que en el caso de los bienes inmuebles se inscribirá en el Registro de la Propiedad.

4. Son causa de interés social, a efectos de expropiación, el incumplimiento de los deberes de conservación, preservación, mantenimiento y protección establecidos por esta Ley y la situación de peligro o ruina inminente de un inmueble de interés nacional. Son competentes para proceder a la expropiación la Administración de la Generalidad, los consejos comarcales y los ayuntamientos, en el ámbito de sus competencias respectivas.

Artículo 68. Reparación de los daños causados

La Administración de la Generalidad ordenará a las personas o instituciones responsables, sin perjuicio de la sanción que corresponda, la reparación de los daños causados ilícitamente en bienes culturales de interés nacional o en bienes muebles catalogados, mediante órdenes ejecutivas de reparación, reposición, reconstrucción o derribo o mediante las que sean necesarias para restituir el bien a su estado anterior. Estas medidas, en el caso de daños producidos en bienes inmuebles catalogados, serán adoptadas por los ayuntamientos.

Artículo 69. Multas coercitivas

1. La Administración competente puede imponer multas coercitivas para hacer efectivo el cumplimiento de los deberes impuestos por esta Ley y de las resoluciones administrativas dictadas para el cumplimiento de lo que ésta dispone.

2. La imposición de multas coercitivas exige la formulación previa de un requerimiento escrito, en el cual se indicará el plazo del que se dispone para el cumplimiento de la obligación y la cuantía de la multa que puede imponerse. En cualquier caso, el plazo será suficiente para cumplir la obligación y la multa no puede exceder de 601,01 euros.

3. En caso de que, una vez impuesta una multa coercitiva, se mantenga el incumplimiento que la haya motivado, la Administración puede reiterarla tantas veces como sea necesario, hasta el cumplimiento de la obligación, sin que en ningún caso el plazo pueda ser inferior al fijado en el primer requerimiento.

4. Las multas coercitivas son independientes y compatibles con las que se puedan imponer en concepto de sanción.

Artículo 70. Inspección

1. La Administración puede inspeccionar en cualquier momento las obras y las intervenciones que se hagan en bienes integrantes del patrimonio cultural catalán. Los propietarios, poseedores y titulares de los mencionados bienes permitirán el acceso a los mismos, siempre que sea necesario a los efectos de la inspección.

2. Los funcionarios públicos a los que se asigna el control y la inspección sobre el patrimonio cultural tienen la consideración de autoridad y están facultados para examinar los bienes, los libros, los documentos y, en general, todo lo que pueda servir de información para cumplir y ejecutar sus tareas.

CAPÍTULO II. Régimen sancionador

Artículo 71. Clasificación de las infracciones

1. El incumplimiento de las obligaciones establecidas por esta Ley tiene la consideración de infracción administrativa, salvo que constituya delito. Las infracciones de esta Ley se clasifican en leves, graves y muy graves.

2. Constituyen infracciones leves:

a) La falta de comunicación al Registro de Bienes Culturales de Interés Nacional o al Catálogo del Patrimonio Cultural Catalán de los actos jurídicos o técnicos y de los traslados que afecten a los bienes en ellos inscritos.

b) La falta de notificación a la administración competente, en los términos fijados por los artículos 21.3 y 22, de la finalización o el cambio de actividad, o de la transmisión onerosa de la propiedad o de cualquier derecho real sobre bienes culturales de interés nacional, sobre bienes catalogados o sobre el resto de bienes muebles integrantes del patrimonio cultural catalán.

c) El incumplimiento del deber de permitir el acceso de los especialistas a los bienes catalogados.

d) El incumplimiento del deber de información a las administraciones competentes sobre la existencia y la utilización de bienes integrantes del patrimonio cultural y la obstrucción de las inspecciones de las administraciones competentes.

e) La falta de presentación a la aprobación del Departamento de Cultura de un programa que especifique las actuaciones de conservación de los bienes.

f) El incumplimiento de los deberes establecidos en el artículo 41.2 por los comerciantes de bienes integrantes del patrimonio cultural.

3. Constituyen infracciones graves:

a) La falta de notificación al Departamento de Cultura de la realización de subastas que afecten a bienes integrantes del patrimonio cultural.

b) El incumplimiento de los deberes de permitir el acceso de los investigadores y la visita pública a los bienes culturales de interés nacional.

c) El incumplimiento de los deberes de preservación y mantenimiento de bienes culturales de interés nacional o de bienes catalogados.

d) La inobservancia del deber de llevar el libro-registro de transmisiones y la omisión o la inexactitud de los datos que se han de hacer constar en el mismo.

e) La disgregación, sin la autorización del Departamento de Cultura, de colecciones declaradas de interés nacional o catalogadas, y la separación de bienes muebles vinculados a bienes inmuebles de interés nacional.

f) El incumplimiento de las obligaciones de comunicación del descubrimiento de restos arqueológicos y de entrega de los bienes hallados.

g) El incumplimiento de la suspensión de obras con motivo del descubrimiento de restos arqueológicos y de las suspensiones de obras acordadas por la Administración competente.

h) El otorgamiento por parte de los ayuntamientos de licencias de obra y la adopción de medidas cautelares incumpliendo lo dispuesto en el artículo 34.

4. Constituyen infracciones muy graves:

a) El derribo total o parcial de inmuebles declarados de interés nacional.

b) La destrucción de bienes muebles de interés nacional o de bienes catalogados.

c) El otorgamiento por los ayuntamientos de licencias urbanísticas de desplazamiento de inmuebles incumpliendo lo dispuesto en el artículo 37.

5. Son infracciones leves, graves o muy graves, en función del daño potencial o efectivo al patrimonio cultural:

a) La realización de intervenciones arqueológicas sin la autorización del Departamento de Cultura.

b) La realización de intervenciones sobre bienes culturales de interés nacional y sobre espacios de protección arqueológica sin licencia urbanística o incumpliendo sus términos.

c) Las actuaciones y las intervenciones sobre bienes muebles de interés nacional o bienes muebles catalogados no aprobadas por el Departamento de Cultura.

d) El cambio de uso de un monumento sin autorización del Departamento de Cultura o el mantenimiento de usos incompatibles de acuerdo con la declaración.

Artículo 72. Responsabilidad

1. Son responsables de las infracciones de esta Ley, además de las personas que tienen la responsabilidad directa:

a) Los promotores, por lo que respecta a la realización de obras.

b) El director de las obras, por lo que respecta al incumplimiento de la orden de suspenderlas.

c) Los que de acuerdo con el Código penal tienen la consideración de autores, cómplices o encubridores, por lo que respecta a la realización de intervenciones arqueológicas no autorizadas.

2. Son también responsables de las infracciones de esta Ley los que, conociendo el incumplimiento de las obligaciones que ésta establece, obtienen un beneficio de las mismas.

Artículo 73. Clasificación de las sanciones

1. Las infracciones administrativas en materia de patrimonio cultural son sancionadas, si los daños causados al patrimonio cultural pueden ser valorados económicamente, con una multa de entre una y cuatro veces el valor de los daños causados. De lo contrario, se aplican las sanciones siguientes:

a) Para las infracciones leves, una multa de hasta 6.010,12 euros.

b) Para las infracciones graves, una multa de entre 6.010,12 a 210.354,24 euros.

c) Para las infracciones muy graves, una multa de entre 210.354,24 a 901.518,16 euros.

2. La cuantía de las sanciones fijadas por el apartado 1 se gradúa de conformidad con:

a) La reincidencia.

b) El daño causado al patrimonio cultural.

c) La utilización de medios técnicos en las intervenciones arqueológicas ilegales.

Artículo 74. Comiso de materiales y utensilios

El órgano competente para imponer una sanción puede acordar como sanción accesoria el comiso de los materiales y utensilios empleados en la actividad ilícita.

Artículo 75. Órganos competentes

1. Corresponde a los ayuntamientos la competencia para sancionar las infracciones a que se refiere el artículo 71.2.b) y c), 71.3.c) y 71.4.b), en cuanto a los bienes culturales de interés local, excepto en los municipios de menos de cinco mil habitantes, en los que esta competencia corresponde a los consejos comarcales.

2. Corresponde a las entidades locales la imposición de sanciones por las infracciones a las que se refiere el artículo 71.2.d) y 71.3.g), si son cometidas en relación con actuaciones de dichas entidades.

3. Corresponde a los ayuntamientos la competencia para incoar y tramitar los expedientes sancionadores por las infracciones a las que se refiere el artículo 71.5.b), excepto en los municipios de menos de cinco mil habitantes, en los que esta competencia corresponde a los consejos comarcales. En estos casos, el régimen sancionador regulado por esta Ley prevalece sobre el régimen establecido por la normativa urbanística.

4. La competencia para la imposición de las sanciones por la infracción del artículo 71.5.b) corresponde:

a) Al presidente del consejo comarcal, en caso de sanciones de hasta 6.010,12 euros, en municipios de menos de cinco mil habitantes.

b) Al alcalde, en caso de sanciones de hasta 6.010,12 euros, en municipios de entre 5.000 y 50.000 habitantes, o de sanciones de hasta 210.354,24 euros, en municipios de más de 50.000 habitantes.

c) Al consejero de Cultura, en caso de sanciones de entre 6.010,12 y 210.354,24 euros, en municipios de hasta 50.000 habitantes.

d) Al Gobierno de la Generalidad, en caso de sanciones de más de 210.354,24 euros.

5. Si el Departamento de Cultura comunica a la entidad local competente la existencia de indicios de una infracción de las tipificadas en el artículo 71.5.b) y la entidad local no le notifica la incoación del expediente sancionador en el plazo de dos meses, el Departamento de Cultura puede proceder a incoar, tramitar y resolver el expediente sancionador.

6. En las infracciones tipificadas por el artículo 71 diferentes a las enumeradas en los apartados 1, 2 y 3 de este artículo, la incoación de expedientes sancionadores corresponde al director general del Departamento de Cultura competente por razón de la materia y la imposición de las sanciones corresponde al consejero de Cultura, en el caso de las sanciones de hasta treinta y cinco millones de pesetas, y al Gobierno de la Generalidad, en el caso de las sanciones de más de treinta y cinco millones de pesetas.

Artículo 76. Prescripción de las infracciones

Las infracciones administrativas a las que se refiere esta Ley prescriben al cabo de cinco años de haberse cometido, salvo las de carácter muy grave, que prescriben al cabo de diez años.

Artículo 77. Medidas cautelares

1. La Administración de la Generalidad suspenderá cualquier obra o actuación en bienes culturales de interés nacional o en bienes catalogados que incumpla lo que determina la legislación sobre patrimonio cultural y ordenará también la suspensión de las obras en las que se hayan encontrado restos arqueológicos, si el promotor ha incumplido la obligación establecida por el artículo 52.

2. Las suspensiones a las que hace referencia el apartado 1 pueden también ser acordadas por los ayuntamientos, si se trata de obras o actuaciones sujetas a licencia municipal. Si la suspensión afecta a un bien cultural de interés nacional, será comunicada al Departamento de Cultura en el plazo de cuarenta y ocho horas.

3. Si hay indicios racionales de la comisión de una infracción grave o muy grave, la Administración competente para imponer la sanción correspondiente puede acordar como medida cautelar, previa o simultáneamente a la instrucción del expediente sancionador, la inmovilización, el precinto o el depósito de los materiales y utensilios empleados en dichas actividades.

4. El Departamento de Cultura puede acordar el depósito cautelar de los bienes integrantes del patrimonio cultural que se hallan en posesión de personas que se dedican a comerciar con ellos, si no pueden acreditar su adquisición lícita.

Artículo 78. Publicidad de las sanciones

Las sanciones impuestas de conformidad con esta Ley pueden ser publicadas por el órgano sancionador, atendiéndose a los criterios que se establezcan por reglamento, una vez devenidas en firmes en la vía administrativa.

Artículo 79. Plazo de resolución de los expedientes sancionadores

El plazo para la resolución de los expedientes sancionadores por las infracciones reguladas por esta Ley es de un año.

TÍTULO V. Consejo Asesor del Patrimonio Cultural Catalán

CAPÍTULO I. Composición y funciones

Artículo 80. Composición

1. Se crea el Consejo Asesor del Patrimonio Cultural Catalán, como órgano consultivo y asesor de las administraciones públicas en las materias relacionadas con el patrimonio cultural.

2. La composición y el funcionamiento del Consejo Asesor del Patrimonio Cultural Catalán, que ha de estar presidido por el consejero de Cultura, se establecerá por reglamento.

Artículo 81. Funciones

Las funciones del Consejo Asesor del Patrimonio Cultural Catalán son las siguientes:

a) Emitir informes y dictámenes a requerimiento de las administraciones competentes y del Parlamento.

b) Emitir los informes que determina esta Ley.

c) Prestar asesoramiento cultural a los órganos gestores del patrimonio cultural.

d) Proponer las modificaciones normativas, si procede, y las actuaciones públicas o privadas necesarias para el mejor cumplimiento de los objetivos de esta Ley.

DISPOSICIONES ADICIONALES

Primera.

1. Los bienes radicados en Cataluña que hayan sido declarados de interés cultural o hayan sido incluidos en el Inventario General de Bienes Muebles, de acuerdo con la Ley del Estado 16/1985, de 25 de junio, del patrimonio histórico español, pasan a tener respectivamente la consideración de bienes culturales de interés nacional y de bienes catalogados. Los bienes inmuebles que en el momento de la entrada en vigor de esta Ley estén incluidos en catálogos de patrimonio cultural incorporados en planes urbanísticos pasan a tener, salvo que sean bienes culturales de interés nacional, la consideración de bienes culturales de interés local y quedan incluidos en el Catálogo del Patrimonio Cultural Catalán.

2. Se declaran de interés nacional los castillos de Cataluña. En el plazo de tres años, el consejero de Cultura presentará a la aprobación del Gobierno de la Generalidad una relación de estos castillos.

3. Se declaran de interés nacional las cuevas, los abrigos y los lugares que contengan manifestaciones de arte rupestre.

4. Se declara de interés nacional la documentación recogida en el Archivo de la Corona de Aragón.

Segunda.

1. Corresponden al Consejo General de la Vall d'Aran, en el ámbito de su territorio, las competencias que esta Ley asigna a la Administración de la Generalidad, y que se enumeran a continuación:

a) La incoación y la instrucción de los expedientes para la declaración de bienes culturales de interés nacional y para dejar sin efecto una declaración, reguladas por los artículos 8, 9 y 14. En caso de que el Departamento de Cultura considere procedente la declaración de un bien cultural de interés nacional de la Vall d'Aran, puede requerir al Consejo General la incoación del expediente; si este requerimiento no es atendido en el plazo de dos meses, el Departamento de Cultura puede proceder a la incoación del expediente de declaración.

b) La aprobación de los programas de actuaciones de conservación de bienes culturales de interés nacional, regulada por el artículo 29, si se refieren a bienes inmuebles.

c) La autorización de intervenciones sobre bienes inmuebles de interés nacional y sobre los que tienen incoado un expediente para declararlos, y la indemnización correspondiente, de acuerdo con los artículos 9.3, 31 y 34.

d) El informe preceptivo y vinculante sobre los instrumentos de planeamiento a los que hace referencia el artículo 33.2.

e) La autorización de los cambios de uso de un monumento, regulada por el artículo 36.

f) El informe de evaluación de impacto ambiental en los procedimientos a los que hace referencia el artículo 46.3.

2. Para la ejecutividad de los acuerdos adoptados en ejercicio de las competencias descritas por las letras b), c), d) y e) del apartado 1 se precisa la ratificación del Departamento de Cultura, la cual se entiende que ha sido otorgada si no manifiesta su oposición a ella en el plazo de veinte días a contar desde que el acuerdo le haya sido notificado por el Consejo General.

Tercera.

La Administración de la Generalidad asume, en virtud de esta Ley, las competencias ejercidas por las diputaciones provinciales en materia de protección, conservación y catalogación del patrimonio cultural catalán. Esta atribución de competencias comporta el traspaso de los medios materiales y personales afectos a los servicios y organismos correspondientes, y también de los correspondientes recursos económicos, de acuerdo con lo que establece la Ley 5/1987, de 4 de abril, del régimen provisional de competencias de las diputaciones provinciales.

Cuarta.

Corresponde al consejero de Cultura proponer al Gobierno de la Generalidad la aceptación de las donaciones, las herencias y los legados a favor de la Generalidad que tienen por objeto bienes muebles integrantes del patrimonio cultural catalán. La tramitación, la instrucción y la resolución del expediente correspondiente es competencia del Departamento de Cultura, el cual también se ocupará de la incorporación de los bienes adquiridos al Inventario General de Bienes de la Generalidad de Cataluña.

Quinta.

La declaración de parajes pintorescos incoada o acordada de conformidad con el procedimiento regulado por la Ley del Estado de 13 de mayo de 1933, de defensa, conservación y acrecentamiento del patrimonio histórico-artístico nacional, será reclasificada en el plazo de tres años a favor de alguna de las figuras de protección establecidas por el artículo 7 de la Ley presente o por la legislación sobre espacios naturales. Si transcurre este plazo y no se ha procedido a la reclasificación, se entiende que la declaración ha caducado.

Sexta.

Se aplica a los archivos y los documentos privados incluidos en alguno de los supuestos del artículo 19 de la presente Ley, además del régimen que ésta establece, lo que dispone el capítulo 2 del título II de la Ley de archivos y documentos.

DISPOSICIONES TRANSITORIAS

Primera.

Los efectos de los expedientes sobre declaración de bienes de interés cultural iniciados antes de la entrada en vigor de esta Ley son los que ésta establece para los bienes culturales de interés nacional. La tramitación de los expedientes continuará según el nuevo régimen jurídico.

Segunda.

Mientras el Gobierno de la Generalidad no apruebe las normas para el desarrollo y la aplicación de esta Ley, continuarán vigentes las que regulaban esta materia hasta la entrada en vigor de esta Ley, en todo aquello en lo que no se opongan.

DISPOSICIÓN DEROGATORIA

1. Se derogan los artículos 12 y 13 de la Ley 6/1985, de 26 de abril, de archivos.
2. Se deroga el Decreto 30/1984, de 25 de enero, por el que se establece la obligatoriedad del informe del Departamento de Cultura en materia de catalogación municipal de monumentos.

DISPOSICIÓN FINAL

Se autoriza al Gobierno de la Generalidad a actualizar por vía reglamentaria la cuantía de las multas que se fijan en los artículos 69 y 73, de conformidad con el incremento del índice de precios al consumo.

10. COMUNIDAD VALENCIANA: LEY 4/1998, DE 11 DE JUNIO, DEL PATRIMONIO CULTURAL VALENCIANO

DO. Generalitat Valenciana 18 junio 1998, núm. 3267, [pág. 9425].; rect. DO. Generalitat Valenciana, núm. 3435, [pág. 2204]. (castellano)BOE 22 julio 1998, núm. 174, [pág. 24768].

I.

El patrimonio cultural valenciano es una de las principales señas de identidad del pueblo valenciano y el testimonio de su contribución a la cultura universal. Los bienes que lo integran constituyen un legado patrimonial de inapreciable valor, cuya conservación y enriquecimiento corresponde a todos los valencianos y especialmente a las instituciones y los poderes públicos que lo representan.

El Estatuto de Autonomía de la Comunidad Valenciana, en su artículo 31, atribuye a la Generalitat competencia exclusiva sobre el patrimonio histórico, artístico, monumental, arquitectónico, arqueológico y científico y sobre los archivos, bibliotecas, museos, hemerotecas y demás centros de depósito cultural que no sean de titularidad estatal, sin perjuicio de la reserva de competencia en favor del Estado sobre la defensa del patrimonio cultural, artístico y monumental contra la exportación y la expoliación, establecida por el artículo 149. 1, 28.ª de la Constitución Española; y el artículo 33 le atribuye la ejecución de la legislación del Estado en materia de museos, archivos y bibliotecas de titularidad estatal, cuya ejecución no se reserve al Estado. Por otra parte, el artículo 46 del texto constitucional dispone que los poderes públicos garantizarán la conservación y promoverán el enriquecimiento del patrimonio histórico, cultural y artístico de los pueblos de España y de los bienes que lo integran, cualquiera que sea su régimen jurídico y su titularidad.

El Estado, basándose en esta reserva y en el título competencial del artículo 149.2 de la Constitución, ha promulgado la Ley 16/1985, de 25 de junio, del Patrimonio Histórico Español y el Real Decreto 111/1986, de 10 de enero, que la desarrolla parcialmente, modificado este último por el Real Decreto 64/1994, de 21 de enero, para adaptarlo a la interpretación dada por el Tribunal Constitucional a determinados preceptos de la Ley. Normativa ésta que ha sido hasta ahora, en su integridad, de aplicación directa en la Comunidad Valenciana.

El pleno ejercicio por la Generalitat de su competencia propia en materia de patrimonio cultural exige, sin embargo, el establecimiento en el ámbito de la Comunidad Valenciana de una norma con rango de ley que dé cumplida respuesta a las necesidades que presenta la protección de este patrimonio, superando las insuficiencias del marco legal hasta ahora vigente.

En el ejercicio, pues, de esta competencia, y con este objetivo, se promulga la presente Ley del Patrimonio Cultural Valenciano.

II.

La Ley del Patrimonio Cultural Valenciano constituye el marco legal de la acción pública y privada dirigida a la conservación, difusión, fomento y acrecentamiento del patrimonio cultural en el ámbito de la Comunidad Valenciana, determinando las competencias de los poderes públicos en la materia, las obligaciones y derechos que incumben a los titulares de los bienes y las sanciones que se derivan de las infracciones a sus preceptos. Sin embargo no se concibe la Ley, tal como ha sido frecuente en materia de patrimonio histórico, como un conjunto de normas predominantemente prohibitivas al lado de algunas otras que establecen en favor de los titulares de los bienes ciertos derechos, de carácter más teórico que real al no contar con mecanismos precisos para su ejercicio ni correlativas obligaciones de la Administración. Por el contrario, el legislador parte del hecho, tantas veces confirmado por la experiencia, de que sin la colaboración de la sociedad en la conservación, restauración y rehabilitación del ingente número de bienes del patrimonio cultural, en su gran mayoría de titularidad privada, la acción pública en esta materia está abocada al fracaso por falta de medios suficientes para afrontar una tarea de tales proporciones.

Por ello la Ley trata, en primer lugar, de fomentar el aprecio general del patrimonio cultural, a través de la educación y la información, como el medio más eficaz de asegurar la colaboración social en su protección y conservación. Y pretende también, de modo especial, promover el interés de los propietarios de los bienes en la conservación, restauración y rehabilitación de éstos a través de medidas concretas, cuya aplicación se concibe en muchos casos como un derecho del propietario, legalmente exigible, establecido como contraprestación a las inevitables limitaciones dominicales que la Ley impone. A este mismo propósito responde el principio general establecido en el artículo 9, que obliga a la Administración a favorecer la incorporación de los bienes del patrimonio cultural a usos activos, adecuados a su naturaleza.

Si ambos objetivos se logran, contando además con la acción de los poderes públicos, en sus tres aspectos de conservación del propio patrimonio, vigilancia y fomento, el cumplimiento de los fines de la Ley estará en gran parte asegurado.

III.

La Ley adopta en su denominación el término cultural por considerarlo el más ajustado a la amplitud de los valores que, según lo dispuesto en el artículo 1, definen el patrimonio que constituye su objeto, cuya naturaleza no se agota en lo puramente histórico o artístico. Sin embargo, no obstante esta amplitud con que se conceptúa el patrimonio cultural, se diferencian ya en el artículo 2 las tres categorías de bienes que forman parte del mismo según la importancia de los valores que incorporan, a las que se relacionan distintos grados de protección, pormenorizados a lo largo del articulado de la Ley. Se trata así de distinguir los bienes que tienen alguno de los valores señalados en el artículo 1, que son obviamente innumerables y cuya regulación se dirige en buena medida a facilitar su acceso a un nivel superior de protección cuando sean acreedores a ello, de aquellos otros que por su mayor valor cultural exigen la concentración de los esfuerzos públicos y privados en las tareas de su conservación y fomento, mediante su previa inclusión en el Inventario.

IV.

El Inventario General del Patrimonio Cultural Valenciano, al que se dedica el primer capítulo del Título II, es la institución básica en torno a la cual se configura el sistema legal de clasificación y protección de los bienes de naturaleza cultural que merecen especial amparo. La Ley concibe el Inventario como un instrumento unitario, adscrito a la Conselleria de Cultura, Educación y Ciencia, que evite la dispersión derivada de la existencia de distintos instrumentos de catalogación según se refieran a bienes muebles o inmuebles. En él se inscriben toda clase de bienes, muebles, inmuebles o inmateriales, clasificados según dos niveles de protección: el correspondiente a los bienes declarados de interés cultural y el asignado a los bienes inventariados que no sean objeto de esta declaración. A los primeros se destina la Sección 1.ª del Inventario y el resto se inscribirán en alguna de las demás secciones, reservándose, por razón de su especialidad, la Sección 4.ª para los bienes del patrimonio documental, bibliográfico y audiovisual que tengan relevancia cultural y la 5.ª a los bienes inmateriales del patrimonio etnológico.

La Ley tiene entre sus objetivos fundamentales el de impulsar la formación de un Inventario lo más completo posible de todos aquellos bienes del patrimonio cultural valenciano que merezcan una protección especial, pues el legislador es consciente de que de ello depende en buena medida el éxito de la política de conservación y fomento de esta riqueza cultural. Prevé distintos procedimientos para la inclusión de los bienes en el Inventario, según la categoría de protección a la que accedan y la naturaleza, mueble, inmueble o inmaterial, de los mismos. Y ha preferido, antes que establecer obligaciones genéricas de difícil cumplimiento, promover el interés de los titulares de bienes de valor cultural en la inscripción de los mismos en el Inventario. Para ello se prevé la aplicación de las medidas de fomento del Título VI con carácter general a todos los bienes incluidos en el Inventario, a los que se equiparan los que tengan iniciado expediente para su inclusión; se constriñe la posibilidad de dación de bienes culturales en pago de deudas a los previamente incluidos en el Inventario; se reconoce a toda persona la condición de interesado para promover la aprobación o modificación de los Catálogos de Bienes y Espacios Protegidos a los efectos de la inclusión en ellos de bienes inmuebles con la calificación de Bienes de Relevancia Local y se establece la preferencia en los concursos de ayudas públicas de los Ayuntamientos que hayan aprobado los mencionados Catálogos.

El segundo de los capítulos del Título II contiene el régimen común a todos los bienes del Inventario. Se establecen los derechos de tanteo y retracto en favor de la Generalitat respecto de los bienes inventariados, y también sobre determinados bienes muebles que se vendan en subasta, y se reconoce el mismo derecho a los Ayuntamientos respecto de los bienes inmuebles inventariados situados en su término municipal. Se declara el interés social para la expropiación, en determinadas circunstancias, de todos los bienes inventariados, no sólo de los declarados de interés cultural, y se proclama respecto de todos los bienes inventariados de titularidad de los entes públicos territoriales el carácter de inalienables e imprescriptibles.

V.

El capítulo tercero del mismo Título se dedica a los Bienes de Interés Cultural, a las que se reserva el grado máximo de protección legal, regulándose en la sección 1.ª el procedimiento especial para la declaración de interés cultural, con plazos para resolver diferentes en función de la naturaleza de los bienes que sean objeto del expediente. La sección 2.ª contiene el régimen especial de los bienes inmuebles de interés cultural, que contempla los efectos de la declaración sobre las licencias municipales y el planeamiento urbanístico. Se establece, con carácter general, la necesidad de autorización de la Conselleria de Cultura, Educación y Ciencia para las intervenciones sobre estos bienes, fijándose los criterios a los que han de ajustarse tanto dichas intervenciones como los Planes Especiales de protección, cuya elaboración es obligatoria cuando se produzca la declaración de interés cultural de un bien inmueble, salvo en el caso de los Monumentos y los Jardines Históricos.

El régimen de los bienes muebles de interés cultural se regula en la sección 3.ª, estableciéndose el régimen de las intervenciones y los traslados y la prohibición de disgregar las colecciones sin autorización de la Conselleria de Cultura, Educación y Ciencia. Y, finalmente, se dedica la sección 4.ª de este capítulo a los bienes inmateriales de interés cultural, cuyo régimen específico de protección vendrá establecido por el decreto que los declare como tales.

VI.

El Capítulo IV se refiere a los demás bienes del Inventario General. Los primeros de ellos son los Bienes de Relevancia Local, es decir aquellos bienes inmuebles incluidos con esta calificación en los Catálogos de Bienes y Espacios Protegidos regulados por la legislación urbanística. La Ley no hace una recepción en bloque en el Inventario General de todos los inmuebles incluidos en los referidos Catálogos, ni de los que se puedan incluir en el futuro, pues lo cierto es que la mayor parte de ellos tienen un valor cultural relativo, significativo únicamente para el ámbito humano o el entorno en que se sitúan. Por ello se establece la mencionada categoría de Bienes de Relevancia Local dentro de los niveles de protección que han de determinar los Catálogos, en la cual se incluirán los inmuebles que tengan en sí mismos un valor histórico, artístico, arqueológico, paleontológico o etnológico suficiente para justificar la aplicación del régimen de protección, las limitaciones y las medidas de fomento que la Ley reserva a los bienes inventariados.

En este punto, respetándose la competencia que la normativa urbanística atribuye a la Conselleria de Obras Públicas, Urbanismo y Transportes respecto de la aprobación definitiva de los Catálogos y el procedimiento establecido para su tramitación, se da carácter vinculante al informe de la Conselleria de Cultura, Educación y Ciencia en cuanto se refiere a la calificación de Bienes de Relevancia Local dentro de los Catálogos, asegurándose así, en consonancia con el sistema general establecido por la Ley, la intervención del órgano competente en materia de patrimonio cultural en la decisión sobre el acceso de estos bienes al Inventario General.

Se trata, en definitiva, de distinguir los bienes inmuebles de valor histórico, artístico, arqueológico, paleontológico o etnológico significativo, que tienen acceso al Inventario, del patrimonio arquitectónico simplemente catalogado, cuyo régimen propio, sin perjuicio de las normas de esta Ley que le son de aplicación, se encuentra en la normativa urbanística y en la de fomento de la rehabilitación de edificios. Con ello se evita la dispersión de los recursos destinados a la protección y fomento del patrimonio cultural y se delimitan con claridad los campos de actuación de los órganos competentes en materia de patrimonio cultural y de vivienda.

Las dos últimas secciones del Capítulo IV se refieren, respectivamente, a los bienes muebles e inmateriales del Inventario, constituidos estos últimos por las actividades y conocimientos de valor etnológico, estableciéndose las particularidades de los respectivos procedimientos para su inscripción y el régimen de protección que les es aplicable.

VII.

El Título III se dedica al patrimonio arqueológico y paleontológico, cuya especialidad exige determinar no sólo el régimen de autorizaciones y licencias al que han de sujetarse las actuaciones arqueológicas y paleontológicas, sino también el de las obras afectadas por estas, el destino de los productos de dichas actuaciones y el régimen de los hallazgos casuales. La Ley preceptúa la intervención de la Conselleria de Cultura, Educación y Ciencia tanto en la autorización de actuaciones arqueológicas y paleontológicas, como en la de obras que resulten afectadas por la existencia de restos de esta naturaleza, pero dispone la participación de la Generalitat en la financiación de los trabajos arqueológicos o paleontológicos que, en este último caso, hayan de hacerse cuando se trate de obras en las que no pudiera preverse la existencia de aquellos restos. En cuanto al régimen de los hallazgos casuales, se regula el derecho a la recompensa en metálico de los descubridores y propietarios.

VIII.

El Título IV se dedica al régimen de los museos, a los que se equiparan las colecciones museográficas permanentes. La Ley establece el contenido mínimo de los expedientes para la creación o reconocimiento de ambas categorías de instituciones museísticas y prevé su integración, ya sean de titularidad pública o privada, en el Sistema Valenciano de Museos, configurado como una estructura organizativa que se crea para facilitar la coordinación y tutela por parte de la Generalitat de los museos y colecciones museográficas permanentes que se integren en ella. Se establecen los mecanismos legales para la inclusión de los fondos de los museos y colecciones en el Inventario General, con la calificación incluso de Bienes de Interés Cultural, así como el régimen general de los depósitos y las salidas temporales de fondos. Se prohíbe la disgregación de los fondos de los museos y colecciones museográficas permanentes sin autorización expresa del órgano competente en materia de patrimonio cultural y se garantiza el acceso público a los museos, salvo las restricciones que la propia Ley prevé.

Se contemplan asimismo medidas especiales de protección de los fondos ante situaciones excepcionales de los propios centros que los albergan y que pudieran afectar de forma negativa a la preservación de aquéllos. Para ello, se condiciona el aumento de fondos en un museo o colección museográfica a la acreditación de la capacidad de la institución para atender debidamente los fines que le son propios en relación a tales fondos, garantizándose en última instancia la exposición pública de los mismos. Se establece también un régimen excepcional para el depósito de los fondos de un museo en otro u otros centros de depósito cuando se ponga en peligro la conservación, seguridad o accesibilidad de los mismos. Y, por último, se tutela el destino de los fondos de un museo en el supuesto de disolución o clausura de éste, al objeto de que el traslado no desvirtúe la naturaleza de los bienes culturales expuestos.

IX.

El Título V se refiere al patrimonio documental, bibliográfico, audiovisual e informático y al régimen general de los archivos y bibliotecas. Se define aquél como integrante del patrimonio cultural valenciano y se ordena la formación del Censo del Patrimonio Documental Valenciano y del Catálogo del Patrimonio Bibliográfico y Audiovisual Valenciano, pero se prevé el acceso al Inventario General, con la categoría incluso de Bienes de Interés Cultural, sólo para los bienes incluidos en dichos Censo y Catálogo que tengan valor cultural significativo, con objeto de no extender abusivamente las medidas y limitaciones que la Ley establece para los bienes del Inventario al ingente número de documentos y obras bibliográficas que integran el mencionado patrimonio. Por otra parte, se determinan las líneas generales del régimen de los archivos y bibliotecas, creándose el Sistema Archivístico Valenciano, y se ordena el establecimiento por vía reglamentaria de las normas sobre conservación y vigencia administrativa de los documentos de las administraciones públicas.

X.

El Título VI contiene las medidas de fomento del patrimonio cultural, dirigidas, por una parte, a compensar a los titulares de bienes del patrimonio cultural de las cargas y limitaciones en sus derechos que la Ley les impone. Significativamente, la Ley sitúa al frente de este Título el reconocimiento del interés público de las actividades de conservación y promoción del patrimonio cultural y su carácter de fuente de riqueza económica colectiva, estableciendo la consecuente obligación de la Administración de cooperar a las mismas cuando sean llevadas a cabo por los particulares. Se configuran así las ayudas públicas previstas en la Ley como un derecho de los particulares derivado del cumplimiento de las obligaciones que la propia Ley les impone, superando la concepción de mera concesión graciosa con que en la práctica se las ha venido regulando. Se trata con ello de fomentar el interés de los titulares de estos bienes en su conservación y mantenimiento, no por la vía, tantas veces inoperante por sí misma, de la obligación, la prohibición y la sanción, sino preferentemente mediante la cooperación pública al sostenimiento de las cargas que la naturaleza cultural de los bienes conlleva para sus propietarios.

Se prevén tres tipos de medidas en relación con los titulares de los bienes. El primero se centra en la ayuda directa a las actuaciones de conservación y acrecentamiento del patrimonio cultural, mediante la financiación del coste de dichas actuaciones con cargo a las consignaciones presupuestarias que a tal efecto se harán anualmente en la Ley de Presupuestos de la Generalitat. Se establece el derecho de los titulares de bienes inmuebles de interés cultural de recibir ayuda pública para el sostenimiento de la carga que supone la visita pública de dichos bienes. Y se opta por concentrar los recursos que la Generalitat destina a la conservación y fomento del patrimonio cultural mediante la obligación de consignar anualmente para dicho fin en la Ley de Presupuestos una cantidad equivalente al 1% del importe del capítulo de inversiones reales de los presupuestos del ejercicio anterior, en lugar del denominado uno por ciento cultural del presupuesto de cada obra pública que se ejecute, sistema este último que la práctica ha demostrado de difícil control y escaso cumplimiento.

El segundo tipo de medidas se refiere al acceso al crédito oficial o subsidiado con fondos públicos de los titulares de bienes del patrimonio cultural y su objeto es fomentar el interés de éstos en la conservación y rehabilitación de dichos bienes, situándolos en este aspecto en condiciones de igualdad, cuando menos, con las viviendas de nueva construcción.

Y, por último, el tercer tipo de medidas hace referencia a los beneficios fiscales de que gozan estos bienes. En este punto la Ley ha de contentarse con una declaración general como la contenida en el artículo 95, cuyo desarrollo queda condicionado necesariamente a la ampliación de la capacidad normativa de las Comunidades Autónomas en materia tributaria. No obstante, se incentiva la aplicación por parte de las corporaciones locales de los beneficios fiscales previstos por la legislación estatal y se establece la posibilidad del pago con bienes inscritos en el Inventario General de toda clase de deudas con la Hacienda de la Generalitat.

En otra dirección, las medidas previstas en el Título VI hacen referencia a la acción pública encaminada a promover en la sociedad el aprecio a los valores del patrimonio cultural, a través de la enseñanza, en todos sus niveles, y del reconocimiento oficial de las actuaciones destacadas llevadas a cabo por particulares en defensa de este patrimonio. No es ajena a este mismo fin la obligación, que se establece con carácter general para los entes públicos valencianos, de destinar con preferencia los inmuebles de que sean titulares a una actividad pública que no desvirtúe sus valores artísticos, históricos o culturales, lo que, por un lado, favorece su conservación y, por otro, familiariza a los ciudadanos con dichos bienes y fomenta su aprecio por ellos. Y, en el mismo sentido, se prevé la cesión a los particulares, bajo determinadas condiciones, del uso de los inmuebles de titularidad pública cuando ello redunde en su mejor conservación y apreciación pública.

XI.

La Ley dedica su último Título a las infracciones y sanciones, que se tipifican en la mayor parte de los casos atendiendo a la importancia del daño causado al bien. Las actividades constitutivas de infracción no podrán ser nunca fuente de lucro para el infractor. Se consagra además el principio de necesidad de reparación del daño causado y se aumenta notablemente, en relación con la normativa aplicable hasta ahora, el límite máximo de la sanción por infracciones graves.

La innecesariedad de la aplicación del régimen sancionador previsto en la Ley será la mejor prueba del cumplimiento de la voluntad colectiva de la que ella misma es expresión: el propósito decidido de los valencianos de conservar y acrecentar la riqueza insustituible de su patrimonio cultural.

TÍTULO I. Del patrimonio cultural valenciano
CAPÍTULO I. Disposiciones generales

Artículo 1. Objeto

1. La presente Ley tiene por objeto la protección, la conservación, la difusión, el fomento, la investigación y el acrecentamiento del patrimonio cultural valenciano.

2. El patrimonio cultural valenciano está constituido por los bienes muebles e inmuebles de valor histórico, artístico, arquitectónico, arqueológico, paleontológico, etnológico, documental, bibliográfico, científico, técnico, o de cualquier otra naturaleza cultural, existentes en el territorio de la Comunitat Valenciana o que, hallándose fuera de él, sean especialmente representativos de la historia y la cultura valenciana. la Generalitat promoverá el retorno a la Comunitat Valenciana de estos últimos a fin de hacer posible la aplicación a ellos de las medidas de protección y fomento previstas en esta Ley.

3. También forman parte del patrimonio cultural valenciano, en calidad de bienes inmateriales del patrimonio etnológico, las creaciones, conocimientos, técnicas, prácticas y usos más representativos y valiosos de las formas de vida y de la cultura tradicional valenciana.

Asimismo, forman parte de dicho patrimonio como bienes inmateriales las expresiones de las tradiciones del pueblo valenciano en sus manifestaciones musicales, artísticas, deportivas, religiosas, gastronómicas o de ocio, y en especial aquellas que han sido objeto de transmisión oral, las que mantienen y potencian el uso del valenciano y los festejos taurinos tradicionales de la Comunitat Valenciana.

4. Los Bienes Inmateriales de Naturaleza Tecnológica que constituyan manifestaciones relevantes o hitos de la evolución tecnológica de la Comunitat Valenciana son, así mismo, elementos integrantes del patrimonio cultural valenciano.

Artículo 2. Clases de bienes

Los bienes que, a los efectos de la presente Ley, integran el patrimonio cultural valenciano pueden ser:

a) Bienes de Interés Cultural Valenciano. Son aquellos que por sus singulares características y relevancia para el patrimonio cultural son objeto de las especiales medidas de protección, divulgación y fomento que se derivan de su declaración como tales.

b) Bienes inventariados no declarados de interés cultural. Son aquellos que por tener alguno de los valores mencionados en el artículo primero en grado particularmente significativo, aunque sin la relevancia reconocida a los Bienes de Interés Cultural, forman parte del Inventario General del Patrimonio Cultural Valenciano y gozan del régimen de protección y fomento que de dicha inclusión se deriva.

c) Bienes no inventariados del patrimonio cultural. Son todos los bienes que, conforme al artículo 1.2 de esta Ley, forman parte del patrimonio cultural valenciano y no están incluidos en ninguna de las dos categorías anteriores. Serán objeto de las medidas de protección que esta Ley prevé con carácter general para los bienes del patrimonio cultural, así como de cuantas otras puedan establecer las normas de carácter sectorial por razón de sus valores culturales.

Artículo 3. Divulgación

Sin perjuicio de la competencia que el artículo 2.3 de la Ley del Patrimonio Histórico Español atribuye a la Administración del Estado, la Generalitat promoverá la divulgación del conocimiento del patrimonio cultural valenciano, tanto en el interior de la Comunidad Autónoma como fuera de ella, pudiendo establecer o impulsar, en el ámbito de sus competencias, los oportunos intercambios culturales, convenios o acuerdos con organismos públicos y con particulares, nacionales, supranacionales o extranjeros.

Artículo 4. Colaboración entre las administraciones públicas

1. La Generalitat y las distintas administraciones públicas de la Comunidad Valenciana colaborarán entre sí para la mejor consecución de los fines previstos en esta Ley.

2. Las entidades locales están obligadas a proteger y dar a conocer los valores del patrimonio cultural existente en su respectivo ámbito territorial. Especialmente les corresponde:

a) Adoptar las medidas cautelares necesarias para evitar el deterioro, pérdida o destrucción de los bienes del patrimonio cultural.

b) Comunicar a la administración de la Generalitat cualquier amenaza, daño o perturbación de su función social de que sean objeto tales bienes, así como las dificultades y necesidades de cualquier orden que tengan para el cumplimiento de las obligaciones establecidas en la presente Ley.

c) Ejercer las demás funciones que expresamente les atribuye esta Ley, sin perjuicio de cuanto establece la legislación urbanística, medioambiental y demás que resulten de aplicación en materia de protección del patrimonio cultural.

3. La Generalitat Valenciana prestará asistencia técnica a las demás administraciones públicas valencianas y establecerá los medios de colaboración con ellas en los casos y en la medida en que fuere necesario para el cumplimiento de los fines de la presente Ley.

Artículo 5. Colaboración de los particulares

1. Los propietarios y poseedores de bienes del patrimonio cultural valenciano deben custodiarlos y conservarlos adecuadamente a fin de asegurar el mantenimiento de sus valores culturales y evitar su pérdida, destrucción o deterioro.

2. Cualquiera que tuviera conocimiento del peligro de destrucción, deterioro o perturbación en su función social de un bien del patrimonio cultural, o de la consumación de tales hechos, deberá comunicarlo inmediatamente a la administración de la Generalitat o al Ayuntamiento correspondiente, quienes adoptarán sin dilación las medidas procedentes en cumplimiento de la presente Ley.

3. Todas las personas físicas y jurídicas están legitimadas para exigir el cumplimiento de esta Ley ante las administraciones públicas de la Comunidad Valenciana. La legitimación para el ejercicio de acciones ante los tribunales de justicia se regirá por la legislación del Estado.

4. La Generalitat Valenciana fomentará el marco de colaboración con asociaciones de voluntariado para la conservación y difusión del patrimonio cultural valenciano.

Artículo 6. Colaboración de la Iglesia Católica

1. Sin perjuicio de cuanto se dispone en los acuerdos suscritos entre el Estado Español y la Santa Sede, la Iglesia Católica, como titular de una parte singularmente importante de los bienes que integran el patrimonio cultural valenciano, velará por la protección, conservación y divulgación de los mismos y prestará a las administraciones públicas competentes la colaboración adecuada al cumplimiento de los fines de esta Ley, con sujeción a las disposiciones de la misma.

2. La Generalitat podrá establecer medios de colaboración con la Iglesia Católica al objeto de elaborar y desarrollar planes de intervención conjunta que aseguren la más eficaz protección del patrimonio cultural de titularidad eclesiástica en el ámbito de la Comunidad Valenciana. Asimismo podrá establecer la adecuada colaboración a los mismos fines con las demás confesiones religiosas reconocidas por la Ley.

Artículo 7. Instituciones consultivas y órganos asesores

1. Son instituciones consultivas de la Administración de la Generalitat en materia de patrimonio cultural el Consell Valencià de Cultura, la Real Academia de Bellas Artes de San Carlos, las universidades de la Comunitat Valenciana, el Consejo Asesor de Archivos, el Consejo de Bibliotecas, el Consejo Asesor de Arqueología y Paleontología, la Real Academia de Cultura Valenciana, Lo Rat Penat y cuantas otras sean creadas o reconocidas por el Consell, sin perjuicio del asesoramiento que pueda recabarse de otros organismos profesionales y entidades culturales.

2. Serán órganos asesores de la Conselleria de Cultura, Educación y Ciencia en el ejercicio ordinario de sus funciones en materia de patrimonio cultural, además de la Junta de Valoración de Bienes a que se refiere el artículo 8, las comisiones técnicas que se establezcan reglamentariamente para las distintas materias que son objeto de esta Ley.

Artículo 8. Junta de Valoración de Bienes

1. Se crea la Junta de Valoración de Bienes del Patrimonio Cultural Valenciano como órgano asesor de la Conselleria de Cultura, Educación y Ciencia. La Junta estará compuesta por ocho vocales. Seis de ellos serán designados, a propuesta de las instituciones consultivas señaladas en el artículo 7.1 de la presente Ley, por el Conseller de Cultura, Educación y Ciencia entre personas de reconocida competencia en las distintas materias que son objeto de las funciones de la Junta. Los dos vocales restantes serán designados por el Conseller de Economía, Hacienda y Administración Pública. El nombramiento del Presidente y del Vicepresidente de la Junta se regulará reglamentariamente.

2. Son funciones de la Junta:

a) Valorar los bienes de carácter cultural que la Generalitat se proponga adquirir con destino a museos, bibliotecas, archivos u otros centros de depósito cultural de titularidad pública, cuando éstos carezcan de sus propios órganos de valoración.

b) Informar sobre el ejercicio por la Generalitat Valenciana de los derechos de tanteo y retracto establecidos en el artículo 22.

c) Informar la autorización por la Conselleria de Cultura, Educación y Ciencia de la permuta de bienes de titularidad pública incluidos en el Inventario General del Patrimonio Cultural Valenciano, prevista en el artículo 24.

d) Ser oída previamente a la emisión por la Conselleria de Cultura, Educación y Ciencia del informe vinculante preceptuado en el artículo 96 para la aceptación de bienes culturales en pago de deudas con la Hacienda de la Generalitat Valenciana.

e) Realizar cuantas valoraciones de bienes de carácter cultural le sean solicitadas por la Conselleria de Cultura, Educación y Ciencia y, a través de ésta y en la forma que reglamentariamente se determine, por las demás administraciones públicas valencianas, para el mejor cumplimiento de los fines de esta Ley.

f) Las demás que legal o reglamentariamente se le atribuyan.

CAPÍTULO II. Normas generales de protección del patrimonio cultural

Artículo 9. Protección y promoción pública

1. Los poderes públicos garantizan la protección, conservación y acrecentamiento del patrimonio cultural valenciano, así como el acceso de todos los ciudadanos a los bienes que lo integran, mediante la aplicación de las medidas que esta Ley prevé para cada una de las diferentes clases de bienes.

2. La acción de las administraciones públicas se dirigirá de modo especial a facilitar la incorporación de los bienes del patrimonio cultural a usos activos y adecuados a su naturaleza, como medio de promover el interés social en su conservación y restauración.

Artículo 10. Suspensión de intervenciones

1. La conselleria competente en materia de cultura suspenderá cautelarmente cualquier intervención en bienes muebles o inmuebles que posean alguno de los valores mencionados en el artículo 1.2 de esta Ley cuando estime que la intervención pone en peligro dichos valores.

En todo caso, y sin perjuicio de las competencias municipales, serán objeto de suspensión las intervenciones que, sujetas a la tutela patrimonial, se ejecuten sin autorización, se aparten de la misma o con vulneración del planeamiento aprobado a tal efecto. Asimismo, en el marco de lo dispuesto en el artículo 35.5, se podrá acordar la suspensión de intervenciones que hayan sido autorizadas conforme a lo dispuesto en esta Ley cuando aparezcan signos o elementos de valor cultural que evidencien la falta de adecuación de la autorización concedida.

2. Tratándose de bienes inmuebles, requerirá al Ayuntamiento correspondiente a que adopte las medidas necesarias para la efectividad de la suspensión que serán ejecutadas subsidiariamente por la propia Conselleria en defecto de actuación municipal. En el plazo de dos meses a contar desde la suspensión la Conselleria, previo informe del Ayuntamiento, acordará lo que en cada caso sea procedente, incluida, en su caso, la iniciación del procedimiento correspondiente para la inscripción del bien en el Inventario General del Patrimonio Cultural Valenciano. Transcurrido el plazo señalado sin que hubiere recaído resolución se entenderá levantada la suspensión.

Artículo 11. Impacto ambiental y transformación del territorio

1. Los estudios de impacto ambiental relativos a toda clase de proyectos, públicos o privados, o los estudios ambientales y territoriales estratégicos relativos a los planes urbanísticos que requieran evaluación ambiental ordinaria, cuando puedan incidir sobre bienes integrantes del patrimonio cultural valenciano que afecten a la ordenación estructural, tendrán que incorporar el informe de la conselleria competente en materia de cultura sobre la conformidad del proyecto o plan con la normativa de protección del patrimonio cultural. Este informe se emitirá en el plazo improrrogable de cuarenta y cinco días y vinculará al órgano que tenga que realizar la evaluación ambiental en cuanto a las materias de patrimonio cultural valenciano que sean competencia de la Generalitat y tengan incidencia en la ordenación estructural.

2. Transcurridos cuarenta y cinco días desde que se solicitó, se entenderá emitido en sentido desfavorable en materia de la ordenación estructural. El transcurso del plazo expresado no eximirá a la conselleria competente en materia de cultura de la obligación de emitir el informe correspondiente.

3. Tratándose de proyectos incluidos en planes o programas de infraestructuras aprobados por la Generalitat, una vez expirado el plazo al que se hace mención en el primer párrafo de este artículo, se podrá requerir por escrito a la conselleria competente en materia de cultura a fin de que emita el informe; pasados 30 días desde la presentación del requerimiento sin que éste se haya evacuado, se entenderá emitido en sentido favorable, pudiéndose proseguir las actuaciones, sin perjuicio de lo dispuesto en el artículo 83.3 de la Ley 30/1992, de 26 de noviembre, de Régimen Jurídico de las Administraciones Públicas y del Procedimiento Administrativo Común.

4. El plazo para la emisión de este informe comenzará a computar a partir de la aportación, ante el órgano competente en materia de patrimonio cultural, del estudio de impacto ambiental elaborado conforme a lo establecido en el apartado siguiente.

5. La conselleria competente en materia de cultura determinará las actuaciones previas necesarias para la elaboración del informe contemplado en el apartado anterior que, en su caso, se someterán al régimen de autorizaciones previsto en la presente Ley.

6. Aquellos proyectos de planificación o transformación del territorio que por la legislación específica no estén sujetos a trámites de evaluación ambiental pero que comprendan en su ámbito bienes inscritos en el Inventario General del Patrimonio Cultural Valenciano o bienes de naturaleza arqueológica o paleontológica, tendrán que someterse a informe previo de la conselleria competente en materia de cultura, que será vinculante en cuanto a las materias de patrimonio cultural valenciano que sean competencia de la Generalitat y tengan incidencia en la ordenación urbanística.

Artículo 12. Comercio de bienes muebles

Las personas físicas o jurídicas dedicadas habitualmente al comercio de bienes muebles integrantes del patrimonio cultural valenciano, de las características que reglamentariamente se señalarán, se inscribirán en el registro que a tal efecto llevará la Conselleria de Cultura, Educación y Ciencia. Deberán también formalizar ante dicha Conselleria un libro-registro en el que anotarán las transacciones que efectúen sobre aquellos bienes cuando reúnan el valor y demás circunstancias que asimismo se determinarán reglamentariamente.

Artículo 13. Exportación

1. La exportación de los bienes del patrimonio cultural valenciano se regirá por lo dispuesto en la legislación del Estado.

2. La Generalitat realizará ante la Administración del Estado los actos conducentes a que aquellos bienes muebles ilegalmente exportados que formen parte del Inventario General del Patrimonio Cultural Valenciano o que, con arreglo a esta Ley, debieran ser inscritos en él, sean destinados a museos, a bibliotecas o a archivos públicos situados en la Comunidad Valenciana cuando hubieren sido recuperados y, conforme a lo previsto en la legislación estatal, no fuesen cedidos a sus anteriores propietarios.

Artículo 14. Inspección y vigilancia

1. Reglamentariamente se determinará la estructura y funcionamiento de los órganos de inspección y vigilancia del patrimonio cultural que aseguren el cumplimiento de las disposiciones de esta Ley. Dichos órganos estarán integrados por personal especializado en la protección del patrimonio cultural que dependerá funcionalmente de la conselleria competente en materia de cultura.

2. La inspección autonómica podrá solicitar de las Administraciones municipales cuantos datos y antecedentes fueran necesarios para el ejercicio de sus competencias.

3. Las fuerzas y cuerpos de seguridad, en el ámbito de sus respectivas competencias, colaborarán con la función inspectora, prestando su auxilio cuando se les solicite.

4. El personal adscrito a la inspección tendrá la consideración de agente de la autoridad y estará capacitado para recabar, con dicho carácter, cuanta información, documentación y ayuda material precise para el adecuado cumplimiento de sus funciones. Este personal está facultado para requerir y examinar toda clase de documentos relativos al planeamiento, comprobar la adecuación de los actos de intervención, edificación y uso a la normativa urbanística y patrimonial aplicable y obtener la información necesaria para el cumplimiento de sus funciones. En su actuación deberá facilitársele libre acceso a las fincas, edificaciones o locales donde se realicen las obras o usos que se pretendan inspeccionar y que no tengan la condición de domicilio o de lugar asimilado a éste.

5. De las actas de inspección se librará una copia a las personas afectadas que lo soliciten por escrito.

6. Las actas de la inspección gozan de la presunción de veracidad, y su valor y fuerza probatorios sólo cederán cuando en el expediente que se instruya como consecuencia de las mismas se acredite lo contrario de manera inequívoca e indubitada.

TÍTULO II. Del Inventario General del Patrimonio Cultural Valenciano y del régimen de protección de los bienes inventariados
CAPÍTULO I. Del Inventario General

Artículo 15. Objeto y contenido del Inventario

1. Se crea el Inventario General del Patrimonio Cultural Valenciano, adscrito a la Conselleria competente en materia de cultura, como instrumento unitario de protección de los bienes muebles, inmuebles e inmateriales del patrimonio cultural cuyos valores deban ser especialmente preservados y conocidos.

2. En el Inventario se inscribirán:

1° Los bienes muebles, inmuebles e inmateriales, declarados de interés cultural conforme a lo dispuesto en el capítulo III del título II de esta Ley. Formarán la sección 1ª del Inventario.

2° Los Bienes Inmuebles de Relevancia Local, incluidos con este carácter en los Catálogos de Bienes y Espacios Protegidos. Se inscribirán en la sección 2ª del Inventario.

3° Los Bienes Muebles de Relevancia Patrimonial cuya inclusión en el Inventario haya sido ordenada según lo previsto en el título II, capítulo IV, sección 2ª, de esta Ley. Integrarán la sección 3ª del Inventario.

4° Los bienes de naturaleza documental, bibliográfica y audiovisual de relevancia patrimonial, los cuales se inscribirán en la sección 4ª del Inventario de conformidad con lo previsto en el título V.

5° Los Bienes Inmateriales de Relevancia Local, cuyo valor y representatividad para los ámbitos comarcales y locales, haga conveniente su inscripción en la sección 5ª del Inventario.

6° Los Bienes Inmateriales de Naturaleza Tecnológica de Relevancia Patrimonial, que constituyan manifestaciones relevantes o hitos de la evolución tecnológica de la Comunitat Valenciana. Se inscribirán en la sección 6ª del Inventario.

3. A los efectos de esta Ley, se consideran bienes inmuebles, además de los enumerados en el artículo 334 del Código Civil, todos aquellos elementos que sean consustanciales a los edificios o inmuebles de los que formen o hayan formado parte, aun cuando pudieren ser separados de ellos como un todo perfecto y aplicados a otras construcciones o a usos distintos del original.

Sin embargo, se considerarán bienes muebles, a los efectos de su inclusión como tales en el Inventario General del Patrimonio Cultural Valenciano, aquellos objetos de relevante valor cultural que estén incorporados a un inmueble carente de dicho valor o cuyo estado de ruina haga imposible su conservación.

4. Es función del Inventario la identificación y documentación sistemáticas de los bienes que, conforme a esta Ley, deben formar parte de él, a fin de hacer posible la aplicación a éstos de las medidas de protección y fomento previstas en ella, así como facilitar la investigación y la difusión del conocimiento del patrimonio cultural.

Artículo 16. Elaboración del Inventario

1. La Conselleria de Cultura, Educación y Ciencia elaborará y mantendrá, mediante la permanente actualización de sus datos, el Inventario General del Patrimonio Cultural Valenciano, para lo que las administraciones públicas y los particulares le prestarán su colaboración en los términos establecidos en esta Ley.

2. Sin perjuicio de lo establecido en la Disposición Adicional Primera, la inclusión y exclusión de bienes del Inventario se hará con arreglo al procedimiento previsto en este Título para cada una de las clases de bienes inventariables.

3. Los propietarios o poseedores de bienes del patrimonio cultural valenciano deberán facilitar a las administraciones públicas competentes el examen de dichos bienes, así como las informaciones pertinentes, para su inclusión, si procede, en el Inventario.

4. A los solos efectos de la elaboración del Inventario General, los propietarios o poseedores de bienes muebles del patrimonio cultural, del valor y características que reglamentariamente se determinen, están obligados a comunicar su existencia a la Conselleria de Cultura, Educación y Ciencia.

Artículo 17. Publicidad

1. El Inventario General del Patrimonio Cultural Valenciano tendrá carácter público, sin perjuicio de las restricciones que esta misma Ley establece respecto del patrimonio arqueológico y paleontológico.

2. No obstante lo dispuesto en el apartado anterior, se requerirá consentimiento expreso de su titular para la consulta de datos relativos a la propiedad y valor de los bienes inscritos, excepto los de titularidad pública, y a su localización cuando se trate de bienes muebles.

3. La Generalitat Valenciana facilitará el acceso al Inventario de los particulares y las entidades públicas mediante el establecimiento de una red descentralizada de transmisión de datos.

4. Reglamentariamente se determinarán las condiciones y formas de acceso a los datos contenidos en el Inventario.

CAPÍTULO II. Régimen general de protección de los bienes inventariados

Artículo 18. Obligaciones de los titulares

1. Los propietarios y poseedores por cualquier título de bienes incluidos en el Inventario General del Patrimonio Cultural Valenciano están obligados a conservarlos y a mantener la integridad de su valor cultural.

2. Podrán destinar los bienes inventariados de que sean titulares a los usos que tengan por convenientes, siempre que no fueren incompatibles con las obligaciones impuestas en el apartado anterior. No obstante, cualquier cambio de uso deberá ser comunicado previamente, por escrito, a la Conselleria de Cultura, Educación y Ciencia. La no oposición de ésta en el plazo de un mes, a contar desde la recepción de la comunicación, supondrá la aprobación del nuevo uso. Tratándose de bienes declarados de interés cultural será necesaria la autorización previa de la Conselleria de Cultura, Educación y Ciencia; en los términos de los artículos 36.2 y 41.1 de esta Ley.

3. Igualmente están obligados a proporcionar a la Conselleria de Cultura, Educación y Ciencia toda información que ésta les requiera sobre el estado de tales bienes y el uso que se les estuviera dando, así como a facilitar su inspección y examen a los efectos previstos en esta Ley. La misma obligación tendrán respecto del Ayuntamiento donde se halle el bien cuando se trate de inmuebles o de bienes muebles declarados de interés cultural.

4. Deberán también permitir el acceso de los investigadores a los bienes inventariados, previa solicitud razonada. El cumplimiento de esta obligación podrá ser dispensado excepcionalmente por la Conselleria de Cultura, Educación y Ciencia cuando considere, por resolución motivada, haber causa justificada para ello.

5. La transmisión por actos inter vivos o mortis causa o la formalización de cualquier otro negocio jurídico, así como los traslados y demás actos materiales sobre los bienes

inventariados, deberán ser comunicados a la Conselleria de Cultura, Educación y Ciencia para su anotación en el Inventario General. En caso de transmisión inter vivos o de constitución de cualquier derecho real el transmitente estará obligado a dar a conocer al adquirente la existencia de la inscripción en el Inventario.

Artículo 19. Ejecución subsidiaria

1. La Conselleria de Cultura, Educación y Ciencia, cuando los propietarios o poseedores de bienes incluidos en el Inventario General no llevaren a cabo las actuaciones precisas para el cumplimiento de la obligación de conservación y mantenimiento establecida en el artículo 18, podrá, previo requerimiento a los interesados, ordenar su ejecución subsidiaria por la propia Administración, siendo el coste íntegro de dichas actuaciones con cargo al obligado.

2. Las actuaciones de conservación y mantenimiento de los bienes inventariados realizadas voluntariamente por sus titulares serán objeto de las ayudas previstas en el Título VI de esta Ley.

Artículo 20. Prohibición de derribo

Los bienes inmuebles incluidos en el Inventario General del Patrimonio Cultural Valenciano no podrán derribarse, total o parcialmente, mientras esté en vigor su inscripción en el Inventario. Si ésta quedare sin efecto, sólo podrá otorgarse licencia de demolición, de acuerdo con lo establecido en la legislación urbanística, previa la exclusión del inmueble del correspondiente Catálogo de Bienes y Espacios Protegidos.

Artículo 21. Expropiación

1. Constituirá causa de interés social para la expropiación por la Generalitat de los bienes incluidos en el Inventario General del Patrimonio Cultural Valenciano el peligro de destrucción o deterioro del bien, o el destino del mismo a un uso incompatible con sus valores. Podrán expropiarse por igual causa los inmuebles que perturben o impidan la contemplación de un bien incluido en el Inventario General o sean causa de riesgo o perjuicio para el mismo, respetándose la trama urbana de que forme parte el edificio.

2. Los Ayuntamientos podrán acordar la expropiación en los mismos casos, cuando se trate de bienes inmuebles incluidos en el Inventario General que se hallen en su término municipal, debiendo notificar su propósito a la Generalitat, que podrá ejercitar con carácter preferente esta potestad iniciando el correspondiente expediente dentro de los dos meses siguientes a la notificación.

Artículo 22. Derechos de tanteo y retracto

1. Sin perjuicio de los derechos de adquisición preferente que la Ley del Patrimonio Histórico Español establece a favor de la administración del Estado, quienes se propusieren la transmisión a título oneroso del dominio o de derechos reales de uso y disfrute sobre un bien incluido en el Inventario General del Patrimonio Cultural Valenciano, o respecto del que se hubiera iniciado expediente de inclusión, deberán notificarlo a la Conselleria competente en materia de cultura, indicando la identidad del adquirente y el precio, forma de pago y demás condiciones de la transmisión que se pretende. Tratándose de bienes inmuebles, se identificará con precisión mediante la aportación de plano de situación e identificación catastral y registral, en su caso. Para este tipo de bienes la Conselleria competente en materia de cultura, en el plazo de diez días, comunicará la transmisión al Ayuntamiento correspondiente a los efectos previstos en el apartado siguiente.

2. Dentro de los dos meses siguientes a la notificación recibida por la Conselleria competente en materia de cultura, la Generalitat podrá ejercitar el derecho de tanteo, para sí o para otras entidades de derecho público o de carácter cultural o benéfico declaradas de uti-

lidad pública, obligándose al pago en idénticas condiciones que las pactadas por los que realizan la transmisión. El tanteo podrá ser ejercitado también por los Ayuntamientos, en el mismo plazo, en relación con los bienes inmuebles situados en su término municipal. El ejercicio del derecho de tanteo por la Generalitat tendrá en todo caso carácter preferente.

3. Si el propósito de enajenación no se hubiese notificado adecuadamente o la transmisión se hubiera realizado en condiciones distintas a las notificadas, la Generalitat, y subsidiariamente el Ayuntamiento correspondiente cuando se trate de bienes inmuebles, podrá, en los mismos términos establecidos para el tanteo, ejercer el derecho de retracto en el plazo de seis meses desde que tuvo conocimiento fehaciente de la transmisión.

4. En toda clase de subastas públicas en que se pretenda la enajenación de bienes inscritos en el Inventario General del Patrimonio Cultural Valenciano, o respecto de los que se hubiera incoado expediente de inscripción, así como de bienes muebles no inventariados que posean el valor y las características que reglamentariamente se determinarán, los subastadores deberán notificar la subasta a la Conselleria competente en materia de cultura con una antelación no inferior a un mes, indicando el precio de salida a subasta del bien, y el lugar y hora de celebración de ésta. La Conselleria comunicará las subastas relativas a bienes inmuebles al Ayuntamiento del lugar donde se hallen situados. la Generalitat, y subsidiariamente el ayuntamiento correspondiente cuando se trate de bienes inmuebles, podrá, en los términos establecidos en el apartado 2, ejercer los derechos de tanteo y retracto sobre los bienes objeto de la subasta, por el precio de salida o de remate respectivamente.

5. Lo dispuesto en este artículo no será de aplicación a los inmuebles comprendidos en Conjuntos Históricos que no hayan sido objeto de inscripción independiente en el Inventario.

Artículo 23. Escrituras públicas

No se autorizarán, ni se inscribirán en el Registro de la Propiedad o Mercantil, escrituras públicas de transmisión del dominio y de constitución o transmisión derechos reales de uso y disfrute sobre los bienes a que se refiere el artículo anterior sin la previa y fehaciente justificación de que se ha notificado al órgano competente en materia de cultura el propósito de transmisión, mediante la aportación de la correspondiente copia sellada, testimonio de la cual se incorporará a la escritura.

Artículo 24. Limitaciones a su transmisión

1. Los bienes incluidos en el Inventario General del Patrimonio Cultural Valenciano de que sean titulares las administraciones públicas de la Comunidad Valenciana son inalienables e imprescriptibles, salvo las transmisiones que puedan acordarse entre las administraciones públicas.

2. No obstante lo dispuesto en el apartado anterior y sin perjuicio del régimen jurídico del dominio público, las administraciones públicas de la Comunidad Valenciana podrán, por causa de Interés público y con autorización de la Conselleria de Cultura, Educación y Ciencia, oída la Junta de Valoración de Bienes del Patrimonio Cultural Valenciano, acordar con los particulares la permuta de sus bienes, muebles o inmuebles, incluidos en el Inventario General, siempre que no estén declarados de interés cultural, con otros de al menos igual valor cultural. La permuta no supondrá en ningún caso la exclusión de los bienes enajenados del régimen de protección de los bienes inventariados.

3. Tratándose de bienes muebles, podrán, con los mismos requisitos, acordar su permuta también con entidades públicas o particulares extranjeros, previa la obtención de la preceptiva autorización de exportación por parte de la Administración del Estado, conforme a lo previsto en la legislación estatal sobre el patrimonio histórico.

4. La transmisión de los bienes inventariados de que sean titulares las instituciones eclesiásticas se regirá por la legislación estatal.

Artículo 25. Bienes inmateriales

El régimen de protección de los bienes inmateriales que, según lo previsto en el artículo 15, sean inscritos en el Inventario General del Patrimonio Cultural Valenciano será el específicamente previsto para ellos en la presente Ley.

CAPÍTULO III. De los Bienes de Interés Cultural Valenciano

Sección 1ª. Disposiciones generales

Artículo 26. Clases

1. Los Bienes de Interés Cultural serán declarados atendiendo a la siguiente clasificación:

A) Bienes inmuebles. Serán adscritos a alguna de las siguientes categorías:

a) Monumento. Se declararán como tales las realizaciones arquitectónicas o de ingeniería y las obras de escultura colosal.

b) Conjunto Histórico. Es la agrupación de bienes inmuebles, continua o dispersa, claramente delimitable y con entidad cultural propia e independiente del valor de los elementos singulares que la integran.

c) Jardín Histórico. Es el espacio delimitado producto de la ordenación por el hombre de elementos naturales, complementado o no con estructuras de fábrica y estimado por razones históricas o por sus valores estéticos, sensoriales o botánicos.

d) Espacio Etnológico. Construcción o instalación o conjunto de éstas, vinculadas a formas de vida y actividades tradicionales, que, por su especial significación sea representativa de la cultura valenciana.

e) Sitio Histórico. Es el lugar vinculado a acontecimientos del pasado, tradiciones populares o creaciones culturales de valor histórico, etnológico o antropológico.

f) Zona Arqueológica. Es el paraje donde existen bienes cuyo estudio exige la aplicación preferente de métodos arqueológicos, hayan sido o no extraídos y tanto se encuentren en la superficie, como en el subsuelo o bajo las aguas.

g) Zona Paleontológica. Es el lugar donde existe un conjunto de fósiles de interés científico o didáctico relevante.

h) Parque Cultural. Es el espacio que contiene elementos significativos del patrimonio cultural integrados en un medio físico relevante por sus valores paisajísticos y ecológicos.

B) Bienes muebles, declarados individualmente, como colección o como fondos de museos y colecciones museográficas.

C) Documentos y obras bibliográficas, cinematográficas, fonográficas o audiovisuales, declaradas individualmente, como colección o como fondos de archivos y bibliotecas.

D) Bienes inmateriales. Pueden ser declarados de interés cultural las actividades, creaciones, conocimientos, prácticas, usos y técnicas representativos de la cultura tradicional valenciana, así como aquellas manifestaciones culturales que sean expresión de las tradiciones del pueblo valenciano en sus manifestaciones musicales, artísticas o de ocio, y en especial aquellas que han sido objeto de transmisión oral, las que mantienen y potencian el uso del valenciano y los festejos taurinos tradicionales de la Comunitat Valenciana.

2. La declaración se hará mediante decreto del Consell, a propuesta de la Conselleria competente en materia de cultura, sin perjuicio de lo que dispone el artículo 6 de la Ley del Patrimonio Histórico Español respecto de los bienes adscritos a servicios públicos gestionados por la administración del estado o que formen parte del patrimonio nacional.

3. No podrá declararse de interés cultural la obra de un autor vivo sino mediando autorización expresa de su propietario y de su autor, salvo en el caso de Bienes Inmateriales de Naturaleza Tecnológica, siempre que haya transcurrido un plazo de cinco años desde su creación, con respeto a la legislación vigente en materia de propiedad intelectual.

Artículo 27. Procedimiento

1. La declaración de un Bien de Interés Cultural se hará en la forma establecida en el artículo anterior, previa la incoación y tramitación del correspondiente procedimiento por la Conselleria competente en materia de cultura. La iniciación del procedimiento podrá realizarse de oficio o a instancia de cualquier persona.

2. La solicitud de incoación habrá de ser resuelta en el plazo de tres meses. La denegación, en su caso, deberá ser motivada.

3. La incoación se notificará a los interesados, si fueran conocidos, y al ayuntamiento del municipio donde se encuentre el bien.

Sin perjuicio de su eficacia desde la notificación, la resolución acordando la incoación se publicará en el "Diari Oficial de la Generalitat" o "Diari Oficial de la Comunitat Valenciana" y en el "Boletín Oficial del Estado" y se comunicará al Registro General de Bienes de Interés Cultural dependiente de la administración del Estado para su anotación preventiva. Tratándose de Monumentos, Jardines históricos y Espacios Etnológicos se comunicará además al Registro de la Propiedad al mismo fin.

4. La incoación del procedimiento para la declaración de un Bien de Interés Cultural determinará la aplicación inmediata al bien afectado del régimen de protección previsto para los bienes ya declarados.

5. El procedimiento que se instruya deberá contar con los informes favorables a la declaración de al menos dos de las instituciones consultivas a que se refiere el artículo 7 de esta Ley. Los informes podrán ser solicitados tanto por la administración que tramita el procedimiento como por quien, en su caso, instó la incoación.

Transcurridos tres meses desde la solicitud del informe sin que éste se hubiere emitido se entenderá que es favorable. No obstante, si constara en el expediente algún informe contrario a la declaración será necesaria la existencia de dos informes favorables expresos.

Cuando se trate de Bienes Inmateriales de Naturaleza Tecnológica a los que se refiere el artículo 26.1.D de esta Ley, se deberá recabar informe del órgano de la administración de la Generalitat competente en materia de nuevas tecnologías.

6. Tratándose de bienes inmuebles se dará audiencia al Ayuntamiento interesado y se abrirá un período de información pública por término de un mes. En el caso de bienes inmateriales, se dará audiencia a las entidades públicas y privadas más estrechamente vinculadas a la actividad propuesta para la declaración.

7. El procedimiento deberá resolverse en el plazo de un año si se refiere a un bien mueble, de dos años en el caso de bienes inmateriales y de quince meses si se trata de inmuebles, a contar desde la fecha de su incoación. Si el procedimiento se refiere a declaración de Conjuntos Históricos o Zonas Arqueológicas o Paleontológicas o Parques Culturales o de inmuebles que exijan un estudio complementario o que conlleven la inscripción de elementos en otras secciones del Inventario General del Patrimonio Cultural Valenciano el plazo será de veinte meses. En este último supuesto, no serán de aplicación los plazos que para cada procedimiento concreto de inscripción en el Inventario se establecen en la presente Ley. Una vez caducado el procedimiento, no podrá volver a iniciarse en los tres años siguientes, salvo a instancia de la propiedad o de alguna de las instituciones consultivas a las que se refiere el artículo 7 de esta Ley.

Artículo 28. Contenido de la declaración

1. El decreto declarando un bien de interés cultural determinará con claridad los valores del bien que justifican la declaración y contendrá una descripción detallada del mismo, con sus partes integrantes, que permita una identificación precisa.

2. En el caso de los bienes inmuebles determinará además:

a) El carácter con que son declarados, según la clasificación contenida en el artículo 26 de esta ley.

b) La delimitación del entorno de protección cuando se trate de monumentos y jardines históricos, en todo caso. En los espacios etnológicos y zonas arqueológicas y paleontológicas el entorno será delimitado salvo en los supuestos en los que se justifique su innecesariedad. El entorno incluirá el subsuelo si procede y señalará los inmuebles que hayan de ser inscritos separadamente en el inventario como bienes de relevancia local, si no lo estuvieren ya, determinando, a tales efectos, la obligación para los ayuntamientos de inscribirlos en sus respectivos catálogos de bienes y espacios protegidos tal y como determina el artículo 46.1.

c) La delimitación del ámbito afectado por la declaración, cuando se trate de conjuntos históricos, sitios históricos y parques culturales, que no contaran con entorno de protección. La declaración determinará los inmuebles comprendidos en el ámbito que se declaran por sí mismos bienes de interés cultural o bienes de relevancia local, con sus correspondientes entornos de protección, cuando proceda.

d) La relación de las pertenencias o accesorios históricamente incorporados al monumento, jardín histórico o espacio etnológico, con la adscripción en la sección del inventario general que mejor se acomode a su naturaleza y valor cultural. Asimismo se identificará la posible existencia de bienes inmateriales asociados al mismo.

e) Las normas de protección del bien con arreglo a las particularidades detalladas en los apartados anteriores y que en el caso de que, conforme a lo dispuesto en esta ley, fuera preceptiva la aprobación de un plan especial de protección, regirán provisionalmente hasta la aprobación de dicho instrumento de ordenación.

3. Tratándose de colecciones de bienes muebles, la declaración enumerará y describirá cada uno de los elementos que integran la colección. En el caso de los fondos de museos, colecciones museográficas, archivos y bibliotecas se estará a lo dispuesto en los artículos 72 y 79 de esta ley.

4. En el caso de los bienes inmateriales, se deberá definir, además, su ámbito espacial y temporal.

Artículo 29. Inscripción y publicidad

1. El decreto declarando un Bien de Interés Cultural ordenará la inscripción de éste en la sección 1ª del Inventario General del Patrimonio Cultural Valenciano. Asimismo determinará la inscripción del resto de bienes contenidos en la declaración en la sección del Inventario que corresponda.

2. La declaración se comunicará al Registro General de Bienes de Interés Cultural, dependiente de la administración del Estado, a los efectos de la inscripción prevista en la Ley del Patrimonio Histórico Español.

3. La declaración se notificará a los interesados, así como al Ayuntamiento del lugar donde se encuentre situado, y se publicará en el "Diari Oficial de la Generalitat" o "Diari Oficial de la Comunitat Valenciana" y en el "Boletín Oficial del Estado".

4. Cuando se trate de Monumentos, Jardines Históricos y Espacios Etnológicos, la Conselleria competente en materia de cultura instará de oficio la inscripción gratuita de la declaración de interés cultural en el Registro de la Propiedad. En el caso de Conjuntos Históricos se hará la inscripción respecto de los inmuebles comprendidos en el Conjunto que se declaren por sí mismos Bien de Interés Cultural.

Artículo 30. Extinción de la declaración de Bien de Interés Cultural

1. La declaración de un Bien de Interés Cultural sólo podrá dejarse sin efecto en virtud de Decreto del Gobierno Valenciano, previa la tramitación de expediente, incoado de

oficio o a instancia del titular de un interés legítimo y directo, con los mismos requisitos y garantías exigidos para la declaración, salvo lo que dispone el artículo 72.2 en relación con los fondos de museos y colecciones museográficas permanentes. Los informes a que se refiere el artículo 27.5 habrán de ser siempre expresos.

2. No podrán invocarse como causas para dejar sin efecto la declaración de un Bien de Interés Cultural las que deriven del incumplimiento de las obligaciones establecidas en esta Ley.

3. La resolución que deje sin efecto una declaración de interés cultural dará lugar a la cancelación de la correspondiente inscripción en la Sección 1.ª del Inventario General del Patrimonio Cultural Valenciano, sin perjuicio de que, si así se dispone, se mantenga la inclusión del bien en cualquiera de las restantes secciones del Inventario.

4. De la resolución recaída se dará cuenta a la Administración del Estado para que produzca sus efectos en el Registro General de Bienes de Interés Cultural dependiente de ella.

5. Tratándose de Monumentos y Jardines Históricos, la resolución dejando sin efecto la declaración de interés cultural se comunicará también al Registro de la Propiedad para su constancia en el mismo.

Artículo 31. Programas de actuaciones de conservación

A efectos de la aplicación de las medidas de fomento previstas en esta Ley, los titulares de bienes declarados de interés cultural podrán presentar a la Conselleria de Cultura, Educación y Ciencia programas de conservación y mantenimiento de dichos bienes, en los que se señalarán las actuaciones necesarias para su adecuada conservación y el coste estimado de éstas.

Artículo 32. Régimen de visitas

1. Para hacer posible el adecuado conocimiento y difusión pública de los bienes del patrimonio cultural valenciano, los propietarios y poseedores por cualquier título de bienes inmuebles declarados de interés cultural deberán facilitar la visita pública de éstos, al menos, durante cuatro días al mes, en días y horario predeterminados, que se harán públicos con la difusión adecuada tanto en medios de comunicación como en centros de información turística y cultural. El régimen de visitas que se establezca deberá garantizar debidamente el respeto al derecho a la intimidad personal y familiar.

Sin perjuicio de la contribución pública al régimen de visitas prevista en el artículo 92 de esta Ley, la Conselleria de Cultura, Educación y Ciencia prestará a los titulares de los bienes, en la forma que reglamentariamente se determine, la asistencia necesaria para el cumplimiento de esta obligación en las adecuadas condiciones.

La observancia de esta norma podrá ser dispensada, en todo o en parte, por la Conselleria de Cultura, Educación y Ciencia por causa justificada.

2. En el caso de bienes muebles que no estén habitualmente expuestos al público, los titulares de los mismos estarán obligados a cederlos temporalmente a exposiciones organizadas por entidades o instituciones públicas previa autorización de la Conselleria de Cultura, Educación y Ciencia, de acuerdo con el desarrollo reglamentario.

Sección 2ª. Régimen de los bienes inmuebles de interés cultural

Artículo 33. Suspensión y revisión de licencias

1. La incoación de un procedimiento para la declaración de un inmueble como Bien de Interés Cultural determinará la suspensión del otorgamiento de licencias municipales de parcelación, urbanización, construcción, demolición, actividad y demás actos de edificación y uso del suelo que afecten al inmueble y a su entorno de protección, así como de dichas

actuaciones cuando sean llevadas a cabo directamente por las entidades locales, quedando también suspendidos los efectos de las licencias ya otorgadas. La suspensión dependerá de la resolución o la caducidad del expediente.

No obstante, la Conselleria competente en materia de cultura, autorizará las actuaciones mencionadas cuando, a la vista de los criterios de aplicación directa dispuestos en la presente Ley y de la normativa específica de protección, si la hubiere, se aprecie que no perjudican los valores del bien que motivaron la incoación del procedimiento.

2. Declarado un inmueble como Bien de Interés Cultural, la Conselleria competente en materia de cultura, en el plazo de tres meses y con audiencia del Ayuntamiento correspondiente, emitirá informe vinculante sobre las licencias, o sus efectos, y las actuaciones urbanísticas suspendidas como consecuencia de la incoación del procedimiento, pudiendo proponer las modificaciones necesarias para su adecuación al contenido de la declaración y a las disposiciones de esta Ley. Transcurrido dicho plazo sin haberse emitido el informe, se entenderá levantada la suspensión de todas aquellas actuaciones que no entren en contradicción con las normas de protección aprobadas.

3. Si como consecuencia de este informe el Ayuntamiento hubiera de anular o modificar una licencia otorgada de conformidad con la normativa vigente en el momento de su concesión, la Generalitat se hará cargo de la indemnización que en su caso corresponda, conforme a los criterios establecidos en la legislación urbanística.

Artículo 34. Planeamiento urbanístico

1. Los planes de ordenación previstos en la legislación urbanística que afecten a bienes inmuebles declarados de interés cultural se ajustarán a los términos de la declaración. La declaración sobrevenida a la aprobación de los planes determinará la modificación de éstos si fuera necesaria para su adaptación al contenido de la declaración.

En todo caso, los bienes inmuebles así declarados, los entornos de protección que puedan corresponderles, y sus correspondientes instrumentos de regulación urbanística, formarán parte de la ordenación estructural del planeamiento municipal.

2. La declaración de un inmueble como bien de interés cultural, determinará para el ayuntamiento correspondiente la obligación de aprobar provisionalmente un plan especial de protección del bien u otro instrumento urbanístico, de análogo contenido, que atienda a las previsiones contenidas en el artículo 39, y remitirlo al órgano urbanístico competente para su aprobación definitiva, en el plazo de un año desde la publicación de la declaración. La aprobación provisional deberá contar con informe previo de la conselleria competente en materia de cultura. Dicho informe se emitirá, en el plazo de seis meses, sobre la documentación que vaya a ser objeto de aprobación provisional y tendrá carácter vinculante.

3. Serán nulos de pleno derecho los instrumentos urbanísticos aprobados con incumplimiento de lo dispuesto en el apartado anterior.

4. Si al momento de la declaración hubiere ya aprobado un Plan Especial de Protección del inmueble, u otro instrumento de planeamiento con el mismo objeto, el Ayuntamiento podrá someterlo a informe de la Conselleria competente en materia de cultura, para su convalidación, si procede, a los efectos de este artículo.

5. Hasta tanto se produzca la aprobación definitiva del correspondiente Plan Especial regirán transitoriamente las normas de protección contenidas en el decreto de declaración, conforme a lo previsto en el artículo 28 de esta Ley.

6. Tratándose de Monumentos y Jardines Históricos la obligatoriedad de redactar el Plan Especial de Protección se entenderá referida únicamente al entorno del bien. Sin embargo la declaración podrá eximir al Ayuntamiento competente de la obligación de redactar el mencionado Plan Especial cuando se considere suficiente la incorporación al

planeamiento de las normas de protección del entorno contenidas en la propia declaración, que en tal caso regirán con carácter definitivo.

7. En el caso de los Espacios Etnológicos la exigencia de la necesidad o no de delimitación y regulación de entorno de protección será determinada por la declaración.

8. La declaración de interés cultural de un inmueble determinará para el Ayuntamiento donde se halle el bien la obligación de incluirlo en la ordenación estructural de su planeamiento y en el correspondiente Catálogo de Bienes y Espacios Protegidos con el grado de protección adecuado al contenido de esta Ley y al decreto de declaración.

9. La Generalitat prestará a los Ayuntamientos la asistencia técnica y económica necesaria para la elaboración de los Planes Especiales de Protección de los bienes inmuebles declarados de interés cultural.

Artículo 35. Autorización de intervenciones

1. Las intervenciones en inmuebles y ámbitos patrimonialmente protegidos se ajustarán al siguiente régimen:

a) Toda intervención que afecte a un monumento, jardín histórico o a un espacio etnológico deberá ser autorizada por la conselleria competente en materia de cultura, previamente a la concesión de la licencia municipal, cuando fuere preceptiva, o al dictado del acto administrativo correspondiente para su puesta en práctica. Las intervenciones en sitios históricos, zonas arqueológicas y paleontológicas y parques culturales se regirán por lo dispuesto en la normativa contenida en la declaración, y en los instrumentos de ordenación que la desarrollen.

b) Hasta la aprobación o convalidación definitiva del correspondiente plan especial de protección o documento asimilable, en los conjuntos históricos y en los entornos de protección de los bienes de interés cultural requerirán autorización por parte de la conselleria competente en materia de cultura las actuaciones de transcendencia patrimonial que así se determinen en la normativa provisional de protección contenida en la declaración, cuando exista, y que en todo caso incluyen las relativas a obras de nueva planta, de demolición, de ampliación de edificios existentes; y las que conlleven la alteración, cambio o sustitución de la estructura portante y/o arquitectónica y del diseño exterior del inmueble, incluidas las cubiertas, las fachadas y los elementos artísticos y acabados ornamentales. También requerirán de autorización las actuaciones de urbanización de los espacios públicos que sobrepasen su mera conservación y/o reposición, y la instalación de antenas y dispositivos de comunicación.

Se entiende por intervenciones carentes de transcendencia patrimonial, y por tanto no requieren de la autorización previa de la conselleria competente en materia de cultura, las habilitaciones interiores de los inmuebles que no afecten a su percepción exterior y aquellas que se limiten a la conservación, reposición y mantenimiento de elementos preexistentes, sean reversibles y no comporten alteración de la situación anterior.

c) Excepcionalmente, aquellos ayuntamientos que por razón de población o capacidad de gestión cuenten con una comisión técnica municipal de carácter multidisciplinar integrada, por personal funcionario o laboral con titulación técnica y/o superior competente para evaluar la adecuada protección de los valores arquitectónicos, arqueológicos e históricos del ámbito protegido, y en la que exista representación de la conselleria competente en materia de cultura, podrán solicitar la delegación del ejercicio de las competencias señaladas en la letra b del presente apartado. La resolución de la conselleria por la que se produzca esta delegación incluirá los ámbitos o actuaciones exceptuadas de la misma y la obligación de comunicar las autorizaciones o licencias concedidas en el plazo máximo de diez días desde su otorgamiento.

2. Las autorizaciones que se concedan en virtud de lo dispuesto en el presente artículo se ajustarán a la normativa provisional de protección y, en su defecto y dependiendo del ámbito, a los criterios de aplicación directa dispuestos en los artículos 38 y 39 de la presente ley. Las autorizaciones se entenderán denegadas una vez transcurridos tres meses desde que se solicitaron sin que hubiera recaído resolución expresa.

3. Una vez aprobado definitivamente el plan especial de protección o instrumento análogo, no será necesaria la citada autorización contemplada en el apartado 1.b salvo para aquellas intervenciones y para aquellos ámbitos que el informe citado en el apartado 2 del artículo anterior así lo considere expresamente por su especial trascendencia. En el caso de las zonas arqueológicas o paleontológicas, se estará a lo dispuesto en el artículo 62 en relación con la necesidad de actuaciones arqueológicas o paleontológicas previas a la ejecución de las obras. Las licencias y aprobaciones municipales deberán ajustarse estrictamente a las determinaciones del plan.

4. Los proyectos de intervención en bienes inmuebles declarados de interés cultural, contendrán un estudio acerca de los valores históricos, artísticos, arquitectónicos o arqueológicos del inmueble, el estado actual de éste y las deficiencias que presente, la intervención propuesta y los efectos de la misma sobre dichos valores. El estudio será redactado por un equipo de técnicos competentes en cada una de las materias afectadas e indicará, en todo caso, de forma expresa el cumplimiento de los criterios establecidos en el artículo 38.

Dentro del mes siguiente a la conclusión de la intervención, el promotor del proyecto presentará ante la conselleria competente en materia de cultura una memoria descriptiva de la obra realizada y de los tratamientos aplicados, con la documentación gráfica del proceso de intervención elaborada por la dirección facultativa.

Se excluyen de lo dispuesto en este apartado los inmuebles comprendidos en conjuntos históricos que no tengan por sí mismos la condición de bienes de interés cultural.

5. Todas las autorizaciones de intervención se entenderán otorgadas en función de las circunstancias existentes en el momento de su dictado, por lo que podrán ser modificadas o dejadas sin efecto en caso de concurrir circunstancias sobrevenidas que hicieran peligrar los valores protegidos al amparo de la presente ley. La modificación o privación de efectos se producirá previa audiencia de los interesados y, de acuerdo con lo dispuesto en el artículo 10, podrá acordarse la paralización cautelar, total o parcial, antes de dictarse la resolución que resulte pertinente.

6. La autorización se entenderá caducada si transcurrieran dos años sin haberse iniciado las actuaciones para las que fue solicitada, sin perjuicio de que su vigencia pueda prorrogarse, a solicitud del interesado, por una sola vez y por un nuevo plazo no superior al inicial. Dicha caducidad deberá ser declarada expresamente de conformidad con lo establecido en el artículo 42.1 de la Ley 30/1992, de 26 de noviembre, de régimen jurídico de las administraciones públicas y del procedimiento administrativo común.

7. Las actuaciones promovidas por el órgano competente en materia de patrimonio cultural se ajustarán a lo dispuesto en la presente ley y se entenderán autorizadas con la aprobación del correspondiente proyecto.

Artículo 36. Licencias municipales

1. Los Ayuntamientos no podrán otorgar licencias ni dictar actos equivalentes, que habiliten actuaciones de edificación y uso del suelo relativas a inmuebles declarados de interés cultural, o a sus entornos, sin haberse acreditado por el interesado la obtención de la autorización de la Conselleria competente en materia de cultura, cuando sea preceptiva conforme a lo dispuesto en el artículo 35.

2. Será también necesario que el solicitante acredite haber obtenido la preceptiva autorización de la conselleria competente en materia de cultura para la concesión de permisos

o licencias de actividad que supongan cambio en el uso de un bien inmueble de interés cultural, conforme a lo prevenido en el artículo 18.2. Dicha autorización se entenderá denegada una vez transcurridos tres meses desde que se solicitó sin que hubiera recaído resolución expresa.

3. En ningún caso se concederán licencias condicionadas a la posterior obtención de las autorizaciones exigidas en los apartados anteriores.

4. Los Ayuntamientos comunicarán a la Conselleria competente en materia de cultura, las licencias y permisos urbanísticos y de actividad que afecten a bienes sujetos a tutela patrimonial, dentro de los diez días siguientes a su concesión. Tratándose de Monumentos, Jardines Históricos y Espacios Etnológicos, de inmuebles comprendidos en sus entornos y de bienes inmuebles de Relevancia Local la comunicación se hará de forma simultánea a la notificación al interesado.

Artículo 37. Obras ilegales

1. Las obras realizadas sin autorización o apartándose del contenido de ésta se considerarán ilegales y el Ayuntamiento o, en su caso, la Conselleria competente en materia de cultura, previa audiencia y con expreso apercibimiento de ejecución subsidiaria, requerirá al promotor de las mismas la restitución de los valores afectados, mediante la remoción, demolición o reconstrucción de lo hecho. Si no fuera atendido el requerimiento, la administración realizará aquella restitución con cargo al responsable de la infracción. En el caso en que un acto municipal hubiere dado cobertura a dichas actuaciones y el Ayuntamiento no promoviese las acciones conducentes para la reparación de sus consecuencias, la ejecución subsidiaria corresponderá a la Conselleria competente en materia de cultura.

2. De las obras ejecutadas sin la autorización de la Conselleria competente en materia de cultura, cuando fuere preceptiva, se haya concedido o no licencia municipal, serán responsables solidarios el promotor, el constructor y el técnico director de las mismas.

3. De la concesión de licencias municipales u otros actos contraviniendo lo dispuesto en los dos artículos anteriores serán responsables los Ayuntamientos que los dictaron, en los términos establecidos en la legislación urbanística.

Artículo 38. Criterios de intervención en Monumentos, Jardines Históricos y Espacios Etnológicos

1. Cualquier intervención en un monumento, jardín histórico o espacio etnológico declarado de interés cultural deberá ir encaminada a la preservación y acrecentamiento de los intereses patrimoniales que determinaron dicho reconocimiento y se ajustará a los siguientes criterios:

a) La intervención respetará las características y valores esenciales del inmueble. Se conservarán sus características volumétricas, espaciales, morfológicas y artísticas, así como las aportaciones de distintas épocas que hayan enriquecido sus valores originales.

En caso de que se autorice alguna supresión deberá quedar debidamente documentada.

b) Se preservará la integridad del inmueble y no se autorizará la separación de ninguna de sus partes esenciales ni de los elementos que le son consustanciales. Los bienes muebles vinculados como pertenencias o accesorios a un inmueble declarado de interés cultural sólo podrán ser separados del mismo en beneficio de su propia protección y de su difusión pública o cuando medie un cambio de uso y siempre con autorización de la conselleria competente en materia de cultura. Reglamentariamente se determinarán las condiciones de dichos traslados que aseguren el cumplimiento de los fines que los justifiquen.

c) Los bienes inmuebles de interés cultural son inseparables de su entorno. No se autorizará el desplazamiento de éstos sino cuando resulte imprescindible por causa de interés social o fuerza mayor, mediante resolución de la conselleria competente en materia de cultura y previo el informe favorable de al menos dos de las instituciones consultivas a que se refiere el artículo 7 de esta Ley.

d) Podrán autorizarse, siempre que exista alguna pervivencia de elementos originales o conocimiento documental suficiente de lo perdido, las reconstrucciones totales o parciales del bien. En todo caso deberá justificarse documentalmente el proceso reconstructivo.

La reconstrucción procurará, en la medida que las condiciones técnicas lo permitan, la utilización de procedimientos y materiales originarios. El resultado deberá hacerse comprensible a través de gráficos, maquetas, métodos virtuales o cualquier técnica de representación que permita la diferenciación entre los elementos originales y los reconstruidos.

e) Queda prohibida la colocación de rótulos y carteles publicitarios, conducciones aparentes y elementos impropios en los espacios etnológicos, jardines históricos y en las fachadas y cubiertas de los monumentos, así como de todos aquellos elementos que menoscaben o impidan su adecuada apreciación o contemplación.

f) La conselleria competente en materia de cultura podrá autorizar la instalación de rótulos indicadores del patrocinio de los bienes y de la actividad a que se destinan.

2. En caso de encontrarse separado algún elemento original del monumento, jardín histórico o espacio etnológico del que formaba parte, la conselleria competente en materia de cultura promoverá la recuperación de aquellos que tengan especial relevancia artística o histórica.

Artículo 39. Planes especiales de protección

1. Los Planes Especiales de Protección de los inmuebles declarados de interés cultural establecerán las normas de protección que desde la esfera urbanística den mejor respuesta a la finalidad de aquéllas provisionalmente establecidas en la declaración, regulando con detalle los requisitos a que han de sujetarse los actos de edificación y uso del suelo y las actividades que afecten a los inmuebles y a su entorno de protección.

La memoria justificativa de dichos documentos de planeamiento dará razón expresa del cumplimiento de las determinaciones establecidas en el presente artículo, en función de las particularidades urbanísticas y patrimoniales del ámbito protegido.

2. Los Planes Especiales de Protección de los Conjuntos Históricos y sus modificaciones, tendrán en cuenta los siguientes criterios:

a) Se mantendrá la estructura urbana y arquitectónica del conjunto y las características generales del ambiente y de la silueta paisajística.

No se permitirán modificaciones de alineaciones, alteraciones de la edificabilidad, parcelaciones ni agregaciones de inmuebles, salvo que contribuyan a la mejor conservación general del conjunto.

b) No obstante lo dispuesto en el apartado anterior, con carácter excepcional, el Consell podrá autorizar, oídos al menos dos de los organismos a que se refiere el artículo 7 de esta Ley, que los Planes Especiales de Protección de los Conjuntos históricos prevean modificaciones de la estructura urbana y arquitectónica en el caso de que se produzca una mejora de su relación con el entorno territorial o urbano o se eviten los usos degradantes para el propio conjunto o se trate de actuaciones de interés general para el municipio o de proyectos singulares relevantes.

c) Justificadamente, con la aprobación del Plan se podrá establecer un perímetro continuo o discontinuo de mayor alcance que el reconocido en la declaración. El perímetro así declarado pasará integrarse en el Conjunto Histórico a todos los efectos.

d) Los Planes Especiales articularán, respecto del patrimonio arqueológico de su ámbito, las cautelas establecidas en la materia por la presente Ley, de manera acorde con lo dispuesto en los artículos 59 a 65 de la misma. Dichas cautelas, tendrán por objeto aquellas actuaciones que supongan remoción o alteración del subsuelo, estén sujetas o no a licencia municipal.

e) El planeamiento incentivará operaciones de rehabilitación urbana que faciliten la recuperación residencial del área y de las actividades económicas tradicionales junto con otras compatibles con los valores del conjunto. Propiciará igualmente la implantación, en los edificios y espacios que sean aptos para ello, de aquellas dotaciones y usos públicos que contribuyan a la rehabilitación inmueble y a la puesta en valor y disfrute social del conjunto.

f) El planeamiento tendrá por objeto, con carácter general, la conservación de los inmuebles y su rehabilitación, exceptuando aquellos otros que no se ajusten a los parámetros básicos de las edificaciones tradicionales de la zona y que, por tal razón, se califiquen expresa y justificadamente por el Plan como impropios, distorsionantes o inarmónicos.

Con la finalidad de facilitar la evaluación patrimonial y asegurar la continuidad de los procesos de renovación urbana, se garantizará la edificación sustitutoria en los derribos de inmuebles, condicionándose la concesión de la licencia de derribo a la valoración del correspondiente proyecto de edificación. Idéntico criterio se practicará en el desarrollo de remodelaciones urbanas previstas o permitidas por el planeamiento.

Los inmuebles que sean sustituidos consecuencia de su destrucción por cualquier circunstancia tomarán como referencia las tipologías arquitectónicas de la zona o área en que se encuentran ubicados, conforme a lo desarrollado en la letra j) del presente apartado.

g) El Plan Especial deberá contener un Catálogo de Bienes y Espacios Protegidos que defina los diversos grados de protección y tipos de intervención posibles. El Catálogo, además de incluir los inmuebles cultural o arquitectónicamente destacados, abarcará todos aquellos relacionados con los patrones caracterizadores del conjunto que puedan ser objeto de conservación o rehabilitación.

El régimen de intervención se determinará en función de los valores específicos de cada inmueble o de su papel urbano, expresamente señalados en el documento. En caso de edificios sujetos a posible remodelación o vaciado con mantenimiento de elementos significativos, particularmente su fachada, el Catálogo regulará las actuaciones a realizar de modo que sean congruentes con su tipomorfología, respetando la edificabilidad, la cota de encuentro de forjados y cubiertas y la disposición originaria de huecos.

Cuando por cualquier circunstancia resulte destruido un bien catalogado, el terreno subyacente permanecerá sujeto al régimen propio de la edificación precedente. En este supuesto se procederá a la restitución, en lo posible, de los valores del inmueble conforme a su caracterización original, y de no serlo, conforme a los parámetros tipológicos establecidos para el ámbito en que se ubique.

En todo caso los Catálogos dejaran constancia, con la denominación correspondiente, de todos aquellos inmuebles que formen parte del Inventario de Patrimonio Cultural Valenciano, con indicación, en su caso, de los respectivos entornos de protección.

h) El planeamiento especial declarará fuera de ordenación aquellas construcciones e instalaciones erigidas con anterioridad a su aprobación que resulten disconformes con el régimen de protección exigido por esta Ley, estableciendo el régimen específico de intervención admisible en las mismas.

i) Los Planes Especiales procurarán la adaptación morfológica de aquellos inmuebles que resulten disonantes respecto de la caracterización propia del conjunto, y proveerán las medidas de ornato que deban regir en la conservación de fachadas y cubiertas de inmuebles no expresamente catalogados.

j) Con el fin de asegurar la armonización de nuevas edificaciones con el ambiente en el que se insertan, el planeamiento especial dispondrá de normativa reguladora de los parámetros tipológicos, morfológicos y materiales a ellas exigibles, diferenciada en función de las características propias de cada zona homogénea, así delimitada mediante estudios histórico-arquitectónicos, urbanísticos y paisajísticos, cuyo nivel de detalle puede llegar a pormenorizar frentes urbanos, ejes o tramos viarios, manzanas e incluso lienzos de fachadas de las mismas.

Para ello se regularán, como mínimo, los siguientes parámetros: escala y parcelación, relación orográfica, relación entre plano de fachada y alineación, sección general, perfil y cubiertas, vuelos y su disposición, relación macizo-vano, tipología de huecos, composición, materiales, acabados, ornamento, color e iluminación.

El planeamiento podrá señalar causas o ámbitos de excepcionalidad en los que las actuaciones no queden sujetas, total o parcialmente, a la presente regulación, condicionando su autorización a la resolución expresa de la Conselleria competente en materia de cultura.

k) El Plan contendrá criterios relativos al ornato de edificios, espacios libres y viales en su relación con la escena o paisaje urbano, de modo que garantice y acreciente sus valores y la percepción de los mismos.

En lo que respecta a los inmuebles, regulará, con carácter limitativo, el establecimiento o la instalación de accesorios tales como toldos, marquesinas, dispositivos luminosos o cualesquiera otros prominentes o sobrepuestos a su envolvente arquitectónica. Igualmente asegurará la recuperación del aspecto, ornamento y cromatismo característicos de las edificaciones, implantando, para aquellas que carezcan de referentes propios, que sean remodelables o de nueva construcción, la correspondiente carta de color y repertorio de acabados a los que atenerse, y para todas, en general, las prescripciones técnicas que condicionen la iluminación de exteriores.

En lo que respecta a espacios o viales, regulará la reposición o renovación de pavimentos, el ajardinamiento y arbolado, el mobiliario urbano, las señalizaciones, la eliminación de barreras arquitectónicas, el alumbrado y demás elementos ambientales. Asimismo regulará la asignación de uso y ocupación, teniendo particularmente en consideración el mantenimiento de las prácticas rituales o simbólicas tradicionales.

l) El Plan prohibirá la publicidad exterior en cualquiera de sus formatos y soportes de fijación (mástiles, vallas, paneles, carteles, lonas, toldos, etc.) así como aquella que utilice medios acústicos, de proyección o de generación de imágenes, salvo la de actividades cívicas, culturales o eventos festivos que, de manera ocasional, reversible y por tiempo limitado puedan ser autorizables a través del procedimiento que se determine. Mediante una regulación estricta sobre presentación, tamaño y ubicación, podrá excepcionarse de tal prohibición la publicidad que se inserte en mobiliario urbano de titularidad o concesión pública. Las lonas o tejidos protectores de las obras de rehabilitación, reforma o nueva construcción de fachadas serán de aspecto neutro e uniforme, de gramaje que permita la mayor transparencia posible, sin que sean aceptables otras grafías o rotulaciones que las determinadas por las ordenanzas municipales para la identificación legal de las actuaciones, salvo que reproduzcan impresas en ella y a escala real, las fachadas que cubren, en cuyo caso la normativa del Plan podrá permitir la incorporación, de manera discreta y en extensión inferior al 15% de la superficie, de identificaciones o mensajes publicitarios.

No se consideran publicidad a los efectos del presente apartado los indicadores y la rotulación de establecimientos que sean identificativos de las marcas corporativas y de la actividad que en ellos se desarrolle. El Plan establecerá la normativa reguladora que garantice su integración armónica en los edificios y en el paisaje del conjunto.

m) El Plan dispondrá que toda instalación urbana eléctrica, telefónica o de cualquier otra naturaleza se canalice subterráneamente, quedando expresamente prohibido el tendido de redes aéreas o adosadas a las fachadas. Las antenas de telecomunicación y dispositivos similares se situarán en lugares en que no perjudiquen la imagen urbana o de parte del conjunto.

n) El planeamiento analizará la estructuración viaria para articular normativamente la jerarquización y funcionalidad del espacio público en relación con el uso, la accesibilidad, y el estacionamiento de vehículos. Priorizará el uso peatonal, el transporte público y la dotación de estacionamientos para residentes, con el fin de evitar al máximo las afecciones del tráfico rodado.

o) El Plan establecerá la documentación técnica necesaria que permita evaluar la idoneidad y trascendencia patrimonial de cada intervención. Con este fin, exigirá estudios documentales de carácter histórico-artístico, urbano y arquitectónico que, con apoyo gráfico, permitan el análisis comparativo entre la situación de partida y la propuesta.

p) Los Planes preverán instrumentos para lograr un seguimiento documental y una gestión integrada del Conjunto Histórico, y, en todo caso, contemplarán la creación de una Comisión Mixta con representación de la Conselleria competente en materia de patrimonio de la Generalitat y del Ayuntamiento en la que se debatirán, de manera puntual y para la mejor consecución de las finalidades perseguidas por la norma, aquellas cuestiones en las que exista un margen de interpretación. En última instancia, en caso de discrepancias interpretativas o de sobrevenir nuevas incidencias patrimoniales no previstas por el plan, resolverá, oído el parecer municipal, la Conselleria competente en materia de cultura.

q) la Generalitat promoverá la conservación de los bienes de interés cultural, incluyendo la adopción de medidas para el mantenimiento de las tradiciones y las actividades culturales propias, evitando la pérdida de usos y costumbres que son parte de nuestro patrimonio inmaterial.

3. En los Planes Especiales de Protección y sus modificaciones, referidos a entornos de Monumentos, Jardines Históricos y, en su caso, de Espacios Etnológicos se tendrá en cuenta lo siguiente:

a) Con el fin de proveer la adecuada protección y valoración de estos bienes, el entorno de protección deberá ser delimitado con precisión por el propio Plan Especial cuando no se hubiese hecho en el momento de la declaración o no se hubiese incorporado posteriormente en procedimiento expreso. Excepcionalmente el planeamiento podrá proponer, por motivos justificados en la mejora tutelar, reajustes del ámbito de protección previamente reconocido. La delimitación así tramitada adquirirá vigencia a todos los efectos a partir de la entrada en vigor del correspondiente planeamiento.

b) La delimitación se ajustará a los siguientes criterios:

b.1) Para los que se encuentren en ámbitos urbanos:

– Parcelas que limitan directamente con la que ocupa el bien, y en las que cualquier intervención que se realice pueda afectarlo visual o físicamente.

– Parcelas recayentes al mismo espacio público que el bien y que constituyen el entorno visual y ambiental inmediato y en el que cualquier intervención que se realice pueda suponer una alteración de las condiciones de percepción del bien o del carácter patrimonial del ámbito urbano en que se ubica.

– Espacios públicos en contacto directo con el bien y las parcelas enumeradas anteriormente y que constituyen parte de su ambiente inmediato, acceso y centro del disfrute exterior del mismo.

– Espacios, edificaciones o cualquier elemento del paisaje urbano que, aun no teniendo una situación de inmediatez con el bien, afecten de forma fundamental a la percepción del mismo o constituyan puntos clave de visualización exterior o de su disfrute paisajístico.

– Perímetros de presunción arqueológica, susceptibles de hallazgos relacionados con el bien de interés cultural o con la contextualización histórica de su relación territorial.

b.2) Para los que se encuentren en ámbitos no urbanos o periurbanos:

En su relación urbana atenderán los mismos criterios expresados anteriormente. En su restante relación territorial, además de los perímetros de presunción arqueológica antes citados, incluirán los ámbitos colindantes, deslindados según referentes geográficos, topográficos, etnológicos y paisajísticos, cuyas componentes naturales y rurales conformen su paisaje consustancial, así como los caminos más próximos desde donde es posible su contemplación.

c) Salvo determinación expresa de la declaración, será también de aplicación para la elaboración de los planes especiales de protección de los monumentos, jardines históricos y, en su caso, espacios etnológicos y sus entornos, la regulación arbitrada para conjuntos históricos en el apartado 2 de este artículo, exceptuando lo regulado en los epígrafes b y p del mismo.

d) El Plan establecerá con precisión, en desarrollo de lo dispuesto en el apartado 2 del artículo 35, aquellas intervenciones que por su ámbito de incidencia o por su trascendencia patrimonial requerirán de la previa autorización de la Conselleria competente en materia de cultura.

e) Ninguna intervención podrá alterar el carácter arquitectónico y paisajístico de la zona ni perturbar la contemplación del bien. La regulación urbanística procurará además la recuperación de aquellos valores arquitectónicos y paisajísticos acreditados, que se hubiesen visto afectados con anterioridad a la declaración.

f) En todo caso, se arbitrarán las medidas necesarias para la eliminación de elementos, construcciones e instalaciones que no cumplan una función directamente relacionada con el destino o características del bien y supongan un deterioro visual o ambiental de este espacio.

g) En ámbitos rurales, el Plan velará porque el tratamiento de la geomorfología y orografía del terreno resulte acorde con la contextualización histórico-paisajística del bien, prohibiendo cualquier movimiento de tierras que pueda afectar a la caracterización propia del lugar, así como cualquier clase de vertido.

4. Los sitios históricos, las zonas arqueológicas y paleontológicas y los parques culturales se ordenarán asimismo mediante sus correspondientes planes especiales de protección u otros instrumentos de ordenación que cumplan las exigencias establecidas en esta Ley.

Artículo 40. Ruina

1. Si, pese a lo dispuesto en el artículo 18 de esta Ley, llegara a incoarse expediente para la declaración de la situación legal de ruina de un inmueble declarado de interés cultural, la Conselleria de Cultura, Educación y Ciencia intervendrá como interesada en dicho expediente, cuya incoación deberá serle notificada. El expediente deberá ser también sometido a información pública por plazo de un mes a fin de hacer posible el cumplimiento de lo dispuesto en el artículo 5.3 de esta Ley. La incoación del expediente podrá dar lugar a la expropiación del inmueble en los términos establecidos en el artículo 21.

De conformidad con lo prevenido en el artículo 30.2, la situación de ruina de un inmueble declarado de interés cultural que sea consecuencia del incumplimiento de las obligaciones establecidas en la presente Ley, no podrá jamás servir de causa para dejar sin efecto dicha declaración y determinará para el propietario la obligación de realizar a su cargo las obras de restauración y conservación necesarias, sin que sea aplicable en este caso el límite del deber normal de conservación que establece la legislación urbanística.

2. Cuando, a consecuencia del mal estado de conservación de un inmueble declarado de interés cultural, el Ayuntamiento correspondiente, para evitar daños a terceros, hubiera de adoptar medidas que pudieran afectar a elementos de la edificación, lo comunicará inmediatamente a la Conselleria de Cultura, Educación y Ciencia, que deberá resolver con la urgencia precisa y en todo caso en el plazo de setenta y dos horas, señalando las condiciones a las que haya de sujetarse la intervención.

3. Cuando, por cualquier circunstancia, resultare destruida una construcción o edificio declarado de interés cultural será de aplicación, en cuanto al régimen del terreno subyacen-

te y el aprovechamiento subjetivo del propietario, lo dispuesto en la legislación urbanística en relación con la pérdida o destrucción de elementos catalogados.

4. En el caso de que un inmueble fuera derruido y formara parte de un entorno o conjunto inscrito en el Inventario General del Patrimonio Cultural Valenciano, la nueva construcción se ajustará a la tipología y al estilo del entorno o conjunto urbanístico.

Sección 3ª. Régimen de los bienes muebles de interés cultural

Artículo 41. Uso y conservación

1. Los bienes muebles declarados de interés cultural no podrán ser sometidos a tratamiento alguno, ni a cambio en el uso que de ellos se viniera haciendo, sin autorización de la Conselleria competente en materia de cultura. Se entenderá aquélla concedida por el transcurso de tres meses desde que se solicitó sin haberse dictado resolución.

2. La solicitud de autorización deberá ir acompañada, al menos, de la siguiente documentación:

a) Memoria del estado de conservación del bien y estudio relativo de los valores históricos y culturales redactados por técnico competente.

b) Proyecto de intervención en el que se indiquen las técnicas, materiales y procesos a utilizar y el lugar donde se efectuará aquélla.

c) Acreditación de la capacidad técnica y profesional de las personas que hayan de dirigir y llevar a cabo la intervención.

3. La conselleria competente en materia de cultura podrá inspeccionar en todo momento las intervenciones que se realicen sobre los bienes muebles de interés cultural y ordenará la suspensión inmediata de éstas cuando no se ajusten a la autorización concedida o se estime que las actuaciones profesionales no alcanzan el nivel adecuado.

4. Si durante el transcurso de las intervenciones aparecieran signos o elementos desconocidos que pudieran suponer la atribución de una autoría diferente a la establecida hasta ese momento, o un cambio significativo en la obra original, se suspenderá la intervención y se dará cuenta inmediata a la Conselleria competente en materia de cultura que concedió la autorización, para que permita o no la continuación de la intervención y establezca, si así lo estima los condicionantes adecuados.

5. Dentro del mes siguiente a la conclusión de la intervención, el promotor del proyecto presentará ante la Conselleria competente en materia de cultura una memoria descriptiva de los trabajos realizados y de los tratamientos aplicados, con la documentación gráfica del proceso de intervención elaborada por quien haya realizado la actuación.

Artículo 42. Depósito y exposición

1. La Conselleria de Cultura, Educación y Ciencia podrá, previa instrucción del correspondiente expediente contradictorio, acordar el depósito provisional de los bienes muebles de interés cultural en centros de titularidad pública cuando peligre la seguridad o la conservación de los mismos.

2. Los propietarios y poseedores legítimos de dichos bienes podrán acordar con las administraciones públicas de la Comunidad Valenciana la cesión en depósito de los mismos. Dicha cesión conllevará el derecho de la Administración a exponer al público los bienes depositados, salvo causa en contrario debidamente justificada.

Artículo 43. Traslados

Los traslados de bienes muebles de interés cultural deberán hacerse con las garantías suficientes para evitar que pueda causárseles daño y se comunicarán, con una antelación mínima de quince días, a la Conselleria de Cultura, Educación y Ciencia, que señalará las condiciones técnicas a que deba ajustarse el traslado. La comunicación indicará el origen y el destino del bien y si el traslado es de carácter temporal o definitivo. Una vez realizado éste, se dará cuenta a la Conselleria para su anotación en el Inventario.

Quedarán excluidos aquellos bienes muebles de interés cultural que por su propia naturaleza son tradicionalmente trasladados provisionalmente en fechas determinadas o en festividades, según la tradición. Todo ello sin perjuicio del necesario control por parte de la Conselleria de Cultura, Educación y Ciencia.

Artículo 44. Integridad de las colecciones

Las colecciones de bienes muebles declaradas de interés cultural no podrán ser disgregadas por sus propietarios o poseedores sin autorización previa de la Conselleria de Cultura, Educación y Ciencia, que deberá contar con el informe favorable de al menos dos de las instituciones consultivas a las que se refiere el artículo 7 de la presente Ley.

Sección 4ª. Régimen de los bienes inmateriales de interés cultural

Artículo 45. Declaración y régimen de protección

1. Aquellas actividades, creaciones, conocimientos, prácticas, usos y técnicas que constituyen las manifestaciones más representativas y valiosas de la cultura y los modos de vida tradicionales de los valencianos serán declarados bienes de interés cultural. Igualmente podrán ser declarados bienes de interés cultural los bienes inmateriales que sean expresiones de las tradiciones del pueblo valenciano en sus manifestaciones musicales, artísticas, gastronómicas o de ocio, y en especial aquellas que han sido objeto de transmisión oral, y las que mantienen y potencian el uso del valenciano.

2. Los ayuntamientos afectados por las diferentes declaraciones de bienes de interés cultural recibirán cumplida información oficial sobre estas.

CAPÍTULO IV. De los demás bienes del Inventario General

Sección 1ª. De los bienes de relevancia local

Artículo 46. Concepto

1. Son bienes inmuebles de relevancia local todos aquellos bienes inmuebles que, no reuniendo los valores a que se refiere el artículo 1 de esta Ley en grado tan singular que justifique su declaración como bienes de interés cultural, tienen no obstante significación propia, en el ámbito comarcal o local, como bienes destacados de carácter histórico, artístico, arquitectónico, arqueológico, paleontológico o etnológico.

Dichos bienes deberán ser incluidos en los correspondientes catálogos de bienes y espacios protegidos previstos en la legislación urbanística, con la expresada calificación de bienes inmuebles de relevancia local y se inscribirán en la sección 2ª del Inventario General del Patrimonio Cultural Valenciano. Tales bienes y su normativa de protección formarán parte de la ordenación estructural del planeamiento municipal, que se desarrollará conforme a los criterios de planificación establecidos para las correspondientes categorías de bienes de interés cultural.

2. Los Bienes Inmuebles de Relevancia Local serán inscritos en el Inventario General del Patrimonio Cultural Valenciano atendiendo a las siguientes categorías:

a) Monumento de Interés Local.
b) Núcleo Histórico Tradicional.
c) Jardín Histórico de Interés Local.

d) Espacio Etnológico de Interés Local.

e) Sitio Histórico de Interés Local.

f) Espacio de Protección Arqueológica.

g) Espacio de Protección Paleontológica.

3. La inexistencia, en su caso, de bienes inmuebles calificados de relevancia local en un determinado Catálogo de Bienes y Espacios Protegidos habrá de ser motivada en el propio Catálogo.

Artículo 47. Formación de los Catálogos de Bienes y Espacios Protegidos

1. Corresponde a los Ayuntamientos proponer justificadamente, a través del Catálogo de Bienes y Espacios, la selección de los inmuebles de su término municipal que aspiren al reconocimiento de Bien de Relevancia Local.

2. Sin perjuicio de lo dispuesto en la legislación urbanística en relación con la elaboración de los Catálogos de Bienes y Espacios Protegidos, a los efectos de la presente Ley, tales documentos deberán abarcar, de manera sucinta, el estudio y evaluación de todos los campos de interés patrimonial de naturaleza inmueble que tengan presencia en su municipio, siendo redactados por equipos pluridisciplinares en cuya composición participarán necesariamente titulados superiores en las disciplinas de arquitectura, arqueología, historia del arte y etnología o antropología que garanticen la solvencia técnica de los trabajos. En los mismos se destacarán los valores concretos, los diversos grados de protección y tipos de intervención posibles, según los criterios establecidos en los dos últimos incisos del epígrafe g) del apartado 2 del artículo 39 de la presente Ley.

3. Los catálogos de bienes y espacios protegidos y sus modificaciones deberán ser informados por la conselleria competente en materia de cultura. Dicho informe se emitirá, en el plazo de seis meses, sobre la documentación que vaya a ser objeto de la aprobación provisional. El informe tendrá carácter vinculante, tanto respecto de la aprobación provisional del documento de planeamiento como respecto de la aprobación definitiva, y tendrá efectos vinculantes en todo lo referente a la inclusión, exclusión y régimen de protección de los bienes calificados de relevancia local. Reglamentariamente se determinarán los requisitos patrimoniales de los catálogos urbanísticos.

4. La Conselleria competente en materia de cultura, cuando aprecie la existencia de inmuebles que deban ser incluidos en el Inventario General del Patrimonio Cultural como Bienes Inmuebles de Relevancia Local, y que no hayan sido reconocidos a través del Catálogo Urbanístico, lo comunicará al Ayuntamiento, con los efectos previstos en el artículo 10, para que, oídos los posibles interesados, se pronuncie en el plazo de un mes. Dentro del mes siguiente la Conselleria dictará resolución, pudiendo, en su caso, iniciar el procedimiento para la inscripción del bien en la Sección 2ª de dicho Inventario. Transcurrido este último plazo sin que hubiere recaído resolución se entenderá levantada la protección cautelar y decaída la propuesta.

5. El anuncio, según lo previsto en la legislación urbanística, de la información pública de los Catálogos de Bienes y Espacios Protegidos o de los Planes que los contengan, determinará la aplicación inmediata a los bienes calificados de relevancia local que consten en dichos catálogos del régimen de protección y las medidas de fomento previstas en esta Ley para los bienes del Inventario General del Patrimonio Cultural Valenciano. La resolución por la que se inicie el procedimiento para la inscripción del bien, será objeto de publicación en el "Diari Oficial de la Generalitat" o "Diari Oficial de la Comunitat Valenciana" y determinará la aplicación cautelar del régimen de protección que en la misma se indique.

6. La Conselleria competente en materia de cultura prestará a los municipios que lo requieran la asistencia técnica necesaria para la elaboración de sus Catálogos de Bienes y Espacios Protegidos.

Artículo 48. Inclusión en el Inventario General
1. La aprobación o modificación definitivas de los Catálogos de Bienes y Espacios Protegidos que incluyan bienes inmuebles calificados de relevancia local determinará la inscripción de dichos bienes en la Sección 2ª del Inventario General del Patrimonio Cultural. A tal efecto, el órgano urbanístico que hubiera acordado la aprobación definitiva comunicará su resolución a la Conselleria competente en materia de cultura y le remitirá un ejemplar original del Catálogo.
2. En los supuestos extraordinarios contemplados en los artículos 10 y 47.4, la inclusión en el inventario se realizará mediante resolución de la Conselleria competente en materia de cultura, previa audiencia a los interesados y oída, al menos, una de las instituciones consultivas a que se refiere el artículo 7 de la esta Ley.
3. La inscripción de bienes en la Sección 2ª del Inventario General del Patrimonio Cultural será objeto de publicación en el "Diari Oficial de la Generalitat" o "Diari Oficial de la Comunitat Valenciana".

Artículo 49. Inscripción en el Registro de la Propiedad
La inclusión de un Bien de Relevancia Local en el Inventario General se comunicará al Registro de la Propiedad para su constancia en el mismo.

Artículo 50. Régimen de protección
1. Los bienes inmuebles de relevancia local estarán sujetos a las normas de protección contenidas en el correspondiente catálogo de bienes y espacios protegidos, al régimen general de los bienes inmuebles del Inventario General del Patrimonio Cultural Valenciano y a lo dispuesto en la legislación urbanística respecto de los bienes catalogados.
2. Los catálogos de bienes y espacios protegidos establecerán las medidas de protección que, en función de los valores reconocidos, aseguren la adecuada conservación y apreciación de dichos bienes. En relación con los bienes inmuebles de relevancia local contendrán al menos las siguientes determinaciones:
a) Situación y descripción detallada del bien y de los elementos protegidos.
b) Determinación de los valores patrimoniales que justifican la calificación de relevancia local.
c) Entorno de afección del bien, si procede.
d) Definición del grado de protección y del régimen de intervención autorizado.
3. Los catálogos prestarán la adecuada protección, mediante su calificación como bienes inmuebles de relevancia local a las muestras más representativas y valiosas de la arquitectura popular y del patrimonio arquitectónico industrial del término municipal así como incluirán, con esta consideración, a los yacimientos arqueológicos y los paleontológicos de especial valor existentes en dicho ámbito territorial, con la calificación de espacios de protección arqueológica o paleontológica. Asimismo podrán proponer la calificación como bienes de relevancia local a los núcleos históricos tradicionales existentes en su término municipal, o a una parte de los mismos, cuando sus valores patrimoniales así lo merezcan.
4. Las licencias municipales de intervención en los bienes inmuebles de relevancia local, los actos de análoga naturaleza y las órdenes de ejecución de obras de reparación, conservación y rehabilitación, se ajustarán estrictamente a las determinaciones establecidas en los catálogos. Los ayuntamientos, en los términos que se establezcan reglamentariamente, deberán comunicar a la conselleria competente en materia de cultura, simultáneamente a la notificación al interesado, las actuaciones que ellos mismos vayan a realizar, las licencias de intervención concedidas y las órdenes de ejecución que dicten sobre dichos bienes.
5. Respecto a las licencias de excavaciones o remociones de tierra con fines arqueológicos o paleontológicos se estará a lo dispuesto en el artículo 60.5.

6. En los términos que se establezcan reglamentariamente, será de aplicación a los proyectos de intervención en bienes inmuebles de relevancia local lo dispuesto en el artículo 35.4 de esta ley.

7. En cuanto se refiere a la declaración de ruina de los bienes inmuebles de relevancia local, será de aplicación lo preceptuado en los apartados 1 y 3 del artículo 40 de la presente ley.

Sección 2ª. De los Bienes Muebles de Relevancia Patrimonial

Artículo 51. Concepto

Los bienes muebles que posean alguno de los valores señalados en el artículo 1 de esta Ley en grado relevante, aunque sin la singularidad propia de los bienes declarados de interés cultural, serán incluidos en el Inventario General del Patrimonio Cultural Valenciano, con la calificación de Bienes Muebles de Relevancia Patrimonial, a los efectos de su adecuada protección, conservación, estudio y conocimiento público. La inclusión podrá hacerse a título individual, como colección o en concepto de fondos de museos, archivos, bibliotecas y demás centros de depósito cultural previstos en la presente Ley.

Artículo 52. Procedimiento

1. La inclusión de bienes muebles en el Inventario General del Patrimonio Cultural Valenciano se hará mediante resolución de la Conselleria competente en materia de Cultura, previa la tramitación del correspondiente procedimiento, de oficio o a instancia de sus propietarios o poseedores legítimos o del Ayuntamiento o con el conocimiento del mismo, donde se halle situado el bien. El expediente habrá de ser resuelto en el plazo de seis meses desde la solicitud o la incoación de oficio. La denegación, en su caso, de la solicitud de incoación habrá de ser motivada.

2. La incoación del procedimiento determinará la aplicación inmediata del régimen de protección previsto en esta Ley para los Bienes Muebles de Relevancia Patrimonial.

3. La resolución dará lugar a la inscripción del bien en la Sección 3ª del Inventario, salvo en el caso de Bienes del Patrimonio Documental, Bibliográfico o Audiovisual de Relevancia Patrimonial, cuya inscripción se hará en la Sección 4ª, y se notificará a la administración del Estado a los efectos de la correspondiente inscripción en el Inventario General de Bienes Muebles del Patrimonio Histórico Español.

Artículo 53. Régimen de protección

Será de aplicación a los Bienes Muebles de Relevancia Patrimonial lo dispuesto en el artículo 41 sobre uso y conservación de los Bienes Muebles de Interés Cultural, así como la prohibición de disgregación de colecciones establecida en el artículo 44.

Artículo 54. Exclusión de bienes muebles del Inventario

La exclusión de bienes muebles del Inventario General se hará por el mismo procedimiento previsto para su inclusión y producirá la cancelación de la inscripción.

Sección 3ª. De los Bienes Inmateriales de Relevancia Local

Artículo 55. Concepto

Sin perjuicio de lo dispuesto en el artículo 45 de esta Ley, se incluirán en el Inventario General del Patrimonio Cultural Valenciano, con la calificación de Bienes Inmateriales de Relevancia Local, aquellas creaciones, conocimientos, prácticas, técnicas, usos y activida-

des más representativas y valiosas de la cultura y las formas de vida tradicionales valencianas. Igualmente se incluirán los bienes inmateriales que sean expresiones de las tradiciones
del pueblo valenciano en sus manifestaciones musicales, artísticas, gastronómicas o de
ocio, y en especial aquellas que han sido objeto de transmisión oral y las que mantienen y
potencian el uso del valenciano.

Artículo 56. Procedimiento

1. La inclusión en el Inventario de los bienes inmateriales, cuando no fueren objeto de
declaración como Bienes de Interés Cultural, se hará mediante resolución de la Conselleria
competente en materia de cultura, previa la tramitación del correspondiente procedimiento,
iniciado de oficio o a instancia de cualquier persona. La incoación, cuya denegación habrá
de ser motivada, se notificará a las entidades, públicas o privadas, directamente relacionadas con la práctica o conocimiento de que se trate.

2. La resolución se dictará en el plazo de un año desde la solicitud o la incoación de
oficio y dará lugar a la inscripción del bien en la sección 5ª del Inventario.

3. En el procedimiento para la inclusión en el Inventario de Bienes Inmateriales de
Naturaleza Tecnológica de Relevancia Patrimonial a los que se refiere el artículo 26.1.D
de esta Ley, se deberá recabar informe del órgano de la administración de la Generalitat
competente en materia de nuevas tecnologías.

Artículo 57. Régimen de protección

La resolución por la que se incluya en el Inventario un bien inmaterial establecerá las
medidas que garanticen la preservación y difusión de su conocimiento, mediante su investigación y documentación en los términos dispuestos en el artículo 45.2 de esta Ley.

Los ayuntamientos afectados por las declaraciones de bienes inmateriales del patrimonio de todo tipo recibirán cumplida información oficial de estas.

TÍTULO III. Del patrimonio arqueológico y paleontológico

Artículo 58. Concepto

1. Forman parte del patrimonio arqueológico valenciano los bienes inmuebles, objetos,
vestigios y cualesquiera otras señales de manifestaciones humanas que tengan los valores
propios del patrimonio cultural y cuyo conocimiento requiera la aplicación de métodos
arqueológicos, tanto si se encuentran en la superficie como en el subsuelo o bajo las aguas
y hayan sido o no extraídos. También forman parte del patrimonio arqueológico los elementos geológicos relacionados con la historia del ser humano, sus orígenes y antecedentes.

2. Integran el patrimonio paleontológico valenciano los bienes muebles y los yacimientos que contengan fósiles de interés relevante.

3. Los Ayuntamientos, a través de su planeamiento urbanístico, deberán delimitar las
áreas existentes en su término municipal que puedan contener restos arqueológicos o paleontológicos. La delimitación será efectuada por el Servicio Municipal de Arqueología y
Paleontología o por técnicos competentes y cualificados en las citadas materias y se elevará a la Conselleria competente en materia de cultura para su aprobación. En caso de ser
aprobada, el área o las áreas delimitadas, se incluirán en el Catálogo de Bienes y Espacios
Protegidos del municipio como Áreas de Vigilancia Arqueológica o Paleontológica, cuya
norma de protección urbanística asegurará su sujeción a lo dispuesto en el artículo 62 de
la presente Ley.

4. Excepcionalmente, cuando el Ayuntamiento no delimite las mencionadas áreas y
exista peligro para el patrimonio arqueológico o paleontológico, la conselleria competente
en materia de cultura podrá, subsidiariamente, proceder a su delimitación.

5. De conformidad con lo preceptuado en esta Ley, las Áreas de Vigilancia Arqueológica y Paleontológica de especial valor deberán ser incluidas en los Catálogos de Bienes y Espacios Protegidos con la calificación de Bienes Inmuebles de Relevancia Local y serán inscritas en el Inventario General del Patrimonio Cultural Valenciano con la denominación de Espacios de Protección Arqueológica o Paleontológica. En su caso, en función de sus valores, podrán acceder a la declaración de Bien de Interés Cultural, como Zona Arqueológica o Paleontológica.

6. Sin perjuicio de las disposiciones especiales contenidas en el presente título, los restos materiales de valor cultural cuyo descubrimiento sea producto de actuaciones arqueológicas, así como los restos o vestigios fósiles, serán incluidos en el Inventario General del Patrimonio Cultural Valenciano, individualmente o como colección arqueológica o paleontológica, con arreglo a lo previsto en esta Ley.

7. A los efectos de la presente Ley, se entiende por Servicios Municipales de Arqueología y Paleontología aquellos departamentos o instituciones municipales, con arqueólogos o paleontólogos titulados, encargados de la ejecución y supervisión técnica de las intervenciones arqueológicas o paleontológicas que se lleven a cabo en su término municipal. Reglamentariamente se determinarán sus competencias y funciones. La Conselleria competente en materia de cultura u otras instituciones supramunicipales, podrán gestionar este servicio en aquellos municipios con los que así se conviniese.

Artículo 59. Actuaciones arqueológicas y paleontológicas

1. A los efectos de la presente Ley se consideran actuaciones arqueológicas:

a) Las prospecciones arqueológicas, entendiéndose por tales las exploraciones superficiales, subterráneas o subacuáticas, sin remoción del terreno, dirigidas al descubrimiento, estudio e investigación de toda clase de restos históricos, así como de los elementos geológicos con ellos relacionados. Se incluyen también aquellas técnicas de observación y reconocimiento del subsuelo mediante la aplicación de instrumentos geofísicos, electromagnéticos y otros diseñados al efecto.

b) Las excavaciones arqueológicas, es decir las remociones en la superficie, en el subsuelo o en los medios subacuáticos realizadas con los fines señalados en el apartado anterior.

c) Los estudios directos de arte rupestre, constituidos por los trabajos de campo orientados al descubrimiento, estudio, documentación gráfica y reproducción de esta clase de vestigios humanos, así como los mismos trabajos referidos a la musivaria y la epigrafía.

d) Los trabajos relativos a arqueología de la arquitectura, entendiendo éstos como aquellas actuaciones que tienen por finalidad documentar todos los elementos constructivos que conforman un edificio o conjunto de edificios y su evolución histórica.

2. Son actuaciones paleontológicas las mencionadas en los apartados a y b del número anterior cuando se refieran a elementos paleontológicos de valor cultural significativo.

3. También tendrán la consideración de actuaciones sometidas al régimen de autorizaciones previsto en el artículo 60 las siguientes:

a) Las actuaciones que impliquen manipulación con técnicas analíticas de materiales arqueológicos o paleontológicos destinadas al estudio de bienes de esa naturaleza que precisen la destrucción o alteración de una parte de los mismos.

b) Las actuaciones relativas a la protección, consolidación y restauración arqueológicas o paleontológicas, entendidas como tales las intervenciones en yacimientos arqueológicos o paleontológicos encaminadas a favorecer su conservación y que, en consecuencia, permitan su disfrute y faciliten su uso social. Tendrán esta consideración los trabajos de cerramientos, vallado, señalización y limpieza de dichos yacimientos, de conservación preventiva de arte rupestre, así como el terraplenado de restos arqueológicos o paleontológicos. También tendrán esta consideración las actuaciones de montaje de estructuras subacuáticas para la protección de pecios.

c) El estudio y, en su caso, documentación gráfica o de cualquier tipo, de los yacimientos arqueológicos o paleontológicos, así como de los materiales pertenecientes a los mismos que se hallen depositados en museos, instituciones u otros centros públicos sitos en la Comunitat Valenciana.

Artículo 60. Autorización de actuaciones

1. Toda actuación arqueológica o paleontológica deberá ser autorizada expresamente por la Conselleria competente en materia de cultura. La solicitud de autorización deberá contener un plano en el que se determinen con precisión los límites de la zona objeto de la actuación, la identificación del propietario o propietarios de los terrenos y un programa detallado de los trabajos que justifique su conveniencia e interés científico y la cualificación profesional, determinada reglamentariamente, de la dirección y equipo técnico encargados de los mismos. Tanto la autorización como su denegación habrán de ser motivadas. Las autorizaciones concedidas deberán ser comunicadas al ayuntamiento correspondiente inmediatamente.

2. Si la actuación hubiere de realizarse en terrenos privados, el solicitante, previamente a la autorización, deberá acreditar la conformidad del propietario o promover el correspondiente expediente para la afectación y ocupación de los terrenos en los términos previstos en la legislación sobre expropiación forzosa.

Cuando se trate de prospecciones arqueológicas o paleontológicas cuyo desarrollo no implique afección a las facultades inherentes a la propiedad no será necesario acreditar la conformidad del propietario de los terrenos afectados.

3. La Conselleria competente en materia de cultura establecerá reglamentariamente los procedimientos de inspección oportunos para comprobar que los trabajos se desarrollen según el programa autorizado y ordenará su suspensión inmediata cuando no se ajusten a la autorización concedida o se considere que las actuaciones profesionales no alcancen el nivel adecuado.

4. Una vez concluida la actuación arqueológica o paleontológica y dentro del plazo que en la autorización o con posterioridad a ella fije la administración, o en su defecto en el de dos años, el promotor, a su cargo, sin perjuicio de lo dispuesto en el artículo 64.2, deberá presentar a la Conselleria competente en materia de cultura una memoria científica de los trabajos desarrollados, suscrita por el arqueólogo o paleontólogo director de los mismos.

5. No se otorgarán licencias municipales para excavaciones o remociones de tierra con fines arqueológicos o paleontológicos, cuando dicha licencia fuere preceptiva conforme a la legislación urbanística, sin haberse acreditado previamente la autorización a que se refiere el apartado primero de este artículo. El otorgamiento de la licencia se comunicará a la Conselleria competente en materia de cultura simultáneamente a su notificación al interesado.

6. Será ilícita toda actuación arqueológica o paleontológica que se realice sin la correspondiente autorización, o sin sujeción a los términos de ésta, así como las obras de remoción de tierra, de demolición o cualesquiera otras realizadas con posterioridad en el lugar donde se haya producido un hallazgo casual de bienes arqueológicos o paleontológicos que no hubiera sido comunicado inmediatamente a la administración competente. La Conselleria competente en materia de cultura ordenará la paralización inmediata de la actuación o de la obra y se incautará de todos los objetos y bienes hallados, sin perjuicio de las sanciones que procedan con arreglo a lo dispuesto en esta Ley.

Artículo 60. bis Uso de detectores de metales y otros instrumentos de análoga naturaleza

1. El uso de detectores de metales u otras herramientas o técnicas análogas que permitan localizar restos de naturaleza arqueológica o paleontológica, aun sin ser ésta su finalidad, deberá ser autorizado por la conselleria competente en materia de cultura.

2. Reglamentariamente se determinarán las condiciones de la autorización, que en todo caso requerirá la autorización del propietario del terreno, tendrá carácter personal e indicará su ámbito territorial y temporal. Asimismo se podrán determinar usos y ámbitos exentos de la necesidad de autorización administrativa.

3. Los objetos y restos materiales hallados con la utilización de estos dispositivos que posean los valores que son propios del patrimonio arqueológico o paleontológico quedan sujetos a lo dispuesto en el artículo 64, y en ningún supuesto se entenderán hallados por azar.

Artículo 61. Ejecución de actuaciones arqueológicas y paleontológicas por la Administración

La Conselleria de Cultura, Educación y Ciencia podrá realizar actuaciones arqueológicas o paleontológicas en cualquier lugar en que se conozca o presuma fundadamente la existencia de restos arqueológicos o paleontológicos, ajustándose al principio del menor perjuicio para los particulares. Dichas actuaciones se notificarán a los Ayuntamientos interesados, que podrán también realizarlas previa autorización de la Conselleria de Cultura, Educación y Ciencia, otorgada en los términos previstos en el artículo 60. La determinación de la indemnización que, en su caso, proceda por causa de estas actuaciones se hará conforme a lo dispuesto en la legislación sobre expropiación forzosa.

Artículo 62. Actuaciones arqueológicas o paleontológicas previas a la ejecución de obras

1. Para la realización de obras u otro tipo de intervenciones o actividades que impliquen remoción de tierras, sean públicas o privadas, en Zonas, Espacios de Protección, y Áreas de Vigilancia Arqueológicas o Paleontológicas, así como, en ausencia de Catálogo aprobado según los requisitos de la presente Ley, en todos aquellos ámbitos en los que se conozca o presuma fundadamente la existencia de restos arqueológicos o paleontológicos de interés relevante, el promotor deberá aportar ante la Conselleria competente en materia de cultura un estudio previo suscrito por técnico competente sobre los efectos que las mismas pudieran causar en los restos de esta naturaleza. En caso de que para la elaboración del estudio previo resulte necesario acometer alguna de las actuaciones previstas en el artículo 59 las mismas serán autorizadas en los términos de los artículos 60 y 64.

2. El Ayuntamiento competente para otorgar la licencia o, en su caso, la entidad pública responsable de la obra, intervención o actividad remitirá un ejemplar del estudio mencionado en el apartado anterior a la Conselleria competente en materia de cultura, que, a la vista del mismo, determinará la necesidad o no de una actuación arqueológica o paleontológica previa a cargo del promotor, a la que será de aplicación lo dispuesto en los artículos 60 y 64 de esta Ley. Una vez realizada la actuación arqueológica o paleontológica la Conselleria determinará, a través de la correspondiente autorización administrativa, las condiciones a que deba ajustarse la obra, intervención o actividad a realizar.

3. Los Ayuntamientos no concederán ninguna licencia o permiso en los casos señalados en el apartado anterior sin que se haya aportado el correspondiente estudio previo arqueológico y paleontológico y se haya obtenido la autorización de la Conselleria competente en materia cultura citada también en el apartado anterior.

4. Todo acto realizado contraviniendo lo dispuesto en este artículo se considerará ilegal y le será de aplicación lo dispuesto en el artículo 37 de esta Ley.

Artículo 63. Actuaciones arqueológicas o paleontológicas en obras ya iniciadas

1. Si con motivo de la realización de reformas, demoliciones, transformaciones o excavaciones en inmuebles no comprendidos en Zonas Arqueológicas o Paleontológicas o en espacios de protección o áreas de vigilancia arqueológica o paleontológica aparecieran restos de esta naturaleza o indicios de su existencia, el promotor, el constructor y el técnico

director de las obras estarán obligados a suspender de inmediato los trabajos y a comunicar el hallazgo en los términos preceptuados en el artículo 65, cuyo régimen se aplicará íntegramente.

2. Tratándose de bienes muebles, la Conselleria de Cultura, Educación y Ciencia, en el plazo de diez días desde que tuviera conocimiento del hallazgo, podrá acordar la continuación de las obras, con la intervención y vigilancia de los servicios competentes, estableciendo el plan de trabajo al que en adelante hayan de ajustarse. O bien, cuando lo considere necesario para la protección del patrimonio arqueológico o paleontológico y, en todo caso, cuando el hallazgo se refiera a restos arqueológicos de construcciones históricas o artísticas o a restos y vestigios fósiles de vertebrados, prorrogará la suspensión de las obras y determinará las actuaciones arqueológicas o paleontológicas que hubieran de realizarse. En cualquier caso dará cuenta de su resolución al Ayuntamiento correspondiente. La suspensión no podrá durar más del tiempo imprescindible para la realización de las mencionadas actuaciones. Serán de aplicación las normas generales sobre responsabilidad de las Administraciones Públicas para la indemnización, en su caso, de los perjuicios que la prórroga de las suspensión pudiera ocasionar.

Será de aplicación al producto de dichas actuaciones lo dispuesto en el artículo 64.

3. La Generalitat participará en la financiación de las mencionadas actuaciones, según a los créditos que al efecto se consignen anualmente en la Ley de Presupuestos de la Generalitat Valenciana.

Artículo 64. Titularidad y destino del producto de las actuaciones arqueológicas y paleontológicas

1. Los bienes que de acuerdo con el artículo 44 de la Ley 16/1985, de 25 de junio, del Patrimonio Histórico Español tienen la consideración de dominio público y son descubiertos en la Comunitat Valenciana se integran en el patrimonio de la Generalitat.

2. La autorización de cualquier clase de actuaciones arqueológicas o paleontológicas determinará para los beneficiarios la obligación de comunicar sus descubrimientos a la conselleria competente en materia de cultura, en el plazo de treinta días, y a entregar los objetos obtenidos al museo o institución que señale la propia conselleria, de conformidad con lo que reglamentariamente se establezca. Para la determinación del centro donde hayan de depositar los objetos se atenderá prioritariamente a su mejor conservación y función cultural y científica y, en segundo término, a la proximidad al lugar donde se haya realizado la actividad arqueológica o paleontológica o se haya producido el hallazgo casual.

Tratándose del descubrimiento de manifestaciones de arte rupestre, deberá ser éste comunicado a la conselleria competente en materia de cultura o al ayuntamiento correspondiente en los mismos plazos y con igual obligación de reserva que los establecidos en el artículo 65.3 para los hallazgos casuales.

3. No se aplicará a los descubrimientos a que se refiere el apartado anterior lo establecido en el artículo 65.4 de esta Ley.

Artículo 65. Hallazgos casuales

1. Son asimismo bienes de dominio público de la Generalitat los objetos y restos materiales que posean los valores propios del patrimonio cultural, así como los restos y vestigios fósiles de vertebrados, cuando sean producto de hallazgos casuales y no conste su legítima pertenencia.

2. A los efectos de esta Ley se consideran hallazgos casuales los descubrimientos de los bienes a que se refiere el apartado anterior cuando se produzcan por azar o como consecuencia de excavaciones, remociones de tierra u obras de cualquier índole, hechas en lugares donde no pudiera presumirse la existencia de aquellos bienes.

3. El descubridor deberá, en el plazo de cuarenta y ocho horas, comunicar el hallazgo y entregar los objetos hallados a la Conselleria de Cultura, Educación y Ciencia o al Ayuntamiento en cuyo término municipal se haya producido éste, quien a su vez dará cuenta del hallazgo a la Conselleria dentro de los dos días hábiles siguientes. Se exceptúan de esta obligación de entrega aquellos objetos cuya extracción requiera remoción de tierras y los restos subacuáticos, que quedarán en el lugar donde se hallen hasta que la Conselleria acuerde lo procedente. Una vez comunicado el descubrimiento, y hasta que los objetos sean entregados al centro o museo que designe la Conselleria de Cultura, Educación y Ciencia, el descubridor quedará sujeto a las normas del depósito necesario, conforme a lo dispuesto en el Código Civil, salvo que los entregue a un museo público. Para la elección del centro donde hubieren de quedar los bienes se establecerán los criterios señalados en el artículo 64.

4. No obstante lo dispuesto en el apartado primero, el descubridor y el propietario del lugar donde hubiere sido hallado el objeto tienen derecho a una recompensa en metálico, cuyo importe se repartirá por mitad entre ambos, equivalente a la mitad del valor que en tasación legal se le atribuya. Si fueren dos o más los descubridores o los propietarios del terreno, se mantendrá igual proporción.

5. El incumplimiento de cualquiera de las obligaciones establecidas en el apartado tercero de este artículo privará al descubridor y, en su caso, al propietario del terreno del derecho a premio alguno y la Conselleria de Cultura, Educación y Ciencia tomará posesión inmediata de los objetos hallados, sin perjuicio de las responsabilidades a que hubiera lugar y las sanciones que procedan.

6. El descubridor no tendrá en ningún caso derecho de retención sobre los bienes hallados.

Artículo 66. Áreas de reserva arqueológica

La Conselleria de Cultura, Educación y Ciencia podrá establecer en los yacimientos declarados Zonas Arqueológicas áreas de reserva arqueológica, entendiendo por tales aquellas partes de los yacimientos en que se considere conveniente, de acuerdo a criterios científicos, prohibir las intervenciones actuales a fin de reservar su estudio para épocas futuras. El establecimiento de áreas de reserva arqueológica se hará constar en el Inventario General del Patrimonio Cultural Valenciano.

Artículo 67. Restricciones a la publicidad de los datos del Inventario referidos a yacimientos arqueológicos y paleontológicos

Será necesaria la autorización de la Conselleria de Cultura, Educación y Ciencia para la consulta de los datos contenidos en el Inventario General del Patrimonio Cultural Valenciano relativos a la situación de los yacimientos arqueológicos o paleontológicos que no estén abiertos a la visita pública.

TÍTULO IV. De los museos y las colecciones museográficas permanentes

Artículo 68. Museos: concepto y funciones

1. Son museos las instituciones sin finalidad de lucro, abiertas al público, cuyo objeto sea la adquisición, conservación, restauración, estudio, exposición y divulgación de conjuntos o colecciones de bienes de valor histórico, artístico, científico, técnico, etnológico o de cualquier otra naturaleza cultural con fines de investigación, disfrute y promoción científica y cultural.

2. Son funciones de los museos:

a) Conservar, catalogar, restaurar y exhibir de forma ordenada sus colecciones, con arreglo a criterios científicos, estéticos y didácticos.

b) Investigar y promover la investigación respecto de sus colecciones o de la especialidad a la que el museo esté dedicado.

c) Organizar periódicamente exposiciones científicas y divulgativas acordes con su objeto.

d) Elaborar y publicar catálogos y monografías de sus fondos.

e) Desarrollar una actividad didáctica respecto de su contenido y sus propias funciones.

f) Cualquiera otra que en sus normas estatutarias o por disposición legal o reglamentaria se les atribuya.

Artículo 69. Colecciones museográficas permanentes

Son colecciones museográficas permanentes aquellas que reúnan bienes de valor histórico, artístico, científico, técnico o de cualquier otra naturaleza cultural y que, por lo reducido de sus fondos, escasez de recursos o carencia de técnico competente a su cargo, no puedan desarrollar las funciones atribuidas a los museos, siempre que sus titulares garanticen al menos la visita pública, en horario adecuado y regular, el acceso de los investigadores a sus fondos y las condiciones básicas de conservación y custodia de los mismos.

Artículo 70. Sistema Valenciano de Museos

1. Se crea el Sistema Valenciano de Museos, en el que se integrarán todos aquellos de que sea titular la Generalitat y los de titularidad estatal cuya gestión tenga ésta encomendada, así como los museos y colecciones museográficas, de titularidad pública o privada, que a tal efecto reconozca la Conselleria de Cultura, Educación y Ciencia conforme a lo previsto en esta Ley.

2. Corresponde a la Conselleria de Cultura, Educación y Ciencia la inspección y tutela de cuantos museos y colecciones museográficas se integren en el Sistema Valenciano de Museos, así como el establecimiento de los medios de comunicación y coordinación entre ellos que aseguren el mejor cumplimiento de sus fines.

3. Los concursos de ayudas para el mantenimiento y mejora de museos y colecciones museográficas establecerán la preferencia de los integrados en el Sistema Valenciano de Museos.

Artículo 71. Creación y reconocimiento de museos y colecciones museográficas

1. La creación de museos por parte de la Generalitat Valenciana, así como el reconocimiento, a efectos de su integración en el Sistema Valenciano de Museos, de colecciones museográficas y museos de que sean titulares otros entes públicos o los particulares, se hará por resolución de la Conselleria de Cultura, Educación y Ciencia, previa la tramitación del correspondiente expediente, incoado de oficio o a instancia de los organismos públicos o los particulares interesados.

Reglamentariamente se determinará el contenido de dicho expediente, en el que deberá constar, como mínimo, la documentación y el inventario de los fondos y el patrimonio que se ponen a disposición del museo o colección, así como el proyecto museográfico, que incluirá un estudio de las instalaciones y de los medios materiales y personales.

2. Cuando así lo aconseje el aumento significativo del volumen o la calidad de los fondos de un museo o colección museográfica integrados en el Sistema Valenciano de Museos, la Conselleria de Cultura, Educación y Ciencia, de oficio o a solicitud de parte interesada, promoverá un expediente para la adaptación del museo o colección a las nuevas circunstancias, en el que se evaluará la capacidad de la institución museística para el cumplimiento de sus fines propios en relación con tales fondos.

Si la resolución de dicho expediente fuera negativa se adoptarán las medidas necesarias para la exposición pública y la adecuada custodia y conservación de los fondos que excedan a la posibilidades materiales o técnicas del museo o la colección museográfica.

Artículo 72. Inclusión en el Inventario General del Patrimonio Cultural Valenciano

1. Los fondos de los museos y colecciones museográficas integrados en el Sistema Valenciano de Museos serán incluidos en el Inventario General del Patrimonio Cultural Valenciano por efecto de la resolución que acuerde dicha integración y previa la formación del inventario de los bienes que los componen, inscribiéndose en la Sección 3.ª del Inventario General.

La incoación del expediente para la integración de un museo o colección museográfica en el Sistema Valenciano de Museos determinará la aplicación a sus fondos de las normas de este Título y de las demás establecidas en esta Ley para los bienes muebles inventariados.

Los bienes que pasen a formar parte de los fondos de museos o colecciones museográficas con posterioridad a la integración de éstos en el Sistema Valenciano de Museos tendrán, desde el momento de su adquisición, la condición de bienes inventariados a los efectos de la aplicación del régimen previsto para ellos en esta Ley, sin perjuicio de la práctica de la correspondiente inscripción en el Inventario General.

2. De acuerdo con lo previsto en el artículo 26.1, B), los fondos de los museos y colecciones museográficas permanentes que formen parte del Sistema Valenciano de Museos y tengan singular relevancia para el patrimonio cultural valenciano podrán ser declarados Bien de Interés Cultural con arreglo al procedimiento establecido en el artículo 27. No obstante, cuando así lo exija la protección de los fondos de un determinado museo o colección museográfica, podrá iniciarse el procedimiento para la declaración de dichos fondos como Bien de Interés Cultural simultáneamente a la incoación del expediente para su integración en el Sistema Valenciano de Museos y aun cuando no se hubiere formado previamente el inventario de los mismos, siendo en todo caso de aplicación a los bienes que formen parte de dichos fondos lo dispuesto en el apartado cuarto del artículo 27.

El Decreto que declare de interés cultural los fondos de un museo o colección museográfica precisará los bienes integrantes de dichos fondos que tienen por sí mismos la condición de Bien de Interés Cultural. Excepto estos últimos, cuya condición no se extinguirá sino mediante el procedimiento previsto en el artículo 30, los bienes integrantes de fondos de museos o colecciones declarados de interés cultural perderán esta condición cuando salieren con carácter definitivo del museo o colección de que se trate, salvo cuando fuere para pasar a formar parte de otros fondos museísticos declarados también de interés cultural.

Artículo 73. Depósito y salida de fondos

1. Los museos y colecciones museográficas que formen parte del Sistema Valenciano de Museos podrán admitir en depósito bienes de propiedad privada o de otras administraciones públicas. Los bienes depositados, en tanto dure el depósito, se integrarán a todos los efectos en los fondos del museo o colección y estarán sujetos a su mismo régimen jurídico.

2. Las salidas temporales de los museos y colecciones museográficas permanentes de los fondos custodiados en ellos requerirán autorización previa y expresa de la Conselleria de Cultura, Educación y Ciencia, que señalará la duración, finalidad y condiciones de seguridad a las que se ajustará la salida. Tratándose de objetos en depósito se estará a lo pactado al constituirse éste.

3. Excepcionalmente y previa instrucción del oportuno expediente administrativo, la Conselleria de Cultura, Educación y Ciencia podrá disponer el depósito de los fondos de un museo o colección museográfica integrados en el Sistema Valenciano de Museos, en

otro u otros centros cuando razones urgentes de conservación, seguridad o accesibilidad de los bienes así lo aconsejen y hasta tanto no desaparezcan las causas que originaron dicho traslado.

4. En caso de disolución o clausura de un museo que forme parte del Sistema Valenciano de Museos, sus fondos serán depositados en otro centro integrante de dicho Sistema que sea adecuado a la naturaleza de los bienes expuestos, teniéndose en cuenta la proximidad territorial de ambos centros entre sí y oídas las partes interesadas. Los fondos se reintegrarán al museo de origen en caso de reapertura del mismo.

5. Será de aplicación a los fondos de museos y colecciones museográficas integradas en el Sistema Valenciano de Museos lo dispuesto en el artículo 44 respecto de la integridad de las colecciones.

6. Tratándose de museos de titularidad estatal cuya gestión tenga encomendada la Generalitat se estará, en relación con lo dispuesto en este artículo, a lo que establezca el correspondiente convenio de gestión.

Artículo 74. Acceso a los museos

La Generalitat Valenciana garantizará y promoverá el acceso de todos los ciudadanos a los museos y colecciones museográficas integrantes del Sistema Valenciano de Museos en las condiciones que reglamentariamente se determinen.

TÍTULO V. Del patrimonio documental, bibliográfico, audiovisual e informático

Artículo 75. Concepto y régimen jurídico

1. Forma parte del patrimonio cultural valenciano el patrimonio documental, bibliográfico y audiovisual, constituido por cuantos bienes de esta naturaleza, reunidos o no en archivos, bibliotecas u otros centros de depósito cultural, se declaran integrantes del mismo en este Título.

2. El patrimonio documental, bibliográfico y audiovisual valenciano se regirá por las normas contenidas en el presente Título y, en lo no previsto en ellas, por las disposiciones de esta Ley que sean de aplicación a los bienes muebles.

Artículo 76. Bienes integrantes del patrimonio documental

1. Integran el patrimonio documental valenciano:

a) Los documentos de cualquier época producidos, conservados o reunidos en el ejercicio de su función por cualquier entidad, organismo o empresa pública con sede en la Comunidad Valenciana y por las personas privadas, físicas o jurídicas, gestoras de servicios públicos en el ámbito de la misma.

b) Los documentos con antigüedad superior a cuarenta años que hayan sido producidos, conservados o reunidos en el ejercicio de sus actividades por entidades y asociaciones de carácter político, económico, empresarial, sindical o religioso y por las entidades, fundaciones y asociaciones culturales y educativas de carácter privado establecidas en la Comunidad Valenciana.

c) Los documentos con antigüedad superior a cien años que se encuentren en la Comunidad Valenciana y hayan sido producidos, conservados o reunidos por cualquier otra entidad privada o persona física.

d) Aquellos documentos que, sin reunir los requisitos señalados en el apartado anterior, merezcan fundadamente esta consideración mediante su inclusión, por resolución de la Conselleria de Cultura, Educación y Ciencia, en el Censo del Patrimonio Documental Valenciano.

2. Se entiende por documento, a los efectos de esta Ley, toda expresión en lenguaje natural o codificado y cualquier otra expresión gráfica, sonora o en imagen, recogidas en cualquier tipo de soporte, incluido el informático. Se excluyen los ejemplares no originales de ediciones bibliográficas y publicaciones.

Artículo 77. Bienes integrantes del patrimonio bibliográfico y audiovisual

Integran el patrimonio bibliográfico y audiovisual valenciano:

a) Los fondos de bibliotecas y hemerotecas y las colecciones bibliográficas y hemerográficas de titularidad pública existentes en la Comunitat Valenciana.

b) Las obras literarias, históricas, científicas o artísticas de carácter unitario o seriado, en escritura manuscrita o impresas, originales en formato analógico o digital y en soporte físico o electrónico, existentes en la Comunitat Valenciana o relacionadas por cualquier motivo con el ámbito lingüístico o cultural valenciano, de las que no conste la existencia de, al menos, tres ejemplares en buen estado de conservación en las bibliotecas o servicios públicos radicados en ella.

c) Los ejemplares producto de ediciones de obras fotográficas, fonográficas, audiovisuales, multimedia, originales en formato analógico o digital y en soporte físico o electrónico, existentes en la Comunitat Valenciana o relacionadas por cualquier motivo con el ámbito lingüístico o cultural valenciano, de los que no conste la existencia de, al menos, un ejemplar en buen estado de conservación en sus centros de depósito cultural o servicios públicos.

d) Los fondos y obras bibliográficas, fotográficas, fonográficas, audiovisuales, multimedia, originales en formato analógico o digital y en soporte físico o electrónico que, sin reunir los requisitos señalados en este artículo y en atención a su valor cultural, se incluyan, por Resolución de la Conselleria competente en materia de bibliotecas, en el Catálogo del Patrimonio Bibliográfico y Audiovisual Valenciano como integrantes de dicho patrimonio.

Artículo 78. Censo y Catálogo

1. La Conselleria de Cultura, Educación y Ciencia, en colaboración con las demás administraciones públicas, elaborará el Censo del Patrimonio Documental Valenciano y el Catálogo del Patrimonio Bibliográfico y Audiovisual Valenciano, a cuyo efecto podrá recabar de los titulares de derechos sobre los bienes que lo integran el examen de los mismos y las informaciones pertinentes.

2. La exclusión de bienes del patrimonio documental, bibliográfico y audiovisual valenciano del Censo o del Catálogo a que se refiere el apartado anterior se hará por resolución de la Conselleria de Cultura, Educación y Ciencia, de oficio o a solicitud de sus propietarios o poseedores.

Artículo 79. Inclusión en el Inventario General del Patrimonio Cultural Valenciano

1. Los fondos y obras del patrimonio documental, bibliográfico y audiovisual valenciano que posean relevante valor cultural y estén incluidos en sus correspondientes Censo o Catálogo serán inscritos, mediante resolución de la Conselleria competente en materia de Cultura, previa la tramitación del procedimiento previsto en el artículo 52, en la Sección 4ª del Inventario General del Patrimonio Cultural Valenciano y gozarán del régimen de protección que esta Ley prevé para los Bienes Muebles de Relevancia Patrimonial.

2. Los bienes mencionados en el apartado anterior que, por la personalidad de su autor o recopilador, su interés histórico o sus valores intrínsecos tengan especial importancia para el patrimonio cultural valenciano, podrán ser declarados Bienes de Interés Cultural conforme al procedimiento establecido en el artículo 27 de esta Ley.

3. Excepcionalmente, cuando así lo exija la protección de determinados bienes o colecciones documentales, bibliográficas o audiovisuales, podrá iniciarse el procedimiento para su declaración como Bien de Interés Cultural sin estar incluidos en los correspondientes Censo o Catálogo.

4. Se exceptúan de lo dispuesto en este artículo los fondos de los archivos y bibliotecas de titularidad estatal, que se regirán por la legislación del Estado sin perjuicio, en su caso, de la gestión de los mismos por la Generalitat.

Artículo 80. Archivos y bibliotecas

1. Son archivos los conjuntos orgánicos de documentos, o la agrupación de éstos, reunidos por las entidades públicas y por los particulares en el ejercicio de sus actividades, cuya utilización está dirigida a la investigación, la cultura, la información o la gestión administrativa. Se entiende asimismo por archivos las instituciones culturales cuyo objeto es la reunión, conservación, clasificación, ordenación y divulgación, con fines de esta naturaleza, de los mencionados conjuntos orgánicos. Una ley de las Cortes Valencianas regulará el ejercicio de las competencias de la Generalitat en materia de archivos.

2. Son bibliotecas las instituciones culturales donde se reúnen, conservan, catalogan, clasifican y divulgan colecciones o conjuntos de libros, manuscritos y otros materiales bibliográficos, hemerográficos o reproducidos por cualquier medio para su consulta en sala pública o mediante préstamo temporal, con fines de investigación, educación, información y difusión cultural.

3. La Generalitat establecerá centros de depósito cultural destinados a los bienes del patrimonio audiovisual valenciano, con fines similares a los señalados para los archivos y bibliotecas y con los medios adecuados a la especial naturaleza de los soportes a que dichos bienes están incorporados. Será de aplicación a éstos el régimen general establecido en este título para los archivos y bibliotecas.

Artículo 81. Sistema Archivístico Valenciano y Sistema Bibliotecario Valenciano

1. Se crea el Sistema Archivístico Valenciano que formará junto al Sistema Bibliotecario Valenciano el marco de Coperación de las instituciones que integran cada uno de ambos sistemas y de éstos entre sí, con el fin de planificar y coordinar su organización, actividades y servicios

2. Integran los respectivos sistemas los archivos y bibliotecas pertenecientes a entidades públicas de la Comunidad Valenciana, así como aquellos otros de titularidad privada cuya integración se acuerde por resolución de la Conselleria de Cultura, Educación y Ciencia, mediante el procedimiento que reglamentariamente se establezca.

3. Los archivos y bibliotecas que formen parte de sus correspondientes sistemas estarán sujetos a la inspección, tutela y coordinación de la Conselleria de Cultura, Educación y Ciencia, que adoptará las medidas necesarias para asegurar el cumplimiento de los fines que les son propios.

4. La Conselleria de Cultura, Educación y Ciencia establecerá las condiciones mínimas de seguridad y conservación de los edificios destinados a archivos y bibliotecas de los sistemas respectivos y arbitrará las medidas necesarias, incluyendo depósitos cautelares, cuando existan deficiencias de instalación que pongan en peligro la seguridad y conservación de los bienes del patrimonio documental o del patrimonio bibliográfico y audiovisual.

Artículo 82. Depósito y salida de fondos

1. Los archivos y bibliotecas pertenecientes a entidades públicas de la Comunidad Valenciana podrán admitir en depósito bienes de propiedad privada o de otras administraciones públicas.

2. Los bienes del patrimonio documental, bibliográfico o audiovisual valenciano custodiados en archivos y bibliotecas de titularidad pública no podrán salir de los mismos sin previa autorización administrativa, sin perjuicio del régimen de préstamos públicos que, en su caso, pueda establecerse. Cuando se trate de bienes en depósito se estará a lo pactado al constituirse.

Artículo 83. Acceso público

La Generalitat facilitará el acceso de los ciudadanos a los archivos y bibliotecas pertenecientes a sus respectivos sistemas, sin perjuicio de las restricciones que por razón de su titularidad, de la conservación de los bienes en ellos custodiados o de la función de la propia institución puedan establecerse y sin perjuicio asimismo de la normativa sobre protección de datos de carácter personal.

Artículo 84. Régimen de los documentos de las administraciones públicas

1. Reglamentariamente se determinarán el plazo de vigencia administrativa y demás normas relativas a la circulación, conservación y calificación de los documentos de las distintas administraciones públicas de la Comunidad Valenciana, así como a la destrucción de los no reservados a su conservación permanente.

2. En ningún caso podrán destruirse los documentos en poder de las administraciones públicas en tanto subsista su valor probatorio de derechos y obligaciones de las personas o de los entes públicos.

Artículo 85. Junta Calificadora de Documentos Administrativos

Se crea la Junta Calificadora de Documentos Administrativos, a la que corresponderá el estudio y dictamen de las cuestiones relativas a la calificación, utilización, integración en los archivos, exclusión de los mismos e inutilidad administrativa de los documentos. Su composición, funcionamiento y competencias específicas se determinarán reglamentariamente.

Artículo 86. Sobre el patrimonio informático y los bienes inmateriales de naturaleza tecnológica

1. Se consideran a efectos de esta Ley bienes inmateriales de naturaleza tecnológica aquellas realizaciones intelectuales que constituyen aplicaciones singulares de las tecnologías de la información que, por los procesos que desarrollan, los contenidos que transmiten o el resultado que consiguen, constituyen manifestaciones relevantes o hitos de la evolución tecnológica de la Comunidad Valenciana.

2. La inclusión en el Inventario de estos bienes, cuando no sean objeto de declaración como bienes de interés cultural, se hará mediante resolución del conseller competente en materia de cultura, después de la tramitación del correspondiente procedimiento, iniciado de oficio o a instancia de cualquier persona. La incoación, cuya denegación deberá ser motivada, se notificará a las entidades, públicas y privadas, directamente relacionadas con el uso y desarrollo de la realización tecnológica de que se trate y, en su caso, al autor y al propietario.

3. La resolución se dictará en el plazo de un año desde la solicitud o la incoación de oficio y dará lugar a la inscripción del bien en la sección 6ª del Inventario.

4. La resolución por la que se incluye un bien inmaterial de naturaleza tecnológica en el Inventario incluirá una descripción detallada de los elementos técnicos definidores del mismo, de manera que permitan su clara delimitación respecto de otros elementos y, en su caso, su desarrollo posterior.

5. En lo no previsto por este artículo, se aplicará a esta clase de bienes el régimen general previsto en esta Ley para los bienes inmateriales inventariados.

TÍTULO VI. De las medidas de fomento del patrimonio cultural

Artículo 87. Interés público

Se reconoce el interés público de todas las actividades de conservación y promoción del patrimonio cultural valenciano y su carácter de fuente de riqueza económica para la colectividad. Las administraciones públicas de la Comunidad Valenciana deberán cooperar a dichas actividades, cuando sean desarrolladas por los particulares, mediante la concesión de las ayudas materiales y el reconocimiento público adecuado, proporcionados a la utilidad social que reportan y a las cargas que suponen para los propietarios.

Artículo 88. Educación

1. La Generalitat, reconociendo el aprecio general hacia el patrimonio cultural como base imprescindible de toda política de protección y fomento del mismo, lo promoverá mediante las adecuadas campañas públicas de divulgación y formación.

2. La Conselleria de Cultura, Educación y Ciencia incluirá en los planes de estudio de los distintos niveles del sistema educativo obligatorio el conocimiento del patrimonio cultural valenciano.

3. La Generalitat promoverá la enseñanza especializada y la investigación en las materias relativas a la conservación y enriquecimiento del patrimonio cultural y establecerá los medios de colaboración adecuados a dicho fin con las Universidades y los centros de formación e investigación especializados, públicos y privados.

4. Establecerá asimismo las medidas necesarias para asegurar que los funcionarios de todas las administraciones públicas de la Comunidad Valenciana reciban la formación específica sobre protección del patrimonio cultural adecuada a la naturaleza de sus funciones.

Artículo 89. Reconocimiento oficial

La Generalitat valenciana otorgará anualmente, mediante una orden de la conselleria competente en el área de cultura, el título de protector o protectora del patrimonio a las personas, empresas, entidades privadas y corporaciones que se distingan en actividades de conservación, protección y enriquecimiento del patrimonio cultural valenciano. Las personas beneficiarias de este reconocimiento podrán emplear este título en todas las manifestaciones propias de su actividad.

Artículo 90. Uso de los inmuebles de titularidad pública

1. Conforme al principio establecido en el artículo 9.2 de esta Ley, la Administración de la Generalitat Valenciana, las administraciones y entidades públicas de la Comunidad Valenciana procurarán destinar a una actividad pública que no desvirtúe sus valores artísticos, históricos o culturales los edificios integrantes del patrimonio cultural de que sean titulares.

2. Todos los organismos de la Generalitat, y los entes de derecho público sujetos a su tutela, antes de instalar nuevas dependencias solicitarán informe a la Conselleria de Cultura, Educación y Ciencia sobre la existencia de algún inmueble adecuado. Si lo hubiere, y fuere posible racionalmente su uso, estarán obligados a utilizarlo con preferencia. La Conselleria de Cultura, Educación y Ciencia, en colaboración con el órgano competente sobre el Patrimonio de la Generalitat, elaborará y mantendrá actualizado un programa sobre las posibilidades de utilización por organismos públicos de los inmuebles del patrimonio cultural de los que ésta sea titular.

3. Las administraciones públicas, cuando sea conveniente para la mejor conservación, restauración y promoción de los bienes inmuebles incluidos en el Inventario General del Patrimonio Cultural Valenciano de que sean titulares, podrán ceder el uso de tales bienes,

incluso de los declarados de interés cultural, a las personas o entidades que lo soliciten y garanticen adecuadamente el cumplimiento de los fines mencionados. Cuando se trate de inmuebles que hubieren sido donados por particulares se dará preferencia a sus antiguos propietarios o a sus sucesores. La cesión requerirá en todos los casos el informe previo de la Conselleria de Cultura, Educación y Ciencia, que tendrá carácter vinculante. En el expediente, que será sometido a información pública, deberá constar también el informe favorable de al menos dos de las instituciones consultivas a que se refiere el artículo 7 de esta Ley.

La cesión se realizará mediante la suscripción del correspondiente convenio con el cesionario, que será publicado en el «Diari Oficial de la Generalitat Valenciana» y en el que constarán la duración y demás condiciones de la cesión. En caso de incumplimiento, la cesión será inmediatamente revocada.

Se exceptúan de lo dispuesto en este apartado los bienes declarados de interés cultural cuya especial significación histórica, social o religiosa sea incompatible con su uso privado.

Artículo 91. Ayuda directa a la conservación

1. La Generalitat promoverá la conservación del patrimonio cultural valenciano mediante la concesión de ayudas a la financiación de los trabajos de conservación, mantenimiento, restauración, rehabilitación, investigación y documentación respecto de bienes incluidos en el Inventario General del Patrimonio Cultural Valenciano y de las actuaciones arqueológicas y paleontológicas. A tal efecto, la Conselleria de Cultura, Educación y Ciencia convocará anualmente los correspondientes concursos públicos para la concesión de estas ayudas, con sujeción a los objetivos y criterios que se fijen en el programa específico que para la financiación de aquellas actuaciones ha de incluirse cada año en la Ley de Presupuestos de la Generalitat Valenciana, según lo dispuesto en el artículo 93, y con arreglo a los créditos que en dicho programa se consignen.

2. Cuando se trate de intervenciones en bienes que sean objeto de aprovechamiento económico o a los que la intervención aporte una plusvalía significativa, la ayuda podrá ser concedida, en todo o en parte, con el carácter de anticipo reintegrable y se anotará, para el caso de los inmuebles, en el Registro de la Propiedad.

3. La Conselleria de Cultura, Educación y Ciencia podrá también, cuando resulte imprescindible para la restauración y conservación de los bienes, realizar a su cargo los trabajos necesarios, estableciendo con los propietarios formas de uso o explotación conjunta de tales bienes que aseguren la adecuada rentabilidad social o económica de la inversión pública.

4. Sin perjuicio de lo dispuesto en el artículo 94, la protección del patrimonio inmueble catalogado no incluido en el Inventario General del Patrimonio Cultural Valenciano será objeto preferente de la política específica de fomento de la rehabilitación de edificios, en el marco de las medidas de protección pública a la vivienda.

Artículo 92. Contribución pública al régimen de visitas

1. Los propietarios o titulares de derechos reales de uso y disfrute sobre bienes inmuebles declarados de interés cultural que cumplan la obligación de facilitar la visita al público establecida en el artículo 32, se beneficiarán de las ayudas económicas que, como contribución pública al sostenimiento de dicha carga, concederá la Generalitat Valenciana, con los requisitos y modalidades que reglamentariamente se establezcan.

2. A tal efecto, los interesados deberán presentar anualmente a la Conselleria de Cultura, Educación y Ciencia una Memoria valorada y justificada de la ayuda que se solicita, en la que se exprese el horario, forma y medios con que ha de desarrollarse la visita pública del inmueble y el coste previsto de ésta y, en su caso, se dé cuenta del desarrollo de la actividad durante el ejercicio anterior.

3. El importe de la ayuda se graduará conforme a lo que reglamentariamente se disponga, teniendo en cuenta el aprovechamiento económico de que fuere susceptible el inmueble.

4. El no uso del bien en el supuesto previsto en el artículo 32.2 de esta Ley podrá dar lugar a indemnización en los casos y según los criterios que reglamentariamente se determinen.

Artículo 93. Inversiones culturales

1. Los Presupuestos de la Generalitat Valenciana incluirán anualmente una cantidad equivalente, como mínimo, al 1% del crédito total consignado para inversiones reales en el Capítulo VI del Estado de Gastos de los presupuestos del ejercicio anterior, con destino a financiar programas de investigación, conservación, restauración y rehabilitación, acrecentamiento y promoción del patrimonio cultural valenciano, gestionados por la Conselleria de Cultura, Educación y Ciencia.

A tal efecto, la Conselleria de Cultura, Educación y Ciencia elaborará cada año, para el ejercicio siguiente, el Plan Anual de Conservación y Enriquecimiento del Patrimonio Cultural Valenciano, comprensivo de los mencionados programas y habrá de expresar de manera clara sus objetivos y los criterios para su aplicación y para la concesión de ayudas con cargo a él.

2. La Conselleria de Cultura, Educación y Ciencia propondrá a la Administración del Estado los bienes o sectores del patrimonio cultural valenciano en los que considere prioritaria la realización de trabajos de conservación o enriquecimiento con cargo al uno por ciento de los fondos de aportación pública a las obras del Estado previsto en la Ley del Patrimonio Histórico Español.

Artículo 94. Crédito oficial

La financiación de las obras y actuaciones mencionadas en el apartado primero del artículo 91, así como la adquisición de bienes para la ejecución inmediata de las mismas o para su destino a un uso público, tendrán acceso preferente al crédito oficial o subsidiado con fondos públicos. Tratándose de bienes inmuebles el acceso será en condiciones iguales, al menos, a las más ventajosas previstas para la adquisición de viviendas de nueva construcción en la normativa sobre actuaciones protegibles en materia de vivienda. Lo mismo se aplicará a aquellos otros bienes que, sin ser objeto de inscripción independiente en el Inventario, estén comprendidos en Conjuntos o Sitios Históricos, Zonas Arqueológicas o Paleontológicas o Parques Culturales y en los entornos de protección de inmuebles declarados de interés cultural que se hallen sujetos a un Plan Especial o a las normas de protección establecidas en la propia declaración, según lo previsto en el artículo 34.4.

Artículo 95. Beneficios fiscales

1. Los titulares de bienes integrantes del patrimonio cultural valenciano gozarán de los beneficios fiscales que, en el ámbito de sus respectivas competencias, establezcan el Estado, la Generalitat y las entidades locales.

2. La Generalitat Valenciana, en compensación a las cargas y limitaciones que se imponen a los titulares o poseedores de los bienes integrantes del patrimonio cultural valenciano, y como incentivo a la participación social en las tareas de conservación y enriquecimiento del mismo, establecerá, en la medida de su capacidad normativa en materia tributaria, las exenciones y bonificaciones fiscales que mejor garanticen el cumplimiento de los fines de esta Ley.

3. La Conselleria de Cultura, Educación y Ciencia y las Diputaciones Provinciales, en los concursos de ayudas a las entidades locales para obras de conservación y rehabilita-

ción del patrimonio cultural, establecerá la preferencia de aquellas que dispongan de un Catálogo de Bienes y Espacios Protegidos de ámbito municipal, aprobado al menos provisionalmente, así como de las que acrediten el establecimiento en sus Ordenanzas fiscales de las exenciones en el pago de los tributos locales previstas en el artículo 69.3 de la Ley del Patrimonio Histórico Español y de cuantas otras exenciones y bonificaciones fiscales se prevean legalmente.

Artículo 96. Pago con bienes culturales

1. Las personas, físicas o jurídicas, propietarias de bienes inscritos en el Inventario General del Patrimonio Cultural Valenciano, o respecto de los que se haya iniciado expediente para su inscripción, que fueren deudoras de la Hacienda de la Generalitat por cualquier título, incluida la imposición de las sanciones previstas en esta Ley, podrán hacer pago, total o parcial, de sus deudas mediante la dación de tales bienes. Tratándose de tributos cedidos por el Estado, se estará a lo dispuesto en la normativa estatal.

2. La dación en pago se hará previa oferta del interesado a la Conselleria de Economía, Hacienda y Administración Pública, formulada por escrito, indicando el código de identificación del bien en el Inventario y el valor por el que se ofrece. Tratándose de deudas tributarias, la oferta determinará la suspensión del procedimiento recaudatorio, pero la deuda no dejará de devengar los intereses que legalmente correspondan cuando la oferta se haga una vez vencido el período de pago voluntario.

3. La Conselleria de Economía, Hacienda y Administración Pública, previo el informe de la Conselleria de Cultura, Educación y Ciencia, que tendrá carácter vinculante y se emitirá oída la Junta de Valoración de Bienes del Patrimonio Cultural Valenciano, resolverá en el plazo de dos meses sobre la aceptación de la dación en pago ofrecida.

4. Aceptada la entrega del bien en pago de la deuda, se estará en cuanto a su destino, tratándose de inmuebles, a lo previsto en el artículo 90 de esta Ley.

5. La denegación de la cesión o el transcurso del plazo establecido para resolver, que tendrá efectos desestimatorios, determinará la reanudación del procedimiento recaudatorio.

TÍTULO VII. De las infracciones administrativas y su sanción

Artículo 97. Infracciones

1. Son infracciones administrativas en materia de patrimonio cultural y serán sancionadas con arreglo a lo establecido en este título las acciones u omisiones contrarias a lo dispuesto en esta ley, y que no sean constitutivas de delito.

Las infracciones se clasifican en leves, graves y muy graves.

2. Serán infracciones leves:

a) El incumplimiento del deber de facilitar a las administraciones públicas el examen e inspección de los bienes y las informaciones pertinentes, establecido en los artículos 16.3 y 18.3.

b) La inobservancia del deber de comunicar a la Conselleria competente en materia de cultura la existencia de los bienes a que se refiere el artículo 16.4.

c) El cambio de uso de los bienes incluidos en el Inventario sin la comunicación o autorización previas exigidas en los artículos 18.2, 36.2 y 41.1 y el mantenimiento de un uso incompatible con la condición de bien inventariado o declarado. Si el bien hubiere sufrido daño por causa de su utilización se estará a lo dispuesto en la letra *a* del apartado tercero de este artículo.

d) La negativa a permitir el acceso de los investigadores a los bienes inventariados, conforme a lo dispuesto en el artículo 18.4, salvo cuando se trate de bienes declarados de interés cultural, en cuyo caso se estará al apartado tercero, letra *b,* de este artículo.

e) La obstrucción de la labor inspectora de la administración.

f) El incumplimiento de las órdenes de suspensión o paralización dictadas por la administración competente siempre que como consecuencia de su incumplimiento no se produzcan daños para el patrimonio.

g) El incumplimiento del deber de comunicar las transmisiones, negocios jurídicos, traslados y actos materiales sobre bienes del Inventario, establecido en los artículos 18.5 y 43.

h) La falta de notificación a la administración competente de la transmisión a título oneroso de bienes inventariados según ordena el artículo 22.1.

i) El incumplimiento de las obligaciones de facilitar la visita pública de los bienes inmuebles de interés cultural y de ceder a exposiciones los muebles, establecidas en el artículo 32.

j) La no presentación a la administración competente, dentro del plazo establecido, de las memorias de las intervenciones efectuadas en bienes, inmuebles, muebles y de las actuaciones arqueológicas o paleontológicas, según lo dispuesto en los artículos 35.3, 41.5, 50.6 y 60.4.

k) La no comunicación a la Conselleria competente en materia de cultura por parte de los ayuntamientos, en el plazo establecido en el artículo 50.4, de las licencias de obra y las órdenes de ejecución sobre bienes de relevancia local.

l) La realización de tratamientos sobre bienes muebles de relevancia patrimonial sin autorización de la Conselleria competente en materia de cultura, infringiendo lo dispuesto en los artículos 41.1 y 53, salvo que por su resultado constituyan infracción más grave.

m) La realización, reproducción y difusión no autorizadas de fondos de museos y colecciones museográficas permanentes de titularidad de la Comunitat Valenciana.

n) La realización de cualquier obra o actuación en inmuebles integrantes de Conjuntos Históricos o entornos de protección de bienes de interés cultural, que no cuenten con inscripción independiente en el Inventario General del Patrimonio Cultural Valenciano con incumplimiento de los trámites y condiciones establecidas en la presente Ley.

ñ) El uso de detectores de metales u otros instrumentos de análoga naturaleza sin autorización, en ámbitos no expresamente permitidos, o con incumplimiento los requisitos o condiciones establecidos en la correspondiente autorización administrativa.

o) Causar daños por un valor de hasta 30.000 euros a bienes incluidos en el Inventario.

p) La infracción de las demás obligaciones impuestas por esta ley, siempre que no venga calificada en este mismo artículo como grave o muy grave.

3. Serán infracciones graves:

a) El incumplimiento del deber de conservar y mantener la integridad del valor cultural de los bienes incluidos en el inventario general del Patrimonio Cultural Valenciano, establecido en el artículo 18.1.

b) La negativa a permitir el acceso de los investigadores a los bienes declarados de interés cultural.

c) La no comunicación a la Conselleria competente en materia de cultura de las subastas a que se refiere el artículo 22.4.

d) La realización de cualquier tipo de intervención sobre un bien inmueble incluido en el Inventario General con incumplimiento de los trámites previstos en la presente ley, a no ser que, por sus efectos sobre el bien inventariado, deba constituir infracción muy grave a tenor de lo dispuesto en el apartado cuarto.

e) El otorgamiento de licencias municipales, u otros actos administrativos de eficacia habilitante y la adopción de medidas cautelares por los ayuntamientos con infracción de lo dispuesto en los artículos 33.1, 36, 39.2 *b*, 40.2, 50.7 y 62.3.

f) La realización de actuaciones arqueológicas o paleontológicas, así como el otorgamiento de licencia municipal u otro acto administrativo de eficacia habilitante cuando fuere preceptiva, sin la autorización de la Conselleria competente en materia de cultura preceptuada en el artículo 60, salvo que resultare daño grave para los restos arqueológicos o paleontológicos, en cuyo caso se estará a lo dispuesto en el apartado cuarto, letra *d* de este artículo.

g) La realización de obras de remoción de tierra, de demolición o cualesquiera otras actuaciones o intervenciones realizadas con infracción de lo dispuesto en el artículo 60.6, salvo que resultare daño grave para los restos arqueológicos o paleontológicos, en cuyo caso se estará a lo dispuesto en el apartado cuarto, letra *d* de este artículo.

h) El incumplimiento de las obligaciones de comunicar el descubrimiento de restos arqueológicos o paleontológicos y de entregar los objetos hallados, aun casualmente, establecidas en los artículos 60 *bis*, 63.1, 64.2 y 65.3, así como la realización de los actos que, si mediare delito, darían lugar a la aplicación de alguno de los artículos comprendidos en el capítulo XIV del título XIII del Código Penal.

i) La no suspensión inmediata de las obras con motivo del descubrimiento de restos arqueológicos o paleontológicos y el incumplimiento de las órdenes de suspensión dictadas por la administración competente, en los supuestos contemplados en los artículos 62 y 63.

j) La comercialización de bienes de naturaleza arqueológica o paleontológica sin que su procedencia esté debidamente documentada.

k) La inobservancia del deber de llevar el libro-registro de transacciones de bienes muebles, establecido en el artículo 12, y la omisión o inexactitud de los datos que deban constar en él.

l) La separación de bienes muebles vinculados a un inmueble declarado de interés cultural, infringiendo lo dispuesto en el artículo 38.1. *b*.

m) La disgregación de las colecciones de bienes muebles incluidas en el Inventario, salvo las declaradas de interés cultural, y la salida temporal de fondos de los museos o colecciones museográficas integrados en el sistema valenciano de museos, sin la autorización exigida en virtud de los artículos 53 y 73.2.

n) Causar daños por un valor entre 30.001 y 60.000 euros a bienes incluidos en el Inventario.

ñ) Se considera falta grave si en período de 12 meses se comenten dos o más faltas leves.

4. Serán infracciones muy graves:

a) El derribo, total o parcial, de los inmuebles incluidos en el Inventario, así como el otorgamiento de licencias de demolición, contraviniendo la prohibición expresa del artículo 20.

b) El desplazamiento de bienes inmuebles declarados de interés cultural y el otorgamiento por los ayuntamientos de licencia para ello, en contra de lo dispuesto en el artículo 38.1. *c*.

c) La realización de cualquier tipo de intervención sobre un bien inmueble incluido en el Inventario General con incumplimiento de los trámites previstos en la presente ley, cuando se cause grave daño a los mismos.

d) La realización de las actuaciones mencionadas en las letras *f* y *g* del apartado tercero de este artículo, cuando resulten dañados gravemente los restos arqueológicos o paleontológicos.

e) La destrucción, total o parcial, de bienes muebles incluidos en el Inventario.

f) La disgregación de colecciones de bienes muebles declaradas de interés cultural y de fondos de museos y colecciones museográficas pertenecientes al Sistema Valenciano de Museos sin la autorización de la conselleria competente en materia de cultura, exigida a tenor de los artículos 44 y 73.5.

g) Causar daños por un valor superior a 60.000 euros a bienes incluidos en el Inventario.

5. A los efectos de lo dispuesto en este artículo, se equiparan a los bienes incluidos en el Inventario aquellos respecto de los que se haya iniciado el correspondiente procedimiento para su inscripción en éste.

Artículo 98. Personas responsables

1. Serán responsables de las infracciones administrativas derivadas de esta Ley los que realizaren las acciones u omisiones que las constituyen.

2. Tratándose de actuaciones arqueológicas o paleontológicas no autorizadas serán responsables todos aquellos que, directa o indirectamente, hubieren intervenido en las mismas y que conforme al Código Penal tendrían la consideración de autores o cómplices.

3. Cuando la infracción consista en la ejecución de obras sin licencia, o no ajustándose a los términos de ésta, o en el otorgamiento de licencias municipales de contenido manifiestamente contrario a lo dispuesto en esta Ley, se estará para la determinación de las personas responsables a lo que dispone la legislación urbanística respecto de las infracciones a la misma.

Artículo 99. Sanciones

1. Los responsables de infracciones de esta Ley que hubieren ocasionado daños al patrimonio cultural valorables económicamente serán sancionados con multa del tanto al cuádruplo del valor del daño causado, salvo que de aplicar lo dispuesto en el apartado segundo de este artículo resultare multa de superior cuantía.

2. En los demás casos se impondrán las siguientes sanciones:

a) Para las infracciones leves, multa de hasta 60.000 euros.

b) Para las infracciones graves, multa de 60.001 euros a 150.000 euros.

c) Para las infracciones muy graves, multa de 150.001 euros a 1.300.000 euros.

3. Para la graduación de las sanciones dentro de un mismo grupo se tendrá en cuenta la gravedad de los hechos, el empleo de medios técnicos en las actuaciones arqueológicas o paleontológicas no autorizadas, el perjuicio causado, la reincidencia y el grado de malicia, el caudal y demás circunstancias del infractor.

4. La cuantía de la sanción no podrá ser en ningún caso inferior al beneficio obtenido por el infractor como resultado de su acción, pudiéndose aumentar la cuantía de la multa correspondiente hasta el límite de dicho beneficio, cuando fuere valorable económicamente.

5. Las multas que se impongan a varios sujetos como consecuencia de la misma infracción serán independientes entre sí.

6. El órgano sancionador podrá acordar, como sanción accesoria, el comiso de los materiales y utensilios empleados en la infracción.

Artículo 100. Multas coercitivas

Independientemente de las sanciones que procedan conforme a lo dispuesto en el artículo anterior, el órgano competente podrá, previo requerimiento, imponer a quienes se hallaren sujetos al cumplimiento de las obligaciones establecidas en esta Ley multas coercitivas de hasta cien mil pesetas, reiteradas por períodos de un mes, hasta obtener el cumplimiento de lo ordenado.

Artículo 101. Reparación de daños

Los responsables de las infracciones de esta Ley que hubieren ocasionado daños al patrimonio cultural estarán obligados a reparar los daños causados y, en cuanto fuere posible, a restituir las cosas a su debido estado. En caso de incumplimiento de esta obligación, la Conselleria de Cultura, Educación y Ciencia llevará a cabo las actuaciones de reparación y restitución necesarias, a costa del infractor.

Artículo 102. Órganos competentes

Son competentes para la imposición de las sanciones previstas en este título:

a) El Consell de la Generalitat, a propuesta de la Conselleria competente en materia de cultura, para las multas de más de 150.000 euros.

b) El conseller competente en materia de cultura, para las multas de hasta 150.000 euros.

Artículo 103. Procedimiento sancionador

La imposición de las sanciones establecidas en este Título se hará previa tramitación del correspondiente expediente por la Conselleria de Cultura, Educación y Ciencia, de acuerdo con los principios establecidos en la legislación del procedimiento administrativo común. El plazo para resolver será de un año desde la incoación.

Artículo 104. Prescripción

1. Las infracciones administrativas derivadas de esta Ley prescribirán a los cinco años de haberse cometido, excepto las muy graves, que prescribirán a los diez años.

2. Las sanciones impuestas para infracciones muy graves prescribirán a los cinco años, a contar desde la firmeza de la resolución sancionadora, las impuestas para infracciones graves a los tres años y al año las que se impusieren para las leves.

DISPOSICIONES ADICIONALES

Primera. Bienes de Interés Cultural declarados con anterioridad a la entrada en vigor de la presente Ley

1. Se consideran Bienes de Interés Cultural integrantes del patrimonio cultural valenciano todos los bienes existentes en el territorio de la Comunitat Valenciana que a la entrada en vigor de la presente Ley hayan sido declarados Bienes de Interés Cultural al amparo de la Ley 16/1985, de 25 de junio, del Patrimonio Histórico Español, tanto mediante expediente individualizado como en virtud de lo establecido en el artículo 40.2 de dicha Ley y en sus Disposiciones Adicionales Primera y Segunda. Todos estos bienes se inscribirán en la Sección 1ª del Inventario General del Patrimonio Cultural Valenciano y quedarán sujetos al régimen establecido en la presente Ley para esta clase bienes.

2. La Conselleria competente en materia de cultura elaborará, para su aprobación por el Consell, la relación de las cuevas y abrigos que contengan manifestaciones de arte rupestre, los castillos y los escudos, emblemas, piedras heráldicas, rollos de justicia, cruces de término y demás piezas y monumentos de índole análoga de más cien años de antigüedad, declarados todos ellos Bienes de Interés Cultural integrantes del patrimonio cultural valenciano por efecto de lo dispuesto en el apartado anterior.

3. En cualquier caso, se considerarán bienes de interés cultural valenciano todos los documentos depositados en el Archivo de la Corona de Aragón que tengan relación directa o indirecta con el proceso histórico del antiguo Reino de Valencia, hoy Comunitat Valenciana, así como por su especial significado el Real Monasterio de Santa María de la Valldigna que es templo espiritual, político, histórico y cultural del antiguo Reino de Valencia, hoy Comuni-

tat Valenciana. Es, igualmente, símbolo de la grandeza y soberanía del pueblo valenciano reconocido como nacionalidad histórica.

Consecuentemente con esta declaración:

El Consell, en los Presupuestos de la Generalitat de cada año, incluirá los créditos necesarios para la restauración, conservación y mantenimiento del Real Monasterio de Santa María de la Valldigna.

Una Ley de la Generalitat regulará el destino y utilización del Real Monasterio de Santa María de la Valldigna como punto de encuentro y unión sentimental de todos los valencianos y como centro de investigación y estudio para la recuperación de la historia de la Comunitat Valenciana.

Segunda. Otros bienes inventariados con anterioridad a la entrada en vigor de la presente Ley

Los bienes muebles y los fondos de museos y colecciones museográficas, archivos y bibliotecas existentes en la Comunitat Valenciana que a la entrada en vigor de la presente Ley se hallen inscritos en el Inventario General de Bienes Muebles del Patrimonio Histórico Español pasarán a formar parte del Inventario General del Patrimonio Cultural Valenciano, inscribiéndose en la Sección que corresponda según lo establecido en esta Ley, sin necesidad de la tramitación del expediente previo a que hace referencia el artículo 52.

Tercera. Fundaciones culturales

La Generalitat velará por la conservación, recuperación y difusión de los elementos esenciales de la identidad de los valencianos como pueblo. A tal fin, en el ejercicio de sus competencias y potestades, dentro del marco previsto por la legislación reguladora de las fundaciones, ejercerá el derecho de fundación mediante la creación de entidades que, presididas por el President de la Generalitat, en tanto más alto representante de la Comunitat Valenciana, tendrán por objeto la recuperación del patrimonio mueble e inmueble histórico de la Comunitat Valenciana, la recuperación, conservación y difusión del patrimonio inmaterial de la Comunitat Valenciana, y la celebración de eventos que rememoren los acontecimientos históricos más relevantes de nuestra historia como pueblo.

Con este fin, el Consell instará la reforma de los estatutos de la Fundación de la Comunitat Valenciana Jaume II el Just y de la Fundación de la Comunitat Valenciana "Luz de las Imágenes", y procederá a la creación de una nueva entidad llamada "Fundación Renaixença de la Comunitat Valenciana" con el objeto de dar cumplimiento a lo previsto en el párrafo anterior.

Cuarta. Actualización y adaptación de las secciones 1ª y 2ª del Inventario General del Patrimonio Cultural Valenciano

Con el fin de actualizar y adaptar a las determinaciones de la presente Ley el reconocimiento y clasificación de los bienes inmuebles que hayan contado con expediente para su declaración cultural con anterioridad a la entrada en vigor de la Ley 4/1998, de 11 de junio, de la Generalitat, del Patrimonio Cultural Valenciano, la Conselleria competente en materia de cultura, previo informe de dos de las instituciones consultivas de las así reconocidas en el artículo 7, elevará al Consell, para su aprobación por Decreto, la relación de bienes a inscribir en la sección 1ª o sección 2ª del Inventario de General del Patrimonio Cultural Valenciano, de acuerdo con su valor cultural y con la categoría que corresponda.

Podrán asimismo declararse por el mismo procedimiento aquellos bienes pertenecientes al ámbito territorial de la Comunitat Valenciana que habiendo sido objeto de reconocimiento cultural entre 1936 y 1939, no hubiesen visto convalidada o reestablecida su declaración con posterioridad.

Los bienes inmuebles así inscritos gozarán a todos los efectos del reconocimiento y se beneficiarán de las medidas de protección y de fomento que para sus correspondientes figuras establece la presente Ley, sin perjuicio de la complementación paulatina de sus declaraciones conforme lo establecido en el apartado segundo de la disposición transitoria primera de la Ley 4/1998, de 11 de junio, de la Generalitat, del Patrimonio Cultural Valenciano.

Cuarta (sic).

Para realizar las gestiones encomendadas en régimen de descentralización funcional, se podrá crear una entidad de derecho público del Museo de Bellas Artes de València, que dispondrá de personalidad jurídica propia, autonomía funcional y de gestión, plena capacidad de obrar para el cumplimiento de sus finalidades y estará facultada para realizar actividades administrativas, prestacionales y de fomento, gestionar servicios o producir bienes de interés público susceptibles o no de contraprestación y que quedará adscrita a la conselleria competente en materia de cultura.

Quinta. Reconocimiento legal de Bienes Inmuebles de Relevancia Local, en atención a su naturaleza patrimonial

Tienen la consideración de bienes inmuebles de relevancia local, y con esta denominación deberán ser incluidos en los respectivos catálogos de bienes y espacios protegidos, las siguientes categorías de elementos arquitectónicos:

1. Los núcleos históricos tradicionales. Estos espacios urbanos, que se delimitarán en la ordenación urbanística de cada municipio, se caracterizan por componer agrupaciones diferenciadas de edificaciones que conservan una trama urbana, una tipología diferenciada o una silueta histórica característica.

Los municipios en cuyo término no exista ningún casco urbano que responda a estas características deberán solicitar su exclusión fundada, conforme al punto 4 de esta disposición adicional.

2. Los pozos o cavas de nieve o neveras, las chimeneas de tipo industrial construidas de ladrillo anteriores a 1940, los hornos de cal, los antiguos molinos de viento y los antiguos molinos de agua, los relojes de sol anteriores al siglo xx, las barracas tradicionales propias de las huertas valencianas, las lonjas y salas comunales anteriores al siglo xix, los paneles cerámicos exteriores anteriores a 1940, la arquitectura religiosa incluyendo los calvarios tradicionales que estén concebidos autónomamente como tales, así como los elementos decorativos y bienes muebles relacionados directamente con el bien patrimonial a proteger.

3. El patrimonio histórico y arqueológico civil y militar de la Guerra Civil en la Comunitat Valenciana, además de los espacios singulares relevantes e históricos de la capitalidad valenciana, como todos aquellos edificios que se utilizaron de sede del gobierno de la República, además de los espacios relevantes que utilizaron personajes importantes de nuestra historia durante el período de guerra de 1936 a 1939. Todos estos inmuebles deben estar construidos con anterioridad al año 1940.

En relación con este patrimonio histórico y arqueológico de la Guerra Civil, sin perjuicio de su reconocimiento legal de bien de relevancia local a la entrada en vigor de esta ley, la conselleria competente en materia de cultura, con la colaboración de la Junta de Valoración de Bienes, deberá ejecutar un inventario específico de estos bienes en el que se diferenciará explícitamente entre bienes protegidos y bienes solo a documentar, conforme a su relativa importancia patrimonial. Así como los lugares de la memoria, que pasarán a ser documentados por su importancia histórica.

4. No obstante, mediante una resolución de la conselleria competente en materia de cultura, se podrá exceptuar este reconocimiento para elementos que, analizados singular-

mente, no acrediten reunir valores culturales suficientes para su inclusión en el Inventario General del Patrimonio Cultural Valenciano.

Sexta.

Corresponderá a la Conselleria de Cultura, Educación y Ciencia, previo el informe de la de Economía, Hacienda y Administración Pública, proponer al Gobierno Valenciano la aceptación de donaciones, herencias y legados a favor de la Generalitat Valenciana, cuando se refieran a bienes integrantes del patrimonio cultural valenciano.

Séptima. Consejo Asesor de Patrimonio Histórico Inmobiliario

El Consejo Asesor de Patrimonio Histórico Inmobiliario tiene como funciones el informe de las declaraciones como bien de interés cultural de los conjuntos históricos y de sus modificaciones, el informe de los planes especiales de protección de los conjuntos históricos y de sus modificaciones, y el resto de las que puedan establecerse reglamentariamente con relación a bienes inmuebles de interés cultural.

Su composición y funcionamiento se establecerán reglamentariamente.

DISPOSICIONES TRANSITORIAS

Primera.

1. Los expedientes sobre declaración de Bienes de Interés Cultural incoados con anterioridad a la entrada en vigor de la presente Ley quedarán sometidos, en cuanto a sus trámites y efectos, a lo que en ella se dispone. Mediante resolución de la Conselleria de Cultura, Educación y Ciencia se establecerán los requisitos de convalidación de los informes y demás trámites producidos hasta entonces en dichos expedientes.

2. La Conselleria de Cultura, Educación y Ciencia, podrá complementar las declaraciones de Bienes de Interés Cultural producidas antes de la entrada en vigor de la presente Ley y relativas a bienes integrantes del patrimonio cultural valenciano, a fin de adaptar su contenido a los requisitos que en ésta se establecen.

Segunda.

Los municipios en los que a la entrada en vigor de esta Ley hubiere algún inmueble declarado Bien de Interés Cultural deberán, en el plazo de un año, elaborar el Plan Especial de protección a que se refiere el artículo 34.2, aprobarlo provisionalmente y remitirlo al órgano competente para su aprobación definitiva. Si hubiera ya aprobado un Plan Especial, u otro instrumento de planeamiento con el mismo objeto, podrán, en el mismo plazo, someterlo a convalidación mediante el informe de la Conselleria de Cultura, Educación y Ciencia previsto en el mismo artículo o adaptarlo a las determinaciones establecidas en la presente Ley.

Tercera.

Todos los Ayuntamientos de la Comunidad Valenciana deberán en el plazo de un año a partir de la entrada en vigor de esta Ley aprobar provisionalmente un Catálogo de Bienes y Espacios Protegidos, de ámbito municipal, o modificar el que tuvieren aprobado para adaptarlo a las disposiciones de esta Ley, y remitirlo al órgano competente para su aprobación definitiva. En caso de que en el municipio no existiera ningún bien merecedor de tal protección, el Ayuntamiento deberá comunicar dicha circunstancia a la Conselleria de Cultura, Educación y Ciencia.

Cuarta.

En el plazo de un año a partir de la entrada en vigor de esta Ley, los responsables de la instalación deberán retirar, a su costa, las conducciones y elementos impropios a que se refiere el artículo 38, e).

Quinta.

Hasta tanto no se dicten por el Gobierno Valenciano las normas de desarrollo reglamentario de la presente Ley, serán de aplicación, en cuanto se conformen a las disposiciones de ésta, los Reales Decretos 111/1986, de 10 de enero, de desarrollo parcial de la Ley 16/1985, de 25 de junio, del Patrimonio Histórico Español y 64/1994, de 21 de enero, por el que se modificó parcialmente el anterior.

DISPOSICIÓN DEROGATORIA

Quedan derogadas cuantas disposiciones de igual o inferior rango se opongan a lo dispuesto en esta Ley.

DISPOSICIONES FINALES

Primera.

1. Se autoriza al Gobierno Valenciano a dictar cuantas disposiciones reglamentarias sean necesarias para el desarrollo y aplicación de esta Ley.

2. Queda asimismo autorizado el Gobierno Valenciano para actualizar por vía reglamentaria la cuantía de las sanciones establecidas en el artículo 99, así como la de las multas coercitivas previstas en el artículo 100. El porcentaje de los incrementos no será superior al de los índices oficiales de incremento del coste de vida.

Segunda.

La presente Ley entrará en vigor el día siguiente al de su publicación en el «Diari Oficial de la Generalitat Valenciana».

11. COMUNIDAD AUTÓNOMA DE EXTREMADURA: LEY 2/1999, DE 29 DE MAR-ZO, DE PATRIMONIO HISTÓRICO Y CULTURAL DE EXTREMADURA

DO. Extremadura 22 mayo 1999, núm. 59, [pág. 4244].
BOE 11 junio 1999, núm. 139, [pág. 22445].

EXPOSICIÓN DE MOTIVOS

La conservación, enriquecimiento y difusión del Patrimonio Histórico constituye, en un Estado social y democrático de Derecho, una obligación de los poderes públicos que aparece jurídicamente consagrada en la Constitución Española de 1978, en su artículo 46.

En consonancia con su espíritu, el legado de bienes materiales e inmateriales que constituye este Patrimonio, ha de contribuir a que cada comunidad comprenda la realidad histórica y cultural sobre la que se asienta, descubriendo y perfilando su identidad colectiva. Por ello, es necesario articular los objetivos de conservación con el acceso de los ciudadanos a su valoración y disfrute cultural.

La Comunidad Autónoma de Extremadura posee competencia exclusiva en materia de Patrimonio cultural histórico-arqueológico, monumental, artístico y científico de interés, en el folklore, tradiciones y fiestas de interés histórico o cultural, en el fomento de la cultura y defensa del derecho de los extremeños a sus peculiaridades culturales, los museos, archivos y bibliotecas de interés para la Comunidad Autónoma; sin perjuicio de las competencias que el artículo 149.1.28 de la Constitución asigna al Estado. En este marco, la Administración Local adquiere también un importante papel como sujeto del Patrimonio Histórico y Cultural, con amplias facultades de colaboración y de adopción de medidas de salvaguarda de los bienes; obligación ésta en la que están implicados todos los demás poderes públicos y los sujetos privados.

En este sentido, cabe resaltar la posición de la Iglesia Católica como titular de un elenco de bienes de gran importancia patrimonial cuantitativa y cualitativamente. Por ese motivo, es necesario y obligado establecer cauces de colaboración mutua que permitan el disfrute social de sus valores sin olvidar y, en todo caso, respetando que los mismos fueron creados, recibidos, conservados y promovidos por la Iglesia teniendo en cuenta su finalidad primordialmente religiosa. Los Acuerdos de colaboración entre la Junta de Extremadura y las Diócesis extremeñas de septiembre de 1989 para el estudio, defensa, conservación y difusión del Patrimonio Histórico-Artístico de la Iglesia Católica son un excelente ejemplo de colaboración técnica y económica que es de justicia hacer patente en esta Ley.

Este amplio concepto de Patrimonio Histórico y Cultural comprende tanto el patrimonio inmueble y mueble como todo aquel patrimonio inmaterial o intangible que reúne valores tradicionales de la cultura y modos de vida de nuestro pueblo que son dignos de conservar. Unos y otros están abocados a cumplir un mismo fin, el de transmitirse acrecentado a las generaciones venideras.

El Título I establece dos categorías de bienes históricos y culturales, los declarados Bien de Interés Cultural y los Inventariados, con sus respectivos cauces procedimentales para su inclusión y exclusión; sin olvidar la existencia de los demás bienes que sin alcanzar tales consideraciones son sin embargo dignos de protección por su valor latente.

Las medidas de protección, conservación y mejora de los bienes inmuebles y muebles del Patrimonio Histórico y Cultural de Extremadura se desarrollan a lo largo del Título II, donde se regulan técnicas jurídicas de fiscalización de los deberes de conservación cultural como el requerimiento y la ejecución forzosa así como el poder de inspección y su alcance cuando incide en el domicilio de los ciudadanos y el control del tráfico jurídico-privado del comercio en bienes integrantes del Patrimonio Histórico y Cultural de Extremadura.

Se otorga una especial importancia al impacto ambiental y al planeamiento urbanístico en todo aquello en que pueda afectar al Patrimonio. Quedan determinadas las bases para las intervenciones en inmuebles, la delimitación de los entornos de afección así como los parámetros físicos y ambientales a tener en cuenta.

En cuanto a los Conjuntos Históricos se fijan obligaciones de planeamiento y contenidos del mismo que desplieguen una eficacia real sobre la protección, conservación y mejora de las ciudades históricas de Extremadura para un desarrollo coherente de las mismas procurando con ello su adaptación armónica a la vida contemporánea sin olvidar la participación especializada de los diferentes profesionales implicados.

Especial consideración merece el Patrimonio Arqueológico que se recoge en el Título III, sometiendo a previa autorización el ejercicio de las actividades arqueológicas, las urgencias y la utilización de instrumentos de detección perjudiciales para una interpretación de los restos en consonancia con su contexto.

El Patrimonio Etnológico definido y desarrollado a lo largo del Título IV atiende de manera destacada a los bienes industriales, tecnológicos y a los elementos de la arquitectura popular sin olvidar toda la riqueza cultural recogida en usos, costumbres, formas de vida y lenguaje referidos como bienes etnológicos intangibles.

Es el V el Título dedicado a los museos y a las exposiciones museográficas permanentes. Dispone su creación, autorización y calificación respetando el ejercicio de las competencias municipales que en todo caso se hará en los términos de la legislación del Estado y de la Comunidad Autónoma. Sirve de base a este Título la experiencia previa desarrollada a nivel reglamentario para la Red de Museos de Extremadura y que ahora se contempla con rango legal.

El tratamiento del Patrimonio Documental y del Patrimonio Bibliográfico se aborda conjuntamente en el Título VI. Tiene una regulación más amplia el primero dado que el segundo, al menos en lo referente a concepción de las bibliotecas como la prestación de un servicio público, ha sido desarrollado por la Ley 6/1997, de 29 de mayo, de Bibliotecas de Extremadura y lo que en la presente disposición se desarrolla es el tratamiento de esos fondos bibliográficos en atención a sus valores culturales.

Una atención muy especial merece también la acción administrativa de fomento, a cuyo régimen se dedica el Título VII, como catálogo de medidas encaminadas a proteger y promover aquellas actividades de los particulares que satisfacen necesidades públicas o se estiman de utilidad general, sin usar de la coacción (anticipos reintegrables, crédito oficial, ayudas a la rehabilitación y al planeamiento, uno por ciento cultural, beneficios fiscales, etc.).

El Título VIII de la Ley regula la actuación de la competencia en materia de sanciones por infracciones administrativas, partiendo de la distribución entre sanciones penales y administrativas procedente de la teoría general y de la rigurosa aplicación a estas medidas de las reglas sobre Derecho Administrativo Sancionador.

Consecuentemente, con esta Ley se pretende conservar y difundir la riqueza histórica y cultural para su disfrute por la colectividad garantizando su enriquecimiento y facilitando su estudio.

Por todo lo expuesto, la Asamblea de Extremadura aprobó y yo, de conformidad con los artículos 7.1.13 y 52.1 del Estatuto de Autonomía y con el artículo 9.1 de la Ley 2/1984, del Gobierno y la Administración de la Comunidad Autónoma de Extremadura promulgo, en nombre del Rey, la Ley del Patrimonio Histórico y Cultural de Extremadura.

TÍTULO PRELIMINAR. Disposiciones Generales

Artículo 1. Objeto

1. Es objeto de la presente Ley la protección, conservación, engrandecimiento, difusión y estímulo del Patrimonio Histórico y Cultural de Extremadura, así como su investigación y

transmisión a las generaciones venideras con el fin de preservar la tradición histórica de la Comunidad y su pasado cultural, servir de incentivo a la creatividad y situar a los ciudadanos de Extremadura ante sus raíces culturales.

2. Constituyen el Patrimonio Histórico y Cultural de Extremadura todos los bienes tanto materiales como intangibles que, por poseer un interés artístico, histórico, arquitectónico, arqueológico, paleontológico, etnológico, científico, técnico, documental y bibliográfico, sean merecedores de una protección y una defensa especiales. También forman parte del mismo los yacimientos y zonas arqueológicas, los sitios naturales, jardines y parques que tengan valor artístico, histórico o antropológico, los conjuntos urbanos y elementos de la arquitectura industrial así como la rural o popular y las formas de vida y su lenguaje que sean de interés para Extremadura.

3. Se considerarán de interés para Extremadura todos aquellos bienes relacionados con el punto anterior que estén radicados, hayan sido descubiertos, producidos o recibidos, tengan una vinculación histórica o cultural con la Comunidad Autónoma o alcancen una significación propia para la región.

Artículo 2. Competencias

1. Corresponde a la Comunidad Autónoma de Extremadura la competencia exclusiva sobre el Patrimonio cultural histórico-arqueológico, monumental, artístico y científico de interés para la región, sin perjuicio de las competencias que correspondan al Estado o a las Entidades Locales.

2. Las Entidades Locales tendrán la obligación de proteger, conservar, defender, resaltar y difundir el alcance de los valores que contengan los bienes integrantes del Patrimonio Histórico y Cultural situados en su ámbito territorial. En los casos de urgencia adoptarán las medidas preventivas que sean necesarias para salvaguardar esos mismos bienes que viesen amenazada su existencia, su conservación o su integridad.

Comunicarán a la Junta de Extremadura tanto la amenaza o peligro que sufran los bienes del Patrimonio Histórico y Cultural, como las medidas cautelares adoptadas. Todo ello sin perjuicio de las funciones que expresamente les atribuya esta Ley.

3. Todas las Administraciones Públicas de Extremadura colaborarán en el ejercicio de sus competencias y funciones para contribuir al logro de los objetivos de esta Ley.

4. La Junta de Extremadura adoptará las medidas necesarias para facilitar su colaboración con las demás Administraciones Públicas, así como con instituciones públicas o privadas. Fomentará intercambios culturales y promoverá la celebración de convenios y acuerdos para la mejor difusión del Patrimonio Histórico y Cultural extremeño.

Las Administraciones Públicas coordinarán sus actuaciones con independencia del ente que tenga específicamente atribuida la competencia en cada caso, colaborando para el mejor desarrollo y ejecución de sus respectivas funciones.

Artículo 3. Otros sujetos del Patrimonio Histórico y Cultural

1. Todos los particulares que observen peligro de destrucción o deterioro de algún bien integrante del Patrimonio Histórico y Cultural de Extremadura, con independencia de su titularidad, tienen la obligación de ponerlo en conocimiento de la Administración competente en el menor tiempo posible; ésta comprobará los hechos denunciados y actuará conforme a lo dispuesto en esta Ley.

La acción será pública para que cualquier particular pueda dirigirse a la Administración competente y a los órganos jurisdiccionales en defensa de los bienes integrantes del Patrimonio Histórico y Cultural de Extremadura.

2. La Iglesia Católica, como titular de bienes integrantes del Patrimonio Histórico y Cultural de Extremadura, estará obligada a velar por la conservación, protección, acre-

centamiento y difusión del mismo. A tal fin, una Comisión Mixta constituida por la Junta de Extremadura y la Iglesia Católica establecerá el marco de colaboración entre ambas instituciones para desarrollar actuaciones de interés común.

A tales bienes, así como a los que estén en posesión de otras confesiones religiosas, les será de aplicación el régimen general de protección y tutela previsto en esta Ley, sin perjuicio de las singularidades que pudieran derivarse para la Iglesia Católica como sujeto de derecho.

Todo ello sin perjuicio de cuanto se dispone en los acuerdos suscritos entre el Estado Español y la Santa Sede.

3. Los propietarios, poseedores y demás titulares de bienes integrantes del Patrimonio Histórico y Cultural de Extremadura conservarán, mantendrán y custodiarán dichos bienes de conformidad con lo dispuesto en esta Ley.

4. Las asociaciones y fundaciones contribuirán a la conservación del Patrimonio Histórico y Cultural de Extremadura, pudiendo ser beneficiarias de las medidas de estímulo que la Administración tenga previstas.

Los estatutos por los cuales se rijan las asociaciones o fundaciones y que representen los principios básicos de su organización no podrán contener fines que sean contrarios a las prescripciones establecidas en esta Ley.

Artículo 4. Instituciones consultivas y Órganos asesores

1. Son instituciones consultivas de la Administración de la Comunidad Autónoma de Extremadura a los efectos previstos en esta Ley:

a) La Universidad de Extremadura.

b) Las Reales Academias.

2. Son Órganos asesores de la Junta de Extremadura en materia de Patrimonio Histórico y Cultural:

a) El Consejo Extremeño de Patrimonio Histórico y Cultural será el órgano de asesoramiento y de participación en cuantas materias se entiendan relacionadas con el Patrimonio Histórico y Cultural de Extremadura. Su composición, organización y funcionamiento se determinará reglamentariamente.

Estarán representadas en él, entre otras, las siguientes Instituciones: La Junta de Extremadura, representantes de los distintos sectores culturales, la Universidad de Extremadura, las Reales Academias, las Instituciones Privadas que dispongan de Patrimonio Cultural y la FEMPEX.

b) El Consejo Asesor del Patrimonio Arqueológico.

c) El Consejo Asesor del Patrimonio Etnológico.

d) El Consejo Asesor del Patrimonio Documental y de los Archivos.

e) El Consejo Asesor de Bibliotecas.

f) El Consejo Asesor de Artes Plásticas.

g) El Consejo Asesor de Bienes de Interés Cultural.

h) El Consejo Asesor de Bienes Muebles.

i) Las Comisiones Provinciales del Patrimonio Histórico.

j) La Comisión Mixta Junta de Extremadura-Iglesia Católica.

k) La Comisión Extremeña de Museos y Exposiciones Museográficas Permanentes.

Todo ello sin perjuicio del asesoramiento que pueda recabarse de otros organismos profesionales de carácter corporativo, instituciones científicas y entidades culturales, así como de profesionales de reconocido prestigio.

TÍTULO I. De las categorías de Bienes Históricos y Culturales
CAPÍTULO I. De los Bienes de Interés Cultural

Artículo 5. Definición y ámbito

1. Los bienes más relevantes del Patrimonio Histórico y Cultural extremeño deberán ser declarados de interés cultural mediante Decreto de la Junta de Extremadura, a propuesta de la Consejería de Cultura y Patrimonio, y serán incluidos en el Registro de Bienes de Interés Cultural.

2. Podrán ser declarados Bien de Interés Cultural tanto los inmuebles como los muebles y los bienes intangibles.

3. Excepcionalmente podrá declararse Bien de Interés Cultural la obra de autores vivos, siempre y cuando tres de las instituciones consultivas de las establecidas en el artículo 4 de la presente Ley emitan informe favorable y se autorice expresamente por su propietario.

Artículo 6. Clasificación

1. A los efectos de su declaración como Bienes de Interés Cultural, los bienes inmuebles se clasifican en:

a) Monumentos: el edificio y estructura de relevante interés histórico, artístico, etnológico, científico, social o técnico, con inclusión de los muebles, instalaciones y accesorios que expresamente se señalen.

b) Conjuntos Históricos: la agrupación homogénea de construcciones urbanas o rurales que destaque por su interés histórico, artístico, científico, social o técnico que constituyan unidades claramente delimitables por elementos tales como sus calles, plazas, rincones o barrios.

c) Jardín Histórico: el espacio delimitado que sea fruto de la ordenación por el hombre de elementos naturales que pueden incluir estructuras de fábrica y que destacan por sus valores históricos, estéticos, sensoriales o botánicos.

d) Sitios Históricos: el lugar o paraje natural donde se produce una agrupación de bienes inmuebles que forman parte de una unidad coherente por razones históricas, culturales o de la naturaleza vinculadas a acontecimientos, recuerdos del pasado o manifestaciones populares de las raíces culturales de una comunidad que posean valores históricos o técnicos.

e) Zona Arqueológica: lugar donde existen bienes muebles o inmuebles susceptibles de ser estudiados con metodología arqueológica, tanto si se encuentran en la superficie como si se encuentran en el subsuelo o bajo las aguas que discurran dentro del territorio de la Comunidad.

f) Zona Paleontológica: lugar donde hay vestigios fosilizados o no que constituyan una unidad coherente y con entidad propia.

g) Lugares de Interés Etnológico: los espacios naturales, construcciones o instalaciones industriales vinculadas a formas de vida, cultura y actividades tradicionales del pueblo extremeño, tales como antiguos almacenes, fábricas, elementos distintivos como chimeneas, silos, puentes, molinos.

h) Parques Arqueológicos: Restos Arqueológicos sometidos a visitas públicas.

i) Espacios de protección arqueológica: donde se presume la existencia de restos arqueológicos.

2. Los bienes muebles podrán ser declarados de interés cultural singularmente o como colección. Además, lo serán también aquellos bienes muebles que se señalen formando parte de un inmueble declarado de interés cultural.

3. Las artes y tradiciones populares, los usos y costumbres de transmisión consuetudinaria en canciones, música, tradición oral, las peculiaridades lingüísticas y las manifestaciones de espontaneidad social extremeña, podrán ser declarados y registrados con las nuevas técnicas audiovisuales, para que sean transmitidos en toda su pureza y riqueza visual y auditiva a generaciones futuras.

Sección 1ª. Procedimiento de declaración

Artículo 7. Procedimiento

1. La declaración de Bien de Interés Cultural requerirá la previa incoación y tramitación del expediente administrativo por la Consejería de Cultura y Patrimonio de la Junta de Extremadura.

2. La iniciación del expediente podrá realizarse de oficio por la Consejería de Cultura y Patrimonio de la Junta de Extremadura, a instancia de otra Administración Pública o bien a instancia de cualquier otra persona física o jurídica, ente público o privado. En estos dos últimos casos la denegación de la incoación se hará mediante resolución motivada que deberá notificarse a los solicitantes en el plazo de tres meses, transcurridos los cuales sin haberse resuelto expresamente se entenderá desestimada.

3. En el expediente que se instruya deberá constar informe favorable de al menos dos de los órganos consultivos previstos en el artículo 4 de la presente Ley que deberá ser emitido en el plazo máximo de dos meses, transcurrido el cual sin haberse formulado se estimará que el dictamen es favorable a la declaración.

4. La incoación será notificada a los interesados en todo caso y al Ayuntamiento cuando se trate de inmuebles. No obstante lo anterior, la incoación será publicada en el «Diario Oficial de Extremadura» y en el «Boletín Oficial del Estado» y se abrirá un período de información pública por un plazo mínimo de un mes.

Artículo 8. Contenido del expediente

1. El expediente de declaración de un Bien de Interés Cultural incluirá las siguientes especificaciones:

a) Una descripción clara y precisa del bien o bienes que permita su identificación, con sus pertenencias y accesorios. En el caso de inmuebles, aquellos bienes muebles vinculados al mismo, los cuales tendrán también la consideración de Bienes de Interés Cultural.

b) La delimitación del entorno necesario para la adecuada protección del bien cuando se trate de inmuebles. La zona afectada estará constituida por el espacio, construido o no, que da apoyo ambiental al bien y cuya alteración pudiera afectar a sus valores, a la contemplación o al estudio del mismo.

2. La declaración podrá incluir la determinación de los criterios que deben regir las futuras intervenciones sobre el bien, así como las limitaciones al uso de dicho bien en caso de resultar incompatibles para su protección y defensa.

3. Si se trata de bienes muebles deberá incluirse el título o denominación, la técnica, materias empleadas y las medidas, así como el autor, escuela y época si se conocen.

Artículo 9. Resolución de la declaración

1. La declaración de Bien de Interés Cultural será aprobada mediante Decreto del Consejo de Gobierno de la Junta de Extremadura, a propuesta del Consejero de Cultura y Patrimonio.

2. El acuerdo por el que se resuelva la declaración contendrá las descripciones, delimitaciones y demás criterios referidos en el artículo 8 de esta Ley.

3. El expediente de declaración se resolverá en el plazo máximo de 16 meses, contados desde la fecha en que fue incoado el procedimiento. La caducidad del expediente se producirá si una vez transcurrido dicho plazo se solicita el archivo de las actuaciones y dentro de los 30 días siguientes no se dicta resolución. Caso de no solicitarse el archivo de las actuaciones, podrá declararse también la caducidad del expediente una vez transcurrido el citado plazo máximo de 16 meses fijado para su resolución, tras 3 meses y por resolución. Una vez caducado el expediente, no se podrá volver a iniciar éste en los tres años siguientes, salvo que lo instase el titular del bien y fuese informado favorablemente por tres de las instituciones consultivas previstas en el artículo 4.

4. La declaración de Bien de Interés Cultural será notificada a los interesados, al Ayuntamiento en que radique el bien y al Ministerio de Educación y Cultura y será publicada en el «Diario Oficial de Extremadura» y en el «Boletín Oficial del Estado».

Artículo 10. Efectos de la declaración de Bien de Interés Cultural

1. La declaración de Bien de Interés Cultural otorga la máxima categoría de protección a los bienes integrantes del Patrimonio Histórico y Cultural de Extremadura.

2. La incoación del expediente de declaración conlleva la aplicación, de forma inmediata y con carácter provisional, respecto del bien afectado, del régimen de protección establecido para los bienes que puedan ser declarados. Para evitar la destrucción o deterioro del Bien se tomarán medidas cautelares precisas al efecto.

3. En el caso de bienes inmuebles, la incoación del expediente de declaración implicará la suspensión de las licencias municipales de parcelación, edificación o derribo en la zona afectada que estén en trámite, así como la suspensión de los efectos de las ya otorgadas. No obstante, la Consejería de Cultura y Patrimonio podrá autorizar aquellas obras que, por causa de fuerza mayor, interés general o urgencia, hubieran de realizarse con carácter inaplazable y no traigan su causa del incumplimiento de los deberes de conservación que recaen en sus titulares o poseedores.

Artículo 11. Extinción del carácter de Bien de Interés Cultural

1. Podrá incoarse expediente para dejar sin efecto la declaración de un Bien de Interés Cultural de oficio o a instancia de parte.

2. La incoación del expediente se notificará y publicará en los términos previstos en el artículo 7.4 de la presente Ley y su tramitación se efectuará siguiendo los mismos trámites y requisitos necesarios para su declaración.

3. Deberá obrar en el expediente el informe favorable y razonado de al menos dos de las instituciones consultivas previstas en el artículo 4.1 de esta norma.

4. Terminado el expediente se notificará el acuerdo a los interesados en la forma prevista en el artículo 9.4.

5. La resolución que ponga fin a la calificación de un Bien de Interés Cultural llevará consigo los siguientes efectos:

a) La cancelación de la inscripción del bien en el Registro de Bienes de Interés Cultural.

b) La cancelación de la inscripción en el Registro de la Propiedad en el caso de inmuebles. A tales efectos, será título suficiente para esta cancelación la certificación, expedida por la autoridad administrativa a la que correspondía la protección del bien, en la que se transcriba la resolución por la que queda sin efecto dicha declaración.

c) Finalizan los efectos que llevó aparejados la declaración y a los que se hace referencia en el artículo anterior.

6. En ningún caso, podrán invocarse como causas determinantes para dejar sin efecto la declaración de un Bien de Interés Cultural las que deriven del incumplimiento de los deberes y obligaciones de conservación y mantenimiento reguladas por esta Ley.

Sección 2ª. El Registro de Bienes de Interés Cultural

Artículo 12. Régimen del Registro

1. Corresponde a la Consejería de Cultura y Patrimonio gestionar el Registro de Bienes de Interés Cultural. Los Bienes de Interés Cultural serán inscritos en el Registro, en el que también se anotará preventivamente la incoación de los expedientes de declaración.

2. Sus fines son la identificación, consulta y divulgación de los bienes inscritos en el Registro así como el conocimiento de los actos que repercutan en el bien o en su titularidad, el seguimiento de la vida del objeto y la publicidad, salvo las informaciones que deban protegerse por razones de seguridad para los bienes o sus titulares, la intimidad de las personas y los secretos comerciales y científicos amparados por la Ley.

3. La inscripción en el Registro se hará de oficio y su carácter será declarativo.

Artículo 13. Contenido del Registro

1. El Registro de Bienes de Interés Cultural reflejara todos los actos que se realicen sobre los bienes inscritos en él, si pueden afectar al contenido.

2. Cada bien que se inscriba en el Registro recibirá un Código de identificación.

3. Deberán anotarse en el Registro los datos que reglamentariamente se determinen; hasta ese momento, serán de aplicación supletoriamente los dispuestos en el artículo 21.3 del Real Decreto 111/1986, de 10 de enero.

4. De las inscripciones y anotaciones en el Registro se dará cuenta al Registro de Bienes de Interés Cultural de la Administración del Estado, para que se hagan las consiguientes inscripciones y anotaciones en el mismo.

Artículo 14. Efectos de la inscripción

1. Cualquier persona que lo solicite, y acredite un interés legítimo, tendrá acceso al Registro.

Por tanto, desde que un bien es declarado de Interés Cultural no podrá alegarse la ignorancia del carácter de ese bien por ninguna persona o autoridad.

2. El Registro General de Bienes de Interés Cultural no sustituye a ningún otro, jurídico, fiscal o administrativo. Se instará de oficio por la administración competente la inscripción gratuita de la declaración de Bienes de Interés Cultural en el Registro de la Propiedad, todo ello de conformidad con lo establecido por la normativa estatal correspondiente.

Artículo 15. Expedición de un título para los Bienes de Interés Cultural

1. A petición del propietario o titular de derechos reales sobre el Bien de Interés Cultural o, en su caso, del Ayuntamiento interesado, se expedirá un título que sirva para su identificación y reconocer su carácter como bienes de superior importancia.

2. En el título se deben reflejar todos los actos jurídicos o artísticos que influyan sobre su mejor conocimiento o estudio.

3. El título oficial se ajustará al modelo que reglamentariamente se determine.

4. Los Bienes declarados de Interés Cultural podrán llevar un logotipo distintivo de tal condición. Su instalación se someterá a autorización previa de la Consejería de Cultura y Patrimonio y su formato será homologado por la misma.

Sección 3ª. La Publicidad de los Bienes de Interés Cultural

Artículo 16. Publicidad

1. El acceso al Registro será público en los términos que se establezcan reglamentariamente, siendo precisa la autorización expresa del titular del bien para la consulta pública de los datos relativos a:

a) La situación jurídica y el valor de los bienes inscritos.

b) Su localización, en el caso de bienes muebles.

2. La inscripción en el Registro produce efectos de publicidad para las personas que acrediten un interés legítimo. No obstante, tendrá los límites que dispone el artículo 22 del Real Decreto 111/1986, de 10 de enero.

CAPÍTULO II. De los Bienes Inventariados

Artículo 17. Definición

1. Tendrán la consideración de Bienes Inventariados aquellos que, sin gozar de la relevancia o poseer los valores contemplados en el artículo 1.3 de la presente Ley gocen, sin embargo, de especial singularidad o sean portadores de valores dignos de ser preservados como elementos integrantes del Patrimonio Histórico y Cultural extremeño, y serán incluidos en el Inventario del Patrimonio Histórico y Cultural de Extremadura dependiente de la Consejería de Cultura y Patrimonio como instrumento de protección de los bienes inmuebles, muebles e intangibles incluidos en el mismo, y con fines de investigación, consulta y difusión.

2. En el inventario del Patrimonio Histórico y Cultural de Extremadura se anotarán preventivamente la incoación de los expedientes que se tramiten para la inclusión en el mismo de los bienes correspondientes.

3. El acceso al Inventario del Patrimonio Histórico y Cultural de Extremadura será público en los términos que reglamentariamente se establezcan.

Artículo 18. Procedimiento

1. La inscripción de un bien en el Inventario del Patrimonio Histórico y Cultural de Extremadura tendrá lugar por Orden del Consejero de Cultura y Patrimonio. El expediente correspondiente se iniciará por Resolución de la Dirección General de Patrimonio Cultural de oficio, a instancia de otra Administración Pública o de cualquier otra persona física o jurídica, Ente Público o Privado, siéndole de aplicación las normas generales de procedimiento administrativo, con las particularidades que se recogen en la presente Ley.

2. El acto por el que se resuelva inscribir un bien de conformidad con lo dispuesto en el apartado 1 de este artículo, deberá ser notificado a sus titulares o poseedores así como al Ayuntamiento en que se ubique el bien, y se publicará en el «Diario Oficial de Extremadura».

3. El expediente habrá de resolverse en el plazo máximo de un año, contado a partir de la fecha en que fue incoado.

4. Se entenderán inscritos en el Inventario del Patrimonio Histórico y Cultural todos los bienes que figuren inventariados en los centros pertenecientes a la Red de Museos y Exposiciones Museográficas Permanentes de Extremadura.

5. La incoación del expediente será notificada a los interesados y, si se trata de un inmueble, al Ayuntamiento donde radique el bien.

Artículo 19. Contenido del expediente

1. El Inventario del Patrimonio Histórico y Cultural de Extremadura reflejará todos los actos jurídicos y alteraciones físicas que afecten a los bienes en él incluidos.

2. El expediente recogerá la descripción del bien de manera que facilite su correcta identificación. En el caso de bienes inmuebles, se recogerán además todos aquellos elementos que lo integran y el entorno afectado.

Artículo 20. Exclusión de un bien del Inventario

La exclusión de un bien del Inventario del Patrimonio Histórico y Cultural de Extremadura deberá someterse al mismo procedimiento previsto para su inclusión.

CAPÍTULO III. De los restantes bienes del Patrimonio Histórico y Cultural de Extremadura

Artículo 21. Definición

1. Además de los Bienes de Interés Cultural y de los Bienes Inventariados forman también parte del Patrimonio Histórico y Cultural extremeño los bienes inmuebles, muebles e intangibles que, pese a no haber sido objeto de declaración ni inventario, posean los valores descritos en el artículo 1 y respecto de los que se presume un valor cultural expectante o latente que les hace dignos de otorgarles una protección en garantía de su propia preservación.

2. En el caso de inmuebles de las características descritas en el punto anterior, serán incluidos en el Registro que a tal efecto creará la Consejería de Cultura y Patrimonio. Para estos inmuebles la Consejería de Cultura y Patrimonio podrá ordenar la suspensión de las obras de demolición total o parcial o el cambio de uso. En el plazo de cuatro meses, la Administración competente en materia de urbanismo deberá aprobar las medidas de protección que sean adecuadas conforme a la legislación urbanística y cuya resolución deberá ser comunicada al Órgano que ordenó la suspensión. Lo anterior se entiende sin perjuicio de la potestad de incoar expediente de declaración de Bien de Interés Cultural.

3. En cualquier caso, forman parte del Patrimonio Histórico y Cultural de Extremadura los siguientes bienes muebles:
a) Los objetos de interés paleontológico.
b) Los objetos de interés arqueológico.
c) Los bienes de interés artístico.
d) El mobiliario, instrumentos musicales, inscripciones y monedas de más de cien años de antigüedad.
e) Los objetos de interés etnológico.
f) El patrimonio científico, técnico e industrial mueble.
g) El patrimonio documental y el patrimonio bibliográfico.

TÍTULO II. Del régimen de protección, conservación y mejora de los inmuebles y muebles integrantes del Patrimonio Histórico y Cultural de Extremadura

CAPÍTULO I. Medidas generales de protección, conservación y mejora

Artículo 22. Protección general, deberes y garantías

1. Todos los bienes tanto inmuebles como muebles que integran el Patrimonio Histórico y Cultural de Extremadura gozarán de las medidas de protección, conservación y mejora establecidas en esta Ley.

2. Los propietarios, poseedores y demás titulares de derechos reales sobre los bienes integrantes del Patrimonio Histórico y Cultural extremeño están obligados a conservarlos, protegerlos y mantenerlos adecuadamente para garantizar la integridad de sus valores evitando su deterioro, pérdida o destrucción.

3. Los poderes públicos fiscalizarán el ejercicio del deber de conservación que corresponde a los titulares patrimoniales de bienes integrantes del Patrimonio Histórico y Cultural extremeño.

4. La Administración de la Junta de Extremadura realizará las oportunas gestiones para que aquellos bienes pertenecientes al Patrimonio Histórico y Cultural extremeño que se encuentren fuera del territorio regresen a la Comunidad Autónoma.

Artículo 23. Requerimiento y ejecución forzosa

1. La Consejería de Cultura y Patrimonio podrá ordenar a los propietarios, poseedores o titulares de los bienes integrantes del Patrimonio Histórico y Cultural extremeño la ejecución de las obras o la adopción de las medidas necesarias para conservar, mantener y mejorar los mismos, sin perjuicio de obtener las autorizaciones o licencias que correspondan de otras Administraciones.

2. A los efectos de lo dispuesto en el punto anterior, se intimará al obligado, con fijación de plazo, precisando la extensión de su deber y requiriéndole para que ejecute voluntariamente las medidas que deba adoptar.

3. En el caso de que el obligado no ejecutase las actuaciones indicadas, podrá la Consejería de Cultura y Patrimonio imponerle multas coercitivas para hacer efectivo el cumplimiento de los deberes impuestos por esta Ley y de las resoluciones administrativas dictadas para su aplicación. La multa no podrá exceder de ciento cincuenta mil pesetas y, en caso de que una vez impuesta se mantenga el incumplimiento, la Administración podrá reiterarla tantas veces como sea necesario hasta el cumplimiento de la obligación. Las multas coercitivas son independientes y compatibles con las que se puedan imponer en caso de sanción y, no obstante, la administración competente y el ayuntamiento correspondiente podrá también ejecutar subsidiariamente tales actuaciones con cargo al obligado. La Consejería de Cultura y Patrimonio podrá usar también la vía de la expropiación en los casos que sea preciso.

Artículo 24. Inspección y acceso a los bienes

1. La Consejería de Cultura y Patrimonio podrá inspeccionar el estado de conservación de los bienes, examinando los mismos y recabando cuanta información sea pertinente, reputándose legítima la entrada en la propiedad privada cuando esté expresamente autorizada por el Órgano competente y predomine un interés histórico, científico o cultural relevante.

2. Igualmente, se deberá permitir el acceso de los investigadores, previa solicitud motivada a la Consejería de Cultura y Patrimonio, a los bienes declarados, inventariados o registrados, salvo que por causas debidamente justificadas la Administración dispensase esta obligación.

3. Los propietarios, poseedores y demás titulares de derechos reales sobre estos bienes de Interés Cultural facilitaran la visita pública a los mismos en las condiciones que reglamentariamente se determinen. No obstante lo anterior, cuando la visita pública a dichos bienes sea instrumentada mediante convenio de colaboración con las personas citadas, se estipulará en el mismo el número de días y las condiciones en las que se desarrollarán las mencionadas visitas.

4. En cualquiera de los supuestos anteriores, se respetarán escrupulosamente los derechos a la intimidad personal y a la inviolabilidad del domicilio.

Artículo 25. Subastas y transmisiones de la propiedad

1. La Consejería de Cultura y Patrimonio podrá ejercer los derechos de tanteo y retracto sobre cualquier bien integrante del Patrimonio Histórico y Cultural extremeño que vaya a ser subastado o enajenado. A tal fin, los subastadores o propietarios notificarán a la Dirección General de Patrimonio Cultural con una antelación de dos meses las subastas o enajenaciones que afecten a los mencionados bienes. En el caso de subastas, se notificará el precio de salida, condiciones de pago y lugar y hora de celebración de la misma. En el caso de enajenaciones, la identidad del adquirente, precio, forma de pago y resto de las condiciones.

2. La Consejería de Cultura y Patrimonio podrá ejercer en el plazo de dos meses el derecho de tanteo para sí o en beneficio de otra entidad pública o privada sin finalidad de lucro.

3. Si la pretensión de enajenación y sus condiciones no fuesen correctamente notificadas, o se hiciese en condiciones distintas podrá ejercer la Consejería de Cultura y Patrimonio el derecho de retracto en el plazo de seis meses a partir de la fecha en que se tenga conocimiento fehaciente de la transmisión.

4. Lo que establece este artículo no será aplicable a los inmuebles integrantes de los Conjuntos Históricos que no tengan la condición individualizada de monumentos ni a los inmuebles incluidos en entornos de protección.

5. Los bienes declarados de interés cultural, los bienes inventariados y los bienes inmuebles registrados que sean propiedad de la comunidad autónoma o de las entidades locales serán imprescriptibles, inalienables e inembargables, con las excepciones previstas en la presente ley.

6. Sin perjuicio del régimen jurídico del dominio público, las Administraciones públicas de la comunidad autónoma podrán acordar, por causa de interés público y con autorización de la consejería competente en materia de cultura, transmisiones y cesiones onerosas o gratuitas, entre sí o con particulares, de los bienes declarados de interés cultural, los bienes inventariados y los bienes inmuebles registrados, sin que suponga en ningún caso su exclusión del régimen de protección patrimonial correspondiente.

7. La transmisión de bienes de las instituciones eclesiásticas se regirá por la legislación estatal, sin perjuicio de su comunicación a la Consejería de Cultura y Patrimonio.

Artículo 26. Escrituras públicas

Para la formalización de escrituras públicas de adquisición de Bienes declarados de Interés Cultural o de Bienes inventariados, o de transmisión de derechos reales de disfrute sobre estos bienes, se acreditará previamente el cumplimiento de lo que establece el artículo 25. Esta acreditación también es necesaria para la inscripción de los títulos correspondientes.

Artículo 27. Expropiación

1. El incumplimiento de las obligaciones de protección, conservación y mejora será causa de interés social para la expropiación forzosa de los bienes integrantes del Patrimonio Histórico y Cultural extremeño.

2. La Consejería de Cultura y Patrimonio o los Ayuntamientos de los municipios donde radiquen los bienes inmuebles integrantes del Patrimonio Histórico y Cultural de Extremadura, podrán ejercer la potestad expropiatoria para posibilitar la contemplación de los mismos, facilitar su conservación o eliminar circunstancias que atenten contra los valores o seguridad de dichos bienes. Los Ayuntamientos que se propongan ejercer la potestad expropiatoria lo notificarán a la Consejería de Cultura y Patrimonio que dispondrá de un plazo de un mes para comunicar su intención de ejercer tal potestad con carácter principal. Transcurrido dicho plazo sin pronunciamiento expreso o desde el momento en que se renuncie, el Ayuntamiento podrá iniciar el expediente de expropiación con arreglo a lo previsto en la legislación estatal. Se tomarán las medidas pertinentes para agilizar y hacer eficaz el expediente expropiatorio.

CAPÍTULO II. Protección, conservación y mejora de los bienes inmuebles

Sección 1ª. Régimen General

Artículo 28. Definición

A los efectos previstos en esta Ley tienen la consideración de bienes inmuebles, además de los numerados en el artículo 334 del Código Civil, todos aquellos elementos que puedan considerarse consustanciales con los edificios y formen parte de los mismos o la hubiesen formado en otro tiempo. Se confeccionará, en el plazo de 3 años, una Carta Arqueológica y la Red de Castillos y Fortalezas de Extremadura.

Artículo 29. Desplazamiento

Un inmueble declarado Bien de Interés Cultural es inseparable de su entorno. No podrá procederse a su desplazamiento salvo que resulte imprescindible por causa de fuerza mayor o interés social, previo informe favorable de la Consejería de Cultura y Patrimonio, en cuyo caso será preciso adoptar las cautelas necesarias en aquello que pueda afectar al suelo o al subsuelo y una vez hecha la intervención arqueológica si procediera. Para la consideración de causa de fuerza mayor o de interés social, será preceptivo el informe favorable de al menos dos de las instituciones consultivas contempladas en esta Ley.

Artículo 30. Impacto ambiental y planeamiento urbanístico

1. En la tramitación de evaluaciones de impacto ambiental (para programas, planes o proyectos) que puedan afectar a los bienes integrantes del Patrimonio Histórico y Cultural extremeño, será preceptivo recabar informe de la Dirección General de Patrimonio Cultural y se incluirán en la declaración de impacto ambiental las consideraciones o condiciones resultantes de dicho informe.

2. Con posterioridad a la aprobación inicial de los instrumentos de planeamiento urbanístico, estos habrán de someterse a informe de la dirección general competente en materia de patrimonio cultural, en el que se determinarán los elementos tipológicos básicos, así como cualquier otro tipo de consideraciones de las construcciones y de la estructura o morfología urbana que deba ser objeto de protección, conservación y mejora. Dicho informe, que será vinculante en lo referido a posibles afecciones al patrimonio histórico y cultural, se entenderá favorable si no es emitido en el plazo de tres meses desde la recepción de la documentación completa por el órgano autonómico competente en materia de patrimonio cultural. En caso de ser desfavorable, el informe expresará motivadamente las cuestiones respecto de las cuales dicho carácter desfavorable resulta vinculante.

3. No será preceptivo el informe del órgano con competencia en materia de patrimonio histórico, en el caso de los instrumentos de planeamiento urbanístico de desarrollo parcial de ámbitos limitados, en los que la entidad local respectiva certifique la constancia de la inexistencia de bienes integrantes del patrimonio histórico y cultural de Extremadura, basándose en los informes previos, con una antigüedad inferior a cinco anos, del órgano con competencia en materia de patrimonio histórico relativos a otros planes, programas o proyectos que afecten a la totalidad del ámbito que se pretende ordenar y que incluyan un estudio completo del patrimonio histórico y cultural.

La entidad local respectiva comunicara la certificación emitida al órgano con competencia en materia de patrimonio histórico.

Asimismo, tampoco será preceptivo dicho informe del órgano con competencia en materia de patrimonio histórico en los planes, programas y proyectos en suelo rústico, siempre que no afecten al suelo de protección patrimonial, ni afecten a ningún bien declarado de interés cultural o inventariado. A tales efectos, el órgano con competencias en materia de patrimonio histórico promoverá la actualización de la Carta Arqueológica de Extremadura.

Artículo 31. Autorización de las intervenciones
Cualquier intervención que pretenda realizarse en un inmueble declarado Bien de Interés Cultural habrá de ser autorizada por la Consejería de Cultura y Patrimonio, previamente a la concesión de la licencia municipal, con la salvedad que supone lo previsto en el artículo 42.2 de la presente Ley.

Artículo 32. Proyectos de intervención
1. Cualquier proyecto de intervención en un inmueble declarado Bien de Interés Cultural habrá de incorporar un informe sobre su importancia artística, histórica y/o arqueológica, la diagnosis del estado del bien, la propuesta de actuación y la descripción de la metodología a utilizar. Los proyectos serán sometidos a la autorización previa de la Consejería de Cultura y Patrimonio.
2. Los proyectos de intervención irán suscritos por técnico competente y los informes artísticos, históricos y/o arqueológicos en los que se basen deberán ser emitidos por profesionales de las correspondientes disciplinas habilitados para ello.
3. Una vez concluida la intervención, la dirección facultativa realizará una memoria en la que figure, al menos, la descripción pormenorizada de la obra ejecutada y de los trabajos aplicados, así como la documentación gráfica del proceso seguido.
4. En los proyectos de intervención en inmuebles declarados Bien de Interés Cultural que estén destinados a un uso público, se tendrá en cuenta la accesibilidad a los mismos a su entorno, y se habilitarán las ayudas técnicas necesarias para facilitar la utilización de sus bienes o servicios a todas las personas, especialmente a aquéllas con movilidad reducida o con cualquier limitación física o sensorial de manera permanente o transitoria. Para ello, la Consejería de cultura y Patrimonio velará, de acuerdo con las disposiciones establecidas en la Ley 81/1997, de 18 de junio, de promoción de la accesibilidad, por su correcto cumplimiento.

Artículo 33. Criterios de intervención en inmuebles
1. Cualquier intervención en un inmueble declarado Bien de Interés Cultural habrá de ir encaminada a su protección, conservación y mejora, de acuerdo con los siguientes criterios:
a) Se respetarán las características esenciales del inmueble, sin perjuicio de que pueda autorizarse el uso de elementos, técnicas y materiales actuales para la mejor adaptación del bien a su uso y para valorar determinados elementos o épocas.
b) Las características volumétricas y espaciales definidoras del inmueble, así como las aportaciones de las distintas épocas deberán ser respetadas. En caso de que se autorice alguna supresión, ésta quedará debidamente motivada y documentada.
c) Los intentos de reconstrucción únicamente se autorizarán en los casos en los que la existencia de suficientes elementos originales o el conocimiento documental suficiente de lo que se haya perdido lo permitan. En todo caso, tanto la documentación previa del estado original de los restos, como el tipo de reconstrucción y los materiales empleados deberá permitir la identificación de la intervención y su reversibilidad.
d) No podrán realizarse adiciones miméticas que falseen su autenticidad histórica.
e) Cuando sea indispensable para la estabilidad y el mantenimiento del inmueble, siempre que sean visibles, la adición de materiales habrá de ser reconocible.
f) Se impedirán las acciones agresivas en las intervenciones, salvo que estén motivadas técnicamente y se consideren imprescindibles.
2. En los monumentos, jardines históricos, sitios históricos, zonas arqueológicas, zonas paleontológicas y lugares de interés etnográfico no podrá instalarse publicidad, cables,

antenas y todo aquello que impida o menoscabe la contemplación del bien dentro de su entorno sin la previa autorización administrativa.

Artículo 34. Licencias

1. La obtención de las autorizaciones necesarias según la presente Ley no altera la obligatoriedad de obtener licencia municipal ni las demás autorizaciones que fuesen necesarias.

2. No podrán otorgarse licencias para la realización de obras que, con arreglo a la presente Ley, requieran cualquier autorización administrativa, hasta que ésta fuese concedida; en todo caso, en el procedimiento de concesión de licencias por parte de la Administración municipal se insertará el dictamen preceptivo y vinculante de la Consejería de Cultura y Patrimonio emitido previamente.

3. Las obras realizadas sin cumplir lo establecido en el punto anterior serán ilegales, y los Ayuntamientos y, en su caso la Consejería de Cultura y Patrimonio ordenarán, si fuese necesario, su reconstrucción o demolición con cargo al responsable de la infracción, sin perjuicio de las sanciones a que se haya hecho acreedor.

Artículo 35. Ruina

1. La incoación de todo expediente de declaración de ruina de los inmuebles integrantes del Patrimonio Histórico y Cultural de Extremadura deberá ser notificada a la Consejería de Cultura y Patrimonio que podrá intervenir como interesada en el mismo, debiendo serle notificada la apertura y las resoluciones que en el mismo se adopten.

2. La declaración de ruina por parte de las autoridades municipales no conlleva necesariamente la demolición del edificio; ésta es una circunstancia que corresponde apreciar, caso por caso, a la Consejería de Cultura y Patrimonio.

3. En el supuesto de que la situación de ruina conlleve peligro inminente de daños para las personas, la entidad local que incoase el expediente de ruina habrá de adoptar las medidas oportunas para evitar dichos daños. No se podrán acometer más demoliciones que las estrictamente necesarias, que, en todo caso, serán excepcionales.

4. La situación de ruina producida por incumplimiento de lo previsto en el apartado anterior, por la desobediencia a las órdenes de ejecución o de las obligaciones previstas en el artículo 3.3 conllevará la reposición del bien a su estado originario por parte del titular de la propiedad.

5. La incoación de un expediente de declaración de ruina de un inmueble de los referidos en el apartado 1 de este artículo cuya demolición no sea autorizada, podrá dar lugar a la iniciación del procedimiento para su expropiación forzosa a fin de que la Administración adopte las medidas de seguridad, conservación y mantenimiento que precise el bien.

Artículo 36. Suspensión de intervenciones

La Consejería de Cultura y Patrimonio impedirá los derribos y suspenderá cualquier obra o intervención no autorizada en un bien declarado.

Artículo 36. bis Procedimiento único.

Por Decreto de Consejo de Gobierno podrá establecerse un procedimiento único que, respetando las competencias de las diversas Administraciones intervinientes, permita la obtención de todas las autorizaciones y licencias que fueren necesarias para realizar obras, cambios de uso o modificaciones de cualquier tipo que afecten a elementos integrados en el patrimonio histórico y cultural de Extremadura.

Sección 2ª. Régimen de los monumentos

Artículo 37. Intervención en monumentos

En ningún caso podrá realizarse obra interior, exterior, señalización, instalación o cambio de uso que afecte directamente a los inmuebles o a cualquiera de sus partes integrantes, pertenecientes o a su entorno delimitado, sin autorización expresa de la Consejería de Cultura y Patrimonio.

Artículo 38. Entorno de los monumentos

1. El entorno de los monumentos estará constituido por los inmuebles y espacios colindantes inmediatos; se entiende como entorno de un bien cultural inmueble el espacio circundante que puede incluir: inmuebles, terrenos edificables, suelo, subsuelo, trama urbana y rural, espacios libres y estructuras significativas que permitan su percepción y compresión cultural y, en casos excepcionales, por los no colindantes y alejados, siempre que una alteración de los mismos pueda afectar a los valores propios del bien de que se trate, su contemplación, apreciación o estudio. A tal fin se concretarán exactamente los términos respecto al entorno del monumento a proteger.

La existencia del entorno realza el bien y lo hace merecedor de una protección singular cuyo alcance y régimen específico se expresará en la resolución correspondiente de declaración de Bien de Interés Cultural o de inclusión en el Inventario del Patrimonio Histórico y Cultural de Extremadura.

El entorno será delimitado en la correspondiente resolución y gozará de la misma protección que el bien inmueble de que se trate.

2. El volumen, tipología, morfología o cromatismo de las intervenciones en el entono de los monumentos no pueden alterar el carácter arquitectónico y paisajístico de la zona, ni perturbar la contemplación del bien.

3. Podrán expropiarse y proceder a su derribo, los inmuebles y elementos que impidan o perturben la contemplación de los monumentos o den lugar a riesgos para los mismos.

4. Para cualquier intervención que pretenda realizarse, la existencia de una figura del planeamiento que afecte al entorno de un monumento no podrá excusar el informe preceptivo y vinculante de la Consejería de Cultura y Patrimonio.

5. En el caso del entorno de un monumento declarado de Interés Cultural, integrado en un Conjunto Histórico que cuente con un Plan Especial de Protección, se regirá por lo establecido en el artículo 42.2 de la presente Ley.

Artículo 39. Parámetros físicos y ambientales

1. Se procurará en la medida de lo posible que la delimitación del entorno facilite la lectura histórica del monumento y lo realce tanto espacial como ambientalmente.

2. La metodología para la determinación de los entornos tendrá en cuenta los siguientes criterios:
   a) Que el monumento esté aislado.
   b) Que el monumento se encuentre entre medianeras a lo largo de una vía.
   c) Que el monumento esté situado en la intersección de vías.
   d) Que el monumento esté situado en una plaza.
   e) Espacios privados ligados a fachadas posteriores del monumento.

3. Los entornos de protección desde el vestigio más exterior del bien contemplarán, con carácter general, cuando menos, las siguientes distancias:
   a) 100 metros para elementos de naturaleza etnológica.
   b) 100 metros para elementos arquitectónicos.
   c) 200 metros para elementos de naturaleza arqueológica.

d) 100 metros a ambos bordes de los caminos históricos.

4. Excepcionalmente, en los casos justificados técnicamente en que no se puedan mantener estas distancias, la Consejería de Cultura y Patrimonio determinará al respecto.

Sección 3ª. Régimen de los Conjuntos Históricos

Artículo 40. Conjuntos Históricos. Planeamiento

1. La declaración de un Conjunto Histórico determinará la obligación para el Ayuntamiento en que se encuentre de redactar un Plan Especial de Protección del área afectada en el plazo que el Decreto de declaración establezca en atención a las características y circunstancias de cada Conjunto Histórico. La Administración Regional arbitrará en estos casos las medidas de ayuda y colaboración que fueran pertinentes para facilitar dicha obligación de los Ayuntamientos. La aprobación definitiva de este Plan requerirá el informe favorable de la Consejería de Cultura y Patrimonio, que se entenderá positivo si transcurren tres meses desde su presentación y no hubiese sido emitido.

La obligatoriedad de dicha normativa no podrá excusarse en la preexistencia de otro planeamiento contradictorio con la protección ni en la inexistencia previa de planeamiento general.

La exigencia de redacción de un Plan Especial de Protección podrá ser sustituida por la de la propia redacción del instrumento urbanístico general, siempre y cuando en el ámbito delimitado se cumplan, en todo caso, las exigencias en esta Ley establecidas y se obtenga la conformidad previa de la Dirección General de Patrimonio Cultural del procedimiento y la delimitación del área, elementos y entornos a proteger.

2. Cualquier otra figura de planeamiento, así como su modificación o revisión, que incida sobre el entorno afectado por la declaración de un Conjunto Histórico precisara, igualmente, informe favorable de la Consejería de Cultura y Patrimonio en los términos previstos en el apartado anterior.

Artículo 41. Contenido del Planeamiento

1. El Plan Especial de Protección a que se refiere el artículo anterior establecerá para todos los usos públicos el orden prioritario de su instalación en los edificios y espacios que fuesen aptos para ello. Igualmente contemplará las posible áreas de rehabilitación integrada que permitan la recuperación del área residencial y de las actividades económicas adecuadas.

También contendrá los criterios relativos a la conservación de fachadas y cubiertas e instalaciones sobre las mismas, así como de aquellos elementos más significativos existentes en el interior.

2. Se mantendrán igualmente la estructura urbana y arquitectónica del Conjunto Histórico y las características generales del ambiente y del paisaje. No se permitirán modificaciones de las alineaciones, alteraciones de la edificabilidad, parcelaciones ni agregaciones de inmuebles, salvo que contribuyan a la conservación general del carácter del Conjunto Histórico.

3. Contendrá un catálogo exhaustivo de todos los elementos que conforman el Conjunto Histórico, incluidos aquellos de carácter ambiental, señalados con precisión en un plano topográfico, en aquellos casos en donde fuese preciso.

4. En el planeamiento se recogerán normas específicas para la protección del patrimonio arqueológico, que contemplarán, al menos, la zonificación de áreas de aparición de restos arqueológicos, soluciones técnicas y financieras.

5. En la redacción del Plan Especial de Protección se contemplarán específicamente las instalaciones eléctricas, telefónicas y cualesquiera otras, que deberán ir bajo tierra, pudiéndose no obstante, efectuar despliegues tanto aéreos como adosados a las fachadas, en

los casos en los que el soterramiento pueda suponer daño para bienes de interés cultural, presente grandes dificultades técnicas o supusiera un coste desproporcionado que hicieran inviable un proyecto de interés público o socioeconómico, preservando, en estos casos, el paisaje urbano y los valores dignos de protección. Las antenas de televisión, pantallas de recepción de ondas y dispositivos similares se situarán en lugares que no perjudiquen la imagen urbana o del conjunto. Sólo se autorizarán aquellos rótulos que anuncien servicios públicos, los de señalización y comerciales, que serán armónicos con el Conjunto, quedando prohibidos cualquier otro tipo de anuncios o rótulos publicitarios.

Sin perjuicio de las competencias de cada administración, son de interés público los proyectos por los que se despliega fibra óptica en los Conjuntos Históricos de Extremadura.

6. El Plan Especial de Protección incluirá cualquier otra determinación y especificidad que sea necesaria para la protección del Conjunto Histórico.

No obstante, en la redacción del Plan Especial de Protección, especialmente en lo relativo a las obras o instalaciones a autorizar en los edificios y espacios integrados en los Conjuntos Históricos, se deberá garantizar el principio de accesibilidad universal de las edificaciones y se promoverá la consecución de los objetivos de eficiencia energética, sostenibilidad y acceso a las nuevas tecnologías. En estos casos, los Planes Especiales de Protección deben ponderar las necesidades de protección del patrimonio histórico con el cumplimiento de los mencionados objetivos, estableciéndose, en todo caso, las medidas tendentes a preservar los valores históricos, ambientales y paisajísticos del Conjunto Histórico.

A tal efecto, el Plan Especial de Protección, dependiendo de su relevancia histórica y artística, podrá establecer una zonificación del Conjunto Histórico a los efectos de graduar las condiciones o requisitos a cumplir en cada uno de los casos.

Artículo 42. Conjuntos Históricos. Autorización de obras

1. En tanto no se apruebe definitivamente la normativa urbanística de protección a que se hace referencia en el artículo 41.1 de la presente Ley, la concesión de licencias o la ejecución de las ya otorgadas antes de la declaración de Conjunto Histórico precisará resolución favorable de la Consejería de Cultura y Patrimonio. No se admitirán modificaciones o cambios que afecten a la armonía del Conjunto Histórico, debiendo las intervenciones que se proyecten ajustarse a los criterios establecidos en el artículo 41.

2. Una vez aprobado definitivamente el Plan Especial de Protección, los Ayuntamientos serán competentes para autorizar las obras que lo desarrollan, incluidas las de los entornos de los monumentos declarados individualmente, debiendo dar cuenta a la Consejería de Cultura y Patrimonio de las licencias concedidas en un plazo máximo de diez días. En todo caso, las intervenciones arqueológicas requerirán autorización de la Consejería de Cultura y Patrimonio.

3. Las obras que se realicen al amparo de licencias contrarias al Plan Especial de Protección aprobado serán ilegales, pudiendo los órganos competentes de la Junta de Extremadura requerir al Ayuntamiento para ordenar su demolición y reconstrucción en un plazo máximo, a partir del cual podrán éstos acordar su ejecución subsidiaria, sin perjuicio de lo dispuesto en la legislación urbanística.

Sección 4ª. Régimen de los otros bienes inmuebles

Artículo 43. Protección de las otras clases de bienes inmuebles declarados

1. Los Sitios Históricos, las Zonas Arqueológicas y los Lugares de Interés Etnológico se ordenaran mediante Planes Especiales de Protección u otro instrumento de planeamiento que cumpla las exigencias establecidas en esta Ley.

2. Los Jardines Históricos y las Zonas Paleontológicas podrán ordenarse mediante las figuras de planeamiento previstas en el apartado anterior.

3. Cualquier remoción de tierras en una Zona Arqueológica o Zona Paleontológica habrá de ser autorizada por la Consejería de Cultura y Patrimonio, con independencia de que exista o no un instrumento urbanístico de protección.

CAPÍTULO III. Protección, conservación y mejora de los bienes muebles y de las colecciones

Artículo 44. Definición

A los efectos previstos en esta Ley, además de los enumerados en el artículo 335 del Código Civil, tienen la consideración de bienes muebles aquellos de carácter y valor histórico, tecnológico o material, susceptibles de ser transportados, no estrictamente consustanciales con la estructura de inmuebles, cualquiera que sea su soporte material. Por la autoridad competente se establecerán medidas que coadyuven a una mejor información sobre los bienes muebles y objetos propios de nuestro acervo cultural.

Artículo 45. Integridad de las colecciones

1. Las colecciones de bienes muebles que estén declaradas Bien de Interés Cultural o inventariadas y que consideradas como una unidad reúnan los valores propios de estos bienes, no podrán ser disgregadas por sus titulares o poseedores sin autorización de la Consejería de Cultura y Patrimonio.

2. Los bienes muebles declarados de interés cultural o inventariados, o respecto de los que se hubiera incoado expediente para su inclusión en tales categorías, por su vinculación a un bien inmueble, son inseparables del inmueble sin autorización expresa de la Consejería de Cultura y Patrimonio.

Artículo 46. Deber de información y comunicación de traslados

1. Los propietarios o poseedores de bienes muebles integrantes del Patrimonio Histórico y Cultural de Extremadura comunicarán su existencia a la Consejería de Cultura y Patrimonio.

2. La Dirección General de Patrimonio Cultural podrá requerir a los titulares de los bienes a que se refiere el apartado 1 para que faciliten las informaciones necesarias sobre los bienes y permitan su examen material.

3. El traslado de bienes muebles declarados Bien de Interés Cultural o de bienes Inventariados se comunicará a la Consejería de Cultura y Patrimonio para que lo haga constar en el Registro o en el Inventario correspondiente.

Artículo 47. Comercio

1. Las personas y entidades que quieran dedicarse a la actividad de comercio de bienes integrantes del patrimonio histórico y cultural extremeño llevarán un libro-registro, en el que constarán las transacciones que afecten a dichos bienes. Se anotarán, al menos, en el libro-registro los datos de identificación del objeto y de las partes que intervienen en cada transacción, sin perjuicio de aquellos otros que puedan establecerse en el desarrollo reglamentario.

2. Estas personas y entidades deberán presentar, ante la Consejería competente en materia de cultura, una declaración responsable manifestando que cumplen con el requisito previsto en el apartado primero de este artículo.

3. En la declaración responsable se hará constar, sin perjuicio de lo que se establezca reglamentariamente, los datos del titular y del establecimiento, manifestación que cumple con el requisito de disponer del libro-registro referenciado, así como el compromiso a

mantener su cumplimiento durante el tiempo de vigencia de la actividad y comunicar cualquier cambio que se produzca, además de disponer de la documentación acreditativa que corresponda a efectos de su comprobación por la Administración.

4. La Consejería competente en materia de Cultura gestionará un registro de las empresas que se dedican habitualmente al comercio de los objetos a los que se refiere el apartado 1. Dichas empresas serán inscritas de oficio una vez presentada la declaración responsable, conforme al contenido de ésta.

5. La presentación de la declaración responsable habilita, a los efectos previstos en esta ley y sin perjuicio de otras exigencias legales, para poder ejercer desde ese día dicha actividad con carácter indefinido, sin perjuicio de las comprobaciones e inspecciones que posteriormente se puedan realizar por parte de la Consejería, pudiendo ser privadas de esta habilitación, mediante resolución motivada y previa audiencia de los interesados, cuando por la misma se constate la inexactitud, falsedad u omisión, de carácter esencial, de cualquier dato contenido en la declaración responsable, o cuando se produzca el incumplimiento sobrevenido de algún requisito.

Artículo 48. Reproducción, restauración y conservación

1. La Consejería de Cultura y Patrimonio promoverá la utilización de medios técnicos para reproducir los bienes muebles integrantes del Patrimonio Histórico y Cultural extremeño, especialmente los incluidos en el patrimonio documental y bibliográfico, si lo requiere su conservación. También emprenderá las actuaciones necesarias para restaurar los fondos deteriorados o que se hallen en peligro de malograrse.

2. Cualquier modificación, restauración o alteración de otro tipo sobre bienes muebles declarados Bien de Interés Cultural o Inventariados requerirá autorización previa de la Consejería de Cultura y Patrimonio.

3. Si la conservación de bienes muebles declarados Bien de Interés Cultural o Inventariados pudiera quedar comprometida por las condiciones de su lugar de ubicación, la Consejería de Cultura y Patrimonio, podrá acordar el depósito provisional de los mismos en un lugar que cumpla las condiciones adecuadas de seguridad y de conservación, con preferencia por los museos, archivos o bibliotecas más cercanos a la ubicación original del bien. También acordará el depósito provisional de estos bienes en el caso de que los titulares incumplan la obligación de conservarlos.

4. La Consejería de Cultura y Patrimonio podrá inspeccionar las intervenciones que se realicen sobre los bienes muebles declarados de interés cultural y podrá ordenar la suspensión inmediata de las mismas cuando no se ajusten a la autorización concedida, o se estime, motivadamente, que las actuaciones profesionales no alcanzan el nivel adecuado.

5. Los propietarios y/o poseedores legítimos de bienes muebles declarados de interés cultural, inventariados o registrados podrán solicitar a la Junta de Extremadura que se acepte la cesión en depósito de los mismos. De admitirse la solicitud, suscribirán el correspondiente convenio, en el que se contemplarán también la duración y el derecho de la Administración a exponer al público los bienes depositados, salvo causa en contra justificada.

TÍTULO III. Del Patrimonio Arqueológico

Artículo 49. Definición y régimen de protección

1. Los bienes muebles e inmuebles de carácter histórico susceptibles de ser estudiados mediante metodología arqueológica integran el patrimonio arqueológico extremeño. También lo integran los elementos geológicos y paleontológicos relacionados con el ser humano y con sus orígenes y antecedentes.

2. La protección de los bienes a los que se refiere el apartado 1 se establece por medio de su declaración como Bienes de Interés Cultural o mediante su inclusión en el Inventario General de Patrimonio Histórico y Cultural de Extremadura y, en cualquier caso, con la aplicación de las reglas específicas de este título.

3. En la tramitación de proyectos de obras, instalaciones o actividades que hayan de someterse a evaluación de impacto ambiental y que afecten a bienes integrantes del patrimonio arqueológico, se solicitará por la Administración competente en materia de medio ambiente informe de la Consejería de Cultura y Patrimonio, que se incluirá en el expediente.

4. Dentro del ámbito de colaboración de la Junta de Extremadura con el resto de las Administraciones, se promoverá que los Ayuntamientos en cuyo término municipal existan importantes restos y yacimientos arqueológicos, delimiten las áreas existentes en su término, con posibilidad de contener restos arqueológicos. Las delimitaciones se harán por técnicos competentes en arqueología y se elevarán a la Consejería de Cultura y Patrimonio para su aprobación, si procede.

Por los Ayuntamientos se podrá crear el Servicio Municipal de Arqueología, que sería un departamento municipal, conformado, entre otros, por funcionarios arqueólogos titulados, encargados de la ejecución y supervisión técnica de las intervenciones arqueológicas que se lleven a cabo en su término municipal.

Mediante la firma del correspondiente Convenio, la Consejería de Cultura y Patrimonio u otras Instituciones nacionales o supranacionales, podrán gestionar este servicio con aquellos municipios que así lo conviniesen.

Artículo 50. Intervenciones arqueológicas

1. Son intervenciones arqueológicas las que se reseñan a continuación:

a) Las prospecciones arqueológicas, que son las exploraciones u observaciones en superficie o en subsuelo sin que se lleven a cabo remociones del terreno. Se incluyen en este apartado todas aquellas técnicas de reconocimiento del subsuelo mediante la aplicación de instrumentos geofísicos y electromagnéticos diseñados al efecto. Su finalidad será la búsqueda, detección, caracterización, estudio e investigación de enclaves con arte rupestre, de bienes y lugares con restos históricos o arqueológicos de cualquier tipo y de los restos paleontológicos y de los componentes geológicos con ellos relacionados fruto de la actividad humana.

b) Los controles y seguimientos arqueológicos, que son las supervisiones de las remociones del terreno con la finalidad de detectar la presencia de restos arqueológicos en aquellos lugares en los que se presuma su existencia para caracterizarlos, protegerlos y permitir el establecimiento de medidas correctoras por el órgano competente en materia de patrimonio histórico.

c) Las excavaciones arqueológicas, que son las remociones del terreno con medios manuales o mecánicos, de extensión variable y cuya finalidad es la de descubrir e investigar todo tipo de restos muebles e inmuebles con valor histórico o arqueológico de cualquier tipo y restos paleontológicos relacionados con el desarrollo de la actividad humana.

d) Los estudios de lugares con arte rupestre, al aire libre o en cueva, y de los objetos muebles con ellos relacionados que impliquen la reproducción de las representaciones existentes ya sea mediante calco directo, digital o cualquier otro sistema análogo, así como cualquier otro tipo de manipulación para su estudio o el de su contexto.

e) Labores de protección, consolidación y restauración en bienes muebles e inmuebles con valor histórico, arqueológico de cualquier tipo y de restos paleontológicos relacionados con el desarrollo de la actividad humana que tengan como finalidad favorecer su conservación, permitan su disfrute y faciliten su uso social. Tendrán igualmente esta consideración los trabajos de señalización y limpieza de yacimientos arqueológicos o paleontológicos relacionados con el desarrollo de la actividad humana.

f) La manipulación con técnicas analíticas de cualquier tipo de materiales arqueológicos o paleontológicos relacionados con el desarrollo de la actividad humana que precisen o no la destrucción de una parte del objeto estudiado.

g) El estudio de los materiales depositados en los museos, instituciones u otros centros públicos de la Comunidad Autónoma de Extremadura.

h) Los trabajos de documentación gráfica, así como lectura de paramentos en cualquier tipo de soporte que tengan por objeto inmuebles históricos y yacimientos arqueológicos de cualquier tipo o paleontológicos relacionados con el desarrollo de la actividad humana.

i) Cualquier otra actividad que implique manipulación directa sobre bienes de naturaleza arqueológica.

2. El órgano con competencia en materia de patrimonio histórico promoverá la creación y el acceso de una herramienta que proporcione la información geográfica de cultura de Extremadura a los profesionales y gestores intervinientes en los procedimientos previstos en la presente Ley, garantizando la protección de los datos y de seguridad de la información.

Artículo 51. Urgencias arqueológicas

La Dirección General de Patrimonio Cultural, previo informe técnico motivado, podrá autorizar la realización de las actividades arqueológicas procedentes gestionando su ejecución en los yacimientos arqueológicos con grave e inminente riesgo para su conservación.

Artículo 52. Intervenciones arqueológicas

1. Las intervenciones arqueológicas se clasifican del siguiente modo:

a) Intervenciones arqueológicas motivadas por un proyecto de investigación.

b) Intervenciones arqueológicas de carácter preventivo, ya sean derivadas de un proyecto vinculado a estudio de impacto ambiental, a proyectos de ordenación territorial, a planeamiento urbanístico y a actividades de consolidación, restauración o musealizacion y puesta en valor de inmuebles con valor histórico, yacimientos arqueológicos de cualquier tipo o paleontológicos relacionados con el desarrollo de la actividad humana.

c) Intervenciones arqueológicas de urgencia derivadas del hallazgo casual de restos arqueológicos descubiertos durante la realización de una obra de demolición o actuación que implique movimiento de tierra en cotas bajo rasante natural.

2. La realización de las prospecciones arqueológicas o de los controles y seguimientos arqueológicos definidos en los apartados a) y b) del artículo 50 de esta Ley, siempre que se traten de intervenciones arqueológicas de carácter preventivo que no afecten a bienes de interés cultural, estará sujeta, con carácter previo a su inicio, a declaración responsable en la que se realice una descripción de la actuación y en la que se manifieste que la dirección de la actividad arqueológica cumple con los requisitos legales y reglamentarios previstos. En ningún caso, esta declaración responsable eximirá de cumplir con las restantes obligaciones legales y reglamentarias referidas al desarrollo de la actividad arqueológica y a la comunicación sobre los resultados de la misma al órgano con competencia en materia de patrimonio histórico.

El modelo normalizado de dicha declaración responsable se establecerá mediante orden del órgano con competencia en materia de patrimonio histórico.

3. La solicitud de autorización para realizar las intervenciones arqueológicas que lo requieran deberá ir acompañada en sus apartados generales de los documentos que reglamentariamente se determinen, salvo para las intervenciones arqueológicas de carácter preventivo con ocasión de obras necesarias para la implantación o ampliación de proyectos industriales o mercantiles que puedan afectar a restos arqueológicos, que se acompañarán exclusivamente de la siguiente documentación:

a) Un informe en el que deben indicarse las razones, las circunstancias, la obra o actuación que motivan la intervención preventiva.

b) La descripción del lugar donde se pretende realizar la intervención y su situación exacta.

c) El proyecto de intervención elaborado por una persona que reúna los requisitos de titulación académica y experiencia establecidos reglamentariamente. El proyecto debe contener el programa detallado de los trabajos a realizar, la indicación de la metodología y las técnicas a emplear, el tiempo de ejecución, el número de personas que trabajarán y todos aquellos datos que contribuyan a la concreción del proyecto.

d) El presupuesto, en su caso, detallado de la intervención.

e) La titulación y los datos personales y profesionales del/de la director/a o directores/as de la intervención y su aceptación por escrito de la dirección del proyecto presentado.

f) El documento que acredite la autorización de la persona propietaria del terreno donde se propone realizar la intervención, si no es el/la solicitante, y de las personas titulares de cualquier derecho real sobre el terreno que pueda quedar afectado. La autorización debe indicar el plazo para el que se concede.

No obstante, el órgano con competencia en materia de patrimonio histórico podrá solicitar información aclaratoria o de mejora de la solicitud sobre el contenido de los proyectos, no pudiendo en ningún caso solicitar documentación que no estuviere prevista anteriormente.

En las intervenciones arqueológicas de carácter preventivo con ocasión de obras necesarias para la implantación o ampliación de proyectos industriales o mercantiles que puedan afectar a restos arqueológicos, los plazos en los que tendrán que ser remitidos los informes y memorias que reglamentariamente se prevean serán el doble de los señalados, en cada caso, para el resto de los supuestos previstos.

4. Será competente para conceder, denegar, suspender o revocar las autorizaciones para desarrollar las intervenciones que precisen autorización, el órgano con competencia en materia de patrimonio histórico, de acuerdo con el procedimiento previsto en esta ley así como en las normas de desarrollo, debiendo garantizarse la actuación de los diferentes servicios centrales y territoriales de la misma para una mayor agilización en la tramitación de los procedimientos.

5. La resolución por la que se conceda o deniegue la autorización, se emitirá en el plazo máximo de 30 días desde su presentación, salvo para las intervenciones arqueológicas de carácter preventivo con ocasión de obras necesarias para la implantación o ampliación de proyectos industriales o mercantiles que puedan afectar a restos arqueológicos, cuya solicitud se podrá presentar, con carácter previo a la intervención, en cualquier momento del año y tendrá un plazo de resolución de 20 días.

En todo caso, transcurrido el plazo sin haber recaído resolución expresa, se entenderá desestimada la solicitud por silencio administrativo.

Sin perjuicio de los supuestos en los que procede la declaración responsable, la resolución por la que se conceda la autorización solicitada indicará, en su caso, las condiciones a las que deban sujetarse los trabajos, siendo posible la concesión de más de una autorización por solicitante y año en calidad de director de la actividad arqueológica, siempre que los trabajos no interfieran entre sí.

En las condiciones a imponer, principalmente en materia de informe y análisis, así como en la determinación de la extensión territorial a la que ha de referirse la intervención arqueológica, se valorará, además de la preservación de los restos arqueológicos que pudieran verse afectados y la relevancia de los mismos, el interés social que pudiera existir en la implantación de los proyectos industriales o mercantiles de que se trate.

6. La autorización estará limitada al tiempo previsto para el ejercicio de la misma y al ámbito territorial que se haya fijado en el proyecto acompañado con la solicitud.

7. Las personas que vayan a realizar o dirigir la intervención arqueológica deberán contar con titulación universitaria y con especialidad adecuada para la actividad a desarrollar.

8. El órgano competente en materia de patrimonio histórico podrá ejecutar directamente las intervenciones arqueológicas o paleontológicas que considere oportunas. También las entidades locales podrán promoverlas en el marco de sus competencias, con las garantías científicas y técnicas que resulten adecuadas previa autorización del citado órgano.

9. Las indemnizaciones por los perjuicios que se puedan ocasionar a los particulares se regirán, según proceda, por lo que establece la legislación civil, por lo dispuesto en la Ley 39/2015, de 1 de octubre, de Procedimiento administrativo Común y en la Ley 40/2015, de 1 de octubre, de Régimen Jurídico del Sector Público, o por lo que establece la legislación sobre expropiación forzosa.

10. El órgano competente en materia de patrimonio histórico comunicara al Ayuntamiento correspondiente las autorizaciones concedidas y las declaraciones responsables presentadas.

11. El órgano competente en materia de patrimonio histórico establecerá reglamentariamente los procedimientos de inspección oportunos, para comprobar que los trabajos se desarrollen según el programa presentado. También podrá ordenar la suspensión inmediata cuando no se ajusten a la autorización concedida, a la declaración responsable presentada o se considere, fundamentalmente, que las actuaciones profesionales no alcanzan el nivel adecuado, pudiendo acordar mediante resolución la suspensión o revocación de la autorización concedida o declaración presentada. Dicha revocación se podrá fundamentar en el incumplimiento de las condiciones establecidas en la autorización y en el proyecto presentado en general por falta de cumplimiento de las obligaciones recogidas en la presente ley y en sus normas de desarrollo.

Artículo 53. Deberes y obligaciones de los promotores y directores de las intervenciones arqueológicas

1. La persona, física o jurídica, que promueva la intervención arqueológica tendrá las siguientes obligaciones:

a) Comunicar a la Dirección General competente en materia de patrimonio cultural cualquier descubrimiento o incidencia que se produzca como consecuencia de la realización de la intervención arqueológica y que no estuvieran contemplados en el proyecto autorizado o impidan su correcto desarrollo.

b) Contribuir al mantenimiento y conservación de las estructuras y materiales arqueológicos aparecidos como consecuencia de la realización de la intervención arqueológica solicitada hasta que la Dirección General competente en materia de patrimonio cultural determine el tratamiento final de los mismos.

c) Facilitar las labores de inspección y controles técnicos correspondientes por parte de la Administración actuante.

d) Solicitar autorización para efectuar cualquier tipo de actuación sobre los restos arqueológicos aparecidos como consecuencia de la realización de la intervención arqueológica autorizada, así como para realizar análisis o estudios complementarios.

e) Cualquier otra que se establezca reglamentariamente.

2. Será obligación del director de la intervención, o en su caso, del suplente del mismo:

a) Asumir personalmente la dirección de los trabajos conforme al proyecto autorizado, haciéndose responsable del desarrollo de la intervención y permaneciendo en el lugar donde ésta se desarrolla durante el tiempo en que se realicen los trabajos.

b) Comunicar con suficiente antelación las fechas de inicio y fin de la intervención arqueológica autorizada.

c) Realizar el inventario de los materiales.

d) Realizar el registro y documentación de la intervención.

e) Depositar los materiales en el Museo señalado en la resolución en la forma que se establezca reglamentariamente.

f) Presentar el informe preliminar y la memoria final de la intervención arqueológica autorizada en la forma y los plazos que se establezcan.

g) Cualquier otra que se establezca reglamentariamente.

Artículo 54. Suspensión de obras

1. Si durante la ejecución de una obra, se hallasen restos u objetos con valor arqueológico, el promotor y/o la dirección facultativa de la misma paralizarán inmediatamente los trabajos, tomarán las medidas adecuadas para la protección de los restos y comunicarán su descubrimiento en el plazo de cuarenta y ocho horas a la Consejería de Cultura y Patrimonio.

2. En el plazo de veinte días a contar desde la comunicación a la que se refiere el apartado 1, la Consejería de Cultura y Patrimonio llevará a cabo las actividades de comprobación correspondientes a fin de determinar el interés y el valor arqueológico de los hallazgos.

La suspensión de las obras a la que se refiere este apartado no dará lugar a indemnización.

Artículo 55. Descubrimientos casuales y titularidad de los restos arqueológicos

1. Los hallazgos de restos con valor arqueológico hechos por azar se comunicarán a la Consejería de Cultura y Patrimonio en el plazo de cuarenta y ocho horas. Igualmente, los Ayuntamientos que tengan noticia de tales hallazgos informarán a la Consejería de Cultura y Patrimonio.

2. El descubridor de los restos arqueológicos hará entrega del bien al museo público de la Comunidad Autónoma de Extremadura que la Consejería de Cultura y Patrimonio determine o a esta misma. En todo caso, mientras el descubridor no efectúe la entrega, se le aplicarán las normas de depósito legal.

La Consejería de Cultura y Patrimonio determinará el lugar del depósito definitivo de los restos arqueológicos hallados teniendo en cuenta criterios de mayor proximidad al lugar del hallazgo y de idoneidad de las condiciones de conservación y seguridad de los bienes.

Los Ayuntamientos tendrán derecho a guardar en sus locales aquellos objetos que no requieran protección especial o la tengan en la propia localidad. En cualquier caso los Ayuntamientos tendrán derecho a una réplica cuando no puedan conservar el original.

3. Los derechos de carácter económico que puedan corresponder al descubridor y al propietario del lugar de restos arqueológicos donde se haya hecho el hallazgo se regirán por la normativa estatal. El hallazgo de restos pertenecientes a bienes inmuebles no devengara derecho a premio, no obstante, el descubrimiento deberá ser notificado a la Consejería de Cultura y Patrimonio en un plazo máximo de quince días. No generarán derechos de carácter económico los hallazgos de objetos obtenidos como consecuencia del ejercicio de actividades arqueológicas autorizadas ni los procedentes de actividades consideradas ilegales.

4. Los bienes que posean los valores que son propios del Patrimonio Histórico y Cultural extremeño y sean descubiertos como consecuencia de excavaciones, remociones de tierra u obras de cualquier índole o por el azar en Extremadura tienen la consideración de dominio público y se integran en el patrimonio de la Comunidad Autónoma.

Artículo 56. Detectores de metales

Se prohíbe la utilización de aparatos que permitan la detección de objetos metálicos para la búsqueda de restos relacionados con la prehistoria, la historia, el arte, la arqueología, la paleontología y los componentes geológicos con ellos relacionados susceptibles de ser estudiados con metodología arqueológica, sin haber obtenido previamente una autorización administrativa que motivadamente justifique su empleo.

TÍTULO IV. Del Patrimonio Etnológico

Artículo 57. Definición

Forman parte del patrimonio etnológico de Extremadura los lugares y los bienes muebles e inmuebles así como las actividades y conocimientos que constituyan formas relevantes de expresión o manifestación de la cultura de origen popular y tradicional extremeña en sus aspectos tanto materiales como intangibles.

Artículo 58. Elementos de la arquitectura industrial o rural

A los bienes de carácter etnológico que constituyan restos físicos del pasado industrial, tecnológico y productivo extremeño así como a los elementos de la arquitectura popular y a las construcciones auxiliares agropecuarias les será de aplicación lo dispuesto en esta Ley para el patrimonio inmueble y arqueológico.

Artículo 59. Bienes muebles de carácter etnológico

Aquellos objetos que constituyan la manifestación o el producto de actividades laborales, estéticas, lúdicas y religiosas propias del pueblo extremeño transmitidas consuetudinariamente se regirán por lo previsto para el patrimonio mueble en esta Ley.

Artículo 60. Protección de los bienes intangibles

Los bienes etnológicos intangibles como usos, costumbres, creaciones, comportamientos, las formas de vida, la tradición oral, el habla y las peculiaridades lingüísticas de Extremadura serán protegidos por la Consejería de Cultura y Patrimonio en la forma prevista en esta Ley, promoviendo para ello su investigación y la recogida exhaustiva de los mismos en soportes que garanticen su transmisión a las generaciones venideras.

TÍTULO V. De los museos

Artículo 61. Definición

Artículo 62. Exposiciones museográficas permanentes

Artículo 63. Creación de museos y exposiciones museográficas permanentes

Artículo 65. Funciones

Artículo 66. Red de Museos y Exposiciones Museográficas Permanentes

Artículo 67. Registro de museos y exposiciones museográficas permanentes

Artículo 68. Los fondos y su disposición

Artículo 69. Acceso

Artículo 70. Inspección

Artículo 71. Reproducciones

Artículo 72. Declaración de utilidad pública

Título V derogado por la disposición derogatoria segunda de la Ley 5/2020, de 1 de diciembre, de Instituciones Museísticas de Extremadura (D.O.E. 3 diciembre)

TÍTULO VI. Del Patrimonio Documental y del Patrimonio Bibliográfico
CAPÍTULO I. De los Archivos y del Patrimonio Documental

Artículo 73. Definición

Artículo 74. Declaración de utilidad pública

Artículo 75. Contenido del patrimonio documental

Artículo 76. Valoración y selección de documentos

Artículo 77. Archivos y documentos privados

Artículo 78. Obligaciones de los propietarios

Artículo 79. Depósito de documentos

Artículo 80. Censo de archivos

Artículo 81. Acceso a la documentación

Capítulo I «De los Archivos y del Patrimonio Documental» del Título VI, derogado por la disposición derogatoria única de la Ley [EXTREMADURA] 2/2007, 12 abril, de archivos y patrimonio documental de Extremadura («D.O.E.» 26 abril)

CAPÍTULO II. Del Patrimonio Bibliográfico

Artículo 82. Definición, catálogo y depósito de bienes del Patrimonio Bibliográfico de Extremadura

1. Constituyen el patrimonio bibliográfico de Extremadura los fondos y las colecciones bibliográficas y hemerográficas, y las obras literarias, históricas, científicas o artísticas, impresas, manuscritas, fotográficas y magnéticas, de carácter unitario o seriado, en cualquier tipo de soporte e independientemente de la técnica utilizada para su creación o reproducción, de las cuales no conste la existencia de al menos tres ejemplares en bibliotecas o servicios públicos.

2. Asimismo, forman parte del patrimonio bibliográfico de Extremadura las obras con más de cien años de antigüedad, incluidos los manuscritos, así como los fondos que por alguna circunstancia formen un conjunto unitario, independientemente de la antigüedad de las obras que lo conforman.

3. Con independencia de que la organización, funcionamiento y coordinación del Sistema Bibliotecario, en cuanto que prestación de servicio público de lectura e información a los ciudadanos, se rija por la Ley 6/1997, de 29 de mayo, de Bibliotecas de Extremadura, los fondos que constituyen el patrimonio bibliográfico y su tratamiento gozarán del régimen de protección y tutela previsto en la presente norma.

4. La Consejería de Cultura, en colaboración con las demás Administraciones Públicas, elaborará el Catálogo del Patrimonio Bibliográfico y Audiovisual de Extremadura, a cuyo efecto podrá recabar de los titulares de derechos sobre los bienes que lo integran el examen de los mismos y las informaciones pertinentes.

5. La exclusión de bienes del Patrimonio Bibliográfico y Audiovisual de Extremadura del Catálogo a que se refiere el apartado anterior se hará por resolución de la Consejería de Cultura, de oficio o a solicitud de sus propietarios o poseedores legítimos.

6. Las bibliotecas pertenecientes a entidades públicas de la Comunidad Autónoma de Extremadura podrán admitir en depósito bienes de propiedad privada o de otras Administraciones Públicas.

7. Los bienes del patrimonio bibliográfico o audiovisual extremeño custodiados en bibliotecas de titularidad pública no podrán salir de los mismos sin previa autorización administrativa, sin perjuicio del régimen de préstamos públicos que, en su caso, pueda establecerse. Cuando se trate de bienes en depósito se estará a lo pactado al constituirse.

TÍTULO VII. De las medidas de estímulo

Artículo 83. La acción de estímulo

1. La Junta de Extremadura promoverá ayudas, dentro de las previsiones presupuestarias, para la investigación, documentación, conservación, recuperación, restauración, difusión e incentivo de la creatividad artística de los Bienes integrantes del Patrimonio Histórico y Cultural Extremeño, que se concederán de acuerdo con los criterios de publicidad, concurrencia y objetividad.

2. La Junta de Extremadura propiciará la participación de entidades privadas y de particulares en la financiación de las actuaciones a las que se refiere este título. Se establecerá reglamentariamente el porcentaje y las fórmulas de colaboración de la Administración para financiar la ejecución de los proyectos particulares.

3. Las personas o entidades que no cumplan con el deber de conservación establecido en esta Ley no podrán acogerse a las medidas de estímulo.

4. La Junta de Extremadura, como base imprescindible de toda política de protección y fomento del Patrimonio Histórico y Cultural, lo promoverá mediante las adecuadas campañas públicas de divulgación y formación.

Artículo 84. Acceso a crédito oficial

La Junta de Extremadura promoverá el acceso al crédito oficial para la financiación de obras de conservación, mantenimiento, rehabilitación y excavaciones realizadas para los Bienes de Interés Cultural.

Artículo 85. Rehabilitación de viviendas

Los estímulos, beneficios y ayudas que el ordenamiento jurídico establece para la rehabilitación de viviendas podrán ser aplicables a la conservación y restauración de los inmuebles integrantes del Patrimonio Histórico y Cultural extremeño, cuyas obras hubieran sido debidamente aprobadas por los Órganos competentes en materia de Cultura, en los términos que reglamentariamente se determine.

Artículo 86. Ayudas al planeamiento en Conjuntos Históricos

A fin de que se cumpla la obligación prevista en el artículo 40 de esta Ley, la Junta de Extremadura concederá ayudas o subvenciones a las entidades locales afectadas mediante la firma de los convenios oportunos, en los que se definirán los términos de cofinanciación con dichas entidades, dentro de los límites presupuestarios que reglamentariamente se determinen.

Artículo 87. Porcentaje cultural

1. En toda obra pública que se realice con fondos de la Junta de Extremadura o de sus concesionarios, cuyo presupuesto exceda de cien millones de pesetas, se incluirá una partida de al menos el uno por ciento de la aportación de la Comunidad Autónoma a dicho presupuesto destinada a obras de conservación y acrecentamiento del Patrimonio

Histórico y Cultural de Extremadura, que serán desarrolladas preferentemente en la propia obra o su entorno, excepto las obras que se realicen en cumplimiento de los objetivos de la presente Ley.

2. Las inversiones culturales que el Estado haga en Extremadura en aplicación del uno por ciento determinado por la Ley 16/1985, de 25 de junio, de Patrimonio Histórico Español, se harán con informe previo de la Consejería de Cultura y Patrimonio sobre los sectores y ámbitos culturales que se consideren prioritarios en cada momento.

Artículo 88. Pago de deudas a la Comunidad Autónoma

1. El pago de todo tipo de deudas contraídas con la Hacienda de la Comunidad Autónoma podrá realizarse por adjudicación a la Junta de Extremadura de bienes integrantes del Patrimonio Histórico y Cultural extremeño conforme se regule reglamentariamente a efectos fiscales.

2. La adjudicación de bienes a que hace referencia el párrafo anterior se realizará con arreglo a lo previsto en la Ley 2/1992, de 9 de julio, del Patrimonio de la Comunidad Autónoma de Extremadura, con la salvedad de que deberá ir precedida de una valoración de los bienes a ceder, realizada por técnicos competentes y del informe positivo del Órgano asesor correspondiente de los previstos en el artículo 4 de esta Ley.

3. El sistema de pago previsto en este artículo no será de aplicación a las deudas por tributos del Estado cedidos a la Comunidad Autónoma de Extremadura, los cuales se rigen por lo dispuesto en la normativa estatal. No obstante, el pago del Impuesto sobre Sucesiones y Donaciones y del Impuesto sobre el Patrimonio podrá efectuarse mediante la adjudicación de bienes integrantes del Patrimonio Histórico y Cultural extremeño, en la forma y con los requisitos establecidos en las normas estatales.

Artículo 89. Aceptación de donaciones, herencias y legados

Se faculta a la Consejería de Cultura y Patrimonio para aceptar donaciones, herencias y legados de bienes integrantes del Patrimonio Histórico y Cultural de Extremadura. Cuando se trate de bienes de naturaleza inmueble la Dirección General de Patrimonio Cultural, previa identificación y tasación de los bienes por la Consejería de Economía, Industria y Hacienda, elevará la oportuna propuesta al Consejero/a de Cultura y Patrimonio para su aceptación mediante Orden a beneficio de inventario.

Artículo 90. Cesiones de uso y explotación

1. Para el mejor mantenimiento y conservación de los inmuebles pertenecientes al Patrimonio Histórico y Cultural de Extremadura, de los que la Junta de Extremadura tenga la capacidad de disposición, podrá cederse el uso y explotación de tales inmuebles a las personas y entidades que se comprometan a su restauración y mantenimiento, dando prioridad en dicha cesión a las corporaciones locales interesadas.

2. Las cesiones a que hace referencia el párrafo anterior se realizarán de acuerdo con lo previsto en la Ley 2/1992, de 9 de julio, del Patrimonio de la Comunidad Autónoma de Extremadura, con la particularidad de que los cesionarios podrán ser entidades públicas o privadas y las cesiones deberán contar con el informe favorable de la Consejería de Cultura y Patrimonio. Las entidades públicas podrán ser cesionarias de bienes de dominio público de la Comunidad Autónoma que continuarán afectados al cumplimiento de sus fines.

Artículo 91. Beneficios fiscales

1. Los propietarios y titulares de derechos sobre Bienes declarados de Interés Cultural disfrutarán de los beneficios fiscales que establezca la legislación correspondiente.

2. Los Bienes declarados de Interés Cultural estarán exentos del Impuesto sobre Bienes Inmuebles, en los términos fijados por la legislación estatal en materia de haciendas loca-

les. Las obras que tengan por finalidad la conservación, mejora o rehabilitación de monumentos declarados Bien de Interés Cultural disfrutarán también de la exención del impuesto sobre construcciones, instalaciones y obras en los términos que la legislación fiscal permite. En ningún caso los beneficios fiscales serán objeto de compensación por la Comunidad Autónoma.

TÍTULO VIII. De las infracciones administrativas y del régimen sancionador

Artículo 92. Clasificación de las infracciones

1. El incumplimiento de las obligaciones establecidas en esta Ley o lleven aparejado daño en los bienes culturales constituirán infracción administrativa en materia de protección del Patrimonio Histórico y Cultural de Extremadura, salvo que constituyan delito. Las infracciones se clasifican en leves, graves y muy graves.

2. Se consideran infracciones leves las siguientes:

a) El incumplimiento del deber de permitir el acceso de los investigadores a los bienes declarados o inventariados.

b) El incumplimiento del deber de facilitar la visita pública de los bienes declarados.

c) La falta de información y comunicación a la Consejería de Cultura y Patrimonio de los deberes a los que hace referencia el artículo 47.

d) El incumplimiento de cualquier obligación de carácter formal contenida en esta Ley.

e) La realización de cualquier intervención en un bien inventariado sin la preceptiva autorización de la Consejería de Cultura y Patrimonio.

f) El cambio de uso en monumentos sin la previa autorización de la Consejería de Cultura y Patrimonio.

g) La vulneración de cualquier otro deber impuesto por esta Ley que no esté expresamente tipificado como falta grave o muy grave.

h) El incumplimiento de la declaración responsable prevista en el artículo 52.2, así como la realización de cualquier obra o actuación incumpliendo las medidas correctoras o recomendaciones técnicas, que hubiese formulado el órgano con competencia en materia de patrimonio histórico al valorar las intervenciones sujetas a declaración responsable.

3. Se consideran infracciones graves las siguientes:

a) No poner en conocimiento de la Consejería de Cultura y Patrimonio, en los términos fijados en el artículo 25, la transmisión de la propiedad o de cualquier derecho real sobre los Bienes declarados de Interés Cultural.

b) El incumplimiento del deber de conservación de los propietarios o poseadores de Bienes declarados de Interés Cultural.

c) La inobservancia del deber de llevar el libro-registro así como el incumplimiento de los deberes a que hace referencia el artículo 47.1 y la omisión o inexactitud de datos que deban constar en el mismo.

d) La exclusión o eliminación de bienes del patrimonio documental y bibliográfico que contravenga lo dispuesto en los artículos 77 y 82.

e) La separación no autorizada de bienes muebles vinculados a inmuebles declarados Bien de Interés Cultural.

f) El incumplimiento de las obligaciones de comunicación del descubrimiento de restos arqueológicos y de la entrega de los bienes hallados.

g) La realización de cualquier intervención en un Bien declarado de Interés Cultural sin la preceptiva autorización de la Consejería de Cultura y Patrimonio.

h) El incumplimiento de la suspensión de obras con motivo del descubrimiento de restos arqueológicos.

i) El otorgamiento de licencias municipales sin la autorización preceptiva de la Consejería de Cultura y Patrimonio, para obras en Bienes declarados de Interés Cultural, incluido su entorno, o aquellas otorgadas que contraviniesen lo especificado en los Planes Especiales de Protección y el incumplimiento de lo establecido en el apartado 2 del artículo 42 de la presente Ley.

j) La realización de actividades arqueológicas sin la preceptiva autorización de la Consejería de Cultura y Patrimonio, o las realizadas contraviniendo los términos en que fueran concedidas.

k) No poner en conocimiento de la Consejería de Cultura y Patrimonio la realización de subastas que afecten a los bienes integrantes del Patrimonio Histórico y Cultural de Extremadura.

l) La realización de obras con remoción o demolición en un lugar en que se hubiese realizado un hallazgo casual.

m) La utilización sin la debida autorización de sistemas, técnicas y métodos de detección de bienes integrantes del Patrimonio Histórico y Cultural de Extremadura.

n) La obstrucción de la capacidad de inspeccionar que tiene la Administración sobre los bienes del Patrimonio Histórico y Cultural de Extremadura.

ñ) El otorgamiento de licencias municipales sin la autorización preceptiva de la Consejería de Cultura y Patrimonio para obras en bienes inventariados.

o) El incumplimiento de la suspensión de obras acordada por la Consejería de Cultura y Patrimonio.

4. Se consideran infracciones muy graves las siguientes:

a) El derribo o la destrucción total o parcial de inmuebles declarados Bien de Interés Cultural o inventariados sin la preceptiva autorización.

b) La destrucción de Bienes muebles declarados de Interés Cultural o Inventariados.

c) Todas aquellas acciones u omisiones que conlleven la pérdida, destrucción o deterioro irreparable de los Bienes declarados de Interés Cultural o Inventariados.

Artículo 93. Responsabilidad, reparación y decomiso

1. Se consideran responsables de las infracciones:

a) Los autores materiales de las actuaciones infractoras o los promotores en caso de intervenciones u obras que se realicen sin autorización o incumpliendo las condiciones en que fueron concedidas.

b) Los directores de obras o actuaciones por lo que respecta al incumplimiento de la orden de suspenderlas.

c) Los responsables de las administraciones públicas que por su acción u omisión permitan o favorezcan las infracciones.

2. Se considerarán circunstancias agravantes la reincidencia y el incumplimiento de las órdenes o medidas impuestas por la Administración.

3. Tendrá la consideración de atenuante la reparación espontánea del daño causado.

4. Las infracciones de las que se deriven daños para el Patrimonio Histórico y Cultural extremeño llevarán aparejada, cuando sea posible, la obligación de reparación y restitución de las cosas a su estado original, así como, en todo caso, indemnización de los daños y perjuicios causados.

El incumplimiento de la obligación de reparar facultará a la Administración para actuar de forma subsidiaria, realizando las actuaciones reparadoras necesarias a cargo del infractor.

5. El Órgano competente para imponer una sanción podrá acordar como medida cautelar el decomiso de los materiales y útiles empleados en la actividad ilícita, así como acordar el depósito cautelar de los bienes integrantes del Patrimonio Histórico y Cultural

que se hallen en posesión de personas que se dediquen a comerciar con ellos si no pueden acreditar su adquisición lícita.

Artículo 94. Clasificación de las sanciones

1. En los casos en que el daño causado al Patrimonio Histórico y Cultural de Extremadura pueda ser evaluado económicamente, la infracción administrativa será sancionada con una multa de entre una y cuatro veces el valor de los daños causados.

2. En los demás casos procederán las siguientes sanciones:

a) Para las infracciones leves: multa de hasta diez millones de pesetas.

b) Para las infracciones graves: multa de diez a veinticinco millones de pesetas.

c) Para las infracciones muy graves: multa de veinticinco a doscientos millones de pesetas.

3. La graduación de las multas se realizará en función de la gravedad de la infracción, de las circunstancias atenuantes o agravantes que concurran, de la importancia de los bienes afectados, de las circunstancias personales del sancionado, del perjuicio causado o que hubiera podido causarse al Patrimonio Histórico y Cultural de Extremadura y del grado de intencionalidad del interviniente.

4. Las multas que se impongan a distintos sujetos como consecuencia de una misma infracción tendrán carácter independiente entre sí.

5. La imposición y cuantía de las multas tendrá carácter independiente de las que se deriven del régimen sancionador en materia de disciplina establecida por el vigente régimen urbanístico del suelo.

Artículo 95. Órganos competentes

1. La competencia para la imposición de las sanciones previstas en el artículo anterior corresponderá:

a) Al Consejero de Cultura y Patrimonio: las multas de hasta veinticinco millones de pesetas.

b) Al Consejo de Gobierno de la Junta de Extremadura: las multas de veinticinco a cien millones de pesetas.

2. Sin perjuicio de lo dispuesto en el anterior apartado, la Consejería de Cultura y Patrimonio emprenderá ante los órganos jurisdiccionales competentes las acciones penales que correspondiesen por los actos delictivos en que pudiesen incurrir los infractores.

Artículo 96. Procedimiento

1. La incoación del procedimiento sancionador corresponderá al Consejero de Cultura y Patrimonio, de oficio o previa denuncia de parte.

2. La tramitación del expediente sancionador se regirá por lo dispuesto en el Título IX de la Ley 30/1992, de 26 de noviembre, de Régimen Jurídico de las Administraciones Públicas y del Procedimiento Administrativo Común, así como en el Decreto 9/1994, de 8 de febrero, por el que se aprueba el Reglamento sobre procedimientos sancionadores seguidos por la Comunidad Autónoma de Extremadura y el Decreto 67/1994, de 17 de mayo, en cuanto a la recaudación de multas.

Artículo 97. Prescripción

Las infracciones administrativas a las que se refiere esta Ley prescribirán al cabo de cinco años de haberse cometido o desde que la Administración tuviese conocimiento, salvo las de carácter muy grave que prescribirán a los diez años.

Artículo 98.

Para la mejor gestión y desarrollo de todas estas medidas de protección, conservación y mejora del Patrimonio Histórico y Cultural extremeño, la Administración Regional podrá establecer los oportunos mecanismos de participación en esas tareas de personal voluntario sin relación contractual con la Administración.

Disposición adicional primera.

Todos los bienes inmuebles y muebles que hubiesen sido declarados de Interés Cultural en el ámbito territorial de la Comunidad Autónoma de Extremadura con anterioridad a la entrada en vigor de esta Ley pasarán a tener la consideración de Bienes de Interés Cultural. De igual manera, los que hubiesen sido incluidos en el Inventario General de Bienes Muebles pasarán a tener la consideración de bienes incluidos en el Inventario del Patrimonio Histórico y Cultural de Extremadura.

Disposición adicional segunda.

Se consideran declarados Bienes de Interés Cultural por ministerio de esta Ley los castillos y los elementos de la arquitectura militar de Extremadura cualquiera que sea su estado de ruina, las cuevas, abrigos y lugares que contengan manifestaciones de arte rupestre, los escudos, emblemas, piedras heráldicas, rollos de justicia, cruces de término y piezas similares de interés artístico o histórico.

Disposición adicional tercera.

La Consejería de Cultura y Patrimonio promoverá el establecimiento de sistemas de cooperación y colaboración funcional con el Grupo de Patrimonio Histórico-Artístico de la Dirección General de la Policía Nacional en Extremadura y con los demás cuerpos y fuerzas de seguridad del Estado a fin de velar por el cumplimiento de lo establecido en esta Ley y favorecer la preservación y custodia del Patrimonio Histórico y Cultural extremeño.

Disposición adicional cuarta.

Por Decreto del Consejo de Gobierno de la Junta de Extremadura se creará como órgano de gestión sin personalidad jurídica el Centro de Conservación y Restauración de Bienes Culturales, adscrito a la Consejería de Cultura y Patrimonio, bajo la dependencia de la Dirección General de Patrimonio Cultural, que centralizará las actuaciones de mantenimiento, conservación y restauración de los bienes integrantes del Patrimonio Cultural de Extremadura.

Disposición transitoria primera.

La tramitación y efectos de los expedientes sobre declaración de Bienes de Interés Cultural incoados y no resueltos con anterioridad a la entrada en vigor de la presente Ley quedarán sometidos a lo dispuesto por ésta.

Disposición transitoria segunda.

Cuando, a la entrada en vigor de esta Ley, el entorno de un inmueble declarado no esté delimitado expresamente por una figura de planeamiento, será delimitado por la Consejería de Cultura y Patrimonio, de acuerdo con la incidencia del bien en las áreas afectadas por el mismo. En todo caso, se tendrá en cuenta la legislación general aplicable.

Disposición transitoria tercera.

La protección prevista para los bienes inmuebles declarados de Interés Cultural con anterioridad a la entrada en vigor de la presente Ley, a través de los instrumentos de planificación urbanística, deberá ser sometida a informe y aprobación de la Consejería de Cultura y Patrimonio, salvo en aquellos casos en que dicho informe hubiera sido ya emitido. A estos efectos, la Consejería de Cultura y Patrimonio podrá requerir a los Ayuntamientos afectados la presentación del documento urbanístico correspondiente. Revisados los planes, el órgano competente dispondrá del plazo de un año para la adaptación de los mismos a los informes de la Consejería de Cultura y Patrimonio.

Disposición transitoria cuarta.

Los Ayuntamientos que cuenten con declaración de Conjunto Histórico y no hayan redactado el Plan Especial de Protección a que obliga el artículo 40 de la presente Ley dispondrán de un plazo de cuatro años a partir de la entrada en vigor de la misma para su aprobación definitiva.

Disposición transitoria quinta.

En el plazo de un año desde la entrada en vigor de la presente Ley, la Junta de Extremadura, mediante Decreto, adaptará la estructura orgánica y funcional de la Consejería de Cultura y Patrimonio para ejercer adecuadamente las funciones señaladas en sus disposiciones.

Disposición transitoria sexta.

En el plazo máximo de dos años desde la entrada en vigor de la presente Ley, la Junta de Extremadura, mediante Decreto, aprobará los reglamentos de desarrollo y demás disposiciones que se especifican en el articulado.

Disposición transitoria séptima.

En el plazo máximo de un año desde la entrada en vigor de la presente Ley, la Junta de Extremadura desarrollará reglamentariamente el funcionamiento y organización del Consejo Extremeño de Patrimonio Histórico y Cultural, del Centro de Conservación y Restauración de Bienes Culturales y del Archivo General de Extremadura.

DISPOSICIÓN DEROGATORIA

Quedan derogadas cuantas disposiciones de igual o inferior rango se opongan a lo dispuesto en esta Ley. La normativa en materia de Patrimonio Histórico que no se oponga a lo previsto en la presente permanecerá en vigor hasta tanto no se aprueben las normas reglamentarias que las sustituyan.

Disposición final primera.

Se autoriza al Consejo de Gobierno de la Junta de Extremadura a actualizar por vía reglamentaria las cuantías previstas en esta Ley, de conformidad con el índice de precios al consumo o índice alternativo que en el futuro pudiera sustituirle.

Disposición final segunda.

Se autoriza al Consejo de Gobierno de la Junta de Extremadura para dictar las normas necesarias para el desarrollo y ejecución de esta Ley.

Disposición final tercera.

La presente Ley entrará en vigor al día siguiente de su publicación en el «Diario Oficial de Extremadura».

12. COMUNIDAD AUTÓNOMA DE GALICIA: LEY 5/2016, DE 4 DE MAYO, DEL PATRIMONIO CULTURAL DE GALICIA

DO. Galicia 16 mayo 2016, núm. 92 [pág. 18576]; rect. DO. Galicia, núm. 181 [pág. 43410]. (castellano); DO. Galicia, núm. 181 [pág. 43410]. (castellano); DO. Galicia, núm. 181 [pág. 43410]. (gallego) BOE 18 junio 2016, núm. 147 [pág. 42186].

EXPOSICIÓN DE MOTIVOS

I.

Este texto pretende ser la base normativa fundamental en la que se plasme el compromiso irrenunciable de la Comunidad Autónoma de Galicia con su patrimonio cultural en cuanto que eje fundamental que le da sentido y significación. Este compromiso debe ser manifestación del ejercicio de la voluntad política colectiva, consciente del valor material e inmaterial de lo recibido en esas mil formas que a lo largo del tiempo han configurado la identidad cultural gallega y que hoy le otorgan su más honda proyección de futuro.

Esta multiplicidad adquiere sentido en la unidad histórica de un pueblo reconocido constitucional y estatutariamente como nacionalidad con derecho a ejercer su autonomía con pleno respeto a los principios de unidad y solidaridad que cimientan el ordenamiento jurídico propio de un estado social y democrático de derecho como el español.

II.

El propio preámbulo de la Constitución española proclama la voluntad de proteger los pueblos de España en el ejercicio de sus culturas, tradiciones, lenguas e instituciones y de promover el progreso de la cultura para asegurar una digna calidad de vida.

En su título octavo, el artículo 148.1 reconoce el derecho de las comunidades autónomas para asumir competencias en materia de patrimonio monumental de interés de la comunidad autónoma o en materia de fomento de la cultura, competencias que deben compatibilizarse con lo señalado en su artículo 149.1.28, que establece la competencia exclusiva del Estado en materia de defensa del patrimonio cultural, artístico y monumental español contra la exportación y la expoliación; y museos, bibliotecas y archivos de titularidad estatal, sin perjuicio de su gestión por parte de las comunidades autónomas.

En coherencia con lo anterior, estatutariamente la Comunidad Autónoma de Galicia asume como tarea principal, a través de sus instituciones democráticas, la defensa de la identidad de Galicia, y los poderes públicos gallegos están obligados a remover los obstáculos que dificulten la participación de los individuos y de los grupos en la vida cultural gallega.

En este marco, el Estatuto de autonomía de Galicia asumió, en su artículo 27.18, la competencia exclusiva en materia de patrimonio histórico, artístico, arquitectónico y arqueológico de interés de Galicia, sin perjuicio de lo que dispone el artículo 149.1.28 de la Constitución; archivos, bibliotecas y museos de interés para la Comunidad Autónoma y que no sean de titularidad estatal; conservatorios de música y servicios de bellas artes de interés para la Comunidad Autónoma.

Asimismo, es necesario recordar que el artículo 32 del Estatuto de autonomía de Galicia determina que le corresponde a la Comunidad Autónoma la defensa y la promoción de los valores culturales del pueblo gallego. Estamos, pues, ante un mandato inequívoco, singular y relevante que dota al texto legal de una destacada significación en el desarrollo de los principios estatutarios que le dan sentido a la autonomía de Galicia. En efecto, esta, lejos de ser una mera consecuencia de la ordenación territorial del Estado, se constituye sobre la base de unos poderes que emanan de un pueblo que lo es en virtud de los valores culturales que lo configuran.

Al amparo de este marco constitucional y estatutario se dictó la Ley 16/1985, de 25 de junio, de patrimonio histórico español, que supuso un avance respecto a la legislación anterior en la materia, la Ley de 13 de mayo de 1933, y la adaptación de la normativa a la nueva distribución competencial establecida por la Constitución española.

A nivel autonómico, fruto de esa competencia estatutaria asumida en los artículos 27.18 y 32 del Estatuto de autonomía de Galicia, se dictó la Ley 8/1995, de 30 de octubre, del patrimonio cultural de Galicia, norma de gran relevancia al suponer la base legal y normativa en la que se ha fundado la especificidad propia del patrimonio cultural gallego.

Esta ley, que supuso un importante paso para el reconocimiento de las peculiaridades propias del patrimonio cultural de Galicia, sentó las bases para su protección y difusión, y estableció los procedimientos e instrumentos específicos para garantizar su conservación, así como un régimen sancionador para corregir las infracciones que afectasen al patrimonio cultural gallego.

Posteriormente, la Ley 3/1996, de 10 de mayo, de protección de los Caminos de Santiago, supuso el reconocimiento de la importancia de los Caminos de Santiago, de relevancia histórica y universal, parte integrante del patrimonio cultural de Galicia y reconocido como patrimonio de la humanidad por la Unesco.

La Ley 3/1996, de 10 de mayo, se significa como un importante avance al establecer un régimen jurídico específico que se adaptase a las necesidades de protección y a las peculiaridades de los Caminos de Santiago. Parece preciso unificar ahora dicho régimen jurídico en la norma reguladora del patrimonio cultural de Galicia, manteniendo las peculiaridades derivadas de la naturaleza de los Caminos de Santiago y aprovechando la unificación de los aspectos comunes a todos los bienes integrantes del patrimonio cultural de Galicia, como son el régimen de obligaciones generales de conservación y el régimen sancionador. Se cumplen así las exigencias de simplificación legislativa con el fin de facilitar que la ciudadanía conozca los distintos derechos y obligaciones existentes en relación con el patrimonio cultural de Galicia.

Fruto de dichas leyes, se ha avanzado significativamente en la protección del patrimonio cultural de Galicia. Sin embargo, el transcurso de los años desde su aprobación hace necesario aprobar esta nueva regulación del patrimonio cultural gallego, la cual, partiendo de los beneficios y ventajas del régimen anterior, que se consolidan en esta ley, supone un nuevo avance y un nuevo impulso en la protección de sus particularidades y en la definición de los distintos tipos de patrimonio, adaptando además la regulación a las exigencias de simplificación de la actividad administrativa.

Una vez consolidado el régimen de protección del patrimonio cultural de Galicia establecido en la Ley 8/1995, de 30 de octubre, se introducen en esta ley medidas tendentes a su mejora, fruto de la experiencia acumulada a lo largo de los años transcurridos desde su aprobación, y que resultan necesarias para su adaptación a los cambios que se han ido produciendo en los últimos años, tanto a nivel de regulación internacional de determinados patrimonios a través de cartas, convenios e instrumentos internacionales, como a nivel de organización administrativa, en la búsqueda de la simplificación del régimen.

En este marco, que le imprime finalidad y sentido al texto legal, se elabora este en ejercicio de la competencia exclusiva recogida en el artículo 27.18 del Estatuto de autonomía de Galicia en materia de patrimonio histórico, artístico, arquitectónico y arqueológico de interés de Galicia, y de lo dispuesto en su artículo 32, que determina que le corresponde a la Comunidad Autónoma la defensa y promoción de los valores culturales del pueblo gallego.

III.

Es justamente la idea de valor la que determina la definición legal de bien cultural. El valor como contenido de resonancia, no solo emocional o sentimental, sino directamente vinculado al devenir histórico del pueblo gallego en su caracterización pasada y en su apuesta de futuro, sobre la base material e inmaterial de lo que ya es y en el horizonte de lo que quiere ser en el campo de la civilización, entendida como concierto de las culturas y tradiciones.

El estudio, la protección, la conservación, el acrecentamiento, la difusión y el fomento del patrimonio cultural son piedra angular del ejercicio de la dignidad colectiva y, por lo tanto, se plasman como el primer mandato legal, que no debe ser visto como limitación restrictiva, sino como participación de toda la sociedad en el cuidado de lo que ella misma ha creado y a lo que ella misma le pertenece. El patrimonio cultural se concibe, pues, como fundamento de cohesión social y desarrollo sostenible.

En este sentido, la ponderación e integración de la protección del patrimonio en las demás políticas sectoriales y la apuesta por la colaboración interadministrativa y la participación ciudadana están presentes a lo largo de todo el articulado a través de los principios generales, de los derechos y obligaciones de la ciudadanía, de la información pública, del acceso a los bienes más destacados y del reconocimiento de la libre iniciativa.

Dentro de este espíritu, inspira la ley el principio de subsidiariedad, que consagra técnicas descentralizadoras mediante la habilitación de los ayuntamientos en las tareas de control preventivo en diversos ámbitos y esferas, que encuentran su fundamento en la Ley 7/1985, de 2 de abril, reguladora de las bases del régimen local. Esto permite acercar la Administración a la ciudadanía mediante el empoderamiento de los entes más próximos a esta. La tradicional centralización de la gestión pública del patrimonio, con motivo de la alta pericia técnica y la necesidad del dictamen experto, no contribuye al sentimiento de proximidad e identificación de la ciudadanía con el patrimonio cultural, que de alguna manera le pertenece como expresión de la identidad colectiva en la que se inserta.

El protagonismo reconocido a los ayuntamientos forma parte de esa segunda ola descentralizadora, a la que las políticas públicas en el ámbito del patrimonio cultural no deben ser ajenas. Solo una visión paternalista, dirigista e intervencionista puede mirar con desconfianza el papel relevante de los ayuntamientos, que, lejos de ser tutelados, deben ejercer un grado de autonomía local reconocida constitucionalmente también en materia de patrimonio cultural en defensa legítima de sus intereses. La Administración local gallega ha demostrado un grado de madurez y responsabilidad que el legislador autonómico debe reconocer mediante la configuración de procedimientos administrativos de proximidad que la hagan interlocutora eficaz y eficiente ante las vecinas y los vecinos de las diversas localidades que caracterizan nuestro país. Seguir protegiendo y conservando el patrimonio cultural de espaldas a los ayuntamientos implica, a la postre, hacerlo de espaldas a la propia ciudadanía.

Se busca también una simplificación en tres niveles: legislativo, administrativo y, muy particularmente, en lo que atañe a la clasificación de los bienes del patrimonio cultural de Galicia.

Así, esta ley supone la derogación de otros tres textos del mismo rango, integra de modo coherente la protección de los Caminos de Santiago en el conjunto de la protección del patrimonio cultural y les devuelve el protagonismo a los ayuntamientos también en este ámbito tan significativo para el país.

A nivel administrativo se reducen plazos y trámites y se gana en participación y descentralización.

En lo que respecta a la clasificación de los bienes, la experiencia de los últimos años aconseja reducir las tres categorías a dos, lo que clarifica los regímenes de protección y sus consecuencias jurídicas y hace converger la protección en lo realmente notable y singular, sin que esto suponga desprotección de lo anteriormente inventariado, que se incorpora *ope legis* al nuevo Catálogo. En conclusión, se trata de simplificar en favor de la eficacia y de la eficiencia.

Galicia, compendio de universalidad, quiere participar con plena dignidad y protagonismo en el concierto de las culturas, por lo que en este texto se asumen mandatos, criterios y principios recogidos en las diversas cartas, convenios e instrumentos internacionales sobre las más diversas materias como el patrimonio arquitectónico, arqueológico, subacuático o inmaterial, entre otros, algunos de los cuales han pasado ya a ser derecho interno mediante los procesos de ratificación de los respectivos tratados por parte del Estado español. Esto se refleja en el reconocimiento expreso de determinados patrimonios en función de su naturaleza y en el tratamiento de estos buscando su integración territorial, incluso con nuevas figuras como las áreas de amortiguamiento, o en nuevas categorías como los paisajes culturales.

El legislador debe ser muy consciente de que en materia de patrimonio cultural se ejercen funciones inspiradas en apreciaciones técnicas y expertas que corren el riesgo de arrastrar una correcta y acotada discrecionalidad hacia una indeseable percepción social de arbitrariedad y subjetivismo. Es por eso por lo que, en el ejercicio de las potestades autorizatorias y en el desempeño de la facultad de informar, se hace especial hincapié en los principios de publicidad y seguridad jurídica y, por lo tanto, en la incorporación de elementos que faciliten el control de la discrecionalidad de la Administración en un ámbito donde la normativa tiene por fuerza que remitirse al juicio técnico o experto y donde es inevitable la formulación y el manejo de múltiples conceptos jurídicos indeterminados.

La protección del patrimonio debe entenderse como una consecuencia principal de la función social del derecho de propiedad, según lo establecido en el artículo 33 de la Constitución española, pero no puede ser entendida como un límite que la vacíe de su contenido esencial. Tampoco esta protección puede ser un obstáculo inmotivado a la libre iniciativa económica, reconocida como libertad de empresa en el marco de la economía de mercado en el artículo 38 de la Constitución española. Al contrario, debe entenderse también como un elemento de dinamización económica y social y creadora de riqueza, prosperidad y empleo en el marco del principio rector de la política social y económica consistente en la garantía por parte de los poderes públicos de la conservación y la promoción del enriquecimiento del patrimonio histórico, cultural y artístico de los pueblos de España y de los bienes que lo integran, cualquiera que sea su régimen jurídico y su titularidad.

En lo que respecta al principio de publicidad, consagrado en el artículo 9 de la Constitución española, el mandato de publicar regularmente un censo de bienes con potenciales valores culturales les otorga garantías previas a los operadores públicos y privados en relación con los múltiples y variados bienes que pueden ser referentes de informes medioambientales, futuros expedientes de catalogación o de declaración de bienes de interés cultural o posibles criterios que la Administración cultural puede tener en cuenta a la hora de emitir informe sobre los planes, programas y proyectos de naturaleza urbanística, territorial o relativos a la planificación económica sectorial o general.

La motivación de las resoluciones sobre la base de definiciones y criterios explicitados en la letra de la ley alcanzará grados de solidez que supondrán una mejor defensa de las personas interesadas en cumplimiento del principio constitucional de la seguridad jurídica. A este principio fundamental contribuye también la concreción de entornos de protección subsidiarios en el propio texto de la ley, lo que evitará la disipación y la disfunción propias del recurso a otros sectores del ordenamiento, como el urbanístico, que responden a otras finalidades y a otras lógicas.

La definición, a los efectos de esta ley, de diferentes patrimonios específicos, así como de tipos y criterios de intervención, o niveles de protección, introduce parámetros legales que otorgarán elementos de valoración genéricos, pero ciertos, que les facilitarán a los gestores, promotores u operadores públicos y privados referentes y parámetros propios de este sector sin que sea necesario acudir sistemáticamente a referencias contenidas en otros sectores del ordenamiento. Se actúa así con la coherencia derivada de la prevalencia de la protección del patrimonio cultural, reconocida de modo constante por la jurisprudencia frente a otras normativas o materias de las que, por lo tanto, no se debe ser deudora en cuanto a técnicas, regulaciones y conceptos.

Estamos, pues, ante una ley que busca explicitar los valores y principios constitucionales en el ámbito de la regulación y la gestión del patrimonio cultural. Es una tarea que se asume desde el respeto a las competencias del Estado, muy especialmente en lo que respecta a la regulación de las condiciones básicas que garantizan la igualdad de todos los españoles en el ejercicio de sus derechos y en el cumplimiento de sus deberes constitucionales y la defensa del patrimonio cultural, artístico y monumental español contra la exportación y la expoliación, según la interpretación consagrada por el Tribunal Constitucional en relación con el artículo 149.1.28 de la Constitución española.

Seguridad jurídica y publicidad, participación y cooperación, descentralización y subsidiariedad, simplificación y agilidad administrativas vertebran un texto fundamental para el desarrollo de los principios estatutarios que definen a Galicia como comunidad autónoma consciente del legado de su pasado y comprometida con él como apuesta de futuro.

IV.

Con base en estos principios, dentro de su título preliminar recoge esta ley una serie de disposiciones generales que definen el patrimonio cultural de Galicia desde una perspectiva ligada a su uso y disfrute por la ciudadanía y que lo conciben como un instrumento de cohesión social y desarrollo sostenible que da soporte, como elemento integrador, a la identidad del pueblo gallego. Establece además el ámbito de competencias y el régimen de colaboración interadministrativa, fomentando la colaboración de todas las administraciones implicadas en la protección y promoción del patrimonio cultural de Galicia.

Asimismo, en la línea de la simplificación administrativa, se procede a una racionalización de los órganos colegiados asesores y consultivos en materia de patrimonio cultural, con el fin de evitar duplicidades administrativas y de racionalizar la organización administrativa. En la lista de órganos colaboradores merece una especial relevancia el Consejo de la Cultura Gallega, cuya condición estatutaria y experiencia como entidad asesora se vienen desarrollando desde la Ley 8/1983, de 8 de julio, que le atribuye las más altas funciones en defensa de los valores culturales del pueblo gallego.

El título I establece la clasificación de los bienes integrantes del patrimonio cultural de Galicia, reduciendo a dos las categorías de bienes y creando un nuevo instrumento que facilita la protección de los bienes inmuebles en el territorio. Así, se parte de la consideración de que los bienes inmuebles no se pueden considerar como elementos aislados, sino que se entienden integrados en un contexto que es su territorio. Como principal novedad en este aspecto, la ley establece en qué tipo de bienes será necesaria siempre la delimitación de un entorno de protección, y crea un nuevo instrumento, la zona de amortiguamiento, que podrá delimitarse para cada bien en función de sus características.

Otra importante novedad de la ley es la creación del Censo del Patrimonio Cultural, como instrumento de publicidad y transparencia que le otorga seguridad jurídica a la ciudadanía y que será objeto de continua actualización.

El título II regula el régimen genérico de protección y conservación del patrimonio cultural de Galicia, que se aborda desde distintas perspectivas, tanto desde el punto de vista de los deberes y obligaciones de las personas titulares, poseedoras, arrendatarias y demás titulares de derechos reales sobre bienes integrantes del patrimonio cultural de Galicia, como desde el punto de vista del establecimiento del régimen de intervenciones autorizables en función de la naturaleza y de los distintos niveles de protección de los bienes.

En el título III introduce la ley precisiones con respecto al régimen de protección específico para los bienes declarados de interés cultural, los más destacados del patrimonio cultural de Galicia, y en el título IV establece el régimen específico de protección de los bienes del Catálogo del Patrimonio Cultural de Galicia.

En su título V la ley incluye una importante novedad: la regulación en un título específico y separado de las peculiaridades propias del patrimonio inmaterial, teniendo en cuenta su naturaleza y las medidas específicas de protección, incorporando a la regulación autonómica los principios fundamentales de la Convención para la salvaguarda del patrimonio cultural inmaterial. Aunque la lengua, como elemento identitario, tiene su regulación específica en la Ley de normalización lingüística, se aprovecha en esta ley para situarla como canal a través del que vehiculizar nuestro patrimonio inmaterial.

El título VI integra en esta ley la regulación específica del régimen de protección de los Caminos de Santiago. Se cumple así con el principio de simplificación legislativa, al agrupar ambas regulaciones, inspiradas en los mismos principios de valorización y protección de los valores culturales de los bienes integrantes del patrimonio cultural de Galicia, y, asimismo, con el principio de simplificación administrativa, al unificar las partes del régimen jurídico que resultaban comunes al resto del patrimonio cultural gallego y conservar la identidad propia de los Caminos de Santiago, manteniendo un título específico con sus peculiaridades.

El título VII regula los distintos patrimonios específicos integrantes del patrimonio cultural de Galicia. El reconocimiento expreso de patrimonios específicos no ignora la profunda unidad del patrimonio cultural en su conjunto, pero busca, sin pretensión de fragmentaciones artificiales, distintas perspectivas de aproximación que le otorguen claridad, garantías y racionalidad al sistema. Se hace mediante la categorización que encierra la semántica de cualquier concepto en el lenguaje jurídico, a través de la detección de los valores relevantes a los efectos propios de un texto normativo útil que no pretende ser científico ni académico, aunque beba de esas fuentes de conocimiento.

El título VIII establece el régimen de los museos y crea la Red y el Sistema de Museos de Galicia. El título regula los museos y las colecciones visitables, así como el régimen genérico para su creación y reglamentación, recogiendo la garantía de la Administración del acceso de la ciudadanía a los museos de titularidad pública.

El título IX regula el fomento del patrimonio cultural de Galicia, estableciendo las medidas esenciales para su difusión y para favorecer su conservación, e incorporando y actualizando la regulación contenida en la Ley 12/1991, de 14 de noviembre, de trabajos de dotación artística en las obras públicas y Caminos de Santiago de la Comunidad Autónoma de Galicia.

El título X regula la actividad inspectora y el régimen sancionador. La clarificación en la determinación de los tipos de infracción y las garantías que asisten a los presuntos infractores o infractoras inciden en el perfeccionamiento del principio de tipicidad, mediante el enunciado claro de los supuestos de hecho subsumibles en conductas antijurídicas y una neutralización eficaz de elementos inaceptables de indefensión para los ciudadanos y ciudadanas que no sean necesariamente personas expertas en materia de patrimonio cultural. El régimen sancionador viene a ser así el cierre del sistema sin el cual toda la actividad de la Administración cultural se convertiría en mera ficción o desiderátum y carecería de una auténtica juridicidad, sin que, no obstante, esto menoscabe la apuesta prioritaria por las políticas de fomento y estímulo, propias de una sociedad que aprecia su patrimonio y actúa colectivamente en consecuencia, sin necesidad de acudir a medidas coactivas, siempre indeseables.

La parte final de la ley incluye una serie de previsiones destinadas a ordenar y a definir los compromisos de desarrollo reglamentario y de puesta a disposición de la ciudadanía de los distintos instrumentos de publicidad de los bienes integrantes del patrimonio cultural de Galicia, así como a establecer las normas de transitoriedad necesarias y a delimitar la entrada en vigor de las distintas obligaciones establecidas en esta ley.

Por todo lo expuesto, el Parlamento de Galicia aprobó y yo, de conformidad con el artículo 13.2 del Estatuto de autonomía de Galicia y con el artículo 24 de la Ley 1/1983, de 22 de febrero, de normas reguladoras de la Xunta y de su Presidencia, promulgo en nombre del rey la Ley del patrimonio cultural de Galicia.

TÍTULO PRELIMINAR. Disposiciones generales

Artículo 1. Objeto y definición

1. Esta ley tiene por objeto la protección, conservación, acrecentamiento, difusión y fomento del patrimonio cultural de Galicia de forma que sirva a la ciudadanía como una herramienta de cohesión social, desarrollo sostenible y fundamento de la identidad cultural del pueblo gallego, así como su investigación, valorización y transmisión a las generaciones futuras.

2. El patrimonio cultural de Galicia está constituido por los bienes muebles, inmuebles o manifestaciones inmateriales que, por su valor artístico, histórico, arquitectónico, arqueológico, paleontológico, etnológico, antropológico, industrial, científico y técnico, documental o bibliográfico, deban ser considerados como de interés para la permanencia, reconocimiento e identidad de la cultura gallega a través del tiempo.

Asimismo, integran el patrimonio cultural de Galicia todos aquellos bienes o manifestaciones inmateriales de interés para Galicia en los que concurra alguno de los valores enumerados en el párrafo anterior y que se encuentren en Galicia, con independencia del lugar en el que se hubiesen creado.

3. La Xunta de Galicia velará por la investigación, la difusión y, en su caso, el retorno a Galicia de aquellos bienes especialmente representativos del patrimonio cultural gallego que se encuentren fuera de ella, y, cuando no sea posible, de su reproducción, en su caso.

Artículo 2. Competencia y políticas sectoriales

1. Corresponde a la Comunidad Autónoma la competencia exclusiva sobre el patrimonio cultural de Galicia.

2. Las distintas administraciones públicas cooperarán para que las competencias respectivas se ejerzan conforme a lo establecido en esta ley.

3. Los poderes públicos integrarán la protección del patrimonio cultural en las políticas sectoriales de educación, investigación, ordenación del territorio, urbanismo, paisaje, conservación de la naturaleza, desarrollo rural y turístico, así como en aquellas que supongan la gestión del dominio público.

Artículo 3. Colaboración interadministrativa

1. En el ejercicio de las competencias que le corresponden en materia de patrimonio cultural, la Comunidad Autónoma actuará de acuerdo con los siguientes criterios:

a) Colaboración con la Administración del Estado, con las de las restantes comunidades autónomas y con las entidades que integran la Administración local en la salvaguarda del patrimonio cultural, en su difusión nacional e internacional, en la recuperación de los bienes que hubiesen sido ilícitamente exportados, en el intercambio de información cultural, técnica y científica con organismos nacionales y extranjeros, y en su conservación, fomento y disfrute, estimulando para ello la participación activa de toda la sociedad.

b) Fomento de las acciones precisas para garantizar el acceso al patrimonio cultural, su protección, su difusión y su investigación y, en su caso, su recuperación.

2. Las entidades que integran la Administración local, en relación con los bienes del patrimonio cultural de Galicia que se localicen en su ámbito territorial, tienen las obligaciones de:

a) Proteger, difundir y fomentar su valor cultural.

b) Adoptar, en casos de emergencia, las medidas cautelares necesarias para salvaguardar los bienes que viesen su integridad o valor amenazados.

c) Comunicar a la Xunta de Galicia cualquier amenaza, perturbación o daño del valor cultural que tales bienes sufran.

d) Ejercer, asimismo, las demás funciones que tengan expresamente atribuidas en virtud de esta ley.

Artículo 4. Patrimonio cultural de Galicia en el exterior

La Xunta de Galicia promoverá la salvaguarda del patrimonio cultural de Galicia que se encuentre en el exterior, especialmente en Latinoamérica y allí donde exista una presencia significativa de comunidades gallegas, así como la cooperación con Portugal para la valorización del patrimonio cultural de interés común en las zonas transfronterizas.

Artículo 5. Derechos y deberes de la ciudadanía

1. La ciudadanía tiene derecho al acceso, conocimiento y disfrute, así como a la transmisión y a la divulgación social del patrimonio cultural de Galicia, en los términos establecidos en esta ley.

2. Cualquier persona física o jurídica, pública o privada, está obligada a cumplir los deberes establecidos en esta ley para la protección del patrimonio cultural de Galicia, así como a actuar con la diligencia debida en su uso.

3. Cualquier persona física o jurídica, pública o privada, en el cumplimiento de lo previsto en esta ley, está legitimada para actuar ante la Administración pública de la Comunidad Autónoma en defensa del patrimonio cultural de Galicia.

Artículo 6. Colaboración de la Iglesia católica

1. La Iglesia católica, propietaria de una buena parte del patrimonio cultural de Galicia, velará por su protección, conservación, acrecentamiento, visualización por la ciudadanía y difusión, colaborando para este fin con la Administración.

2. Una comisión mixta entre la Xunta de Galicia y la Iglesia católica establecerá el marco de colaboración y coordinación entre ambas instituciones para elaborar y desarrollar planes de intervención conjunta.

Reglamentariamente se desarrollarán su composición y sus funciones.

Artículo 7. Órganos asesores e consultivos

1. El Consejo de la Cultura Gallega, en virtud de lo establecido en el artículo 32 del Estatuto de autonomía y del artículo 6.a de la Ley 8/1983, de 8 de julio, es el máximo órgano de asesoramiento y consulta de los poderes públicos de la Comunidad Autónoma. La consejería competente en materia de patrimonio cultural someterá a su dictamen aquellos asuntos de especial relevancia, sin perjuicio de las competencias del Consejo Consultivo de Galicia y de otros órganos de consulta.

2. Son órganos asesores en materia de patrimonio cultural:

a) El Consejo Superior de Valoración de Bienes Culturales de Interés para Galicia.

b) La Comisión Mixta Xunta de Galicia-Iglesia Católica.

c) Los Consejos Territoriales de Patrimonio Cultural de Galicia.

d) El Consejo Asesor de los Caminos de Santiago.

e) La Comisión Técnica de Arqueología.

f) La Comisión Técnica de Etnografía.

g) Cuantos otros se determinen reglamentariamente con carácter general o con carácter específico.

La composición y el funcionamiento de los órganos asesores se establecerán reglamentariamente.

3. Tendrán la consideración de órganos consultivos en materia de bienes culturales:

a) La Real Academia Gallega de Bellas Artes de Nuestra Señora del Rosario.

b) El Instituto de Estudios Gallegos Padre Sarmiento.

c) Las universidades integrantes del Sistema Universitario de Galicia.

Todo ello, sin perjuicio de las consultas que por razón de la materia o conocimiento experto se les puedan realizar a especialistas en la materia o a otras instituciones, entidades culturales u organismos profesionales.

TÍTULO I. Clasificación, declaración y catalogación de los bienes del patrimonio cultural de Galicia

CAPÍTULO I. Tipos de bienes

Artículo 8. Clasificación de los bienes del patrimonio cultural de Galicia

1. Los bienes del patrimonio cultural de Galicia, a los que hace referencia el artículo 1.2, podrán ser declarados de interés cultural o catalogados.

2. Tendrán la consideración de bienes de interés cultural aquellos bienes y manifestaciones inmateriales que, por su carácter más destacado en el ámbito de la Comunidad Autónoma, sean declarados como tales por ministerio de la ley o mediante decreto del Consejo de la Xunta de Galicia, a propuesta de la consejería competente en materia de patrimonio cultural, de acuerdo con el procedimiento establecido en esta ley.

Los bienes de interés cultural pueden ser inmuebles, muebles o inmateriales.

3. Tendrán la consideración de bienes catalogados aquellos bienes y manifestaciones inmateriales, no declarados de interés cultural, que por su notable valor cultural sean incluidos en el Catálogo del Patrimonio Cultural de Galicia a través de cualquiera de los procedimientos de inclusión previstos en esta ley. En todo caso, se integran en el Catálogo del Patrimonio Cultural de Galicia los bienes expresamente señalados en esta ley.

Los bienes catalogados pueden ser muebles, inmuebles e inmateriales.

Artículo 9. Naturaleza de los bienes

1. Tienen la consideración de bienes inmuebles, a los efectos previstos en esta ley, los enumerados en el artículo 334 del Código civil. Además, gozarán de la misma protección aquellos que hubiesen formado parte consustancial del inmueble en otro tiempo, aunque en el caso de ser separados constituyan un todo perfecto de fácil aplicación a otras construcciones o usos distintos del original.

2. A los efectos previstos en esta ley, tendrán la consideración de bienes muebles, además de los enumerados en el artículo 335 del Código civil, aquellos susceptibles de ser transportados, no estrictamente consustanciales con la estructura de inmuebles, cualquiera que sea su soporte material.

3. Se consideran bienes del patrimonio cultural inmaterial a los efectos de esta ley:

a) Los usos, representaciones, expresiones, conocimientos y técnicas, junto con los instrumentos, objetos, artefactos y espacios culturales que les son inherentes, que las comunidades, los grupos y en algunos casos los individuos reconozcan como parte integrante de su patrimonio cultural, y en particular:

1°. La lengua como vehículo del patrimonio cultural inmaterial, regulada por su normativa específica.

2°. Las tradiciones y expresiones orales.

3°. La toponimia.

4°. Las artes del espectáculo, en especial la danza y la música, representaciones, juegos y deportes.

5°. Los usos sociales, rituales, ceremonias y actos festivos.

6°. Los conocimientos y usos relacionados con la naturaleza y el universo.

7°. Las técnicas artesanales tradicionales, actividades productivas y procesos.

b) El legado de las figuras históricas singulares en la configuración de la identidad cultural de Galicia, independientemente de los derechos de propiedad intelectual. Los efectos de la declaración se extenderán a sus creaciones cuando la autoría quede debidamente acreditada.

4. De forma excepcional, podrá declararse de interés cultural o incorporarse al Catálogo del Patrimonio Cultural de Galicia la obra de autores y autoras vivos, siempre y cuando tres de las instituciones consultivas especializadas previstas en esta ley o en la normativa específica, según las características y la naturaleza del bien, emitan informe favorable. En el expediente deberá constar la autorización expresa de su propietario o propietaria y también la de su autor o autora, salvo que hubiesen sido adquiridas por la Administración.

Artículo 10. Categorías de bienes inmuebles declarados de interés cultural o catalogados

1. Los bienes inmuebles declarados de interés cultural o catalogados se integrarán en alguna de las siguientes categorías:

a) Monumento: la obra o construcción que constituye una unidad singular reconocible de relevante interés artístico, histórico, arquitectónico, arqueológico, etnológico, industrial o científico y técnico.

b) Jardín histórico: el espacio delimitado producto de la ordenación planificada de elementos naturales y artificiales de relevante interés artístico, histórico, arquitectónico, antropológico o científico y técnico.

c) Sitio histórico: el lugar vinculado a episodios relevantes del pasado, a tradiciones populares o a creaciones culturales singulares de interés histórico, paleontológico, siempre que esté relacionado con la historia humana, etnológico, antropológico o científico y técnico.

d) Yacimiento o zona arqueológica: el lugar en el que existen evidencias de bienes muebles o inmuebles susceptibles de ser estudiados con metodología arqueológica, de interés artístico, histórico, arquitectónico, arqueológico, paleontológico, siempre que esté relacionado con la historia humana, o antropológico.

e) Vías culturales: la vía o camino de características originales reconocibles que forma parte, o que la formó en el pasado, de la estructura tradicional del territorio, con un relevante interés histórico, arquitectónico, arqueológico, etnológico o antropológico.

f) Lugar de valor etnológico: el ámbito en el que permanecen testimonios relevantes y reconocibles de actividades o construcciones vinculadas a las formas de vida y cultura tradicional del pueblo gallego que resulten de interés histórico, arquitectónico, arqueológico, etnológico o antropológico.

g) Conjunto histórico: la agrupación de bienes que conforman una unidad de asentamiento, continua o dispersa, con una estructura física representativa de la evolución de una comunidad que resulta un testimonio cultural significativo por interés artístico, histórico,

arquitectónico, arqueológico, etnológico, industrial o científico y técnico, aunque individualmente los elementos que la conforman no tengan una especial relevancia.

h) Paisaje cultural: el lugar identificable por un conjunto de cualidades culturales materiales e inmateriales singulares, obras combinadas de la naturaleza y el ser humano, que
es el resultado del proceso de la interacción e interpretación que una comunidad hace del
medio natural que lo sustenta y que constituye el soporte material de su identidad.

i) Territorio histórico: el ámbito en el que la ocupación y las actividades de las comunidades a lo largo de su evolución histórica caracterizan un ámbito geográfico relevante
por su interés histórico, arquitectónico, arqueológico, etnológico, antropológico, industrial
o científico y técnico.

2. La pertenencia a una de estas categorías no será incompatible con la declaración
individualizada adicional de bien de interés cultural o la catalogación individualizada de
alguno de sus elementos o con su adscripción a otras figuras de protección derivadas de
otras legislaciones sectoriales.

3. La declaración de bien de interés cultural de un inmueble o su catalogación afectará
tanto al suelo como al subsuelo.

Artículo 11. Especialidades de los bienes muebles

Los bienes muebles declarados de interés cultural y catalogados podrán serlo de forma
individual o como colección, entendida esta como el conjunto de bienes agrupados en un
proceso intencional de provisión o acumulación de forma miscelánea o monográfica.

Artículo 12. Entorno de protección

1. Los monumentos, las zonas arqueológicas y las vías culturales declarados de interés cultural o catalogados contarán con un entorno de protección. Asimismo, cuando sea
necesario según sus características, podrá establecerse un entorno de protección para las
demás categorías de bienes.

2. El entorno de protección de los bienes inmuebles de interés cultural y catalogados podrá estar constituido por los espacios y construcciones próximas cuya alteración incida en
la percepción y comprensión de los valores culturales de los bienes en su contexto o pueda
afectar a su integridad, apreciación o estudio. En la declaración de bien de interés cultural
o en la catalogación del bien se establecerán las limitaciones de uso y los condicionantes
necesarios para la salvaguarda de dicho entorno de protección, sin que esto suponga su
calificación como bien declarado o catalogado.

3. Reglamentariamente se podrán fijar los criterios para la delimitación de los entornos
de protección mínimos.

Artículo 13. Zona de amortiguamiento

1. Podrá delimitarse un área alrededor de los bienes inmuebles declarados de interés
cultural o catalogados y, en su caso, de sus correspondientes entornos de protección, denominada zona de amortiguamiento, con el objeto de reforzar su protección y sus condiciones de implantación en el territorio. La declaración de interés cultural o la catalogación del
bien determinará el régimen de limitaciones o condicionantes en dicha zona de amortiguamiento, sin que esto suponga su calificación como bien declarado o catalogado.

2. Para delimitar la zona de amortiguamiento se tendrán en cuenta las condiciones de
visibilidad y perspectiva del bien, así como otros aspectos o atributos que sean funcionalmente significativos para la protección de los valores culturales de los bienes en relación
con el territorio.

3. En caso de que se delimite una zona de amortiguamiento deberá determinarse de
forma explícita para cada bien, concretando las actividades, dotaciones, instalaciones o

infraestructuras que, por su potencial afección a sus valores culturales, requieran la autorización previa para su ejecución de la consejería competente en materia de patrimonio cultural.

4. Reglamentariamente se podrán fijar los criterios para la delimitación de las zonas de amortiguamiento.

Artículo 14. Censo del Patrimonio Cultural

1. Los bienes y manifestaciones inmateriales del patrimonio cultural de Galicia, en tanto no hayan sido declarados de interés cultural o catalogados, se incluirán en el Censo del Patrimonio Cultural para su documentación, estudio, investigación y difusión de sus valores.

2. Los bienes se incorporarán al Censo del Patrimonio Cultural por resolución de la dirección general competente en materia de patrimonio cultural. El Censo será objeto de continua actualización y sus incorporaciones serán anunciadas en el *Diario Oficial de Galicia* y difundidas por medio de las tecnologías de la información y la comunicación.

3. La inclusión de un bien en el Censo del Patrimonio Cultural no determinará la necesidad de autorización administrativa previa para las intervenciones sobre dicho bien. El Censo servirá como elemento de referencia para la emisión de los informes que sean competencia de la consejería competente en materia de patrimonio cultural. Asimismo, servirá como instrumento complementario para los responsables de la gestión sostenible de los recursos culturales, la ordenación del territorio y el desarrollo económico.

CAPÍTULO II. Procedimiento de declaración de bienes de interés cultural

Artículo 15. Procedimiento de declaración

Serán objeto de una especial protección los bienes de interés cultural declarados por decreto del Consejo de la Xunta de Galicia, a propuesta de la consejería competente en materia de patrimonio cultural, después de la tramitación de un procedimiento instruido con ese fin, incoado por resolución motivada de la dirección general competente en materia de patrimonio cultural, o los que tengan dicha consideración en aplicación de esta ley.

Artículo 16. Incoación del procedimiento de declaración

1. El procedimiento de declaración de interés cultural se incoará de oficio por resolución motivada de la dirección general competente en materia de patrimonio cultural, por propia iniciativa o por petición de cualquier persona física o jurídica.

La solicitud de iniciación por parte de una persona, física o jurídica, pública o privada, deberá estar razonada y documentada. Cuando se considere que la solicitud carece de fundamento, se declarará motivadamente su inadmisión y se le notificará a la persona solicitante.

La solicitud de iniciación se entenderá desestimada cuando hayan transcurrido seis meses desde su presentación sin que se hubiese emitido resolución expresa.

2. Los bienes no podrán ser declarados de interés cultural hasta que pasen treinta años desde su construcción o creación, salvo en casos de excepcional interés público, suficientemente acreditado y después de la autorización expresa de la persona propietaria.

3. La resolución de incoación contendrá las especificaciones establecidas en el artículo 22.

Artículo 17. Notificación, publicación y efectos de la incoación del procedimiento de declaración

1. La resolución de incoación se publicará en el *Diario Oficial de Galicia* y en el *Boletín Oficial del Estado* y se les notificará a las personas interesadas y, en el supuesto de bienes inmuebles, al ayuntamiento en cuyo territorio se encuentre el bien.

La notificación a las personas interesadas podrá sustituirse por la publicación en el *Diario Oficial de Galicia* en el caso de que la destinataria sea una pluralidad indeterminada de personas.

2. La publicación de la citada resolución en el *Diario Oficial de Galicia* supondrá la apertura de un período de información pública por un plazo mínimo de un mes en el caso de bienes inmuebles.

3. La incoación se anotará con carácter preventivo en el Registro de Bienes de Interés Cultural de Galicia y se le notificará también al Registro General de Bienes de Interés Cultural dependiente de la Administración del Estado.

4. La incoación del procedimiento determinará la aplicación provisional al bien del mismo régimen de protección previsto para los bienes de interés cultural.

5. La incoación del procedimiento de declaración de interés cultural de un bien inmueble determinará la suspensión de la tramitación de las correspondientes licencias municipales de parcelación, edificación o demolición en las zonas afectadas, así como de los efectos de las ya otorgadas, a excepción de las de mantenimiento y conservación. La continuidad de la suspensión dependerá de la resolución o de la caducidad del expediente incoado. La suspensión se levantará con la resolución del procedimiento.

Con respecto a esto, los ayuntamientos deberán remitir a la consejería competente en materia de patrimonio cultural las solicitudes de licencias de obras que no sean exclusivamente de mantenimiento y conservación cuya tramitación quedase suspendida y les notificarán la suspensión a los promotores o promotoras, constructores o constructoras y técnicos directores o técnicas directoras de las obras.

Las restantes obras que, por causa de interés general, tengan que realizarse con carácter inaplazable precisarán, en todo caso, la autorización previa de la consejería competente en materia de patrimonio cultural, después de que el Consejo de la Xunta de Galicia determine su prevalencia.

Artículo 18. Informes necesarios en el expediente de declaración

1. El expediente de declaración de bien de interés cultural contendrá los informes técnicos necesarios, elaborados desde las disciplinas científicas aplicables a la naturaleza del bien, que justifiquen su relevancia y valor cultural destacado, acompañados de una documentación gráfica y una descripción detallada sobre su estado de conservación. En el caso de bienes inmuebles para los que resulte o se considere necesario, se incluirá en la justificación la propuesta de delimitación del entorno de protección y de su zona de amortiguamiento.

2. Para declarar un bien de interés cultural será necesario el informe favorable y motivado sobre su valor cultural singular de, por lo menos, dos de las instituciones consultivas especializadas a las que se refiere el artículo 7, según las características y la naturaleza del bien, teniendo en cuenta las consultas que por razón de la materia o conocimiento experto puedan realizarse a otras instituciones, entidades culturales u organismos profesionales.

Artículo 19. Delimitación provisional de entornos de protección y zonas de amortiguamiento

1. Tras incoarse un procedimiento de declaración de interés cultural se podrá establecer, con carácter provisional, un entorno de protección, con la superficie que en cada caso se determine, en el que las actuaciones, en los términos del artículo 45, quedarán sujetas a la autorización por parte de la consejería competente en materia de patrimonio cultural.

2. Se podrá establecer, asimismo, una zona de amortiguamiento, en la que se someterán a autorización de la consejería competente en materia de patrimonio cultural, en los términos del artículo 47, las actuaciones que expresamente se recojan en la resolución de incoación.

Artículo 20. Declaración e conclusión

1. Corresponde al Consejo de la Xunta de Galicia, a propuesta de la persona titular de la consejería competente en materia de patrimonio cultural, acordar, mediante decreto, la declaración de interés cultural.

2. El procedimiento de declaración de interés cultural deberá resolverse y notificarse en el plazo máximo de veinticuatro meses, que comenzará a contar a partir de la fecha de la resolución de incoación. Tras transcurrir ese plazo sin que se haya emitido resolución expresa, se producirá la caducidad del procedimiento.

3. En el caso de producirse la denegación expresa de la declaración, no se podrá volver a iniciar un nuevo procedimiento de declaración del mismo bien en los tres años siguientes, salvo que lo solicite la persona propietaria del bien o dos de las instituciones consultivas reconocidas por esta ley o por la normativa específica según las características y naturaleza del bien.

Artículo 21. Notificación y efectos de la declaración

1. La declaración de interés cultural de cualquier naturaleza se publicará en el *Diario Oficial de Galicia* y en el *Boletín Oficial del Estado* y se les notificará a las personas interesadas y, en el supuesto de bienes inmuebles, a los ayuntamientos en cuyo territorio se encuentre el bien.

La notificación a las personas interesadas podrá ser sustituida por la publicación en el *Diario Oficial de Galicia* en el caso de que la destinataria sea una pluralidad indeterminada de personas.

2. Después de la declaración de interés cultural de monumentos, jardines históricos o sitios históricos, la consejería competente en materia de patrimonio cultural instará de oficio la inscripción gratuita de la declaración en el Registro de la Propiedad.

En el caso de la declaración de interés cultural de bienes que pertenezcan a cualquiera de las categorías recogidas en el artículo 10 procederá su inscripción individualizada de forma separada.

3. Tras declararse de interés cultural un bien inmueble, la concesión de licencias o la ejecución de las ya otorgadas antes de su declaración precisará la autorización de la consejería competente en materia de patrimonio cultural.

Artículo 22. Contenido de la declaración

1. La declaración de interés cultural de un bien determinará los valores que justifican su declaración e incluirá una descripción detallada y precisa que permita su correcta identificación.

2. La declaración de interés cultural de bienes inmuebles incluirá las siguientes especificaciones:

a) La categoría con la que son declarados, de entre las definidas en el artículo 10.

b) La identificación y la descripción de las partes integrantes y bienes muebles que, por su vinculación con el inmueble, se incorporen a la declaración. Asimismo, se identificará la posible existencia de bienes inmateriales.

c) La delimitación motivada del bien declarado y, para los casos en que resulte necesario, el entorno de protección y la zona de amortiguamiento, que no tendrán la consideración de bien de interés cultural.

d) Los inmuebles comprendidos en la delimitación del bien declarado que, en su caso, se declaren singularmente, así como su propio entorno de protección y zona de amortiguamiento, de considerarse necesarios, que serán objeto de inscripción independiente en el Registro de Bienes de Interés Cultural de Galicia.

e) Las determinaciones, cuando proceda, con respecto a la demolición total o parcial o a la retirada forzosa de elementos, partes o construcciones incluidas en la delimitación del bien declarado o en el entorno de protección que resulten incompatibles con su puesta en valor.

f) La descripción de su estado de conservación y las eventuales directrices para posteriores intervenciones, si se considera conveniente.

3. En el caso de conjuntos o colecciones de bienes muebles, la declaración enumerará y describirá individualmente cada uno de los elementos, o grupos de elementos, que los integran.

4. En el caso de bienes inmateriales, además de la descripción de sus aspectos intangibles, se identificará su ámbito espacial y temporal cuando sea necesario para su protección.

5. En el caso de que los usos de un bien puedan resultar incompatibles o perjudiciales para su protección, la declaración establecerá su eliminación o los condicionantes para su mantenimiento.

6. Reglamentariamente se establecerán la información y las características que debe reunir el contenido de la declaración de forma específica en relación con su naturaleza y categoría, así como las correspondientes solicitudes y resoluciones de incoación recogidas en el artículo 16.

Artículo 23. Registro de Bienes de Interés Cultural

1. Los bienes declarados de interés cultural se inscribirán en el Registro de Bienes de Interés Cultural de Galicia, cuya gestión corresponde a la consejería competente en materia de patrimonio cultural.

2. El Registro de Bienes de Interés Cultural de Galicia reflejará los actos que se realicen sobre los bienes inscritos en él cuando puedan afectar al contenido de la declaración y dará fe de los datos en él consignados.

3. Los datos del Registro de Bienes de Interés Cultural serán públicos, salvo las informaciones que deban protegerse por razón de la seguridad de los bienes o de sus personas titulares, la intimidad de las personas y los secretos comerciales y científicos protegidos por la legislación, así como los datos afectados por la normativa vigente en materia de protección de datos personales.

La consejería competente en materia de patrimonio cultural dispondrá que los datos públicos se divulguen mediante las tecnologías de la información y la comunicación.

Reglamentariamente se establecerán los datos que deben figurar en el Registro y las condiciones de acceso a la información contenida en este.

4. Las inscripciones y anotaciones en el Registro de Bienes de Interés Cultural se le comunicarán al Registro General de Bienes de Interés Cultural de la Administración del Estado.

Artículo 24. Procedimiento para dejar sin efecto o modificar una declaración

1. La declaración de interés cultural de un bien únicamente podrá dejarse sin efecto, en todo o en parte, siguiendo los mismos requisitos y trámites necesarios para su declaración. Los efectos se producirán una vez que se dicte la resolución final, que será objeto de publicación y notificación en los mismos términos previstos para su declaración.

2. El incumplimiento de las obligaciones establecidas por esta ley que suponga la alteración de las condiciones que motivaron la declaración de interés cultural no supondrá, por sí misma, la pérdida de su clasificación.

3. Para la delimitación o modificación del bien declarado de interés cultural, de su entorno de protección o de la zona de amortiguamiento se seguirá el mismo procedimiento previsto para la declaración del bien.

CAPÍTULO III. Procedimiento de inclusión de bienes en el catálogo del patrimonio cultural de Galicia

Artículo 25. Catálogo del Patrimonio Cultural de Galicia

1. Los bienes catalogados por su notable valor cultural serán incluidos en el Catálogo del Patrimonio Cultural de Galicia, cuya gestión corresponde a la consejería competente en materia de patrimonio cultural.

2. Los datos del Catálogo del Patrimonio Cultural de Galicia serán públicos. No serán públicas las informaciones que deban protegerse por razón de la seguridad de los bienes o de sus personas titulares, la intimidad de las personas y los secretos comerciales y científicos protegidos por la legislación así como los datos afectados por la normativa vigente en materia de protección de datos personales.

La consejería competente en materia de patrimonio cultural dispondrá que los datos públicos se divulguen mediante las tecnologías de la información y la comunicación.

Reglamentariamente se establecerán los datos que deben figurar en el Catálogo del Patrimonio Cultural de Galicia y las condiciones de acceso a la información contenida en este.

3. Los bienes muebles podrán ser incluidos en el Catálogo del Patrimonio Cultural de Galicia individualmente o en conjunto o colecciones. En este último caso deberá especificarse la enumeración y descripción individual de cada uno de los elementos que lo integran.

4. La inclusión de un bien en el Catálogo del Patrimonio Cultural de Galicia recogerá, en el caso en que se haya fijado, el entorno de protección y la zona de amortiguamiento, sin que esta referencia suponga la extensión de la calificación de catalogado a dicho entorno o zona de amortiguamiento.

Artículo 26. Incoación del procedimiento de inclusión en el Catálogo del Patrimonio Cultural de Galicia

1. El procedimiento de inclusión de un bien en el Catálogo del Patrimonio Cultural de Galicia se incoará de oficio por resolución motivada de la dirección general competente en materia de patrimonio cultural, por propia iniciativa o a petición de cualquier persona física o jurídica.

La solicitud de iniciación por parte de una persona, física o jurídica, pública o privada, deberá estar razonada y documentada. Cuando se considere que la solicitud carece de fundamento, se declarará motivadamente su inadmisión y se le notificará a la persona solicitante.

La solicitud de iniciación se entenderá desestimada cuando hayan transcurrido seis meses desde su presentación sin que se hubiese emitido resolución expresa.

Artículo 27. Notificación, publicación y efectos de la incoación del procedimiento de catalogación

1. La resolución de incoación del procedimiento se publicará en el *Diario Oficial de Galicia*. Además, se les notificará a las personas interesadas y, en el caso de bienes inmuebles, al ayuntamiento en cuyo territorio se encuentre el bien.

La notificación a las personas interesadas podrá ser sustituida por la publicación en el *Diario Oficial de Galicia* en el caso de que la destinataria sea una pluralidad indeterminada de personas.

2. La publicación de la resolución de incoación del procedimiento en el *Diario Oficial de Galicia* supondrá la apertura de un período de información pública por un plazo mínimo de un mes en el caso de bienes inmuebles.

3. La resolución de incoación del procedimiento de catalogación acordará la anotación preventiva del bien en el Catálogo del Patrimonio Cultural de Galicia e implicará la aplicación provisional del mismo régimen de protección previsto para los bienes catalogados.

Artículo 28. Resolución del procedimiento de catalogación

1. Corresponde a la persona titular de la consejería competente en materia de patrimonio cultural, a propuesta de la dirección general competente en dicha materia, acordar la inclusión de un bien en el Catálogo del Patrimonio Cultural de Galicia.

2. El procedimiento de catalogación deberá resolverse y notificarse en el plazo máximo de dieciocho meses, que comenzará a contar a partir de la fecha de la resolución de incoación. Tras transcurrir ese plazo sin que se haya emitido resolución expresa, se producirá la caducidad del procedimiento.

3. La resolución que ponga fin al procedimiento se publicará en el *Diario Oficial de Galicia* y se les notificará a las personas interesadas y, en el caso de bienes inmuebles, al ayuntamiento en cuyo territorio se encuentre el bien.

La notificación a las personas interesadas podrá ser sustituida por la publicación en el *Diario Oficial de Galicia* en el caso de que la destinataria sea una pluralidad indeterminada de personas.

4. La inclusión de bienes muebles en el Catálogo del Patrimonio Cultural de Galicia se comunicará al Inventario General de Bienes Muebles de la Administración del Estado.

Artículo 29. Contenido de la resolución de inclusión de un bien en el Catálogo del Patrimonio Cultural de Galicia

1. La resolución por la que se acuerde la inclusión de un bien en el Catálogo del Patrimonio Cultural de Galicia recogerá, al menos:

a) La descripción del bien que facilite su correcta identificación y, en su caso, la de sus partes integrantes, y, en el caso de bienes inmuebles, su localización. Se identificarán aquellos elementos y aspectos propios del bien que caracterizan su notable valor cultural.

b) El nivel de protección del bien.

2. En el caso de que los usos de un bien puedan resultar incompatibles o perjudiciales para su protección, la resolución de inclusión en el Catálogo del Patrimonio Cultural de Galicia establecerá su eliminación o las condiciones para su mantenimiento.

3. En el caso de bienes inmuebles para los que resulte o se considere necesario, se incluirá la delimitación de su entorno de protección y zona de amortiguamiento y los condicionantes necesarios para su salvaguarda.

Artículo 30. Catálogos urbanísticos de protección de bienes integrantes del patrimonio cultural

1. Los bienes inmuebles que, por su interés cultural, se recojan individualmente singularizados en los instrumentos de planeamiento urbanístico y ordenación del territorio, se integran en el Catálogo del Patrimonio Cultural de Galicia, incluido, en su caso, su entorno de protección, salvo que tengan la consideración de bienes de interés cultural.

2. Reglamentariamente se determinarán las condiciones técnicas que deben reunir los catálogos en relación con la protección de sus valores culturales.

Artículo 31. Procedimiento de modificación o de exclusión de bienes del Catálogo del Patrimonio Cultural de Galicia

1. La catalogación de un bien únicamente podrá dejarse sin efecto siguiendo los mismos trámites necesarios para su inclusión, mediante resolución expresa de la consejería competente en materia de patrimonio cultural o a través del procedimiento de modificación del instrumento urbanístico por el que fue incluido en el Catálogo del Patrimonio Cultural de Galicia. Los efectos se producirán una vez que se dicte la resolución final.

2. La exclusión de un bien del Catálogo del Patrimonio Cultural de Galicia, mediante resolución individualizada de la consejería competente en materia de patrimonio cultural, requerirá informe favorable del órgano asesor que resulte competente según la naturaleza del bien.

3. El incumplimiento de las obligaciones establecidas por esta ley que suponga la alteración de las condiciones que motivaron la inclusión de un bien en el Catálogo del Patrimonio Cultural de Galicia no supondrá, por sí mismo, la exclusión de este.

4. La suspensión o la anulación del planeamiento urbanístico no determinará por sí misma la exclusión del Catálogo del Patrimonio Cultural de Galicia de aquellos bienes incluidos en él conforme al artículo 30, salvo cuando la anulación se derive de una causa de nulidad relacionada con las determinaciones del planeamiento en materia de patrimonio cultural o del propio catálogo urbanístico. En estos casos, se requerirá también la tramitación del correspondiente procedimiento de exclusión descrito en este artículo.

TÍTULO II. Régimen de protección y conservación del patrimonio cultural de Galicia

CAPÍTULO I. Normas genéricas de protección

Artículo 32. Deber de conservación

Las personas propietarias, poseedoras o arrendatarias y, en general, las titulares de derechos reales sobre bienes protegidos integrantes del patrimonio cultural de Galicia están obligadas a conservarlos, mantenerlos y custodiarlos debidamente y a evitar su pérdida, destrucción o deterioro.

Artículo 33. Medidas de protección

1. La Xunta de Galicia fomentará medidas y actuaciones dirigidas a garantizar la protección del patrimonio cultural de Galicia.

2. En especial, la Xunta de Galicia podrá acordar medidas de colaboración con la Administración del Estado, con otras comunidades autóctonas, con organismos internacionales y con las entidades que integran la Administración local que fortalezcan y mejoren la vigilancia y la seguridad de los bienes que integran el patrimonio cultural de Galicia, especialmente cuando se vean amenazados por actos de expolio o destrucción.

Artículo 34. Planes, programas y proyectos con incidencia sobre el territorio

1. Todos los planes, programas y proyectos relativos a ámbitos como el paisaje, el desarrollo rural o las infraestructuras o cualquier otro que pueda suponer una afección al patrimonio cultural de Galicia por su incidencia sobre el territorio, deberán ser sometidos al informe de la consejería competente en materia de patrimonio cultural, que establecerá las medidas protectoras, correctoras y compensatorias que considere necesarias para la salvaguarda del patrimonio cultural afectado, sin perjuicio de sus competencias para la posterior autorización de las intervenciones que pudieren derivarse de los documentos en trámite.

En el caso de planes, programas o proyectos sometidos a un procedimiento de evaluación ambiental, el organismo competente para su tramitación solicitará el informe preceptivo de la consejería competente en materia de patrimonio cultural según lo establecido en la normativa reguladora de dichos procedimientos de evaluación ambiental.

Las condiciones y conclusiones de este informe se incluirán en los resultados del informe ambiental que corresponda.

2. Los instrumentos de ordenación del territorio y de planeamiento urbanístico serán sometidos al informe preceptivo y vinculante de la consejería competente en materia de patrimonio cultural.

Los documentos que se elaboren deberán contemplar las medidas necesarias para la salvaguarda de los bienes culturales existentes y la incorporación integrada a sus previsiones y, tras aprobarse inicialmente, serán remitidos para su informe, que será emitido en el plazo de tres meses. Tras transcurrir dicho plazo desde la fecha de entrada de la solicitud de informe en el órgano competente para su emisión, se entenderá que este es favorable.

3. No será preceptivo el informe de la consejería con competencias en materia de patrimonio cultural en el caso de los instrumentos de planeamiento urbanístico de desarrollo parcial de ámbitos limitados en los que la entidad local respectiva certifique la constancia de la inexistencia de bienes integrantes del patrimonio cultural de Galicia, basándose en los informes previos, con una antigüedad inferior a cinco años, de la consejería con competencias en materia de patrimonio cultural relativos a otros planes, programas o proyectos que afecten a la totalidad del ámbito que se pretende ordenar y que incluyan un estudio completo del patrimonio cultural.

La entidad local respectiva comunicará la certificación emitida a la consejería con competencias en materia de patrimonio cultural.

Asimismo, tampoco será preceptivo dicho informe de la consejería con competencias en materia de patrimonio cultural en los planes, programas y proyectos en suelo rústico, siempre que no afecten al suelo de protección patrimonial, ni afecten a ningún bien declarado de interés cultural o catalogado, su entorno de protección o, en su caso, su zona de amortiguación.

4. Los procedimientos descritos en este artículo serán de aplicación también en el caso de revisiones o modificaciones de los planes, programas o proyectos.

Artículo 35. Protección del patrimonio cultural en el planeamiento urbanístico

1. Los instrumentos de planeamiento urbanístico incluirán necesariamente en su catálogo todos los bienes inmuebles del patrimonio cultural, tanto los inscritos en el Registro de Bienes de Interés Cultural de Galicia como en el Catálogo del Patrimonio Cultural de Galicia situados en el ámbito territorial que desarrollen, en el momento de la aprobación inicial de la figura de planeamiento, como aquellos que indique motivadamente la consejería competente en materia de patrimonio cultural o la entidad local correspondiente, estén o no incorporados en el censo.

2. La normativa y la propuesta de ordenación prevista en los instrumentos de planeamiento urbanístico garantizarán la salvaguarda de los valores culturales de los bienes del patrimonio cultural, su integración con las previsiones establecidas en sus delimitaciones, entornos de protección y zonas de amortiguamiento, en su caso, así como su función en el cumplimiento de los objetivos de desarrollo sostenible, y el respeto a la toponimia oficialmente aprobada.

3. El planeamiento urbanístico establecerá un régimen específico que garantice la protección de los valores culturales de los bienes inmuebles incluidos en su catálogo, con una información detallada y unas ordenanzas específicas que regulen las actividades y las intervenciones compatibles con dichos valores culturales. Sin perjuicio de lo anterior, el planeamiento general podrá, por razones de oportunidad, establecer un ámbito para la remisión a un plan especial de protección o instrumento similar, lo que será preceptivo para el caso de los conjuntos históricos declarados de interés cultural.

4. Con el fin de facilitar la elaboración de los instrumentos de planeamiento urbanístico, la consejería competente en materia de patrimonio cultural podrá elaborar recomendaciones y directrices específicas que incluyan los criterios para el desarrollo de una protección efectiva del patrimonio cultural de Galicia a través del planeamiento urbanístico, en el ámbito de las competencias en materia de patrimonio cultural de la Comunidad Autónoma.

5. La declaración de interés cultural o la catalogación de cualquier bien inmueble obligará a los ayuntamientos en cuyo territorio se localiza a incorporarlo a su planeamiento urbanístico general y a establecer las determinaciones específicas para su régimen de protección y conservación.

CAPÍTULO II. Régimen común de protección de bienes de interés cultural y catalogados

Artículo 36. Acceso a los bienes de interés cultural y catalogados

1. Las personas físicas y jurídicas propietarias, poseedoras o arrendatarias y los demás titulares de derechos reales sobre bienes integrantes del patrimonio cultural de Galicia están obligadas a permitirle el acceso a dichos bienes:

a) Al personal habilitado para la función inspectora en los términos previstos en el capítulo I del título X.

b) Al personal investigador acreditado por la administración competente después de que formulen una solicitud motivada de investigación. El cumplimiento de este deber podrá ser dispensado o condicionado en su ejercicio por la Administración cuando existan causas que lo justifiquen de acuerdo con la protección del bien, las características de este o los derechos de sus personas titulares.

c) Al personal técnico designado por la Administración para la realización de los informes necesarios en la tramitación de los procedimientos de declaración de interés cultural o de inclusión en el Catálogo del Patrimonio Cultural de Galicia, que podrá solicitar el examen de estos para comprobar el grado de cumplimiento de las obligaciones derivadas de esta ley.

En todo caso, deberá garantizarse el respeto al derecho a la intimidad personal y familiar.

2. En el caso de bienes muebles, el acceso a los mismos por parte de las personas acreditadas para la investigación se podrá sustituir, a petición de las personas propietarias, poseedoras, arrendatarias y titulares de derechos reales sobre el bien, por su depósito en la institución o entidad que señale la consejería competente en materia de patrimonio cultural. El período de depósito, salvo acuerdo en contrario entre ambas partes, no podrá exceder los dos meses cada cinco años.

Los gastos generados por este depósito no podrán repercutir en las personas propietarias, poseedoras, arrendatarias o titulares de derechos reales sobre los bienes depositados.

3. La consejería competente en materia de patrimonio cultural podrá requerir el cumplimiento de estas obligaciones a las personas propietarias, poseedoras, arrendatarias y titulares de derechos reales sobre los bienes.

Artículo 37. Deber de comunicación

1. Las personas propietarias, poseedoras o arrendatarias y, en general, las titulares de derechos reales sobre bienes declarados de interés cultural o catalogados están obligadas a comunicar a la consejería competente en materia de patrimonio cultural cualquier daño o perjuicio que sufriesen y que afecte de forma significativa a su valor cultural.

2. El deber de comunicación establecido en este artículo les corresponderá también a los ayuntamientos en cuyo territorio se encuentren los bienes en el momento en que tengan constancia de tal estado.

Artículo 38. Entornos de protección subsidiarios

1. La declaración de interés cultural o la orden de inclusión en el Catálogo del Patrimonio Cultural de Galicia de un bien establecerá, en su caso, su entorno de protección y su zona de amortiguamiento de forma expresa y específica, en relación con la implantación concreta del bien en el territorio y sus relaciones ambientales.

Se exceptúa de lo dispuesto en el párrafo anterior el caso de los bienes que se incorporen al Catálogo del Patrimonio Cultural de Galicia como consecuencia de su inclusión en los catálogos de los planeamientos urbanísticos, que, excepcionalmente, podrán establecer el entorno de protección del bien por remisión a las franjas genéricas que se establecen en el apartado siguiente con carácter subsidiario.

2. Para los monumentos, zonas arqueológicas y vías culturales declarados de interés cultural o catalogados, en los que no se haya establecido su entorno de protección de modo específico, los entornos de protección subsidiarios en los suelos rústicos, en los de núcleo rural histórico-tradicional o en los urbanizables estarán constituidos, de forma subsidiaria, por una franja con una anchura, medida desde el elemento o vestigio más exterior del bien que se protege, de:

a) 20 metros para los elementos singulares del patrimonio etnológico como hórreos, *cruceiros* y *petos de ánimas*, palomares, colmenares, *pesqueiras*, molinos, *foxos de lobo* o chozos.

b) 30 metros en el caso de vías culturales.

c) 50 metros cuando se trate de bienes integrantes de la arquitectura tradicional.

d) 100 metros cuando se trate de bienes integrantes del patrimonio arquitectónico, ya sea religioso, civil o militar, y del patrimonio industrial.

e) 200 metros en bienes integrantes del patrimonio arqueológico.

3. Los entornos de protección subsidiarios establecidos en el apartado anterior se reducirán en los suelos urbanos o de núcleo rural común hasta:

a) La propia parcela o el espacio público en el que se encuentre el bien hasta una distancia de 20 metros para bienes integrantes del patrimonio etnológico y de la arquitectura tradicional.

b) Las parcelas y edificaciones que constituyen los límites del trazado de las vías culturales.

c) Cuando se trate de bienes integrantes del patrimonio arquitectónico, las parcelas, edificios y espacios públicos situados a una distancia inferior a 50 metros en el caso de bienes inmuebles declarados de interés cultural y a 20 metros en el caso de bienes catalogados.

d) Los solares y las parcelas contiguas a la propia del bien cultural y los espacios libres públicos o privados hasta una distancia de 50 metros cuando se trate de bienes integrantes del patrimonio arqueológico.

4. Los entornos de protección subsidiarios afectarán a las edificaciones y parcelas completas incluidas en la delimitación de las franjas recogidas en este artículo, así como a las fachadas que delimitan los espacios públicos indicados.

5. Cuando varios elementos singulares se articulen en un conjunto, el entorno de protección se trazará a partir de los elementos más exteriores del conjunto y abarcará su totalidad.

CAPÍTULO III. Régimen jurídico de las intervenciones en los bienes de interés cultural y catalogados

Artículo 39. Autorizaciones

1. Las intervenciones que se pretendan realizar en bienes de interés cultural o catalogados, así como, en su caso, en su entorno de protección o en su zona de amortiguamiento, tendrán que ser autorizadas por la consejería competente en materia de patrimonio cultural, con las excepciones que se establecen en esta ley.

La utilización de los bienes declarados de interés cultural o catalogados quedará subordinada a que no se pongan en peligro los valores que aconsejan su protección, por lo que los cambios de uso sustanciales deberán ser autorizados por la consejería competente en materia de patrimonio cultural.

2. Estas autorizaciones tienen carácter independiente de cualquier otra autorización, licencia o trámite previo a la ejecución de las intervenciones. Se exceptúan los supuestos en

que la legislación forestal integra en el procedimiento de otorgamiento de la correspondiente autorización la tutela de los valores objeto de protección por la presente ley, a través de un informe preceptivo de la consejería competente en materia de patrimonio cultural, que establecerá, en su caso, las condiciones a que habrá de sujetarse la actuación y sustituirá las autorizaciones previstas por la presente ley.

3. La consejería competente en materia de patrimonio cultural podrá ordenar la suspensión de cualquier intervención no autorizada en un bien de interés cultural o catalogado para el cumplimiento de los fines previstos en esta ley.

4. Se entenderá denegada la autorización de la intervención en bienes de interés cultural o catalogados o, en su caso, en sus entornos de protección o zonas de amortiguamiento si la consejería competente en materia de patrimonio cultural no resuelve de forma expresa en el plazo de tres meses.

Artículo 40. Modelos de intervenciones

A los efectos de esta ley, las intervenciones en los bienes materiales protegidos por su valor cultural o, en su caso, en su entorno de protección o en su zona de amortiguamiento pueden clasificarse en algunos de los siguientes tipos:

a) Investigación: acciones que tengan como objetivo ampliar el conocimiento sobre el bien o su estado de conservación y que afecten directamente a su soporte material. Incluye las acciones y procedimientos necesarios para elaborar un diagnóstico y caracterizar los materiales y los riesgos que afectan al bien.

b) Valorización: medidas y acciones sobre los bienes culturales o su ámbito próximo que tengan por objeto permitir su apreciación, facilitar su interpretación y acrecentar su difusión, especialmente en el ámbito educativo, y su función social.

c) Mantenimiento: actividades cotidianas, continuas o periódicas de escasa complejidad técnica sobre el soporte material de los bienes o su ámbito próximo para que mantengan sus características, funcionalidad y longevidad, sin que se produzca ninguna sustitución o introducción de nuevos elementos. Procedimientos y actuaciones de monitorización que tengan por objeto realizar el seguimiento y la medición de las lesiones, de los agentes de deterioro o de los posibles factores de riesgo, y los dirigidos a implantar y desarrollar acciones de conservación preventiva.

d) Conservación: medidas y acciones dirigidas a que los bienes conserven sus características y sus elementos en adecuadas condiciones, que no afecten a su funcionalidad, a sus características formales o a su soporte estructural, por lo que no supondrán la sustitución o la alteración de sus principales elementos estructurales o de diseño, pero sí actuaciones en su ámbito con el objeto de evitar las causas principales de su deterioro.

e) Consolidación: acciones y medidas dirigidas al afianzamiento, el refuerzo o la sustitución de elementos dañados o perdidos para asegurar la estabilidad del bien, preferentemente con el uso de materiales y elementos de la misma tipología que los existentes, o con alteraciones menores y parciales de sus elementos estructurales, respetando las características generales del bien.

f) Restauración: acciones para restituir el bien o sus partes a su debido estado, siempre que se disponga de la documentación suficiente para conocerlo o interpretarlo, con respeto a sus valores culturales. La restauración puede implicar la eliminación de elementos extraños o añadidos sin valor cultural o la recuperación de elementos característicos del bien, conservando su funcionalidad y estética.

g) Rehabilitación: acciones y medidas que tengan por objeto permitir la recuperación de un uso original perdido o nuevo compatible con los valores originales de un bien o de una parte de él, que pueden suponer intervenciones puntuales sobre sus elementos característicos y, excepcionalmente y de manera justificada, la modificación o la introducción de nuevos elementos imprescindibles para garantizar una adecuada adaptación a los requerimientos funcionales para su puesta en uso. Se incluyen las acciones destinadas a la adaptación de los bienes por razón de accesibilidad.

h) Reestructuración: acciones de renovación o transformación en inmuebles en los que no se pueda garantizar su mantenimiento o su uso por sus malas condiciones de conservación o por deficiencias estructurales y funcionales graves y que pueden suponer una modificación de su configuración espacial y la sustitución de elementos de su estructura, acabado u otros determinantes de su tipología, con un alcance puntual, parcial o general.

i) Ampliación: acciones destinadas a complementar en altura o en planta bienes inmuebles existentes con criterios de integración compositiva y coherencia formal compatibles y respetuosos con sus valores culturales preexistentes.

j) Reconstrucción: acción destinada a completar un estado previo de los bienes arruinados utilizando partes originales de estos cuya autenticidad pueda acreditarse. Por razones justificadas de recomposición, interpretación y correcta lectura del valor cultural o de la imagen del bien, se admitirán reconstrucciones parciales de carácter didáctico o estructural que afecten a elementos singulares perfectamente documentados.

Artículo 41. Niveles de protección

1. En los bienes integrantes del patrimonio arquitectónico o industrial, el diferente alcance de la protección, derivada de la relevancia de su valor cultural y su estado de conservación, puede clasificarse en los siguientes niveles:

a) Protección integral: conservación íntegra de los bienes y de todos sus elementos y componentes en un estado lo más próximo posible al original desde la perspectiva de todos los valores culturales que conforman el interés del bien, respetando su evolución, transformaciones y contribuciones a lo largo del tiempo.

b) Protección estructural: conservación de los elementos más significativos y relevantes de los bienes, así como de aquellos que resulten más característicos tipológicamente o que sean objeto de una concreta apreciación cultural.

c) Protección ambiental: conservación de los aspectos más visibles y evidentes de los bienes que, a pesar de no presentar un interés individual destacable, conforman el ambiente de un lugar de forma homogénea y armoniosa.

2. En los bienes inmuebles podrán definirse en su delimitación diferentes niveles de protección en sus partes integrantes, derivados del alcance de su conocimiento o de evidencias de la presencia de restos o estructuras.

3. A los bienes declarados de interés cultural les corresponderá siempre una protección integral, sin perjuicio de los diferentes niveles de protección que correspondan a alguno de los elementos singulares que componen en conjunto un bien de carácter territorial.

4. Los bienes inmuebles catalogados se incluirán en alguno de los niveles de protección descritos en este artículo, en función de sus valores concretos, dato que figurará expresamente en la orden de inclusión en el Catálogo del Patrimonio Cultural de Galicia o en el catálogo de planeamiento urbanístico.

Artículo 42. Actuaciones autorizables según los niveles de protección

1. Actuaciones autorizables en bienes con protección integral:

a) Las de investigación, valorización, mantenimiento, conservación, consolidación y restauración.

b) Las de rehabilitación podrán autorizarse siempre que el proyecto de intervención garantice la conservación de los valores culturales protegidos y que se trate de adaptaciones necesarias para adecuar el uso original a los condicionantes actuales de conservación, seguridad, accesibilidad, confortabilidad o salubridad o para adecuar el bien a un nuevo uso compatible con sus valores culturales que garantice su conservación y el acceso público al mismo.

c) Las ampliaciones de un bien inmueble, exclusivamente en planta, en el marco de una actuación de rehabilitación, con carácter complementario a esta, siempre que resulten imprescindibles para desarrollar el uso propuesto y se resuelvan como volúmenes diferenciados.

d) Las de reconstrucción, de modo excepcional, cuando se utilicen partes, elementos y materiales originales de los que se pueda probar su autenticidad y posición original.

2. Actuaciones autorizables en bienes con protección estructural:

a) Las de investigación, valorización, mantenimiento, conservación, restauración, consolidación y rehabilitación.

b) Las de reestructuración puntual o parcial podrán autorizarse si a través del proyecto de intervención se justifica su necesidad de forma específica y documentada y si se reducen a un alcance limitado sobre los elementos irrecuperables, que deberán ser sustituidos por elementos análogos o coherentes con los originales.

c) Las ampliaciones, en planta y en altura, de un bien inmueble en el marco de una actuación de rehabilitación, con carácter complementario a esta, siempre que resulten imprescindibles para desarrollar el uso propuesto y que en su diseño se conserven su concepción y su significado espacial.

d) Las de reconstrucción, de forma excepcional, cuando se utilicen partes, elementos y materiales originales de los que se pueda probar su autenticidad y posición original.

3. Actuaciones autorizables en bienes con protección ambiental:

a) Las de investigación, valorización, mantenimiento, conservación, consolidación, restauración, rehabilitación y reestructuración parcial o total.

b) Las de ampliación, siempre que no supongan un deterioro o destrucción de los valores culturales que hayan aconsejado su protección.

4. En cada nivel de protección podrá ser autorizado excepcionalmente por la consejería competente en materia de patrimonio cultural otro tipo de intervenciones distinto al establecido de forma general, en los casos en que se analicen de forma pormenorizada las características y condiciones de conservación del bien y su entorno de protección, los valores culturales protegidos y las mejoras funcionales, siempre que el proyecto de intervención justifique su conveniencia en aras de un mayor beneficio para el conjunto del patrimonio cultural de Galicia.

Artículo 43. Proyecto de intervención y memoria final de ejecución

1. Las actuaciones que excedan las de mantenimiento sobre los bienes declarados o catalogados exigirán la elaboración del correspondiente proyecto de intervención, que contendrá sus datos de identificación, el estudio del bien y de su documentación histórico-artística, el análisis previo físico, químico o biológico, según el caso, las fichas de diagnosis de su estado de conservación, la propuesta y la metodología de actuación, el análisis crítico del valor cultural y de la evaluación de la propuesta, las técnicas, productos y materiales que se van a emplear, la documentación gráfica de la actuación y el programa de mantenimiento y conservación preventiva.

Reglamentariamente se determinarán, según el alcance de las obras, las características que debe reunir cada proyecto.

2. Tras finalizar la intervención, se elaborará una memoria final que documente adecuadamente todo el proceso llevado a cabo en cada una de sus fases y para todas las disciplinas aplicadas. Contendrá, por lo menos, una descripción pormenorizada de la intervención realizada, con especificación de los tratamientos y productos empleados, así

como la documentación gráfica de todo el proceso y el estudio comparativo del estado inicial y final.

3. El proyecto de intervención y la memoria final serán redactados por un o una profesional, o por un equipo interdisciplinar, que cuenten con formación y cualificación suficiente en materia de investigación, conservación, restauración o rehabilitación de los bienes integrantes del patrimonio cultural en función de las intervenciones que se proyecten. Un ejemplar de la memoria final, incluido su soporte digital, será entregado a la dirección general competente en materia de patrimonio cultural en el plazo de seis meses desde la finalización de la intervención.

En todo caso, con independencia de la garantía del reconocimiento de la autoría de los documentos a los que se refiere este artículo, se respetarán el alcance, reservas y límites a la propiedad intelectual que se derivan del derecho al acceso abierto a la información e investigación financiada con fondos públicos.

4. La responsabilidad por los daños y perjuicios para el patrimonio cultural que pudieren resultar de la incorrecta o deficiente ejecución de las intervenciones definidas en los proyectos recaerá sobre el personal técnico identificado en las autorizaciones y, en su caso, en las entidades o empresas promotoras de los trabajos y en las empresas constructoras encargadas de su ejecución.

La responsabilidad subsidiaria de la entrega de la memoria final de ejecución recaerá únicamente sobre el personal técnico identificado en las autorizaciones y, en su caso, en las entidades o empresas promotoras de los trabajos.

5. Quedan exceptuadas del requisito de elaboración del proyecto de intervención las actuaciones de emergencia acreditadas mediante una propuesta de intervención debidamente justificada, que se limitarán a las labores estrictamente necesarias para evitar las causas urgentes de su deterioro de forma provisional.

Una vez finalizada la actuación de emergencia, la persona propietaria del bien deberá hacer entrega de una memoria firmada por un técnico o una técnica competente en la se recoja todo el proceso del trabajo seguido.

Artículo 44. Criterios de intervención en los bienes

1. Las actuaciones que se lleven a cabo sobre los bienes declarados de interés cultural y catalogados seguirán los criterios siguientes:

a) Salvaguarda de sus valores culturales y conservación, mejora y, en su caso, utilización adecuada y sostenible.

b) Respeto por sus características esenciales y por los aspectos constructivos, formales, volumétricos, espaciales y funcionales que los definen. Se procurará siempre la aplicación del criterio de mínima intervención en los bienes artísticos.

c) Conservación de las contribuciones de todas las épocas existentes en el bien. Excepcionalmente podrá ser autorizada la eliminación de alguna contribución de épocas pasadas en el caso de que suponga una degradación comprobada del bien y de que dicha eliminación sea necesaria para permitir su adecuada conservación y su mejor interpretación histórica y cultural. Las partes eliminadas quedarán debidamente documentadas.

d) Preferencia por la utilización de técnicas y materiales tradicionales.

e) Compatibilidad de los materiales, productos y técnicas empleados en la intervención con los propios del bien y sus valores culturales y pátinas históricas.

f) Discernimiento de la adición de materiales y técnicas empleados, evitando las adiciones miméticas que falseen su autenticidad histórica.

g) Reversibilidad de las acciones de forma que pueda recuperarse el estado previo a la intervención. Este criterio será prioritario al diseñar actuaciones de conservación y restauración.

h) Compatibilidad de su uso con la conservación de los valores que motivaron su protección.

i) No se utilizarán o aplicarán técnicas y materiales agresivos con las pátinas de valor cultural y con los materiales originales o incompatibles con la debida conservación de los bienes.

2. La reconstrucción de un bien destruido por conflictos, catástrofes naturales o causas intencionadas o fortuitas podrá autorizarse excepcionalmente por razones de interés social, cultural o educativo.

CAPÍTULO IV. Normas técnicas de las intervenciones en el entorno de protección y en la zona de amortiguamiento

Artículo 45. Régimen de intervenciones en el entorno de protección

1. Las intervenciones que se realicen en el entorno de protección de los bienes declarados de interés cultural y catalogados habrán de contar con la autorización de la consejería competente en materia de patrimonio cultural cuando tuvieran por objeto:

a) Nuevas construcciones e instalaciones de carácter definitivo o provisional.

b) Las intervenciones de cualquier tipo que se manifiesten de cara al espacio exterior público o privado de las edificaciones existentes.

c) Las actuaciones que afecten a la estructura parcelaria, los elementos configuradores característicos de la estructura territorial tradicional, los espacios libres y la topografía característica del ámbito, incluidos los proyectos de urbanización.

d) La implantación o los cambios de uso que pudieran tener incidencia sobre la apreciación de los bienes en el territorio, incluidas las repoblaciones forestales.

e) Las remociones de tierras de cualquier tipo en el entorno de protección de los bienes integrantes del patrimonio arqueológico.

2. Las restantes intervenciones en el entorno de protección no necesitarán autorización previa al otorgamiento de licencia, si bien deberán ser coherentes con los valores generales del entorno.

3. Las cortas forestales que se realicen en el entorno de protección de los bienes declarados de interés cultural y catalogados, cuando no conllevasen un cambio de uso, y que, con arreglo a la legislación forestal, estén sujetas a autorización, para la tutela de los valores objeto de protección por la presente ley, requerirán de la emisión de un informe sectorial de la consejería competente en materia de cultura, que se integrará en el procedimiento de otorgamiento de la correspondiente autorización forestal.

Artículo 46. Criterios específicos de intervención en el entorno de protección

1. El entorno de protección debe mantenerse con sus valores ambientales, por lo que las intervenciones que se realicen deben resultar armoniosas con las condiciones características del ámbito. Deberán procurar su integración en materiales, sistemas constructivos, volumen, tipología y cromatismo, así como garantizar la contemplación adecuada del bien.

2. En concreto, se tendrán en cuenta los siguientes criterios específicos, sin perjuicio de la aplicación de criterios de viabilidad para la implantación y desarrollo de intervenciones y actividades:

a) Se procurará evitar los movimientos de tierras que supongan una variación significativa de la topografía original del entorno.

b) Se procurará su compatibilidad con los elementos configuradores de la estructura territorial tradicional, como son la red de caminos, los muros de cierre, setos, tapias, taludes y otros semejantes.

c) Se emplearán materiales, soluciones constructivas y características dimensionales y tipológicas en coherencia con el ámbito en cualquier tipo de intervenciones.

d) Se mantendrán preferentemente la estructura y la organización espacial del entorno, con la conservación general de las alineaciones y rasantes.

e) Se procurará y se valorará la integración y compatibilidad de los usos y costumbres tradicionales y característicos configuradores del ambiente con los de nueva implantación.

f) Se facilitará la implantación de actividades complementarias compatibles con los valores culturales de los bienes que garanticen la continuidad de su mantenimiento con el establecimiento de nuevos usos.

Artículo 47. Régimen específico de las intervenciones en la zona de amortiguamiento

1. En la zona de amortiguamiento podrá realizarse en general todo tipo de obras e instalaciones fijas o provisionales y las actividades normales según la naturaleza del suelo o cambiar su uso o destino de conformidad con el planeamiento vigente sin necesidad de la autorización de la consejería competente en materia de patrimonio cultural, excepto que en la declaración o inclusión singularizada se determine lo contrario.

2. No obstante, por su alcance y el riesgo de deterioro o destrucción de sus valores culturales derivados de su implantación territorial, se requerirá la autorización previa de la consejería competente en materia de patrimonio cultural en las siguientes intervenciones:

a) Grandes explotaciones agrícolas, ganaderas o de acuicultura que deban ser sometidas a trámite ambiental.

b) Explotaciones extractivas que supongan una actividad a cielo abierto del material, sus instalaciones o escombros.

c) Instalaciones de la industria energética como refinerías, centrales térmicas, de combustibles fósiles, hidráulicas, eólicas, solares, nucleares o de cualquier otro tipo de producción, transporte o depósito.

d) Instalaciones de la industria siderúrgica, minera, química, textil o papelera.

e) Infraestructuras de transporte y comunicación como carreteras, ferrocarril, puertos, aeropuertos, canales, centros logísticos o similares.

f) Grandes infraestructuras hidráulicas y de aprovechamiento del agua.

g) Instalaciones de gestión y tratamiento de residuos.

h) Grandes transformaciones de la naturaleza del territorio para la implantación de nuevos usos.

i) Explotaciones forestales, salvo aquellas que cuenten con un instrumento de ordenación o gestión aprobado informado favorablemente por la consejería competente en materia de patrimonio cultural.

TÍTULO III. Régimen específico de protección y acceso de los bienes de interés cultural

CAPÍTULO I. Disposiciones generales

Artículo 48. Visita pública

1. Las personas propietarias, poseedoras, arrendatarias y, en general, titulares de derechos reales sobre los bienes de interés cultural específicamente declarados permitirán su visita pública gratuita un número mínimo de cuatro días al mes durante, por lo menos, cuatro horas al día, que serán definidos previamente.

2. El cumplimiento de esta obligación podrá ser dispensado total o parcialmente por la consejería competente en materia de patrimonio cultural cuando exista una causa justificada. El deber de permitir el acceso no se extenderá a los espacios que constituyan

domicilio particular o en los que pueda resultar afectado el derecho a la intimidad personal y familiar. En todo caso, la consejería competente en materia de patrimonio cultural podrá establecer, después de dar audiencia a las personas propietarias, poseedoras, arrendatarias y, en general, titulares de derechos reales afectados, un espacio mínimo susceptible de visita pública.

3. En el caso de bienes muebles se podrá acordar como obligación sustitutoria el depósito del bien en un lugar que reúna las adecuadas condiciones de seguridad y exhibición durante un período máximo de cinco meses cada dos años.

4. La consejería competente en materia de patrimonio cultural podrá requerir a las personas propietarias, poseedoras, arrendatarias y, en general, titulares de derechos reales el cumplimiento de la obligación de acceso.

Artículo 49. Derechos de tanteo y retracto

1. Cualquier pretensión de transmisión onerosa de la propiedad o de cualquier derecho real de disfrute de los bienes de interés cultural deberá ser fehacientemente notificada a la consejería competente en materia de patrimonio cultural con indicación del precio y de las condiciones en las que se proponga realizar aquella. En todo caso, en la comunicación de la transmisión deberá acreditarse también la identidad de la persona adquiriente.

2. Quien realice subastas que afecten a cualquier bien de interés cultural deberá notificárselo igualmente y con la suficiente antelación, en los términos establecidos en el apartado 1.

3. La Xunta de Galicia dispondrá de un plazo de tres meses para ejercer el derecho de tanteo para sí o para otras instituciones públicas o entidades privadas sin ánimo de lucro, teniendo preferencia la Xunta de Galicia en caso de concurrencia de intereses. Se obligará a pagar el precio convenido o el de remate de la subasta.

En el caso de los bienes de interés cultural de carácter territorial de las categorías del artículo 10, el ejercicio de dicho derecho se limitará a los inmuebles individualmente inscritos en el Registro de Bienes de Interés Cultural de Galicia.

4. Si la pretensión de transmisión y sus condiciones no fueren notificadas correctamente, se podrá ejercer, en los mismos términos previstos en el apartado anterior, el derecho de retracto, en el plazo de un año a partir de la fecha en la que se tenga conocimiento de las condiciones y del precio de la enajenación.

Artículo 50. Escrituras públicas

1. Para la formalización de escrituras públicas de adquisición o transmisión de derechos reales sobre bienes declarados de interés cultural se acreditará previamente el cumplimiento de lo establecido en esta ley en relación con los derechos de tanteo y retracto.

2. La acreditación del cumplimiento de dichos requisitos también es necesaria para la inscripción de los títulos correspondientes en el Registro de la Propiedad.

Artículo 51. Interés social a los efectos de la expropiación forzosa

1. Es causa de interés social a los efectos de expropiación el incumplimiento del deber de conservación de los bienes de interés cultural.

2. Podrán expropiarse por causa de interés social los inmuebles situados en el entorno de protección de los bienes de interés cultural que atenten contra su armonía ambiental, perturben su contemplación o impliquen un riesgo para su conservación.

3. Asimismo, serán causa justificativa de interés social a los efectos de la expropiación las mejoras en los accesos a los bienes de interés cultural, la dignificación de su entorno y, en general, la mejora de las condiciones para su valorización y función social.

4. También se considerará causa justificativa de interés social a los efectos de la expropiación la promoción por parte de la Administración pública de actuaciones destinadas a la puesta en valor del patrimonio arqueológico con el objeto de facilitar su visita pública y disfrute por la sociedad.

CAPÍTULO II. Bienes inmuebles

Artículo 52. Desplazamiento

1. Los bienes inmuebles declarados de interés cultural son inseparables de su entorno. No podrá procederse a su desplazamiento salvo que resulte imprescindible por causa de caso fortuito, fuerza mayor, utilidad pública o interés social, después del informe favorable de la consejería competente en materia de patrimonio cultural, en los términos previstos en la legislación reguladora del patrimonio histórico español y en esta ley.

2. Su ejecución se definirá a través de un proyecto de intervención que requerirá de la autorización de la consejería competente en materia de patrimonio cultural. En este proyecto deberán definirse las cautelas que será necesario adoptar en lo que respecta al subsuelo del bien.

3. Un bien desplazado podrá contar con su correspondiente entorno de protección, si así se establece expresamente. Para el establecimiento de dicho entorno de protección se seguirá el procedimiento previsto para la declaración del bien de interés cultural.

Artículo 53. Criterios específicos de intervención en bienes inmuebles declarados bienes de interés cultural

1. Los bienes inmuebles declarados de interés cultural podrán ser señalizados mediante paneles de diseño y tamaño apropiados a su naturaleza en los que se describan las características más relevantes del bien protegido y en los términos que se determinen reglamentariamente. La tipología empleada y la localización de las señales deberán ser especialmente cuidadosas con su integración en el entorno.

2. En los monumentos, sitios históricos, zonas arqueológicas y jardines históricos declarados de interés cultural:

a) Queda prohibida la instalación de publicidad comercial y de lo que impida o deturpe la apreciación del bien dentro de su entorno.

b) No podrán instalarse cables y antenas que perjudiquen la apreciación de los bienes, salvo que no existan soluciones técnicas que resulten más compatibles con sus características.

c) La colocación de rótulos, señales o símbolos vinculados exclusivamente a actividades de mecenazgo podrá ser autorizada por la consejería competente en materia de patrimonio cultural, siempre que se salvaguarden su integridad, estética y valores culturales.

Artículo 54. Especificidades de la declaración de ruina

1. Tras incoar un expediente de declaración de ruina, en los términos previstos en la normativa urbanística, de algún bien inmueble declarado de interés cultural, la consejería competente en materia de patrimonio cultural intervendrá como interesada en dicho expediente, y deberán serle notificadas la apertura y las resoluciones que se adopten en el expediente.

2. En ningún caso se podrá demoler el inmueble sin la autorización de la consejería competente en materia de patrimonio cultural, sin que la declaración de ruina vincule a la consejería para autorizar la demolición.

3. En el supuesto de que la situación de ruina suponga un peligro inminente de daños para las personas, la entidad que haya incoado el expediente de ruina deberá adoptar las medidas oportunas para evitar los daños. Se tomarán las medidas necesarias que garanti-

cen el mantenimiento de las características y de los elementos singulares del edificio, que no podrán incluir más demoliciones que las estrictamente necesarias, y se observarán los términos previstos en la resolución de la consejería competente en materia de patrimonio cultural.

4. El incumplimiento de las medidas señaladas en el apartado anterior, que provoque un agravamiento en la situación del bien, conllevará la obligación para la persona titular de la propiedad de reponer el bien a su debido estado.

CAPÍTULO III. Planes especiales de protección

Artículo 55. Necesidad de aprobación de planes especiales de protección

1. La declaración de interés cultural de un conjunto histórico, zona arqueológica, lugar de valor etnológico o sitio histórico determinará la obligación para el ayuntamiento en cuyo territorio se encuentre de redactar un plan especial de protección del bien, que se podrá extender a su entorno de protección y zona de amortiguamiento, en su caso.

La preexistencia de otro planeamiento contradictorio con la protección o la inexistencia previa de planeamiento general no excusará la obligatoriedad de dicha normativa.

2. En los supuestos de zonas arqueológicas, lugares de valor etnológico y sitios históricos, los ayuntamientos podrán sustituir la obligación prevista en el apartado anterior por la previsión y desarrollo en su planeamiento general de determinaciones de protección suficientes a los efectos de esta ley.

3. También podrán realizarse planes especiales de protección para la definición de los criterios de intervención en los ámbitos de protección o zonas de amortiguamiento de bienes inmuebles del resto de categorías, excepto para los paisajes culturales y los territorios históricos, que se regularán conforme a lo establecido en el capítulo siguiente, así como para la definición de las actuaciones compatibles en función de su naturaleza y características.

4. Reglamentariamente podrán establecerse las peculiaridades propias de su elaboración, tramitación y aprobación.

Artículo 56. Contenido del plan especial de protección

El plan especial de protección a que se refiere el artículo anterior tendrá, además de lo previsto en su propia normativa, el contenido siguiente:

a) La definición de la estructura territorial del bien en función de su naturaleza, el análisis de su significación cultural y las características generales del entorno y los criterios para mantenerla, con la documentación histórica y la información gráfica y planimétrica necesaria para una completa descripción de todos los elementos que constituyen el bien. Las modificaciones de alineaciones y rasantes existentes, las alteraciones de la edificabilidad, los incrementos de volumen y las parcelaciones y agregaciones de inmuebles serán objeto de estudio pormenorizado en el plan, que deberá justificar su mantenimiento, modificación o supresión.

b) Un catálogo exhaustivo de todos los bienes que lo conforman, incluidos aquellos de carácter ambiental, señalados con precisión en un plano topográfico, y con fichas individualizadas con su descripción y la referencia a las intervenciones y medidas concretas previstas para la conservación de sus valores culturales.

c) Normas específicas para la protección del patrimonio artístico, arquitectónico, etnológico y arqueológico, clasificado según los niveles de protección previstos en esta ley.

d) Condiciones para la autorización de las intervenciones, de conformidad con lo dispuesto en esta ley.

e) Los criterios relativos a la conservación de fachadas, cubiertas e instalaciones sobre estas, así como de los elementos más significativos existentes en el interior de los inmuebles.

f) Las posibles áreas de rehabilitación que permitan la recuperación de los usos tradicionales, en especial el residencial, y las actividades económicas adecuadas.

g) El orden prioritario de los usos públicos en los edificios y espacios que sean aptos para ello.

h) La zonificación de las áreas de fertilidad arqueológica, soluciones técnicas y medidas financieras.

i) Excepcionalmente, las remodelaciones urbanas propuestas que impliquen una mejora de sus relaciones en el ámbito territorial o eviten usos degradantes para el bien o mejoren sus condiciones de apreciación.

Artículo 57. Régimen transitorio en tanto no se apruebe definitivamente la normativa urbanística de protección

1. En tanto no sea aprobado definitivamente el plan especial de protección de los bienes declarados de interés cultural al que se refiere el artículo 55, la concesión de licencias o la ejecución de las ya otorgadas antes de la declaración precisará la autorización de la consejería competente en materia de patrimonio cultural.

2. En los conjuntos históricos, en tanto no se apruebe dicho plan especial, no se admitirán modificaciones en las alineaciones y rasantes existentes, incrementos o alteraciones del volumen, parcelaciones ni agregaciones que supongan modificación de las fachadas y, en general, cambios que afecten a la armonía del conjunto.

Artículo 58. Competencias específicas de autorización en áreas ordenadas mediante planes especiales de protección de bienes inmuebles de interés cultural

1. Tras la aprobación definitiva del plan especial de protección de los bienes declarados de interés cultural a que se refiere el artículo 55, los ayuntamientos serán competentes para autorizar las intervenciones que lo desarrollan, incluidas las de los entornos de protección de los bienes declarados de interés cultural individualmente dentro de su ámbito si el plan contiene las previsiones necesarias para su especial protección.

2. El ayuntamiento comunicará a la consejería competente en materia de patrimonio cultural, con una periodicidad trimestral, las autorizaciones y licencias dictadas conforme a esta habilitación.

3. Se exceptúan de lo dispuesto en el apartado 1 de este artículo las intervenciones sobre los bienes singulares declarados de interés cultural dentro de su ámbito, sobre cualquier bien catalogado del patrimonio artístico o arqueológico, así como sobre los que sean de titularidad de la Iglesia católica y para las actuaciones de salvaguarda que promueva la consejería competente en materia de patrimonio cultural, que se someterán al régimen jurídico ordinario recogido en el artículo 39.

4. El incumplimiento por el ayuntamiento de la habilitación conferida en este artículo, o el otorgamiento de licencias contrarias a las determinaciones del plan especial de protección, se regirá por el régimen sancionador previsto en el título X.

CAPÍTULO IV. Instrumentos específicos de protección de los paisajes culturales y de los territorios históricos

Artículo 59. Necesidad de aprobación de instrumentos específicos de protección

1. En relación con los paisajes culturales y con los territorios históricos declarados de interés cultural, con la excepción del régimen específico de los Caminos de Santiago, que atenderá a lo dispuesto en el título sexto de esta ley, deberá aprobarse un instrumento es-

pecífico de ordenación territorial o urbanística que contenga las determinaciones precisas para asegurar su protección y salvaguardar sus valores culturales.

2. Las intervenciones que se pretendan realizar en su ámbito seguirán el régimen de autorizaciones previsto en esta ley.

Artículo 60. Contenido de los instrumentos específicos de ordenación territorial o urbanística de los paisajes culturales y de los territorios históricos

El instrumento específico de ordenación territorial o urbanística previsto en el artículo anterior, además de lo previsto en su propia normativa, tendrá el contenido siguiente:

a) La caracterización de la estructura territorial del bien en función de su naturaleza, el análisis de su significación cultural y las características generales del entorno, de su cuenca visual, y los criterios para mantenerla, con la documentación histórica y la información gráfica y planimétrica necesaria para una completa descripción de todos los elementos que constituyen el bien.

b) Un catálogo exhaustivo de todos los bienes que lo conforman, incluidos aquellos de carácter ambiental, señalados con precisión en un plano topográfico, y con fichas individualizadas con su descripción y la referencia a las intervenciones y medidas concretas previstas para la conservación de sus valores culturales.

c) Las directrices generales para la protección del patrimonio arquitectónico, etnológico y arqueológico, clasificado según los niveles de protección previstos en esta ley.

Artículo 61. Régimen transitorio durante la tramitación del instrumento específico de ordenación territorial o urbanística de los paisajes culturales y de los territorios históricos

En tanto no sea aprobado definitivamente el instrumento específico de ordenación territorial o urbanística de los paisajes culturales o de los territorios históricos declarados de interés cultural a que se refiere el artículo 59, la concesión de licencias o la ejecución de las ya otorgadas antes de la declaración precisará la autorización de la consejería competente en materia de patrimonio cultural.

Artículo 62. Competencias específicas de autorización en paisajes culturales y territorios históricos ordenados mediante un instrumento específico de ordenación territorial o urbanística

1. Tras la aprobación definitiva del instrumento específico de ordenación territorial o urbanística de los paisajes culturales o de los territorios históricos declarados de interés cultural a que se refiere el artículo 59, los ayuntamientos serán competentes para autorizar las intervenciones que lo desarrollan, incluidas las de los entornos de protección de los bienes declarados de interés cultural individualmente dentro de su ámbito si el plan contiene las previsiones necesarias para su especial protección.

2. El ayuntamiento comunicará a la consejería competente en materia de patrimonio cultural, con una periodicidad trimestral, las autorizaciones y licencias dictadas conforme a esta habilitación.

3. Se exceptúan de lo dispuesto en el apartado 1 de este artículo las intervenciones sobre los bienes singulares declarados de interés cultural dentro de su ámbito, sobre cualquier bien catalogado del patrimonio artístico o arqueológico, sobre cualquier bien incluido en el ámbito territorial delimitado como Camino de Santiago, así como sobre los que sean de titularidad de la Iglesia católica y para las actuaciones de salvaguarda que promueva la consejería competente en materia de patrimonio cultural, que se someterán al régimen jurídico ordinario recogido en el artículo 39.

4. El incumplimiento reiterado por el ayuntamiento de la habilitación conferida en este artículo o el otorgamiento de licencias contrarias a las determinaciones del instrumento específico de ordenación territorial o urbanística del paisaje cultural o del territorio his-

tórico habilita a la consejería competente en materia de patrimonio cultural para asumir el ejercicio de la competencia de autorización, después de la apertura de un expediente contradictorio con audiencia del ayuntamiento, con independencia de las sanciones que pudieren derivarse de dichos incumplimientos.

CAPÍTULO V. Bienes muebles

Artículo 63. Comercio de bienes muebles

1. En ningún caso se podrán enajenar los bienes cuyo comercio queda prohibido en aplicación de esta ley o de la legislación estatal en la materia.

2. Las colecciones de bienes muebles de cualquier naturaleza integrantes del patrimonio cultural de Galicia que como tales tengan la condición de bienes de interés cultural no pueden ser disgregadas por las personas titulares o poseedoras sin la autorización de la consejería competente en materia de patrimonio cultural.

Artículo 64. Régimen de traslado de bienes muebles

1. El traslado de bienes muebles declarados de interés cultural deberá ser autorizado por la consejería competente en materia de patrimonio cultural y anotado en el Registro de Bienes de Interés Cultural. Se indicarán su origen y destino, el carácter temporal o definitivo del traslado y las condiciones de conservación, seguridad, transporte y, en su caso, aseguramiento.

2. La consejería competente en materia de patrimonio cultural podrá incorporar en la resolución por la que se autorice el traslado las instrucciones precisas para garantizar la salvaguarda del bien y adoptar las medidas necesarias para paralizar su desplazamiento cuando se aprecie la existencia de riesgos para su conservación y protección.

3. En la declaración de interés cultural de un bien inmueble se señalarán los bienes muebles afectados por la declaración que se consideren inseparables de dicho inmueble, los cuales quedarán sometidos a su mismo destino, por lo que su separación, siempre con carácter excepcional, exigirá la autorización previa de la consejería competente en materia de patrimonio cultural.

4. La declaración de interés cultural de un bien inmueble no impedirá la inclusión en el Catálogo del Patrimonio Cultural de Galicia de bienes muebles situados en este, que quedan sometidos al régimen de traslado propio de los bienes catalogados, salvo que se consideren inseparables del bien inmueble en la propia declaración.

TÍTULO IV. Régimen específico de protección de los bienes catalogados

Artículo 65. Régimen de autorización en los bienes inmuebles catalogados

1. Cualquier intervención en un bien inmueble incluido en el Catálogo del Patrimonio Cultural de Galicia o que afecte a su entorno de protección o a su zona de amortiguamiento, en los términos previstos en los artículos 45 y 47, necesitará la autorización previa de la consejería competente en materia de patrimonio cultural.

2. En caso de que los ayuntamientos cuenten con instrumentos de planeamiento urbanístico general o de desarrollo adaptados a las previsiones de esta ley en materia de protección del patrimonio cultural, estarán habilitados para autorizar las intervenciones que se refieran a bienes catalogados integrantes del patrimonio arquitectónico o etnológico y sus entornos de protección y zonas de amortiguamiento.

El ayuntamiento comunicará a la consejería competente en materia de patrimonio cultural, con una periodicidad trimestral, las autorizaciones y licencias dictadas conforme a esta habilitación.

3. Dicha habilitación se concretará, en cada caso, en un convenio de colaboración específico entre el ayuntamiento y la consejería competente en materia de patrimonio cultural que recoja, como mínimo, los compromisos de asesoramiento autonómico y los recursos técnicos de supervisión y seguimiento de carácter municipal, para determinar el alcance de la habilitación.

No será necesario este convenio en el caso de planes especiales de protección de bienes catalogados, por lo que los ayuntamientos serán competentes para autorizar las intervenciones que de los mismos se deriven tras su aprobación definitiva, en las condiciones establecidas en el artículo 58.

4. Se exceptúan de lo dispuesto en la habilitación anterior las intervenciones sobre cualquier bien catalogado del patrimonio artístico o arqueológico, sobre cualquier bien incluido en el ámbito territorial delimitado como Camino de Santiago, así como los que sean de titularidad de la Iglesia católica y para las actuaciones de salvaguarda que promueva la consejería competente en materia de patrimonio cultural, que se someterán al régimen jurídico ordinario recogido en el primer punto de este artículo.

5. El incumplimiento reiterado por el ayuntamiento de la habilitación conferida al amparo de este artículo, la vulneración de las cláusulas del convenio o el otorgamiento de licencias contrarias a las determinaciones de planeamiento en materia de protección del patrimonio cultural o a las condiciones establecidas en el artículo 42 en relación con las obras autorizables en función del nivel de protección, facultan a la consejería competente en materia de patrimonio cultural para asumir el ejercicio de la competencia de autorización, después de la apertura de un expediente contradictorio con audiencia del ayuntamiento y de la resolución del convenio, con independencia de las sanciones que pudieren derivarse de dichos incumplimientos.

Artículo 66. Régimen de traslado de bienes muebles catalogados

1. Quien promueva el traslado de bienes muebles catalogados deberá realizar una comunicación previa a la consejería competente en materia de patrimonio cultural.

La comunicación contendrá la información relativa al origen y al destino de los bienes muebles catalogados y al motivo y tiempo de desplazamiento, así como a las condiciones de conservación, seguridad, transporte y aseguramiento.

2. La consejería competente en materia de patrimonio cultural podrá dictar en cualquier momento las instrucciones precisas para garantizar la salvaguarda del bien en su traslado y localización y adoptará las medidas necesarias para paralizar su desplazamiento cuando se aprecie la existencia de riesgos para su conservación y protección.

TÍTULO V. El patrimonio cultural inmaterial

Artículo 67. Salvaguarda del patrimonio cultural inmaterial

La salvaguarda del patrimonio cultural inmaterial se garantizará a través de las medidas dirigidas a asegurar su viabilidad, que comprenden la identificación, documentación, investigación, preservación, protección, promoción, valorización, transmisión y revitalización de este patrimonio en sus distintos aspectos.

Artículo 68. Identificación, documentación e investigación del patrimonio cultural inmaterial

1. La consejería competente en materia de patrimonio cultural identificará y registrará, de acuerdo con lo previsto en el título primero de esta ley, las distintas manifestaciones del patrimonio cultural inmaterial presentes en su territorio, fomentando en la elaboración de esta relación la participación de las comunidades, los grupos y las organizaciones entre

cuyos objetivos figure el fomento y el desarrollo de la cultura, así como de las instituciones representativas, académicas y científicas pertinentes.

2. La Xunta de Galicia velará, junto con otras instituciones de la Comunidad Autónoma, por la preservación de la toponimia tradicional, que se considera un valor identitario de la Comunidad Autónoma, así como un instrumento para la concreción de la denominación geográfica de los pueblos y de sus bienes.

Artículo 69. Medidas específicas de salvaguarda

1. Las administraciones públicas adoptarán una política general encaminada a destacar la función del patrimonio cultural inmaterial en la sociedad como elemento de carácter identitario, así como a integrar su salvaguarda en sus programas de planificación, especialmente mediante los programas educativos y de sensibilización adecuados para el reconocimiento, el respeto, la difusión y la valorización del patrimonio cultural inmaterial en la sociedad, en los que la infancia y la juventud ocuparán un lugar relevante.

2. La consejería competente en materia de patrimonio cultural fomentará estudios científicos, técnicos y artísticos para el registro y difusión del patrimonio cultural inmaterial, así como el desarrollo de metodologías para su investigación, en especial del que se encuentre en peligro.

3. Asimismo, en las condiciones que reglamentariamente se establezcan, procurará adoptar las medidas de orden jurídico, educativo, técnico, administrativo y financiero adecuadas para:

a) Favorecer la creación y el fortalecimiento de instituciones de formación en gestión del patrimonio cultural inmaterial, así como la transmisión de este patrimonio en los foros y espacios destinados a su manifestación y expresión.

b) Garantizar el acceso al patrimonio cultural inmaterial, respetando al mismo tiempo los usos consuetudinarios por los que se rige el acceso a determinados aspectos de dicho patrimonio.

c) Facilitar el acceso a la documentación y organizaciones sobre el patrimonio cultural inmaterial.

d) Mantener al público informado de las amenazas que pesan sobre este patrimonio y de las actuaciones de salvaguarda recomendadas.

4. La Xunta de Galicia fomentará medidas de salvaguarda del patrimonio cultural inmaterial de Galicia que se manifieste fuera de su territorio, en especial en Latinoamérica, y también donde exista una presencia de comunidades gallegas o de expresiones culturales comunes y compartidas, en particular en el área de la lusofonía.

5. Asimismo, se desarrollarán medidas para reconocer la contribución de los y de las artistas, de las personas que participan en los procesos creativos, de las comunidades culturales y de las organizaciones que apoyan su trabajo, así como el papel fundamental que desempeñan.

6. En la protección de la toponimia, la Xunta de Galicia y las demás administraciones implicadas inspirarán sus actuaciones en las indicaciones y recomendaciones de los organismos internacionales.

Artículo 70. Protección del patrimonio cultural inmaterial

1. Los bienes del patrimonio cultural inmaterial que resulten singulares y relevantes podrán ser declarados bienes de interés cultural o incluidos en el Catálogo del Patrimonio Cultural de Galicia, con el objeto de jerarquizar y priorizar las medidas de salvaguarda que puedan ser necesarias.

2. En el ámbito de los bienes del patrimonio cultural inmaterial que sean declarados bienes de interés cultural o catalogados podrán identificarse y reconocerse:

a) Maestros y maestras: personas que se signifiquen por su especial contribución para la salvaguarda del patrimonio cultural inmaterial y la transmisión de sus valores a su comunidad y a la sociedad en general.

b) Comunidades: grupos de personas que mantienen vivas las expresiones del patrimonio cultural inmaterial, estén o no constituidas oficialmente como asociaciones o colectivos, y que son las legítimas poseedoras de los bienes y conocimientos tradicionales.

c) Organizaciones: entidades culturales sin ánimo de lucro que tienen entre sus objetivos el mantenimiento, la transmisión y otras medidas de salvaguarda del patrimonio cultural inmaterial.

3. Asimismo, en los bienes del patrimonio cultural inmaterial que lo requieran, podrán identificarse manifestaciones singulares que se encuadren en la categoría general de bien declarado de interés cultural o catalogado.

4. La declaración de interés cultural o la catalogación de un bien del patrimonio cultural inmaterial requerirá la petición expresa previa de las comunidades y organizaciones representativas del bien, que será incorporada al expediente que se tramite.

5. La declaración de interés cultural o la catalogación de un bien del patrimonio cultural inmaterial reconocerá su carácter vivo y dinámico, los cambios a los que necesariamente debe adaptarse y el paso de unos individuos a otros en diferentes entornos sociales, económicos, tecnológicos y culturales.

6. La declaración de interés cultural o la catalogación de un bien del patrimonio cultural inmaterial recogerá, en su caso, el marco temporal y espacial en el que el bien del patrimonio cultural inmaterial se manifiesta, así como las condiciones concretas en las que se produce.

7. La protección del patrimonio cultural inmaterial llevará implícitos la promoción y el fomento de su estudio y recopilación.

Artículo 71. Órgano de gestión del bien del patrimonio cultural inmaterial protegido

1. Para cada bien del patrimonio cultural inmaterial que sea declarado de interés cultural podrá establecerse el reconocimiento o la creación de un órgano de gestión específico que, por resultar representativo de las comunidades y organizaciones reconocidas, esté legitimado para proponer y establecer las medidas de salvaguarda que resulten más adecuadas para la conservación y transmisión de sus valores culturales.

2. La consejería competente en materia de patrimonio cultural podrá colaborar con el órgano de gestión proporcionando apoyo y asesoramiento técnico y, en caso de que se considere conveniente, incorporándose a este, para facilitar la definición o la ejecución de determinadas medidas de salvaguarda.

3. Los órganos de gestión tendrán entre sus funciones:

a) La transmisión entre las comunidades y las organizaciones de sus actividades y manifestaciones.

b) La monitorización del estado de conservación del bien y de sus valores culturales, así como la comunicación de las situaciones de riesgo o de las amenazas a que pueda verse sometido.

c) La realización de propuestas de medidas de salvaguarda adecuadas.

d) La propuesta de reconocimiento de maestros y maestras, comunidades u organizaciones en el ámbito del bien del patrimonio cultural inmaterial protegido.

4. La ejecución de las medidas de salvaguarda que desarrollen las administraciones públicas procurará el diálogo previo con los órganos de gestión, los individuos, las comunidades y las organizaciones, respetando su probada y arraigada competencia en dicha misión de salvaguarda, así como las jerarquías internas con las que se rigen.

Artículo 72. Protección de los bienes materiales vinculados al patrimonio cultural inmaterial

1. En la identificación de los bienes del patrimonio cultural inmaterial se relacionarán los bienes muebles e inmuebles que por su especial vinculación al bien inmaterial resulten relevantes para la conservación de su carácter y valores y que, en consecuencia, deben ser objeto de protección.

2. La protección de los bienes materiales vinculados con el patrimonio inmaterial se regirá por lo dispuesto en el régimen general de protección de los bienes muebles e inmuebles de esta ley y por lo que específicamente corresponda en relación con su naturaleza, con especial consideración hacia la posición y significado que ocupen en relación con los valores culturales del bien inmaterial.

3. Procederá también, si se considera necesario, la protección de los espacios y lugares importantes para la memoria colectiva como soportes indispensables en los que el patrimonio cultural inmaterial pueda expresarse.

TÍTULO VI. Los Caminos de Santiago

Artículo 73. Concepto de los Caminos de Santiago

1. Los Caminos de Santiago están formados por el conjunto de rutas reconocidas documentalmente de las que puede testimoniarse su uso como rutas de peregrinación de largo recorrido y que estructuran, conforman y caracterizan el territorio que atraviesan.

2. Las rutas principales de los Caminos de Santiago son: el Camino Francés; el Camino del Norte, ruta de la costa y ruta del interior, también conocido como Camino Primitivo o de Ovedo; el Camino Inglés; el Camino de Fisterra y Muxía; el Camino Portugués, interior y de la costa; la Vía de la Plata o Camino Mozárabe; y el Camino de Invierno.

3. Podrán ser reconocidas como Camino de Santiago aquellas rutas de las que se documente y justifique convenientemente su historicidad como rutas de peregrinación a Santiago de Compostela y su influencia en la formalización de la estructura del territorio por el que transcurren.

Artículo 74. Naturaleza de los Caminos de Santiago

1. El conjunto de rutas de los Caminos de Santiago está constituido por vías de dominio y uso público, sus elementos funcionales y el territorio que lo define.

2. Son elementos funcionales de los Caminos de Santiago los que forman parte de su fisonomía como cierres, muros, ribazos, valos, pasos, pontellas, puentes, fuentes, lavaderos o espacios similares, así como los destinados a su conservación y servicio y los que sean necesarios para su uso.

3. En los casos en que sea necesaria la recuperación de su traza en terrenos de propiedad privada, su anchura vendrá constituida por una franja de por lo menos tres metros. En tanto no se recupere, se constituirá una servidumbre pública para el paso de los Caminos de Santiago sobre propiedad privada de la misma anchura de tres metros.

Artículo 75. Protección de los Caminos de Santiago

1. Las rutas de los Caminos de Santiago que sean incluidas en la Lista del Patrimonio Mundial de la Unesco tendrán la consideración de bienes de interés cultural.

El resto de las rutas de los Caminos de Santiago a que se refiere el artículo 73.2 tendrán la consideración de bienes catalogados, con la categoría de territorios históricos, sin perjuicio de que por acuerdo unánime de los ayuntamientos por los que discurre se solicite a la consejería competente en materia de patrimonio cultural la incoación de su declaración como bien de interés cultural, o de la posible incoación de oficio por la propia consejería competente en materia de patrimonio cultural.

2. La aprobación definitiva de la delimitación de la traza y del territorio histórico de cualquier ruta de los Caminos de Santiago obligará a los ayuntamientos en cuyo territorio se localiza a incorporarla a sus instrumentos de planeamiento urbanístico y a establecer las determinaciones específicas para su régimen de conservación.

3. La consejería competente en materia de patrimonio cultural adoptará medidas y elaborará documentos o instrucciones generales en las que se describan procedimientos y metodologías para las intervenciones habituales de mantenimiento y conservación en el ámbito delimitado de los territorios históricos de los Caminos de Santiago.

Artículo 76. Delimitación de los Caminos de Santiago

1. La delimitación de las rutas de los Caminos de Santiago será aprobada mediante decreto del Consejo de la Xunta de Galicia, a propuesta de la persona titular de la consejería competente en materia de patrimonio cultural.

2. El procedimiento de delimitación se incoará de oficio mediante resolución de la dirección general competente en materia de patrimonio cultural. La incoación se notificará a los ayuntamientos por cuyo término municipal discurre el Camino y se publicará en el *Diario Oficial de Galicia* y en el *Boletín Oficial del Estado*. La publicación en el *Diario Oficial de Galicia* supondrá la apertura de un período de información pública de un mes.

3. La incoación del procedimiento supondrá la aplicación provisional del régimen previsto en esta ley para las rutas ya delimitadas.

4. El procedimiento, en el que deberá intervenir preceptivamente el Consejo Asesor de los Caminos de Santiago, deberá resolverse en un plazo de veinticuatro meses. Tras terminarse este plazo sin resolución expresa se producirá la caducidad.

5. En el decreto de delimitación se definirán los siguientes elementos:

a) Los trazados de la ruta:

1°. Trazados principales: tramos históricos que permanecen en uso con características tradicionales.

2°. Trazados de vestigios históricos: tramos históricos documentados que se perdieron física o funcionalmente.

3°. Trazados funcionales: tramos alternativos de carácter cultural, ambiental o de seguridad para las personas usuarias.

b) El ámbito geográfico de la implantación del territorio histórico, que incluirá los núcleos rurales tradicionales así como los bienes inmuebles declarados de interés cultural o catalogados y, en su caso, los entornos de protección que atraviese y que excluirá aquellas zonas urbanas de crecimiento y transformación reciente sin valores culturales.

c) Su zona de amortiguamiento, cuando se considere necesaria según lo establecido en el artículo 13.

d) La relación de bienes inmuebles de valor cultural asociados en el ámbito del territorio histórico.

Artículo 77. Uso de los Caminos de Santiago

1. Se procurará el uso de la traza de los Caminos como sendero peatonal, destino que será compatible con su utilización como vía ecuestre o como vía para vehículos sin motor.

2. Las obras y actividades en el ámbito delimitado de los Caminos de Santiago serán compatibles con la conservación y protección de sus valores propios, y como criterio general deberán mantener las características principales del territorio que conforman, lo que supondrá preferentemente el mantenimiento de los núcleos tradicionales y de las actividades agropecuarias y forestales.

3. En ningún caso la utilización de los Caminos de Santiago ni la de sus elementos funcionales podrá suponer un peligro de destrucción o deterioro o realizarse de forma incompatible con sus valores culturales.

Artículo 78. Usos y actividades prohibidas en los Caminos de Santiago

1. Los tramos no urbanos de la traza de los Caminos de Santiago no podrán ser utilizados para el tráfico rodado de vehículos de motor, cualquiera que sea su naturaleza, salvo en los casos en que resulte el único modo de acceso a parcelas y viviendas o que se trate de vehículos necesarios para su mantenimiento y conservación y de los de extinción de incendios.

2. En el ámbito de tres metros a ambos lados de la traza a partir de su línea exterior se prohíben los siguientes usos y actividades:

a) La corta generalizada de arbolado frondoso autóctono, excepto en los supuestos permitidos por la legislación forestal para la presentación de declaraciones responsables. El órgano competente en materia forestal, además, podrá autorizar la corta aislada de frondosas autóctonas con la obligación, en su caso, de compensar la corta con la replantación inmediata de ejemplares similares.

b) El establecimiento de campamentos y, en general, cualquier tipo de acampada colectiva o individual.

c) En los tramos no urbanos, cualquier tipo de actividad constructiva, con excepción de las que resulten necesarias para el acondicionamiento, la conservación o la protección de los Caminos de Santiago o de las que respondan a las características tradicionales del ámbito por el que discurren los Caminos. Excepcionalmente, mediante resolución expresa de la consejería competente en materia de patrimonio cultural, podrán autorizarse edificaciones compatibles formal, ambiental y funcionalmente con el valor cultural de los Caminos.

d) La plantación de especies forestales alóctonas.

3. En el ámbito delimitado del territorio histórico de los Caminos de Santiago se prohíben los siguientes usos y actividades:

a) Las explotaciones mineras y las canteras, incluidas las extracciones de grava y arena.

b) Las instalaciones para la gestión de residuos y vertederos, provisionales o definitivos.

c) La publicidad o los carteles en tramos no urbanos que excedan de la finalidad meramente indicativa para la localización de servicios o establecimientos, lo que tendrá que ser expresamente autorizado por la consejería competente en materia de patrimonio cultural, contando con el informe vinculante previo de la entidad pública instrumental con competencias en turismo.

Artículo 79. Ocupación de los Caminos de Santiago

1. En los casos en que, por razón debidamente justificada, sea indispensable ocupar de forma provisional algún tramo de los Caminos de Santiago, deberá considerarse un trazado alternativo que reunirá las condiciones ambientales y de seguridad adecuadas y que será debidamente señalizado, previa autorización de la consejería competente en materia de patrimonio cultural.

2. La necesidad de ocupación de algún tramo de los Caminos de forma permanente por causas de fuerza mayor o interés social obligará, previamente, a incoar el correspondiente procedimiento administrativo de delimitación, en el que deberá acreditarse la existencia de dicha necesidad y la inviabilidad de otras alternativas. El trazado alternativo adquirirá naturaleza demanial como Camino de Santiago.

Artículo 80. Expropiación forzosa de tramos o terrenos de los Caminos de Santiago

1. La aprobación de la delimitación de los Caminos de Santiago llevará implícita la declaración de interés social y la de necesidad de ocupación de los bienes y adquisición de

derechos para los fines de expropiación forzosa, de ocupación temporal o de imposición o modificación de servidumbres tanto de los tramos necesarios para la funcionalidad de la traza como de los bienes localizados en su ámbito delimitado necesarios para la conservación, protección o servicio del Camino.

2. Podrán, asimismo, arbitrarse procedimientos de reordenación de la propiedad o de expropiación forzosa con el objetivo de establecer paulatinamente accesos a parcelas y viviendas que eviten la utilización de tramos de los Caminos por el tráfico rodado.

3. El incumplimiento de las obligaciones y prohibiciones previstas en esta ley implicará la declaración de interés social para aplicarle, en su caso, la expropiación forzosa de los bienes.

Artículo 81. Señalización de los Caminos de Santiago

1. La Xunta de Galicia establecerá una señalización uniforme de las rutas de los Caminos de Santiago en Galicia, y se procurará lo mismo en el resto de rutas, en colaboración con las demás comunidades autónomas y con el Consejo Jacobeo y según las recomendaciones del Consejo de Europa.

2. La rotulación dentro del territorio de Galicia empleará la lengua gallega. En el caso de que se empleen varios idiomas, el gallego tendrá lugar preferente en el orden de colocación y mayor relevancia en la dimensión tipográfica.

3. Fuera del territorio de la Comunidad Autónoma se promoverán los acuerdos oportunos para que en la rotulación se emplee el gallego y para que los topónimos se expresen de forma correcta.

4. La señalización de los Caminos de Santiago en Galicia tendrá un carácter oficial y responderá a las delimitaciones de las rutas aprobadas. Incorporará los topónimos, como parte de sus valores culturales y manifestación del patrimonio cultural inmaterial de Galicia, y, en su caso, información adicional de recursos culturales y servicios para el peregrino. No podrá usarse la simbología y señalización propia de los Caminos de Santiago sin la autorización del departamento responsable en la materia.

Artículo 82. Plan territorial integrado de los Caminos de Santiago

1. La efectiva protección de los Caminos de Santiago requerirá la aprobación de un plan territorial integrado de los Caminos de Santiago que establezca las líneas generales para el mantenimiento y la conservación de sus valores culturales y para garantizar una ordenación del territorio armoniosa e integrada con ellos.

2. Para su desarrollo se empleará el tipo de documento de planificación urbanística o de ordenación del territorio que resulte más ajustado para establecer los criterios, las condiciones y el régimen necesario para la protección de los Caminos de Santiago.

3. El ámbito para el desarrollo del Plan territorial integrado de los Caminos de Santiago se extenderá a la totalidad de los territorios históricos delimitados.

4. El objetivo principal del Plan territorial integrado de los Caminos de Santiago será la conservación general del carácter de los territorios históricos, manteniendo sus características tradicionales, por lo que las modificaciones de su estructura serán excepcionales y deberán ser justificadas para mejorar las condiciones de relación del bien con su entorno, evitar usos incompatibles o degradantes y optimizar las infraestructuras agrícolas y ganaderas. En relación con los tramos de los Caminos y los núcleos de población relacionados, se procurará mantener e integrar el carácter, la tipología, los volúmenes, el cromatismo, los materiales y las alineaciones existentes de carácter tradicional a ambos lados de la traza.

5. El Plan territorial integrado de los Caminos de Santiago será redactado, conforme a la legislación vigente en la materia de ordenación del territorio, por la consejería competente en materia de patrimonio cultural y aprobado por el Consejo de la Xunta mediante

decreto. Será necesaria su valoración previa, por lo menos, por el Consejo Asesor de los Caminos de Santiago.

6. Después de aprobarse el Plan Territorial Integrado de los Caminos de Santiago, los ayuntamientos por los que discurre el territorio histórico deberán adaptar su planeamiento general a las previsiones y a las directrices contenidas en el Plan territorial integrado de los Caminos de Santiago.

7. Tras adaptarse el planeamiento municipal a las previsiones del Plan territorial integrado de los Caminos de Santiago, los ayuntamientos por los que discurren los Caminos de Santiago estarán habilitados para autorizar las intervenciones que se realicen en su ámbito, salvo las que afecten a las propias trazas de los Caminos y a sus elementos funcionales, así como las que afecten a los bienes singulares declarados de interés cultural dentro de su ámbito, a los bienes integrantes del patrimonio artístico o arqueológico, a los que sean de titularidad de la Iglesia católica y a las actuaciones de salvaguarda que promueva la consejería competente en materia de patrimonio cultural. Todas estas intervenciones, que no pueden autorizar los ayuntamientos, corresponderán a la consejería competente en materia de patrimonio cultural.

8. Los ayuntamientos comunicarán a la consejería competente en materia de patrimonio cultural, con una periodicidad trimestral, las autorizaciones y las licencias que se concedan conforme a esta habilitación.

TÍTULO VII. Bienes culturales específicos

CAPÍTULO I. Bienes que integran el patrimonio artístico

Artículo 83. Concepto

1. A los efectos de esta ley, integran el patrimonio artístico de Galicia las manifestaciones pictóricas, escultóricas, cinematográficas, fotográficas, musicales y de las restantes artes plásticas, de especial relevancia, de interés para Galicia.

2. Sin perjuicio de su posible declaración como bienes de interés cultural de forma individualizada, se incluirán en el Catálogo del Patrimonio Cultural de Galicia las manifestaciones escultóricas realizadas en madera y las manifestaciones pictóricas cuya antigüedad sea anterior a 1600.

3. Los escudos elaborados con anterioridad a 1901 tienen la consideración de bienes de interés cultural.

4. La consejería competente en materia de patrimonio cultural elaborará instrucciones que incluyan las características genéricas de los bienes muebles que reúnan valores culturales que los hagan pertenecientes al patrimonio artístico e incluso su clasificación como bienes de interés cultural o catalogados.

Artículo 84. Intervenciones en bienes integrantes del patrimonio artístico

Las intervenciones que se realicen sobre bienes integrantes del patrimonio artístico declarados de interés cultural o catalogados, autorizadas por la consejería competente, deberán ser dirigidas y, en su caso, ejecutadas por personas con la oportuna capacitación o habilitación técnica o profesional, según los proyectos de intervención que se ajusten a lo que determina el artículo 43 y demás determinaciones derivadas de esta ley.

Artículo 85. Régimen de protección del patrimonio artístico

1. Las autorizaciones de la consejería competente en materia de patrimonio cultural para realizar intervenciones sobre bienes integrantes del patrimonio artístico declarados de interés cultural o catalogados deberán resolverse en un plazo máximo de tres meses. En caso de silencio administrativo, se entenderán desestimadas.

2. Queda prohibida la destrucción de los bienes integrantes del patrimonio artístico. Por razones de fuerza mayor, interés social o carencia de interés cultural, previa autorización expresa del órgano competente, se podrá proceder a su traslado o mantenimiento a través de la documentación previa del mismo.

Artículo 86. Patrimonio artístico de la Xunta de Galicia

Integran el patrimonio artístico de la Xunta de Galicia las manifestaciones pictóricas, escultóricas, cinematográficas, fotográficas, musicales y de las restantes artes plásticas, de especial relevancia, de titularidad de la Administración de la Comunidad Autónoma, cualquiera que sea el título de su adquisición.

CAPÍTULO II. Bienes que integran el patrimonio arquitectónico

Artículo 87. Concepto

1. A los efectos de esta ley, integran el patrimonio arquitectónico los inmuebles y los conjuntos de estos, y las obras de la arquitectura y la ingeniería histórica a las que se les reconozca un papel relevante en la construcción del territorio y en su caracterización cultural y que sean testimonio de una época histórica o de los cambios en la forma de entenderla.

2. El patrimonio arquitectónico se caracteriza por las técnicas constructivas, los volúmenes, los espacios y los usos, los lenguajes formales y la expresividad de las estructuras y los colores y las texturas de los materiales.

3. El patrimonio arquitectónico aparece integrado de forma armónica en el territorio, formando parte de las ciudades, los núcleos urbanos y rurales tradicionales, sus entornos naturales o construidos, así como en los ámbitos territoriales que ha contribuido a transformar y caracterizar.

Artículo 88. Contenido del patrimonio arquitectónico

1. A los efectos de lo establecido en el artículo anterior, se presume que concurre un significativo valor arquitectónico, para su inclusión en este capítulo, en los siguientes bienes:

a) Los bienes propios de la arquitectura defensiva, entendiendo por tales todas las estructuras construidas a lo largo de la historia para la defensa y el control de un territorio del que forman parte. En el conjunto de la arquitectura defensiva destacan singularmente los castillos, las torres defensivas, las murallas y los muros circundantes urbanos, las construcciones defensivas con baluartes y los sistemas defensivos que configuran, los arsenales navales, los cuarteles, las baterías de costa, los polvorines y los restos de todos ellos, con independencia de su estado de conservación, de si se encuentran enterrados o descubiertos o de si se integran o no en otro bien inmueble. Todas estas tipologías de inmuebles construidos antes de 1849 tienen la consideración de bienes de interés cultural.

b) Los edificios relacionados con el culto religioso católico y de otras confesiones, aunque hayan perdido su uso, como catedrales, monasterios, conventos, colegiatas, iglesias, ermitas, capillas, seminarios o casas rectorales, construidos con anterioridad a 1836.

c) Los edificios y construcciones propios de la arquitectura civil que hayan servido para uso público comunitario, como casas consistoriales, pazos provinciales, teatros, hoteles, hospitales, sanatorios, aduanas, mercados, fundaciones en Galicia de agrupaciones de emigrantes o centros de enseñanza, construidos con anterioridad a 1926.

d) Los edificios destinados al uso privado o los conjuntos de dichos edificios, de carácter rural o urbano, construidos con anterioridad a 1803, que constituyan testimonio relevante de la arquitectura tradicional rural o urbana o que configuren el carácter arquitectónico, la fisonomía y el ambiente de los centros históricos de las ciudades, villas y aldeas y de los núcleos tradicionales.

e) Los edificios relevantes de la arquitectura ecléctica, modernista, racionalista, del movimiento moderno o característico de la compleja sucesión de movimientos y tendencias arquitectónicas que recorren el período de las primeras vanguardias y el movimiento moderno durante el siglo XX hasta 1965, incluida la arquitectura de indianos. Para la consideración de su valor cultural, los inmuebles deben evidenciar, total o parcialmente, los principios reconocibles de su estilo arquitectónico de forma relevante por la calidad de su proyecto espacial o constructiva, su singularidad estética o su representatividad tipológica, además de poseer una dimensión social significativa.

f) Los inmuebles y construcciones propios de las obras públicas y la ingeniería histórica que aparecen integrados de forma armónica en el territorio formando parte de las ciudades, de los núcleos urbanos o rurales tradicionales y de las franjas territoriales que transformaron, ayudaron a construir y caracterizan culturalmente. Forman parte de la ingeniería histórica los puentes, los túneles, las estaciones y los edificios ferroviarios, las presas, los canales y los abastecimientos, los faros y los muelles, las infraestructuras y los edificios portuarios, y otras construcciones que posean una significativa dimensión paisajística, urbana, territorial, técnica y arquitectónica y que hayan sido construidos antes de 1901.

2. Las presunciones establecidas en el apartado anterior pueden ser objeto de revisión en función de la situación y características del bien. Del mismo modo, podrá reconocérseles un significativo valor arquitectónico a los bienes construidos con posterioridad a las fechas señaladas en el apartado anterior, siempre que así se determine después de un estudio pormenorizado.

Artículo 89. Metodología y criterios que se deben seguir en las actuaciones sobre el patrimonio arquitectónico

1. Cualquier intervención sobre un bien integrante del patrimonio arquitectónico declarado de interés cultural o catalogado se basará en un riguroso análisis crítico de sus valores culturales, que incluirá una evaluación del bien y de sus elementos característicos y que se dirigirá a asegurar el mantenimiento de las características y valores que configuran su significación, realizando para ello una investigación apropiada y recopilando la documentación necesaria. El análisis tendrá como objetivo básico la salvaguarda de la autenticidad e integridad del bien y evaluará desde las distintas perspectivas de estudio la actuación que se propone.

2. Dicho análisis será realizado por un equipo interdisciplinar compuesto por personal técnico y profesional competente en cada una de las materias objeto de estudio, en el caso de los bienes más relevantes.

3. En bienes integrantes del patrimonio arquitectónico en los que se proyecten actuaciones susceptibles de afectar al patrimonio arqueológico, se realizará un estudio previo para evaluar la compatibilidad de las actuaciones con la salvaguarda de los restos arqueológicos que puedan aparecer. En los casos en que la afección al subsuelo sea pequeña, la intervención arqueológica podrá ejecutarse en paralelo a la obra.

4. La conservación del patrimonio arquitectónico debe considerar los criterios de sostenibilidad medioambiental, procurando que las intervenciones se realicen con métodos compatibles con su valor cultural y diseñando un mantenimiento, uso y gestión futura sostenibles. Es recomendable la utilización de materiales, técnicas constructivas y soluciones arquitectónicas tradicionales que, por su probada experiencia, efectividad y adaptación sensible al medio, suelan contribuir a la sostenibilidad. Sin embargo, el significado cultural de los bienes integrantes del patrimonio arquitectónico no debe verse dañado por las medidas de mejora de la eficiencia energética.

5. La consejería competente en materia de patrimonio cultural establecerá, mediante instrucciones, el contenido, el formato y el soporte de los proyectos de conservación y de

los informes interdisciplinares o especializados necesarios, las disciplinas y el personal profesional que debe participar en la evaluación, diseño y ejecución de las actuaciones y los criterios que se seguirán en el diseño y la prescripción de las técnicas y procedimientos de conservación que se aplicarán sobre el patrimonio arquitectónico.

Artículo 90. Planes de conservación del patrimonio arquitectónico

1. La declaración de interés cultural de bienes integrantes del patrimonio arquitectónico podrá establecer la obligación de redactar un plan de conservación que tenga por finalidad guiar las intervenciones de mantenimiento, conservación, consolidación, restauración y rehabilitación, con el objeto de mantener la integridad del bien patrimonial a través del entendimiento y la interpretación crítica de su significación cultural y de procurar su utilización de forma sostenible.

2. Según la importancia del bien y su complejidad se establecen tres tipos de planes de conservación:

a) El Plan director de conservación, que se les aplicará a los bienes monumentos de mayor tamaño o de mayor complejidad y singularidad cultural y a aquellos en los que se prevea la posibilidad de incorporar nuevos usos, por lo que incluirá también las previsiones de intervenciones de reestructuración y ampliación, así como las de investigación o valorización.

b) Los proyectos o planes integrales de conservación, de aplicación en los bienes monumentos de menor tamaño y complejidad cultural en los que permanezca el uso invariable o se proyecten actuaciones integrales.

c) Los planes de conservación preventiva o planes de mantenimiento, de aplicación en los bienes que no precisen de actuaciones de conservación curativa, restauración o rehabilitación inmediatas.

3. El contenido de los planes de conservación a que hace referencia el punto anterior, así como su alcance, formato y soporte, se determinarán reglamentariamente.

4. Cuando se determine en la declaración de interés cultural de un bien integrante del patrimonio arquitectónico la necesidad de contar con un plan director de conservación o con un plan integral de conservación, mientras este no se desarrolle solo será posible realizar actuaciones de investigación, de mantenimiento o parciales de conservación, de consolidación, de restauración o de reestructuración puntual con el objeto de adecuación funcional para potenciar los usos existentes y mejorar las condiciones de seguridad funcional, accesibilidad y salubridad que no precisen de la rehabilitación integral del monumento.

5. Los planes de conservación a los que hace referencia este artículo precisarán de la aprobación de la consejería competente en materia de patrimonio cultural. No se autorizarán obras de ampliación o rehabilitación de carácter integral si no consta la autorización en los supuestos en que se hubiese determinado la necesidad de su redacción.

CAPÍTULO III. Bienes que integran el patrimonio etnológico

Artículo 91. Concepto

1. A los efectos de esta ley, integran el patrimonio etnológico de Galicia los lugares, bienes muebles o inmuebles, las expresiones, así como las creencias, conocimientos, actividades y técnicas transmitidas por tradición, que se consideren relevantes o expresión testimonial significativa de la identidad, la cultura y las formas de vida del pueblo gallego a lo largo de la historia.

2. La declaración o catalogación de un bien etnológico de carácter inmaterial podrá incluir la protección de un ámbito territorial vinculado a él, así como la de los bienes muebles o inmuebles que se le asocien.

3. A los efectos de su posible declaración de interés cultural o catalogación se presume el valor etnológico de los siguientes bienes siempre que conserven de forma suficiente su integridad formal y constructiva y los aspectos característicos que determinan su autenticidad:

a) Los hórreos, los *cruceiros*, las cruces de muertos, las de término y los *petos de ánimas*.

b) Las construcciones tradicionales de cubierta vegetal como las pallozas y los chozos característicos de las sierras gallegas.

c) Los batanes y los molinos de río, de mareas o de viento tradicionales, incluida la infraestructura hidráulica necesaria para su funcionamiento.

d) Las fuentes y los lavaderos comunales o públicos de carácter tradicional.

e) Las herrerías, los tejares, los talleres artesanales y los hornos de cal, cerámicos o de pan de uso comunal, de carácter tradicional.

f) Los caminos reales, las *pontellas* tradicionales y las eras de trillar de carácter comunal, siempre que conserven de forma suficiente su traza, aspecto, carácter, formalización y pavimento tradicional.

g) Los colmenares, los neveros, las *pesqueiras o gamoas* y los *foxos de lobo*.

h) Los recintos de feria, los santuarios tradicionales, los quioscos de música y las robledas de uso público o consuetudinario relacionado con el tiempo de ocio y la celebración festiva de carácter tradicionales.

i) Las fábricas de salazón, las carpinterías de ribera y las embarcaciones tradicionales del litoral y de los ríos de Galicia.

4. Las presunciones establecidas en el apartado anterior pueden ser objeto de revisión en función de la situación y características del bien. Del mismo modo, podrá reconocérseles un significativo valor etnológico a bienes no incluidos en el apartado anterior, siempre que así se determine después de un estudio pormenorizado.

Artículo 92. Hórreos, cruceiros y petos de ánimas

1. Son bienes de interés cultural y quedan sometidos al régimen jurídico previsto para ese tipo de bienes en esta ley, sin necesidad de la tramitación previa del procedimiento previsto en su título I, los hórreos, los *cruceiros* y los *petos de ánimas* de los que existan evidencias que puedan confirmar su construcción con anterioridad a 1901.

No se podrá autorizar la construcción de cierres perimétricos, totales o parciales, a partir de sus soportes, ni la construcción de edificaciones o instalaciones adosadas a estos que afecten a sus valores culturales.

2. Los hórreos, *cruceiros* y *petos de ánimas* cuya antigüedad no pueda ser determinada o que hubiesen sido construidos con posterioridad a la fecha señalada en el apartado 1 podrán ser declarados de interés cultural o catalogados cuando se les reconozca un especial valor cultural, principalmente etnológico.

3. Las actuaciones de conservación o restauración de hórreos declarados de interés cultural o catalogados se realizarán preferentemente utilizando los materiales y técnicas constructivas tradicionales que correspondan a cada tipología. En estas intervenciones el tratamiento y la utilización de material no tradicional deberá ser autorizado por la consejería competente en materia de patrimonio cultural.

4. En el caso de bienes etnológicos de esta naturaleza, y teniendo en cuenta su tipología y sistema constructivo, el movimiento dentro de su entorno de protección no se considerará un traslado a efectos de esta ley ni implicará una necesaria modificación de su delimitación, siempre que se garanticen en el proceso y en el lugar definitivo la significación y la interpretación de sus valores culturales y que se cuente con la autorización previa de la consejería competente en materia de patrimonio cultural.

CAPÍTULO IV. Bienes que integran el patrimonio arqueológico

Sección 1ª. Normas generales

Artículo 93. Concepto

A los efectos de esta ley, integran el patrimonio arqueológico de Galicia los bienes del patrimonio cultural de Galicia de interés histórico, muebles e inmuebles, susceptibles de ser estudiados con método arqueológico, hayan sido extraídos o no y tanto si se encuentran en la superficie como en el subsuelo, en las aguas interiores o en el mar territorial. Asimismo, forman parte de este patrimonio los elementos geológicos y paleontológicos relacionados con la historia humana, sus orígenes, sus antecedentes y su desarrollo sobre el medio.

Artículo 94. Naturaleza y protección de los bienes arqueológicos

1. Pertenecen al dominio público todos los objetos, restos materiales y evidencias arqueológicas que posean los valores que son propios del patrimonio cultural de Galicia y que hayan sido descubiertos como consecuencia de excavaciones o de cualquier otro trabajo arqueológico sistemático, de remociones de tierra u obras de cualquier índole o de forma casual.

2. Son bienes de interés cultural las cuevas, abrigos y lugares al aire libre que contengan manifestaciones de arte rupestre.

3. A los efectos de esta ley, se presume la existencia de valor arqueológico en los restos paleolíticos, neolíticos y megalíticos, como las *mámoas*, menhires y dólmenes, calcolíticos y de la edad de bronce, así como en los representativos de la cultura castreña y galaico-romana.

4. La presunción establecida en el apartado anterior puede ser objeto de revisión en función de la situación y características del bien. Del mismo modo, podrá reconocérseles un significativo valor arqueológico a bienes no incluidos en el apartado anterior, siempre que así se determine después de un estudio pormenorizado.

Artículo 95. Clases de actividades arqueológicas

A los efectos de esta ley, se entiende por actividad arqueológica:

a) La prospección, entendida como la exploración superficial y sistemática sin remoción de tierras, tanto terrestre como subacuática, dirigida al estudio e investigación para la detección de restos históricos, así como de los componentes ambientales relacionados con estos. La prospección abarca la observación y el reconocimiento sistemático de superficie y también la aplicación de las técnicas que la arqueología reconoce como válidas.

b) El sondeo arqueológico, entendido como aquella remoción de tierras complementaria de la prospección encaminada a comprobar la existencia de restos arqueológicos o a reconocer su estratigrafía. Se considera sondeo arqueológico cualquier toma de muestras en yacimientos arqueológicos.

c) La excavación arqueológica, entendida como la remoción de tierras, en el subsuelo o en el medio subacuático, que se realice con el fin de descubrir e investigar toda clase de restos históricos o paleontológicos relacionados con estos.

d) El estudio del arte rupestre, entendido como el conjunto de tareas de campo orientadas a la investigación, a la documentación gráfica y a cualquier manipulación que suponga contacto con el soporte de los motivos representados.

e) El control arqueológico, entendido como la supervisión en un proceso de obras que afectan o pueden afectar a un espacio de posible interés arqueológico, estableciendo las medidas oportunas que permitan la conservación o documentación, en su caso, de las evidencias o elementos de interés arqueológico que aparezcan en el transcurso de aquellas.

f) Las labores de protección, acondicionamiento, conservación, consolidación y restauración arqueológica, entendidas como las intervenciones en yacimientos arqueológicos encaminadas a favorecer su conservación y preservación y que, en consecuencia, permitan su disfrute y acceso público y faciliten su comprensión y uso social.

g) La manipulación con técnicas agresivas de materiales arqueológicos.

Artículo 96. Autorización para la realización de actividades arqueológicas

1. Será necesaria la autorización previa de la consejería competente en materia de patrimonio cultural para la realización de las actividades arqueológicas a que se refiere el artículo anterior.

La realización de obras de edificación o cualquier otra actuación que lleve aparejada la remoción de tierras en una zona arqueológica o en su entorno requerirá la previa autorización de la consejería competente en materia de patrimonio cultural.

2. Las autorizaciones a las que se refiere el párrafo anterior requerirán la concurrencia de los requisitos siguientes:

a) La presentación de un proyecto que contenga un programa detallado y coherente que acredite la conveniencia e interés científico de la intervención y que avale la idoneidad técnica de quien asuma la dirección.

b) La autorización de la persona propietaria del terreno o del bien, salvo que la consejería competente en materia de patrimonio cultural considere la actividad arqueológica de especial relevancia para el patrimonio cultural de Galicia, circunstancia que deberá ser objeto de declaración expresa. La actividad de prospección no necesitará autorización de la persona propietaria.

3. En la resolución por la que se conceda la autorización, que en todo caso se otorgará sin perjuicio de otras autorizaciones o licencias que fuesen necesarias, se indicarán:

a) Las condiciones que deben seguir los trabajos arqueológicos.

b) El museo, colección visitable o institución o centro de carácter museístico autorizado en los que deberán depositarse los materiales. Para su determinación se tendrá en cuenta la relación de dichos objetos con la temática del centro o de la colección, su proximidad con el lugar del hallazgo y las circunstancias que hagan posible su correcta conservación y seguridad y el cumplimiento más adecuado de su función cultural y científica.

c) El plazo para proceder al depósito y a la documentación escrita o gráfica complementaria correspondiente.

4. Se entenderá denegada la autorización si la consejería competente en materia de patrimonio cultural no resuelve de modo expreso en el plazo de tres meses.

5. La consejería competente en materia de patrimonio cultural, mediante los procedimientos de inspección y control idóneos, comprobará que los trabajos se desarrollan en los términos y condiciones establecidos en la autorización y empleando un correcto método científico.

6. La consejería competente en materia de patrimonio cultural podrá revocar la autorización concedida por incumplimiento de las condiciones establecidas en la autorización o de las demás obligaciones establecidas en la ley y en sus normas de desarrollo.

La revocación no exonera a la persona o entidad autorizada del deber de conservar el yacimiento o los vestigios encontrados y de la obligación de entregar los hallazgos y la documentación de toda índole generada por la actividad arqueológica.

7. Cuando, como requisito previo para la realización de cualquier tipo de obra que afecte a un monumento, conjunto histórico, zona arqueológica o yacimiento declarado de interés cultural o catalogado, la consejería competente en materia de patrimonio cultural o la figura de planeamiento vigente determinen la necesidad de realizar intervenciones

arqueológicas, la persona o entidad promotora deberá presentar un proyecto de actividad arqueológica conforme al contenido del párrafo 2.a) de este mismo artículo.

Si la persona o entidad promotora es un particular, la consejería competente en materia de patrimonio cultural podrá colaborar, mediante subvenciones anuales en función de las disponibilidades presupuestarias, en la financiación del coste de la ejecución del proyecto de la actividad arqueológica autorizada, sin que en ningún caso esta colaboración pueda exceder la mitad de su importe. Si quien promueve la obra es una administración pública o quien sea titular de una concesión de una administración pública, el coste de las intervenciones arqueológicas será asumido íntegramente por la entidad promotora.

La consejería competente en materia de patrimonio cultural no colaborará en la financiación del coste de la actividad arqueológica cuando esta se derive de la tramitación o resolución de un procedimiento sancionador.

8. Las actuaciones serán consideradas de urgencia cuando exista riesgo de destrucción inmediata del yacimiento y se hayan agotado todas las posibilidades para evitar su desaparición o afectación.

La consejería competente en materia de patrimonio cultural, mediante procedimiento simplificado, podrá ordenar o autorizar la realización de las intervenciones necesarias siempre que concurran las circunstancias previstas en el párrafo anterior.

Artículo 97. Responsabilidad en la dirección de las actividades arqueológicas y destino de los hallazgos arqueológicos

1. La autorización para realizar actuaciones arqueológicas obliga a las personas beneficiarias y a quien asuma la dirección de la actuación a:

a) Ejecutar los trabajos de acuerdo con el proyecto aprobado y la autorización concedida.

b) Asumir personalmente la dirección de la actuación arqueológica.

c) Entregar los objetos y evidencias obtenidos, debidamente inventariados, en el museo, colección visitable o institución o centro de carácter museístico autorizados, designados en la autorización de la actividad arqueológica. Hasta que los objetos sean entregados, le serán de aplicación a la persona titular de la autorización las normas de depósito legal. En ningún caso se aplicará el derecho a premio por el hallazgo de restos materiales.

d) Entregar una memoria de carácter técnico, científica o interpretativa, con descripción del contexto, estratigrafía, estructuras y materiales y su estado de conservación. Dicha memoria, en su caso, incluirá fichas de diagnosis sobre el estado de conservación de las estructuras y hallazgos.

2. Reglamentariamente se establecerán los plazos para realizar las entregas y el contenido, el formato, el soporte y el número de ejemplares de los documentos que se deben presentar, así como el resto de condiciones y procedimientos que regulen el desarrollo de las actividades arqueológicas.

3. En el caso de que la actuación sea consecuencia de un proceso constructivo, tras concluir la actuación arqueológica y dentro del plazo otorgado en la autorización, la persona o entidad promotora a su cargo deberá presentar una memoria técnica científica de los trabajos desarrollados, suscrita por quien asuma la dirección, acompañada de un inventario detallado de los materiales y evidencias encontrados y el acta de entrega de los citados materiales al museo, entidad, institución o centro designado por la administración competente.

En todo caso, con independencia de la garantía del reconocimiento de la autoría de los documentos a los que se refiere este artículo, se respetarán el alcance, reservas y los límites a la propiedad intelectual que se derivan del derecho al acceso abierto a la información e investigación financiada con fondos públicos.

4. En ningún caso se entenderá concluida la actividad arqueológica autorizada hasta la aceptación de dicha memoria técnica por la consejería competente.

5. La responsabilidad por los daños y perjuicios que pudieren resultar de la ejecución de la actividad arqueológica, así como la responsabilidad subsidiaria de la entrega de la memoria final y el depósito de los materiales encontrados, recaerán sobre la persona o entidad titular de la autorización para la realización de la actuación arqueológica y, en su caso, sobre las entidades o empresas promotoras de las que dependa.

Artículo 98. Conservación de las estructuras arqueológicas

1. Al otorgar las autorizaciones que afecten al patrimonio arqueológico, la consejería competente en materia de patrimonio cultural velará por la conservación *in situ,* siempre que sea posible, de las estructuras arqueológicas.

2. La consejería competente en materia de patrimonio cultural velará por que las obras y actuaciones necesarias para la apertura de un yacimiento a la visita pública no atenten contra el carácter arqueológico, contra su valor cultural y científico, contra su relación con el entorno y con su contexto territorial y contra la valoración cultural del paisaje.

Sección 2ª. Hallazgos

Artículo 99. Hallazgos arqueológicos casuales

1. Se consideran hallazgos los descubrimientos de objetos y restos materiales que, además de poseer los valores que son propios del patrimonio arqueológico de Galicia, se hayan producido por azar, como consecuencia de remociones de tierras, demoliciones u obras de cualquier tipo.

2. Quien descubra un bien que tenga la consideración de hallazgo arqueológico casual deberá comunicar inmediatamente su descubrimiento a la consejería competente en materia de patrimonio cultural.

En el caso de bienes muebles, tras comunicarse el descubrimiento, y hasta que los objetos sean entregados a la consejería competente en materia de patrimonio cultural, se le aplicarán a quien los haya descubierto las normas de depósito legal, salvo que los entregue en un museo público, institución que deberá ponerlo, asimismo, en conocimiento de aquella, que decidirá su situación definitiva.

3. Quien los haya descubierto y la persona propietaria del terreno tendrán derecho por partes iguales, en concepto de premio en metálico, a la mitad del valor que en tasación se le atribuya al objeto encontrado, con las excepciones previstas en esta ley. Si fuesen dos o más las personas descubridoras o propietarias se mantendrá la misma proporción. La tasación será realizada por el Consejo Superior de Valoración de Bienes Culturales.

4. Las estructuras y restos encontrados o localizados que tengan la consideración de bienes inmuebles conforme a lo determinado en esta ley, o integrantes del patrimonio cultural subacuático, así como aquellos encontrados en el ámbito de zonas arqueológicas, no generarán derecho a premio.

Artículo 100. Suspensión de la actividad por motivos arqueológicos

1. Cuando en el curso de una obra, actividad o remoción de tierras, tanto si es en terreno público como privado, se constate o se presuma la existencia de un yacimiento arqueológico, la consejería competente en materia de patrimonio cultural podrá ordenar la intervención arqueológica de urgencia que resulte procedente e incluso paralizar, en su caso, las obras o remociones durante un plazo de dos meses, que podrá prorrogarse, de considerarse necesario, por otros dos meses. La paralización no conllevará derecho a indemnización.

2. Si la suspensión de la obra, actividad o remoción excede el plazo de dos meses, la Xunta de Galicia quedará obligada a compensar el daño efectivo que se hubiese causado con tal paralización. Los hallazgos realizados durante el plazo de suspensión no darán derecho a premio y los objetos se depositarán en el museo, colección visitable o centro o institución de carácter museístico autorizados que designe la consejería competente en materia de patrimonio cultural.

Artículo 101. Detectores de metales y otras técnicas análogas

1. El uso de detectores de metales o de otras herramientas o técnicas que permitan localizar restos arqueológicos, en ámbitos protegidos por su valor cultural o con la finalidad de encontrar bienes integrantes del patrimonio cultural de Galicia o que potencialmente puedan tener valor cultural, deberá ser autorizado por la consejería competente en materia de patrimonio cultural. Podrán eximirse de esta autorización los usos que se establezcan reglamentariamente.

2. La persona interesada deberá presentar una solicitud en la que indicará el ámbito territorial y la fecha o plazo para el uso de detectores de metales o de otras herramientas, así como los demás requisitos que se establezcan reglamentariamente.

3. La autorización deberá ser concedida y notificada en el plazo de tres meses. Tras transcurrir este plazo, la persona interesada podrá entender desestimada la solicitud.

4. La autorización se otorgará con carácter personal e intransferible e indicará el ámbito territorial y la fecha o plazo para su ejercicio.

5. En todo caso, cuando con ocasión de la ejecución del uso o actividad autorizados se detecte la presencia de restos arqueológicos de cualquier índole, la persona autorizada suspenderá de inmediato el uso o actividad autorizados, así como cualquier otra actividad que suponga la instalación de elementos sobre el fondo, su remoción o afectación, se abstendrá de realizar remociones del terreno o intervenciones de cualquier otra naturaleza y estará obligada a dar conocimiento, antes del plazo de veinticuatro horas, a la consejería competente en materia de patrimonio cultural o, en su defecto, a la dependencia más próxima de las Fuerzas y Cuerpos de Seguridad del Estado.

6. En los hallazgos a los que se refiere el apartado anterior no habrá derecho a indemnización ni a premio.

Sección 3ª. Protección del patrimonio arqueológico subacuático

Artículo 102. Definición

1. A los efectos de esta ley, pertenecen al patrimonio arqueológico subacuático todos los rastros de existencia humana que sean bienes integrantes del patrimonio cultural de Galicia, tal como los define el artículo 1, que se hubiesen hundido en su mar territorial y aguas interiores, parcial o totalmente, susceptibles de ser estudiados y conocidos a través de métodos arqueológicos, hayan sido extraídos o no del medio en el que se encuentran.

2. Se incluirán en el Catálogo del Patrimonio Cultural de Galicia los pecios, los buques, las aeronaves, otros medios de transporte o cualquier parte de los mismos, sus cargamentos, las estructuras y construcciones, los objetos y los restos de la actividad o presencia humana y los objetos prehistóricos, de interés para Galicia, que se hubiesen hundido con anterioridad a 1901, así como los espacios y lugares, incluyendo las estructuras anegadas, en los que se encuentran junto con su contexto arqueológico y natural. Excepcionalmente podrán declararse de interés cultural o incluirse en el Catálogo del Patrimonio Cultural de Galicia los pecios con antigüedad inferior siempre que revistan una especial relevancia cultural y se protejan a través de un procedimiento específico de declaración o inclusión en el Catálogo de forma individualizada.

3. La actuación sobre el patrimonio cultural subacuático se basará en los principios siguientes:

a) La conservación *in situ* del patrimonio cultural subacuático deberá considerarse la opción prioritaria antes de autorizar o emprender actividades sobre ese patrimonio.

b) El patrimonio cultural subacuático recuperado se depositará, se guardará y se gestionará de tal forma que se asegure su preservación a largo plazo.

c) Cualquier actuación velará por que se respeten debidamente los restos humanos situados en las aguas marítimas.

d) Se propiciará el acceso responsable y no perjudicial del público al patrimonio cultural subacuático *in situ*, con fines de observación o documentación para favorecer la sensibilización del público hacia ese patrimonio, así como su reconocimiento y protección.

4. La Xunta de Galicia, en las condiciones que se determinen reglamentariamente, redactará una Carta arqueológica subacuática de Galicia, en la que consten los yacimientos subacuáticos a los que se refiere esta sección.

5. La consejería competente en materia de patrimonio cultural establecerá las medidas necesarias para proteger los yacimientos arqueológicos subacuáticos que se encuentran en las aguas adscritas a los puertos de su titularidad o cuya gestión corresponda a la Xunta de Galicia, así como para protegerlos de aquellas actividades que los pongan en peligro.

6. No se podrán realizar operaciones de dragado en las áreas incluidas en la carta prevista en el apartado 4 de este artículo sin la previa autorización de la consejería competente en materia de patrimonio cultural.

7. Queda prohibido el comercio de bienes que pertenezcan al patrimonio cultural subacuático gallego sea cual sea el lugar del que procedan y que hubiesen sido extraídos con posterioridad a la entrada en vigor de la Convención de la Unesco sobre la protección del patrimonio cultural subacuático, así como los restantes que pertenezcan al dominio público. La prohibición alcanza a los bienes extraídos de buques de Estado sea cual sea su bandera.

Los objetos que se localicen y sean extraídos con posterioridad a aquella fecha o pertenezcan a buques de Estado serán decomisados, se acordará la estabilización a cargo de la persona poseedora y se comunicará este hecho al ministerio competente en materia de patrimonio cultural.

8. Las actividades turísticas, deportivas, científicas o culturales consistentes en la visita a los pecios hundidos a los que se refiere esta sección deberán contar con la autorización de la consejería competente en materia de patrimonio cultural.

9. El personal responsable de las inmersiones organizadas por empresas y asociaciones de buceo que pretendan realizar actividades de visita a los pecios a los que se refiere esta sección deberá contar con una habilitación específica, obtenida según una mínima formación adecuada, y ajustar su actividad al calendario, programa y condiciones que establezca en su autorización la consejería competente en materia de patrimonio cultural.

10. Reglamentariamente se establecerán las condiciones y procedimientos oportunos para obtener las autorizaciones, habilitaciones y formación a que se refieren los párrafos anteriores.

CAPÍTULO V. Bienes que integran el patrimonio industrial

Artículo 103. Concepto

1. A los efectos de esta ley, integran el patrimonio industrial los bienes muebles e inmuebles y los territorios y paisajes asociados que constituyen testimonios significativos de la evolución de las actividades técnicas, extractivas, tecnológicas, de la ingeniería,

productivas y de transformación con una finalidad de explotación industrial, en los que se reconozca su influencia cultural sobre el territorio y la sociedad y manifiesten de forma significativa y característica valor industrial y técnico.

2. El patrimonio industrial forma parte del patrimonio cultural de Galicia y los bienes que lo integran son exponentes característicos de la historia social, técnica y económica de Galicia.

Artículo 104. Contenido del patrimonio industrial

1. A los efectos del artículo anterior, se presume que concurre un significativo valor industrial, para su inclusión en este capítulo, en los siguientes bienes, siempre que sean anteriores a 1936:

a) Las instalaciones, lugares y paisajes que constituyan expresión y testimonio de los avances de la técnica y de los sistemas de producción de las actividades extractivas y de explotación de los recursos naturales.

b) Las fábricas e instalaciones destinadas a la transformación de productos agrícolas, forestales o de la pesca, como las conserveras.

c) Las instalaciones y fábricas de la industria naviera.

d) Los lugares, instalaciones, fábricas, edificios y obras de ingeniería que constituyan testimonio y expresión de los avances técnicos de la construcción de instalaciones y infraestructuras destinadas a las redes de transporte y comunicación ferroviaria, terrestre, marítima y por cable, las redes de abastecimiento de agua en ámbitos urbanos o industriales y las destinadas a la producción y transporte de la energía.

e) Las muestras singulares de la arquitectura de hierro, incluidos los mercados, puentes y viaductos.

f) Los conjuntos de viviendas y equipamientos sociales asociados a las actividades productivas.

2. Asimismo, se presumirá que presentan valor industrial, para su consideración como patrimonio industrial, los bienes muebles como la maquinaria, herramientas, instrumentos y cualquier otra pieza o mobiliario utilizado o vinculado a las actividades tecnológicas, de producción y transformación, fabriles o de la ingeniería, relacionados con las obras e instalaciones del apartado anterior.

3. Las presunciones establecidas en los apartados anteriores pueden ser objeto de revisión en función de la situación y características del bien. Del mismo modo, podrá reconocérseles un significativo valor cultural industrial a los bienes construidos con posterioridad a la fecha señalada en el apartado 1 siempre que así se determine después de un estudio pormenorizado.

Artículo 105. Criterios para la intervención en el patrimonio industrial

1. La protección de bienes del patrimonio industrial no será incompatible con las concesiones de carácter administrativo que permitan su explotación en los términos generales de las actividades correspondientes, aunque determinará la necesidad de una conservación de los elementos en los que se identifican los valores culturales que aconsejan dicha protección.

2. Las actividades industriales coherentes con las instalaciones e infraestructuras históricas del patrimonio industrial, y que fueron el origen de su construcción así como la razón para su mantenimiento hasta nuestros días, serán preferentemente conservadas de forma compatible con la protección de edificaciones, espacios, instalaciones e infraestructuras que mantengan valores culturales. Para ello, en los procedimientos de declaración de bienes de interés cultural o catalogación de bienes del patrimonio industrial se identificarán de forma clara sus usos característicos así como las partes que deben conservarse y las condi-

ciones para su protección, además de la compatibilidad con los medios y procedimientos industriales contemporáneos.

3. En el caso de actividades industriales abandonadas e irrecuperables, se promoverá la implantación de usos de otra naturaleza, tanto públicos como privados, que resulten compatibles con la conservación de los bienes del patrimonio industrial y la protección de los elementos que permitan la apreciación de su significación y valores culturales en general, así como su valorización y rehabilitación.

4. Se promoverá la conservación de las instalaciones y elementos de la producción industrial más singulares, una vez abandonada la actividad, como testimonios de la misma, sin que necesariamente deban ocupar los espacios concretos para la función que cumplían en el proceso industrial original.

5. Asimismo, se procurará la conservación y el mantenimiento de los bienes documentales asociados al patrimonio industrial de tal forma que se garantice su investigación, conocimiento y difusión en relación con los valores inmateriales ligados a su apreciación y función social, que se regirán por lo establecido en esta ley para los patrimonios documental y bibliográfico.

CAPÍTULO VI. Bienes que integran el patrimonio científico y técnico

Artículo 106. Concepto

1. A los efectos de esta ley, integran el patrimonio científico y técnico de Galicia los bienes y colecciones, de valor relevante, que las ciencias emplearon para generar y transmitir el saber, incluidos los instrumentos y aparatos científicos, las colecciones de animales y vegetales, minerales, figuras plásticas para el estudio anatómico humano o animal, modelos planetarios, cristalográficos y otros, que se regirán por lo dispuesto en esta ley para los bienes muebles.

2. Los archivos, bibliotecas, documentos, grabados, planos, mapas e imágenes gráficas y publicaciones de contenido científico se regirán por lo establecido en esta ley para los patrimonios documental y bibliográfico.

Artículo 107. Valorización cultural de los bienes científicos y técnicos

Se promoverá la investigación, el conocimiento y la difusión de los valores científicos y técnicos del patrimonio cultural de especial relevancia en la identidad de la población de Galicia, así como de aquellos aspectos relacionados con saberes, descubrimientos y procesos tecnológicos desarrollados o empleados en la Comunidad Autónoma, con la finalidad de reforzar su función social y la valorización de recursos culturales relacionados con ellos, tanto en el ámbito educativo como en el turístico.

Artículo 108. Determinación de la falta de interés cultural de determinados elementos y colecciones del patrimonio científico

1. La destrucción, por falta de interés social en la conservación o por carencia de interés cultural suficientemente justificada, de los bienes integrantes del patrimonio científico y técnico deberá contar con la autorización de la consejería competente en materia de patrimonio cultural. Los documentos se regirán por sus normas específicas.

2. Se presume la existencia de falta de interés social en la conservación por la ausencia de antigüedad, por la carencia de singularidad y representatividad y de valor testimonial, o por tratarse de bienes repetidos muy numerosos ya suficientemente representados. En todo caso, esta falta de interés deberá justificarse con carácter previo a cualquier acción que pueda poner en peligro la integridad física de estos bienes.

3. Las solicitudes de autorización deberán resolverse en un plazo máximo de tres meses. Tras transcurrir este plazo, la autorización se entenderá concedida.

CAPÍTULO VII. Bienes que integran el patrimonio documental y bibliográfico

Artículo 109. Patrimonio documental de Galicia

1. A los efectos de esta ley, el patrimonio documental gallego está constituido por el conjunto de documentos de titularidad pública. Asimismo, está constituido por los de titularidad privada, custodiados o no en archivos de Galicia y fuera de ella, que, por su origen, antigüedad o valor, sean de interés para la Comunidad Autónoma de Galicia en los términos establecidos en este capítulo y en la normativa sectorial aplicable.

2. Forman parte del patrimonio documental, siempre que reúnan los requisitos señalados en el apartado anterior, independientemente del soporte en el que se encuentren:

a) Los documentos de cualquier época generados, conservados o reunidos, en el ejercicio de su función, por la Administración general y las entidades integrantes del sector público autonómico de Galicia.

b) Los documentos anteriores a 1965, generados, conservados o reunidos, en el ejercicio de sus actividades, por las entidades y asociaciones de carácter político, sindical o religioso y por las entidades, fundaciones y asociaciones culturales y educativas de carácter privado, que tengan interés para la historia de Galicia.

c) Los documentos anteriores a 1901, generados, conservados o reunidos por otras entidades particulares o personas físicas, que tengan interés para la historia de Galicia.

3. Asimismo, podrán integrarse en el patrimonio documental de Galicia aquellos documentos que, sin alcanzar la antigüedad señalada en los apartados anteriores, merezcan dicha consideración en atención a su valor cultural para la Comunidad Autónoma.

4. Quedarán sometidos al régimen de protección que esta ley establece para los bienes declarados de interés cultural los inmuebles dedicados a archivos de titularidad autonómica. Los bienes situados en ellos tendrán el régimen de protección establecido en las normas sectoriales que les sean de aplicación, sin perjuicio de su posible declaración de interés cultural o catalogación.

Artículo 110. Patrimonio bibliográfico de Galicia

1. A los efectos de esta ley, el patrimonio bibliográfico gallego está constituido por los fondos y colecciones bibliográficas y hemerográficas de especial valor cultural.

2. Asimismo, se incluyen en el patrimonio bibliográfico gallego las obras literarias, históricas, científicas o artísticas, ya sean impresas, manuscritas, fotográficas, cinematográficas, fonográficas o magnéticas, de carácter unitario o seriado, que reúnan los requisitos del apartado anterior, en cualquier tipo de soporte e independientemente de la técnica utilizada para su creación o reproducción, en las que concurra alguna de las siguientes circunstancias:

a) Que respecto a estas obras conste la inexistencia de, por lo menos, tres ejemplares idénticos en bibliotecas o servicios públicos.

b) Que sean anteriores a 1901.

c) Que tengan características singulares que les otorguen carácter único (ex libris, expurgos, etc.).

3. Quedarán sometidos al régimen de protección que esta ley establece para los bienes declarados de interés cultural los inmuebles dedicados a bibliotecas de titularidad autonómica. Los bienes situados en ellos tendrán el régimen de protección establecido en las normas sectoriales que les sean de aplicación, sin perjuicio de su posible declaración de interés cultural o catalogación.

4. Este capítulo será de aplicación a los originales fonográficos, gráficos o cinematográficos, así como a los ejemplares hemerográficos, independientemente del soporte en el que se encuentren.

TÍTULO VIII. Museos

Artículo 111. Definición y funciones de los museos

1. Los museos son instituciones de carácter permanente, abiertas al público y sin finalidad de lucro, orientadas a la promoción y al desarrollo cultural de la comunidad en general, por medio de la recogida, adquisición, inventario, catalogación, conservación, investigación, difusión y exhibición, de forma científica, estética y didáctica, de conjuntos y colecciones de bienes patrimoniales de carácter cultural que constituyen testimonios de las actividades del ser humano o de su ámbito natural, con fines de estudio, educación, disfrute y promoción científica y cultural. Quedarán sometidos al régimen de protección que esta ley establece para los bienes declarados de interés cultural los inmuebles dedicados a museos de titularidad autonómica.

2. Son funciones de los museos:

a) La conservación, catalogación, restauración y exhibición ordenada de las colecciones.

b) La investigación en el ámbito de sus colecciones, de su especialidad o de su respectivo ámbito cultural.

c) La organización periódica de exposiciones científicas y divulgativas de carácter temporal.

d) La elaboración y publicación de catálogos y monografías de sus fondos.

e) El desarrollo de una actividad didáctica con respecto a sus contenidos.

f) Otras funciones que en sus normas estatutarias o por disposición legal o reglamentaria se les encomienden.

g) Facilitar la consulta ágil y continuada a personal investigador y a la ciudadanía en general de sus fondos, excepto que suponga un peligro para su integridad.

3. Mientras no se redacte normativa específica los museos se regirán por las disposiciones previstas en este título.

Artículo 112. Colección visitable

Artículo 113. Creación y reglamentación

Artículo 114. Red y Sistema Gallego de Museos

Artículos 112, 113 y 114 derogados por la letra a) del número 1 de la disposición derogatoria única de la Ley 7/2021, 17 febrero, de museos y otros centros museísticos de Galicia (D.O.G. 25 febrero)

Artículo 115. Instrumentos y medios de los museos

1. Todos los museos radicados en la Comunidad Autónoma de Galicia contarán con un registro para el tratamiento administrativo de los fondos, que se reflejará en un libro de inscripción. Igualmente, contarán con un inventario y un catálogo para el tratamiento científico-técnico y la identificación, control, estudio y difusión del patrimonio mueble contenido en ellos.

Los catálogos de los museos contarán con una versión digital, de acceso abierto, con fines sociales, educativos y de interpretación.

2. Todos los museos integrados en el Sistema Gallego contarán con los medios humanos y técnicos suficientes para poder desarrollar sus funciones de acuerdo con la estructuración en áreas y dotaciones que reglamentariamente se establezcan.

Artículo 116. Acceso a los museos

1. La consejería competente en materia de patrimonio cultural promoverá y garantizará el acceso de la ciudadanía a los museos públicos, con especial atención a la promoción de

las visitas escolares, sin perjuicio de las restricciones que, por causa de la conservación de los bienes custodiados en ellos, puedan establecerse.

2. La consejería competente en materia de patrimonio cultural establecerá las condiciones que regirán el acceso y la visita pública a los museos del Sistema Gallego y, de acuerdo con las personas titulares de las diferentes redes, a otros museos y colecciones visitables, y regulará los horarios de apertura al público de los de titularidad autonómica, para facilitar el conocimiento y disfrute de los bienes culturales expuestos en ellos o para su investigación, conforme a los objetivos y funciones determinados en esta ley.

Artículo 117. Reproducciones

1. La consejería competente en materia de patrimonio cultural establecerá las condiciones para autorizar la reproducción, por cualquier procedimiento, de los objetos custodiados en los museos de titularidad autonómica o en aquellos gestionados por la Comunidad Autónoma.

2. Cualquier reproducción total o parcial con fines de explotación comercial o de publicidad de fondos pertenecientes a colecciones de museos de titularidad estatal gestionados por la Comunidad Autónoma o de titularidad autonómica deberá ser formalizada mediante convenio entre las administraciones implicadas.

TÍTULO IX. Fomento

Artículo 118. Subvenciones

1. La concesión de subvenciones para la investigación, documentación, conservación, restauración y difusión de bienes integrantes del patrimonio cultural de Galicia se realizará dentro de las previsiones presupuestarias y conforme a los criterios que establezcan las bases reguladoras de la subvención, de acuerdo con lo dispuesto en la normativa reguladora de subvenciones y ayudas públicas.

2. Entre esos criterios deberán incluirse la mayor necesidad de protección del bien, su mayor difusión cultural y el aseguramiento de los fondos públicos empleados.

3. En el otorgamiento de las medidas de fomento a que se refiere este título, se fijarán las garantías necesarias para evitar la especulación con los bienes que se adquieran, conserven, restauren o mejoren con ayudas públicas.

4. En el supuesto de que, antes de que hayan transcurrido quince años desde el otorgamiento de las subvenciones previstas en este título, la Xunta de Galicia hubiese adquirido los bienes a los que se les hayan aplicado dichas subvenciones, se detraerá del precio de adquisición, una vez actualizado, una cantidad equivalente a aquellas, que se considerará como un anticipo a cuenta.

5. La Xunta de Galicia podrá propiciar la participación de entidades privadas y de particulares en la financiación de las actuaciones de fomento a las que se refiere este título. Si se tratase de un particular, la consejería competente en materia de patrimonio cultural podrá colaborar en la financiación del coste de la ejecución del proyecto. Reglamentariamente se establecerán el porcentaje y las fórmulas de colaboración convenientes.

Artículo 119. Trabajos de dotación artística en las obras públicas

1. En el presupuesto de los proyectos técnicos de las obras públicas realizadas dentro del territorio de la Comunidad Autónoma de Galicia, incluidas aquellas que se ejecuten en la modalidad de concesión administrativa, sobre bienes cuya gestión o titularidad corresponda a la Comunidad Autónoma, que hayan sido financiados total o parcialmente con fondos propios de la Comunidad Autónoma, se incluirá el porcentaje de la financiación

autonómica que, en cada ejercicio, establezca la ley de presupuestos para inversiones en conservación o restauración de bienes culturales.

2. Al comienzo de cada ejercicio presupuestario, el órgano competente en materia de presupuestos realizará de oficio la retención del ochenta por ciento del porcentaje anual en los créditos afectados a la realización de trabajos de dotación artística y se procederá a la consiguiente ampliación de crédito en la consejería competente en materia de patrimonio cultural.

La ampliación de crédito indicada tendrá carácter de «a cuenta» sobre la relativa a la liquidación definitiva del porcentaje que, de acuerdo con el apartado 1 de este artículo, le corresponde a los trabajos de dotación artística. A estas ampliaciones no les serán aplicables las limitaciones establecidas en el artículo 68 del texto refundido de la Ley de régimen financiero y presupuestario de Galicia, aprobado por el Decreto legislativo 1/1999, de 7 de octubre, y en el párrafo siete del artículo 8 de esta ley.

3. Las obras que se ejecuten con los fondos previstos en este artículo gozarán de la calificación de interés social, a los efectos de la aplicación de la legislación de expropiación forzosa y del beneficio de urgente ocupación de los bienes afectados.

Artículo 120. Beneficios fiscales

1. Los bienes de interés cultural gozarán de los beneficios fiscales que, en el ámbito de las respectivas competencias, determinen las legislaciones del Estado y de la Comunidad Autónoma de Galicia y, eventualmente, las ordenanzas locales.

2. Dichos beneficios se extenderán a las intervenciones de mantenimiento, conservación, restauración o valorización de bienes inmuebles con un nivel de protección integral en el ámbito delimitado de inmuebles de cualquier categoría con la declaración de bien de interés cultural del patrimonio cultural de Galicia.

3. Las inversiones destinadas a mejorar las condiciones de apreciación de un bien de interés cultural, con actuaciones sobre él o sobre su entorno de protección, tendrán la consideración de inversiones en bienes de interés cultural, a los efectos previstos en el apartado anterior.

Artículo 121. Patrocinio

1. Se considerarán patrocinio de los bienes culturales todas las formas de participación realizadas por una entidad privada en el diseño o establecimiento de las iniciativas de la Xunta de Galicia y de otras administraciones y entidades públicas relacionadas con la protección y mejora del patrimonio cultural.

2. Cuando el patrocinio conlleve la promoción del nombre, marca o imagen del patrocinador, esta deberá ser compatible con el carácter artístico o histórico, el aspecto y el decoro del bien cultural. La publicidad en las obras vinculada a su patrocinio podrá alcanzar el tiempo de ejecución de la obra y un año más desde su finalización.

3. La Xunta de Galicia podrá otorgar el título de protector del patrimonio cultural de Galicia a todas aquellas personas, empresas, entidades privadas y corporaciones que se distingan especialmente en actividades de conservación y enriquecimiento del patrimonio cultural gallego. Las personas beneficiarias podrán hacer uso de este título en todas las manifestaciones propias de su actividad.

Artículo 122. Difusión, formación y educación

1. La Xunta de Galicia promoverá el conocimiento del patrimonio cultural y de las actividades y medidas para su salvaguarda mediante las adecuadas campañas públicas de divulgación y sensibilización con la asistencia y participación de los profesionales de su estudio, conservación y divulgación.

2. Se promoverá en el sistema educativo el conocimiento del patrimonio cultural de Galicia así como el aprecio a su protección y valorización como herramienta para la convivencia y la cohesión social.

3. La Xunta de Galicia promoverá la formación, la enseñanza especializada y la investigación en las materias relativas al estudio, a la conservación y al enriquecimiento del patrimonio cultural y establecerá los medios de colaboración adecuados para este fin con las universidades y los centros de formación e investigación especializados.

4. La Xunta de Galicia y las entidades habilitadas para la autorización de intervenciones en el patrimonio cultural garantizarán la asistencia y participación de técnicos con la competencia y conocimientos necesarios, especialmente en el ámbito de la historia, el arte, la conservación y restauración de bienes culturales, la arquitectura, la arqueología, la antropología o en cualquier otra disciplina científica aplicable a la naturaleza del bien, así como su adecuada formación especializada.

TÍTULO X. Actividad inspectora y régimen sancionador

CAPÍTULO I. Actividad inspectora

Artículo 123. Inspección de patrimonio cultural

1. La consejería competente en materia de patrimonio cultural ejercerá, a través de los órganos de dirección y de las unidades administrativas que se determinen reglamentariamente, la potestad de inspección en las materias que se regulan en esta ley y en sus normas de desarrollo para la protección del patrimonio cultural de Galicia.

2. El ejercicio de la actividad de inspección prevista en esta ley y en sus disposiciones de desarrollo corresponde al personal funcionario que ocupe puestos de trabajo clasificados como tales en la relación de puestos de trabajo de la consejería competente en materia de patrimonio cultural.

Artículo 124. Funciones de la inspección

Son funciones de la inspección del patrimonio cultural:

a) Vigilar y controlar el cumplimiento de la normativa vigente en materia de protección del patrimonio cultural.

b) Levantar las pertinentes actas por posibles infracciones en materia de protección del patrimonio cultural y desarrollar las actividades de investigación necesarias solicitando las pruebas que se consideren oportunas.

c) Emitir informes sobre el estado de los bienes integrantes del patrimonio cultural y sobre las intervenciones que sobre los mismos se realicen.

d) Asesorar e informar sobre el cumplimiento de las normas de protección del patrimonio cultural y, en particular, informar a las personas titulares o responsables de bienes integrantes del patrimonio cultural sobre sus obligaciones.

e) Proponer a los órganos competentes la adopción de medidas cautelares o cualquier otra actuación que se considere necesaria para el mejor cumplimiento de los fines de protección del patrimonio cultural.

f) Cualquier otra que se le atribuya legal o reglamentariamente.

Artículo 125. Ejercicio de la actividad inspectora

1. En el ejercicio de la actividad inspectora, el personal tendrá la condición de agente de la autoridad pública, con las facultades y protección que le confiere la normativa vigente.

2. El personal inspector estará provisto de la correspondiente acreditación, con la que se identificará en el desempeño de sus funciones, y podrá recabar el auxilio y colaboración de las fuerzas y cuerpos de seguridad conforme a la legislación vigente.

Artículo 126. Actas de inspección

1. Los hechos constatados por el personal inspector en el ejercicio de la función de vigilancia y control se recogerán en el acta de inspección y gozarán de valor probatorio, sin perjuicio de las pruebas que en defensa de los respectivos derechos o intereses puedan señalar o aportar las propias personas administradas.

2. Las actas de inspección se formalizarán por duplicado ante la persona titular o responsable de los bienes o actividades, la persona que la represente legalmente o, en su defecto, cualquier otra persona que en el momento de la actuación inspectora tenga conferida la responsabilidad o posesión sobre un bien integrante del patrimonio cultural o esté al frente de cualquier actividad que pudiere afectar a este.

3. El acta será firmada por el personal encargado de la inspección y por la persona compareciente, a la que se le debe entregar una copia. Si esta última se negase a firmar o a recibir copia del acta, se hará constar en esta y se le notificará a la persona interesada posteriormente. La firma del acta por la persona compareciente acreditará únicamente el conocimiento de su contenido y en ningún caso supondrá su conformidad con este, excepto que así lo reconozca expresamente la persona interesada.

Artículo 127. Obligación de colaboración con la inspección

1. Las personas propietarias o poseedoras y demás titulares de derechos reales sobre los bienes integrantes del patrimonio cultural de Galicia o de aquellos donde se desarrollen actuaciones que les puedan afectar, le facilitarán el acceso, por el tiempo imprescindible y con fines de inspección, al personal inspector.

2. Cuando para el ejercicio de esas funciones inspectoras fuere precisa la entrada en un domicilio y no existiere el consentimiento expreso de su persona titular, la persona titular de la unidad administrativa de la que dependa el personal inspector solicitará la oportuna autorización judicial.

CAPÍTULO II. Régimen sancionador

Sección 1ª. Infracciones

Artículo 128. Concepto y clasificación de infracciones

1. Son infracciones administrativas en materia de protección del patrimonio cultural las acciones y omisiones que supongan el incumplimiento de las obligaciones establecidas en esta ley, de acuerdo con lo establecido en los artículos siguientes.

2. Las infracciones en materia de protección del patrimonio cultural de Galicia se clasifican en leves, graves y muy graves.

Artículo 129. Infracciones leves

Tendrán la consideración de infracciones leves:

a) El incumplimiento del deber de conservación previsto en el artículo 32 cuando de este no se deriven daños graves e irreparables para los bienes protegidos en esta ley.

b) El incumplimiento del deber de acceso recogido en el artículo 36, en sus apartados 1.b) y c) y 2.

c) El incumplimiento del deber de comunicación señalado en el artículo 37 sobre el daño o perjuicio que hubiesen sufrido los bienes y que afecte de forma significativa a su valor cultural.

d) El incumplimiento de la entrega de la memoria final de las intervenciones recogida en los artículos 43.3 y 97.3.

e) El incumplimiento de la obligación de facilitar la visita pública, recogida en el artículo 48, a las zonas que se determinen de forma específica en los bienes de interés cultural.

f) El incumplimiento del deber de notificar a la consejería competente en materia de patrimonio cultural cualquier pretensión de transmisión onerosa de la propiedad o de cualquier derecho real de disfrute de los bienes de interés cultural, recogido en el artículo 49.

g) El incumplimiento de las condiciones de señalización de bienes inmuebles de interés cultural, referidas en el artículo 53.1, que se determinen reglamentariamente.

h) El incumplimiento de las obligaciones referidas a la instalación de antenas, cableado, publicidad comercial y otras recogidas en el artículo 53.2 con respecto a los bienes declarados de interés cultural.

i) El incumplimiento por parte de los ayuntamientos de la obligación de dar cuenta con periodicidad trimestral a la consejería competente en materia de patrimonio cultural de las autorizaciones y licencias dictadas en el marco de las habilitaciones referidas en los artículos 58, 62, 65 y 82.

j) La disgregación de una colección declarada de interés cultural sin la autorización de la consejería competente en materia de patrimonio cultural, según lo recogido en el artículo 63.2.

k) El traslado, sin la autorización de la consejería competente en materia de patrimonio cultural, de bienes muebles declarados de interés cultural o de los bienes muebles a los que se refiere el artículo 64.3 o incumpliendo las condiciones establecidas en ella, cuando no se deriven daños graves o irreparables para el bien protegido.

l) El traslado de bienes muebles catalogados sin la comunicación previa a la consejería competente en materia de patrimonio cultural cuando de ello no se deriven daños graves o irreparables para el bien protegido.

m) La tala de arbolado u otras transformaciones de la estructura y usos tradicionales en el ámbito delimitado del territorio histórico de los Caminos de Santiago sin la previa autorización de la consejería competente en materia de patrimonio cultural o contraviniendo los términos de la autorización concedida.

n) La circulación con vehículo de motor en los tramos no urbanos de la traza de los Caminos de Santiago salvo cuando se trate de la única vía de acceso a la vivienda o parcela, o de los vehículos necesarios para su mantenimiento y conservación y los de extinción de incendios.

o) El establecimiento de campamentos o de cualquier tipo de acampada colectiva o individual en el ámbito de tres metros a ambos lados de la traza de los Caminos de Santiago, a partir de su línea exterior.

p) La colocación de publicidad o de carteles en tramos no urbanos del ámbito delimitado del territorio histórico de los Caminos de Santiago sin la previa autorización de la consejería competente en materia de patrimonio cultural o incumpliendo los términos de la autorización concedida.

q) La ocupación provisional de los Caminos de Santiago sin la autorización de la consejería competente en materia de patrimonio cultural o incumpliendo sus condiciones, cuando de ello no se deriven daños graves o irreparables para el bien protegido.

r) La manipulación o deterioro de los elementos de señalización existentes de los Caminos de Santiago y de los restantes bienes culturales protegidos, o su uso no autorizado.

s) La realización de tratamientos sobre bienes muebles integrantes del patrimonio artístico catalogados sin obtener la previa autorización de la consejería competente en materia de patrimonio cultural o incumpliendo las condiciones de esta y de lo establecido en el artículo 84 en lo referido a los proyectos de intervención y cualificación técnica para su ejecución, cuando no se deriven daños graves o irreparables para el bien protegido.

t) La reanudación de la actividad urbanística, obra o edificación sin cumplir lo previsto en el artículo 97.3, siempre que no cause un daño grave.

u) La omisión o el incumplimiento de las condiciones de las intervenciones arqueológicas ordenadas por la consejería competente en materia de patrimonio cultural cuando se constate o presuma la existencia de un yacimiento arqueológico, cuando de dicho incumplimiento no se deriven daños graves o irreparables.

v) El uso no autorizado o realizado sin cumplir los requisitos de la autorización concedida de detectores de metales o de otras herramientas o técnicas que permitan localizar restos arqueológicos, en zonas protegidas por su valor arqueológico o en las que se presuma o se constate la existencia de un yacimiento o de restos arqueológicos, cuando de dicho uso no se deriven daños graves o irreparables.

w) La organización de actividades turísticas, deportivas, científicas o culturales consistentes en la visita a los pecios hundidos a los que se refiere el artículo 102 sin la autorización de la consejería competente en materia de patrimonio cultural o incumpliendo los términos de esta, cuando de dichas actividades no se deriven daños para el patrimonio cultural subacuático.

x) El incumplimiento de cualquier otra obligación de carácter formal contenida en esta ley cuando de su acción u omisión no se deriven daños graves o irreparables.

y) La realización de cualquier intervención en un bien declarado de interés cultural o catalogado, o en su entorno de protección, o en su zona de amortiguamiento, sin la autorización previa de la consejería competente en materia de patrimonio cultural, cuando esta fuera preceptiva o contraviniendo los términos de la autorización concedida.

z) La realización de pintadas, incisiones y otros actos vandálicos que causen daños o deterioros en bienes sitos en el entorno de protección de un bien declarado de interés cultural o catalogado.

Artículo 130. Infracciones graves

Tendrán la consideración de infracciones graves:

a) La destrucción o daños graves e irreparables para bienes declarados de interés cultural o catalogados, por el incumplimiento del deber de conservación previsto en el artículo 32.

b) El incumplimiento del deber de facilitar el acceso al personal habilitado para la realización de labores de inspección recogido en el artículo 36.1.a).

c) El incumplimiento de las paralizaciones ordenadas en el marco de lo que establece el artículo 39.3, cuando de ello no se derive la destrucción o daño generalizado grave e irreparable sobre los bienes.

d) La realización de cualquier intervención en un bien declarado de interés cultural o catalogado o en su entorno de protección o en su zona de amortiguamiento sin la previa autorización de la consejería competente en materia de patrimonio cultural, cuando esta sea preceptiva, o contraviniendo los términos de la autorización concedida, y cuando ocasione un daño a este bien.

e) El otorgamiento de permisos, licencias o autorizaciones municipales sin la autorización previa de la consejería competente en materia de patrimonio cultural para cualquier intervención en bienes de interés cultural o catalogados o en sus entornos de protección o en su zona de amortiguamiento, cuando esta sea preceptiva.

f) El desplazamiento de bienes declarados de interés cultural que contravenga lo dispuesto en el artículo 52.

g) El otorgamiento de permisos, licencias o autorizaciones municipales otorgadas en el marco de la habilitación referida en los artículos 58 y 62 que contravengan los términos del plan especial de protección o de los instrumentos específicos de protección de los territorios históricos y paisajes culturales a los que se refieren los artículos 55 y 59.

h) El traslado sin la autorización de la consejería competente en materia de patrimonio cultural de bienes muebles declarados de interés cultural o de los bienes muebles a los que se refiere el artículo 64.3, cuando de ello se deriven daños graves o irreparables para el bien protegido.

i) El otorgamiento de permisos, licencias o autorizaciones municipales con respecto a intervenciones en bienes inmuebles catalogados o en su entorno de protección o en su zona de amortiguamiento incumpliendo los términos de la habilitación concedida al ayuntamiento de acuerdo con lo previsto en el artículo 65.

j) El traslado de bienes muebles catalogados sin la comunicación previa a la consejería competente en materia de patrimonio cultural, cuando de ello se deriven daños graves o irreparables para el bien protegido.

k) La realización de cualquier intervención en el ámbito delimitado del territorio histórico de los Caminos de Santiago sin la previa autorización de la consejería competente en materia de patrimonio cultural o contraviniendo los términos de la autorización concedida.

l) La tala de arbolado frondoso autóctono en el ámbito de tres metros a ambos lados de la traza de los Caminos de Santiago, a partir de su línea exterior, sin la autorización de la consejería competente en materia de patrimonio cultural.

m) El incumplimiento de las prohibiciones contenidas en el artículo 78.3.a) y b) sobre el establecimiento de explotaciones mineras y canteras, incluidas las extracciones de grava y arena, o instalaciones para la gestión de residuos y vertederos.

n) El otorgamiento de permisos, licencias o autorizaciones municipales con respecto a intervenciones en el ámbito delimitado del territorio histórico de los Caminos de Santiago incumpliendo los términos de la habilitación prevista en el artículo 82.

o) La realización de tratamientos sobre bienes muebles integrantes del patrimonio artístico sin obtener la previa autorización de la consejería competente en materia de patrimonio cultural o incumpliendo las condiciones de esta y de lo establecido en el artículo 84 en lo referido a los proyectos de intervención y cualificación técnica para su ejecución, cuando se deriven daños graves o irreparables para el bien protegido.

p) La realización de movimientos o retranqueos de bienes inmuebles del patrimonio etnológico contraviniendo lo dispuesto en el artículo 92.4.

q) La realización de actividades arqueológicas sin la preceptiva autorización de la consejería competente en materia de patrimonio cultural o la realización de estas contraviniendo los términos de la autorización concedida, siempre que se cause un daño grave o se ponga en riesgo de destrucción el patrimonio cultural.

r) La realización de obras de edificación o cualquier intervención que conlleve remoción de tierras en una zona arqueológica sin la previa autorización de la consejería competente en materia de patrimonio cultural.

s) El incumplimiento de la obligación de comunicación inmediata a la consejería competente en materia de patrimonio cultural del descubrimiento de restos arqueológicos y de la entrega de los bienes encontrados, cuando de dicho incumplimiento se deriven daños para el patrimonio arqueológico.

t) El incumplimiento de la orden de suspensión de una obra, actividad o remoción de tierras en curso acordada por la consejería competente en materia de patrimonio cultural cuando se constate o presuma la existencia de un yacimiento arqueológico, cuando de dicho incumplimiento se deriven daños graves o irreparables.

u) La omisión o el incumplimiento de las condiciones de las intervenciones arqueológicas ordenadas por la consejería competente en materia de patrimonio cultural cuando se constate o presuma la existencia de un yacimiento arqueológico, cuando de dicho incumplimiento se deriven daños graves o irreparables.

v) El uso no autorizado o realizado sin cumplir los requisitos de la autorización concedida de detectores de metales o de otras herramientas o técnicas que permitan localizar restos arqueológicos, en zonas protegidas por su valor arqueológico o en las que se presuma o se constate la existencia de un yacimiento o de restos arqueológicos, cuando de dicho uso se deriven daños graves o irreparables.

w) La organización de actividades turísticas, deportivas, científicas o culturales consistentes en la visita a los pecios hundidos a los que se refiere el artículo 102 sin la autorización de la consejería competente en materia de patrimonio cultural o incumpliendo los términos de esta, cuando de dichas actividades se deriven daños para el patrimonio cultural subacuático.

x) El incumplimiento de la prohibición recogida en el artículo 102.7 con respecto al comercio de bienes pertenecientes al patrimonio cultural subacuático.

y) La destrucción de bienes del patrimonio científico y técnico, declarados BIC o catalogados, sin solicitar la preceptiva autorización de la consejería competente en materia de patrimonio cultural, como se recoge en el artículo 108.

z) El incumplimiento de las suspensiones ordenadas en el marco de lo dispuesto en esta ley cuando de ello se derive la destrucción o demolición de los bienes a los que se refieran las suspensiones.

z bis) La realización de pintadas, incisiones y otros actos vandálicos que causen daños o deterioros en un bien declarado de interés cultural o catalogado, excepto que el daño o deterioro tenga la consideración de infracción muy grave, con arreglo a lo establecido en el artículo 131, sin perjuicio de lo contemplado en el apartado a) de este mismo artículo.

Artículo 131. Infracciones muy graves

Tendrán la consideración de infracciones muy graves:

a) La destrucción o daño generalizado grave e irreparable de un bien declarado de interés cultural o catalogado.

b) La demolición, total o parcial, de un bien declarado de interés cultural sin la preceptiva autorización recogida en el artículo 54.2, independientemente de la tramitación de la declaración de ruina a la que estuviere sometido.

c) El incumplimiento de las paralizaciones ordenadas en el marco de lo que establece el artículo 39.3, cuando de ello se derive la destrucción o daño generalizado grave e irreparable sobre los bienes.

d) La destrucción de bienes del patrimonio arqueológico cuando medie el incumplimiento de la orden de suspensión de obras o se produzca con incumplimiento de las cautelas señaladas por la Administración.

Artículo 132. Responsables

1. Podrán ser sancionadas por hechos constitutivos de infracción administrativa las personas físicas y jurídicas que resulten responsables de los mismos.

2. Se considera responsable de las infracciones a quien incurra, por acción u omisión, en las conductas recogidas en los artículos 123 a 125.

En todo caso, son responsables:

a) Los autores o autoras materiales de las actuaciones infractoras o, en su caso, las entidades o empresas de las que dependan.

b) Los promotores en caso de intervenciones u obras que se realicen sin autorización o incumpliendo los términos de esta.

c) Los técnicos directores de obras en lo que respecta al incumplimiento de la orden de suspenderlas o al incumplimiento de las condiciones técnicas establecidas para su ejecución.

d) Las corporaciones locales que otorguen licencias o autorizaciones contraviniendo esta ley o que incurran en cualquier otra infracción tipificada en ella.

Sección 2ª. Sanciones

Artículo 133. Clases

1. Las infracciones administrativas recogidas en este título, en los casos en que el daño causado al patrimonio cultural pueda ser valorado económicamente o pueda determinarse el beneficio económico derivado de la infracción cometida, se sancionarán con una multa del tanto al cuádruple del valor del daño producido o del beneficio obtenido.

2. En los demás casos, las infracciones serán sancionadas con las siguientes multas:

a) Infracciones leves: multa de 300 a 6.000 euros.

b) Infracciones graves: multa de 6.001 a 150.000 euros.

c) Infracciones muy graves: multa de 150.001 a 1 millón de euros.

3. Sin perjuicio de lo dispuesto en los apartados anteriores, la cuantía de la sanción no podrá ser, en ningún caso, inferior al doble del beneficio obtenido como resultado de la actuación infractora.

4. Las sanciones que se impongan a distintos sujetos como consecuencia de una misma infracción tendrán carácter independiente entre sí.

5. Los importes de las multas impuestas en concepto de sanciones se destinarán a la investigación del patrimonio cultural de Galicia y a la conservación, restauración y valorización de los bienes de los que sea titular o que gestione la Comunidad Autónoma.

Artículo 134. Graduación de las sanciones

1. La graduación de las sanciones se realizará de acuerdo con el principio de proporcionalidad según la gravedad de la infracción cometida, la relevancia de los bienes afectados, el grado de intencionalidad y las circunstancias personales de la persona sancionada, el daño que se le pudo haber causado al patrimonio cultural de Galicia y las demás circunstancias atenuantes o agravantes que concurran.

2. Cuando de unos mismos hechos se derive la comisión de dos o más infracciones, se impondrá únicamente la sanción correspondiente a la infracción más grave cometida.

3. Son circunstancias que agravan la responsabilidad de las personas o entidades infractoras:

a) La continuidad o persistencia en la conducta infractora.

b) La reincidencia en la comisión de las infracciones en materia de patrimonio cultural. Se entiende que hay reincidencia cuando la persona responsable ya haya sido previamente sancionada por una de las infracciones tipificadas en este título en los cinco años anteriores, siempre que dicha sanción sea firme en vía administrativa.

c) El incumplimiento de requerimientos o medidas impuestas por la consejería competente en materia de patrimonio cultural o por la administración competente para la suspensión de obras o intervenciones ilegales, cuando no constituya elemento del tipo infractor.

d) El mayor conocimiento de los pormenores de la actuación realizada, de acuerdo con la actividad profesional de la persona responsable o el público reconocimiento del bien.

4. Son circunstancias que atenúan la responsabilidad de las personas o entidades infractoras:

a) La paralización de las obras o actividad infractora, de modo voluntario, tras la pertinente advertencia del personal inspector de patrimonio cultural.

b) La reposición de la legalidad y reparación total o parcial del daño causado con anterioridad a la conclusión del procedimiento sancionador.

c) Las excepcionales características del estado de conservación del bien o del infractor que dificulten o impidan su adecuado reconocimiento.

Artículo 135. Reparación de daños

1. La resolución que imponga la sanción por infracciones tipificadas en esta ley de las que se deriven daños para el patrimonio cultural de Galicia conllevará la obligación de restitución del bien a su debido estado, o de la enmienda de la alteración producida en su entorno de protección, siempre que esto sea posible. Esta obligación es imprescriptible.

2. El incumplimiento de esta obligación de reparación de daños o restitución de las cosas a su debido estado facultará a la consejería competente en materia de patrimonio cultural para actuar de forma subsidiaria realizando las obras por sí o a través de las personas físicas o jurídicas que se determinen y a costa del obligado u obligada, utilizando, en su caso, la vía de apremio para reintegrarse de su coste.

El importe de los gastos podrá liquidarse de forma provisional y realizarse antes de la ejecución, a reserva de la liquidación definitiva.

Sección 3ª. Procedimiento sancionador

Artículo 136. Procedimiento sancionador

1. La iniciación del procedimiento sancionador se realizará siempre de oficio por acuerdo de la dirección general competente en materia de protección del patrimonio cultural, por iniciativa propia, por orden superior, por petición razonada de otros órganos o por denuncia.

Con anterioridad al acuerdo de iniciación se podrán realizar actuaciones previas con el fin de determinar si concurren las circunstancias que justifican la iniciación de un procedimiento sancionador.

Será competente para la instrucción del procedimiento el funcionario o funcionaria que se haya designado en el acuerdo de iniciación.

2. El plazo para resolver y notificar la resolución del procedimiento sancionador será de un año desde la fecha del acuerdo de iniciación. Tras transcurrir este plazo, teniendo en cuenta las posibles interrupciones de su cómputo por causas imputables a las personas interesadas o por la suspensión del procedimiento, se declarará la caducidad del procedimiento.

3. La caducidad no producirá por sí sola la prescripción de las acciones del particular o de la Administración, pero los procedimientos caducados no interrumpirán el plazo de prescripción.

En los casos en que sea posible la iniciación de un nuevo procedimiento por no producirse la prescripción, podrán incorporarse al mismo los actos y trámites cuyo contenido se habría mantenido igual de no producirse la caducidad.

4. El órgano competente para iniciar el procedimiento sancionador podrá optar por la tramitación simplificada solo cuando considere que existen elementos de juicio suficientes para calificar la infracción como leve.

5. La tramitación del procedimiento sancionador, en el que en todo caso se dará audiencia a la persona interesada, en lo no previsto en este título, se regirá por lo dispuesto en la normativa básica en materia de procedimiento administrativo común.

Artículo 137. Medidas provisionales

1. El órgano competente para iniciar el procedimiento sancionador podrá acordar motivadamente, para evitar la continuación de la infracción o el agravamiento del daño causado, como medida provisional, el decomiso o precintado de los materiales y útiles

empleados en la actividad infractora, así como el depósito cautelar de los bienes integrantes del patrimonio cultural que se encuentren en posesión de personas que se dediquen a comerciar con ellos cuando no puedan acreditar su lícita posesión, así como la suspensión de las actuaciones constitutivas de la presunta infracción.

Cuando el decomiso, precintado o suspensión de la actividad se acuerde con carácter previo a la iniciación del procedimiento sancionador, deberá ser confirmado, modificado o levantado en el acuerdo de iniciación del procedimiento, que deberá adoptarse en un plazo máximo de quince días.

2. Cuando las actividades presuntamente constitutivas de infracción estén sujetas a licencia municipal o comunicación previa al ayuntamiento, la consejería competente en materia de patrimonio cultural dará traslado de ellas al ayuntamiento afectado con el fin de que, si procede, ordene la paralización de las actuaciones. De esta paralización dará cuenta a la consejería en un plazo máximo de diez días.

Artículo 138. Denuncia

1. Cualquier persona, física o jurídica, o entidad podrá denunciar los hechos que puedan constituir una infracción en materia de protección del patrimonio cultural.

2. Las denuncias deberán expresar la identidad de la persona o personas que las presentan, el relato de los hechos que podrían constituir infracción y, cuando sea posible, la fecha de su comisión y la identificación de los presuntos o presuntas responsables.

3. La denuncia no otorga la condición de persona interesada a quien la formula, sin perjuicio de que, en el caso de que la denuncia se acompañe de la solicitud de iniciación de un procedimiento sancionador, se le comunique la iniciación o no del mismo.

Artículo 139. Conductas constitutivas de ilícito penal

1. En cualquier momento del procedimiento sancionador en el que los órganos competentes juzguen que los hechos también pueden ser constitutivos de ilícito penal, se lo comunicarán al Ministerio Fiscal, solicitarán testimonio sobre las actuaciones practicadas con respecto a la comunicación y acordarán la suspensión del procedimiento sancionador hasta que recaiga resolución judicial firme, lo que se notificará a la persona interesada.

En estos supuestos, así como cuando se tenga conocimiento de que se está desarrollando un proceso penal sobre el mismo hecho, sujeto y fundamento, se suspenderá el procedimiento sancionador y se solicitará del órgano judicial comunicación sobre las actuaciones adoptadas.

2. La sanción penal excluirá la imposición de sanción administrativa cuando se produzca identidad de sujeto, hecho y fundamento jurídico pero no excluye la adopción de medidas de restablecimiento de la legalidad y reparación de los daños causados.

3. En todo caso, los hechos declarados probados por resolución penal firme vinculan a los órganos administrativos con respecto a los procedimientos sancionadores que se tramiten.

Artículo 140. Órganos competentes para la imposición de sanciones

1. La resolución que ponga fin al procedimiento sancionador será motivada y resolverá todas las cuestiones pertinentes suscitadas en el expediente.

2. La competencia para la imposición de las sanciones previstas en esta ley le corresponde:

a) A la persona titular de la dirección general competente en materia de patrimonio cultural: las sanciones de hasta 60.000 euros.

b) A la persona titular de la consejería competente en materia de patrimonio cultural: las sanciones comprendidas entre 60.001 y 150.000 euros.

c) Al Consejo de la Xunta: las sanciones de cuantía superior a 150.000 euros.

Artículo 141. Prescripción de infracciones y sanciones

1. Las infracciones administrativas tipificadas en la presente ley prescribirán:

a) Las leves, a los cinco años.

b) Las graves, a los cinco años.

c) Las muy graves, a los diez años.

2. El plazo de prescripción de las infracciones se computará desde el día en que se hayan cometido o desde que se tenga conocimiento efectivo de ellas. En las infracciones que constituyan el incumplimiento continuado de alguna de las obligaciones impuestas por esta ley, el plazo se computará desde el día en que haya cesado la conducta infractora.

3. Las sanciones administrativas previstas en esta ley prescribirán:

a) Las leves, al año.

b) Las graves, a los dos años.

c) Las muy graves, a los tres años.

4. El plazo de prescripción de las sanciones se computará desde el día siguiente a aquel en que adquiera firmeza en vía administrativa la resolución por la que se impone la sanción, con la excepción de la obligación de restitución del bien a su debido estado o de la subsanación de la alteración producida en su entorno de protección, siempre que eso fuere posible, que será en todo caso imprescriptible.

5. El cómputo del plazo de prescripción de las infracciones se interrumpe por la iniciación, con conocimiento de la persona interesada, del procedimiento sancionador, y el de las sanciones, por la iniciación, con conocimiento de la persona interesada, del inicio de las actuaciones para el cumplimiento de la sanción por cualquiera de las vías previstas en la legislación vigente.

Disposición adicional primera. Bienes declarados de interés cultural

Todos aquellos bienes integrantes del patrimonio cultural de Galicia que tuviesen la condición de bienes de interés cultural con anterioridad a la entrada en vigor de esta ley mantendrán la consideración de bienes de interés cultural y quedarán sometidos al mismo régimen jurídico de protección aplicable a estos según esta ley.

Disposición adicional segunda. Catálogo del Patrimonio Cultural de Galicia

1. Desaparece el Inventario General del Patrimonio Cultural de Galicia. Todos los bienes que figuren en el Inventario General del Patrimonio Cultural de Galicia en el momento de la entrada en vigor de esta ley, excepto los que tengan la consideración de bienes de interés cultural, se incorporarán al Catálogo y pasarán a tener la consideración de bienes catalogados, quedando sometidos al mismo régimen jurídico de protección aplicable a estos.

2. En el plazo de un año desde la entrada en vigor de esta ley, la Xunta de Galicia elaborará un reglamento en el que se fije el formato del Catálogo del Patrimonio Cultural de Galicia.

3. Los ayuntamientos informarán en el plazo de cinco años, que comenzará a contar desde la aprobación del decreto a que se refiere el apartado anterior, de la relación de los bienes incluidos en los catálogos municipales y que deben integrar el Catálogo del Patrimonio Cultural de Galicia establecido en esta ley, indicando los elementos precisos para su identificación, el entorno de protección establecido y las fichas que consten en el planeamiento. Esta remisión de información se hará en formato electrónico.

4. El Catálogo estará permanentemente abierto a nuevas incorporaciones de bienes.

Disposición adicional tercera. Catálogos del planeamiento urbanístico

Los catálogos del planeamiento general municipal o del plan de desarrollo tendrán la consideración de normativos en lo referido a las actuaciones y condiciones de protección, y definirán los tipos de intervención posible y el nivel de protección de cada bien incluido en ellos, así como las determinaciones específicas que se consideren necesarias.

Disposición adicional cuarta. Condiciones para la habilitación a los ayuntamientos en el trámite de autorizaciones de las intervenciones por medio de convenios específicos

La habilitación a los ayuntamientos para la autorización de las intervenciones a que se refiere el artículo 65, independientemente de las consideraciones específicas que se determinen en el convenio de colaboración, deberá garantizar por lo menos:

a) Un planeamiento urbanístico adaptado a la Ley 9/2002, de 30 de diciembre, de ordenación urbanística y protección del medio rural de Galicia, o norma que la sustituya, que cuente en su tramitación con el informe favorable expreso de la consejería competente en materia de patrimonio cultural.

b) La certificación municipal de la disponibilidad de una comisión técnica formada, por lo menos, con personal técnico competente para el ejercicio de la arquitectura, la arqueología y la historia del arte.

c) Una metodología y sistematización de la información compatibles con el reglamento del Catálogo del Patrimonio Cultural de Galicia, que permitan el adecuado traslado de la información y comunicación de las autorizaciones concedidas y su contenido.

Disposición adicional quinta. Bienes declarados de interés cultural o catalogados en virtud de la ley

En el plazo de cinco años desde la entrada en vigor de esta ley, la consejería competente en materia de patrimonio cultural identificará y concretará a través del correspondiente expediente los bienes declarados de interés cultural o catalogados en virtud de esta ley.

Disposición adicional sexta. Condiciones para la visita pública a los bienes declarados de interés cultural

1. En el plazo de tres años desde la entrada en vigor de esta ley, las personas propietarias, poseedoras, arrendatarias y, en general, titulares de derechos reales sobre los bienes de interés cultural específicamente declarados comunicarán a la consejería competente en materia de patrimonio cultural las condiciones y el calendario para la realización de la visita pública gratuita establecida en el artículo 48, con la indicación de los espacios que constituyan domicilio particular o en los que pueda resultar afectado el derecho a la intimidad personal y familiar, debidamente justificados.

2. En caso de incumplimiento de esta obligación podrán imponerse las mismas sanciones que las previstas para el incumplimiento del régimen de visitas en los bienes de interés cultural, sin perjuicio de que la consejería competente en materia de patrimonio cultural establezca el espacio mínimo susceptible para ello.

Disposición adicional séptima. Publicidad de los bienes de interés cultural y catalogados

En el plazo de dos años desde la entrada en vigor de esta ley, la Xunta de Galicia divulgará, mediante el empleo de las tecnologías de la información y la comunicación, la relación de los bienes declarados de interés cultural así como de los catalogados.

Disposición adicional octava. Publicación del Censo del Patrimonio Cultural

En el plazo de dos años desde la entrada en vigor de esta ley, la Xunta de Galicia publicará el Censo del Patrimonio Cultural previsto en el artículo 14.

Disposición adicional novena. Plan territorial integrado de los Caminos de Santiago

En el plazo de dos años desde la entrada en vigor de esta ley se aprobará el Plan territorial integrado de los Caminos de Santiago previsto en el artículo 82.

Disposición adicional décima. Convenios de colaboración con entidades religiosas titulares de bienes integrantes del patrimonio cultural de Galicia

1. La Xunta de Galicia y las entidades que integran la Administración local gallega podrán concertar con la Iglesia católica y demás entidades religiosas titulares de bienes integrantes del

patrimonio cultural de Galicia los mecanismos, las medidas y las acciones de colaboración y cooperación con el fin de incrementar la conservación y seguridad de dichos bienes.

2. En el plazo de un año desde la entrada en vigor de esta ley se aprobará el reglamento que regule las relaciones entre la Xunta de Galicia y la Iglesia católica.

Disposición adicional decimoprimera. Suspensión de obras o de cualquier actuación que suponga la demolición o destrucción total o parcial de bienes integrantes del patrimonio cultural de Galicia no catalogados o declarados de interés cultural

1. La dirección general competente en materia de patrimonio cultural podrá ordenar la suspensión de la demolición o destrucción total o parcial de bienes integrantes del patrimonio cultural de Galicia no catalogados o declarados de interés cultural, que será comunicada a los ayuntamientos en cuyo territorio se encuentren aquellos.

2. La suspensión no podrá durar más de dos meses, dentro de los cuales la mencionada consejería deberá proceder a la incoación de la declaración de bien de interés cultural o de su catalogación, salvo que antes se emita resolución favorable a la continuación de las obras.

Disposición adicional decimosegunda. Ruta Jacobea del Mar de Arousa y Río Ulla

Igualmente, se establece el reconocimiento como Camino de Santiago de la denominada Ruta de la Translatio, por la Ruta Jacobea del Mar de Arousa y Río Ulla, teniendo en cuenta que ya ha iniciado su delimitación y su deslinde por acuerdos de 19 de febrero de 1998, publicados en el *Diario Oficial de Galicia* número 44, de 5 de marzo de 1998, al amparo de la Ley 3/1996, de 10 de mayo, de protección de los Caminos de Santiago. En cualquier caso, con independencia de su delimitación, deberán tenerse en cuenta sus peculiaridades y las prescripciones de la autoridad marítima competente en orden al establecimiento de los canales de navegación.

Disposición adicional decimotercera. Información geolocalizada de los yacimientos arqueológicos

Los distintos departamentos de la Administración general de la Comunidad Autónoma de Galicia colaborarán con la dirección general competente en materia de protección del patrimonio cultural para que, en el plazo de un año, se publique en la herramienta geográfica corporativa una información geolocalizada de los yacimientos arqueológicos identificados hasta el momento, que permita a las administraciones públicas y a los operadores económicos una planificación respetuosa con el patrimonio cultural de Galicia.

Disposición transitoria primera. Expedientes de declaración de interés cultural y de inclusión en el Catálogo del Patrimonio Cultural de Galicia iniciados

La tramitación y los efectos de los procedimientos de declaración de bienes de interés cultural o de inclusión en el Catálogo del Patrimonio Cultural de Galicia incoados con anterioridad a la entrada en vigor de esta ley quedarán sometidos a lo dispuesto por esta.

Asimismo, continuarán siendo de aplicación a todos los procedimientos de declaración de interés cultural las normas reglamentarias vigentes a su entrada en vigor que regulan dicho procedimiento, en tanto no se opongan a lo dispuesto en esta ley.

Disposición transitoria segunda. Régimen transitorio de los órganos asesores en materia de patrimonio cultural

Hasta que se aprueben las normas reglamentarias que desarrollen el régimen de funcionamiento de los órganos asesores previstos en el artículo 7 de esta ley, continuarán en funcionamiento la Comisión Superior de Valoración de Bienes Culturales de Interés para Galicia, la Comisión Mixta Xunta de Galicia-Iglesia católica, las Comisiones Territoriales del Patrimonio Histórico Gallego y el Comité Asesor de los Caminos de Santiago, conforme a sus reglamentos, en tanto no se opongan a lo dispuesto en esta ley.

Disposición transitoria tercera. Clasificación provisional de los bienes de interés cultural declarados parajes pintorescos

1. Los bienes declarados bajo la figura de paraje pintoresco reconocido de forma provisional como bien de interés cultural en la disposición transitoria octava de la Ley 16/1985, de 25 de junio, del patrimonio histórico español, y que posteriormente no siguieron el desarrollo previsto en el marco de la legislación en materia ambiental y de conservación de la naturaleza, tendrán la consideración provisional de bienes de interés cultural con la categoría de paisaje cultural, y su delimitación y régimen se corresponderán con los de una zona de amortiguamiento a los efectos del control de las actividades que puedan suponer una modificación sustancial del territorio.

2. En el plazo de dos años desde la aprobación de esta ley se incoará el procedimiento de revisión adecuado de los bienes declarados de interés cultural como parajes pintorescos para su categorización en el marco de esta ley y la efectiva protección de sus valores culturales.

Disposición transitoria cuarta. Planeamiento municipal

1. El planeamiento urbanístico vigente en la actualidad habrá de adaptarse a lo dispuesto en la presente ley cuando se procediese a una revisión del planeamiento.

Asimismo, procederá la adaptación cuando concurrieran circunstancias objetivas en el ayuntamiento afectado que lo aconsejasen, tales como la declaración de interés cultural en el término municipal cuando resulte contradictoria con el planeamiento, la aprobación de un instrumento de ordenación territorial de ámbito territorial superior con incidencia en el patrimonio o la aprobación de una declaración de carácter supranacional, y así se determinase por la persona titular de la consejería competente en materia de patrimonio cultural.

2. Sin perjuicio de lo señalado anteriormente, los planeamientos urbanísticos adaptados a la Ley 9/2002, de 30 de diciembre, de ordenación urbanística y protección del medio rural de Galicia, y a la Ley 2/2016, de 10 de febrero, del suelo de Galicia, se consideran adaptados a la presente ley, pero las intervenciones autorizadas en función del nivel de protección de los bienes serán las del artículo 42.

A los efectos de la habilitación conferida a los ayuntamientos en el artículo 65 de la presente ley, en el supuesto de la existencia de discrepancias entre estos planeamientos urbanísticos y las previsiones de los artículos 41 y 42 de la presente ley, en el propio convenio de colaboración que se celebre para hacer efectiva y concretar la habilitación se establecerá la tabla de equivalencias respecto a los niveles de protección de los bienes.

Disposición transitoria quinta. Planes especiales de protección aprobados

Los ayuntamientos que a la entrada en vigor de la presente ley contasen con un plan especial de protección anterior a la entrada en vigor de la Ley 8/1995, de 30 de octubre, del patrimonio cultural de Galicia, relativo a un conjunto histórico y al amparo del mismo ejerzan las competencias de autorización previstas en la legislación anterior seguirán ejerciéndolas hasta el 31 de diciembre de 2023, plazo durante el cual habrán de proceder a su adaptación a la presente ley, para poder ejercer las competencias contempladas en el artículo 58.

Disposición transitoria sexta. Protección de las rutas de los Caminos de Santiago que no cuenten con una delimitación definitiva

—

Disposición transitoria sexta suprimida por el apartado cinco del artículo 41 de la Ley 7/2022, 27 diciembre, de medidas fiscales y administrativas (D.O.G. 30 diciembre)

Disposición transitoria séptima. Posesión de bienes del patrimonio arqueológico
1. En el plazo de dos años desde la entrada en vigor de esta ley, las personas físicas y las jurídicas de cualquier naturaleza que posean objetos y restos materiales integrantes del patrimonio arqueológico de Galicia comunicarán su existencia a la consejería competente en materia de patrimonio cultural, junto con la documentación del título que acredite su adquisición.
2. Se presumirá el carácter demanial de los objetos y restos materiales del patrimonio arqueológico de los que no se comunique o acredite la titularidad en dicho plazo, salvo que dispongan de cualquier título válido en derecho anterior a la fecha de entrada en vigor de la Ley 16/1985, de 25 de junio.

Disposición transitoria octava. Procedimientos sancionadores
Los procedimientos sancionadores que se tramiten por infracciones cometidas con anterioridad a la entrada en vigor de esta ley, con independencia de su fecha de iniciación, se tramitarán conforme a la normativa aplicable en el momento de la comisión de la infracción, sin perjuicio de que se les pueda aplicar esta ley en cuanto sea más favorable para el presunto infractor o infractora.

Disposición transitoria novena. Habilitación para la función inspectora
Hasta que se apruebe la relación de puestos de trabajo en la que figuren los puestos de trabajo con funciones inspectoras, la persona titular de la dirección general competente en materia de protección del patrimonio cultural podrá habilitar para el ejercicio de la función inspectora al personal funcionario que preste sus servicios en dicha dirección general o en las jefaturas territoriales de la consejería competente en materia de patrimonio cultural.

Disposición derogatoria única. Derogación normativa
1. Quedan derogadas de forma expresa:
a) La Ley 8/1995, de 30 de octubre, del patrimonio cultural de Galicia.
b) La Ley 3/1996, de 10 de mayo, de protección de los Caminos de Santiago.
c) La Ley 12/1991, de 14 de noviembre, de trabajos de dotación artística en las obras públicas y Caminos de Santiago de la Comunidad Autónoma de Galicia.
2. Asimismo, quedan derogadas las disposiciones de igual o inferior rango, incluidas las determinaciones del planeamiento urbanístico, que se opongan a lo dispuesto en esta ley.

Disposición final primera. Modificación del punto 2 de la letra g) del artículo 27 de la Ley 7/2013, de 13 de junio, de reconocimiento de la galleguidad
Se modifica el apartado 2 de la letra g) del artículo 27 de la Ley 7/2013, de 13 de junio, de reconocimiento de la galleguidad, que queda redactado como sigue:
«2) Puesta en valor del legado de la emigración con la declaración de patrimonio cultural de Galicia a aquellos centros y entidades centenarias».

Disposición final segunda. Actualización de sanciones
La cuantía de las sanciones previstas en esta ley podrá actualizarse por decreto de la Xunta de Galicia.

Disposición final tercera. Habilitación para el desarrollo reglamentario
Se autoriza al Consejo de la Xunta para dictar las normas necesarias para la ejecución y desarrollo de esta ley.

Disposición final cuarta. Entrada en vigor
Esta ley entrará en vigor a los tres meses de su publicación en el *Diario Oficial de Galicia*.

13. COMUNIDAD AUTÓNOMA DE LA RIOJA: LEY 7/2004, DE 18 DE OCTUBRE, DE PATRIMONIO CULTURAL, HISTÓRICO Y ARTÍSTICO DE LA RIOJA

BO. La Rioja 23 octubre 2004, núm. 136, [pág. 5718].
BOE 11 noviembre 2004, núm. 272, [pág. 37173].

EXPOSICIÓN DE MOTIVOS

1.

El patrimonio cultural, histórico y artístico de La Rioja constituye un bien social perteneciente a todos los riojanos y se erige en una de sus principales señas de identidad como
pueblo en el contexto geográfico y cultural en que se ubica. Sus rasgos propios suponen, a
la vez, puntos de encuentro con los demás territorios nacionales e internacionales y elementos diferenciales que lo singularizan del resto, de manera que ambas vertientes representan
interesantes aportaciones a la comunidad española, europea y mundial, que merecen ser
preservadas y potenciadas.

La Constitución Española establece en su artículo 46 la obligación de los poderes públicos de garantizar la conservación y el enriquecimiento de este patrimonio y de los bienes
que lo integran, con independencia de su régimen jurídico y titularidad. Para el cumplimiento de este mandato, la Comunidad Autónoma de La Rioja cuenta con el marco competencial
más elevado, en virtud de los apartados 23 y 26 del artículo 8.Uno de su Estatuto de Autonomía, que le confieren competencia exclusiva en esta materia, con el único límite del régimen jurídico de la exportación y la expoliación del Patrimonio Histórico que corresponde
establecer al Estado, en virtud del artículo 149.1.28 de la Constitución, según la diáfana
delimitación competencial que efectuó la Sentencia del Tribunal Constitucional 17/1991,
de 31 de enero. En esta situación de máxima autonomía legislativa, La Rioja ha ejercitado
sus competencias, sustancialmente, en dos ocasiones, para aprobar la Ley 4/1990, de 29
de junio, sobre la regulación de las Bibliotecas y la Ley 4/1994, de 24 de mayo, sobre
la regulación de los Archivos y el Patrimonio Documental, sin perjuicio de lo dispuesto en
la Ley 1/1993, de 23 de marzo, de Patrimonio de la Comunidad Autónoma de La Rioja.
Las necesidades de acrecentar la protección en éstos y otros sectores, así como de dotar
a esta Comunidad Autónoma de una Ley general, coherente y comprensiva de todos los
aspectos relativos al patrimonio cultural, histórico y artístico con las técnicas jurídicas más
modernas y eficaces, han determinado la aprobación de la presente Ley, que sustituye a la
legislación estatal que hasta la fecha se venía aplicando en La Rioja, encabezada por la
Ley 16/1985, de 25 de junio del Patrimonio Histórico Español.

Los principios esenciales de los que se nutre esta Ley pueden ser enunciados de la
siguiente forma: en primer lugar, se parte de los instrumentos jurídicos establecidos por
la Ley Estatal citada, si bien sometidos a una imprescindible revisión por causa obvia del
transcurso del tiempo; así como de la prueba de su mayor o menor efectividad a tenor
de los pronunciamientos jurisprudenciales; se agregan, además, nuevas técnicas jurídicas
contrastadas mediante la comparación legislativa autonómica e internacional, todo ello en
el ánimo de sumar acciones de protección de diferentes rangos territoriales, que no resulten
por entero excluyentes. En segundo lugar, esta Ley nace con vocación de aplicación práctica directa, por lo que ha tenido presentes tanto las características del patrimonio cultural,
histórico y artístico de La Rioja como la legislación existente o proyectada sobre aspectos
que pueden incidir en el mismo, como, entre otros, el régimen local, el turismo, el medio ambiente y, muy especialmente, el urbanismo y la ordenación del territorio, con cuyas normas
se ha realizado una cuidadosa coordinación, con el fin de que el régimen de todas estas

materias actúe siempre a favor de la protección de dicho patrimonio. Pese a esta directriz pragmática, se deberá prestar especial atención al desarrollo reglamentario que posibilite de forma inmediata la gestión de algunos aspectos del patrimonio cultural, histórico y artístico de La Rioja. En tercer lugar, la presente Ley pone especial énfasis en el control, por una parte, de los particulares que sean titulares de bienes culturales, para salvaguardar el interés colectivo en su adecuada conservación, y, por otra parte, de las Administraciones Públicas, para evitar cualquier género de arbitrariedad que devalúe los bienes integrantes del patrimonio cultural, histórico y artístico que, de forma directa o indirecta, estén a su cargo; a tal efecto, se residencian en la Consejería competente en materia de Cultura de la Comunidad Autónoma, relevantes facultades de inspección, control y sanción, a la par que se sujetan algunas de las decisiones más importantes que ésta puede adoptar al previo dictamen de órganos consultivos independientes. En cuarto lugar, esta Ley trata de escapar a la tradicional concepción de norma predominantemente prohibitiva, para realzar, frente al papel pasivo de los particulares como sujetos de límites y cargas, que también debe mantenerse, un aspecto activo de colaboración, que es el único que puede garantizar una salvaguarda perdurable de estos bienes. En esta idea se engastan mecanismos como la acción popular, la facultad que cualquier ciudadano tiene de iniciar expedientes para la declaración de un bien cultural, el voluntariado, el premio por hallazgos casuales, las diversas ayudas y subvenciones, el apoyo económico a las visitas públicas, los cometidos de cooperación de la Iglesia Católica como titular de una parte sustancial de este Patrimonio, y otros aspectos que pretenden impulsar la participación y el compromiso del denominado tercer sector en la defensa y conservación del patrimonio cultural, histórico y artístico. En quinto lugar, constituye objetivo declarado de esta norma garantizar el disfrute por todos de los bienes que integran el patrimonio cultural, histórico y artístico de La Rioja, empezando por su adecuado conocimiento a través de la documentación inmediata y exhaustiva de sus elementos, y su difusión, así como la promoción de su aprovechamiento como recurso dentro de un proceso de desarrollo económico y social equilibrado que sea compatible con su máxima protección.

2.

La Ley del Patrimonio Cultural, Histórico y Artístico de La Rioja presenta una estructura innovadora y novedosa, en relación con las demás dictadas hasta la fecha en el ámbito estatal y autonómico español. En efecto, tomando como referencia la doctrina científica más cualificada, la protección de los bienes culturales se estructura alrededor de un régimen que abarca diversos círculos concéntricos: desde el primer nivel en que se encuentran los Bienes Culturales Inventariables en el que se incluirán todos aquellos bienes cuyos valores no sean suficientes para incluirlos en las categorías de protección superiores; pasando por un segundo nivel más específico, de especial protección, aplicable a los Bienes Culturales de Interés Regional; para culminar con el nivel máximo de tutela y, a su vez, más reducido, representado por las disposiciones aplicables tan sólo a los Bienes de Interés Cultural, que con esta estructura, son destinatarios de todas las previsiones contenidas en la presente Ley. Este esquema tiene la virtud de definir con claridad cuáles son los preceptos aplicables en cada categoría de protección, contribuyendo con su sencillez a interpretar y aplicar adecuadamente esta Norma.

Entre las innovaciones generales más significativas de esta Ley, cabe señalar la creación de tres categorías de protección, en lugar de las dos existentes hasta la fecha en la legislación estatal: los Bienes de Interés Cultural, que coincide en sustancia con la categoría de la Ley 16/1985, de Patrimonio Histórico Español, si bien se han introducido diversas mejoras en cuanto al procedimiento de su declaración y a sus efectos jurídicos; los Bienes Culturales de Interés Regional y los Bienes Culturales Inventariables. Estos últimos presentan la peculiaridad, en el contexto comparado, de que no requieren declaración, si el bien reviste los valores que tutela esta Ley. Dentro de los tipos de Bienes de Interés Cultural, la presente Ley agrega a la clasificación vigente, una serie de tipos especiales como son los Lugares de Interés Etnográfico, las Vías Culturales y los Paisajes Culturales, entre los que merecen una especial consideración los Paisajes Culturales del Viñedo.

El deber de inventariar todos los bienes incardinables en cada una de las categorías de protección constituye un empeño básico de la Ley, en la conciencia de que toda protección deseada debe partir de un previo conocimiento de los bienes existentes. Para culminar esa tarea es menester acometer previamente la confección de diversas fuentes documentales por razón de la naturaleza del bien, debido a lo cual se crean diversos Catálogos (de bienes muebles), Cartas (Arqueológica y Paleontológica) y Atlas (Etnográfico) que, sumados a los existentes catálogos urbanísticos municipales, cuyo contenido debe adaptarse a los mandatos de la presente norma, afluirán, junto con los Inventarios de Bienes de Interés Cultural, de Bienes Culturales de Interés Regional y los demás que se establezcan reglamentariamente, en el nuevo Registro General del Patrimonio Cultural, Histórico y Artístico de La Rioja. Este registro, debidamente informatizado, de acuerdo con las pautas de emplear las nuevas tecnologías como medio de difusión de nuestro patrimonio en el entorno de la sociedad del conocimiento, constituirá el instrumento unitario de protección y publicidad de todos los bienes culturales existentes en La Rioja.

La reforma institucional se centra en la creación de un nuevo órgano asesor, el Consejo Superior del Patrimonio Cultural, Histórico y Artístico de La Rioja, como máximo órgano de asesoramiento, consulta y participación de la Comunidad Autónoma en las materias objeto de esta Ley. Para su adecuado funcionamiento la Ley ha establecido una regulación básica, a la espera de su concreción y desarrollo en vía reglamentaria, lo que le dotará de una mayor funcionalidad y operatividad. También se ofrecen importantes oportunidades de actuación a instituciones consultivas, a fin de garantizar la adopción de las decisiones más razonables y oportunas en cada momento y situación.

Por otra parte, la Ley trata de estimular la labor de los entes locales en defensa de este rico Patrimonio. Para ello, sin desdoro de las importantes competencias autonómicas, acogidas estatutariamente, se potencian las competencias de las Entidades Locales en materia urbanística, encauzándolas hacia la más rigurosa tutela de los bienes culturales que se encuentren en su ámbito territorial, y se les asignan nuevas facultades y deberes de diversa índole.

La específica defensa de los bienes inmuebles, en función de su inclusión en una de las categorías de protección citadas, se fundamenta, por un lado, en la actuación preventiva de la Administración, que ostenta amplias facultades para hacer cesar cualquier actividad que pudiera comprometer los valores culturales de un inmueble, y, por otro lado, en el refuerzo del deber general de conservación que tienen los titulares del mismo, y se han ordenado una serie de criterios en relación con los proyectos de intervención y su método, de acuerdo con las tendencias arquitectónicas más sensibles con el patrimonio en los últimos tiempos. Asimismo, los instrumentos urbanísticos vigentes se han puesto en relación con la tutela del patrimonio cultural, histórico y artístico. En tal sentido, se concede particular relevancia a los catálogos urbanísticos municipales y se diseñan las directrices básicas que han de acoger los Planes Especiales para la defensa de los Conjuntos Históricos o de los Lugares Culturales.

También merece destacarse la novedad que en nuestra legislación estatal y autonómica supone la preocupación del legislador riojano por interrelacionar la protección del patrimonio cultural, histórico y artístico con el Medio Ambiente. En este sentido, se promoverán políticas públicas destinadas a prevenir, reducir y evitar en lo posible la contaminación que afecte a bienes culturales, a través de proyectos, planes y actuaciones conjuntas o coordinadas entre las Administraciones Públicas que desarrollen sus funciones en el ámbito del patrimonio cultural, histórico y artístico y en el sector medioambiental.

En cuanto a la protección de los bienes muebles, esta Ley ordena elaborar un Catálogo como medida indispensable para la adecuada planificación de su conservación. También establece un régimen para salvaguardar su integridad y restauración, limitando sus traslados o cambios de ubicación y estableciendo medidas de control en relación con las personas o entidades que se dedican al comercio con objetos que formasen parte del patrimonio cultural, histórico y artístico de La Rioja.

También los bienes inmateriales, integrantes del patrimonio etnográfico de La Rioja, han recibido una especial atención a la hora de establecer un grupo de medidas, dentro de la siempre difícil labor de concretar éstas para los bienes intangibles, que sean compatibles con las fijadas en su declaración como Bienes de Interés Cultural o como Bienes Culturales de Interés Regional.

3.

El desglose de las reglas jurídicas que han de garantizar la inmunidad en el tiempo de los diversos patrimonios especiales que integran el patrimonio cultural, histórico y artístico de La Rioja constituye una aspiración cardinal de la presente Ley, habida cuenta de la mayor dificultad en su protección y de la desatención que ha rodeado a diversos aspectos. Así, en relación con el patrimonio arqueológico y paleontológico, se pretende garantizar la máxima protección a todos los yacimientos, aunque no estén declarados ni documentados en manera alguna, hasta que se produzca su declaración definitiva dentro de una de las categorías legales. Se disciplina con detalle el régimen de las actuaciones arqueológicas, en lo relativo a las autorizaciones, obligaciones e informes precisos. La Ley prohíbe rigurosamente el uso de detectores de metales sin autorización administrativa, así como las actuaciones ilícitas, y autoriza la suspensión de cualesquiera obras durante plazos determinados en casos de encontrarse restos arqueológicos o paleontológicos; éstos son considerados por ministerio de la Ley como bienes de dominio público integrados en el patrimonio de la Comunidad Autónoma, estableciéndose la posibilidad de premiar como corresponde al descubridor casual y al propietario del terreno donde se hubiesen encontrado.

El patrimonio etnográfico, muy descuidado normativamente hasta la fecha, recibe un tratamiento minucioso en cuanto a su catalogación a través del nuevo Atlas Etnográfico y respecto a su difusión y defensa. En él se comprenden bienes de todo género que forman parte de la cultura tradicional riojana; entre los bienes inmuebles destaca la defensa de los despoblados, las construcciones relacionadas con la actividad vitivinícola y, en particular, las bodegas. El fecundo patrimonio inmaterial de La Rioja comprende diversos saberes populares de transmisión oral, peculiaridades lingüísticas, tradiciones y otras manifestaciones culturales que urge investigar y documentar en soportes duraderos, como seña de identidad firme, pero de delicada fragilidad.

Los únicos cuerpos patrimoniales protegidos por legislación emanada del Parlamento de La Rioja hasta la entrada en vigor de la presente Ley son el Patrimonio Documental y el Bibliográfico. Quedan en vigor la Ley 4/1990, de 29 de junio, de Bibliotecas de La Rioja, así como la Ley 4/1994, de 24 de mayo, sobre Archivos y Patrimonio Documental, que contiene las normas reguladoras de esta materia y de los archivos administrativos y diseña el Sistema de Archivos de La Rioja.

El Título V está dedicado a los museos y a las exposiciones museográficas permanentes. Los establecimientos de esta segunda categoría de centro de custodia, exposición y difusión de fondos museográficos permiten dar cabida a más iniciativas, tanto públicas como privadas. Sus funciones son más limitadas que la de los museos, pero se les exige unas mínimas reglas de conservación, seguridad, acceso a los investigadores y al público.

4.

Atendiendo al designio de propiciar el celo de los propietarios, poseedores y demás titulares de derechos reales sobre bienes culturales para su óptima custodia y conservación, esta Ley rotula un completo paquete de medidas de fomento, en la convicción de que sólo la colaboración de todas las personas y la cooperación y entendimiento entre las diversas Administraciones Públicas puede llevar a buen término las finalidades de la norma. De esta manera, se establecen muy diversas modalidades de ayudas (subvenciones, anticipos reintegrables, acceso preferente al crédito oficial, etc.); se posibilita el pago con bienes culturales por deudas contraídas con las Entidades Locales o autonómicas riojanas, y, en atención a las competencias fiscales existentes en distintos niveles, se pretenden buscar mecanismos de compensación a las lógicas cargas y deberes que la conservación de los bienes culturales implican para sus titulares. También se genera el título honorífico de «Defensor del Patrimonio Cultural, Histórico y Artístico».

Para la adecuada asignación de los recursos previstos en las partidas presupuestarias correspondientes, se potenciará la aprobación de Planes de Protección del patrimonio cultural, histórico y artístico de La Rioja, en los que se detecten las necesidades de conservación y las prioridades de la acción pública en este campo. Junto a esta distribución racional del gasto público, la Ley introduce dos porcentajes culturales de suma importancia capaces de generar una fuente adicional de inversiones para la conservación de este patrimonio: por una parte, el uno por ciento cultural. El dinero recabado por esta vía se podrá emplear en los primeros años en la confección de los diversos registros, inventarios y catálogos creados por la Ley, o en otras finalidades recogidas en la norma. Y, por otra parte, la asignación de un diez por ciento de los presupuestos de excavaciones arqueológicas o de exposición de bienes culturales, para la conservación y restauración de los materiales hallados o de las obras expuestas.

Además, la presente Ley plasma el anunciado fin del disfrute colectivo del patrimonio cultural, histórico y artístico de La Rioja por medio del favorecimiento de las cesiones de uso de inmuebles históricos tanto entre Administraciones como a particulares que se comprometan a su restauración y mantenimiento y los destinen a una actividad que pueda potenciar su aprecio popular. También se atiende a esa aspiración con el depósito voluntario de bienes muebles en centros públicos de custodia y con el régimen de visitas a los bienes culturales. Finalmente, las medidas de fomento y el conjunto de la Ley prestan singular atención a la difusión del conocimiento del patrimonio cultural, histórico y artístico, tanto a través de la educación como de la investigación y las nuevas tecnologías, en el entendimiento de que, al final, sólo la interiorización por todos de los valores culturales de este copioso patrimonio puede conducir a un humanismo que reduzca las desigualdades sociales y sirva de aval firme en la defensa de lo que se siente como propio. Además, integrar efectivamente este patrimonio en la sociedad, dándole el significado que merece en la sociedad actual, hace posible que su conservación no sea incompatible con el desarrollo sino, antes bien, todo lo contrario. Además, se garantizará el derecho social a la cultura, postulado novedoso consagrado por la jurisprudencia, que complementa el concepto tradicional de nuestro sistema como un Estado social y democrático de derecho.

En el Título VII de la Ley se regula el régimen sancionador. Se parte de una diferenciación entre sanción penal y sanción administrativa procedente de la Teoría General, al tiempo que se han tenido en cuenta las manifestaciones legislativas más recientes en materia de Derecho administrativo sancionador. Se ha optado por un extraordinario rigor disuasorio en las sanciones, rigor que se pone de manifiesto en la cuantía de las multas que se prevén en la norma. La Ley se inspira en el principio de reparación del daño causado, reponiendo los bienes protegidos, siempre que sea posible, a su estado original por el infractor o subsidiariamente por la Administración competente.

La Ley se cierra con una serie de disposiciones adicionales, transitorias, derogatoria y finales. Destaca por su importancia la aplicación por un período de diez años, del régimen de protección de los Bienes Culturales de Interés Regional a una serie de inmuebles y elementos por la relevancia de los valores en ellos presentes. Además, la Ley del Patrimonio Cultural, Histórico y Artístico de La Rioja asume la problemática existente en las intervenciones a realizar sobre bienes culturales, por la desconexión existente entre la legislación sobre contratación pública y la normativa cultural. En efecto, los bienes de carácter cultural, sobre todo, los de naturaleza inmobiliaria, presentan unas características especiales y peculiares, lo que se traduce en que cualquier intervención que se pretenda realizar sobre aquéllos no puede estar guiada por los mismos criterios que cualquier otro edificio o construcción, sino que, por el contrario, estará regida por unas reglas muy estrictas. Esos factores aconsejan que sean empresas cualificadas las que procedan a la ejecución de aquellas actuaciones. No obstante, esta necesidad ha pasado desapercibida en la legislación general sobre contratación administrativa, normativa que toma como referencia principal la realización de nuevas obras y construcciones de todo tipo.

TÍTULO PRELIMINAR. Disposiciones Generales

Artículo 1. Objeto

La presente Ley tiene por objeto la protección, conservación, rehabilitación, revitalización, mejora y fomento, así como el conocimiento, investigación y difusión del patrimonio cultural, histórico y artístico de La Rioja, cualquiera que sea su régimen jurídico, titularidad, naturaleza, estado de conservación u otras circunstancias concurrentes. Los poderes públicos garantizarán el derecho social a la cultura, mediante actuaciones que faciliten el disfrute por los ciudadanos de los bienes que integran este patrimonio, potenciando su función social y educativa y su utilidad pública, así como su transmisión a las generaciones futuras.

Artículo 2. Patrimonio cultural histórico y artístico de La Rioja

1. El patrimonio cultural, histórico y artístico de La Rioja está constituido por todos los bienes muebles o inmuebles, relacionados con la historia y la cultura de la Comunidad Autónoma, que presenten un interés o valor histórico, artístico, arqueológico, paleontológico, antropológico, etnográfico, arquitectónico, urbanístico, natural, científico, técnico, industrial, documental, bibliográfico o audiovisual de naturaleza cultural. También forman parte del mismo los bienes inmateriales relativos a actividades, creaciones, conocimientos y prácticas tradicionales, manifestaciones folklóricas, conmemoraciones populares, toponimia tradicional de términos rústicos y urbanos y las peculiaridades lingüísticas del castellano hablado en esta Comunidad Autónoma.

2. A los efectos previstos en esta Ley, tienen la consideración de bienes inmuebles, además de los enumerados en el artículo 334 del Código Civil, todos aquellos elementos que puedan considerarse consustanciales con los edificios y formen parte de los mismos o lo hubiesen formado en otro tiempo, aunque en el caso de poder ser separados constituyan un todo perfecto de fácil aplicación a otras construcciones o a usos distintos del suyo original, cualquiera que sea la materia de que estén formados y aunque su separación no perjudique visiblemente el mérito histórico o artístico del inmueble al que están adheridos.

3. Son bienes muebles, para los efectos previstos en esta Ley, además de los enumerados en el artículo 335 del Código Civil, aquellos de carácter y valor histórico, tecnológico

o material susceptibles de ser transportados, o no estrictamente consustanciales con la estructura de inmuebles, cualquiera que sea su soporte material.

4. A los efectos previstos en esta Ley, se consideran bienes inmateriales aquellos conocimientos, actividades, prácticas, saberes, técnicas tradicionales y cualesquiera otras expresiones que procedan de modelos, técnicas, funciones y creencias propias de la vida tradicional riojana.

Artículo 3. Administraciones competentes

1. Corresponde a la Comunidad Autónoma de La Rioja, a través de la Consejería competente en materia de Cultura, la competencia exclusiva sobre el patrimonio cultural, histórico y artístico de interés para La Rioja.

2. Son órganos competentes a los efectos de garantizar el cumplimiento de las finalidades de esta Ley, de conformidad con las facultades que a cada una de ellas le atribuye esta norma y el resto del ordenamiento jurídico, las siguientes:

A) El Consejo de Gobierno.

B) La Consejería competente en materia de Cultura, con independencia de las funciones que se distribuyan entre los órganos administrativos que integran su estructura orgánica, o las reestructuraciones futuras a la que pueda ser sometida.

C) El Consejo Superior del Patrimonio Cultural, Histórico y Artístico de La Rioja.

D) Las Entidades Locales de La Rioja.

3. El Estado ejercerá en esta materia las competencias que le atribuye la Constitución y el resto del ordenamiento jurídico, en particular, frente a la expoliación y la exportación ilícita de bienes pertenecientes al patrimonio cultural, histórico y artístico.

Artículo 4. Principios de colaboración entre las Administraciones Públicas

1. De acuerdo con el principio de lealtad institucional y en el marco del ejercicio de sus respectivas competencias, todas las Administraciones Públicas riojanas colaborarán en la más eficaz defensa, conservación y difusión del patrimonio cultural, histórico y artístico, tanto público como privado, mediante recíprocas relaciones de plena cooperación, comunicación, asistencia mutua, e intercambio de información, sin perjuicio de estimular en todo momento la participación de la sociedad en aquellas tareas.

2. Para garantizar un adecuado cumplimiento de las finalidades previstas en esta Ley, las Administraciones Públicas de La Rioja podrán crear los organismos, entidades e instituciones que consideren oportuno, y suscribir o promover la celebración de convenios de colaboración con cualquier Administración Pública española o con personas físicas o jurídicas, organizaciones e instituciones, nacionales o internacionales, con sujeción a lo dispuesto en la legislación vigente.

3. La Comunidad Autónoma de La Rioja cooperará con la Administración del Estado en la difusión internacional del conocimiento de los bienes integrantes del patrimonio cultural, histórico y artístico riojano, en la recuperación de tales bienes cuando hubiesen sido ilícitamente exportados o expoliados, y en el intercambio de información científica, cultural, técnica o de otro tipo, con los demás Estados y las organizaciones internacionales.

Artículo 5. Colaboración con las Entidades Locales

1. Las Entidades Locales cooperarán con el Gobierno de La Rioja en la consecución de las finalidades enumeradas en el artículo primero, de conformidad con lo dispuesto por las legislaciones en materia de régimen local, urbanismo y por la presente Ley.

2. Las Entidades Locales tienen el deber de proteger, defender, conservar, realzar, promover y difundir los valores de los bienes integrantes del patrimonio cultural, histórico y artístico que se localicen en sus respectivos términos municipales. En los casos de urgencia

adoptarán las medidas preventivas o cautelares que sean necesarias para salvaguardar esos mismos bienes que viesen amenazada su existencia, su conservación, su integridad o cualquier otro aspecto digno de protección, comunicando inmediatamente a la Consejería competente en materia de Cultura las medidas adoptadas.

3. Las Entidades Locales potenciarán políticas municipales de protección, fomento, difusión y disfrute del patrimonio cultural, histórico y artístico existente en su territorio, con especial atención en la aplicación de las medidas de protección y disciplina previstas en la legislación urbanística, en la elaboración de ordenanzas específicas con esa finalidad, en la inclusión en los catálogos municipales de aquellos inmuebles que por sus singulares valores o características merezcan una especial tutela y en las actividades de difusión cultural que pueden realizar los museos municipales.

4. Las Entidades Locales comunicarán a la Administración autonómica las dificultades, necesidades o carencias que tengan para conseguir las finalidades de esta Ley. El Gobierno de La Rioja prestará apoyo y asistencia técnica y económica a las Entidades Locales con esa finalidad, dentro de las disponibilidades presupuestarias con que se cuente en cada momento.

5. Las Entidades Locales de régimen especial por su carácter histórico-artístico se podrán someter a un específico régimen jurídico de protección, de conformidad con las previsiones contenidas en la Ley 1/2003, de 3 de marzo, de la Administración Local de La Rioja.

Artículo 6. Colaboración de las personas físicas y jurídicas

1. Cualquier persona física o jurídica está legitimada para actuar en defensa del patrimonio cultural, histórico y artístico de La Rioja ante las Administraciones Públicas y ante los órganos jurisdiccionales, en cumplimiento de lo previsto en esta Ley.

2. Todo aquel que tenga conocimiento u observe situaciones que supongan o puedan suponer peligro o riesgo de deterioro, destrucción o expolio del patrimonio cultural, histórico y artístico de La Rioja lo comunicará inmediatamente a la Consejería competente en materia de Cultura o a la Entidad Local en que se hallare el bien, quienes comprobarán a la mayor brevedad el objeto de dicha denuncia o comunicación y actuarán conforme a lo previsto en esta Ley.

3. Los particulares pueden promover la iniciación del procedimiento para declarar un bien perteneciente al patrimonio cultural, histórico y artístico de La Rioja en alguno de los regímenes de protección recogidos en la presente Ley.

4. Los poderes públicos promoverán políticas formativas y educativas destinadas a incrementar el conocimiento, investigación, defensa y divulgación social del patrimonio cultural, histórico y artístico de La Rioja. Para conseguir esta finalidad se potenciará la colaboración con personas, organizaciones, entidades e instituciones nacionales e internacionales de cualquier naturaleza.

5. El Gobierno de La Rioja impulsará y apoyará la colaboración de los ciudadanos en la defensa del patrimonio cultural, histórico y artístico bajo las correspondientes formas asociativas; en trabajos de voluntariado en los términos previstos en la Ley 7/1998, de 6 de mayo, Ley de Voluntariado Social; o, en general, en programas de cualquier naturaleza dirigidos a su protección, investigación, utilización y difusión.

6. El Gobierno de La Rioja apoyará y fomentará el mecenazgo privado dirigido a la protección, conservación, utilización y divulgación del patrimonio cultural, histórico y artístico de la Comunidad Autónoma, a través de las distintas medidas previstas en la legislación vigente.

Artículo 7. Colaboración con la Iglesia Católica y otras confesiones religiosas

1. La Iglesia Católica, en cuanto titular de una parte muy importante del patrimonio cultural, histórico y artístico de La Rioja y las demás confesiones religiosas que se en-

cuentren en la misma situación, velarán específicamente por la protección, conservación, acrecentamiento y difusión de dichos bienes, colaborando en esa finalidad con las distintas Administraciones Públicas competentes en esta materia.

2. Mediante convenios de colaboración específicos se regularán, tanto el marco de colaboración y coordinación como las formas de participación de la Iglesia Católica y de las demás confesiones religiosas, en la protección de los bienes del patrimonio cultural, histórico y artístico de La Rioja de los que son titulares.

3. A los bienes culturales eclesiásticos y de las demás confesiones religiosas les será de aplicación el régimen general de protección, conservación, fomento y difusión previsto en esta Ley, sin perjuicio de las singularidades que pudieran derivarse para la Iglesia Católica como sujeto de derecho, de conformidad con los acuerdos suscritos entre el Estado Español y la Santa Sede.

4. Las autoridades eclesiásticas velarán para que el ejercicio de las actividades propias del culto religioso garantice, de forma adecuada, la protección y conservación de los bienes culturales, históricos y artísticos consagrados al uso litúrgico.

Artículo 8. El Consejo Superior del Patrimonio Cultural, Histórico y Artístico de La Rioja

1. Se crea el Consejo Superior del Patrimonio Cultural, Histórico y Artístico de La Rioja como supremo órgano asesor, consultivo y participativo de las Administraciones Públicas riojanas en materia de patrimonio cultural, histórico y artístico, adscrito a la Consejería competente en materia de Cultura.

2. El Consejo Superior del Patrimonio Cultural, Histórico y Artístico de La Rioja tiene como finalidades generales:

A) Contribuir a la coordinación y armonización de las políticas de las Administraciones Públicas riojanas en esta materia.

B) Facilitar la comunicación y el intercambio de programas de actuación, información y difusión entre las mismas.

C) Asesorar a las Administraciones Públicas riojanas en materia de patrimonio cultural, histórico y artístico, en especial, a las de ámbito local.

D) Examinar e informar todos aquellos planes, proyectos, licencias, declaraciones y actuaciones relevantes que, de acuerdo con las disposiciones de la presente Ley, requieran autorización de la Consejería competente en materia de Cultura.

Específicamente, informará cuando sea requerido para ello por su presidente, de los actos de edificación y uso del suelo y subsuelo que afecten a los bienes inmuebles a los que se refiere el artículo 30 de la presente Ley.

E) Examinar e informar la declaración o la revocación de la declaración de Bienes de Interés Cultural y de Bienes Culturales de Interés Regional, así como su posible cambio de uso o alteración de su categoría de protección.

F) Las demás que se establezcan en vía reglamentaria.

3. El Presidente del Consejo Superior del Patrimonio Cultural, Histórico y Artístico de La Rioja será el Director General del Gobierno de La Rioja que tenga atribuidas las competencias en materia de Cultura. El Presidente está dotado de voto de calidad que pueda dirimir en caso de empate.

4. El Consejo Superior del Patrimonio Cultural, Histórico y Artístico de La Rioja estará integrado por el Presidente, el Secretario, que será designado por el Consejero competente en materia de Cultura de entre los funcionarios del grupo A adscritos a su Consejería y tendrá las funciones que se determinen reglamentariamente, y por una serie de vocales de carácter permanente y no permanente.

5. Son vocales de carácter permanente del Consejo Superior del Patrimonio Cultural, Histórico y Artístico de La Rioja los siguientes:

A) Seis vocales designados por el Gobierno de La Rioja que, necesariamente, deberán representar a las consejerías que tengan asignadas las competencias en materia de Turismo, Medio Ambiente, Política Local, Patrimonio, Obras Públicas y Ordenación Territorial.

B) Un vocal designado por el Ayuntamiento de Logroño de entre los funcionarios de máximo nivel adscritos a su departamento de Cultura o Urbanismo.

C) Un representante de los municipios designado por la Federación Riojana de Municipios.

D) Un representante del Instituto de Estudios Riojanos experto en patrimonio cultural, histórico y artístico.

E) Un representante designado por el Colegio Oficial de Arquitectos de La Rioja.

F) Un representante designado por el Colegio Oficial de Aparejadores y Arquitectos Técnicos de La Rioja.

G) Un representante designado por la Universidad de La Rioja, experto en patrimonio cultural, histórico y artístico.

H) El máximo responsable técnico del Sistema de Museos de La Rioja.

6. El Presidente del Consejo podrá designar vocales no permanentes que asistirán, con voz y voto, a las reuniones a las que expresamente sean convocados por razón de la materia de que se trate. El número de vocales no permanentes, así como su sistema de designación y participación en las reuniones del Consejo, se establecerá por vía reglamentaria.

7. La composición, organización y funcionamiento del Consejo Superior del Patrimonio Cultural, Histórico y Artístico de La Rioja se regulará por vía reglamentaria, en todo lo no dispuesto en esta Ley.

Artículo 9. Instituciones consultivas

1. Son también instituciones consultivas de las Administraciones Públicas de La Rioja en materia de patrimonio cultural, histórico y artístico, las siguientes:

A) El Instituto de Estudios Riojanos.

B) Los Museos integrados en el Sistema de Museos de La Rioja.

C) Los Colegios Profesionales de La Rioja, en los ámbitos relacionados con sus respectivas profesiones.

2. Asimismo, las Administraciones Públicas de La Rioja podrán recabar el asesoramiento de instituciones mencionadas en el artículo 3.2 de la Ley 16/1985, de 25 de junio, de Patrimonio Histórico Español, y de otras entidades e instituciones, nacionales o internacionales, vinculadas con el patrimonio cultural, histórico y artístico, que puedan determinarse en vía reglamentaria.

TÍTULO I. Categorías de Protección de los Bienes que integran el Patrimonio Cultural, Histórico y Artístico de La Rioja

Artículo 10. Clases de bienes

Los bienes integrantes del patrimonio cultural, histórico y artístico de La Rioja serán declarados, de acuerdo con su grado de relevancia, como Bienes de Interés Cultural; Bienes Culturales de Interés Regional y Bienes Culturales Inventariables.

CAPÍTULO I. Bienes de Interés Cultural

Artículo 11. Definición

1. Los bienes muebles, inmuebles o inmateriales más relevantes del patrimonio cultural, histórico y artístico de La Rioja, que por sus excepcionales características y valores o por constituir testimonios singulares de la cultura riojana, merezcan el máximo nivel de protección en atención al interés público, deberán ser declarados como Bienes de Interés Cultural,

mediante Decreto del Consejo de Gobierno de La Rioja, a propuesta del Consejero competente en materia de Cultura, y se inscribirán en el correspondiente Inventario del Registro General del Patrimonio Cultural, Histórico y Artístico de La Rioja.

2. En todo caso, tendrán la consideración de Bienes de Interés Cultural, por ministerio de esta Ley, los bienes existentes en el territorio de la Comunidad Autónoma de La Rioja declarados por la UNESCO como Patrimonio de la Humanidad y todos aquellos que, hasta la fecha de entrada en vigor de esta Ley, hayan sido declarados Bien de Interés Cultural al amparo de la Ley 16/1985, de 25 de junio, del Patrimonio Histórico Español.

3. No podrá ser declarada Bien de Interés Cultural la obra de arte de un autor vivo, salvo autorización expresa del propietario o si media la adquisición por parte de la Administración. Para la declaración es necesario, además de la autorización del autor, el informe favorable del Consejo Superior del Patrimonio Cultural, Histórico y Artístico de La Rioja y de dos de las instituciones consultivas previstas en el artículo 9 de esta Ley.

Artículo 12. Clasificación

1. A los efectos de su declaración como Bien de Interés Cultural, los bienes inmuebles se clasifican en Monumentos, Conjuntos Históricos y Lugares Culturales. Estos últimos, a su vez, se dividen en Jardines Históricos, Sitios Históricos, Zonas Arqueológicas, Zonas Paleontológicas, Lugares de Interés Etnográfico, Vías Culturales y Paisajes Culturales.

2. Se considerará Monumento el edificio, estructura arquitectónica, escultórica o de ingeniería u obra humana o natural, que, individualmente considerada, presente un relevante interés cultural, histórico, arquitectónico, arqueológico, paleontológico, artístico, etnográfico, científico o técnico, con inclusión de los muebles, instalaciones y accesorios que expresamente se señalen como parte integrante del mismo.

3. Se considerará Conjunto Histórico la agrupación de bienes inmuebles que constituya una unidad cultural coherente o forme una unidad de asentamiento de carácter urbano o rural, continua o dispersa, susceptible de delimitación clara, y con un interés y relevancia global, aunque cada elemento por separado no los revista de forma especial. Cuando un municipio posea un Conjunto Histórico de importancia cultural especial o que abarque una extensión considerable dentro de las proporciones de la localidad, podrá ser declarado «Municipio Monumental», a petición o previa audiencia de su Entidad Local. Su régimen jurídico es el propio de los Conjuntos Históricos.

4. Se considerará Lugar Cultural el espacio físico relacionado con hechos históricos o culturales o con actividades o transformaciones naturales o artificiales, cualquiera que sea el estado actual de los vestigios. Los lugares Culturales pueden clasificarse como:

A) Jardín Histórico: Espacio delimitado y ordenado por la intervención humana, compuesto por elementos naturales, eventualmente complementados con edificaciones, estructuras de arquitectura o ingeniería u obras de artes plásticas, que reúna destacados valores históricos, estéticos, sensoriales o botánicos.

B) Sitio Histórico: Emplazamiento vinculado a eventos pretéritos o a creaciones culturales o naturales dignas de memoria, así como a tradiciones populares, que posean singulares valores históricos, antropológicos, sociales, naturales, científicos o técnicos.

C) Zona Arqueológica: Lugar o paraje natural donde existan bienes muebles, inmuebles o restos de la intervención humana, susceptibles de ser estudiados preferentemente con metodología arqueológica, hayan sido o no extraídos y tanto si se encuentran en la superficie, en el subsuelo o en un medio subacuático. La declaración de Zona Arqueológica puede incluir áreas en las que se encuentren inmuebles declarados Bien de Interés Cultural de cualquier otro tipo.

D) Zona Paleontológica: Lugar donde existen vestigios de restos animales o vegetales, fosilizados o no, que constituyan una unidad coherente y con entidad histórica, científica o didáctica como conjunto.

E) Lugar de Interés Etnográfico: Paraje natural, conjunto de construcciones o instalaciones vinculadas a formas de vida, cultura y actividades tradicionales, que, por su valor de relación entre la naturaleza y las actividades humanas expresen características culturales de La Rioja.

F) Vía Cultural: Trazado viario de carácter histórico, transitado en algún momento como medio físico de comunicación, con independencia de su antigüedad, estado de conservación o uso actual.

G) Paisaje Cultural: Extensión de terreno representativa de la interacción del trabajo humano con la naturaleza. Su régimen como Bien de Interés Cultural se aplicará sin perjuicio de su protección específica mediante la legislación ambiental. Especial consideración merecerá el «Paisaje Cultural del Viñedo».

5. Los bienes muebles se declararán de interés cultural individualmente o como colección. En este último caso, se realizará la catalogación de los elementos unitarios que la componen, especificando todos los datos necesarios para su reconocimiento individual y como parte de la colección. Bastará que el interés relevante se predique de la colección en cuanto tal, no necesariamente de cada uno de los objetos integrantes. A todos los efectos, tendrán la consideración de Bienes de Interés Cultural aquellos bienes muebles que expresamente se señalen como integrantes de un inmueble declarado de Interés Cultural.

6. Los bienes inmateriales, fundamentalmente constitutivos del patrimonio etnográfico de La Rioja, podrán ser declarados como Bienes de Interés Cultural y se registrarán con modernas técnicas audiovisuales para su preservación, difusión y transmisión, en toda su pureza y riqueza visual y auditiva, a las generaciones futuras.

Artículo 13. Procedimiento de declaración

1. La declaración de Bien de Interés Cultural requerirá la previa incoación y tramitación de un expediente administrativo por la Consejería competente en materia de Cultura del Gobierno de La Rioja.

2. La iniciación del expediente podrá realizarse de oficio, o bien, mediante petición realizada en ese sentido, a instancia de cualquier persona física o jurídica o de otra Administración Pública, de conformidad con las normas generales reguladoras del procedimiento administrativo común.

3. El acto de iniciación deberá contener, al menos, una descripción que identifique suficientemente el bien o bienes de que se trata para que puedan ser identificados. Si se trata de inmuebles deberá incluirse una relación de sus pertenencias, accesorios y bienes muebles vinculados o que formen parte del mismo, así como la delimitación de su entorno de protección. Ambos enunciados pueden ser modificados durante la tramitación del expediente.

4. La resolución por la que se acuerde la iniciación del expediente será notificada, con carácter general, a los interesados; a los propietarios, poseedores y titulares de derechos reales sobre el bien objeto del expediente administrativo; al Gobierno del Estado; y será publicada en el «Boletín Oficial de La Rioja» y en el «Boletín Oficial del Estado». Si se trata de inmuebles, la iniciación será notificada, además, a la Entidad Local donde radique el bien. La notificación de iniciación del expediente se exhibirá durante la tramitación del expediente en el tablón de anuncios de las Entidad Local donde esté ubicado dicho bien.

5. La iniciación del expediente de declaración, determinará, respecto del bien afectado, la aplicación inmediata y provisional del régimen de protección previsto en la presente Ley para los bienes ya declarados como de interés cultural. En el caso de los bienes inmuebles la iniciación del expediente producirá, desde la notificación a la Entidad Local correspondiente, la suspensión de la tramitación de licencias municipales en la zona afectada, así como la suspensión de los efectos de las ya concedidas. La suspensión se mantendrá hasta

la resolución del expediente o caducidad del mismo. No obstante, la Entidad Local podrá autorizar la realización de obras inaplazables para su conservación y mantenimiento, que manifiestamente no perjudiquen la integridad y valores del bien objeto del expediente administrativo.

6. El expediente se someterá a un período de información pública por un plazo mínimo de un mes mediante publicación en el «Boletín Oficial de La Rioja» y en uno de los periódicos de mayor difusión en el ámbito de la Comunidad Autónoma de La Rioja.

7. Junto a la información pública, en el expediente administrativo deberán constar los siguientes documentos con carácter general:

A) Informe preceptivo y no vinculante de, al menos, dos de las instituciones consultivas establecidas en el artículo 9 de esta Ley. Los informes deberán ser emitidos en un plazo máximo de seis meses, contados desde su requerimiento, entendiéndose el posible silencio como contrario a la declaración.

B) Informe preceptivo y vinculante del Consejo Superior del Patrimonio Cultural, Histórico y Artístico de La Rioja. El informe deberá ser emitido en el plazo máximo que establezca la normativa reglamentaria reguladora de este organismo. La falta del citado informe se entenderá como favorable a la declaración.

8. Con carácter especial, atendiendo a la naturaleza y titularidad del bien objeto del procedimiento administrativo, en el expediente deberán constar los siguientes documentos, a emitir en un plazo máximo de seis meses, contados desde su requerimiento, entendiéndose el silencio administrativo como contrario a la declaración:

A) En el caso de inmuebles, informe preceptivo y no vinculante de la Consejería del Gobierno de La Rioja competente en materia de Urbanismo y de la Entidad Local donde radique el bien objeto del expediente.

B) En el caso de bienes inmateriales, informe preceptivo y no vinculante de las entidades públicas y privadas más estrechamente vinculadas a la actividad propuesta para la declaración.

C) En caso de bienes de titularidad de la Comunidad Autónoma de La Rioja, informe preceptivo y no vinculante de la Consejería competente en materia de Patrimonio.

D) En el caso de bienes de titularidad eclesiástica, informe preceptivo y no vinculante de la Diócesis de Calahorra y La Calzada-Logroño.

E) En el caso de bienes relacionados con el patrimonio natural y vías pecuarias, informe preceptivo y no vinculante de la Consejería competente en materia de medio ambiente y de la Entidad Local donde radique el bien objeto del expediente.

F) Cualesquiera otros informes técnicos, de carácter consultivo y no vinculante, que se estime oportuno solicitar.

9. En la tramitación del expediente se aplicarán el resto de previsiones establecidas con carácter general en todo procedimiento administrativo, en especial, con relación al trámite de audiencia a los interesados, instruido el expediente e inmediatamente antes de redactar la propuesta de resolución.

10. La denegación de la iniciación solicitada se hará mediante resolución motivada del Consejero competente en materia de Cultura y habrá de notificarse a quienes realizaron la petición, que tendrán la consideración de interesados y podrán interponer contra la misma recurso de reposición, dentro del plazo de un mes a contar desde la notificación denegatoria. En cualquier caso, transcurridos tres meses desde la presentación de la solicitud de iniciación del expediente sin producirse ningún tipo de respuesta por la Administración, se entenderá denegada la petición. Esta decisión es susceptible de impugnación en vía administrativa y ante la jurisdicción contencioso-administrativa.

11. Los procedimientos de declaración de Bienes de Interés Cultural que se tramiten por completo y en los que no se llegue a declarar el bien con tal protección, concluirán con

una resolución de la Dirección General competente en materia de Cultura declarando la terminación del procedimiento y la improcedencia en la declaración.

Artículo 14. Resolución

1. El expediente de declaración se resolverá en el plazo máximo de veinte meses, contados a partir del día siguiente de la publicación en el «Boletín Oficial de La Rioja» de la resolución de inicio del procedimiento. Producida la caducidad del expediente conforme a lo dispuesto por la legislación general, o recayendo resolución denegatoria expresa o por silencio administrativo, no podrá volver a iniciarse un nuevo expediente para el mismo bien, hasta que transcurran tres años, salvo solicitud del propietario del mismo o de tres de las instituciones consultivas establecidas en el artículo 9 de esta Ley.

2. La declaración de Bien de Interés Cultural será aprobada mediante Decreto del Gobierno de La Rioja, a propuesta del Consejero competente en la materia, que será publicado en el «Boletín Oficial de La Rioja» y en el «Boletín Oficial del Estado».

3. El acuerdo de declaración será notificado, con carácter general, a los interesados; a los propietarios, poseedores y titulares de derechos reales sobre el bien declarado; y a los órganos competentes de la Administración del Estado. Si se trata de inmuebles, será notificado, además, a la Entidad Local donde radique el bien y al Registro de la Propiedad correspondiente, a efectos de su inscripción en los términos previstos en la legislación hipotecaria.

4. El acuerdo de declaración contendrá, en todo caso, los siguientes extremos:

A) Descripción específica, de una forma clara, precisa y exhaustiva del objeto de la declaración que facilite su correcta identificación, y en el caso de inmuebles, las partes integrantes, pertenencias, accesorios y bienes muebles que, por su vinculación con el inmueble, hayan de ser objeto de incorporación en la declaración.

B) En caso de inmuebles, además, habrán de figurar perfectamente definidas sus relaciones con el área territorial a que pertenece, así como la protección de los accidentes geográficos y elementos naturales que conformen su entorno, que aparecerá delimitado también, geográficamente, en atención a su adecuada protección, contemplación y estudio.

C) La delimitación definitiva del entorno de protección y su régimen específico.

D) Determinación de la compatibilidad del uso con la correcta conservación del bien. En caso de que el uso a que viene destinándose fuese incompatible con la adecuada conservación del mismo, deberá establecerse su cese o modificación.

E) Estado de conservación del bien y, en su caso, criterios básicos por los que deberían regirse eventuales intervenciones.

F) La categoría en la que queda clasificado el bien de acuerdo con el artículo 12 de la presente Ley, y, en su caso, el régimen urbanístico de protección.

5. El acuerdo de declaración también podrá contener las instrucciones particulares que puedan ser de aplicación al bien cultural, atendiendo a las específicas circunstancias que concurran en cada supuesto, y que contribuyan a mejorar el cumplimiento en el mismo de las finalidades previstas en esta Ley, así como la conservación de los valores que aconsejaron su declaración como Bien de Interés Cultural.

6. Todos estos extremos y los que puedan determinarse reglamentariamente se inscribirán en el Inventario de Bienes de Interés Cultural del Registro General del Patrimonio Cultural, Histórico y Artístico de La Rioja.

Artículo 15. Revocación de la declaración

La declaración de un bien con el carácter de Interés Cultural únicamente podrá revocarse si se siguen los mismos trámites y requisitos que son necesarios para su declaración, no pudiendo invocarse como fundamento el incumplimiento de las obligaciones de conservación y mantenimiento regulados por esta Ley. En estos casos, el antiguo Bien de Interés Cultural podrá ser incluido en alguna de las restantes categorías de protección, siguiendo el procedimiento establecido en esta Ley, si se dan los requisitos exigidos en esta Ley.

CAPÍTULO II. Bienes Culturales de Interés Regional

Artículo 16. Definición

1. Los bienes muebles, inmuebles o inmateriales del patrimonio cultural, histórico y artístico de La Rioja que, sin tener el valor excepcional de los declarados de interés cultural, posean una especial significación e importancia a nivel regional, comarcal o local por reunir alguno de los valores previstos en el artículo 2.1 de esta Ley, podrán ser declarados como Bienes Culturales de Interés Regional mediante Orden del Consejero competente en materia de Cultura, a propuesta del Director General que tenga asignada la competencia en materia de Cultura, y se inscribirán en el correspondiente Inventario del Registro General del Patrimonio Cultural, Histórico y Artístico de La Rioja.

2. Serán objeto de declaración preferente como Bienes Culturales de Interés Regional aquellos edificios, espacios o elementos culturales, históricos y artísticos incluidos en los catálogos del planeamiento municipal o de planes especiales, una vez que se sigan los oportunos trámites previstos en el artículo 17 de esta Ley, salvo que proceda su declaración como Bien de Interés Cultural.

3. Los bienes inmuebles pueden ser declarados como Culturales de Interés Regional a título singular o formando agrupaciones o conjuntos, continuos o dispersos. La inclusión de un inmueble en esta especial categoría de protección no impedirá la posible limitación de la aplicación de las normas de tutela a alguna de las partes que lo componen, cuando las restantes carezcan de relevancia cultural, histórica o artística. Asimismo se podrán considerar como parte de un inmueble declarado como Cultural de Interés Regional los bienes muebles que contribuyan, de forma significativa, a realzar sus valores culturales o que se señalen como parte integrante del mismo.

4. Los bienes muebles pueden ser declarados como Culturales de Interés Regional a título individual o como colección. En este último caso, se realizará la catalogación de los elementos unitarios que la componen, especificando todos los datos necesarios para su reconocimiento individual y como parte de la colección. Bastará que el interés relevante se predique de la colección en cuanto tal, no necesariamente de cada uno de los objetos integrantes.

Artículo 17. Procedimiento de declaración

1. La declaración de Bien Cultural de Interés Regional requerirá la previa incoación y tramitación de un expediente administrativo por la Dirección General del Gobierno de La Rioja, competente en materia de Cultura.

2. La iniciación del expediente podrá realizarse de oficio, o bien, mediante petición realizada en ese sentido a instancia de cualquier persona física o jurídica o de otra Administración Pública, de conformidad con las normas generales reguladoras del procedimiento administrativo común.

3. El acto de iniciación deberá contener, al menos, una descripción que identifique suficientemente el bien o bienes de que se trata para que puedan ser identificados. Si se trata de inmuebles deberá incluirse una relación de sus pertenencias, accesorios y bienes muebles vinculados o que formen parte del mismo, así como la delimitación de su entorno de protección. Ambos enunciados pueden ser modificados durante la tramitación del expediente.

4. La resolución por la que se acuerde la iniciación del expediente será notificada, con carácter general, a los interesados; y a los propietarios, poseedores y titulares de derechos

reales sobre el bien objeto del expediente administrativo; y será publicada en el «Boletín Oficial de La Rioja»0s en materia de Urbanismo y de la Entidad Local donde radique el bien objeto del expediente.

B) En el caso de bienes inmateriales, informe preceptivo y no vinculante de las entidades públicas y privadas más estrechamente vinculadas a la actividad propuesta para la declaración.

C) En caso de bienes de titularidad de la Comunidad Autónoma de La Rioja, informe preceptivo y no vinculante de la Consejería del Gobierno de La Rioja, competente en materia de Patrimonio.

D) En el caso de bienes de titularidad eclesiástica, informe preceptivo y no vinculante de la Diócesis de Calahorra y La Calzada-Logroño.

E) Cualesquiera otros informes técnicos, de carácter consultivo y no vinculante, que se estime oportuno solicitar.

9. En la tramitación del expediente se aplicarán el resto de previsiones establecidas con carácter general en todo procedimiento administrativo, en especial, con relación al trámite de audiencia a los interesados, instruido el expediente e inmediatamente antes de redactar la propuesta de resolución.

10. La denegación de la iniciación solicitada se hará mediante resolución motivada de la Dirección General del Gobierno de La Rioja, competente en materia de Cultura y habrá de notificarse a quienes realizaron la petición, que tendrán la consideración de interesados y podrán interponer contra la misma recurso de alzada, dentro del plazo de un mes a contar desde la notificación denegatoria. En cualquier caso, transcurridos tres meses desde la presentación de la solicitud de iniciación del expediente sin producirse ningún tipo de respuesta por la Administración, se entenderá aprobada la petición. Esta decisión es susceptible de impugnación en vía administrativa y ante la jurisdicción contencioso-administrativa.

11. Los procedimientos de declaración de Bienes Culturales de Interés Regional que se tramiten por completo y en los que no se llegue a declarar el bien con tal protección, concluirán con una resolución de la Dirección General competente en materia de Cultura declarando la terminación del procedimiento y la improcedencia en la declaración.

Artículo 18. Resolución

1. El expediente de declaración se resolverá en el plazo máximo de doce meses, contados desde la fecha en que fue iniciado el procedimiento. Producida la caducidad del expediente conforme a lo dispuesto por la legislación general, o recayendo resolución denegatoria expresa o por silencio administrativo, no podrá volver a iniciarse un nuevo expediente para el mismo bien, hasta que transcurra un año, salvo solicitud del propietario del mismo o de dos de las instituciones consultivas establecidas en el artículo 9 de esta Ley.

2. La declaración de Bien Cultural de Interés Regional será aprobada mediante Orden del Consejero competente en materia de Cultura, a propuesta del Director General de Cultura, que será publicada en el «Boletín Oficial de La Rioja».

3. El acuerdo de declaración será notificado, con carácter general, a los interesados; y a los propietarios, poseedores y titulares de derechos reales sobre el bien declarado. Si se trata de inmuebles, será notificado, con carácter especial, a la Entidad Local donde radique el bien y al Registro de la Propiedad correspondiente, a efectos de su inscripción en los términos previstos en la legislación hipotecaria.

4. El acuerdo de declaración contendrá, en todo caso, los siguientes extremos:

A) Descripción general del objeto de la declaración que facilite su correcta identificación, y en el caso de inmuebles, las partes integrantes, pertenencias, accesorios y bienes muebles que, por su vinculación con el inmueble, hayan de ser objeto de incorporación en la declaración.

B) En caso de inmuebles, la delimitación definitiva del entorno de protección y su régimen específico.

C) Determinación de la compatibilidad del uso con la correcta conservación del bien. En caso de que el uso a que viene destinándose fuese incompatible con la adecuada conservación del mismo, deberá establecerse su cese o modificación.

D) Estado de conservación del bien y, en su caso, tanto los criterios básicos por los que deberían regirse eventuales intervenciones, como el régimen urbanístico de protección.

5. El acuerdo de declaración también podrá contener las instrucciones particulares que puedan ser de aplicación al bien cultural, atendiendo a las específicas circunstancias que concurran en cada supuesto, y que contribuyan a mejorar el cumplimiento en el mismo de las finalidades previstas en esta Ley, así como la conservación de los valores que aconsejaron su declaración como Bien Cultural de Interés Regional.

6. Todos estos extremos y los que se determinen reglamentariamente se inscribirán en el Inventario de Bienes Culturales de Interés Regional del Registro General del Patrimonio Cultural, Histórico y Artístico de La Rioja.

Artículo 19. Revocación de la declaración

La declaración de un bien con el carácter de Cultural de Interés Regional únicamente podrá revocarse si se siguen los mismos trámites y requisitos que son necesarios para su declaración, no pudiendo invocarse como fundamento el incumplimiento de las obligaciones de conservación y mantenimiento regulados por esta Ley. En estos casos, el antiguo Bien Cultural de Interés Regional podrá ser incluido en alguna de las restantes categorías de protección, siguiendo el procedimiento establecido en esta Ley, si se dan los requisitos exigidos en la misma.

CAPÍTULO III. Bienes Culturales Inventariables

Artículo 20. Definición y procedimiento

1. Se entiende por bienes Culturales Inventariables de La Rioja todos aquellos elementos muebles, inmuebles o inmateriales que, sin reunir los valores excepcionales o especiales que los hagan merecedores de ser incluidos en alguna de las categorías superiores de protección, merezcan ser defendidos, conservados y difundidos por reunir alguno de los criterios generales enumerados en el artículo 2.1 de esta Ley.

2. La declaración de Bien Cultural Inventariable será aprobada mediante Resolución de la Dirección General del Gobierno de La Rioja que tenga atribuidas las competencias en materia de Cultura.

3. En el expediente de declaración, iniciado de oficio o a instancia de cualquier persona, deberá constar, el informe favorable de los Servicios de Patrimonio, Histórico, Artístico de la Consejería competente en materia de Cultura.

CAPÍTULO IV. Registro General del Patrimonio Cultural, Histórico y Artístico de La Rioja

Artículo 21. Características del Registro

1. Se atribuye a la Consejería competente en materia de Cultura la gestión del Registro General del Patrimonio Cultural, Histórico y Artístico de La Rioja.

2. Se inscribirán en el Registro General del Patrimonio Cultural, Histórico y Artístico de La Rioja los Bienes de Interés Cultural, los Bienes Culturales de Interés Regional, y los demás Bienes Culturales Inventariables en la forma prevista en esta Ley o, en su caso, en vía

reglamentaria. También se anotarán preventivamente la iniciación de los expedientes de declaración de los Bienes de Interés Cultural y de los Bienes Culturales de Interés Regional.

3. El Registro tiene por objeto la identificación, consulta y divulgación de los bienes inscritos en el mismo, así como el conocimiento de todos los actos que repercutan en el estatuto jurídico del elemento cultural o en su titularidad. Los datos a inscribir o anotar preventivamente se practicarán de oficio y tendrán carácter declarativo, debiendo ser notificados al titular del bien cultural. Los titulares de los bienes inscritos deberán comunicar al Registro todos los actos jurídicos y técnicos que puedan afectarles.

4. El acceso al Registro será público, salvo las informaciones que deban protegerse por razón de la seguridad de los bienes o de sus titulares, en especial, respecto a los datos contenidos en la Carta Arqueológica y Paleontológica de La Rioja; por salvaguardar los derechos relativos al honor y a la intimidad personal o familiar y a la propia imagen; por garantizar los secretos comerciales y científicos protegidos por la legislación; y por cualesquiera otras circunstancias previstas en el ordenamiento jurídico. En concreto, será preciso la autorización expresa del titular del bien para la consulta pública de los datos relativos a:

A) La situación jurídica y valor económico de los bienes inscritos.

B) Su localización, en caso de bienes muebles.

5. De las inscripciones y anotaciones en el Registro General del Patrimonio Cultural, Histórico y Artístico de La Rioja se dará cuenta a la Administración del Estado para que hagan las consiguientes inscripciones y anotaciones en el Registro General de Bienes de Interés Cultural y en el Inventario General de Bienes Muebles del Patrimonio Histórico Español, dependientes del Estado, así como a la Consejería competente en materia de Patrimonio, a los efectos de asegurar la coordinación con el Inventario General de Bienes y Derechos de la Comunidad Autónoma.

6. La organización, contenido, funciones y demás aspectos relativos al Registro General del Patrimonio Cultural, Histórico y Artístico de La Rioja se determinarán reglamentariamente.

TÍTULO II. Régimen de Protección de las distintas Categorías de los Bienes que integran el Patrimonio Cultural, Histórico y Artístico de La Rioja

CAPÍTULO I. Facultades de Prospección y Expropiatoria para la Protección de los Bienes del Patrimonio Cultural, Histórico y Artístico

Artículo 22. Prospecciones y excavaciones arqueológicas

1. La Consejería competente en materia de Cultura, de oficio, o a instancia de cualquier otra Administración Pública, podrá ordenar la ejecución de prospecciones o de excavaciones arqueológicas en cualquier terreno situado en el territorio de la Comunidad Autónoma de La Rioja, en el que se presuma o constate la existencia de yacimientos o restos arqueológicos, paleontológicos o de componentes geológicos con ellos relacionados, con independencia de la titularidad pública o privada de la finca, su extensión o cualquier otra circunstancia. A efectos de la correspondiente indemnización regirá lo dispuesto en la legislación vigente sobre expropiación forzosa.

2. Si como consecuencia de la prospección o de la excavación arqueológica se hallasen restos arqueológicos, paleontológicos o componentes geológicos con ellos relacionados, la Consejería del Gobierno de La Rioja, competente en materia de Cultura podrá suspender las obras; modificar el proyecto; proceder a incoar el procedimiento para incluir los restos en alguna de las categorías de protección o realizar aquellas actuaciones que considere idóneas para asegurar la supervivencia de los bienes hallados, en cumplimiento de las finalidades de esta Ley.

3. Las prospecciones o las excavaciones arqueológicas se realizarán en la forma prevista en el Título III de esta Ley.

Artículo 23. Expropiación forzosa de inmuebles situados en el entorno de bienes culturales, históricos y artísticos

1. Las edificaciones o construcciones de todo tipo que impidan o perturben la contemplación de inmuebles pertenecientes al patrimonio cultural, histórico y artístico de La Rioja, u ocasionen o provoquen situaciones de riesgo a los mismos, podrán ser expropiadas por causa justificada de interés social. También serán causas de interés social para la expropiación forzosa la realización de mejoras de acceso a dichos bienes; la dignificación de su entorno; la mejora de las condiciones de su disfrute público; así como las necesidades de suelo para la realización de obras destinadas a la conservación de aquellos bienes y de los destinados a la creación, ampliación y mejora de museos.

2. En esos supuestos, los titulares dominicales de los inmuebles pertenecientes al patrimonio cultural, histórico y artístico que justificaron la expropiación, podrán ser considerados beneficiarios de la expropiación, asumiendo los derechos y las obligaciones que atribuye a los mismos la legislación expropiatoria.

3. La expropiación forzosa por esas causas podrá ser realizada por la Administración Autonómica o por cualquier Entidad Local de La Rioja. En este último caso, la Corporación Local notificará previamente ese propósito a la Administración Autonómica que tendrá prioridad en el ejercicio de la potestad expropiatoria.

CAPÍTULO II. Ordenación General aplicable sobre cualquier Bien perteneciente al Patrimonio Cultural, Histórico y Artístico de La Rioja

Sección 1ª. Ordenación general aplicable a los bienes inmuebles y muebles

Artículo 24. Facultades de intervención de la Administración

1. Los poderes públicos garantizarán la protección, conservación, rehabilitación, revitalización, mejora y fomento, así como el conocimiento, investigación y difusión del patrimonio cultural, histórico y artístico de La Rioja, de acuerdo con lo establecido en esta Ley y en el resto del ordenamiento jurídico.

2. Los propietarios, poseedores y demás titulares de derechos reales sobre los bienes integrantes del patrimonio cultural, histórico y artístico de La Rioja, facilitarán a la Administración competente el acceso a los mismos con fines de inspección, así como la información que resultare necesaria para garantizar el cumplimiento de las finalidades previstas en esta Ley.

3. La Consejería competente en materia de Cultura, podrá impedir un derribo y suspender cualquier clase de obra, actividad, intervención o cambio de uso que se proyecte realizar o se realice en cualquier bien, aunque carezca de una declaración expresa reconociendo su pertenencia al patrimonio cultural, histórico y artístico de La Rioja, siempre que se aprecie en el mismo la concurrencia de alguno de los valores a que hace referencia el artículo 2.1 de esta Ley, con el fin de evitar situaciones de riesgo de pérdida, deterioro, destrucción o expolio de aquellos bienes. Las Entidades Locales también están legitimadas para adoptar estas medidas cautelares, en cuyo caso, deberán comunicar a la Consejería competente en materia de Cultura las actuaciones realizadas en el plazo improrrogable de diez días hábiles.

4. Una vez producida la suspensión, de oficio o a instancia de la Entidad Local correspondiente, la Consejería competente en materia de Cultura resolverá en el plazo máximo de tres meses en favor de la continuación de la obra o intervención proyectada o iniciada;

o bien, procederá a iniciar el procedimiento para la declaración del bien objeto de la paralización como Bien de Interés Cultural, Bien Cultural de Interés Regional o Bien Cultural Inventariable, sin perjuicio de establecer aquellas medidas cautelares de protección que garanticen la conservación del bien afectado, con arreglo a la legislación urbanística, a esta Ley o a otras que fueran de aplicación.

Artículo 25. Deber general de conservación

1. Los propietarios, poseedores y demás titulares de derechos reales sobre bienes integrantes del patrimonio cultural, histórico y artístico de La Rioja están obligados a conservarlos, mantenerlos, custodiarlos, cuidarlos y protegerlos debidamente para asegurar su integridad y evitar su pérdida, destrucción o deterioro, de conformidad con lo dispuesto en la legislación urbanística y en esta Ley. Este deber básico comporta salvaguardar la integridad del bien y no destinarlo en ningún caso a usos y actividades que pongan en peligro la pervivencia de los valores que hacen de él un bien perteneciente al patrimonio cultural, histórico y artístico.

2. La Consejería competente en materia de Cultura, podrá recabar sobre los bienes pertenecientes al patrimonio cultural, histórico y artístico de La Rioja el acceso, examen e inspección de los mismos y las informaciones y documentación pertinentes a los efectos de comprobar su estado de conservación o para instar en el futuro su declaración como Bien de Interés Cultural, Bien Cultural de Interés Regional o Bien Cultural Inventariable. Los propietarios, poseedores y demás titulares de derechos reales sobre los bienes culturales afectados, deberán facilitar el acceso a ellos y a las demás actuaciones que emprenda la Administración.

3. La Entidad Local donde radique el bien perteneciente al patrimonio cultural, histórico y artístico, y la Consejería del Gobierno de La Rioja, competente en materia de Cultura están legitimados para adoptar y ejecutar las medidas oportunas que garanticen el cumplimiento efectivo del deber legal de conservar, mantener, custodiar, cuidar y proteger los bienes culturales. Con esa finalidad, cuando se trate de bienes inmuebles, las Entidades Locales podrán adoptar cualquiera de las medidas previstas en la legislación urbanística y de régimen local, atendiendo a las circunstancias concurrentes en cada supuesto, sin perjuicio de la utilización de cualquiera de los medios de ejecución forzosa previstos en la legislación administrativa general.

4. Para garantizar el efectivo cumplimiento del deber legal de conservación, mantenimiento, custodia, cuidado y protección de los bienes culturales, la Consejería competente en materia de Cultura, podrá actuar con carácter subsidiario, en defecto de la Entidad Local correspondiente, o con carácter preferente, atendiendo a la concreta situación que concurra en cada caso. En estos supuestos, la Administración autonómica podrá adoptar cualquiera de los medios de ejecución forzosa previstos en la legislación administrativa general y en la presente Ley, así como la expropiación forzosa en las situaciones de incumplimiento grave del deber legal previsto en el apartado primero de este artículo. En el supuesto de bienes muebles, con carácter excepcional, se podrá ordenar su depósito en museos o en otros centros públicos mientras no desaparezcan las causas que justificaron adoptar esta decisión.

5. En el supuesto de inmuebles, las Entidades Locales y la Consejería competente en materia de Cultura podrán también ordenar, por motivos de interés cultural, la ejecución de obras de conservación y de reforma en el interior de edificios, a fin de conservar los valores tipológicos, estructurales, constructivos y ornamentales de los mismos, así como en sus fachadas o espacios visibles desde la vía pública, sin que estén previamente incluidos en planeamiento urbanístico alguno. Las obras se ejecutarán con cargo a los propietarios si se contuvieren en el límite del deber de conservación que les corresponde. Cuando las obras

a ejecutar excedieran los límites del deber de conservación y no haya existido un incumplimiento por parte de los obligados a realizarlas, los titulares de los bienes culturales podrán solicitar la colaboración de los poderes públicos con esa finalidad. Las Administraciones Públicas, en el marco de sus competencias y de sus disponibilidades presupuestarias, cooperarán con los titulares de bienes culturales, históricos y artísticos con ese objetivo.

Igualmente, podrán realizar de modo directo las obras u otras intervenciones necesarias si así lo requiriera la más eficaz conservación de los bienes integrantes del patrimonio cultural, histórico y artístico de La Rioja.

6. Sin perjuicio de las posibles medidas que las Administraciones, en el ejercicio de sus funciones, puedan adoptar en cualquier momento para garantizar las finalidades previstas en esta Ley, los propietarios de construcciones y edificios pertenecientes al patrimonio cultural, histórico y artístico deberán encomendar a un técnico facultativo competente o, en su caso, a entidades de inspección técnica homologadas y registradas por la Administración, la realización de inspecciones periódicas de los inmuebles culturales, dirigidas a determinar su estado de conservación y las obras de conservación o de rehabilitación que fueran precisas. El resultado de la inspección, acompañada de un informe técnico, será elevado a la Entidad Local correspondiente y a la Consejería competente en materia de Cultura, y podrá servir de base para el dictado de órdenes de ejecución de obras o cualesquiera otras medidas que se estimen precisas para salvaguardar la integridad del inmueble cultural.

7. Los poderes públicos, en el marco de sus competencias y de sus disponibilidades presupuestarias, podrán establecer ayudas públicas y otras medidas de fomento para facilitar el cumplimiento del deber legal de conservación, mantenimiento, custodia, cuidado y protección de los bienes pertenecientes al patrimonio cultural, histórico y artístico de La Rioja. En concreto, los beneficios que el ordenamiento jurídico establece para la rehabilitación de viviendas y del patrimonio arquitectónico en general, podrán ser aplicables a la conservación y rehabilitación de los inmuebles integrantes del patrimonio cultural, histórico y artístico riojano, cuyas obras hubieren sido debidamente aprobadas por las Administraciones competentes, en los términos previstos en la legislación aplicable.

Artículo 26. De los investigadores
Los propietarios, poseedores y demás titulares de derechos reales de bienes pertenecientes al patrimonio cultural, histórico y artístico de La Rioja estarán obligados a permitir el acceso a los mismos a los investigadores que hayan sido acreditados por la Consejería competente en materia de Cultura, previa solicitud motivada de éstos. El cumplimiento de este deber sólo podrá ser dispensado o condicionado su ejercicio por la Administración cuando existan causas debidamente justificadas, en atención a la debida protección del bien cultural o a las características del mismo o en atención a los derechos de los titulares del bien.

Artículo 27. Derechos de tanteo y retracto
1. La Comunidad Autónoma de La Rioja, por iniciativa de la Consejería competente en materia de Cultura y a través del órgano competente en función de la cuantía según lo dispuesto en la legislación patrimonial, podrá ejercer el derecho de tanteo sobre las transmisiones onerosas de la propiedad o cualquier derecho real de uso o disfrute sobre Bienes de Interés Cultural, muebles catalogados con más de cien años de antigüedad y a los Bienes Culturales de Interés Regional y Bienes Culturales Inventariables. La Entidad Local correspondiente podrá ejercer, subsidiariamente, el mismo derecho.

2. Los propietarios o titulares de derechos reales sobre los bienes mencionados en el apartado primero, notificarán fehacientemente a la Consejería competente en materia de Cultura su propósito de transmisión de los bienes o derechos, indicando el precio, forma de

pago, condiciones de la transmisión y la identidad del adquirente. La misma obligación tendrán las personas físicas y jurídicas que se dediquen habitualmente al comercio de dichos bienes. Los subastadores habrán de notificar fehacientemente, con un plazo de antelación de dos meses, y en cualquier caso con carácter previo a la edición de los catálogos, las subastas públicas en las que pretenda enajenarse cualquier bien integrante del patrimonio cultural, histórico y artístico de La Rioja, indicando el precio de salida, condiciones de pago y lugar y hora de celebración de la misma.

3. La intención de transmisión se comunicará por la Consejería competente en materia de Cultura, a la Entidad Local correspondiente, en el plazo máximo de quince días hábiles a contar desde su entrada en el Registro.

4. En el plazo de dos meses desde la notificación a la que se refiere el apartado segundo, la Comunidad Autónoma de La Rioja, por iniciativa de la Consejería competente en materia de Cultura y a través del órgano competente en función de la cuantía según lo dispuesto en la legislación patrimonial, y, subsidiariamente la Entidad Local, podrán ejercer el derecho de tanteo para sí, obligándose al pago del precio convenido o del fijado en el remate de la subasta.

5. Si la pretensión de transmisión y sus condiciones no han sido notificadas, lo fueron incorrectamente o la transmisión se realizó en condiciones distintas a las notificadas, la Comunidad Autónoma de La Rioja, por iniciativa de la Consejería competente en materia de Cultura y a través del órgano competente en función de la cuantía según lo dispuesto en la legislación patrimonial y, subsidiariamente, la Entidad Local correspondiente, podrán ejercer el derecho de retracto en los mismos términos establecidos para el de tanteo, en el plazo de seis meses desde el momento en que se tenga conocimiento fehaciente de la citada transmisión.

6. Se exceptúan de esta obligación los supuestos en los que el adquirente sea la Comunidad Autónoma de La Rioja.

Artículo 28. Formalización de escrituras

Para la formalización de escrituras de transmisión de bienes o derechos sobre bienes pertenecientes al patrimonio cultural, histórico y artístico de La Rioja, en la forma prevista en el artículo anterior, se acreditará debidamente el cumplimiento de los requisitos establecidos en el mismo. Esta acreditación también es necesaria para la inscripción de títulos en el Registro de la Propiedad y en cualesquiera otros de naturaleza pública. Los Notarios y Registradores de la Propiedad exigirán para autorizar o inscribir, respectivamente, escrituras de transmisión de bienes y derechos pertenecientes al patrimonio cultural, histórico y artístico de La Rioja, que se acredite el cumplimiento de las notificaciones y demás requisitos establecidos en el artículo anterior.

Artículo 29. Límites a la transmisión

1. Los bienes pertenecientes al patrimonio cultural, histórico y artístico de La Rioja que sean propiedad de la Comunidad Autónoma o de las Entidades Locales son inalienables, con las excepciones previstas en la presente Ley, así como imprescriptibles e inembargables.

2. Las Administraciones Públicas riojanas podrán acordar, por causa de interés público, cesiones onerosas o gratuitas entre sí de bienes pertenecientes al patrimonio cultural, histórico y artístico. Las citadas cesiones requerirán informe previo por parte de la Consejería competente en materia de Cultura. Cuando la cedente o transmitente sea la Administración Pública y el cesionario o adquirente sea un particular se requerirá autorización previa de la consejería competente en materia de cultura. La cesión no supondrá en ningún caso la exclusión de tales bienes del régimen de protección que les corresponda.

3. La transmisión de bienes de las instituciones eclesiásticas se regirá por la legislación estatal, sin perjuicio de su comunicación a la Consejería competente en materia de patrimonio histórico y cultural.

Artículo 30. Régimen urbanístico

1. Las entidades locales elaborarán o actualizarán el catálogo urbanístico con todos aquellos edificios, espacios o elementos existentes en cada término municipal que reúnan valor o interés cultural, histórico o artístico. Este catálogo urbanístico no solo servirá para incluir aquellos elementos que deban proteger el planeamiento municipal o los planes especiales, sino que también servirá para inventariar los inmuebles pertenecientes al patrimonio cultural, histórico y artístico localizados en cada municipio, con independencia de su titularidad, estado de conservación o cualquier otra circunstancia concurrente en cada caso. El catálogo urbanístico será informado por la consejería con competencia en materia de cultura, con carácter previo a su aprobación, quedando la entidad local vinculada a la decisión de aquella.

2. El decreto por el que un inmueble sea declarado como bien de interés cultural o la orden por la que se declare como bien cultural de interés regional prevalecerán sobre los planes y normas urbanísticas que afecten al inmueble, debiendo ajustarse dichos instrumentos urbanísticos a las resoluciones mencionadas antes de su aprobación, o bien, si estaban vigentes, ajustarse a ellas mediante las modificaciones urbanísticas oportunas.

3. La modificación de los catálogos en el sentido previsto en los anteriores apartados se realizará conforme a la tramitación establecida en la legislación urbanística, quedando automáticamente suspendidas las licencias municipales aplicables sobre el bien cultural afectado hasta la aprobación definitiva de la citada modificación. En dicha tramitación, y con carácter previo a la aprobación definitiva, la entidad local deberá solicitar el informe preceptivo y vinculante de la consejería con competencias en materia de cultura, que lo emitirá oído el Consejo Superior de Patrimonio Cultural, Histórico y Artístico de La Rioja.

4. Con independencia de las medidas especiales de protección previstas en esta Ley, los catálogos urbanísticos establecerán medidas de tutela genéricas o específicas, a fin de evitar la destrucción o modificación sustancial de los bienes incluidos en los mismos. Las determinaciones del planeamiento impedirán en el entorno de dichas edificaciones, espacios y elementos la realización de construcciones e instalaciones que los deterioren o que modifiquen sustancialmente sus perspectivas visuales y su integración con el resto de la trama urbana.

5. Los actos de edificación y uso del suelo y del subsuelo que afecten a los edificios, espacios o elementos incluidos en los catálogos urbanísticos deberán ser informados por la consejería con competencia en materia de cultura con carácter previo a la concesión de la correspondiente licencia.

6. Al mismo informe referido en el apartado anterior quedan sometidos los actos de edificación y uso del suelo o del subsuelo que afecten a los siguientes bienes de valor cultural, cuando se encuentren radicados en municipios en los que no se haya aprobado un catálogo urbanístico o si, en el momento de su redacción, no pudieron ser objeto de identificación:

a) Las edificaciones, construcciones y, en general, los inmuebles con más de doscientos años de antigüedad.

b) Las iglesias, ermitas y cementerios construidos con más de ciento cincuenta años de antigüedad.

c) Teatros, mercados, plazas de toros, fuentes y lavaderos representativos de los usos para los que fueron edificados con más de cien años de antigüedad.

d) Las construcciones tradicionales rurales, los conjuntos de abrigos, pastores y ganado con cubiertas de piedra y los puentes, molinos, ingenios hidráulicos con carácter tradicional y obras singulares de infraestructura, ingeniería y arquitectura, con más de doscientos años de antigüedad.

e) Las bodegas de vino con más de cien años de antigüedad.

Artículo 31. Deber de información sobre planes, proyectos y programas

1. La Consejería competente en materia de Cultura deberá ser informada de todos los proyectos, tanto públicos como privados, que por su incidencia sobre el territorio afecten a bienes pertenecientes al patrimonio cultural, histórico y artístico de La Rioja. Para garantizar su conservación, la Consejería está facultada para adoptar aquellas medidas protectoras y correctoras que considere necesario.

2. En concreto, todo proyecto sometido a evaluación de impacto ambiental que pueda afectar a bienes pertenecientes al patrimonio cultural, histórico y artístico de La Rioja, deberá contar con un informe preceptivo de la Consejería competente en materia de Cultura, que podrá oír al Consejo Superior del Patrimonio Cultural, Histórico y Artístico de La Rioja, con esa finalidad. Deberán incluirse en la declaración de impacto ambiental las consideraciones o condiciones resultantes de dicho informe que garanticen la protección y salvaguarda de los bienes culturales afectados.

3. Las Administraciones de La Rioja promoverán políticas públicas destinadas a prevenir, reducir y evitar en lo posible la contaminación física, química, acústica y de cualquier otro tipo biológico u orgánico que afecte a bienes pertenecientes al patrimonio cultural, histórico y artístico.

Con esa finalidad se promoverán proyectos, planes y actuaciones conjuntas o coordinadas entre las Administraciones Públicas y sus órganos, organismos o unidades, que desarrollen sus funciones en el ámbito del patrimonio cultural, histórico y artístico y en el sector medioambiental.

Artículo 32. Expropiación forzosa

1. Junto a los supuestos previstos en el artículo 23, también se consideran causas justificativas de interés social para el ejercicio de la expropiación forzosa, la consecución de las finalidades previstas en el artículo 1; el incumplimiento de los deberes establecidos en esta Ley, en especial, de la obligación de conservar y proteger los bienes pertenecientes al patrimonio cultural, histórico y artístico de La Rioja por parte de sus propietarios, poseedores o titulares de cualquier derecho real; y las situaciones de peligro de destrucción, deterioro, expoliación o uso incompatible del bien cultural con sus valores.

2. La expropiación forzosa por esas causas podrá ser realizada por la Administración Autonómica o por cualquier Entidad Local de La Rioja. En este último caso, la Corporación Local notificará previamente ese propósito a la Administración Autonómica que tendrá prioridad en el ejercicio de la potestad expropiatoria.

3. Los bienes culturales adquiridos por la Comunidad Autónoma y las Entidades Locales a través de la expropiación forzosa se someterán al régimen jurídico previsto en el artículo 29.1 de esta Ley. No obstante, podrán ser cedidos por el órgano competente de la Administración a personas físicas, entidades, organizaciones, asociaciones, fundaciones u otras personas físicas o jurídicas, de naturaleza pública o privada, que se comprometan a su conservación, protección, rehabilitación, mejora o difusión, en las condiciones que expresamente se establezcan por la Consejería competente en materia de Cultura. En estos supuestos, la Administración conservará la titularidad dominical del bien expropiado, sin perjuicio de poder participar en la gestión que garantice en todo momento una idónea conservación y utilización del bien expropiado.

Sección 2ª. Ordenación específica aplicable a los bienes muebles

Artículo 33. Catálogo de bienes muebles

1. La Consejería competente en materia de Cultura elaborará un Catálogo de bienes muebles pertenecientes al patrimonio cultural, histórico y artístico de La Rioja, cualquiera que sea su titularidad jurídica, y hayan sido o no incluidos expresamente en alguna de las categorías de protección previstas en esta Ley. Los datos recogidos en el Catálogo podrán ser utilizados para iniciar procedimientos de declaración de muebles en alguna de las tres categorías de protección establecidas en esta Ley.

2. Los propietarios, poseedores y titulares de derechos reales de bienes muebles pertenecientes al patrimonio cultural, histórico y artístico de La Rioja están obligados a colaborar con la Administración en la elaboración del Catálogo previsto en este artículo, permitiendo su examen y aportando la información de que dispongan para su adecuada documentación. Esas mismas personas podrán presentar una solicitud documentada ante la Consejería competente en materia de Cultura para incorporar los bienes muebles de su titularidad en el citado Catálogo.

Artículo 34. Comercio

1. Las personas y entidades que se dediquen habitualmente al comercio de bienes muebles integrantes del patrimonio cultural, histórico y artístico dentro del ámbito de la Comunidad Autónoma de La Rioja, deberán inscribirse en un Registro que a tal efecto creará la Administración autonómica y que será objeto de regulación reglamentaria. Será requisito indispensable estar incluido en el mencionado Registro para el ejercicio del comercio con bienes culturales.

2. Sin perjuicio de su desarrollo en vía reglamentaria, las personas y entidades mencionadas en el apartado anterior estarán obligadas a llevar un libro de registro, legalizado por aquélla, en el que constarán sus existencias y transacciones, los datos de identificación de los objetos culturales y de las partes que intervienen en cada negocio jurídico y su fecha. Cualquier venta o transmisión de bienes pertenecientes al patrimonio cultural, histórico y artístico de La Rioja deberán comunicarla a la Consejería competente en materia de Cultura, con una antelación mínima de un mes, para que pueda ejercitar los derechos de tanteo y retracto en los términos y categorías de protección previstos en el artículo 27 de esta Ley.

3. El Registro previsto en este artículo será gestionado por la Consejería competente en patrimonio histórico y cultural, facultándose a la Dirección General del Gobierno de La Rioja, competente en materia de Cultura para ejercer las funciones inspectoras que se estimen oportunas respecto al libro de registro y a las actividades desarrolladas por las personas y entidades a que se refiere este artículo.

Artículo 35. Reproducción y restauración

Los poderes públicos promoverán la utilización de medios técnicos para reproducir los bienes muebles integrantes del patrimonio cultural, histórico y artístico de La Rioja, especialmente los incluidos en el patrimonio documental y bibliográfico, si lo requiere su conservación, su difusión o cualquier otra circunstancia apreciada por la Administración. También emprenderán las actuaciones necesarias para restaurar los objetos deteriorados o que se hallen en peligro de desaparecer, con independencia de su titularidad jurídica. Si se trata de bienes de propiedad privada, se procurará establecer instrumentos de colaboración con sus legítimos titulares para conseguir esas finalidades.

Artículo 36. Intervenciones

1. Cualquier proyecto de intervención sobre bienes muebles pertenecientes al patrimonio cultural, histórico y artístico de La Rioja, que no hayan sido declarados Bienes de Interés Cultural o Bienes Culturales de Interés Regional, deberá ser comunicado a la Consejería competente en materia de Cultura, que podrá aprobarlo, rechazarlo o proponer una intervención diferente, para garantizar el cumplimiento de las finalidades previstas en esta Ley.

2. Cuando la modificación, reparación, restauración o actuación de otro tipo tenga por objeto un elemento mueble declarado Bien de Interés Cultural o Bien Cultural de Interés Regional, será necesario obtener una autorización previa de la Consejería competente en materia de Cultura, en los términos previstos en los artículos 40 y 37.4 de esta Ley.

CAPÍTULO III. Ordenación General aplicable a los Bienes Culturales de Interés Regional

Artículo 37. Protección de los bienes inmuebles

1. Los inmuebles declarados como Bien Cultural de Interés Regional y su entorno gozarán de la protección prevista en esta Ley, a través de su inclusión en el correspondiente Inventario del Registro General del Patrimonio Cultural, Histórico y Artístico de La Rioja.

2. La declaración de un inmueble como Bien Cultural de Interés Regional determinará para la Entidad Local en cuyo término municipal radique, la obligación de inscribirlo como tal en el catálogo urbanístico de elementos protegidos y de dispensarle la oportuna salvaguarda, en los términos previstos en la legislación urbanística y en esta Ley. La planificación territorial o urbanística deberá ajustarse a estas determinaciones, cuya aprobación precisará el informe favorable de la Consejería competente en materia de Cultura.

3. La Consejería competente en materia de Cultura y las Entidades Locales podrán usar de las facultades generales de intervención que les atribuye el artículo 24 de esta Ley, sin perjuicio de poder suspender cautelarmente cualquier obra o intervención no autorizada en un inmueble declarado como Bien Cultural de Interés Regional.

4. Cualquier obra o intervención en un inmueble declarado como Bien Cultural de Interés Regional y en su entorno de protección, precisará contar con una autorización previa dictada por la Consejería competente en materia de Cultura. No podrá otorgarse licencia municipal para la realización de las obras sin haberse otorgado previamente la citada autorización.

La concesión de la licencia municipal se realizará en las mismas condiciones previstas en el artículo 40 para los Bienes de Interés Cultural, previo informe del Consejo Superior del Patrimonio Cultural, Histórico y Artístico de La Rioja.

5. Las obras o intervenciones a realizar en un inmueble declarado como Bien Cultural de Interés Regional y en su entorno de protección deberán recogerse en un proyecto de intervención que habrá de justificar técnicamente los problemas detectados, las actuaciones a realizar y las soluciones propuestas, sin perjuicio de cumplir los demás requisitos que establezcan las reglamentaciones técnicas de obligado cumplimiento de la edificación o el Código Técnico de la Edificación, en lo que le sea de aplicación. El proyecto de intervención será supervisado por la Consejería competente, en los términos expuestos en el apartado anterior.

6. Las situaciones de ruina y demolición de inmuebles declarados como Bien Cultural de Interés Regional se regirán por lo dispuesto en el artículo 45 de esta Ley.

7. Los propietarios de inmuebles declarados como Bien Cultural de Interés Regional no están obligados a permitir la visita pública a los mismos. Sin embargo, la aceptación voluntaria de esa situación permitirá a sus titulares obtener una retribución económica, en las condiciones fijadas por la Consejería competente en materia de Cultura, como prevé el artículo 41.3 de esta Ley.

Artículo 38. Obras ilegales

1. Las obras realizadas con infracción de lo exigido en el artículo 37.4 de esta Ley, se considerarán ilegales y la Entidad Local o, en su caso la Consejería competente en materia de Cultura, requerirá al promotor de las mismas la restitución de los valores afectados mediante la remoción, demolición o reconstrucción de lo realizado. Si no fuera atendido el requerimiento, la Administración efectuará la restitución con cargo al infractor.

2. De las obras ejecutadas sin autorización de la Consejería competente en materia de Cultura, se haya concedido o no licencia municipal, serán responsables solidarios el promotor, el constructor, y, subsidiariamente, el técnico director de las mismas.

3. De la concesión de licencias municipales, contraviniendo lo dispuesto en el artículo 37.4 de esta Ley, serán responsables las Entidades Locales que las otorgaron.

Artículo 39. Protección de los bienes muebles

1. Cualquier actuación que se realice en muebles declarados como Bien Cultural de Interés Regional precisará contar con una autorización previa de la Consejería competente en materia de Cultura, en las condiciones previstas en el artículo 40 de esta Ley, así como con un proyecto técnico de intervención que reúna los requisitos establecidos en el artículo 42.5. Las intervenciones a realizar se ajustarán a los criterios recogidos en el artículo 43.9 de esta Ley. En el supuesto de intervenciones de escasa entidad o para asegurar un mantenimiento básico del bien mueble, podrá aplicarse el régimen previsto en los apartados cuarto y quinto del artículo 37, sin perjuicio de las facultades que se atribuyen y puede utilizar la Consejería competente, para garantizar la integridad y los valores del objeto cultural.

2. El depósito, la exposición, la comunicación de traslados y la integridad de las colecciones de muebles declarados como Bienes Culturales de Interés Regional se regularán por las disposiciones previstas en los artículos 47 a 49 de esta Ley.

CAPÍTULO IV. Ordenación General aplicable a los Bienes de Interés Cultural

Sección 1ª. De los Bienes de Interés Cultural inmueble o mueble

Artículo 40. Autorizaciones y licencias

1. Toda obra o intervención realizada en el exterior o en el interior de un Bien de Interés Cultural, en su entorno de protección, la instalación de cualquier elemento, su señalización o el cambio de uso o aprovechamiento de aquél, requerirá contar con una autorización expresa dictada por la Consejería competente en materia de Cultura, previo informe del Consejo Superior del Patrimonio Cultural, Histórico y Artístico de La Rioja, junto a la correspondiente licencia municipal otorgada por la Entidad Local competente, de conformidad con las previsiones contenidas en la legislación sobre régimen local, urbanística y cualquier otra que fuere aplicable. Si las actuaciones se realizaran en espacios naturales protegidos, serán preceptivas las autorizaciones pertinentes, conforme a la legislación sectorial en vigor.

Quedan exentas de recabar la autorización expresa las obras de reparación simple, es decir, aquellas obras necesarias para enmendar un menoscabo producido por causas fortuitas o accidentales que no afectan a la estructura del inmueble, conservación y mantenimiento de tales bienes, cuando se trate de obras a realizar sobre infraestructuras ya existentes, sin perjuicio del deber de comunicación previa. No será exigible licencia municipal respecto de aquellas obras públicas cuya normativa sectorial establezca la no sujeción a control preventivo municipal.

2. Quien pretenda realizar cualquiera de las actividades descritas en el apartado anterior, deberá presentar a la Consejería competente en materia de Cultura la solicitud del otorgamiento de la autorización, acompañada de un proyecto técnico en las condiciones previstas en el artículo 42 de esta Ley.

3. Son ilegales las obras o intervenciones que carezcan de la autorización y de la licencia correspondientes o no se ajusten a su contenido. La Consejería competente en materia de Cultura y las Entidades Locales podrán ordenar la paralización, reconstrucción, reparación, demolición o restitución a su estado primitivo de las obras o intervenciones realizadas con cargo al responsable de la infracción, en los términos fijados por la legislación urbanística, y sin perjuicio de la imposición de una sanción administrativa de conformidad con las previsiones de esta Ley.

4. La autorización de la Consejería competente en materia de Cultura es previa y condicionante de la licencia municipal y prevalecerá sobre esta última en caso de conflicto, contradicción o cualquier otra incidencia. La omisión de la necesaria intervención de la Comunidad Autónoma a través de la autorización dictada por la Consejería competente no podrá ser suplida por la intervención unilateral de las Entidades Locales, considerándose ilegal cualquier intervención realizada en ese sentido.

5. En el caso de bienes muebles, cualquier intervención en los mismos estará condicionada a la previa obtención de una autorización emitida por la Consejería competente, sin perjuicio de cumplir el resto de los requisitos previstos en los artículos 42.5 y 43.9 de esta Ley.

6. Reglamentariamente se podrán establecer el procedimiento, los informes y cualesquiera otros aspectos que se consideren necesarios con relación a la autorización autonómica prevista en este artículo.

Artículo 41. Visita pública

1. Los Bienes de Interés Cultural podrán ser sometidos a visita pública gratuita en días y horas previamente señalados por la Consejería competente en materia de Cultura. En la determinación del régimen de visitas se tendrá en cuenta el tipo de bien, sus características y, en el caso de bienes inmuebles, el informe de la Entidad Local donde radique el bien cultural afectado. Para facilitar la realización de las mencionadas visitas, y, sin perjuicio de la posible colaboración del voluntariado cultural, las Administraciones podrán establecer ayudas públicas y exenciones fiscales, entendidas como contribución pública al sostenimiento de los bienes culturales.

2. Podrán ser eximidos de la posibilidad de permitir la visita pública los Bienes de Interés Cultural en su integridad, o unas determinadas zonas o elementos de los mismos, cuando sus propietarios, poseedores o titulares de derechos reales aleguen una causa justificada, fundamentada en el derecho constitucional al honor, a la intimidad personal y familiar y a la propia imagen, a la inviolabilidad del domicilio, y otros derechos fundamentales y libertades públicas, así como cualesquiera otras causas que fueran estimadas por la Consejería competente en materia de Cultura.

3. Los titulares de los Bienes de Interés Cultural que permitan la visita pública a los mismos un mayor número de días y en horarios más amplios que los específicamente exigidos por esta Ley, pueden percibir una retribución económica, en concepto de precio por la visita, como compensación a los gastos que origina su ejercicio. Los ingresos obtenidos por este concepto serán destinados a financiar obras o intervenciones de mantenimiento, conservación, mejora y difusión del bien cultural. El precio a percibir, las condiciones de la visita y cualesquiera otros aspectos relativos a facilitar el cumplimiento de este deber legal serán fijados por la Consejería competente en materia de Cultura a través de un convenio a firmar con el propietario del Bien de Interés Cultural, teniendo en cuenta las características y las circunstancias que concurran en el bien objeto de la visita pública.

4. En el caso de bienes muebles que no estén habitualmente expuestos al público, los titulares de los mismos podrán cederlos temporalmente a exposiciones organizadas por entidades o instituciones públicas, y a su estudio por investigadores previo convenio con la

Consejería competente en materia de Cultura. Se exceptúan de esta cesión aquellos bienes muebles cuyo traslado pueda suponerle algún riesgo para su integridad y supervivencia, teniendo en cuenta su estado físico, y siempre que esa situación no sea producto del incumplimiento del deber legal de conservación por parte de los obligados a ello.

5. Para facilitar el conocimiento público de los días y horarios en que puede realizarse la visita pública a los Bienes de Interés Cultural, la Consejería competente podrá ponerlo en conocimiento de medios de comunicación y de centros de información turística y cultural.

Artículo 42. Proyectos técnicos de intervención sobre Bienes de Interés Cultural

1. La realización de obras u otro tipo de intervenciones en un inmueble declarado como Bien de Interés Cultural, en su entorno de protección, o el cambio de uso o aprovechamiento de aquél, precisará la elaboración de un proyecto técnico, en el que junto a los requisitos exigidos por las reglamentaciones técnicas de obligado cumplimiento de la edificación o el Código Técnico de la Edificación, en lo que le sea de aplicación, figurarán los siguientes elementos:

A) La identificación del bien cultural, acompañada de informes artísticos, históricos y/o arqueológicos que se consideren precisos para valorar el alcance de la intervención a realizar.

B) Un diagnóstico del estado del bien objeto de la intervención y de los problemas detectados.

C) Una descripción de las actuaciones a realizar y las soluciones propuestas, con especial referencia a la metodología técnica y los materiales a utilizar en la intervención.

D) Una evaluación económica de las actuaciones a realizar.

E) Documentación gráfica de los estudios previos y del proyecto técnico a ejecutar.

Los proyectos de intervención irán suscritos por un técnico competente y los informes artísticos, históricos y/o arqueológicos en los que se base deberán ser emitidos por profesionales de las correspondientes disciplinas, habilitados para ello.

2. Una vez concluida la intervención, la dirección facultativa realizará una memoria en la que figure, al menos, la descripción pormenorizada de la obra ejecutada y de los tratamientos aplicados, así como la documentación gráfica del proceso seguido.

3. Con carácter excepcional, quedan exceptuadas del requisito de proyecto técnico las actuaciones de emergencia que resulte necesario realizar en caso de riesgo de ruina, o de peligro grave para las personas o los bienes. Al término de la actuación deberá presentarse un informe descriptivo de su naturaleza, alcance y resultados. Las intervenciones de emergencia se limitarán a las actuaciones que resulten estrictamente necesarias, reponiéndose los elementos retirados al término de las mismas.

4. En el supuesto de bienes inmuebles declarados Bien de Interés Cultural que estén destinados a un uso público, se tendrá en cuenta la accesibilidad a los mismos, y se procurará facilitar su utilización a todas las personas, especialmente a aquellas con movilidad reducida o con cualquier limitación física o sensorial de manera permanente o transitoria.

5. Cuando se pretenda realizar una intervención en bienes muebles deberá presentarse un proyecto técnico en el que conste un informe sobre su valor cultural; una evaluación justificativa de la intervención que se propone; un diagnóstico de los daños; el tratamiento a aplicar; los criterios de intervención y mantenimiento previstos; así como el presupuesto de la obra. Realizada la intervención deberá redactarse una memoria en la que figure, al menos, la descripción pormenorizada de la actuación ejecutada y de los tratamientos aplicados, así como documentación gráfica del proceso seguido. La dirección y la ejecución de la intervención deberá recaer en un técnico competente. En todo caso, la Consejería competente en materia de Cultura podrá inspeccionar en todo momento las intervenciones que se realicen, pudiendo ordenar la suspensión inmediata de las mismas cuando no se

ajusten a la autorización concedida o se estime que las actuaciones profesionales no alcanzan el nivel adecuado.

6. En cualquier caso, las obras o intervenciones a realizar precisan de las autorizaciones y licencias a que hace referencia el artículo 40 de esta Ley.

Artículo 43. Criterios generales de intervención sobre Bienes de Interés Cultural

1. Cualquier tipo de obra o intervención en un Bien de Interés Cultural o en su entorno de protección, habrá de ir encaminada a garantizar su conservación, consolidación, rehabilitación y mejora, respetando los valores que motivaron su declaración. Con esa finalidad, se evitarán las remodelaciones o la reintegración de elementos perdidos, salvo cuando se utilicen partes originales de los mismos y pueda probarse su autenticidad. Si se añadiesen materiales contemporáneos o fracciones indispensables para su estabilidad o mantenimiento, las adiciones deberán ser reconocibles, evitarán las confusiones miméticas que falseen, degraden o adulteren la autenticidad histórica y se documentarán debidamente.

2. Se preservará la integridad de los Bienes de Interés Cultural. En el supuesto de inmuebles no se autorizará la separación de ninguna de sus partes esenciales ni de los elementos que le son consustanciales. Los bienes muebles vinculados como pertenencias o accesorios a un inmueble declarado de interés cultural no podrán ser separados del edificio o construcción al que pertenecen, salvo en beneficio de su propia protección y de su difusión pública y siempre con autorización de la Consejería competente en materia de Cultura. Se podrán determinar por vía reglamentaria las condiciones de dichos traslados que aseguren el cumplimiento de los fines que los justifiquen.

3. Las restauraciones respetarán las aportaciones de todas las épocas existentes, salvo que los elementos añadidos supongan una evidente degradación del bien considerado y su eliminación fuere necesaria para permitir una mejor interpretación histórica del mismo.

4. Se conservarán las características tipológicas de ordenación espacial, volumétricas y morfológicas.

5. Los proyectos de intervención sobre Bienes de Interés Cultural deberán motivar justificadamente las actuaciones que se aparten de la mera consolidación o conservación, detallando los aportes y las sustituciones o eliminaciones planteadas.

6. Se prohíbe la colocación de publicidad, cables, antenas y conducciones aparentes en las fachadas y cubiertas de los inmuebles declarados como Bienes de Interés Cultural, así como las instalaciones de servicios públicos o privados que alteren de modo considerable su contemplación. No obstante, podrán situarse en las inmediaciones del Bien de Interés Cultural rótulos indicadores de su horario de visitas, historia, patrocinio, o cualquier otro aspecto de interés general para la conservación y difusión del bien cultural.

7. En los supuestos de Conjuntos Históricos, Sitios Históricos, Jardines Históricos, Zona Arqueológica, Zona Paleontológica, Lugares de Interés Etnográfico, Vías Históricas y Parques Arqueológicos, se prohíben las instalaciones urbanas eléctricas, telefónicas y cualesquiera otras, de carácter exterior, tanto aéreas como adosadas a las fachadas, que se canalizarán soterradas. Excepcionalmente podrán exceptuarse de esta prohibición aquellos casos en que el soterramiento presente dificultades técnicas insalvables o pueda suponer daños para Bienes de Interés Cultural relevantes. Las antenas de televisión, las pantallas de recepción de ondas y los dispositivos similares se situarán en lugares en que no perjudiquen la imagen del conjunto. También se prohíbe la publicidad fija mediante vallas o carteles así como la que se produce por medios acústicos. No se considera publicidad a estos efectos los indicadores y la rotulación de establecimientos existentes, informativos de la actividad que en ellos se desarrolla, que serán armónicos con el Bien de Interés Cultural.

8. En el supuesto del entorno de los Bienes de Interés Cultural, el volumen, la tipología, la morfología y el cromatismo de las obras o intervenciones no podrán alterar el carácter arquitectónico y paisajístico del área, ni perturbar la visualización del bien o atentar contra la integridad física del mismo.

9. Con relación a los bienes muebles, se prohíben las destrucciones de elementos de los mismos sin expresa autorización administrativa en ese sentido. Además, si durante el transcurso de la intervención aparecieran signos o elementos desconocidos que pudieran suponer la atribución de una autoría diferente a la establecida hasta ese momento, o un cambio significativo en la obra original, deberá darse cuenta inmediata a la Consejería competente en materia de Cultura, suspendiéndose la intervención hasta que ésta no resuelva lo procedente.

10. En todo caso, se estimularán las investigaciones científicas de las características arquitectónicas, históricas, artísticas y arqueológicas del Bien de Interés Cultural. También se procurará que las obras o intervenciones a realizar sobre los mismos empleen materiales y técnicas tradicionales.

Sección 2ª. De los bienes inmuebles

Artículo 44. Entornos de protección

1. A los efectos de esta Ley, se entiende por entorno de un inmueble declarado Bien de Interés Cultural el espacio, edificado o no, circundante o próximo al bien cultural, que permite su adecuada percepción y comprensión, considerando tanto la época de su construcción, como su evolución histórica, que da apoyo ambiental y cultural al mismo y que permite la plena percepción y comprensión cultural del bien y cuya alteración puede afectar a su contemplación o a los valores del mismo.

2. El entorno puede incluir edificios o conjuntos de edificios, solares, terrenos edificables, suelo, subsuelo, tramas urbanas y rurales, accidentes geográficos y elementos naturales o paisajísticos, sin perjuicio de que éstos se hallen muy próximos o distantes del bien cultural o que constituyan un ámbito continuo o discontinuo.

3. Con carácter cautelar y para asegurar provisionalmente su protección, durante el período de tiempo de tramitación del procedimiento administrativo tendente a declarar un elemento como Bien de Interés Cultural, los entornos de salvaguardia contemplarán, con carácter general, las distancias que se prevean reglamentariamente.

4. La delimitación definitiva del entorno de protección y su régimen específico se recogerá expresamente en el Decreto, por el que se procede a la declaración de Bien de Interés Cultural, atendiendo a las circunstancias que concurran en cada supuesto, especialmente si afecta a espacios naturales protegidos, en cuyo caso deberá haber informado favorablemente la Consejería competente en la materia. El entorno así fijado gozará de protección, aunque podrán realizarse en él aquellas actuaciones necesarias para la eliminación de elementos, construcciones e instalaciones que no cumplan una función directamente relacionada con el destino o características del bien cultural y supongan un deterioro de este espacio, respetando los criterios previstos en el artículo 43.8 de esta Ley.

5. El planeamiento municipal incorporará las determinaciones del entorno de protección de los Bienes de Interés Cultural que se encuentren situados en su territorio, al objeto de garantizar también su tutela a nivel urbanístico.

Artículo 45. Declaración de ruina y demolición

1. Si a pesar de lo dispuesto en el artículo 25 de esta Ley, se llegase a iniciar un expediente de ruina de la totalidad o de una parte de un inmueble declarado como Bien de

Interés Cultural, como Bien Cultural de Interés Regional, o incluido en los catálogos urbanísticos municipales, la Consejería competente en materia de Cultura estará legitimada para intervenir como interesado en dicho expediente, debiendo serle notificada en el término máximo de siete días la apertura y las resoluciones que en el mismo se adopten por parte de la Entidad Local correspondiente. La Administración autonómica podrá intervenir en el procedimiento presentando aquellos informes y documentos que estime oportunos.

2. Si existiera urgencia y peligro inminente, la Entidad Local que hubiera incoado el expediente de ruina deberá ordenar las medidas necesarias para evitar daños a las personas o a los bienes. Las obras que por razón de fuerza mayor hubieran de realizarse, no darán lugar a actos de demolición que no sean estrictamente necesarios para la conservación del inmueble, debiendo tomarse las medidas necesarias que garanticen el mantenimiento de las características y elementos singulares del edificio. Se requerirá, en todo caso, una autorización de la Consejería competente en materia de Cultura, debiéndose prever además, en su caso, la reposición de los elementos retirados, para lo que será necesario proceder a una documentación de los mismos.

3. Cuando la situación de ruina sea consecuencia del incumplimiento por parte del propietario de su deber de conservación establecido en la legislación urbanística y en la presente Ley, no se extinguirá esa obligación legal, y, en su caso, se le exigirá la ejecución de las obras que permitan el mantenimiento del inmueble, aunque excedan del límite de su deber de conservación. Se presumirá, salvo prueba en contrario, que la situación física de los bienes inmuebles de interés cultural declarados en estado ruinoso, es imputable al propietario en todos aquellos casos en que se hayan desatendido las órdenes o las diferentes medidas dictadas en ese sentido por la Entidad Local correspondiente o por la Consejería competente.

4. La declaración de ruina o la simple iniciación del expediente serán causa suficiente de utilidad pública para iniciar la tramitación de la expropiación forzosa del inmueble afectado a fin de que la Administración pueda adoptar las medidas de seguridad, conservación y mantenimiento que precise el bien.

5. La demolición sólo se podrá autorizar con carácter excepcional. En ningún caso podrá procederse a la demolición total o parcial de un inmueble, sin previa firmeza de la declaración municipal de ruina, autorización expresa de la Administración competente, informe favorable del Consejo Superior del Patrimonio Cultural, Histórico y Artístico de La Rioja e informe preceptivo pero no vinculante de al menos dos de las instituciones consultivas a las que se refiere el artículo 9 de esta Ley.

Artículo 46. Unidad e indivisibilidad de los Bienes de Interés Cultural

1. Un inmueble declarado Bien de Interés Cultural es inseparable de su entorno. No podrá procederse a su desplazamiento o remoción salvo que resulte imprescindible por causa de fuerza mayor o interés social, acordada por la Consejería competente en materia de Cultura, previo informe favorable del Consejo Superior del Patrimonio Cultural, Histórico y Artístico de La Rioja e informe de la Entidad Local donde radique el inmueble. En estos supuestos será preciso adoptar las cautelas necesarias en aquello que pueda afectar al suelo o al subsuelo y una vez hecha la intervención arqueológica si procediera. Para la consideración de la existencia de causa de fuerza mayor o de interés social, será preceptivo el informe, como mínimo, de dos de las instituciones consultivas contempladas en esta Ley.

2. En los supuestos de bienes muebles vinculados a inmuebles declarados como Bienes de Interés Cultural, o que formen parte de los mismos, y que hayan sido comprendidos en la declaración, su posible remoción o separación deberá estar justificada bajo criterios objetivos y será acordada por la Consejería competente en materia de Cultura, previo informe favorable del Consejo Superior del Patrimonio Cultural, Histórico y Artístico de La Rioja. Con esa finalidad, podrá solicitarse con carácter facultativo el informe de alguna de

las instituciones consultivas previstas en el artículo 9 de esta Ley. En todo caso, la remoción o separación se comunicará a las Entidades Locales afectadas.

Sección 3ª. Bienes muebles

Artículo 47. Depósito y exposición

1. La Consejería competente en materia de Cultura podrá acordar el depósito provisional de los objetos muebles declarados como Bien de Interés Cultural en centros de titularidad pública, con preferencia por los más cercanos a la localización original del bien, cuando peligre la seguridad o la conservación de los mismos, así como cuando sus propietarios, poseedores o titulares de derechos reales hayan incumplido alguna de las obligaciones que les impone esta Ley, siempre que no exista una causa justificativa apreciada por la Administración.

2. Los propietarios, poseedores y titulares de derechos reales sobre dichos bienes muebles podrán acordar, con las Administraciones Públicas riojanas, la cesión en depósito de los mismos. Dicha cesión conllevará el derecho de la Administración a exponer al público los bienes depositados, salvo causa en contrario debidamente justificada, y a sus legítimos titulares a obtener alguna contraprestación, en la forma prevista en el convenio de colaboración que se firme con esos efectos.

Artículo 48. Comunicación de traslados

1. El traslado de elementos muebles declarados como Bienes de Interés Cultural se comunicará a la Consejería competente en materia de Cultura, para que lo haga constar en el Registro General del Patrimonio Cultural, Histórico y Artístico de La Rioja y lo comunique a la Entidad Local afectada, indicando su origen y destino, y si el traslado se hace con carácter temporal o definitivo. El traslado podrá ser prohibido o condicionado por la Consejería, si aprecia la concurrencia de circunstancias que pueden poner en peligro la conservación o la integridad de los bienes muebles, haciendo uso de las facultades que le atribuye esta Ley.

2. El traslado de bienes muebles vinculados a inmuebles declarados como Bienes de Interés Cultural, o que formen parte de los mismos, y que hayan sido comprendidos en la correspondiente declaración, se encuentran sometidos al cumplimiento de los requisitos previstos en el artículo 46 de esta Ley.

Artículo 49. Integridad de las colecciones

Las colecciones de bienes muebles declaradas de Interés Cultural no podrán ser disgregadas por sus propietarios, poseedores o titulares de derechos reales, sin autorización previa de la Consejería competente en materia de Cultura, tras recabarse un informe favorable del Consejo Superior del Patrimonio Cultural, Histórico y Artístico de La Rioja, y sin perjuicio de poder solicitarse, con carácter facultativo, la opinión de alguna de las instituciones consultivas previstas en el artículo 9 de esta Ley.

CAPÍTULO V. Ordenación Especial aplicable sobre determinados Bienes de Interés Cultural

Sección 1ª. Monumentos

Artículo 50. Planes Directores

1. Sin perjuicio de la existencia de instrucciones particulares en las condiciones previstas en el artículo 14.4 de esta Ley, la Consejería competente en materia de Cultura, podrá

redactar, de oficio o a instancia de los titulares del elemento cultural, planes directores específicos para los Bienes de Interés Cultural con categoría de Monumento, en donde se recogerán con detalle y precisión todas las determinaciones, condiciones, y una regulación detallada de los usos y características relativas al citado Monumento.

2. Los planes directores serán aprobados por el Consejo de Gobierno de la Comunidad de La Rioja, a propuesta de la Consejería competente en materia de Cultura, previos informes de las consejerías competentes en materia de Turismo, Ordenación Territorial y Obras Públicas y del Consejo Superior del Patrimonio Cultural, Histórico y Artístico de La Rioja. Así mismo, la Entidad Local donde se localice el Monumento deberá emitir un informe preceptivo en el que haga constar su parecer sobre el contenido del plan director propuesto.

3. Los planes directores tendrán el siguiente contenido mínimo:

A) Descripción técnica de su estado de conservación, que comprenderá cuantos estudios, diagnósticos y análisis previos sean necesarios incluidos los factores de riesgos.

B) Propuesta de las actuaciones que deban realizarse para su conservación y duración aproximada de las mismas.

C) Presupuesto total estimado de dichas actuaciones y, en su caso, de cada una de las fases.

D) Determinación de los usos a los que pueda destinarse el inmueble.

4. La regulación contenida en el plan director de un Monumento, prevalecerá sobre la que para el mismo establezcan los planes y normas de planeamiento, que deberán modificarse para ajustarse a lo establecido en el primero.

También podrán redactarse planes directores para el resto de las categorías de Bienes de Interés Cultural previstas en el artículo 12 de esta Ley, en cuanto le sean de aplicación.

Sección 2ª. Conjuntos Históricos

Artículo 51. Plan Especial de protección

1. La declaración de Bien de Interés Cultural, con la clasificación de Conjunto Histórico, determinará para el municipio afectado la obligación de redactar un Plan Especial de Protección del área afectada por la declaración que cumpla en todo caso las exigencias previstas en esta Ley. La obligatoriedad de esta exigencia legal no podrá eximirse por la preexistencia de otro planeamiento contradictorio con la protección, ni por la inexistencia previa de planeamiento general en el municipio afectado por la declaración.

No obstante, no será preceptiva la formulación del Plan Especial de Protección cuando el planeamiento municipal incorpore directamente las determinaciones propias de aquéllos, en los términos establecidos en esta Ley.

2. La aprobación del Plan Especial de Protección requerirá contar con un informe preceptivo y vinculante de la Consejería competente en materia de Cultura, previo dictamen favorable del Consejo Superior del Patrimonio Cultural, Histórico y Artístico de La Rioja. En todo caso, se considerarán nulas las previsiones del planeamiento que no recojan en su totalidad el contenido del informe emitido por la Consejería competente en materia de Cultura, lo modifiquen o vayan en contra del mismo.

Artículo 52. Contenido del Plan Especial de Protección

1. Sin perjuicio de las previsiones contenidas en la legislación urbanística o de ordenación del territorio y en esta Ley, en especial en su artículo 43, los Planes Especiales de Protección delimitarán el Conjunto Histórico y su entorno de salvaguarda, y se redactarán teniendo en cuenta los siguientes criterios y contenido:

A) Normas sobre la estructura urbana histórica, de los espacios libres públicos y de los edificados, de las alineaciones y rasantes y de la parcelación, enumerando las eventuales reformas que puedan servir a la conservación, recuperación o mejora del Conjunto Histórico y su entorno.

B) Normas sobre la tipología edificatoria tradicional en el Conjunto Histórico y su entorno, diferenciando los distintos niveles de protección de acuerdo con lo que reglamentariamente se establezca y los usos de los espacios libres, regulando a tal fin el régimen de los usos característicos, compatibles y prohibidos. La alteración de los usos sólo se justifica por una mejor conservación o adecuación de las edificaciones y de los espacios libres, pudiendo establecerse un orden de usos permitidos o excluidos.

C) Establecimiento de los niveles de protección de los edificios y de los espacios libres, utilizando las categorías previstas en el planeamiento, de conformidad con la legislación urbanística y de ordenación del territorio de La Rioja.

D) Inclusión de determinaciones para una protección más eficaz de las edificaciones catalogadas, para la nueva edificación y para la conservación o mejora de los espacios públicos. Dichas normas deberán regular todos los elementos que sean susceptibles de superponerse a la edificación y a los espacios públicos.

E) Fijación de determinaciones para una protección más adecuada del patrimonio arqueológico y paleontológico en el ámbito del Plan, que incluirá el deber de verificación de la existencia de restos de la naturaleza mencionada en cualquier remoción del terreno donde exista o se presuma la existencia de dichos restos, en los términos previstos en esta Ley.

F) Establecimiento de un programa para la redacción y ejecución de los planes de mejora encaminados a la rehabilitación del Conjunto Histórico o de áreas concretas de la edificación, y a la mejor adecuación de los espacios urbanos, de las infraestructuras y redes de servicios e instalaciones públicas y privadas a las exigencias histórico-ambientales. Con esa finalidad se tendrán en cuenta, principalmente, las previsiones contenidas en los apartados sexto y séptimo del artículo 43 de esta Ley. Además, se contemplarán las posibles áreas de rehabilitación integrada que permitan la recuperación del área residencial y de las actividades económicas adecuadas.

G) Inclusión de los criterios relativos a la conservación de fachadas y cubiertas e instalaciones sobre las mismas.

2. El Plan Especial de Protección deberá realizar una catalogación de los elementos unitarios que conforman el Conjunto Histórico, tanto de los inmuebles edificados, como de los espacios libres exteriores o interiores u otras estructuras significativas, así como de los componentes naturales que lo acompañan, definiendo los tipos de intervención posible, con arreglo a la legislación urbanística o de ordenación del territorio. A los elementos singulares se les dispensará una protección integral. Para el resto de los elementos se fijará, en cada caso, un nivel adecuado de protección.

3. Con carácter excepcional, el Plan Especial de Protección de un Conjunto Histórico, o el instrumento urbanístico que lo sustituya, podrá permitir remodelaciones urbanas, pero sólo en caso de que impliquen una mejora de sus relaciones con el entorno territorial, o eviten los usos degradantes para el propio Conjunto Histórico. También se considerarán excepcionales las sustituciones de inmuebles, aunque sean parciales, y sólo podrán realizarse en la medida en que contribuyan a la conservación general del carácter del Conjunto Histórico.

Artículo 53. Autorización de obras e intervenciones

1. Hasta la aprobación definitiva del Plan Especial de Protección o del instrumento urbanístico que lo sustituya, el otorgamiento de licencias o la ejecución de las otorgadas antes de iniciarse el expediente declarativo del Conjunto Histórico, precisará resolución favorable de la Consejería competente en materia de Cultura, sin que se permitan alineaciones nuevas, alteraciones en la edificabilidad, parcelaciones ni agregaciones.

2. Desde la aprobación definitiva del Plan a que se refiere este artículo, las Entidades Locales interesadas serán competentes para autorizar directamente las obras que desarrollen el planeamiento aprobado, siempre que afecten a inmuebles que no sean Monumentos, ni Jardines Históricos, ni estén comprendidos en su entorno, en cuyo caso será preciso contar con la autorización de la Consejería competente en materia de Cultura, en los términos previstos en el artículo 40 de esta Ley.

3. Fuera de los supuestos mencionados en al apartado anterior, las Entidades Locales deberán dar cuenta a la Consejería competente en materia de Cultura de las autorizaciones o licencias concedidas, en el plazo máximo de diez días desde su otorgamiento, para su información y supervisión. Si el contenido de la autorización o licencia municipal contraviniesen lo dispuesto en esta Ley, la Consejería podrá iniciar los trámites para declarar su ineficacia y adoptar las medidas oportunas para garantizar el cumplimiento de las finalidades previstas en esta Ley.

4. Las obras o intervenciones que se realicen en un Conjunto Histórico vulnerando la legalidad mencionada en el apartado anterior o el contenido de la autorización o licencia municipal dictada adecuadamente, se considerarán ilegales. En estos casos, la Consejería competente en materia de Cultura podrá ordenar la suspensión, la demolición, la reconstrucción o cualquier otra medida que estime oportuna para restaurar la legalidad vulnerada, sin perjuicio de las responsabilidades a que haya lugar.

Sección 3ª. Otros Bienes de Interés Cultural

Artículo 54. Planeamiento urbanístico de protección para otros Bienes de Interés Cultural

Las previsiones establecidas para los Conjuntos Históricos serán también de aplicación a los Bienes de Interés Cultural clasificados como Sitios Históricos, Jardines Históricos, Zona Arqueológica, Zona Paleontológica, Lugares de Interés Etnográfico, Vías Históricas y Parques Arqueológicos, sin perjuicio de las especiales características y circunstancias que conforman cada uno de estos tipos de bienes culturales declarados.

TÍTULO III. Patrimonio Arqueológico y Paleontológico

Artículo 55. Concepto

1. Forman parte del patrimonio arqueológico y paleontológico de La Rioja todos los bienes muebles e inmuebles poseedores de alguno de los valores mencionados en el artículo 2.1 de la presente Ley, cuyo estudio requiera la aplicación de la metodología arqueológica, se encuentren en la superficie, en el subsuelo, en un medio subacuático o hayan sido ya extraídos de su contexto original. También lo integran el territorio o paisaje poseedor de los valores mencionados en el artículo 2.1 de la presente Ley y habitado por el ser humano en época histórica y prehistórica, los objetos y muestras de interés paleontológico que hayan sido separados de su entorno natural o deban ser conservados fuera de él y los elementos geológicos y paleontológicos de interés por su relación con la historia del hombre, sus orígenes y antecedentes.

2. Los bienes arqueológicos o paleontológicos más relevantes podrán ser declarados como Bienes de Interés Cultural y clasificarse como Zona Arqueológica, Zona Paleontológica, Parque Arqueológico o cualquier otra prevista en esta Ley.

Artículo 56. Régimen tuitivo de los bienes arqueológicos y paleontológicos

1. A los efectos de la presente Ley, tienen la consideración de dominio público todos los objetos y restos materiales de interés arqueológico o paleontológico descubiertos como consecuencia de actuaciones arqueológicas o paleontológicas autorizadas, o por cualquier

otro trabajo sistemático, remoción de tierras, obras de cualquier índole, hallazgos casuales o como consecuencia de actuaciones ilícitas.

2. Los planes urbanísticos o territoriales deberán tener en cuenta tanto el patrimonio arqueológico o paleontológico conocido, como el desconocido o presunto. En el supuesto de Zonas Arqueológicas o Paleontológicas declaradas como Bien de Interés Cultural se aplicarán las previsiones señaladas en el artículo 54 de esta Ley.

Artículo 57. Protección cautelar y suspensión de obras

1. Junto a la facultad atribuida por el artículo 22 de esta Ley, la Consejería competente en materia de patrimonio histórico y cultural también podrá ordenar con carácter cautelar la paralización de obras, remociones o cualquier otro tipo de actividades que se desarrollen en una zona donde se presuma o se haya constatado la existencia de restos arqueológicos o paleontológicos.

2. Si durante la ejecución de cualquier tipo de obra se hallasen restos u objetos con valor arqueológico o paleontológico, el promotor o la dirección facultativa de la obra paralizarán inmediatamente los trabajos y tomarán las medidas adecuadas para la protección de los restos, comunicando su descubrimiento a las autoridades en el sentido previsto en el artículo 61 de esta Ley.

3. La Consejería competente en materia de Cultura comprobará la información comunicada y determinará el valor e interés de los hallazgos, en un plazo máximo de quince días a contar desde la comunicación que se le hiciese con esa finalidad. Tras estas operaciones, la Administración autonómica podrá acordar la continuación de las obras con la intervención y vigilancia de un técnico arqueólogo, estableciendo el plan de trabajo al que en adelante hayan de ajustarse, o bien, podrá suspender las obras durante el tiempo necesario para la realización de las actuaciones arqueológicas o paleontológicas que se estimen oportunas con fines protectores.

4. De conformidad con el artículo 24 de esta Ley, la suspensión de las obras no excederá de un máximo de tres meses. Transcurrido este plazo, la Consejería permitirá la continuación de la obra o intervención proyectada o iniciada; o bien, procederá a incoar el procedimiento para la declaración de los restos u objetos como Bien de Interés Cultural o como Bien Cultural de Interés Regional. No obstante, podrá prorrogarse la paralización por tres nuevos períodos de tres meses, o establecer aquellas medidas de protección que garanticen la conservación de los bienes arqueológicos o paleontológicos, si existen causas justificadas por la Administración que lo aconsejen. En estos supuestos, los afectados podrán obtener las indemnizaciones previstas en la legislación vigente sobre expropiación forzosa.

5. La Consejería competente en materia de Cultura está facultada, en todo momento, para supervisar y hacer un seguimiento permanente de las tareas que se realicen con la finalidad de defender, proteger y conservar los bienes arqueológicos o paleontológicos.

Artículo 58. Actuaciones arqueológicas y paleontológicas

1. Se consideran actuaciones arqueológicas y paleontológicas, aquellas que tengan como finalidad descubrir, documentar, investigar o proteger restos arqueológicos o paleontológicos, o la información cronológica relacionada con los mismos.

2. Se consideran actuaciones arqueológicas y paleontológicas de carácter preventivo, las siguientes:

A) La realización de inventarios de yacimientos, en cuanto que requieran prospección del territorio. Éstos son la relación y catálogo de yacimientos, hallazgos aislados y áreas de protección arqueológica, con expresa indicación de su tipología, cronología y localización geográfica.

B) Los controles y seguimientos arqueológicos. Éstos consisten en la supervisión de obras en proceso de ejecución en las que podría verse afectado el patrimonio arqueológico y el establecimiento de medidas oportunas que permitan la conservación o documentación de las evidencias o elementos de interés arqueológico o paleontológico que aparezcan en el transcurso de las mismas.

C) La protección, consolidación y restauración arqueológica, entendidas como las intervenciones en yacimientos arqueológicos o paleontológicos, encaminadas a facilitar su conservación; así como las actuaciones de cerramiento, vallado o cubrición de restos arqueológicos o paleontológicos.

3. Se consideran actuaciones arqueológicas y paleontológicas de investigación, en concreto, las siguientes:

A) Las prospecciones arqueológicas. Se entiende por prospección arqueológica la exploración sistemática y delimitada en la superficie, sin remoción del terreno, o subacuática para la detección de vestigios arqueológicos, visibles o no. Éstos engloban la observación y reconocimiento sistemático de la superficie, así como la aplicación de técnicas especializadas de teledetección. En la prospección subacuática sólo podrán realizarse desplazamientos moderados de arena sin extracción ni remoción de material arqueológico alguno, siempre que se haga constar expresamente en el permiso administrativo.

B) Las excavaciones arqueológicas. Se entiende por excavación arqueológica las remociones sistemáticas de terreno y la recogida de materiales de la superficie, del subsuelo, o en medio subacuático, que se realicen con el fin de descubrir e investigar cualquier clase de restos históricos o paleontológicos, así como los componentes geológicos relacionados con los mismos. A efectos de la presente Ley, tendrá esta misma consideración la toma de muestras destinada a análisis cronológicos, medioambientales o de cualquier otro tipo conocido o por descubrir.

C) El sondeo arqueológico. Se entiende por sondeo arqueológico aquella remoción de tierras complementaria de la prospección, encaminado a comprobar la existencia de un yacimiento arqueológico o reconocer su estratigrafía. Cualquier toma de muestras en yacimientos arqueológicos se considerará dentro de este apartado.

D) Los estudios de arte rupestre. Se entiende por estudio de arte rupestre al conjunto de tareas de campo orientadas al conocimiento, registro, documentación gráfica y reproducción de manifestaciones rupestres y de su contexto. A los efectos de la presente Ley, tendrá esta consideración cualquier toma de muestras sobre las evidencias parietales o sus soportes, la cual tendrá que ser autorizada explícitamente.

4. Se consideran intervenciones de urgencia aquellas actuaciones adoptadas por la Administración, cuya finalidad esencial es la salvaguarda del patrimonio arqueológico o paleontológico, cuando exista un peligro inmediato de pérdida, destrucción, deterioro o expolio del mismo.

Artículo 59. Autorizaciones

1. La realización de cualquiera de las actuaciones arqueológicas o paleontológicas definidas en el artículo anterior, requerirá contar con una autorización previa emitida por la Consejería competente en materia de Cultura, sin perjuicio de obtener la correspondiente licencia municipal, cuando sea preceptiva, conforme a la legislación urbanística y de régimen local. Si las actuaciones se realizaran en espacios naturales protegidos, serán preceptivas las autorizaciones pertinentes, conforme a la legislación sectorial vigente.

2. Sin perjuicio de las facultades que les atribuye el artículo 22 de esta Ley, la Consejería competente en materia de Cultura y las Entidades Locales de La Rioja podrán promover

actuaciones arqueológicas o paleontológicas o participar en las mismas, en las condiciones que se determinen reglamentariamente.

3. Podrá solicitar la autorización cualquier persona física en posesión de una titulación idónea de grado universitario con acreditada profesionalidad; los representantes de una empresa, centro o institución de investigación arqueológica, con experiencia y solvencia reconocida por la Administración; así como equipos de investigación que cuenten con personal cualificado y se encuentren vinculados a una universidad, museo u otra entidad u organismo público español.

También podrán obtener la autorización investigadores o instituciones extranjeras que cumplan los requisitos previstos en esta Ley y en la normativa que pueda dictarse en su desarrollo. En el caso de investigadores extranjeros, deberán estar avalados por una institución científica en materia arqueológica radicada en su país. Además, la actividad arqueológica o paleontológica deberá contar con un codirector de nacionalidad española y con acreditada profesionalidad y experiencia en estos ámbitos.

4. Sin perjuicio de las previsiones que se contengan en vía reglamentaria, las solicitudes para obtener la autorización estarán acompañadas por un proyecto que contenga un programa detallado y coherente en el que se acredite la conveniencia e interés científico de la intervención y la idoneidad y cualificación del equipo de investigación. Además, se aportará una memoria económica, donde se hagan constar las fuentes de financiación públicas y privadas con que se dispone para que el proyecto sea viable; los objetivos, trabajos y las técnicas a utilizar en la actuación.

5. El centro, institución o empresa del que forme parte el director de una actuación arqueológica o paleontológica, se responsabilizará de la calidad científica de los trabajos y de la protección y conservación de los materiales, hasta su entrega en el museo o centro que la Administración fije, en el plazo y forma que se establezca. Igualmente, se hará cargo de cualquier responsabilidad por los daños y perjuicios que puedan haberse originado con sus actividades. Cuando la autorización haya recaído sobre una persona física, sobre ella recaerá la responsabilidad prevista en este apartado, sin perjuicio de su exigencia subsidiaria a otros posibles implicados.

6. La autorización será denegada cuando no concurra la capacitación profesional adecuada en los solicitantes o en sus equipos de trabajo, cuando el proyecto arqueológico presentado resulte inadecuado para la intervención pretendida, así como en aquellos supuestos, debidamente motivados, en que la Consejería competente en materia de Cultura considere que puede ponerse en riesgo el cumplimiento de las finalidades de esta Ley con relación al patrimonio arqueológico y paleontológico.

7. La Consejería competente en materia de Cultura podrá exigir la obtención de una autorización previa o imponer condiciones a las visitas, exploraciones espeleológicas y otras actividades que se realicen en cavidades naturales, en atención a la protección de sus valores. En todo caso, queda prohibido realizar cualquier tipo de deterioro, colmatación, obra o alteración en aquéllas, salvo que se haya obtenido la oportuna autorización administrativa con esa finalidad y esas actuaciones estén debidamente justificadas.

Artículo 60. Actuaciones ilícitas

1. Todas aquellas actuaciones arqueológicas o paleontológicas realizadas sin las oportunas autorizaciones y licencias, o que hayan contravenido los términos en que fueron concedidas, se considerarán ilícitas, y generarán la oportuna responsabilidad en sus autores. También se consideran ilícitas las obras de remoción de tierra, de demolición, deterioro, expolio o cualquiera otra realizada con posterioridad en el lugar donde se haya producido un hallazgo casual de restos arqueológicos o paleontológicos que no hubiera sido comunicado inmediatamente a la Administración competente.

2. Se prohíbe el uso de detectores de metales y aparatos de tecnología similar fuera de las actuaciones expresamente autorizadas por la Administración y dentro de los términos en que se permitió su utilización.

Artículo 61. Hallazgos casuales

1. A los efectos de la presente Ley, tienen la consideración de hallazgos casuales los descubrimiento de objetos y restos materiales que posean los valores que son propios del patrimonio cultural, histórico y artístico de La Rioja, y fuesen descubiertos por azar o como consecuencia de cualquier tipo de remociones de tierra, excavaciones, demoliciones, obras de cualquier índole o fenómenos naturales.

2. El descubridor deberá comunicar el hallazgo en un plazo no superior a cuarenta y ocho horas a la Consejería competente en materia de patrimonio histórico y cultural y a la Entidad Local del término municipal en que se haya producido el descubrimiento. Se prohíbe la comunicación o divulgación pública de un hallazgo casual, mientras no se haya informado antes a las autoridades. En el caso de que la Consejería competente en materia de Cultura, no haya sido la receptora inicial de la comunicación del descubrimiento, el resto de Administraciones o autoridades deberán informarla en un plazo no superior a dos días.

3. La Consejería competente en materia de Cultura, o, en su caso, las Entidades Locales respectivas, podrán ordenar la paralización inmediata de las obras en el lugar objeto de un hallazgo casual y en su entorno, y adoptar las medidas cautelares oportunas para garantizar la preservación de los bienes descubiertos, de conformidad con las facultades que les reconoce esta Ley.

4. Los objetos hallados deberán ser mantenidos en el lugar en que fueron descubiertos hasta que la Consejería competente en materia de Cultura adopte una decisión al respecto, salvo que exista peligro de desaparición, deterioro o expolio de aquéllos, en cuyo caso deberán ser entregados inmediatamente a las Administraciones autonómica o local, aplicándose mientras tanto al descubridor las normas del depósito legal.

5. Tras la entrega o recogida de los objetos hallados, la Consejería competente determinará el lugar de su depósito definitivo, de acuerdo con los criterios de la mayor proximidad al lugar del hallazgo, la idoneidad de las condiciones de conservación y seguridad, la necesidad de la ordenación museística y la mejor divulgación y conocimiento del patrimonio cultural histórico y artístico de La Rioja. Asimismo, la Consejería incoará de oficio el expediente para proceder a la declaración del bien cultural hallado de conformidad con el grado de protección que merezca entre los establecidos en esta Ley, atendiendo a las circunstancias que concurran en el mismo.

6. El descubridor y el propietario del lugar donde se hubiese producido un hallazgo casual tendrán derecho a percibir del Gobierno de La Rioja, en concepto de premio, una cantidad a determinar reglamentariamente, que se distribuirá entre ellos a partes iguales, sin que se les reconozca derecho de retención sobre los bienes hallados. No darán derecho al premio establecido en este apartado, las siguientes actividades:

A) El hallazgo de bienes inmuebles o restos pertenecientes a construcciones o edificaciones.

B) Los hallazgos producidos como consecuencia de actuaciones arqueológicas o paleontológicas autorizadas por la Administración.

C) Los descubrimientos producidos por actividades ilícitas, en el sentido previsto en el artículo 60 de esta Ley.

D) Los descubrimientos producidos en Zonas Arqueológicas o Paleontológicas ya declaradas o en proceso de declaración, así como en aquellos lugares en que ya se conocía la preexistencia de restos arqueológicos o paleontológicos.

7. El incumplimiento de cualesquiera de las obligaciones establecidas en este artículo privará al descubridor y, en su caso, al propietario del lugar, del derecho al premio que será objeto de regulación reglamentaria, y los objetos quedarán depositados en el centro que determine la Consejería competente en materia de Cultura, con independencia de las responsabilidades y sanciones que procedan.

Artículo 62. Carta arqueológica y paleontológica

1. La Consejería competente en materia de Cultura elaborará y mantendrá periódicamente actualizada la Carta Arqueológica y Paleontológica de La Rioja, que contendrá todos los yacimientos y sitios arqueológicos y paleontológicos, así como las Zonas Arqueológicas, Zonas Paleontológicas o Parques Arqueológicos declarados como Bienes de Interés Cultural y cualesquiera otros datos que se determinen reglamentariamente.

2. Los datos contenidos en la Carta Arqueológica y Paleontológica de La Rioja formarán parte del Registro General del Patrimonio Cultural, Histórico y Artístico de La Rioja, aunque su acceso podrá restringirse al público en la forma que reglamentariamente se determine, al objeto de salvaguardar la integridad de los restos arqueológicos y paleontológicos. Para los investigadores, se aplicarán las previsiones contenidas en el artículo 26 de esta Ley.

TÍTULO IV. Patrimonio Etnográfico

Artículo 63. Concepto

1. A los efectos previstos en esta Ley, se considera patrimonio etnográfico los bienes muebles, inmuebles e inmateriales que forman parte o caracterizan la vida y la cultura tradicional de La Rioja, desarrolladas colectivamente y basadas en aquellos conocimientos, actividades, prácticas, saberes, y cualesquiera otras expresiones que procedan de modelos, funciones, creencias propias y técnicas transmitidas consuetudinariamente, esencialmente de forma oral.

2. Entre los bienes que pueden integrar el patrimonio etnográfico, destacan los valores existentes en los siguientes elementos:

A) Los pueblos deshabitados que en el pasado formaron parte del mapa poblacional de La Rioja, o los lugares que conservan manifestaciones de significativo interés histórico de la relación tradicional entre el medio físico y las comunidades humanas que los han habitado.

B) Las construcciones e instalaciones que manifiestan de forma notable las técnicas constructivas, formas y tipos tradicionales de las distintas zonas de La Rioja, en especial, con relación a la cultura del vino.

C) Las bodegas, construcciones semiexcavadas o cualesquiera otras destinadas a labores vinícolas y agropecuarias, sin perjuicio de lo establecido en la Disposición Transitoria Segunda de esta Ley.

D) Los lugares vinculados a tradiciones populares, ritos y leyendas especialmente significativos, así como las manifestaciones de la tradición oral relacionadas con los mismos.

E) Las herramientas y utensilios empleados en las actividades artesanales tradicionales, así como los conocimientos técnicos, prácticas profesionales y tradiciones ligadas a los oficios tradicionales.

F) Los elementos representativos del mobiliario y el ajuar doméstico tradicionales, y del vestido y el calzado.

G) Los juegos, los deportes, la música, el folklore, los bailes, las fiestas tradicionales y las conmemoraciones populares, con sus correspondientes instrumentos, útiles y complementos.

H) Los relatos, leyendas, canciones, poemas y otras manifestaciones culturales ligadas a la transmisión oral.

I) Las actividades, creaciones, conocimientos y prácticas tradicionales o consuetudinarias.

J) La toponimia tradicional de términos rústicos y urbanos y las peculiaridades lingüísticas del castellano hablado en La Rioja.

K) Las vías pecuarias y caminos pastoriles que son el eje central de la cultura trashumante de La Rioja y Cameros, así como toda la red viaria tradicional y sus construcciones anexas como puentes, hitos, mojones, ventas y posadas de especial valor histórico.

Artículo 64. Medidas de protección

1. Los bienes del patrimonio etnográfico gozarán de la protección prevista en esta Ley.

2. Los poderes públicos promoverán el estudio completo de los elementos de la arquitectura tradicional que individualmente tengan interés cultural o contribuyan de forma sustancial a configurar espacios que en su conjunto lo tengan, y a su inclusión en los catálogos urbanísticos municipales, o a su inclusión en alguna de las categorías de protección previstas en esta Ley.

3. Cuando se produzca un estado de ruina o de manifiesto abandono por un período superior a diez años, de elementos de interés etnográfico que hayan sido objeto de protección, la Entidad Local correspondiente tendrá la facultad de proceder a su expropiación. Efectuada la misma se podrá realizar su cesión a personas físicas o jurídicas, instituciones u otras entidades que se comprometan a garantizar la conservación de sus valores culturales. La misma facultad tendrá la Comunidad Autónoma de La Rioja cuando se trate de Bienes de Interés Cultural o de Bienes Culturales de Interés Regional.

4. Los conocimientos, actividades, usos, costumbres y manifestaciones lingüísticas y artísticas, de interés etnológico, que trasciendan los aspectos materiales en que puedan manifestarse, serán reunidos, documentados, estudiados, debidamente protegidos y reproducidos o recogidos en soportes audiovisuales, materiales o propios de las nuevas tecnologías, que garanticen su transmisión y puesta en valor al servicio de los investigadores, de los ciudadanos y de las generaciones futuras. Se promoverá su difusión y divulgación, sobre todo en el ámbito educativo y formativo.

5. Los poderes públicos apoyarán la labor de las asociaciones, fundaciones, universidades, instituciones y personas que trabajen en el mantenimiento, revitalización y difusión de los bienes del patrimonio etnográfico riojano. En especial, se promoverán actuaciones de colaboración entre las Administraciones Públicas y el sector privado para crear centros de investigación y museos etnográficos, que desarrollen su labor con el adecuado soporte científico, como medio de proceder a la recogida en colecciones y puesta al servicio público de los testimonios de la cultura tradicional riojana.

6. Con independencia de su posible inscripción en los correspondientes Inventarios del Registro General del Patrimonio Cultural, Histórico y Artístico de La Rioja, los bienes que conforman el patrimonio etnográfico pueden ser recogidos en un Atlas Etnográfico que se integrará en aquél, en la forma prevista reglamentariamente.

7. En el supuesto de pueblos deshabitados, se prohíbe en los mismos la retirada de materiales y la realización de obras sin autorización de la Consejería competente en materia de Cultura.

TÍTULO V. Museos

Artículo 65. Definiciones

1. Son museos las instituciones de carácter permanente, sin ánimo de lucro, al servicio del interés general de la comunidad y de su desarrollo, abiertas al público, destinados a

acopiar, conservar adecuadamente, estudiar y exhibir de forma científica, didáctica y estética bienes y colecciones de valor histórico y cultural. Los museos deberán orientarse de manera dinámica, participativa e interactiva.

2. Son exposiciones museográficas permanentes aquellas colecciones de bienes de valor histórico, artístico, científico y técnico expuestas con criterios museísticos en un local permanente, y que carecen de personal técnico propio, servicios complementarios y capacidad suplementaria de almacenamiento, custodia y gestión de fondos.

Artículo 66. Funciones

Serán funciones de los museos las siguientes:

A) La conservación, catalogación, restauración y exhibición de sus colecciones.

B) La adquisición o acrecimiento de sus fondos.

C) La investigación en el ámbito de sus colecciones y de su especialidad.

D) La organización de exposiciones permanentes o temporales y cuantas actividades contribuyan al conocimiento y difusión de sus colecciones y fondos.

E) La elaboración y publicación de catálogos y monografías de sus fondos, así como la realización de actividades didácticas destinadas a los ciudadanos.

F) Cualquier otra función que prevean sus normas estatutarias o que se le encomiende por disposición normativa.

Artículo 67. Creación de museos y exposiciones museográficas permanentes

1. La creación, autorización y calificación de un museo o exposición museográfica permanente de titularidad pública autonómica o local se hará por Decreto del Consejo de Gobierno de La Rioja. Las distintas categorías que puedan alcanzar los museos se desarrollarán mediante la oportuna normativa reglamentaria.

2. Los organismos públicos y las personas físicas o jurídicas interesadas en la creación de un museo o exposición museográfica permanente deberán promover ante la Consejería competente en materia de Cultura la iniciación del oportuno procedimiento administrativo. En dicho expediente administrativo se deberá incorporar toda la documentación y un inventario de los fondos, así como un programa y un proyecto museográfico que deberá incluir un estudio de las instalaciones, medios y personal con que se cuente, todo ello en la forma que reglamentariamente se determine.

3. Los museos y exposiciones museográficas permanentes de titularidad pública se integrarán en el Sistema de Museos de La Rioja. Éste estará conformado por el Museo Provincial de La Rioja, los museos de titularidad autonómica y por aquellos otros de titularidad pública que podrán adherirse previa firma del correspondiente convenio, en orden a su mejor gestión cultural y científica.

Artículo 68. Colaboración interadministrativa

La Administración Autonómica y las Entidades Locales de La Rioja deberán colaborar entre sí y con otras instituciones y personas con el objeto de fomentar y mejorar la infraestructura museística de nuestra Comunidad.

La Administración autonómica podrá celebrar convenios de colaboración con otras entidades públicas o con particulares que sean titulares de bienes del Patrimonio Cultural, Histórico y Artístico de La Rioja para la creación, sostenimiento o divulgación de museos y exposiciones museográficas permanentes. En dichos convenios de colaboración se establecerán las ayudas, las normas y condiciones de prestación de sus servicios.

Artículo 69. Museos privados

1. Los propietarios de exposiciones museográficas permanentes y museos privados están obligados a exponer sus fondos y colecciones bajo una serie de requisitos imprescindibles como son:

A) Un horario mínimo y accesible al público visitante.

B) Unas condiciones técnicas mínimas de conservación y de seguridad de las instalaciones.

C) Los fondos debidamente inventariados en condiciones mínimas de seguridad y conservación.

D) Garantía de acceso de los investigadores a las colecciones y a los fondos privativos.

2. La Consejería competente en materia de Cultura, en caso de peligro para los materiales o los bienes, previo requerimiento, podrá ordenar la ejecución de obras que estime pertinentes en beneficio de su conservación, acordar el depósito provisional en otra institución en tanto perduren las circunstancias que dieron lugar a esa medida y, en última instancia, remover la autorización.

Artículo 70. Del derecho de visita y accesibilidad

1. La Consejería competente en materia de Cultura establecerá las condiciones de acceso y visita pública y regulará los horarios de apertura al público de los museos y exposiciones museográficas permanentes de titularidad autonómica. El horario de apertura deberá estar situado en lugar visible al público. Con carácter general, el acceso al público será gratuito.

2. Los restantes museos y exposiciones museográficas permanentes, cualquiera que sea su titularidad, deberán comunicar a la Consejería las cantidades que, en su caso, perciban por derechos de acceso o por cualquier otro concepto.

3. En ningún caso se cobrarán cantidades superiores a las establecidas para los museos de ámbito estatal y de la Unión Europea. Se exceptúan de esta limitación los museos de titularidad privada.

4. En las visitas, los ciudadanos deberán conducirse con cuidado y de forma ordenada en beneficio de una mejor conservación de las colecciones y bienes que se expongan.

Artículo 71. Tratamiento de bienes y objetos

1. Los museos y exposiciones museográficas permanentes de titularidad autonómica han de llevar un registro completo de los bienes y objetos de sus propios fondos. Igualmente se llevará un registro de los objetos depositados en los museos o que sean propiedad de otras instituciones, así como un registro completo de bienes y objetos de su propiedad depositados en otras instituciones, debiendo estar debidamente identificados. El inventario y catálogo de sus bienes y objetos deberá hacerse constar en documentación específica, y en los términos que prevea la normativa de desarrollo.

2. Los titulares de museos y exposiciones museográficas permanentes de carácter público o privado deberán facilitar a la Administración autonómica copia de las fichas de inventario de todas las piezas que hayan de ser incluidas en el Inventario general de bienes inmuebles.

3. Para éstas y otras funciones que sean exigibles para el correcto desarrollo de sus funciones, los museos y exposiciones museográficas permanentes integrantes del Sistema de Museos de La Rioja deberán contar con los medios humanos y materiales suficientes.

Artículo 72. Reproducción

1. La realización de copias y reproducciones, por cualquier procedimiento, de los fondos de un museo o exposición museográfica permanente integrado en el Sistema de Museos de La Rioja, deberá garantizar la integridad física y la debida conservación de las obras u objetos, facilitar la investigación y la difusión cultural y salvaguardar los derechos de propiedad intelectual de los autores. Tampoco podrá interferir en la actividad normal del centro.

2. Se requerirá autorización de la Consejería competente en materia de Cultura para la reproducción de fondos custodiados por centros de titularidad autonómica; y autorización de los titulares para los fondos de titularidad privada. Debiéndose remitir, en este último supuesto, a la Dirección General del Gobierno de La Rioja, competente en materia de Cultura una copia de las condiciones de las reproducciones efectivamente concertadas.

Artículo 73. Conservación, protección y fomento

1. La Consejería competente en materia de Cultura procurará la mejora de las instalaciones de los museos y exposiciones museográficas permanentes de titularidad autonómica y fomentará el crecimiento de los fondos museísticos.

2. Los museos y exposiciones museográficas permanentes de titularidad autonómica deberán estar dotados de medios técnicos y humanos suficientes de manera que puedan cumplir sus funciones de conservación, investigación y difusión de los fondos que albergan. Los museos deberán contar en todo caso con un director-conservador con titulación adecuada a la índole del museo.

3. La Consejería competente en materia de Cultura otorgará ayudas y asistencia especializada, y en especial:

A) Asesoramiento sobre organización, sistemas de seguridad y protección y sobre condiciones de conservación y restauración.

B) Ayudas para la restauración de fondos y colecciones.

C) Ayudas económicas para gastos de funcionamiento.

D) Apoyo técnico y económico para la documentación y difusión del patrimonio museístico.

E) Ayudas extraordinarias para inversiones en inmuebles, remodelaciones museográficas y adquisición de nuevos fondos.

F) Ayudas para la investigación.

4. Se regulará reglamentariamente el funcionamiento de los museos y exposiciones museográficas permanentes de titularidad local, municipal o comarcal. La Consejería podrá elaborar un plan específico de creación y protección de museos locales y comarcales de acuerdo con las Entidades Locales.

Artículo 74. Inspección

1. La Consejería competente en materia de Cultura podrá realizar las inspecciones que convengan a su función de velar por el cumplimiento de lo dispuesto en el presente Título y de las normas que lo desarrollen.

2. Los titulares de museos y exposiciones museográficas permanentes, así como sus representantes, empleados o encargados, están obligados a facilitar a los órganos de inspección el acceso y examen de las dependencias e instalaciones de los centros, así como el examen de los documentos, libros y registros referentes a sus fondos.

Artículo 75. Declaración de utilidad pública

Se considerarán de utilidad pública, a los efectos de su expropiación, los inmuebles necesarios para la creación y ampliación de museos o exposiciones museográficas permanentes de titularidad pública.

TÍTULO VI. Medidas de Fomento

Artículo 76. Normas generales

1. Cuando el coste de las medidas de conservación impuestas a los propietarios de los Bienes de Interés Cultural y de Bienes Culturales de Interés Regional de La Rioja supere el

límite de sus deberes ordinarios, podrán concederse subvenciones con destino a la financiación de medidas de consolidación, restauración y rehabilitación por el exceso resultante.
Con igual destino podrán concederse, según se establezca reglamentariamente, subvenciones directas a personas y entidades privadas, cuando se acredite la carencia de medios
económicos suficientes para afrontar el coste del deber legal de conservación.

2. Las personas y entidades que no cumplan con los deberes de protección, conservación, y cualesquiera otros establecidos por esta Ley, no podrán acogerse a las medidas de
fomento reguladas en este Título.

3. Las diferentes medidas de fomento recogidas en esta Ley se concederán de acuerdo con los principios de concurrencia, objetividad, eficacia, publicidad y disponibilidad
presupuestaria, a excepción de los casos de carencia de medios previstos en el apartado
primero de este artículo. Las distintas convocatorias de ayudas públicas de toda índole,
destinadas a facilitar el cumplimiento de las finalidades recogidas en el artículo primero
de esta Ley, fijarán los criterios prioritarios en cada caso, aunque se tendrán en cuenta los
bienes culturales necesitados de una mayor protección y conservación, así como la mejor
difusión cultural.

4. Las Administraciones Públicas que otorguen cualquiera de las medidas de fomento
previstas en esta Ley, establecerán las garantías necesarias para evitar la especulación
con los bienes culturales destinatarios de aquéllas y fijarán las obligaciones que, como
contrapartida, adquirirán los beneficiarios de los recursos públicos. En ese sentido, podrán
establecerse formas de uso o explotación conjunta de los bienes culturales, que aseguren el
cumplimiento de las finalidades previstas en esta Ley, así como una adecuada rentabilidad
social, económica o cultural de la inversión pública.

5. El Gobierno de La Rioja estimulará la realización de convenios de colaboración entre Administraciones, bancos y otras entidades de crédito para facilitar tanto la obtención,
como el destino de los recursos precisos para cumplir las previsiones expuestas en esta Ley.

6. Las medidas de fomento en favor del patrimonio cultural, histórico y artístico establecidas por el Gobierno de La Rioja serán compatibles con ayudas provenientes de otras
Administraciones Públicas o de entidades privadas para atender a similares finalidades,
con el límite señalado en la legislación en materia de subvenciones. En estos supuestos, las
ayudas públicas autonómicas podrán dirigirse prioritariamente a aquellas actuaciones que
carezcan de recursos o cuya cuantía se considere insuficiente.

7. La Consejería competente en materia de Cultura prestará a las Entidades Locales
y a los particulares, el asesoramiento, la información y la ayuda técnica precisa para la
investigación, documentación, conservación, recuperación, rehabilitación y difusión de los
bienes pertenecientes al patrimonio cultural, histórico y artístico de La Rioja. En todo caso,
este objetivo está condicionado a las disponibilidades presupuestarias y a los recursos de
toda naturaleza de que disponga en cada momento.

8. Todas las ayudas y subvenciones reguladas en la presente Ley estarán sujetas a la
normativa de la Comunidad Autónoma de La Rioja en dicha materia.

Artículo 77. Ayudas públicas

1. Las Administraciones Públicas establecerán las subvenciones, beneficios fiscales y
demás medidas de fomento que se estimen precisas para contribuir a conseguir las finalidades previstas en esta Ley.

2. La financiación de obras e intervenciones en Bienes de Interés Cultural o en Bienes
Culturales de Interés Regional, así como su adquisición para destinarlos a un uso público
o de interés social tendrán acceso preferente al crédito oficial o subsidiado con fondos
públicos.

3. Cuando se trate de obras de reparación urgente, en los términos que reglamentariamente se establezcan, la Consejería competente en materia de Cultura, podrá conceder una ayuda con carácter de anticipo reintegrable que será inscrita en el Registro General del Patrimonio Cultural, Histórico y Artístico de La Rioja y en el Inventario correspondiente a la categoría del bien cultural. En el supuesto de bienes inmuebles, podrá anotarse preventivamente en el Registro de la Propiedad y su posterior conversión en hipoteca, en los términos previstos en la legislación hipotecaria.

4. El incumplimiento de cualquiera de las condiciones, deberes, cargas u otro tipo de gravámenes impuestos en las resoluciones administrativas por las que se otorguen cualquier tipo de ayudas públicas o medidas de fomento, facultará al Consejero competente en materia de Cultura para acordar la revocación, reducción y, en su caso, reintegro total o parcial de las cantidades percibidas, que devengarán el interés legal del dinero por el tiempo transcurrido desde su entrega al beneficiario, sin perjuicio de las responsabilidades que hubieran podido originarse por esos hechos.

5. En el caso de que antes de transcurridos diez años a contar desde el otorgamiento de alguna de las ayudas o medidas de estímulo previstas en esta Ley, la Administración concedente adquiera el bien destinatario de aquéllas, en virtud del ejercicio de los derechos de tanteo y retracto, por expropiación, o por cualquier otro título, se deducirá del precio de adquisición la cantidad equivalente al importe de las ayudas, que se considerarán como un anticipo o pago a cuenta.

Artículo 78. Inversiones culturales

1. En los Presupuestos Generales de la Comunidad Autónoma de La Rioja, y en la forma que se determine reglamentariamente, se incluirá una partida equivalente, al menos, al uno por ciento de los fondos destinados a obras públicas, con el fin de financiar los trabajos de conservación o enriquecimiento del Patrimonio Histórico Artístico de La Rioja o de fomento de la creatividad artística, con preferencia en las propias obras o su entorno.

Por vía reglamentaria se determinará la naturaleza de las obras públicas de las que se detraerá el mencionado uno por ciento. También reglamentariamente se regulará el sistema de aplicación concreto de los fondos resultantes.

2. El procedimiento para hacer efectivo lo establecido en los apartados precedentes, así como la elección de los bienes del patrimonio histórico artístico de La Rioja donde se materialicen las intervenciones derivadas de la aplicación de este porcentaje se determinará reglamentariamente.

3. La Consejería competente en materia de Cultura podrá solicitar al Estado la aplicación del uno por ciento cultural determinado en la Ley de Patrimonio Histórico Español sobre los sectores y ámbitos culturales que se consideren prioritarios en cada momento.

4. Sin perjuicio de lo dispuesto en este artículo, los proyectos de excavaciones arqueológicas, así como los de exposición de bienes integrantes del patrimonio cultural, histórico y artístico de La Rioja, incluirán un porcentaje de, al menos, el diez por ciento del presupuesto, destinado a la conservación y restauración de los materiales procedentes de la actuación arqueológica o de las obras expuestas.

Artículo 79. Beneficios fiscales

1. Los Bienes de Interés Cultural y los Bienes Culturales de Interés Regional gozarán de los beneficios fiscales que establezca la legislación estatal, autonómica y local correspondiente.

2. Las Administraciones Públicas promoverán políticas públicas destinadas a otorgar un tratamiento fiscal más favorable a los titulares de todo tipo de bienes pertenecientes al patrimonio cultural, histórico y artístico de La Rioja, con especial incidencia en los bienes declarados.

3. Se encuentran exentas del pago del Impuesto sobre Construcciones, Instalaciones y Obras, las obras e intervenciones que se realicen en bienes de titularidad de la Santa Sede, Conferencia Episcopal, Diócesis, Parroquias y otras circunscripciones territoriales, Órdenes y Congregaciones Religiosas, Institutos de Vida Consagrada y sus provincias y sus casas, de conformidad con el Acuerdo entre el Estado Español y la Santa Sede sobre Asuntos Económicos, de 3 de enero de 1979.

Artículo 80. Pago con bienes culturales

1. Las personas físicas o jurídicas, propietarias de bienes pertenecientes al patrimonio cultural, histórico y artístico de La Rioja, cualquiera que sea su régimen de protección, podrán solicitar a la Comunidad Autónoma de La Rioja la admisión de la cesión en propiedad de los mencionados bienes, en pago total o parcial de deudas de cualquier naturaleza contraídas con la Administración autonómica. La aceptación de dicha cesión corresponde a la Consejería del Gobierno de La Rioja, competente en materia de Patrimonio, previo informe de la Consejería competente en materia de Cultura, y del Consejo Superior del Patrimonio Cultural Histórico y Artístico de La Rioja.

2. También será admisible la entrega en propiedad de bienes pertenecientes al patrimonio cultural, histórico y artístico de La Rioja, como pago de cualquier tipo de impuestos. En estos supuestos, la dación en pago se llevará a efecto a través del régimen previsto en la legislación propia de cada impuesto.

3. En ambos supuestos, el pago con bienes de esta categoría requerirá la previa incorporación del bien en el inventario del Registro General del Patrimonio Cultural Histórico y Artístico de La Rioja. Una vez realizada la inscripción se podrá realizar el pago con ese bien.

Artículo 81. â. Aceptación de herencias, legados y donaciones

1. La aceptación de herencias, legados y donaciones a favor de la Comunidad Autónoma de La Rioja, cuando se refieran a bienes integrantes del patrimonio cultural riojano corresponde a la Consejería competente en materia de Hacienda, previo informe preceptivo de la Consejería competente en materia de Cultura, cuando se trate de bienes inmuebles. Cuando se trate sólo de bienes muebles, la aceptación corresponderá a la Consejería competente en materia de Cultura, previo informe preceptivo de la Consejería competente en materia de Hacienda.

2. La aceptación se entenderá siempre hecha a beneficio de inventario.

3. Dada la peculiaridad de estos bienes, cuando existan cargas o gravámenes que excedan del valor intrínseco del bien cultural, se requerirá la incorporación al expediente patrimonial por la Consejería competente en materia de Cultura de un informe justificativo de tal situación y de las razones que aconsejen su adquisición.

4. Cuando los bienes pertenecientes al patrimonio cultural, histórico y artístico de La Rioja sean inmuebles, su aceptación está condicionada al cumplimiento de los requisitos previstos en la legislación. Se incluirán obligatoriamente en el expediente patrimonial una tasación y un informe donde se analice la situación física, jurídica y económica del bien cultural.

Artículo 82. Cesión de bienes culturales de titularidad pública

1. Sin perjuicio de lo previsto en el artículo 32.3 de esta Ley para el supuesto de expropiaciones, las Administraciones Públicas riojanas destinarán los bienes inmuebles pertenecientes al patrimonio cultural, histórico y artístico de que sean titulares, a una actividad o uso que no desvirtúe los valores o intereses descritos en el artículo 2.1 de esta Ley que se encuentran presentes en aquéllos.

2. Los organismos públicos y los órganos administrativos que forman parte de la Administración de la Comunidad Autónoma de La Rioja, antes de instalarse en nuevas dependencias, podrán solicitar un informe a la Consejería competente en materia de Cultura, sobre la existencia de algún inmueble de titularidad pública, perteneciente al patrimonio cultural, histórico y artístico riojano que pudiese ser adecuado para las funciones y actividades que deban desarrollar aquéllos. En caso afirmativo se facilitará su utilización como sede administrativa, siempre que el inmueble reúna las condiciones adecuadas y sea viable económicamente.

3. Las Administraciones Públicas podrán ceder el uso de los bienes inmuebles pertenecientes al patrimonio cultural, histórico y artístico de que sean titulares, a personas físicas, entidades, organizaciones, asociaciones, fundaciones u otras personas jurídicas, de naturaleza pública o privada, que lo soliciten y se obliguen a su conservación, protección, rehabilitación, mejora o difusión, en las condiciones que expresamente se establezcan por la Consejería competente en materia de Cultura, previo informe favorable del Consejo Superior del Patrimonio Cultural, Histórico y Artístico de La Rioja, y de una de las instituciones consultivas previstas en el artículo 9 de esta Ley. Cuando se trate de inmuebles que hubieren sido donados por particulares se dará preferencia a sus antiguos propietarios o a sus sucesores.

4. La cesión se realizará mediante la suscripción de un convenio entre la Administración y el cesionario, en el que se establecerán la forma de gestión, estipulaciones, plazo y demás condiciones que se estimen convenientes. En caso de incumplimiento, la cesión será inmediatamente revocada, con independencia de las indemnizaciones y responsabilidades a que hubiera lugar por parte del cesionario. El convenio será publicado en el «Boletín Oficial de La Rioja».

5. Reglamentariamente se podrá establecer un modelo de convenio, así como desarrollar aquellos aspectos que se consideren convenientes para garantizar la salvaguarda de los bienes culturales cedidos y su mejor utilización.

Artículo 83. Educación, formación y difusión

1. Los poderes públicos, en el ámbito de sus competencias, promoverán el conocimiento y difusión stintas Administraciones Públicas que tengan encomendadas competedel patrimonio cultural, histórico y artístico de La Rioja, en los distintos niveles del sistema educativo, con especial atención a la enseñanza obligatoria. Con esa finalidad, se potenciarán fórmulas de colaboración entre las distintas Administraciones Públicas, sin perjuicio de la participación y cooperación de universidades, centros de formación, instituciones, organismos, entidades, asociaciones y fundaciones.

2. Los poderes públicos promoverán el desarrollo de enseñanzas profesionales y actividades formativas o de perfeccionamiento en las distintas materias relacionadas con la conservación, rehabilitación, difusión y disfrute público del patrimonio cultural, histórico y artístico de La Rioja. Se prestará un especial interés en la recuperación, mantenimiento y difusión de oficios tradicionales aplicables a los bienes culturales. A estos efectos, cuando sea aconsejable, se establecerán convenios de colaboración con personas, entidades y centros especializados.

3. Los poderes públicos facilitarán una formación adecuada y una profesionalización de los funcionarios y del personal de las dincias relacionadas con la supervisión, gestión, conservación, inspección, difusión o cualquier otra función pública relativa a los bienes pertenecientes al patrimonio cultural, histórico y artístico de La Rioja.

4. Los poderes públicos, en el ámbito de sus competencias, estimularán la realización de campañas periódicas de divulgación, formación, investigación, educación y concienciación social en los valores del patrimonio cultural, histórico y artístico de La Rioja, prestando

una especial atención a la utilización de las nuevas tecnologías de la difusión en la sociedad de la información. Con esta finalidad se promoverá la colaboración con personas físicas y jurídicas, universidades, centros de formación, instituciones, organismos, entidades, asociaciones y fundaciones, nacionales o internacionales.

5. Las Administraciones patrocinarán, promoverán o colaborarán en la edición de publicaciones de conocimiento, investigación y difusión del patrimonio cultural, histórico y artístico de La Rioja.

Artículo 84. Mención honorífica de «Defensor del Patrimonio Cultural, Histórico y Artístico de La Rioja»

La Comunidad Autónoma de La Rioja podrá otorgar, mediante Orden del Consejero competente en materia de Cultura, el título honorífico y sin derecho a retribución de «Defensor del Patrimonio Cultural, Histórico y Artístico de La Rioja» a todas aquellas personas físicas o jurídicas, Administraciones, entidades, organismos e instituciones nacionales o internacionales, que se distingan especialmente en actividades de protección, conservación, rehabilitación, enriquecimiento, investigación o difusión del patrimonio cultural, histórico y artístico de La Rioja. Los beneficiarios podrán hacer uso de dicho título honorífico en todas las manifestaciones propias de su actividad.

Artículo 85. Planes de protección del patrimonio cultural, histórico y artístico de La Rioja

1. El Gobierno de La Rioja podrá aprobar planes de protección del patrimonio cultural, histórico y artístico de La Rioja, en los que se establezcan los criterios generales de actuación de los poderes públicos para garantizar el mejor cumplimiento de las finalidades previstas en esta Ley.

2. Los planes serán propuestos al Gobierno de La Rioja por la Consejería competente en materia de Cultura, previo informe del Consejo Superior del Patrimonio Cultural, Histórico y Artístico de La Rioja. También podrá recabarse la opinión de otras Administraciones, de algunos de los órganos consultivos previstos en el artículo 9 de esta Ley, y de otras personas físicas o jurídicas, organismos, entidades y organizaciones, nacionales o internacionales, principalmente relacionadas con el patrimonio cultural, histórico y artístico.

3. Los planes tendrán la duración que se determine en los mismos y se ocuparán de establecer las principales necesidades de conservación de los bienes culturales, la ordenación de las actuaciones y prioridades de la acción pública en las tareas de prevención, intervención, conservación, rehabilitación y difusión del patrimonio cultural, histórico y artístico de La Rioja, los recursos de todo tipo disponibles y cualesquiera otros aspectos que se determinen reglamentariamente.

TÍTULO VII. Régimen Sancionador

Artículo 86. Infracciones. Clases

1. Constituyen infracciones administrativas en materia de Patrimonio Cultural, Histórico y Artístico de La Rioja, las acciones y omisiones que supongan el incumplimiento de las obligaciones establecidas en esta Ley o lleven aparejado daño en los bienes culturales, salvo que constituyan delito.

2. Las infracciones administrativas se clasificarán en leves, graves y muy graves.

Artículo 87. Infracciones leves

Constituyen infracciones leves:

A) La obstrucción a la facultad de la Administración de inspección sobre los bienes del Patrimonio Cultural, Histórico y Artístico de La Rioja.

B) El incumplimiento del deber de permitir el acceso de los investigadores a los bienes que integran el Patrimonio Cultural, Histórico y Artístico de La Rioja.

C) El incumplimiento de la obligación de permitir la visita pública en los Bienes de Interés Cultural.

D) El incumplimiento del deber de información y comunicación a la Consejería competente en materia de Cultura al que hace referencia el artículo 34 de la Ley.

E) El cambio de uso de Monumentos sin la previa autorización de la Consejería competente.

F) El incumplimiento de la obligación de comunicar los actos jurídicos o los traslados que afecten a los Bienes de Interés Cultural o a los Bienes Culturales de Interés Regional. La infracción se considerará grave cuando con ocasión de la falta de medidas de seguridad suficientes durante el traslado, se produjeran daños en los bienes protegidos.

G) La realización de cualquier intervención en los bienes del Patrimonio Cultural, Histórico y Artístico sin la autorización de la Consejería competente en materia de Cultura cuando proceda.

H) El incumplimiento de la suspensión de obras acordada por la Consejería competente, tenga o no carácter provisional.

I) La vulneración de cualquier otro deber impuesto por esta Ley que no esté expresamente tipificado como falta grave o muy grave.

Artículo 88. Infracciones graves

Constituyen infracciones graves:

A) No poner en conocimiento de la Consejería competente en materia de Cultura, en los términos fijados en la Ley, la transmisión de la propiedad o cualquier derecho real sobre los Bienes de Interés Cultural o los Bienes Culturales de Interés Regional.

B) El incumplimiento del deber de conservación y protección de los propietarios y poseedores de los Bienes de Interés Cultural y de los Bienes Culturales de Interés Regional.

C) La inobservancia del deber de llevar el libro de registro a que están obligados todos los particulares que se dediquen al comercio de bienes muebles, así como la omisión o inexactitud de datos que deban constar en el mismo.

D) La retención ilícita o depósito indebido de bienes muebles objeto de protección en esta Ley.

E) La separación no autorizada de bienes muebles vinculados a bienes inmuebles declarados de Interés Cultural o Bienes Culturales de Interés Regional.

F) El incumplimiento de las obligaciones de comunicación del descubrimiento de restos arqueológicos y de la entrega de los bienes hallados.

G) La realización de cualquier intervención en Bienes de Interés Cultural y Bienes Culturales de Interés Regional sin la previa autorización, o incumpliendo las condiciones de su otorgamiento.

H) El incumplimiento de la suspensión de obras con motivo del descubrimiento de restos arqueológicos y de las suspensiones de obras acordadas por la Consejería competente en materia de Cultura.

I) La realización de actividades arqueológicas o espeleológicas sin la preceptiva autorización de la Consejería competente, o las realizadas contraviniendo los términos en que fueran concedidas.

J) El otorgamiento de licencias municipales sin la autorización de la Consejería competente, cuando sea preceptiva conforme a la presente Ley; o aquellas otorgadas contraviniendo lo especificado en los Planes Especiales de Protección y el incumplimiento de lo establecido en el artículo 52.3 de la Ley.

K) No poner en conocimiento de la Consejería competente en materia de Cultura la realización de subastas que afecten a los bienes integrantes del Patrimonio Cultural, Histórico y Artístico.

L) No comunicar a la autoridad competente los objetos o colecciones arqueológicas que se posean por cualquier concepto, o no entregarlos en los casos previstos en esta Ley, así como hacerlos objeto de tráfico.

M) Haber sido sancionado por la comisión de dos infracciones leves en un período de un año.

Artículo 89. Infracciones muy graves

Constituyen infracciones muy graves:

A) La falta de autorización administrativa en aquellas actuaciones que tengan como consecuencia el derribo, reconstrucción total o parcial o la destrucción de inmuebles o de bienes muebles pertenecientes a las categoría de Bien de Interés Cultural o Bien Cultural de Interés Regional.

B) La destrucción de bienes muebles pertenecientes a las categoría de Bien de Interés Cultural o Bien Cultural de Interés Regional.

C) La falta de autorización administrativa en todas aquellas actuaciones que conllevan la pérdida, destrucción o deterioro irreparable de los Bienes de Interés Cultural, Bienes Culturales de Interés Regional y Bienes Culturales Inventariables.

D) El incumplimiento de las órdenes de ejecución de obras de conservación en bienes pertenecientes a las categorías de Bien de Interés Cultural o Bien Cultural de Interés Regional, cuando haya precedido requerimiento de la administración, en caso de que como consecuencia de la omisión o dilación en el cumplimiento, se produjeren daños muy graves en el bien objeto de dichas órdenes sin perjuicio de la obligación de proceder a su reparación.

Artículo 90. Sanciones. Clases

1. En los casos en que el daño causado al Patrimonio Cultural, Histórico y Artístico de la Rioja pueda ser valorado económicamente, la infracción será sancionada con multa de entre una y cuatro veces el valor del daño causado.

2. En los demás casos procederán las siguientes sanciones:

A) Para las infracciones leves: Multa de hasta 6.000 euros.

B) Para las infracciones graves: Multa de 6.001 a 30.000 euros.

C) Para las infracciones muy graves: Multa de 30.001 a 120.000 euros.

3. La graduación de las multas se realizará en función de la gravedad de la infracción, de las circunstancias atenuantes o agravantes que concurran, de la importancia de los bienes afectados, de las circunstancias personales del sancionado, del perjuicio causado o que hubiera podido causarse al Patrimonio Cultural, Histórico y Artístico de La Rioja y del grado de intencionalidad del infractor.

4. Las multas que se impongan a distintos sujetos como consecuencia de una misma infracción tendrán carácter independiente entre sí.

Artículo 91. Órganos competentes

La competencia para la imposición de las sanciones previstas en el artículo anterior corresponderá:

A) Al Director General del Gobierno de La Rioja, competente en materia de Cultura: Las multas por infracciones leves.

B) Al Consejero competente en la materia: Las multas por infracciones graves.

C) Al Gobierno de La Rioja: Las multas por infracciones muy graves.

Artículo 92. Del procedimiento

1. La iniciación del procedimiento sancionador, sin perjuicio de la superior autoridad del Consejero competente en materia de Cultura, se realizará, de oficio, por resolución de la Dirección General del Gobierno de La Rioja, competente en materia de Cultura.

2. La tramitación del expediente sancionador, en el que, en todo caso, se dará audiencia al interesado, se regirá por lo dispuesto en la Ley 3/1995, de 8 de marzo, de Régimen Jurídico del Gobierno y la Administración Pública de la Comunidad Autónoma de La Rioja, y, conforme a su artículo 84.3, se aplicarán subsidiariamente las previsiones que con carácter general se contienen en el procedimiento común regulado en el Título IX de la Ley 30/1992, de 26 de noviembre, de Régimen Jurídico de las Administraciones Públicas y del Procedimiento Administrativo Común, y en su normativa de desarrollo.

3. El plazo de resolución de los procedimientos sancionadores por las infracciones reguladas por esta Ley será de nueve meses.

Artículo 93. Prescripción

Las infracciones administrativas a las que se refiere la presente Ley prescribirán las muy graves a los 10 años, las graves a los 8 años y las leves a los 5 años. Las sanciones impuestas por faltas muy graves a los 10 años, por faltas graves a los 8 años y por faltas leves a los 5 años.

En cuanto al plazo de prescripción de las infracciones y de las sanciones, así como su interrupción, se estará a lo dispuesto en el artículo 132 de la Ley 30/1992, de 26 de noviembre, de Régimen Jurídico de las Administraciones Públicas y Procedimiento Administrativo Común.

Artículo 94. Publicidad de las sanciones

Las sanciones impuestas de conformidad con esta Ley podrán ser publicadas por el órgano sancionador, atendiendo a los criterios que se establezcan por reglamento, una vez devenidas en firmes en la vía administrativa.

Disposición adicional primera. Integración de bienes culturales declarados con anterioridad

1. Los bienes existentes en el territorio de la Comunidad Autónoma de La Rioja que hayan sido declarados Bienes de Interés Cultural o incluidos en el Inventario General de Bienes Muebles del Ministerio de Educación, Cultura y Deporte, al amparo de la Ley 16/1985, de 25 de junio, del Patrimonio Histórico Español, pasan a integrarse en el Patrimonio Histórico Artístico de La Rioja con la calificación que les corresponda de acuerdo con la presente Ley, salvo aquellos en los que es competente la Administración del Estado.

Estos bienes serán inscritos de oficio en los correspondientes Inventarios del Registro General del Patrimonio Cultural, Histórico y Artístico de La Rioja, sin necesidad de tramitar el expediente previo requerido para las demás inscripciones.

2. Se mantiene en vigor la delimitación de la zona afectada por la declaración del Conjunto Histórico del Camino de Santiago (Camino Francés, Camino Secundario a San Millán de la Cogolla y Variante Alternativa a Cirueña), en su trayecto por la Comunidad Autónoma de La Rioja, aprobada mediante Decreto 14/2001, de 16 de marzo, considerándose como Bien de Interés Cultural, aunque se clasificará de oficio como Vía Histórica, en los términos previstos por esta Ley, y se inscribirá como tal en el correspondiente Inventario del Registro General del Patrimonio Cultural, Histórico y Artístico de La Rioja.

3. Se mantiene en vigor la declaración de Sitio Histórico de los yacimientos paleontológicos de icnitas de dinosaurios realizada por Decreto 34/2000, de 23 de junio, considerándose como Bien de Interés Cultural, aunque se clasificará de oficio como Zona Paleontológica, en los términos previstos por esta Ley, y se inscribirá como tal en el correspondiente Inventario del Registro General del Patrimonio Cultural, Histórico y Artístico de La Rioja.

**Disposición adicional segunda. Entidades sin ánimo de lucro dedicadas al patrimonio cultu-
ral, histórico y artístico**

1. Los poderes públicos respaldarán la creación de fundaciones, asociaciones y otras
organizaciones que tengan por objeto principal la protección, conservación, rehabilitación, enriquecimiento y difusión del patrimonio cultural, histórico y artístico de La Rioja en
general, o de alguno de sus bienes en particular. Las distintas Administraciones podrán
figurar como integrantes del patronato o del órgano de gobierno, gestión y administración
de aquellas entidades, de conformidad con lo que prevé la legislación aplicable.

2. El Gobierno de La Rioja estimulará las actividades de la Fundación San Millán de la
Cogolla, sin perjuicio de promover cualquier tipo de colaboración con la Real Academia
de la Lengua Española, el Instituto Cervantes u otras entidades y organizaciones nacionales
o internacionales, destinadas a la divulgación de la lengua castellana.

3. El Gobierno de La Rioja podrá promover la creación de Fundaciones de ámbito autonómico, integrada por Administraciones públicas, entidades de crédito, empresas, personas físicas y jurídicas o cualesquiera otras entidades, destinadas al patrocinio y mecenazgo
de actividades que faciliten la consecución de las finalidades previstas en esta Ley.

**Disposición transitoria primera. Procedimientos de declaración de Bienes de Interés Cultural
iniciados con anterioridad y no resueltos**

1. La tramitación y los efectos de los expedientes de declaración de Bienes de Interés
Cultural, iniciados y no resueltos con anterioridad a la presente Ley, quedan sometidos en
lo dispuesto por la Ley de Patrimonio Cultural, Histórico y Artístico de La Rioja. En estos
supuestos, el plazo para la resolución de los expedientes de declaración comenzará a
contarse desde la fecha de entrada en vigor de esta Ley.

No obstante, en los expedientes sobre declaración de BIC incoados con anterioridad a la
entrada en vigor de la Ley 16/1985, de 25 de junio, del Patrimonio Histórico Español, no resultará de aplicación el plazo previsto en el artículo 14 de la presente Ley para su resolución.

La Consejería competente en materia de Cultura, podrá establecer los requisitos de convalidación de los informes hasta entonces emitidos y adoptar las medidas oportunas para facilitar
la tramitación de los expedientes y su adaptación a los procedimientos previstos en esta Ley.

2. La Consejería competente en materia de Cultura podrá completar o revisar las declaraciones de Bienes de Interés Cultural producidas antes de la entrada en vigor de la
presente Ley, para adaptarlas a las previsiones contenidas en la misma, según la clasificación que se haya otorgado a cada bien cultural. Igual proceder se seguirá respecto a los
bienes muebles recogidos anteriormente en el Inventario General de Bienes Muebles de la
Administración estatal, con el fin de ajustar su protección a la correspondiente de los Bienes
Culturales de Interés Regional.

3. Cuando a la entrada en vigor de esta Ley, el entorno de un inmueble declarado como
Bien de Interés Cultural no esté expresamente delimitado o lo esté de forma incompleta,
será determinado por la Consejería competente en materia de Cultura, comunicándolo a
la Entidad Local correspondiente para que le otorgue la protección urbanística necesaria.
En su defecto, la Comunidad Autónoma podrá ejecutarlo por subrogación, de conformidad
con la legislación aplicable.

4. Las Entidades Locales procederán a elaborar o actualizar los catálogos municipales
en los plazos y condiciones previstos en el artículo 30 de esta Ley, así como a redactar el
planeamiento urbanístico de protección de los Bienes de Interés Cultural recogidos en los
artículos 51 y 54 de la presente disposición legal.

5. Todos los actos que se realicen al amparo de este artículo que deban recogerse en
el Registro General del Patrimonio Cultural, Histórico y Artístico de La Rioja, se inscribirán
de oficio.

Disposición transitoria segunda. Protección preventiva de determinados bienes

—

Disposición Transitoria Segunda derogada por el apartado tres de la disposición final quinta de la Ley [LA RIOJA] 5/2014, 20 octubre, de administración electrónica y simplificación administrativa («B.O.L.R.» 22 octubre)

Disposición transitoria tercera. Comisiones en el ámbito del patrimonio cultural, histórico y artístico de La Rioja

En el plazo máximo de 2 meses a partir de la entrada en vigor de la presente Ley entrará en funcionamiento el Consejo Superior del Patrimonio Cultural, Histórico y Artístico de La Rioja. Hasta ese momento, seguirá en funcionamiento la Comisión del Patrimonio Histórico-Artístico de La Rioja.

Disposición transitoria cuarta. Deber de comunicar la existencia previa de bienes culturales

1. Los propietarios, poseedores o titulares de derechos reales de cualquier naturaleza de objetos arqueológicos, de bienes muebles pertenecientes al patrimonio cultural, histórico y artístico de La Rioja, así como de bienes documentales y bibliográficos de interés público, que los hayan adquirido o poseído con anterioridad a la promulgación de esta Norma, tienen el deber de comunicar su existencia a la Consejería competente en materia de Cultura en el plazo de dos años, a partir de la entrada en vigor de la presente Ley.

2. Si alguno de los bienes mencionados en el apartado anterior debe considerarse de dominio público, por razón de la legislación aplicable en el momento de su adquisición, sus poseedores deberán entregarlo a la Comunidad Autónoma de La Rioja en el plazo de dos años, a partir de la entrada en vigor de la presente Ley. Transcurrido dicho plazo, su posesión será considerada ilegal, y la Comunidad Autónoma podrá proceder a su recuperación de oficio, de acuerdo con lo dispuesto en la legislación patrimonial.

Disposición transitoria quinta. Retirada de elementos perturbadores o distorsionadores de los valores de los Bienes de Interés Cultural

1. En el plazo de cinco años a contar desde la entrada en vigor de esta Ley, deberá retirarse la publicidad, cables, antenas y conducciones aparentes existentes en las fachadas y cubiertas de los inmuebles declarados como Bienes de Interés Cultural, así como las instalaciones de servicios públicos o privados que alteren de modo considerable su contemplación. Si los titulares de aquellas instalaciones incumplen este mandato legal, las Entidades Locales y, en su defecto, la Consejería competente en materia de Cultura podrá proceder a su retirada a costa de los obligados, sin perjuicio de poder imponer las sanciones o exigir las responsabilidades a que hubiese lugar.

2. En los supuestos de Conjuntos Históricos, Sitios Históricos, Jardines Históricos, Zona Arqueológica, Zona Paleontológica, Lugares de Interés Etnográfico, Vías Históricas y Parques Arqueológicos, las instalaciones urbanas eléctricas, telefónicas y cualesquiera otras, de carácter exterior, tanto aéreas como adosadas a las fachadas, deberán tomarse medidas destinadas a reducir el impacto de las citadas instalaciones sobre dichos bienes patrimoniales, en el plazo de diez años a contar desde la entrada en vigor de esta Ley. En el mismo plazo, se retirarán la publicidad fija mediante vallas o carteles así como la que se produce por medios acústicos. Las antenas de televisión, las pantallas de recepción de ondas y los dispositivos similares se situarán en lugares en que no perjudiquen la imagen del Bien de Interés Cultural.

Si los titulares de aquellas instalaciones incumplen este mandato legal, las Entidades Locales y, en su defecto, la Consejería competente en materia de Cultura, podrá proceder a su retirada a costa de los obligados, sin perjuicio de poder imponer las sanciones o exigir las responsabilidades a que hubiese lugar.

Disposición transitoria sexta. Adaptación de los museos privados

Los museos y las exposiciones museográficas permanentes de titularidad privada que, a la entrada en vigor de esta Ley, se hallen abiertos al público, deberán ajustarse en el plazo de cinco años a las prescripciones que les resulten de aplicación conforme se dispone en la presente Ley y, de no haberla obtenido antes, solicitar la correspondiente autorización administrativa.

Disposición derogatoria única.

1. Quedan derogadas todas las normas de igual o inferior rango que contradigan o se opongan a lo que dispone esta Ley. La normativa en materia de patrimonio cultural, histórico y artístico que no se oponga a lo previsto en la presente Ley permanecerá en vigor, hasta tanto no se aprueben las normas reglamentarias que las sustituyan.

2. Mientras no se desarrolle reglamentariamente la presente Ley en lo referente al Consejo Superior del Patrimonio Cultural, Histórico y Artístico de La Rioja, se mantendrán en vigor el Decreto 6/1984, de 15 de febrero, Regulador de la Comisión del Patrimonio Histórico-Artístico de La Rioja.

Disposición final primera. Desarrollo reglamentario

Se autoriza al Gobierno de La Rioja para dictar, además de las disposiciones reglamentarias expresamente previstas en esta Ley, cuantas otras sean precisas para su desarrollo y ejecución, y, en particular, para actualizar la cuantía de las sanciones establecidas en el Título Séptimo de esta Ley.

Disposición final segunda. Aplicación supletoria

En todo lo no previsto en esta Ley y en la normativa que la desarrolle, será de aplicación supletoria la legislación del Estado.

Disposición final tercera. Entrada en vigor

La presente Ley entrará en vigor a los veinte días de su publicación íntegra en el «Boletín Oficial de La Rioja».

Por tanto, ordeno a todos los ciudadanos cumplan y cooperen al cumplimiento de la presente Ley y a los Tribunales y Autoridades la hagan cumplir.

14. COMUNIDAD DE MADRID: LEY 3/2013, DE 18 DE JUNIO, DE PATRIMONIO HISTÓRICO DE LA COMUNIDAD DE MADRID

BO. Comunidad de Madrid 19 junio 2013, núm. 144.; rect. BO. Comunidad de Madrid, núm. 156, [pág. 9]. (castellano) BOE 15 octubre 2013, núm. 247, [pág. 83695].

PREÁMBULO

La Constitución Española consagra en su artículo 46 la obligación de todos los poderes públicos de garantizar la conservación y promover el enriquecimiento del patrimonio histórico, cultural y artístico de los pueblos de España y de los bienes que lo integran, cualquiera que sea su régimen jurídico y su titularidad. De acuerdo con lo anterior y en consonancia con la distribución competencial establecida en los artículos artículo 148 y 149 de la Constitución, la Comunidad de Madrid dispone actualmente de un ordenamiento jurídico propio en este ámbito, fruto de su competencia exclusiva en materia de patrimonio histórico, artístico, monumental, arqueológico, arquitectónico y científico de interés para la Comunidad, sin perjuicio de la competencia del Estado para la defensa de los mismos contra la exportación y la expoliación, en virtud de lo dispuesto en el artículo 26.1.19 de la Ley Orgánica 3/1983, de 25 de febrero, de Estatuto de Autonomía de la Comunidad de Madrid.

En el ejercicio de sus competencias, la Comunidad de Madrid aprobó la Ley 10/1998, de 9 de julio, de Patrimonio Histórico de la Comunidad de Madrid. Sin embargo, tras más de catorce años de aplicación, se ha puesto de manifiesto la necesidad de introducir una serie de modificaciones en el régimen jurídico del patrimonio histórico a los efectos de llevar a cabo una simplificación normativa que permita dotar de mayor seguridad jurídica a los ciudadanos y promover la agilización de los trámites administrativos. Asimismo, la nueva ley persigue una coherencia con la normativa en materia de medio ambiente y urbanismo, vinculada con la protección del patrimonio histórico. También resulta destacable que esta ley trata de escapar a la tradicional concepción de norma predominantemente prohibitiva, para realzar, frente al papel pasivo de los particulares como sujetos de límites y cargas, un aspecto activo de colaboración, que es el único que puede garantizar una salvaguarda perdurable de estos bienes. En esta idea se engastan la articulación de ayudas y medidas de fomento y los cometidos de cooperación, tanto con la Iglesia Católica como con otras entidades sin ánimo de lucro, titulares de una parte sustancial de este patrimonio.

El presente texto legal se estructura en un Título Preliminar, siete Títulos y ocho disposiciones adicionales, tres disposiciones transitorias, una disposición derogatoria y cuatro disposiciones finales.

La ley establece un régimen general de protección que se concreta en un deber genérico de conservación dirigido a los titulares de derechos sobre los bienes del patrimonio histórico; a este deber se añade un régimen específico para los Bienes de Interés Cultural y otro para los Bienes de Interés Patrimonial. Junto a ese régimen general se establecen diversos regímenes especiales en base a las peculiaridades de ciertos tipos de bienes culturales: patrimonio arqueológico y paleontológico y patrimonio cultural inmaterial.

El Título Preliminar regula los principios generales que han de regir las actuaciones en el ámbito del patrimonio histórico, que se caracteriza por su simplificación y claridad. En este Título se establecen las distintas categorías en las que los bienes integrantes del patrimonio histórico de la Comunidad de Madrid pueden ser declarados de Interés Cultural o Patrimonial introduciendo como novedad la tipología de Paisaje Cultural, en cumplimiento del Convenio Europeo del Paisaje (número 176 del Consejo de Europa), hecho en Florencia el 20 de octubre de 2000. Se ha optado por mantener la categoría de Jardín Histórico independiente del Paisaje Cultural por el arraigo y la importancia histórica de los jardines en la Comunidad de Madrid. También se contempla el Hecho Cultural de acuerdo con lo dispuesto en la Convención para la salvaguardia del Patrimonio Cultural inmaterial, hecho en París el 3 de noviembre de 2003.

Novedosa es la redefinición del patrimonio de interés etnográfico o industrial, que deja de tener la consideración de «lugar» para centrarse en los bienes concretos; por último, se introduce la posibilidad de asociar bienes arqueológicos y paleontológicos al reunirlos en la misma figura de protección y aplicarles el mismo sistema jurídico de protección.

Los bienes incluidos en el Inventario de Bienes Culturales de la Comunidad de Madrid pasan a denominarse Bienes de Interés Patrimonial.

El Título I está dedicado a los procedimientos y registros administrativos. Se ha tratado de aligerar los procedimientos evitando trámites innecesarios y se recorta el plazo para la resolución de los expedientes incoados para la declaración de Bien de Interés Cultural, que pasa de quince meses a nueve. Los expedientes para la declaración de Bien de Interés Patrimonial deberán resolverse en el plazo de seis meses.

En el Título II se establecen las normas básicas para la protección del patrimonio histórico de la Comunidad de Madrid, regulando el deber general de conservar y de permitir el acceso a la Administración para la comprobación del estado de conservación de los bienes.

Destaca la atribución a los Ayuntamientos de las competencias sobre los bienes del patrimonio histórico que no estén declarados ni Bienes de Interés Cultural, ni Bienes de Interés Patrimonial, a través de los instrumentos de planeamiento urbanístico, así como la regulación de la consulta previa en los procedimientos ambientales y urbanísticos.

El Título III regula las normas de protección aplicables a los bienes declarados Bienes de Interés Patrimonial, que en esta nueva norma se diferencian sensiblemente de las aplicables a los Bienes de Interés Cultural. La autorización previa se restringe a actuaciones muy concretas, con un plazo máximo de resolución de dos meses y el silencio administrativo es positivo.

El Título IV está dedicado a la regulación de las normas aplicables a los Bienes de Interés Cultural, estableciendo una distinción entre el régimen común aplicable a todos ellos y ciertas especialidades en función de su naturaleza mueble o inmueble.

En el régimen común se establecen los principios generales de intervención. Se reduce a dos meses el plazo para conceder la autorización y a falta de resolución expresa se considera desestimada la solicitud. La nueva ley hace un especial esfuerzo por diferenciar el régimen de protección e intervención de los bienes inmuebles declarados de forma individual de aquellos de carácter territorial, que reúnen a veces una gran cantidad de bienes de características heterogéneas. Se regulan detalladamente los procedimientos específicos de declaración de ruina y demolición, en consonancia con la normativa urbanística.

El Título V regula los regímenes especiales de protección, definiendo y estableciendo el régimen de protección aplicable por una parte, al patrimonio arqueológico y paleontológico, incorporando las disposiciones contempladas en el Convenio Europeo para la protección del patrimonio arqueológico (revisado), hecho en La Valeta el 16 de enero de 1992, y por otra, al patrimonio cultural inmaterial. Por lo que se refiere a los primeros se establecen las normas esenciales que regulan las intervenciones y hallazgos arqueológicos y paleontológicos. Se regula la posibilidad de solicitar «hoja informativa» para dichas actuaciones y se establece la condición de dominio público para los descubrimientos arqueológicos de naturaleza mueble aclarando la indefinición existente en la regulación precedente.

En lo que respecta al patrimonio cultural inmaterial se recoge un concepto acorde con el establecido por la UNESCO en la Convención para la salvaguardia del Patrimonio cultural inmaterial de 2003 y se incorpora un régimen jurídico especial para este tipo de patrimonio, poniéndose en relación con su específica protección mediante su declaración como Bien de Interés Cultural o de Interés Patrimonial en la categoría de Hecho Cultural.

El Título VI se dedica a regular las medidas dirigidas a fomentar la conservación, investigación, documentación, recuperación y difusión del patrimonio histórico de la Comunidad de Madrid por parte de la iniciativa privada.

El Título VII regula en su Capítulo I las medidas para el restablecimiento de la legalidad infringida y en su Capítulo II el régimen sancionador. Los inspectores tendrán la consideración de agentes de la autoridad.

Las posibles infracciones se clasifican en leves, graves y muy graves, y se regulan una serie de principios fundamentales aplicables al procedimiento sancionador. El número de infracciones tipificadas se mantiene en veintiuna pero mucho más ajustadas a la realidad y a la práctica ordinaria. Se establece como sanción accesoria el decomiso de los materiales y utensilios empleados en la actividad ilícita.

La competencia para imponer sanciones se ciñe únicamente a órganos de la Comunidad de Madrid.

Las disposiciones adicionales recogen diversas cuestiones que completan aspectos concretos de la regulación contenida en la ley. Se incluye aquí la necesidad de que la Comunidad de Madrid promueva la investigación y la difusión de su patrimonio histórico, la edición de publicaciones y la promoción de proyectos educativos.

Las disposiciones transitorias regulan regímenes provisionales de aplicación a determinados bienes. En particular la disposición transitoria primera regula la obligación de los Municipios de completar los Catálogos de bienes y espacios protegidos incorporando los bienes del patrimonio histórico en el plazo de un año a contar desde la entrada en vigor de la ley. La disposición transitoria segunda establece el régimen aplicable a los expedientes de declaración de Bienes de Interés Cultural iniciados antes de la entrada en vigor de la ley. La disposición transitoria tercera establece el mecanismo para adecuar a la nueva normativa el planeamiento especial de protección vigente.

TÍTULO PRELIMINAR. Disposiciones generales

Artículo 1. Objeto de la ley

La presente ley tiene por objeto la protección, conservación, investigación, difusión y enriquecimiento del patrimonio histórico ubicado en el territorio de la Comunidad de Madrid.

Artículo 2. Bienes que integran el patrimonio histórico de la Comunidad de Madrid

1. Integran el patrimonio histórico de la Comunidad de Madrid los bienes materiales e inmateriales ubicados en su territorio a los que se les reconozca un interés histórico, artístico, arquitectónico, arqueológico, paleontológico, paisajístico, etnográfico o industrial.

2. –

Número 2 del artículo 2 declarado inconstitucional y nulo por Sentencia TC 122/2014, Sala Pleno, de 17 julio 2014.

3. Serán Bienes de Interés Patrimonial los bienes que, formando parte del patrimonio histórico de la Comunidad de Madrid, sin tener valor excepcional, posean una especial significación histórica o artística y en tal sentido sean declarados.

4. El patrimonio documental y bibliográfico de la Comunidad de Madrid forma parte del patrimonio histórico de la misma y se regula respectivamente, por su propia normativa. No obstante, los bienes que lo integran y que fueran susceptibles de una protección específica se regularán, a estos efectos, por lo dispuesto en la presente ley.

Artículo 3. Los Bienes de Interés Cultural y sus categorías y los Bienes de Interés Patrimoni2al

1. Los bienes inmuebles declarados de Interés Cultural deberán ser integrados en alguna de las siguientes categorías:

a) Monumento: la construcción u obra producto de la actividad humana de relevante interés histórico, arquitectónico, arqueológico o artístico.

b) Conjunto Histórico: la agrupación de bienes inmuebles que configuran una unidad coherente con valor histórico y cultural, aunque individualmente no tengan una especial relevancia.

c) Paisaje Cultural: los lugares que, como resultado de la acción del hombre sobre la naturaleza, ilustran la evolución histórica de los asentamientos humanos y de la ocupación y uso del territorio.

d) Jardín Histórico: el espacio delimitado, producto de la ordenación humana de elementos naturales, estimado de interés histórico, estético o botánico.

e) Sitio o Territorio Histórico: el lugar vinculado a acontecimientos del pasado que tengan una especial relevancia histórica.

f) Bien de Interés Etnográfico o Industrial: construcciones o instalaciones representativas de actividades tradicionales o vinculadas a modos de extracción, producción, comercialización o transporte que merezcan ser preservados por su valor industrial, técnico o científico.

g) Zona de interés Arqueológico y/o Paleontológico: el lugar o paraje en donde existan bienes o restos de la intervención humana o restos fosilizados, susceptibles de ser estudiados con metodología arqueológica y/o paleontológica, tanto si se encuentran en la superficie como si se encuentran en el subsuelo, bajo las aguas o en construcciones emergentes.

2. Los bienes inmuebles de Interés Patrimonial no tendrán categorías.

3. Los bienes muebles podrán ser declarados de Interés Cultural o de Interés Patrimonial individualmente, como conjunto o como colección. Se entiende por conjunto de bienes el grupo de obras ligadas por afinidades artísticas, temáticas, funcionales o de contexto que hayan sido producidas para el mismo emplazamiento a partir de un solo impulso creador o mediante la colaboración de varios artistas.

4. El patrimonio cultural inmaterial podrá ser declarado Bien de Interés Cultural o de Interés Patrimonial, en la categoría de Hecho Cultural.

Artículo 4. Entorno de protección y Catálogo Geográfico de Bienes Inmuebles del Patrimonio Histórico

1. Se entiende por entorno de un bien inmueble el ámbito que lo rodea que permite su adecuada percepción y comprensión cultural. Dicho entorno será delimitado en la correspondiente declaración de Bien de Interés Cultural o de Interés Patrimonial.

2. Se crea el Catálogo Geográfico de Bienes Inmuebles del Patrimonio Histórico de la Comunidad de Madrid como instrumento para la salvaguarda, consulta y divulgación de los bienes en él inscritos. Este catálogo estará formado por el conjunto de bienes inmuebles declarados o sobre los que se haya incoado expediente de declaración de Bien de Interés Cultural o de Interés Patrimonial, así como por los yacimientos arqueológicos y paleontológicos cuya existencia esté debidamente documentada por la Dirección General competente en materia de patrimonio histórico. Dicho catálogo será gestionado por la Consejería competente en materia de patrimonio histórico, que deberá tenerlo actualizado.

Artículo 5. Administraciones competentes y colaboración entre Administraciones Públicas

1. Corresponde a la Comunidad de Madrid la competencia exclusiva sobre el patrimonio histórico ubicado en su territorio, sin perjuicio de las competencias que el ordenamiento jurídico atribuye al Estado y a las Entidades Locales.

2. Las Administraciones Públicas cooperarán entre sí en el ejercicio de sus funciones y competencias para la defensa, conservación, fomento y difusión del patrimonio histórico mediante relaciones recíprocas de plena comunicación, cooperación y asistencia mutua. Las Entidades Locales tendrán la obligación de comunicar a la Consejería competente en esta materia todo hecho que pueda poner en peligro la integridad de los bienes pertenecientes al patrimonio histórico. Todo ello sin perjuicio de las funciones que expresamente les atribuya esta ley.

3. Se podrán constituir Comisiones de Patrimonio Histórico en aquellos Municipios o conjuntos de Municipios que tengan bienes inmuebles declarados o sobre los que se haya incoado expediente de declaración de Bien de Interés Cultural en la categoría de Conjunto Histórico. Su composición, organización y funcionamiento serán objeto de desarrollo reglamentario.

4. El Consejo Regional de Patrimonio Histórico es el principal órgano consultivo en materia de patrimonio histórico. En dicho Consejo podrán tener cabida las Administraciones e instituciones públicas y las asociaciones constituidas para la defensa del patrimonio histórico. Asimismo, la Comunidad de Madrid podrá consultar, entre otras instituciones, a la Real Academia de la Historia, a la Real Academia de Bellas Artes de San Fernando, a las Universidades Públicas de Madrid, al Consejo Superior de Investigaciones Científicas y a los Colegios profesionales madrileños relacionados con esta materia.

Artículo 6. Colaboración con los titulares de bienes del patrimonio histórico

1. Los titulares de bienes del patrimonio histórico podrán solicitar a la Comunidad de Madrid el asesoramiento para la protección y conservación de dicho patrimonio.

2. La Comunidad de Madrid podrá establecer medios de colaboración con la Iglesia Católica, como titular de una parte importante de los bienes que integran el patrimonio histórico, para su conservación, restauración y difusión. Asimismo, podrá establecer la adecuada colaboración, para los mismos fines, con las demás confesiones religiosas reconocidas por la ley y con aquellas entidades sin ánimo de lucro que tengan entre sus objetivos estos mismos propósitos.

TÍTULO I. Procedimientos y Registros

CAPÍTULO I. Procedimiento para la declaración de un bien como Bien de Interés Cultural

Artículo 7. Incoación e instrucción del procedimiento

1. El expediente se incoará siempre de oficio por resolución del Director General competente en materia de patrimonio histórico, bien a iniciativa propia o bien de terceros. El acto de incoación deberá contener una descripción que identifique suficientemente el bien a declarar y las características que lo dotan de un valor excepcional; en el caso de inmuebles deberá contener, además, la delimitación cartográfica del bien y su entorno. Dicho acto de incoación se notificará a los interesados y al Ayuntamiento en cuyo término municipal esté ubicado el bien, salvo que se trate de bienes muebles que no sean de su titularidad, y se publicará en el BOLETÍN OFICIAL DE LA COMUNIDAD DE MADRID.

2. La incoación del expediente determinará, respecto del bien afectado, la aplicación inmediata y cautelar del régimen de protección que prevé la presente ley para este tipo de bienes. Asimismo, en el caso de los bienes inmuebles, la incoación del expediente producirá como medida cautelar la suspensión de aquellas actuaciones que afecten al bien. No obstante, la Consejería competente en materia de patrimonio histórico, hasta la resolución

definitiva del procedimiento, podrá autorizar la realización de obras de conservación y las que no perjudiquen la integridad y valores del bien.

3. El expediente se someterá a un período de información pública por plazo de un mes a contar desde la publicación de la incoación en el BOLETÍN OFICIAL DE LA COMUNIDAD DE MADRID, durante el cual se dará audiencia al Ayuntamiento, a los interesados y, asimismo, al Consejo Regional de Patrimonio Histórico, y se solicitará informe, al menos, a una de las instituciones establecidas en el artículo 5.4, dependiendo de la naturaleza del bien objeto del expediente de declaración. Si el informe solicitado no hubiera sido emitido en el mes siguiente a su petición, se entenderá en sentido favorable a la declaración.

4. El expediente contendrá la siguiente documentación:

a) La descripción precisa del objeto de la declaración que facilite su correcta identificación y justificación de las características que lo dotan de un valor excepcional. En caso de que la protección se limite a solo una parte de un bien deberá estar suficientemente descrita y claramente diferenciada del todo.

b) En caso de inmuebles, además, habrán de definirse la delimitación cartográfica del bien objeto de protección y de su entorno, la categoría en la que queda clasificado, el régimen urbanístico de protección adecuado y, en su caso, las partes integrantes y bienes muebles que por su significación hayan de ser objeto de incorporación a la declaración.

c) El estado de conservación del bien objeto de protección y los criterios básicos por los que deberán regirse las intervenciones que en el mismo se realicen.

d) En los bienes inmateriales, el expediente deberá contener la definición de sus valores significativos, delimitación del área territorial en la que se manifiestan y una descripción de los bienes con los que se relacionan.

Artículo 8. Resolución

1. Corresponde al Consejo de Gobierno de la Comunidad de Madrid mediante Decreto, la declaración de Bien de Interés Cultural, a propuesta de la Consejería competente en materia de patrimonio histórico.

2. El acuerdo de declaración contendrá lo previsto en el artículo 7.4 de la presente ley y se adoptará en el plazo máximo de nueve meses contados a partir de la fecha de publicación de la resolución de incoación del expediente en el BOLETÍN OFICIAL DE LA COMUNIDAD DE MADRID. Si se produjera la caducidad del expediente por el transcurso del plazo, no podrá volver a iniciarse hasta que transcurra un año, salvo solicitud del titular del bien o previa autorización del Consejo Regional de Patrimonio Histórico. Las condiciones de protección que figuren en la declaración de Bien de Interés Cultural serán de obligada observancia para los Ayuntamientos en el ejercicio de sus competencias urbanísticas.

3. Cuando de la instrucción del expediente se constate que el bien no reúne los requisitos exigidos en el artículo 2.2, pero sí los establecidos en el 2.3, previa apertura de un nuevo período de información pública, la resolución podrá declarar su inclusión en dicha categoría.

4. El acuerdo de declaración de un Bien de Interés Cultural se notificará a los interesados y a los Ayuntamientos en cuyo término municipal se encuentre el bien, salvo que se trate de bienes muebles que no sean de su titularidad. Dicho acuerdo se publicará en el BOLETÍN OFICIAL DE LA COMUNIDAD DE MADRID y se inscribirá en el Registro de Bienes de Interés Cultural de la Comunidad de Madrid, comunicándolo al Ministerio competente en materia de patrimonio histórico para su conocimiento y efectos oportunos. Este acuerdo prevalecerá sobre la normativa urbanística que afecte al inmueble, debiendo ajustarse ésta a la citada declaración mediante las modificaciones oportunas.

5. –

Número 5 del artículo 8 declarado inconstitucional y nulo por Sentencia TC 122/2014, Sala Pleno, de 17 julio 2014.

Artículo 9. Registro de Bienes de Interés Cultural de la Comunidad de Madrid

1. El Registro de Bienes de Interés Cultural de la Comunidad de Madrid depende y es gestionado por la Consejería competente en materia de patrimonio histórico.

2. En el Registro se inscribirán los acuerdos de declaración y cuantos actos afecten al contenido de la misma, así como los que puedan incidir en su identificación, localización y valoración. A estos efectos, dichos actos o alteraciones deberán ser comunicados por sus propietarios en los términos regulados en el reglamento correspondiente. También se anotará preventivamente la incoación de expedientes de declaración comunicándolo al Ministerio competente en materia de patrimonio histórico para su conocimiento y efectos oportunos.

3. La organización y el funcionamiento del Registro de Bienes de Interés Cultural de la Comunidad de Madrid se rigen por lo establecido en el correspondiente reglamento. El acceso al Registro será público en los términos reglamentariamente establecidos, si bien será precisa la autorización expresa del titular del bien para la consulta pública de los datos relativos a:

a) La titularidad, cargas y valor económico de los bienes.

b) Su localización, en caso de bienes muebles.

CAPÍTULO II. Procedimiento para la declaración de un bien como Bien de Interés Patrimonial

Artículo 10. Incoación y tramitación del procedimiento de Bien de Interés Patrimonial. Resolución

1. El expediente se incoará y tramitará de acuerdo con lo establecido en los apartados 1, 2 y 3 del artículo 7.

2. La resolución por la que se declara un bien como Bien de Interés Patrimonial contendrá en todo caso:

a) La descripción del bien y de su estado de conservación.

b) En el caso de inmuebles se incluirán la delimitación cartográfica del bien y de su entorno y en su caso, los bienes muebles que por su significación hayan de incorporarse a la declaración.

3. El expediente finalizará mediante Decreto del Consejo de Gobierno que deberá ser aprobado en un plazo máximo de seis meses contados a partir de la fecha de publicación de la incoación en el BOLETÍN OFICIAL DE LA COMUNIDAD DE MADRID. Si se produjera la caducidad del expediente por el transcurso del plazo, no podrá volver a iniciarse hasta que transcurra un año, salvo autorización del Consejo Regional de Patrimonio Histórico. Las condiciones de protección que figuren en la declaración de Bien de Interés Patrimonial serán de obligada observancia para los Ayuntamientos en el ejercicio de sus competencias urbanísticas.

4. El acuerdo de declaración de un Bien de Interés Patrimonial se notificará a los interesados y también a los Ayuntamientos en cuyo término municipal se encuentre el bien, salvo que se trate de bienes muebles que no sean de su titularidad. Dicho acuerdo se publicará en el BOLETÍN OFICIAL DE LA COMUNIDAD DE MADRID y se inscribirá en el Registro de Bienes de Interés Patrimonial de la Comunidad de Madrid comunicándose al Ministerio competente en materia de patrimonio histórico para conocimiento y efectos oportunos. Este acuerdo prevalecerá sobre la normativa urbanística que afecte al inmueble, debiendo ajustarse ésta a la citada declaración mediante las modificaciones oportunas.

5. La declaración de Bien de Interés Patrimonial únicamente podrá dejarse sin efecto, en todo o en parte, siguiendo los mismos trámites establecidos para tal declaración y solo si se justifica la pérdida irreparable o la inexistencia de la especial significación histórica o artística en virtud de la cual fue protegido.

Artículo 11. Registro de los Bienes de Interés Patrimonial de la Comunidad de Madrid

1. El Registro de los Bienes de Interés Patrimonial de la Comunidad de Madrid depende y es gestionado por la Consejería competente en materia de patrimonio histórico. En él se inscribirán los acuerdos de inclusión y cuantos actos afecten al contenido de los mismos, así como los que puedan incidir en su identificación, localización y valoración. A estos efectos, dichos actos o alteraciones deberán ser comunicados por sus propietarios en los términos regulados en el reglamento correspondiente. También se anotará preventivamente la incoación de expedientes de declaración, poniéndolo en conocimiento del Ministerio competente en materia de patrimonio histórico a los efectos oportunos.

2. La organización y funcionamiento del precitado Registro se rige por lo establecido en el correspondiente reglamento. El acceso al Registro de los Bienes de Interés Patrimonial será público en los términos reglamentariamente establecidos, con las limitaciones previstas por el artículo 9.3 de esta ley.

TÍTULO II. Régimen general del patrimonio histórico de la Comunidad de Madrid

Artículo 12. Deber de conservar y permiso de acceso

1. Los propietarios o poseedores de bienes del patrimonio histórico de la Comunidad de Madrid tienen el deber genérico de conservarlos y custodiarlos.

2. La Administración competente podrá recabar de los titulares de derechos sobre bienes integrantes del patrimonio histórico de la Comunidad de Madrid el examen de los mismos a los efectos de comprobar su estado de conservación o para su protección específica, si procediese.

Artículo 13. Comercio de bienes muebles del patrimonio histórico de la Comunidad de Madrid

1. Las personas físicas o jurídicas que se dediquen habitualmente al comercio de bienes muebles integrantes del patrimonio histórico de la Comunidad de Madrid deberán inscribirse en el registro que para tal fin dispondrá la Consejería competente en materia de Patrimonio Histórico. Asimismo, llevarán un libro de registro establecido por esta Consejería, en el cual se hará constar todas las transacciones que efectúen de bienes muebles, así como la justificación de la procedencia de los mismos.

2. La Consejería competente en materia de patrimonio histórico ejercerá las funciones inspectoras que estime oportunas. El libro de registro servirá de base para las obligadas comunicaciones a la Administración del Estado de las transacciones realizadas.

Artículo 14. Derechos de tanteo y retracto de bienes muebles

1. Los subastadores habrán de notificar, con un plazo de antelación de quince días, las subastas públicas en las que pretenda enajenarse cualquier bien mueble integrante del patrimonio histórico de la Comunidad de Madrid.

2. La Comunidad de Madrid, a través de la Consejería competente en materia de patrimonio histórico, podrá ejercer el derecho de tanteo para sí o en beneficio de otras instituciones públicas, en el precio convenido o de remate de la subasta en el plazo de dos meses. Las entidades públicas deberán acreditar a tal efecto la existencia y disponibilidad de crédito presupuestario.

3. Si los subastadores no hubieran notificado debidamente las subastas públicas, la Comunidad de Madrid, a través de la Consejería competente en materia de patrimonio histórico, podrá ejercer el derecho de retracto en los mismos términos establecidos para el de tanteo, en el plazo de dos meses desde el momento en que se tenga conocimiento fehaciente de la citada transmisión.

4. Transcurridos los plazos sin que la Comunidad de Madrid hubiese ejercido los derechos de tanteo o retracto, estos quedarán sin efecto.

Artículo 15. Iniciativas sometidas a procedimientos ambientales. Impacto territorial

1. Los promotores públicos o privados, que acrediten su condición de interesados en iniciativas sometidas a procedimientos ambientales podrán elevar consulta previa a la Consejería competente en materia de patrimonio histórico a los efectos de determinar los bienes de dicho patrimonio que pudieran verse afectados. Ésta proporcionará la información al respecto contenida en el Catálogo Geográfico de Bienes Inmuebles del Patrimonio Histórico previsto en el artículo 4.2, en el plazo máximo de treinta días hábiles.

2. Cuando en cumplimiento de la normativa medioambiental deba emitirse informe por la afección al patrimonio histórico, la Consejería competente en materia de patrimonio histórico deberá emitirlo en el plazo máximo de treinta días hábiles desde su petición de acuerdo con el contenido del Catálogo Geográfico de Bienes Inmuebles del Patrimonio Histórico. Transcurrido este plazo sin que el informe requerido hubiese sido emitido, se entenderá que es favorable y se podrá continuar con el procedimiento.

3. Cuando en cumplimiento de la normativa urbanística o de estrategia territorial deba emitirse informe por la afección al patrimonio histórico dentro de los procesos de valoración de impacto territorial, la Consejería competente en materia de patrimonio histórico deberá emitirlo en el plazo de treinta días hábiles desde su petición y de acuerdo con el contenido del Catálogo Geográfico de Bienes Inmuebles del Patrimonio Histórico. Transcurrido este plazo sin que el informe requerido hubiese sido emitido, se entenderá que es favorable y se podrá continuar con el procedimiento.

Artículo 16. Protección urbanística de los bienes integrantes del patrimonio histórico

1. Los Ayuntamientos están obligados a recoger en sus catálogos de bienes y espacios protegidos tanto los bienes incluidos en el Catálogo Geográfico de Bienes Inmuebles del Patrimonio Histórico de la Comunidad de Madrid, como los bienes que, reuniendo los requisitos del artículo 2.1, puedan tener relevancia para el Municipio. Estos últimos bienes se sujetarán al régimen de protección que establezca el planeamiento urbanístico, que deberá incorporar las medidas necesarias para su adecuada conservación.

2. Los instrumentos de planeamiento con capacidad para clasificar suelo o catalogar bienes y espacios protegidos deberán contener la identificación diferenciada de los bienes integrantes del patrimonio histórico y los criterios para su protección. A estos efectos, los Ayuntamientos podrán elevar consulta previa a la Consejería competente en materia de patrimonio histórico para la debida identificación de los bienes inmuebles integrantes del patrimonio histórico, que deberá ser resuelta en el plazo de treinta días.

3. La Consejería competente en materia de patrimonio histórico emitirá informe preceptivo y vinculante antes de la aprobación provisional o, en su defecto, definitiva de los instrumentos de planeamiento y sus modificaciones cuando éstos afecten a los bienes recogidos en el Catálogo Geográfico de Bienes Inmuebles del Patrimonio Histórico. Transcurrido un mes sin que el informe requerido hubiese sido emitido, se entenderá que es favorable y se podrá continuar con el procedimiento.

TÍTULO III. Régimen específico de los Bienes de Interés Patrimonial

Artículo 17. Régimen de los bienes muebles declarados de Interés Patrimonial

1. Toda intervención sobre bienes muebles declarados de Interés Patrimonial deberá respetar sus valores históricos, artísticos y culturales y, en todo caso, requerirá autorización previa de la Consejería competente en materia de patrimonio histórico. Dicha autorización se entenderá concedida si, trascurridos dos meses desde la recepción de la solicitud por el órgano competente, éste no hubiera dictado resolución.

2. Los propietarios de bienes muebles declarados de Interés Patrimonial deberán comunicar a la Consejería competente en materia de patrimonio histórico el traslado de dichos bienes fuera del territorio de la Comunidad de Madrid para su anotación en el Registro regulado en el artículo 11. Asimismo, deberán comunicar que el bien o los bienes retornan a la Comunidad de Madrid.

3. La separación de las partes de un conjunto de bienes muebles declarados de Interés Patrimonial necesitará autorización expresa de la Consejería competente en materia de patrimonio histórico.

Artículo 18. Régimen de los bienes inmuebles declarados de Interés Patrimonial

1. Las obras e intervenciones en los bienes inmuebles de Interés Patrimonial deben respetar sus valores históricos y culturales y, en todo caso, se adaptarán a lo establecido en su declaración.

Debe obtenerse autorización previa por parte de la Consejería competente en materia de patrimonio histórico en los siguientes supuestos:

a) Las obras mayores que, a los efectos de esta ley, son aquellas para las que se requiere la elaboración y aprobación de proyecto de acuerdo con la legislación vigente de ordenación de la edificación. No obstante, no será necesaria la autorización en las obras que tengan como finalidad el mantenimiento del bien en condiciones de salubridad, habitabilidad y ornato, siempre que no se alteren las características morfológicas, ni afecten al aspecto exterior del bien inmueble protegido.

b) Las obras menores que, a los efectos de esta ley, son aquellas actuaciones que no requieran proyecto pero que afecten a elementos expresamente protegidos por la declaración como Bienes de Interés Patrimonial.

c) Las obras que alteren la envolvente o modifiquen la configuración exterior de los inmuebles que se encuentren dentro de los entornos de protección.

2. El plazo máximo para resolver será de dos meses, transcurridos los cuales sin haber sido notificada la resolución, los interesados podrán entender estimada su solicitud por silencio administrativo.

3. A los bienes declarados de Interés Patrimonial les será de aplicación el régimen de ruina previsto en el artículo 25 de la presente ley.

4. Los investigadores tienen derecho de acceso a los bienes inmuebles declarados de Interés Patrimonial en las condiciones establecidas por la Consejería competente en materia de patrimonio histórico.

5. Los bienes muebles incluidos en la resolución de declaración de un bien inmueble como de Interés Patrimonial son inseparables de éste salvo autorización otorgada por la Consejería competente en materia de patrimonio histórico.

TÍTULO IV. Régimen específico de protección de los Bienes de Interés Cultural

CAPÍTULO I. Normas comunes

Artículo 19. Autorización de intervenciones

1. La Consejería competente en materia de patrimonio histórico debe autorizar las intervenciones en los bienes muebles e inmuebles de Interés Cultural y en los entornos de protección delimitados de estos últimos. El plazo máximo para resolver será de dos meses, transcurridos los cuales sin haber sido notificada la resolución los interesados podrán entender desestimada la solicitud por silencio administrativo.

2. –

Número 2 del artículo 19 declarado inconstitucional y nulo por Sentencia TC 122/2014, Sala Pleno, de 17 julio 2014.

Artículo 20. Uso y criterios de intervención

1. La utilización de los bienes declarados de Interés Cultural quedará subordinada a que no se pongan en peligro los valores que justifican su protección legal. Cuando se incumpla dicha obligación la Administración podrá ordenar el cese del uso. A tal efecto los propietarios deberán comunicar a la Consejería competente el cambio de uso.

2. Se establecen los siguientes criterios de intervención en los Bienes de Interés Cultural:

a) Toda intervención estará basada en los siguientes principios:

1.º Mínima intervención: se actuará lo imprescindible para la conservación, restauración o puesta en uso del bien, evitando tratamientos o actuaciones innecesarias que pongan en peligro su integridad. La reintegración o reconstrucción sólo se efectuará cuando resulte necesaria y se disponga de información suficiente para evitar falsedades históricas.

2.º Diferenciación: Los elementos destinados a reemplazar las partes que falten deberán integrarse armoniosamente en el conjunto, pero distinguiéndose a su vez de las partes originales, con el objeto de evitar la falsificación tanto histórica como artística.

b) La redacción de proyectos, direcciones técnicas y realización de las intervenciones deberán encomendarse a profesionales cualificados de acuerdo con la legislación vigente. Cuando la intervención lo requiera participarán en la misma equipos multidisciplinares.

c) Toda intervención quedará documentada en un informe o memoria final en la que figure la descripción pormenorizada de lo ejecutado y los tratamientos aplicados, así como la documentación gráfica del proceso seguido, a los efectos de su difusión ulterior.

Artículo 21. Expropiación. Derechos de tanteo y retracto

1. El incumplimiento grave de las obligaciones de conservación de los Bienes de Interés Cultural será causa de interés social para su expropiación forzosa en los términos establecidos por la legislación específica.

2. La Comunidad de Madrid, a través de la Consejería competente en materia de patrimonio histórico, podrá ejercer el derecho de tanteo sobre las transmisiones onerosas de la propiedad o cualquier derecho real de disfrute sobre Bienes de Interés Cultural, muebles o inmuebles, declarados en las categorías a), d) o f) del artículo 3.1. En el caso de los inmuebles, el Ayuntamiento en cuyo término municipal se halle radicado el bien podrá ejercer, subsidiariamente, el mismo derecho.

3. Los propietarios o titulares de derechos reales sobre los bienes mencionados en el apartado anterior deberán comunicar a la Consejería competente en materia de patrimonio histórico y al Ayuntamiento correspondiente la intención de transmisión, sus condiciones y precio. En el plazo de dos meses a contar desde la entrada por registro de la citada comunicación, la Comunidad de Madrid y, en el caso de los inmuebles, subsidiariamente el Ayuntamiento correspondiente, podrán ejercitar el derecho de tanteo para sí o para otras instituciones públicas o entidades privadas sin ánimo de lucro, en el precio convenido.

4. Si el propósito de transmisión no se comunicara en las condiciones señaladas en el apartado 3, la Comunidad de Madrid, a través de la Consejería competente en materia de patrimonio histórico y, en el caso de bienes inmuebles, subsidiariamente el Ayuntamiento correspondiente, podrán ejercer el derecho de retracto en los mismos términos establecidos para el de tanteo, en el plazo de tres meses a contar desde el momento en que se tenga conocimiento fehaciente de la transmisión.

5. Los Notarios y Registradores de la Propiedad exigirán, para autorizar e inscribir respectivamente, las escrituras de transmisiones de bienes y derechos sobre Bienes de Interés Cultural en las que se acredite fehacientemente el cumplimiento de lo establecido en este artículo.

CAPÍTULO II. De los bienes muebles declarados de Interés Cultural

Artículo 22. Conservación y depósito. Limitaciones al desplazamiento

1. Los bienes muebles de Interés Cultural cuya titularidad pertenezca a la Comunidad de Madrid o a los Municipios madrileños serán imprescriptibles, inalienables e inembargables, quedando, por tanto, sujetos al régimen de uso y aprovechamiento propio de los bienes demaniales.

2. La separación de las partes de un conjunto de bienes muebles declarado de Interés Cultural será excepcional y necesitará autorización expresa de la Consejería competente en materia de patrimonio histórico.

3. El traslado definitivo o temporal de estos bienes fuera del territorio de la Comunidad de Madrid deberá ser previamente comunicado a la Consejería competente en materia de patrimonio histórico, indicando las condiciones del mismo. La Consejería podrá establecer las medidas necesarias a cargo del titular para que los bienes no corran riesgos durante su traslado. En caso de que el bien o los bienes retornasen al territorio de la Comunidad de Madrid ello deberá ser también comunicado.

4. En aquellos casos en que la conservación de un bien mueble de Interés Cultural sea deficiente, la Consejería competente en materia de patrimonio histórico podrá acordar su depósito provisional en un lugar que cumpla las condiciones adecuadas de seguridad y conservación.

CAPÍTULO III. De los bienes inmuebles declarados de Interés Cultural

Artículo 23. Desplazamiento y segregaciones

1. –

2. –

Números 1 y 2 del artículo 23 declarados inconstitucionales y nulos por Sentencia TC 122/2014, Sala Pleno, de 17 julio 2014.

Artículo 24. Normas específicas de intervención en bienes inmuebles y sus entornos de protección

1. La Consejería competente en materia de patrimonio histórico podrá requerir la realización previa de un plan de actuación cuando lo aconseje la naturaleza del Bien de Interés Cultural o la complejidad de la actuación a realizar sobre el mismo. En dicho plan se podrán establecer distintas fases de actuación.

2. Las obras de conservación, restauración o rehabilitación en Monumentos y Jardines Históricos se realizarán de acuerdo con los siguientes criterios:

a) Se respetarán los valores históricos y las características esenciales del bien, pudiendo autorizarse el uso de elementos, técnicas y materiales actuales para la mejor adaptación del bien al uso. Se conservarán alineaciones, rasantes y las características volumétricas definidoras del inmueble.

b) Se admitirá la reconstrucción total o parcial, exclusivamente en los casos en los que la existencia de suficientes elementos originales así lo permita. Se prohíben las adiciones que falseen la autenticidad histórica del bien.

c) Las intervenciones en bienes inmuebles que contengan bienes muebles declarados de Interés Cultural o de Interés Patrimonial deberán garantizar en todo caso su adecuada conservación, que se especificará en los correspondientes documentos técnicos de intervención.

3. Las intervenciones en los Bienes de Interés Cultural a que se refieren las letras b), c), e) o g) del artículo 3.1, hasta que se apruebe el planeamiento de protección a que se refiere el artículo 26.2, se regirán por la normativa urbanística ajustándose a los siguientes criterios:

a) Se procurará el mantenimiento general de la estructura urbana y arquitectónica o el paisaje en el que se integran. Se cuidarán especialmente morfología y cromatismo.

b) Se procurará la conservación de las rasantes existentes.

c) En los Conjuntos Históricos declarados, además, deben respetarse las alineaciones. Las alteraciones parcelarias serán excepcionales y las sustituciones de inmuebles sólo podrán realizarse en la medida que contribuyan a la conservación general del carácter del Conjunto.

4. Las intervenciones en los entornos delimitados de los Bienes de Interés Cultural en las categorías de Monumento, Jardín Histórico y Bien de Interés Etnográfico o Industrial se regirán por la normativa urbanística, cuidando la morfología y el cromatismo para garantizar la adecuada percepción del bien protegido. Las intervenciones en los entornos delimitados de los Bienes de Interés Cultural a que se refieren las letras b), c), e) o g) del artículo 3.1 procurarán una adecuada transición hacia el bien objeto de protección y, en su caso, deberán respetar sus valores paisajísticos.

5. –

Número 5 del artículo 24 declarado inconstitucional y nulo por Sentencia TC 122/2014, Sala Pleno, de 17 julio 2014.

Artículo 25. Declaración de ruina. Demoliciones

1. Todo expediente de declaración de ruina que afecte a un Bien de Interés Cultural declarado en la categoría de Monumento se someterá a informe preceptivo de la Dirección General competente en materia de patrimonio histórico, que se pronunciará, con carácter vinculante, sobre las medidas a adoptar y, en su caso, sobre las obras necesarias para mantener y recuperar la estabilidad y la seguridad del inmueble. En caso de que la declaración de ruina adquiriese firmeza solo podrá procederse a la demolición previa autorización de la Consejería competente en materia de patrimonio histórico, una vez emitido informe por el Consejo Regional de Patrimonio Histórico.

2. Cuando se trate de inmuebles que, sin estar individualmente declarados Bien de Interés Cultural o de Interés Patrimonial, formen parte de un Conjunto Histórico, su demolición total o parcial sólo podrá autorizarse por la Dirección General competente en materia de patrimonio histórico, una vez sea firme la declaración de la ruina física por parte del Ayuntamiento, sin perjuicio de lo dispuesto en el artículo 26.

3. La situación de ruina producida por incumplimiento de los deberes de conservación establecidos en esta ley, además de la sanción que como infracción muy grave establece el artículo 42, conllevará la obligación de restauración del bien, a cargo del propietario o titular de otros derechos reales sobre el mismo.

4. El Ayuntamiento que incoase expediente de ruina física inminente por peligro para la seguridad pública habrá de adoptar las medidas oportunas para evitar daños, garantizando el mantenimiento de las características y elementos singulares del edificio. Dichas medidas no podrán incluir más demoliciones que las estrictamente necesarias. Esta circunstancia habrá de comunicarse en el plazo máximo de diez días a la Dirección General competente en materia de patrimonio histórico, sin perjuicio de lo establecido en los apartados anteriores.

Artículo 26. Planes especiales de protección

1. Los Municipios en que se encuentren Bienes de Interés Cultural declarados en las categorías a que se refieren las letras b), c), e) o g) del artículo 3.1 podrán redactar un plan

especial de protección del área afectada por la declaración o incluir en su planeamiento general determinaciones de protección suficientes a los efectos de esta ley. La aprobación de estos instrumentos urbanísticos requerirá el informe favorable de la Consejería competente en materia de patrimonio histórico.

2. Desde la aprobación definitiva de los instrumentos urbanísticos señalados en el apartado anterior, los Ayuntamientos serán competentes para autorizar las obras precisas para su desarrollo, siempre que no afecten a Monumentos, Jardines Históricos, Bienes de Interés Etnográfico e Industrial y Bienes de Interés Patrimonial así como sus respectivos entornos, debiendo dar cuenta de las licencias concedidas a la Consejería competente en materia de patrimonio histórico en un plazo máximo de diez días hábiles. En caso de que sea necesario realizar actuaciones arqueológicas la competencia para autorizarlas corresponderá en todo caso a dicha Consejería.

3. Los instrumentos de planeamiento a que se refiere el apartado anterior contendrán:

a) Un catálogo de todos los elementos que conformen el área afectada, elaborado según lo dispuesto en la normativa urbanística.

b) Normas para la conservación de los bienes del patrimonio histórico.

c) Justificación de las modificaciones de alineaciones, edificabilidad, parcelaciones o agregaciones que, excepcionalmente, el plan proponga.

d) En su caso, determinaciones para una protección más adecuada del patrimonio arqueológico y paleontológico ubicado en el ámbito del plan.

Artículo 27. Régimen de visitas

—

Artículo 27 declarado inconstitucional y nulo por Sentencia TC 122/2014, Sala Pleno, de 17 julio 2014.

TÍTULO V. Regímenes especiales de protección

CAPÍTULO I. Del patrimonio arqueológico y paleontológico

Artículo 28. Yacimientos y obras

1. Un yacimiento arqueológico es el emplazamiento o unidad geomorfológica que contiene evidencias físicas de una actividad humana pasada, para cuyo estudio e interpretación son esenciales las técnicas de investigación arqueológica. Se incluyen los sitios urbanos o rústicos en los que permanecen estructuras, niveles, y depósitos de períodos y actividades anteriores.

2. Un yacimiento paleontológico es el lugar o unidad geomorfológica donde existen restos fosilizados que constituyen una unidad coherente y con entidad propia susceptible de ser estudiados con metodología paleontológica.

3. Las obras o remociones de terreno que afecten a zonas en que se encuentren yacimientos arqueológicos y paleontológicos recogidos en el Catálogo Geográfico de Bienes Inmuebles del Patrimonio Histórico deberán ser autorizadas por la Consejería competente en materia de patrimonio histórico. Dicha autorización se entiende sin menoscabo de la protección que del patrimonio arqueológico o paleontológico se articula a través del régimen general establecido en esta ley.

Artículo 29. Intervenciones arqueológicas y paleontológicas

Se consideran intervenciones arqueológicas y paleontológicas las excavaciones, las prospecciones, los estudios de arte rupestre, el análisis estratigráfico de estructuras y los trabajos de protección y conservación de yacimientos. Según la razón que las motiva se pueden clasificar en:

a) Intervenciones programadas, encuadradas en un proyecto de investigación científica.

b) Intervenciones preceptivas, necesarias para la evaluación y ejecución de planes y proyectos o para la realización de obras de urbanización, edificación, infraestructuras, rehabilitación, consolidación y restauración en los terrenos en los que existan yacimientos recogidos en el Catálogo Geográfico de Bienes Inmuebles del Patrimonio Histórico.

c) Intervenciones de urgencia, efectuadas excepcionalmente como consecuencia de la aparición de hallazgos.

Artículo 30. Autorización de intervenciones. Revocación

1. Será necesaria la autorización previa de la Consejería competente en materia de patrimonio histórico para la realización de las intervenciones arqueológicas y paleontológicas que se establecen en el artículo 29. Con carácter previo, se podrá solicitar hoja informativa a la Dirección General competente en materia de patrimonio histórico sobre los criterios técnicos, científicos y administrativos a los que se han de sujetar las intervenciones arqueológicas y paleontológicas.

2. Para el otorgamiento de la autorización de intervenciones será precisa la presentación de una solicitud de autorización firmada por el promotor y por la dirección de la intervención arqueológica o paleontológica. Dicha solicitud deberá ir acompañada de un proyecto arqueológico o paleontológico que, al menos, contendrá el plazo de duración, la delimitación de la zona de los trabajos, medidas para la conservación de los materiales arqueológicos o paleontológicos y los recursos materiales y humanos que se van a utilizar; asimismo se acreditará la necesidad y el rigor científico de la intervención.

3. La autorización establecerá las prescripciones técnicas necesarias para el mejor desarrollo de la intervención, el plazo de vigencia, la delimitación de la zona de trabajo, las condiciones de ingreso de los materiales arqueológicos o paleontológicos en los museos o centros que se determinen y la obligación de redactar un informe final de los trabajos realizados, así como el plazo de entrega del mismo. El plazo máximo para resolver será de tres meses, transcurridos los cuales sin haber sido notificada la resolución se entenderá estimada la solicitud, salvo que afecte a Bienes de Interés Cultural, en cuyo caso se entenderá desestimada.

4. Los solicitantes de la autorización serán responsables solidariamente de los daños o perjuicios que pudieran resultar de la ejecución de dichas actuaciones, de la conservación de los bienes, y de la entrega de los materiales donde la Consejería competente en materia de patrimonio histórico determine.

5. Cuando se realicen intervenciones que contravengan los términos y las obligaciones contenidos en la correspondiente autorización ésta será revocada. La revocación establecerá las medidas necesarias para la conservación del yacimiento o los vestigios y supondrá para los solicitantes la obligación de entregar los materiales y la documentación generada.

Artículo 31. Hallazgos

1. Son hallazgos los descubrimientos de bienes que, poseyendo los valores que son propios del patrimonio histórico de la Comunidad de Madrid, se produzcan en el curso de las intervenciones arqueológicas y paleontológicas. Se consideran hallazgos casuales aquellos que, poseyendo tales valores, se produzcan por azar, por erosión o como consecuencia de remociones de tierra, demoliciones u obras de cualquier otra índole fuera del ámbito de las intervenciones arqueológicas o paleontológicas.

2. Los bienes muebles descubiertos como consecuencia de intervenciones arqueológicas o paleontológicas, de remociones de tierra, de obras, por erosión o por azar, tendrán la consideración de bienes de dominio público.

3. Todos los hallazgos se comunicarán en el plazo de tres días naturales a la Dirección General competente en materia de patrimonio histórico. En el caso de que los hallazgos

se produzcan como consecuencia de una obra, la dirección facultativa paralizará inmediatamente los trabajos y tomará las medidas adecuadas para la protección de los restos. Los bienes muebles hallados se depositarán en el Museo Arqueológico Regional o en el Ayuntamiento correspondiente en el plazo de tres días naturales, salvo que sea necesario continuar con la excavación para su extracción.

4. El descubridor y el propietario del lugar en que hubiera sido hallado casualmente el bien mueble tienen derecho, en concepto de premio en metálico, a la mitad del valor que en tasación legal se le atribuya, que se distribuirá entre ellos por partes iguales. Si fuesen dos o más los descubridores o los propietarios se mantendrá la misma proporción.

5. La Consejería competente en materia de patrimonio histórico resolverá en el plazo de quince días hábiles a contar desde la notificación del hallazgo en los términos establecidos en el artículo 40.1, determinando las medidas a adoptar para garantizar la conservación de lo hallado y en su caso, sobre el depósito definitivo de las piezas.

Artículo 32. Intervenciones no permitidas

No se permite el empleo de detectores de metales o de aparatos de tecnología similar en el ámbito de los bienes incluidos en el Catálogo Geográfico de Bienes Inmuebles del Patrimonio Histórico salvo autorización expresa de la Consejería competente en materia de patrimonio histórico.

CAPÍTULO II. Del Patrimonio Cultural Inmaterial

Artículo 33. Concepto y régimen de protección

1. El Patrimonio Cultural Inmaterial de la Comunidad de Madrid comprende tanto tradiciones o expresiones vivas heredadas de nuestros antepasados como tradiciones orales, artes del espectáculo, usos sociales, rituales, actos festivos y conocimientos o prácticas vinculadas a la artesanía tradicional propias de su territorio.

2. Con el fin de conocer y proteger el Patrimonio Cultural Inmaterial de la Comunidad de Madrid, la Dirección General competente en materia de patrimonio histórico promoverá su estudio y configurará un inventario sistemático.

3. Las manifestaciones más significativas del Patrimonio Cultural Inmaterial que sean declaradas Bien de Interés Cultural o de Interés Patrimonial en la categoría de Hecho Cultural serán protegidas mediante su estudio y documentación pormenorizada con el objeto de garantizar su memoria y transmisión a las generaciones venideras.

TÍTULO VI. Medidas de fomento

Artículo 34. Normas generales y tipos de medidas

1. La Comunidad de Madrid establecerá las medidas correspondientes para fomentar la conservación, investigación, documentación, recuperación, restauración y difusión del patrimonio histórico de la Comunidad de Madrid. Además, facilitará la realización de estas actividades por parte de otras Administraciones Públicas y de la iniciativa privada.

2. Las medidas de fomento podrán ser:
a) Subvenciones.
b) Asesoramiento y asistencia técnica.
c) Beneficios fiscales.
d) Dación en pago de impuestos.
e) Uno por ciento cultural.

3. Las personas físicas o jurídicas que no cumplan el deber de conservación establecido en esta ley no podrán acogerse a las medidas de fomento.

4. Se propiciará la participación de entidades públicas o privadas y de particulares en la financiación de las medidas de fomento previstas en la ley.

Artículo 35. Beneficios fiscales

Los titulares de derechos sobre Bienes de Interés Cultural y de Interés Patrimonial y las personas que donen bienes del patrimonio histórico a la Comunidad de Madrid disfrutarán de los beneficios fiscales que, en el ámbito de las respectivas competencias, determinen la legislación del Estado, la legislación de la Comunidad de Madrid y las ordenanzas fiscales locales.

Artículo 36. Pago con bienes culturales

1. Los propietarios de Bienes de Interés Cultural o de Interés Patrimonial podrán solicitar a la Comunidad de Madrid la admisión de la cesión de la propiedad de los mencionados bienes en pago de sus deudas con la Administración autonómica. La aceptación de dicha cesión corresponde a la Consejería competente en materia de Hacienda previo informe favorable de la Consejería competente en materia de patrimonio histórico.

2. La valoración económica de estos bienes se realizará por los órganos competentes.

Artículo 37. Uno por ciento cultural

1. *La Comunidad de Madrid reservará al menos un 1 por 100 de su aportación a los presupuestos de las obras públicas que financie total o parcialmente a fin de invertirlo en la investigación, documentación, conservación, restauración, difusión y enriquecimiento del patrimonio histórico. La reserva a la que se refiere este apartado será de aplicación asimismo a los organismos autónomos, entidades públicas y empresas públicas dependientes de la Comunidad de Madrid, así como a las obras públicas que construyan o exploten los particulares en virtud de concesión administrativa.*

Conforme a las distintas Leyes de Presupuestos Generales de la Comunidad de Madrid aprobadas desde 2014 se ha venido suspendiendo la vigencia de este apartado.

2. Reglamentariamente se determinarán los procedimientos de gestión, los criterios y la forma de aplicación de los fondos obtenidos de acuerdo con lo previsto en el presente artículo.

3. Con objeto de obtener una mayor cooperación entre las Administraciones Públicas implicadas y para lograr una mejor planificación de las inversiones en la conservación y restauración del patrimonio histórico, todas las propuestas de financiación que en el territorio de la Comunidad de Madrid se vayan a presentar al Ministerio competente para la aplicación del 1 por 100 cultural determinado en la Ley 16/1985, de 25 de junio, de Patrimonio Histórico Español, deberán ser informadas previamente por la Consejería competente en materia de patrimonio histórico.

TÍTULO VII. Medidas para el restablecimiento de la legalidad infringida y régimen sancionador

CAPÍTULO I. Medidas para el restablecimiento de la legalidad infringida

Artículo 38. Inspección. Denuncias

1. La Consejería competente en materia de patrimonio histórico queda facultada para adoptar las medidas necesarias de control e inspección de los bienes objeto de esta ley, así como de las actuaciones que sobre ellos se realicen. El personal inspector que en el ejercicio de estas funciones esté debidamente acreditado tendrá la condición de agente de la autoridad, con las facultades y protección que le confiere la normativa correspondiente.

2. Toda persona que tenga conocimiento de situaciones que supongan peligro, deterioro o expolio del patrimonio histórico de la Comunidad de Madrid lo comunicará inmediatamente a la Consejería competente en materia de patrimonio histórico o al Ayuntamiento en cuyo término municipal se hallare el bien, quienes comprobarán, a la mayor brevedad, el objeto de dicha denuncia y actuarán coordinadamente conforme a lo dispuesto en la presente ley.

Artículo 39. Incumplimiento del deber de conservación

1. En caso de incumplimiento del deber de conservación de los Bienes de Interés Cultural o de Interés Patrimonial a que se refiere el artículo 12, la Consejería competente en materia de patrimonio histórico podrá ordenar a los propietarios o titulares de derechos reales la ejecución de las obras o la realización de las actuaciones que sean necesarias para preservarlos y mantenerlos.

2. Los Ayuntamientos velarán por la conservación y rehabilitación de los bienes inmuebles protegidos por esta ley que se hallen en su término municipal, dictando, con arreglo a las facultades atribuidas por la legislación urbanística, las órdenes de ejecución pertinentes, y dando cuenta de las actuaciones a la Consejería competente en materia de patrimonio histórico.

Artículo 40. Órdenes de paralización

1. La Consejería competente en materia de patrimonio histórico podrá paralizar cualquier clase de obra o intervención que afecte a un bien del patrimonio histórico de la Comunidad de Madrid. En tal supuesto, dicha Consejería resolverá, en el plazo máximo de quince días hábiles a contar desde la notificación de la orden de paralización, sobre la continuación de la obra o intervención iniciada, con o sin prescripciones, o acordará la suspensión definitiva de la obra o intervención iniciada, en cuyo caso procederá a incoar expediente de declaración de Bien de Interés Cultural o de Interés Patrimonial.

2. Asimismo, la paralización podrá ser acordada igualmente por los Ayuntamientos respectivos. Dicha paralización se comunicará en el plazo de dos días a la Consejería competente en materia de patrimonio histórico, la cual resolverá de conformidad con lo establecido en el apartado precedente.

Artículo 41. Reparación de los daños causados y multas coercitivas

1. Las personas que causen daños a los bienes integrantes del patrimonio histórico deberán proceder a su reparación o reconstrucción que, en ningún caso, falseará o degradará sus valores históricos. La Consejería competente en materia de patrimonio histórico podrá ordenar las medidas que sean necesarias para restituir el bien a su estado anterior.

2. La Administración competente podrá imponer multas coercitivas para hacer efectivo el cumplimiento de los deberes impuestos por esta ley y de las resoluciones administrativas dictadas para el cumplimiento de lo que ésta dispone.

3. La imposición de multas coercitivas exigirá la formulación previa de un requerimiento escrito en el cual se indicará el plazo del que se dispone para el cumplimiento de la obligación, la cuantía de la multa que puede imponerse y el plazo para recurrir dicho requerimiento de forma motivada. En cualquier caso, el plazo será suficiente para cumplir la obligación y la multa no podrá exceder de 1.000 euros.

4. En caso de que una vez impuesta una multa coercitiva se mantenga el incumplimiento que la haya motivado, la Administración podrá reiterarla tantas veces como sea necesario hasta el cumplimiento de la obligación, sin que en ningún caso el plazo pueda ser inferior al fijado en el primer requerimiento.

CAPÍTULO II. Régimen sancionador

Artículo 42. Clasificación de las infracciones

1. Las infracciones administrativas en materia de protección del patrimonio histórico se clasifican en leves, graves y muy graves.

2. Son infracciones leves:

a) La falta de comunicación al Registro de Bienes de Interés Cultural o al de Bienes de Interés Patrimonial de la Comunidad de Madrid de los actos, modificaciones y traslados que afecten a los bienes en ellos inscritos.

b) El incumplimiento del deber de conservar y custodiar los bienes del patrimonio histórico de la Comunidad de Madrid que no constituya infracción grave o muy grave.

c) La utilización de los bienes declarados de Interés Cultural que ponga en peligro o dañe los valores que justifican su protección legal.

d) El incumplimiento de la obligación de comunicar las transmisiones de la propiedad de los bienes del patrimonio histórico en los términos exigidos por la ley.

e) La disgregación de conjuntos sin la autorización correspondiente, así como la separación de bienes muebles del inmueble al que pertenecen y que fueron declarados conjuntamente.

f) La obstrucción a la labor inspectora de las Administraciones Públicas sobre los bienes del patrimonio histórico de la Comunidad de Madrid.

g) El incumplimiento de la obligación de redactar en el plazo establecido el informe final de los trabajos arqueológicos o paleontológicos.

h) La falta de comunicación de la actividad del comercio de bienes culturales y el incumplimiento del deber de llevar el libro-registro de transmisiones, así como la omisión o inexactitud de los datos que se han de hacer constar en el mismo.

i) La falta de notificación a la Consejería competente en materia de patrimonio histórico de las órdenes de ejecución y expedientes de ruina en los términos establecidos en la presente ley.

j) La realización de actuaciones o intervenciones sobre bienes incluidos en el Catálogo Geográfico de Bienes Inmuebles del Patrimonio Histórico que carezcan de la correspondiente autorización o incumpliendo las condiciones recogidas en la misma, siempre que no constituyan infracción grave o muy grave.

k) Las intervenciones sobre bienes muebles declarados de Interés Cultural o de Interés Patrimonial que carezcan de la correspondiente autorización o incumpliendo las condiciones recogidas en la misma.

l) La realización de intervenciones arqueológicas sin la correspondiente autorización.

3. Son infracciones graves:

a) El incumplimiento de las obligaciones de comunicación del descubrimiento de restos arqueológicos o paleontológicos y de entrega de los bienes hallados.

b) El uso, sin autorización administrativa, de cualquier tipo de medios de detección de metales en el ámbito de los bienes del patrimonio histórico incluidos en el Catálogo Geográfico de Bienes Inmuebles del Patrimonio Histórico.

c) El incumplimiento de las órdenes de paralización de obras acordadas por la Consejería competente en materia de patrimonio histórico.

d) Las actuaciones causadas por los usuarios y visitantes de Bienes de Interés Cultural o de Interés Patrimonial que causen algún menoscabo en los mismos.

e) El incumplimiento del deber de conservar y custodiar los bienes del patrimonio histórico de la Comunidad de Madrid originando un grave daño a los mismos.

f) La comercialización de bienes de naturaleza arqueológica o paleontológica sin que su procedencia esté debidamente documentada.

g) La falta de adopción de medidas oportunas en el supuesto de ruina previsto en el artículo 25.4.

h) Las intervenciones u omisiones sobre los Bienes de Interés Cultural o de Interés Patrimonial o sus entornos que ocasionen daños y que no constituyan una infracción muy grave.

4. Son infracciones muy graves:

a) Cualquier intervención u omisión sobre Bienes de Interés Cultural o de Interés Patrimonial de las que se derive su pérdida, destrucción o daños irreparables.

b) El otorgamiento de licencias urbanísticas sin la autorización preceptiva de la Consejería competente en materia de patrimonio histórico, o contraviniendo las prescripciones establecidas por la misma, para la realización de actuaciones en Bienes de Interés Cultural o de Interés Patrimonial.

Artículo 43. Responsabilidad y criterios para la determinación de la sanción

1. Son responsables de las infracciones tipificadas en esta ley:

a) Los autores materiales de las actuaciones infractoras y aquellos que indujeren a la comisión de las mismas.

b) Los técnicos o profesionales autores de proyectos o directores de obras o actuaciones que contribuyan dolosa o culposamente a la comisión de la infracción, en especial, en el supuesto de incumplimiento de las órdenes de paralización previstas en el artículo 40.

2. Se considerarán los siguientes criterios para la determinación del montante económico de la sanción a aplicar:

a) La intencionalidad.

b) La reincidencia.

c) Mayor o menor beneficio obtenido por la infracción.

d) Haber procedido a reparar o disminuir el daño causado antes de la iniciación del procedimiento sancionador.

Artículo 44. Sanciones y comiso

1. Si los daños ocasionados al patrimonio histórico causados por hechos constitutivos de infracción administrativa pudieran ser valorados económicamente, serán sancionados con una multa de entre una y cinco veces el valor de los daños causados en función de las circunstancias previstas en el artículo 43. De lo contrario, se aplicarán las sanciones siguientes:

a) Para las infracciones leves, una multa de hasta 60.000 euros.

b) Para las infracciones graves, una multa de entre 60.001 y 300.000 euros.

c) Para las infracciones muy graves, una multa de entre 300.001 y 1.000.000 euros, que podrá incrementarse cuando el beneficio obtenido como consecuencia de la infracción sea mayor.

2. Las infracciones tipificadas en el artículo 42.4.a) se notificarán a la Consejería competente en materia de urbanismo para que, en su caso, adopte las medidas oportunas en relación al aprovechamiento urbanístico.

3. Los responsables podrán ofrecer a la Administración, en pago de las sanciones económicas impuestas, la entrega de Bienes de Interés Cultural. En este caso, se suspenderá el cómputo del plazo para el pago de la multa hasta que responda la Administración, que deberá hacerlo en un plazo máximo de cuarenta y cinco días. El destino de los bienes recibidos en pago de las sanciones económicas será fijado por la Consejería competente en materia de patrimonio histórico.

4. El órgano competente para imponer la sanción podrá acordar de forma accesoria el comiso de los materiales obtenidos ilícitamente y los utensilios empleados en la actividad ilícita.

Artículo 45. Competencia para imponer las sanciones. Prescripción de las infracciones y sanciones

1. Los órganos competentes para imponer las sanciones son:

a) El Director General competente en materia de patrimonio histórico, a quien corresponde la imposición de multas por infracciones hasta 150.000 euros.

b) El Consejero competente en materia de patrimonio histórico, a quien corresponde la imposición de multas por infracciones graves, desde 150.001 euros hasta 300.000 euros.

c) El Consejo de Gobierno, a propuesta del Consejero competente en materia de patrimonio histórico, a quien corresponde la imposición de multas por infracciones muy graves de cuantía superior a 300.000 euros.

2. En todo caso, la incoación y tramitación del procedimiento sancionador se efectuará por la Dirección General competente en materia de patrimonio histórico.

3. El plazo para la resolución de los expedientes sancionadores por las infracciones reguladas por esta ley será de nueve meses.

4. Las infracciones administrativas a las que se refiere esta ley prescriben al cabo de cuatro años de haberse cometido, salvo las de carácter muy grave, que prescriben al cabo de seis años. Las sanciones administrativas a las que se refiere esta ley prescriben al cabo de tres años las muy graves, dos años las graves y un año las leves.

DISPOSICIÓN ADICIONAL PRIMERA. Régimen de protección de los Castillos

Tendrán la consideración de Bienes de Interés Cultural y quedan sometidos al régimen previsto por la presente ley los bienes situados en el territorio de la Comunidad de Madrid a que se refiere el Decreto de 22 de abril de 1949, sobre protección de los castillos españoles.

Asimismo, tendrán la consideración de Bienes de Interés Cultural las cuevas, abrigos y lugares que contengan manifestaciones de pintura rupestre, así como los escudos, emblemas, piedras heráldicas, rollos de justicia, cruces de término y otras piezas similares de acuerdo con el Decreto 571/1963, de 14 de marzo.

DISPOSICIÓN ADICIONAL SEGUNDA. Otros Bienes de Interés Patrimonial

Los bienes incluidos en el Inventario de Bienes Culturales de la Comunidad de Madrid al amparo de la Ley 10/1998, de 9 de julio, de Patrimonio Histórico de la Comunidad de Madrid y de la Ley 16/1985, de 25 de junio, del Patrimonio Histórico Español, tendrán la consideración de Bienes de Interés Patrimonial y quedarán incluidos en el Registro previsto en el artículo 11.

Las Vías de Interés Cultural declaradas según lo previsto en el artículo 9 de la Ley 8/1998, de 15 de junio, de Vías Pecuarias de la Comunidad de Madrid, y sus elementos asociados tendrán la consideración de Bienes de Interés Patrimonial a los efectos de esta ley.

DISPOSICIÓN ADICIONAL TERCERA. Régimen aplicable a obras y usos en Bienes de Interés Cultural y en Bienes de Interés Patrimonial

En los proyectos de obras o documentación técnica justificativa para la autorización de actos referidos a los usos de inmuebles declarados de interés cultural o patrimonial, dadas sus singulares características y de acuerdo con las excepcionalidades previstas por la normativa básica de ordenación de la edificación, serán admisibles soluciones alternativas para el cumplimiento de los requisitos básicos de la edificación.

A tal efecto, tanto para la obtención de las autorizaciones previstas en los artículos 18 y 19 de esta ley, como para la obtención del resto de autorizaciones o permisos previstos por la normativa urbanística, será preceptiva la elaboración de un documento resumen, firmado por el técnico redactor, que constate el cumplimiento de la normativa básica de la edificación y recoja expresamente los mecanismos de cumplimiento alternativo adoptados, justificando su idoneidad. La concesión de las autorizaciones y permisos administrativos no podrá ser invocada para excluir o disminuir la responsabilidad civil o penal en que hubieran incurrido los agentes de la edificación en este ámbito, en el ejercicio de las actuaciones autorizadas.

DISPOSICIÓN ADICIONAL CUARTA. Obras de excepcional interés. Deber de conservar

Las obras que tengan por finalidad la conservación, restauración o rehabilitación de Bienes de Interés Cultural y de Interés Patrimonial, tendrán la consideración de obras de excepcional interés público a los efectos previstos en la legislación vigente.

Aquellas obras de consolidación, restauración o rehabilitación de bienes del patrimonio histórico de la Comunidad de Madrid financiadas en todo o en parte por las Administraciones Públicas conllevarán para el propietario un compromiso de conservar, mantener y difundir dichos bienes, sin perjuicio de los deberes de conservación establecidos en la ley.

DISPOSICIÓN ADICIONAL QUINTA. Difusión del patrimonio histórico

La Comunidad de Madrid promoverá el conocimiento y difusión de los bienes a que se refiere esta ley y la edición de publicaciones de investigación y divulgación de su patrimonio histórico. Asimismo, podrá promover proyectos educativos dirigidos a dar a conocer el patrimonio histórico a la ciudadanía.

DISPOSICIÓN ADICIONAL SEXTA. Bienes muebles de la Iglesia Católica. Exportación

Los bienes muebles del patrimonio histórico de titularidad de la Iglesia Católica se someterán a lo dispuesto por la normativa estatal en cuanto a su posibilidad de enajenación. La normativa estatal será también aplicable en lo que se refiere al régimen de exportación e importación de bienes culturales.

DISPOSICIÓN ADICIONAL SÉPTIMA. Nueva redacción de la disposición transitoria de la Ley 3/2007, de 26 de julio, de Medidas Urgentes de Modernización del Gobierno y la Administración de la Comunidad de Madrid

Se añade un párrafo nuevo a la disposición transitoria de la Ley 3/2007, de 26 de julio, de Medidas Urgentes de Modernización del Gobierno y la Administración de la Comunidad de Madrid:

«En todo caso, no será de aplicación dicha limitación al suelo que estuviera clasificado como urbano antes de la entrada en vigor de esta ley, ni a las futuras modificaciones o revisiones de planeamiento que se tramiten sobre el mismo ni tampoco a los instrumentos de planeamiento de desarrollo que afecten a dicho suelo.»

DISPOSICIÓN ADICIONAL OCTAVA. Declaraciones responsables y comunicación previa

En la ejecución de obras, implantación de actividades y otros actos de naturaleza urbanística sujetos a declaración responsable o comunicación previa de conformidad con lo previsto en la Ley 2/2012, de 12 de junio, de Dinamización de la Actividad Comercial en la Comunidad de Madrid, será de aplicación lo dispuesto en el artículo 2.2 de la citada ley, sin perjuicio de las inspecciones o comprobaciones posteriores que, en su caso, se realizarán con arreglo a la presente ley.

A estos efectos, en los Bienes de Interés Cultural declarados o sobre los que se haya incoado expediente de declaración en las categorías b), c) o e) del artículo 3.1, así como en entornos de protección, el promotor podrá elevar consulta previa a la Comisión de Patrimonio Histórico a través del Ayuntamiento correspondiente o, en su defecto, a la Consejería competente en materia de patrimonio histórico.

DISPOSICIÓN TRANSITORIA PRIMERA. Catálogos de bienes y espacios protegidos

Los Ayuntamientos deberán completar o formar sus catálogos de bienes y espacios protegidos en los términos establecidos en el artículo 16 en el plazo máximo de un año a contar desde la entrada en vigor de la presente ley.

Hasta que se produzca la aprobación de dichos catálogos, quedarán sujetos al régimen de protección previsto para los Bienes de Interés Patrimonial los siguientes bienes inmuebles integrantes del patrimonio histórico radicados en su término municipal:

a) Palacios, casas señoriales, torreones y jardines construidos antes de 1900.

b) Inmuebles singulares construidos antes de 1936 que pertenezcan a alguna de las siguientes tipologías: iglesias, ermitas, cementerios, conventos, molinos, norias, silos, fraguas, lavaderos, bodegas, teatros, cinematógrafos, mercados, plazas de toros, fuentes, estaciones de ferrocarril, puentes, canales y «viages» de agua.

c) Fortificaciones de la Guerra Civil española.

DISPOSICIÓN TRANSITORIA SEGUNDA. Adaptación y terminación de declaraciones

Todos aquellos bienes muebles e inmuebles situados en el ámbito de la Comunidad de Madrid que hubiesen sido declarados de Interés Cultural o incluidos en el Inventario con anterioridad a la entrada en vigor de esta ley quedarán sometidos al régimen jurídico de protección que se establece en esta ley para los Bienes de Interés Cultural y para los Bienes de Interés Patrimonial, respectivamente.

Los expedientes iniciados antes de la entrada en vigor de esta ley continuarán su tramitación de acuerdo con lo establecido en la Ley 10/1998, de 9 de julio, de Patrimonio Histórico de la Comunidad de Madrid, si bien la resolución deberá ajustarse al régimen establecido por la presente ley.

No obstante lo anterior, los expedientes sobre declaración de Bienes de Interés Cultural incoados antes de la entrada en vigor de la Ley 10/1998, de 9 de julio, de Patrimonio Histórico de la Comunidad de Madrid, que no hayan sido resueltos expresamente a la fecha de entrada en vigor de la presente ley podrán ser resueltos sucesiva o conjuntamente, mediante Decreto del Consejo de Gobierno, previa audiencia de los interesados y del Consejo Regional de Patrimonio Histórico.

Mediante Orden de la Consejería competente en materia de patrimonio histórico se podrá definir el entorno de aquellos bienes inmuebles declarados de Interés Cultural o incluidos en el Inventario cuyo entorno no hubiera sido establecido expresamente a la fecha de entrada en vigor de esta ley.

DISPOSICIÓN TRANSITORIA TERCERA. Adaptación de planes especiales

En el plazo de dos meses a contar desde la entrada en vigor de la presente ley, los Ayuntamientos que tengan aprobados definitivamente planes especiales o figuras de planeamiento urbanístico a las que se le hayan reconocido determinaciones de plan especial de protección con arreglo a los contenidos y efectos de los artículos 20 y 21 de la Ley 16/1985, de 25 de junio, del Patrimonio Histórico Español, o de los artículos 29 y 30 de la Ley 10/1998, de 9 de julio, de Patrimonio Histórico de la Comunidad de Madrid, podrán solicitar de la Dirección General competente en materia de patrimonio histórico el reconocimiento de estos instrumentos a los efectos del artículo 26. El titular de esta Dirección General resolverá sobre la adaptación en el plazo de dos meses.

DISPOSICIÓN DEROGATORIA ÚNICA. Derogación normativa

1. Queda derogada expresamente la Ley 10/1998, de 9 de julio, de Patrimonio Histórico de la Comunidad de Madrid.

2. Se mantienen en vigor, salvo en aquellos aspectos en los que contravengan lo establecido en esta ley, los siguientes reglamentos: el Decreto 79/2002, de 9 de mayo, por el que se aprueba el Reglamento de composición, organización y funcionamiento del Consejo Regional de Patrimonio Histórico de la Comunidad de Madrid; el Decreto 51/2003, de 10 de abril, por el que se aprueba el Reglamento de organización y funcionamiento del Inventario de Bienes Culturales de la Comunidad de Madrid; el Decreto 52/2003, de 10 de abril, por el que se aprueba el Reglamento de organización y funcionamiento del Registro de Bienes de Interés Cultural de la Comunidad de Madrid; el Decreto 53/2003, de 10 de abril, por el que se aprueba el Reglamento que regula la composición, organización y funcionamiento de las Comisiones Locales de Patrimonio Histórico de la Comunidad de Madrid; el Decreto 84/2005, de 15 de septiembre, por el que se aprueba el Reglamento por

el que se regula la reserva del 1 por 100 establecida en el artículo 50 de la Ley 10/1998, de 9 de julio, de Patrimonio Histórico de la Comunidad de Madrid; el Decreto 121/2005, de 17 de noviembre, por el que se crea la Comisión Regional para la Aplicación del Uno por Ciento Cultural de la Comunidad de Madrid.

DISPOSICIÓN FINAL PRIMERA. Modificación del artículo 45.5 de la Ley 9/1995, de 28 de marzo, de Medidas de Política Territorial, Suelo y Urbanismo

Se modifica el artículo 45.5 de la Ley 9/1995, de 28 de marzo, de Medidas de Política Territorial, Suelo y Urbanismo, para dar nueva redacción a la letra e), que queda redactada con el siguiente tenor literal:

«e) De acuerdo con lo previsto en el pliego, para el supuesto de que el Centro Integrado de Desarrollo incorpore la actividad de casino, el plazo durante el cual no se autorizará la implantación en la Comunidad de Madrid de nuevos Centros Integrados de Desarrollo que comprendan la actividad de casino, de nuevos casinos, así como las ampliaciones o apéndices de los existentes, a salvo de las ya reconocidas por la legislación vigente. Dicho plazo se iniciará con la resolución del concurso y se mantendrá, como máximo, hasta diez años después de la completa finalización del Centro Integrado de Desarrollo, si se cumplen íntegramente las inversiones comprometidas en los términos del Proyecto aprobado. En caso de caducidad parcial de la autorización, por alguna de las causas previstas en el artículo 50.2, este plazo se reducirá en proporción a los casinos que efectivamente se hayan puesto en funcionamiento.»

DISPOSICIÓN FINAL SEGUNDA. Adición de una nueva disposición transitoria a la Ley 9/1995, de 28 de marzo, de Medidas de Política Territorial, Suelo y Urbanismo

Se añade una disposición transitoria a la Ley 9/1995, de 28 de marzo, de Medidas de Política Territorial, Suelo y Urbanismo, con el siguiente contenido:

«DISPOSICIÓN TRANSITORIA

Los casinos de juego en funcionamiento a la entrada en vigor de esta disposición tendrán derecho a obtener la autorización para la instalación, apertura y funcionamiento de una sala apéndice, en los términos del artículo 8.4 de la Ley 6/2001, de 3 de julio, del Juego en la Comunidad de Madrid.»

DISPOSICIÓN FINAL TERCERA. Desarrollo reglamentario

Se autoriza al Consejo de Gobierno para dictar las disposiciones reglamentarias precisas para el cumplimiento de la presente ley. La propuesta de dichas disposiciones corresponderá a la Consejería competente en materia de patrimonio histórico.

Se autoriza al Consejo de Gobierno a actualizar por vía reglamentaria la cuantía de las multas y sanciones.

DISPOSICIÓN FINAL CUARTA. Entrada en vigor

La presente ley entrará en vigor el día siguiente de su publicación en el BOLETÍN OFICIAL DE LA COMUNIDAD DE MADRID, salvo lo dispuesto en el artículo 37.1 referido al 1 por 100 cultural, que entrará en vigor el 1 de enero de 2014.

Por tanto, ordeno a todos los ciudadanos a los que sea de aplicación esta Ley que la cumplan, y a los Tribunales y Autoridades que corresponda, la guarden y la hagan guardar.

15. COMUNIDAD AUTÓNOMA DE LA REGIÓN DE MURCIA: LEY 4/2007, DE 16 DE MARZO, DE PATRIMONIO CULTURAL DE LA COMUNIDAD AUTÓNOMA DE LA REGIÓN DE MURCIA

BO. Región de Murcia 12 abril 2007, núm. 83, [pág. 11360].; rect. BO. Región de Murcia, núm. 198, [pág. 25387]. (castellano) BOE 22 julio 2008, núm. 176, [pág. 31883].

PREÁMBULO

El patrimonio cultural de la Región de Murcia constituye una de las principales señas de identidad de la misma y el testimonio de su contribución a la cultura universal. Los bienes que lo integran constituyen un patrimonio de inestimable valor cuya conservación y enriquecimiento corresponde a todos los murcianos y especialmente a los poderes públicos que los representan.

La Ley del Patrimonio Cultural de la Región de Murcia se dicta en el ejercicio de la competencia exclusiva de la Comunidad Autónoma de la Región de Murcia en materia de patrimonio cultural de interés para la misma, de conformidad con los artículos 10.Uno, 13, 14 y 15 de su Estatuto de Autonomía y 148.1.15ª y 16ª de la Constitución Española y sin perjuicio de las competencias que, en virtud del artículo 149.1.28° del mismo texto, correspondan al Estado, y tiene por objeto la protección, conservación, acrecentamiento, investigación, conocimiento, difusión y fomento del patrimonio cultural de la Región de Murcia. Asimismo, supone una concreción del artículo 8 del Estatuto de Autonomía, según el cual la Comunidad Autónoma protegerá y fomentará las peculiaridades culturales, así como el acervo de costumbres y tradiciones populares de la misma, respetando en todo caso las variantes locales y comarcales.

El patrimonio cultural de la Región de Murcia está constituido por los bienes muebles, inmuebles e inmateriales, como instituciones, actividades, prácticas, usos, costumbres, comportamientos, conocimientos y manifestaciones propias de la vida tradicional que constituyan formas relevantes de expresión de la cultura de la Región de Murcia que, independientemente de su titularidad pública o privada, o de cualquier otra circunstancia que incida sobre su régimen jurídico, merecen una protección especial para su disfrute por parte de las generaciones presentes y futuras por su valor histórico, artístico, arqueológico, paleontológico, etnográfico, técnico o industrial o de cualquier otra naturaleza cultural. De este modo, y con el objetivo de conferir una cumplida respuesta a las necesidades que presenta la protección de este patrimonio, la presente Ley supera las insuficiencias del marco legal hasta ahora vigente, adecuando el régimen jurídico del patrimonio cultural a las necesidades actuales.

Entre otras innovaciones, se ponen a disposición de las administraciones públicas competentes distintos grados de protección de los bienes culturales que se corresponden con las categorías de bienes de interés cultural, bienes catalogados por su relevancia cultural y bienes inventariados, se crean nuevas categorías de bienes inmuebles de interés cultural como las zonas paleontológicas y los lugares de interés etnográfico, se posibilita la vinculación de bienes muebles e inmuebles a los bienes inmateriales, se garantiza la participación de las entidades directamente vinculadas con los bienes inmateriales de valor etnográfico, se dota de relevancia jurídica a la Carta Arqueológica y a la Carta Paleontológica regionales, se regulan expresamente los distintos procedimientos de clasificación de los bienes culturales de acuerdo con los postulados básicos previstos en el título VI de la Ley 30/1992, de 26 de noviembre, de Régimen Jurídico de las Administraciones Públicas y del Procedimiento Administrativo Común, se actualiza el régimen sancionador y se crean los denominados Planes de Ordenación Cultural. Especial mención merece asimismo la consideración legal de monumentos los molinos de viento situados en el territorio de la Comunidad Autónoma de la Región de Murcia, como expresión del interés en la preservación de uno de los paisajes más originales del Sureste español.

La Ley adopta en su denominación el término cultural por considerarlo el más ajustado a la amplitud de los valores que definen el patrimonio que constituye su objeto, cuya naturaleza no se agota en lo puramente histórico o artístico. De este modo, se tienen en cuenta las nuevas arquitecturas y se acogen a la tradición jurídica de la legislación española actual, las nuevas tendencias, así como la denominación empleada por diversos protocolos y convenios internacionales. Además, el vocablo cultural indica el carácter complementario de esta Ley con respecto a la normativa sobre patrimonio natural. En este entendimiento, y en la medida en que en las regiones mediterráneas de nuestro Estado, como es el caso de la Región de Murcia, resulta infrecuente encontrar paisajes naturales puros, tiene cabida la protección del paisaje cultural, como porción de territorio rural, urbano o costero donde existan bienes que por su valor histórico, artístico, estético, etnográfico o antropológico e integración con los recursos naturales o culturales merece un régimen jurídico especial.

La Ley se estructura en un título preliminar, siete títulos, nueve disposiciones adicionales, cuatro disposiciones transitorias, una disposición derogatoria y tres disposiciones finales.

El capítulo I del título preliminar, bajo la rúbrica de disposiciones generales, tiene por objeto la regulación del ámbito de aplicación de la Ley, la definición de las distintas categorías de protección y el establecimiento de los deberes de cooperación y colaboración de los distintos agentes. En efecto, el legislador parte del hecho, tantas veces confirmado por la experiencia, de que sin la colaboración de la sociedad en la conservación, restauración y rehabilitación del ingente número de bienes del patrimonio cultural, en su gran mayoría de titularidad privada, la acción pública en esta materia está abocada al fracaso por falta de medios suficientes para afrontar una tarea de tales proporciones. Además, no olvida la Ley que una parte importante del patrimonio cultural de interés para la Región de Murcia constituye propiedad privada de la Iglesia Católica y de las Cofradías y Hermandades Pasionarias y de Gloria.

En el capítulo II del mismo título, sobre normas de protección aplicables a todo el patrimonio cultural de la Región de Murcia, se regulan cuestiones generales como los deberes de los titulares de derechos reales sobre bienes integrantes del patrimonio cultural de la Región de Murcia, las posibilidades de suspensión de intervenciones y ejecución subsidiaria y la expropiación y los derechos de tanteo y retracto que ostenta la Administración cultural.

Asimismo se establecen la necesaria colaboración y coordinación en este ámbito de otras políticas, al señalarse que las exigencias de tutela del patrimonio cultural de la Región de Murcia deberán integrarse en la definición y en la realización de las restantes políticas públicas, en especial en materia educativa, ordenación del territorio, urbanismo, agricultura, industria, turismo y medio ambiente. En este sentido, el legislador, consciente de la virtualidad de las técnicas preventivas de intervención ambiental en orden al conocimiento, estudio y protección del patrimonio cultural, establece la obligación de que el órgano ambiental recabe informe preceptivo y vinculante de la dirección general con competencias en materia de patrimonio cultural, con carácter previo a la emisión de la declaración de impacto ambiental o, en su caso, al otorgamiento de la autorización ambiental integrada de actividades, obras, proyectos, planes o programas que afecten al territorio de la Región de Murcia.

El título I, en sus capítulos I, II y III, se dedica a regular los procedimientos de declaración de bienes de interés cultural, catalogados por su relevancia cultural e inventariados. Además, se crean el Registro de Bienes de Interés Cultural, el Catálogo del Patrimonio Cultural y el Inventario de Bienes Culturales como registros de carácter administrativo, cuya gestión corresponderá a la dirección general con competencias en materia de patrimonio cultural. Por su parte, el capítulo IV del título I disciplina el Registro General del Patrimonio Cultural de la Región de Murcia, como instrumento aglutinador de los anteriores.

El título II de la Ley regula los distintos regímenes jurídicos de protección de las distintas categorías de bienes que integran el patrimonio cultural de la Región de Murcia, actualizando los criterios de intervención sobre bienes inmuebles y estableciendo criterios específicos en relación con los procesos de conservación y restauración de bienes muebles.

El título III de la norma se dedica a dispensar un régimen jurídico especial aplicable al patrimonio arqueológico y al patrimonio paleontológico. Su especial sensibilidad y relevancia, así como la variedad de intervenciones que pueden afectar a estos bienes exige determinar, no sólo el régimen de autorizaciones al que han de sujetarse las actuaciones arqueológicas y paleontológicas, sino también el destino de los productos de las mismas y el régimen de los hallazgos por azar.

Como otra de las novedades de la Ley, el título IV se dedica a la planificación cultural, creando los denominados Planes de Ordenación del Patrimonio Cultural. Conscientes del papel que desempeña el paisaje en la formación de las culturas locales y siendo un componente fundamental del patrimonio cultural, es necesario establecer medidas específicas con vistas a promover la protección, gestión y ordenación del paisaje cultural. Teniendo en cuenta la problemática de gestión que plantean los denominados parques arqueológicos y la enorme extensión que en ocasiones afecta los estratos geológicos con interés paleontológico, es aconsejable también generar figuras de ordenación adecuadas para su protección. Entendiendo que las medidas de protección adoptadas en la Ley, y que se aplican a los bienes que pertenecen a la categoría de interés cultural, establecen un régimen jurídico singular de protección y tutela que sería demasiado rígido para todas estas zonas, se crea un instrumento planificador más adecuado y flexible, pero que a su vez dota a las zonas afectadas de una protección jurídica adecuada. La finalidad de dichos planes se concreta en la preservación de los valores culturales de los parques arqueológicos, de los parques paleontológicos y de los paisajes culturales, para facilitar su estudio y garantizar su disfrute por parte de las generaciones presentes y futuras. Un buen conocimiento, valoración, uso y gestión del paisaje es fundamental para la conservación y mantenimiento del mismo, como patrimonio cultural de la Región de Murcia. Una de las virtualidades de estos planes se concreta en su naturaleza prevalente, en la medida en que sus determinaciones constituirán un límite para cualesquiera otros instrumentos de ordenación territorial preexistentes.

El título V se dedica al patrimonio etnográfico de la Región de Murcia. Los bienes que lo integran gozarán de la protección establecida en la Ley y podrán ser clasificados conforme a las categorías previstas en el artículo 2 de la misma. El legislador tiene en cuenta, además de la cultura del agua, el especial carácter de los bienes inmateriales de valor etnográfico, al establecer que cuando éstos se encuentren en previsible peligro de desaparición, pérdida o deterioro, la dirección general con competencias en materia de patrimonio cultural promoverá y adoptará las medidas oportunas conducentes a su protección, conservación, estudio y documentación científica y a su recogida por cualquier medio que garantice su protección y su transmisión a las generaciones futuras.

El título VI, sobre defensa de la legalidad, además de reconocer la acción pública en defensa del patrimonio cultural, prevé, entre otras medidas, la posibilidad de adoptar multas coercitivas y medidas cautelares así como la obligación de reparar los daños causados al patrimonio cultural. Además, se tipifican las infracciones atendiendo a la gravedad de las conductas, a la categoría del bien y a la producción o no de daños, estableciéndose las correspondientes sanciones que podrán oscilar desde 300 euros hasta 1.000.000 de euros.

En definitiva, el régimen jurídico que la presente Ley dispensa a los bienes integrantes del patrimonio cultural de la Región de Murcia persigue el disfrute de los mismos en aras a facilitar y hacer realidad el derecho de acceso a la cultura.

TÍTULO PRELIMINAR.

CAPÍTULO I. Disposiciones generales

Artículo 1. Objeto y ámbito de aplicación

1. La presente Ley tiene por objeto la protección, conservación, acrecentamiento, investigación, conocimiento, difusión y fomento del patrimonio cultural de la Región de Murcia.

2. El patrimonio cultural de la Región de Murcia está constituido por los bienes muebles, inmuebles e inmateriales que, independientemente de su titularidad pública o privada, o de cualquier otra circunstancia que incida sobre su régimen jurídico, merecen una protección especial para su disfrute por parte de las generaciones presentes y futuras por su valor histórico, artístico, arqueológico, paleontológico, etnográfico, documental o bibliográfico, técnico o industrial, científico o de cualquier otra naturaleza cultural.

3. A los efectos de la presente Ley se entiende por bienes inmateriales las instituciones, actividades, prácticas, usos, representaciones, costumbres, conocimientos, técnicas y otras manifestaciones que constituyan formas relevantes de expresión de la cultura de la Región de Murcia.

4. Los bienes integrantes del patrimonio cultural de la Región de Murcia gozarán de la protección establecida en la presente Ley y podrán ser clasificados conforme a las categorías previstas en el artículo 2 de la misma.

5. Cuando los bienes integrantes del patrimonio cultural de la Región de Murcia se encuentren en previsible peligro de desaparición, pérdida o deterioro, la dirección general con competencias en materia de patrimonio cultural promoverá y adoptará las medidas oportunas conducentes a su protección, conservación, estudio, documentación científica y a su recogida por cualquier medio que garantice su protección.

Artículo 2. Clasificación de los bienes integrantes del patrimonio cultural de la Región de Murcia

Los bienes más destacados del patrimonio cultural de la Región de Murcia deberán ser clasificados conforme a las siguientes categorías:

a) Los bienes de interés cultural.
b) Los bienes catalogados por su relevancia cultural.
c) Los bienes inventariados.

Artículo 3. Bienes de interés cultural

1. Los bienes muebles, inmuebles e inmateriales más relevantes por su sobresaliente valor cultural para la Región de Murcia serán declarados bienes de interés cultural e inscritos de oficio en el Registro de Bienes de Interés Cultural de la Región de Murcia, con indicación, si se tratara de inmuebles, de la categorización a que se refiere el apartado tres de este precepto.

2. Los bienes muebles que sean declarados bienes de interés cultural lo podrán ser de forma individual o como colección.

3. Los bienes inmuebles que sean declarados de interés cultural se clasificarán atendiendo a las siguientes figuras:

a) Monumento.
b) Conjunto histórico.
c) Jardín histórico.
d) Sitio histórico.
e) Zona arqueológica.
f) Zona paleontológica.

g) Lugar de interés etnográfico.

4. A los efectos de la presente Ley, tiene la consideración de:

a) Monumento: la construcción u obra producto de la actividad humana, de relevante interés histórico, arquitectónico, artístico, arqueológico, etnográfico, científico, industrial, técnico o social, con inclusión de los muebles, instalaciones y accesorios que expresamente se señalen como parte integrante del mismo, y que por sí sola constituya una unidad singular.

b) Conjunto histórico: la agrupación de bienes inmuebles que forman una unidad de asentamiento, continua o dispersa, condicionada por una estructura física representativa de la evolución de una comunidad humana, por ser testimonio de su cultura o constituir un valor de uso y disfrute para la colectividad, aunque individualmente no tengan una especial relevancia.

c) Jardín histórico: el espacio delimitado, producto de la ordenación por el hombre de elementos naturales, a veces complementado con estructuras de fábrica, y estimado de interés en función de su origen o pasado histórico o de sus valores estéticos, sensoriales o botánicos.

d) Sitio histórico: el lugar o paraje natural vinculado a acontecimientos o recuerdos del pasado, creaciones culturales o de la naturaleza, y a obras del hombre que posean valores históricos, técnicos o industriales.

e) Zona arqueológica: el lugar o paraje natural en el cual existen bienes muebles o inmuebles susceptibles de ser estudiados con metodología arqueológica, tanto si se encontrasen en la superficie como en el subsuelo o bajo las aguas.

f) Zona paleontológica: el lugar o paraje natural en el cual existen fósiles que constituyen una unidad coherente y con entidad propia, aunque individualmente considerados carezcan de valor relevante, tanto si se encontrasen en la superficie como en el subsuelo o bajo las aguas.

g) Lugar de interés etnográfico: aquel paraje natural, conjunto de construcciones o instalaciones vinculadas a formas de vida, cultura y actividades propias de la Región de Murcia.

5. No podrá ser declarado bien de interés cultural una obra de un autor vivo si no media autorización expresa del mismo, salvo que haya sido adquirida por la Administración.

Artículo 4. Bienes catalogados por su relevancia cultural

Los bienes muebles, inmuebles e inmateriales que posean una notable relevancia cultural y que no merezcan la protección derivada de su declaración como bienes de interés cultural, serán declarados como bienes catalogados por su relevancia cultural e inscritos en el Catálogo del Patrimonio Cultural de la Región de Murcia.

Artículo 5. Bienes inventariados

Los bienes culturales que, pese a su destacado valor cultural, no merezcan la protección derivada de su declaración como bienes de interés cultural o de su declaración como bienes catalogados por su relevancia cultural, serán clasificados como bienes inventariados e incluidos en el Inventario de Bienes Culturales de la Región de Murcia.

Artículo 6. Deberes de cooperación y colaboración

1. Las administraciones públicas cooperarán para contribuir a la consecución de los objetivos de la presente Ley, sin perjuicio de las competencias que correspondan a cada una de ellas.

2. Las entidades locales conservarán, protegerán y promoverán la conservación y el conocimiento de los bienes integrantes del patrimonio cultural de la Región de Murcia que se ubiquen en su ámbito territorial. Los ayuntamientos comunicarán inmediatamente a la dirección general competente en materia de patrimonio cultural cualquier hecho o situación

que ponga o pueda poner en peligro la integridad o perturbar la función social de los bienes integrantes del patrimonio cultural de la Región de Murcia, adoptando, en su caso, las medidas cautelares necesarias para su defensa y conservación, sin perjuicio de las competencias que expresamente se les atribuya por la presente Ley y de lo establecido en la normativa urbanística, medioambiental y demás normas que resulten de aplicación en materia de protección del patrimonio cultural.

3. La Iglesia Católica y las Cofradías y Hermandades Pasionarias y de Gloria, como titulares de una parte importante del patrimonio cultural de interés para la Región de Murcia, velarán por su protección, conservación y difusión con sujeción a lo dispuesto en la presente Ley, en los Acuerdos suscritos entre el Estado Español y la Santa Sede y en los convenios que se formalicen entre la diócesis de Cartagena y la Comunidad Autónoma de la Región de Murcia.

4. Las personas físicas o jurídicas, públicas o privadas, que observaren peligro de destrucción o deterioro, la consumación de tales hechos o la perturbación de su función social respecto de bienes integrantes del patrimonio cultural de la Región de Murcia deberán ponerlo inmediatamente en conocimiento del ayuntamiento correspondiente o de la dirección general competente en materia de patrimonio cultural.

Artículo 7. Órganos asesores e instituciones consultivas

1. Son órganos asesores de la dirección general competente en materia de patrimonio cultural el Consejo Asesor de Patrimonio Cultural y los que así se determinen reglamentariamente.

2. Son instituciones consultivas de la dirección general con competencias en materia de patrimonio cultural las reales academias, las universidades de la Región de Murcia, los colegios profesionales y cualesquiera otras, cuando así se determine reglamentariamente.

CAPÍTULO II. Normas generales de protección del patrimonio cultural de la Región de Murcia

Artículo 8. Deberes de los titulares de derechos reales sobre bienes integrantes del patrimonio cultural de la Región de Murcia

1. Los propietarios, poseedores y demás titulares de derechos reales sobre bienes de interés cultural deberán cumplir las siguientes obligaciones:

a) Conservarlos, custodiarlos y protegerlos para asegurar su integridad y evitar su destrucción o deterioro. El uso a que, en su caso, se destinen dichos bienes deberá ser comunicado a la dirección general con competencias en materia de patrimonio cultural, que velará por que se garantice la conservación de los valores que motivaron su protección y para que, en todo caso, el uso a que se destinen dichos bienes sea conforme al instrumento de protección. La misma dirección general podrá requerir a los titulares de dichos bienes, cuando resulte aconsejable para el mantenimiento de los valores que motivaron su protección, para que opten por un uso alternativo o para que suspendan su uso.

b) Permitir su estudio, cuando así lo considere la dirección general con competencias en materia de patrimonio cultural, previa solicitud razonada del investigador.

c) Permitir su visita pública gratuita al menos cuatro días al mes, en días y horas previamente señalados, debiendo constar esta información de manera accesible y pública en lugar adecuado del Bien de Interés Cultural. El cumplimiento de esta obligación podrá ser dispensado total o parcialmente por la consejería competente en materia de patrimonio cultural por causas suficientemente justificadas, y específicamente cuando conlleve la vulneración de los derechos fundamentales, circunstancias que deberán ser alegadas y acreditadas en un procedimiento administrativo instruido al efecto.

Estas causas estarán contempladas reglamentariamente y regularán de manera clara los motivos de dispensa, así como los mecanismos de control que deberán ser puestos en marcha para garantizar la accesibilidad a los Bienes de Interés Cultural que no formen parte de esas causas de dispensa.

La Comunidad Autónoma de la Región de Murcia, con la colaboración en su caso de los ayuntamientos correspondientes, podrá establecer sistemas adecuados de acompañamiento y guía para facilitar que el acceso a los inmuebles que habitualmente no están abiertos al público, se realice en condiciones que no supongan cargas adicionales para sus titulares.

En el caso de bienes muebles, la dirección general con competencias en materia de patrimonio cultural podrá, igualmente, acordar como obligación sustitutoria el depósito del bien en un lugar que reúna las adecuadas condiciones de seguridad y exhibición durante un período máximo de cinco meses cada dos años.

d) Notificar fehacientemente a la dirección general con competencias en materia de patrimonio cultural toda pretensión de venta de estos bienes con indicación del precio, demás condiciones de la transacción y, en su caso, de la identidad del adquirente. Asimismo, los subastadores deberán notificar igualmente y con suficiente antelación las subastas públicas en que se pretenda enajenar cualquier bien integrante del patrimonio cultural de la Región de Murcia.

e) Permitir su inspección por parte de la dirección general con competencias en materia de patrimonio cultural, facilitando la información que resulte necesaria para la ejecución de la presente Ley.

f) Comunicar a la dirección general con competencias en materia de patrimonio cultural, con una antelación mínima de diez días, los traslados de bienes muebles de interés cultural especificando origen y destino, e indicando, en su caso, si el traslado se hace con carácter definitivo o temporal.

g) Cumplir las órdenes de ejecución de obras y demás medidas necesarias para la conservación, mantenimiento y custodia de estos bienes. El cumplimiento de estas órdenes no eximirá de la obligación de recabar cuantas autorizaciones y licencias sean requeridas por la legislación correspondiente.

2. Los propietarios, poseedores y demás titulares de derechos reales sobre bienes catalogados por su relevancia cultural deberán cumplir las siguientes obligaciones:

a) Conservarlos, custodiarlos y protegerlos para asegurar su integridad y evitar su destrucción o deterioro. La dirección general con competencias en materia de patrimonio cultural podrá requerir a los titulares de dichos bienes, cuando resulte aconsejable para el mantenimiento de los valores que motivaron su protección, para que opten por un uso alternativo o para que suspendan su uso.

b) Permitir su estudio, cuando así lo considere la dirección general con competencias en materia de patrimonio cultural, previa solicitud razonada del investigador.

c) Notificar a la dirección general con competencias en materia de patrimonio cultural toda transmisión de estos bienes con indicación de la identidad del adquirente en el plazo de diez días.

d) Permitir su inspección por parte de la dirección general con competencias en materia de patrimonio cultural, facilitando la información que resulte necesaria para la ejecución de la presente Ley.

e) Comunicar a la dirección general con competencias en materia de patrimonio cultural, con una antelación de diez días, los traslados de bienes muebles catalogados por su relevancia cultural, especificando origen y destino, e indicando, en su caso, si el traslado se hace con carácter definitivo o temporal.

f) Cumplir las órdenes de ejecución de obras y demás medidas necesarias para la conservación, mantenimiento y custodia de estos bienes. El cumplimiento de estas órdenes no eximirá de la obligación de recabar cuantas autorizaciones y licencias sean requeridas por la legislación correspondiente.

3. Los propietarios, poseedores y demás titulares de derechos reales sobre bienes inventariados deberán cumplir las siguientes obligaciones:

a) Conservarlos, custodiarlos y protegerlos para asegurar su integridad y evitar su destrucción o deterioro. La dirección general con competencias en materia de patrimonio cultural podrá requerir a los titulares de dichos bienes, cuando resulte aconsejable para el mantenimiento de los valores que motivaron su protección, para que opten por un uso alternativo o para que suspendan su uso.

b) Permitir su estudio, cuando así lo considere la dirección general con competencias en materia de patrimonio cultural, previa solicitud razonada del investigador.

c) Notificar a la dirección general con competencias en materia de patrimonio cultural toda transmisión de estos bienes con indicación de la identidad del adquirente en el plazo de diez días.

d) Permitir su inspección por parte de la dirección general con competencias en materia de patrimonio cultural, facilitando la información que resulte necesaria para la ejecución de la presente Ley.

e) Comunicar a la dirección general con competencias en materia de patrimonio cultural, con carácter previo a su realización, los traslados de bienes muebles inventariados, especificando origen y destino, e indicando, en su caso, si el traslado se hace con carácter definitivo o temporal.

4. Para la formalización de escrituras públicas de adquisición de bienes integrantes del patrimonio cultural de la Región de Murcia o de transmisión de derechos reales de disfrute sobre estos bienes, se acreditará previamente el cumplimiento de lo que establecen los artículos 8.1.d), 8.2.c) y 8.3.c). Esta acreditación también será necesaria para la inscripción de los títulos correspondientes.

Artículo 9. Suspensión y ejecución de intervenciones

1. La dirección general con competencias en materia de patrimonio cultural podrá ordenar la suspensión de un derribo o de cualquier otra obra o intervención sobre un bien de interés cultural, catalogado por su relevancia cultural o incluido en el Inventario de Bienes Culturales de la Región de Murcia, o respecto de bienes sobre los que se aprecie la concurrencia de los valores que justifican su protección conforme a alguna de las categorías previstas en el artículo 2, en este último caso, en tanto se tramita el procedimiento previsto por la presente Ley al efecto, que deberá incoarse en el plazo máximo de quince días siguientes a su adopción, de conformidad con lo establecido en la normativa estatal sobre procedimiento administrativo común. Asimismo, la dirección general con competencias en materia de patrimonio cultural podrá ordenar la suspensión de cualquier otra obra o intervención cuando se hallaren bienes de valor arqueológico o paleontológico, en tanto se obtiene la autorización de actuaciones arqueológicas a que se refiere el artículo 56 de la presente Ley.

2. La Administración pública podrá ordenar a los titulares de los bienes de interés cultural y bienes catalogados por su relevancia cultural la adopción de medidas de depósito, restauración, rehabilitación, demolición u otras que resulten necesarias para garantizar su conservación e identidad, de conformidad con lo establecido en la normativa correspondiente.

3. En caso de que las órdenes a que se refiere el apartado anterior no sean atendidas, la dirección general con competencias en materia de patrimonio cultural podrá ejecutarlas

subsidiariamente, a costa del obligado, sin perjuicio de la posibilidad de imposición de multas coercitivas, en los términos a que se refiere el artículo 68 de la presente Ley. La ejecución subsidiaria de estas medidas no eximirá de la obligación de recabar de las Administraciones competentes las autorizaciones y licencias que correspondan.

4. La Administración competente también podrá realizar de modo directo las obras u otras intervenciones necesarias si así lo requiere la más eficaz conservación de los bienes integrantes del patrimonio cultural de la Región de Murcia. Tanto la calidad del bien objeto de la intervención, como la necesidad y oportunidad de la actuación directa deberán ser motivadas en el acto de incoación del expediente de ejecución de la obra.

5. La Administración competente podrá asimismo acometer de modo directo obras u otras intervenciones de emergencia sobre un Bien de Interés Cultural. A tal efecto se entenderá que concurre grave peligro cuando existe riesgo objetivo e inminente de pérdida o destrucción total o parcial del bien, tal extremo deberá acreditarse en el expediente que se instruya.

Artículo 10. Expropiación

1. La incorporación de cualquier bien al patrimonio cultural de la Región de Murcia y el incumplimiento de los deberes a que se refieren los artículos 8.1.a, e y g, 8.2.a, d y f y 8.3. a y d de la presente Ley se considerarán causa de utilidad pública o interés social para su expropiación.

2. Podrán expropiarse por igual causa los bienes inmuebles que impidan o perturben la contemplación de los bienes integrantes del patrimonio cultural de la Región de Murcia o supongan una amenaza para los mismos.

Artículo 11. Derechos de tanteo y retracto

1. La Administración autonómica podrá hacer uso del derecho de tanteo respecto de los bienes de interés cultural en el plazo de dos meses, computados a partir del día siguiente al de la notificación a que se refiere el artículo 8.1.d).

2. En los casos en que el titular del derecho real sobre bienes de interés cultural incumpliera la obligación a que se refiere el artículo 8.1.d), la dirección general con competencias en materia de patrimonio cultural podrá ejercer, en los mismos términos previstos para el derecho de tanteo, el retracto en el plazo de seis meses, a partir del momento en que se tenga conocimiento fehaciente de la enajenación.

3. Los ayuntamientos podrán ejercer, subsidiariamente, los derechos de tanteo y retracto a que se refieren los apartados anteriores, en el plazo de un mes a contar desde la comunicación de la Administración autonómica de la renuncia de su derecho.

4. No obstante, cuando se trate de bienes muebles integrantes del Patrimonio Cultural de la Región de Murcia que estén en posesión de instituciones eclesiásticas, en cualquiera de sus establecimientos o dependencias, no podrán transmitirse a título oneroso o gratuito o cederse a particulares o entidades mercantiles. Dichos bienes sólo podrán ser transmitidos o cedidos al Estado, a las Comunidades Autónomas, a los entes locales, a entidades de Derecho público o a otras instituciones eclesiásticas.

Artículo 12. Coordinación con otras políticas públicas

1. Las exigencias de tutela del patrimonio cultural de la Región de Murcia deberán integrarse en la definición y en la realización de las restantes políticas públicas, en especial en materia educativa, ordenación del territorio, urbanismo, medio ambiente, agricultura, industria y turismo.

2. Cuando una actividad, obra, proyecto, plan o programa requiera evaluación de impacto ambiental o autorización ambiental integrada, el órgano ambiental recabará informe

preceptivo de la dirección general con competencias en materia de patrimonio cultural, que deberá ser emitido en el plazo de diez días y cuyas consideraciones o condiciones incorporará a la declaración o autorización correspondiente.

TÍTULO I. Procedimiento de declaración de bienes de interés cultural y de bienes catalogados por su relevancia cultural y de inclusión en el inventario de bienes culturales de la Región de Murcia

CAPÍTULO I. Procedimiento de declaración de los bienes de interés cultural

Artículo 13. Incoación del procedimiento de declaración de un bien de interés cultural

1. Los bienes de interés cultural serán declarados por decreto del Consejo de Gobierno de la Comunidad Autónoma, a propuesta de la consejería con competencias en materia de patrimonio cultural, previa tramitación de un procedimiento instruido al efecto, incoado por acuerdo de la dirección general con competencias en materia de patrimonio cultural. La iniciación de dicho procedimiento tendrá lugar de oficio, aunque podrá ser promovida por cualquier persona física o jurídica.

2. En el caso de que hubiera sido promovido a instancia de parte, el acuerdo de incoación deberá ser notificado a los solicitantes en el plazo máximo de seis meses desde la solicitud de iniciación del procedimiento de declaración, transcurrido el cual sin haberse adoptado y notificado éste se considerará acordada la incoación. No obstante, si el órgano competente en materia de patrimonio cultural adoptara, antes de la iniciación del mismo, la aplicación cautelar de alguna de las medidas de protección previstas por la presente Ley para los bienes de interés cultural, el acuerdo de incoación, que en todo caso deberá pronunciarse sobre el mantenimiento o levantamiento de estas medidas, deberá efectuarse dentro de los quince días siguientes a su adopción. En todo caso, las medidas quedarán sin efecto si no se inicia el procedimiento en dicho plazo o cuando el acuerdo de incoación no contenga un pronunciamiento expreso acerca de las mismas. La adopción de medidas cautelares así como la denegación expresa de la solicitud de incoación deberá ser motivada.

Contra el acuerdo de incoación procederá el recurso de alzada.

3. Las medidas acordadas en el apartado anterior no podrán extenderse más allá de la eficacia de la resolución administrativa que ponga fin al procedimiento.

4. La incoación del procedimiento de declaración de un bien de interés cultural determinará, en relación al bien afectado, la aplicación provisional del mismo régimen de protección previsto para los bienes declarados de interés cultural.

5. El acuerdo de incoación del procedimiento de declaración de un bien de interés cultural será notificado a los interesados y publicado en el «Boletín Oficial de la Región de Murcia». En el caso de bienes inmuebles, será notificado al ayuntamiento en que se ubique el bien. Asimismo, se instará la anotación de dicha incoación en el Registro de Bienes de Interés Cultural de la Región de Murcia.

6. Cuando se trate de bienes inmuebles, excepto conjuntos históricos, el director general con competencias en materia de patrimonio cultural instará de oficio la anotación gratuita en el Registro de la Propiedad.

Artículo 14. Efectos del acuerdo de incoación del procedimiento de declaración de un bien inmueble de interés cultural respecto de las licencias ya otorgadas

1. La incoación del procedimiento de declaración de un bien inmueble de interés cultural determinará la suspensión de los efectos de las licencias urbanísticas ya otorgadas, en tanto recaiga autorización por parte de la dirección general con competencias en materia de patrimonio cultural.

A tal efecto; el interesado acompañará a la solicitud de autorización el correspondiente proyecto de intervención. La dirección general con competencias en materia de patrimonio cultural deberá resolver en el plazo de tres meses. Transcurrido dicho plazo sin que la Administración resuelva y notifique la resolución el interesado podrá entender desestimada su solicitud.

2. La suspensión a que se refiere el apartado anterior no resultará de aplicación cuando se trate de transformaciones del interior de los inmuebles afectados por la incoación del procedimiento de declaración de conjuntos históricos o de inmuebles que formen parte del entorno de monumentos, salvo que se trate de bienes de interés cultural, bienes catalogados por su relevancia cultural o bienes inventariados de acuerdo con la presente Ley.

Artículo 15. Efectos del acuerdo de incoación del procedimiento de declaración de un bien inmueble de interés cultural respecto de nuevas licencias

1. La incoación del procedimiento de declaración de un bien inmueble de interés cultural determinará la prohibición del otorgamiento de nuevas licencias urbanísticas. No obstante, las obras que por razón de fuerza mayor hubieran de realizarse con carácter inaplazable en las zonas afectadas por la incoación del procedimiento de declaración de bienes de interés cultural precisarán en todo caso autorización de la dirección general con competencias en materia de patrimonio cultural. En ningún caso se admitirán modificaciones en las alineaciones y rasantes existentes, incrementos o alteraciones del volumen, parcelaciones ni agregaciones y, en general, cambios que distorsionen la armonía del conjunto.

2. La prohibición a que se refiere el apartado anterior no resultará de aplicación cuando se trate de transformaciones del interior de los inmuebles comprendidos en los conjuntos históricos o de inmuebles que formen parte del entorno de los monumentos afectados por la incoación, salvo que se trate de bienes de interés cultural, bienes catalogados por su relevancia cultural o bienes inventariados de acuerdo con la presente Ley.

Artículo 16. Trámites preceptivos del procedimiento de declaración de un bien de interés cultural

1. El procedimiento de declaración de bienes de interés cultural incluirá necesariamente el trámite de audiencia a los interesados. En el caso de inmuebles se dará audiencia, asimismo, al ayuntamiento afectado, y se abrirá un período de información pública. En el caso de bienes inmateriales del patrimonio etnográfico, se dará audiencia a las entidades públicas y privadas vinculadas directamente con el bien.

2. En el expediente de declaración de bienes de interés cultural deberá constar informe favorable de al menos una de las instituciones consultivas a que se refiere el artículo 7.2 de la presente Ley, que se entenderá favorable a la declaración si éste no es emitido transcurridos tres meses desde su solicitud.

Artículo 17. Contenido de la declaración de un bien de interés cultural

La declaración de un bien de interés cultural contendrá necesariamente:

a) Una descripción clara y detallada del bien objeto de la declaración que facilite su correcta identificación. En el caso de bienes inmuebles, además de su delimitación, las partes integrantes, pertenencias, accesorios y bienes muebles que por su vinculación con el inmueble pasarán también a ser considerados a todos los efectos de interés cultural. En el caso de bienes inmateriales, además de la descripción de sus aspectos intangibles, la relación y descripción de los bienes muebles e inmuebles que, por su especial vinculación con el bien inmaterial, pasarán también a ser considerados, a todos los efectos, bienes integrantes del patrimonio cultural de acuerdo con alguna de las categorías a que se refiere el artículo 2 de la presente Ley. Asimismo, en el caso de bienes muebles que se declaren como colección, la catalogación de los elementos unitarios que la componen, así como la especificación de todos los datos necesarios para su reconocimiento individual y como parte de la colección.

b) Las razones que justifican su declaración como bien de interés cultural, así como la enumeración de los valores del bien que constituyen aspectos fundamentales a proteger.

c) En el caso de los monumentos, la delimitación justificada del entorno afectado por la declaración, con especificación de los accidentes geográficos, elementos y características culturales que configuren dicho entorno.

d) En su caso, las medidas a que se refieren los artículos 40.3 y 47.4 de la presente Ley.

Artículo 18. Plazo de resolución del procedimiento de declaración de un bien de interés cultural

1. El procedimiento de declaración de un bien inmueble de interés cultural deberá resolverse y notificarse en el plazo máximo de tres años, cuando se trate de conjuntos históricos, jardines históricos, sitios históricos, zonas arqueológicas, zonas paleontológicas y lugares de interés etnográfico y de dos años en el caso de monumentos.

2. El procedimiento de declaración de un bien mueble y de un bien inmaterial de interés cultural deberá resolverse y notificarse en el plazo máximo de un año.

3. Los plazos a que se refieren los apartados anteriores se computarán a partir del día siguiente de la publicación del acuerdo de incoación. Transcurridos los mismos sin haberse publicado la resolución que ponga fin al procedimiento se producirá la caducidad del mismo, sin perjuicio de la posibilidad de acordar la suspensión o la ampliación del plazo para resolver y notificar, en los términos dispuestos en la normativa estatal sobre procedimiento administrativo común.

4. Caducado el expediente por el transcurso de los plazos anteriormente establecidos sin que haya recaído resolución expresa, se podrá volver a iniciar el mismo en los términos establecidos en el artículo 13.

Artículo 19. Notificación y publicación de la resolución finalizadora del procedimiento de declaración de un bien de interés cultural

La resolución que ponga fin al procedimiento de declaración de un bien de interés cultural será notificada a los interesados y publicada en el «Boletín Oficial de la Región de Murcia». En el caso de inmuebles, será notificada al ayuntamiento donde se ubique el bien.

Artículo 20. Inscripción de la declaración de un bien de interés cultural en el Registro de Bienes de Interés Cultural de la Región de Murcia y en el Registro de la Propiedad

1. Se crea el Registro de Bienes de Interés Cultural de la Región de Murcia como un registro de carácter administrativo, cuya gestión corresponderá a la dirección general con competencias en materia de patrimonio cultural.

2. La inscripción de la declaración de un bien de interés cultural en el Registro a que se refiere el párrafo anterior, será instada de oficio por el director general con competencias en materia de patrimonio cultural. Asimismo, cuando se trate de bienes inmuebles, excepto conjuntos históricos, instará de oficio la inscripción gratuita en el Registro de la Propiedad.

3. La declaración de un bien de interés cultural será comunicada por el director general con competencias en materia de patrimonio cultural al Registro de Bienes de Interés Cultural dependiente de la Administración General del Estado a efectos de su inscripción.

Artículo 21. Procedimiento para dejar sin efecto o modificar la declaración de un bien de interés cultural

1. La declaración de un bien de interés cultural sólo podrá dejarse sin efecto o ser modificada por decreto del Consejo de Gobierno de la Comunidad Autónoma de la Región de Murcia y siguiendo los mismos trámites y requisitos establecidos en la presente Ley para su declaración.

2. No podrán invocarse como causas para dejar sin efecto la declaración de un bien de interés cultural las que se deriven del incumplimiento de las obligaciones establecidas en la presente Ley.

3. El acuerdo que modifique o deje sin efecto la declaración de un bien de interés cultural dará lugar a la cancelación o modificación de la correspondiente inscripción en el Registro de Bienes de Interés Cultural para la Región de Murcia. Dicho acuerdo será comunicado por el director general con competencias en materia de patrimonio cultural al Registro de Bienes de Interés Cultural dependiente de la Administración General del Estado a efectos de su cancelación.

4. La modificación o cancelación de la inscripción en el Registro de Bienes de Interés Cultural de la Región de Murcia será instada de oficio por el director general con competencias en materia de patrimonio cultural. Asimismo, cuando se trate de bienes inmuebles, excepto conjuntos históricos, instará de oficio la modificación o cancelación gratuita en el Registro de la Propiedad.

CAPÍTULO II. Procedimiento de declaración de bienes catalogados

Artículo 22. Incoación del procedimiento de declaración de un bien catalogado

1. Los bienes catalogados por su relevancia cultural serán declarados por resolución de la dirección general con competencias en materia de patrimonio cultural, previa tramitación de un procedimiento instruido al efecto, incoado por acuerdo de la citada dirección general. La iniciación de dicho procedimiento tendrá lugar de oficio, aunque podrá ser promovida por cualquier persona física o jurídica.

2. En el caso de que hubiera sido promovido a instancia de parte, el acuerdo de incoación deberá ser notificado a los solicitantes en el plazo máximo de tres meses desde la solicitud de iniciación del procedimiento de declaración, transcurrido el cual sin haberse adoptado y notificado éste se considerará acordada la incoación. No obstante, si el órgano competente en materia de patrimonio cultural adoptara, antes de la iniciación del mismo, la aplicación preventiva de alguna de las medidas de protección previstas por la presente Ley para los bienes ya catalogados, el acuerdo de incoación, que en todo caso deberá pronunciarse sobre el mantenimiento o levantamiento de estas medidas, deberá efectuarse dentro de los quince días siguientes a su adopción. En todo caso, las medidas quedarán sin efecto si no se inicia el procedimiento en dicho plazo o cuando el acuerdo de incoación no contenga un pronunciamiento expreso acerca de las mismas. La adopción de medidas cautelares así como la denegación expresa de la solicitud de incoación deberá ser motivada.

Contra el acuerdo de incoación procederá el recurso de alzada.

3. Las medidas acordadas en el apartado anterior no podrán extenderse más allá de la eficacia de la resolución administrativa que ponga fin al procedimiento.

4. El acuerdo de incoación del procedimiento de declaración de un bien catalogado por su relevancia cultural será notificado a los interesados, y en el caso de bienes inmuebles, al ayuntamiento donde se ubique el bien. Se publicarán en el «Boletín Oficial de la Región de Murcia», los acuerdos de incoación de los bienes inmuebles e inmateriales. Asimismo, se anotarán las incoaciones en el Catálogo del Patrimonio Cultural de la Región de Murcia.

Artículo 23. Trámites preceptivos del procedimiento de declaración de un bien catalogado por su relevancia cultural

El procedimiento de declaración de bienes catalogados por su relevancia cultural incluirá necesariamente el trámite de audiencia a los interesados. En el caso de inmuebles se dará audiencia, asimismo, al ayuntamiento afectado, y se abrirá un período de información pública. En el caso de bienes inmateriales se dará audiencia a las entidades públicas y privadas más estrechamente vinculadas a la actividad propuesta para la declaración.

Artículo 24. Contenido de la declaración de un bien catalogado por su relevancia cultural

1. La declaración de un bien catalogado por su relevancia cultural contendrá necesariamente la descripción del bien objeto de la declaración que facilite su correcta identificación, las razones que justifican su declaración como bien catalogado por su relevancia cultural así como la enumeración de los valores del bien que constituyen aspectos fundamentales a proteger.

2. En el caso de bienes inmuebles, además, las partes integrantes, pertenencias, accesorios y bienes muebles que por su vinculación con el inmueble pasarán también a ser considerados a todos los efectos como bienes catalogados por su relevancia cultural. En el caso de bienes inmateriales, además de la descripción de sus aspectos intangibles, la relación y descripción de los bienes muebles e inmuebles que, por su especial vinculación con el bien inmaterial, pasarán también a ser considerados, a todos los efectos, bienes integrantes del patrimonio cultural de acuerdo con alguna de las categorías a que se refieren los apartados b y c del artículo 2 de la presente Ley.

Artículo 25. Plazo de resolución del procedimiento de declaración de un bien catalogado por su relevancia cultural

1. El procedimiento de declaración de un bien catalogado por su relevancia cultural deberá resolverse y notificarse en el plazo máximo de veinte meses, cuando se trate de inmuebles y de un año en el resto de los casos.

2. Los plazos a que se refiere el apartado anterior se computarán a partir del día siguiente de la notificación o publicación del acuerdo de incoación. Transcurridos los mismos sin haberse notificado o, en su caso, publicado la resolución que ponga fin al procedimiento se producirá la caducidad del mismo, sin perjuicio de la posibilidad de acordar la suspensión o la ampliación del plazo para resolver y notificar, en los términos dispuestos en la normativa estatal.

Artículo 26. Notificación y publicación de la resolución finalizadora del procedimiento de declaración de un bien catalogado por su relevancia cultural

La resolución que ponga fin al procedimiento de declaración de un bien catalogado por su relevancia cultural será notificada a los interesados, y en el caso de inmuebles, al Ayuntamiento donde se ubique el bien. Asimismo, en el caso de bienes inmuebles e inmateriales, se publicará en el «Boletín Oficial de la Región de Murcia».

Artículo 27. Inscripciones de los bienes catalogados por su relevancia cultural

1. Se crea el Catálogo del Patrimonio Cultural de la Región de Murcia como un registro de carácter administrativo, cuya gestión corresponderá a la dirección general con competencias en materia de patrimonio cultural.

2. La inscripción de la declaración de un bien catalogado por su relevancia cultural en el Catálogo a que se refiere el párrafo anterior, se realizará de oficio por el director general con competencias en materia de patrimonio cultural.

Artículo 28. Procedimiento para dejar sin efecto o modificar la declaración de un bien catalogado por su relevancia cultural

1. La declaración de un bien catalogado por su relevancia cultural sólo podrá dejarse sin efecto o ser modificada por resolución de la dirección general con competencias en materia de patrimonio cultural y siguiendo los mismos trámites y requisitos establecidos en la presente Ley para su declaración.

2. No podrán invocarse como causas para dejar sin efecto la declaración de un bien catalogado por su relevancia cultural las que se deriven del incumplimiento de las obligaciones establecidas en la presente Ley.

3. La resolución que modifique o deje sin efecto la declaración de un bien catalogado por su relevancia cultural dará lugar a la cancelación o modificación de la correspondiente inscripción en el Catálogo del Patrimonio Cultural de la Región de Murcia.

4. La modificación o cancelación de la inscripción en el Catálogo del Patrimonio Cultural de la Región de Murcia, se realizará de oficio por el director general con competencias en materia de patrimonio cultural.

CAPÍTULO III. Procedimiento de declaración de los bienes inventariados

Artículo 29. Procedimiento de declaración de los bienes inventariados

1. La declaración de un bien inventariado se acordará por resolución del director general con competencias en materia de patrimonio cultural, y requerirá la previa tramitación de un procedimiento instruido a tal efecto. La iniciación de dicho procedimiento tendrá lugar de oficio, aunque podrá ser promovido por cualquier persona física o jurídica y será incoado por acuerdo de la citada dirección general, que deberá ser notificado a los interesados en el plazo de un mes, transcurrido el cual sin haberse adoptado y notificado se considerará acordada la incoación.

2. En la declaración de un bien inventariado se dará audiencia al interesado y, cuando se trate de bienes inmuebles, al ayuntamiento donde radique el bien. En el caso de bienes inmateriales, se dará audiencia a las entidades públicas y privadas vinculadas directamente con el bien objeto de protección.

3. Si el órgano competente en materia de patrimonio cultural adoptara, antes de la iniciación del procedimiento, la aplicación preventiva de las medidas de protección previstas por la presente Ley para los bienes ya inventariados, el acuerdo de incoación, que en todo caso deberá pronunciarse sobre el mantenimiento o levantamiento de estas medidas, deberá efectuarse dentro de los quince días siguientes a su adopción. En todo caso, las medidas quedarán sin efecto si no se inicia el procedimiento en dicho plazo o cuando el acuerdo de incoación no contenga un pronunciamiento expreso acerca de las mismas. La adopción de medidas cautelares así como la denegación expresa de la solicitud de incoación deberá ser motivada.

Contra el acuerdo de incoación procederá el recurso de alzada.

4. Las medidas acordadas en el apartado anterior no podrán extenderse más allá de la eficacia de la resolución administrativa que ponga fin al procedimiento.

5. El procedimiento de declaración de un bien inventariado deberá resolverse y notificarse en el plazo máximo de un año e incluirá necesariamente el trámite de audiencia a los interesados. En el caso de inmuebles se dará audiencia, asimismo, al ayuntamiento afectado y se abrirá un período de información pública.

6. La resolución que ponga fin al procedimiento de declaración de un bien inventariado será notificada a los interesados y, en el caso de inmuebles, al ayuntamiento donde se ubique el bien. Asimismo, en el caso de bienes inmuebles e inmateriales, se publicará en el «Boletín Oficial de la Región de Murcia».

Artículo 30. Inscripciones en el Inventario de Bienes Culturales de la Región de Murcia

1. Se crea el Inventario de Bienes Culturales de la Región de Murcia como un registro de carácter administrativo, cuya gestión corresponderá a la dirección general con competencias en materia de patrimonio cultural.

2. La inscripción de un bien inventariado a que se refiere el párrafo anterior, se realizará de oficio por el director general con competencias en materia de patrimonio cultural.

Artículo 31. Procedimiento para dejar sin efecto o modificar la declaración de un bien inventariado

La declaración de un bien inventariado sólo podrá dejarse sin efecto o ser modificada por resolución de la dirección general con competencias en materia de patrimonio cultural y siguiendo los mismos trámites y requisitos establecidos en la presente Ley para su declaración.

CAPÍTULO IV. El Registro General del Patrimonio Cultural de la Región de Murcia

Artículo 32. El Registro General del Patrimonio Cultural de la Región de Murcia

1. Se crea el Registro General del Patrimonio Cultural de la Región de Murcia como un registro de carácter administrativo, cuya gestión corresponderá a la dirección general con competencias en materia de patrimonio cultural.

2. El Registro General del Patrimonio Cultural de la Región de Murcia estará integrado por el Registro de Bienes de Interés Cultural de la Región de Murcia, por el Catálogo del Patrimonio Cultural de la Región de Murcia y por el Inventario de Bienes Culturales de la Región de Murcia.

Artículo 33. Inclusión de los bienes integrantes del patrimonio cultural en el Registro General del Patrimonio Cultural de la Región de Murcia

La declaración de un bien de interés cultural o catalogado por su relevancia cultural y la inclusión de un bien en el Inventario de Bienes Culturales de la Región de Murcia implicará su inclusión automática en el Registro General de Bienes del Patrimonio Cultural de la Región de Murcia.

TÍTULO II. Régimen jurídico de protección de los bienes que integran el patrimonio cultural de la Región de Murcia

CAPÍTULO I. Régimen especial de protección de los bienes de interés cultural

Sección 1ª. Régimen especial de protección de los bienes inmuebles de interés cultural

Artículo 34. Traslados de bienes inmuebles de interés cultural

1. Los bienes inmuebles de interés cultural, en cuanto inseparables de su entorno, no podrán ser objeto de traslado o desplazamiento, salvo que el mismo se considere imprescindible por causa de fuerza mayor o interés social. En todo caso, se requerirá autorización de la dirección general con competencias en materia de patrimonio cultural, previo informe favorable de al menos dos de las instituciones consultivas a que se refiere el artículo 7.2 de esta Ley, que se entenderá desfavorable al traslado si éste no es emitido transcurridos cuatro meses desde su solicitud, debiendo adoptarse las medidas oportunas para garantizar su integridad en dicho traslado.

2. El procedimiento para el otorgamiento de la autorización a que se refiere el apartado anterior deberá resolverse y notificarse en el plazo máximo de seis meses desde la solicitud. Transcurrido dicho plazo sin haberse resuelto y notificado la resolución se entenderá denegada la autorización.

Artículo 35. Declaración de ruina de bienes inmuebles de interés cultural

1. Si llegara a incoarse expediente de declaración de ruina de un bien de interés cultural, por cualquiera de los supuestos previstos en la legislación urbanística, la dirección general con competencias en materia de patrimonio cultural estará legitimada para intervenir como parte en el mismo.

2. La declaración de ruina o la simple incoación del expediente de declaración de ruina sobre un bien inmueble de interés cultural será causa de utilidad pública para la expropiación forzosa del inmueble afectado.

3. La declaración de ruina técnica no será incompatible, en todo caso, con la rehabilitación del bien inmueble de interés cultural a cargo del propietario, independientemente de que se hubieran observado los deberes de conservación a que se refiere el artículo 8 de la presente Ley y con los límites que del mismo se derivan.

4. En el caso de inminente peligro para la seguridad de las personas y de los bienes el titular del bien inmueble de interés cultural y, en su defecto, el ayuntamiento correspondiente deberá adoptar las medidas necesarias para evitar posibles daños. Si fueran necesarias obras por razón de fuerza mayor, dichas medidas deberán dirigirse simultáneamente a garantizar la seguridad de personas y a preservar, en lo posible, la integridad del bien, en tanto se tramite la declaración legal de ruina.

Artículo 36. Demolición de bienes de interés cultural

1. La dirección general con competencias en materia de patrimonio cultural podrá autorizar la demolición total o parcial de un bien de interés cultural sobre el que haya recaído declaración de ruina técnica, previo informe favorable de al menos dos de las instituciones consultivas a que se refiere el artículo 7.2 de esta Ley y previa audiencia al propietario del bien, de sus moradores y del ayuntamiento correspondiente durante el plazo de quince días.

2. Sin perjuicio de lo establecido en el párrafo anterior, no podrá procederse a la demolición de ningún bien inmueble de interés cultural cuando la declaración de ruina sea consecuencia del incumplimiento de los deberes de conservación a que se refiere el artículo 8 de la presente Ley.

3. En ningún caso la demolición de un bien de interés cultural podrá dar lugar a un mayor aprovechamiento urbanístico.

Artículo 37. Relación con el planeamiento urbanístico

1. La declaración de un bien de interés cultural como conjunto histórico, sitio histórico, zona arqueológica, zona paleontológica o lugar de interés etnográfico contendrá, además de aquellos extremos a que se refiere el artículo 17 de la presente Ley, las medidas urbanísticas que deben adoptarse para su mejor protección.

2. Los regímenes específicos de protección derivados de la declaración de un bien de interés cultural prevalecerán sobre el planeamiento urbanístico vigente que, en su caso, deberá adaptarse a los mismos en el plazo de dos años desde la declaración.

3. La Administración Regional promoverá medidas de colaboración con los Ayuntamientos para la redacción de los planeamientos protectores.

Artículo 38. Instalaciones en bienes inmuebles de interés cultural

1. En los bienes inmuebles de interés cultural no podrá instalarse publicidad fija mediante vallas o carteles, cables, antenas y todo aquello que impida o menoscabe la apreciación del bien. No obstante, la dirección general con competencias en materia de patrimonio cultural podrá autorizar estas instalaciones en los términos del artículo 40 de la presente

Ley, siempre que no impidan o menoscaben la apreciación del bien y que se garantice la integridad e identidad del mismo.

2. No tendrán la consideración de publicidad a los efectos del párrafo anterior las señalizaciones de servicios públicos, los indicadores que expliquen didácticamente el bien, así como la rotulación de establecimientos existentes informativos de la actividad que en ellos se desarrolla que sean armónicos con el bien.

Artículo 39. Justificación de proyectos de intervención sobre bienes inmuebles de interés cultural

Todo proyecto de intervención sobre un bien inmueble de interés cultural deberá incorporar una memoria cultural elaborada por técnico competente sobre su valor histórico, artístico, arqueológico, paleontológico, etnográfico o de cualquier otra naturaleza cultural. Asimismo contendrá una justificación razonada de la adecuación del proyecto a los criterios previstos en el artículo 40.3 de la presente Ley.

Artículo 40. Autorización de intervenciones sobre bienes inmuebles de interés cultural

1. Toda intervención que pretenda realizarse en un bien inmueble de interés cultural requerirá autorización de la dirección general con competencias en materia de patrimonio cultural con carácter previo a la concesión de licencias y autorizaciones que requiera dicha intervención, independientemente de la Administración a que corresponda otorgarlas. No obstante, una vez aprobado definitivamente el Plan Especial de protección a que se refiere el artículo 44 de la presente Ley, los ayuntamientos serán competentes para autorizar las obras que los desarrollan, debiendo dar cuenta a la dirección general con competencias en materia de patrimonio cultural de las licencias otorgadas en un plazo máximo de diez días desde la fecha de su concesión. En todo caso, las intervenciones arqueológicas y las intervenciones paleontológicas requerirán la autorización de la dirección general con competencias en materia de patrimonio cultural en los términos del artículo 56.3 de la presente Ley. Asimismo, y en todo caso, las intervenciones que afecten a monumentos, espacios públicos o a los exteriores de los inmuebles comprendidos en sus entornos requerirán la autorización de la dirección general con competencias en materia de patrimonio cultural, en los términos del párrafo segundo del presente artículo.

2. El procedimiento para la autorización de intervenciones en bienes de interés cultural deberá resolverse y notificarse en el plazo de tres meses. Transcurrido dicho plazo sin haberse resuelto y notificado la resolución se entenderá denegada la autorización.

3. Toda intervención que pretenda realizarse en un inmueble declarado bien de interés cultural deberá ir encaminada a su conservación y mejora, conforme a los siguientes criterios:

a) Se respetarán las características constructivas esenciales del inmueble, sin perjuicio de que pueda autorizarse el uso de elementos, técnicas y materiales actuales.

b) Se conservarán las características volumétricas y espaciales definidoras del inmueble, así como las aportaciones de distintas épocas cuando no sean degradantes para el bien. No obstante, excepcionalmente podrán autorizarse modificaciones volumétricas y espaciales debidamente justificadas que serán documentadas e incorporadas al expediente de declaración correspondiente.

c) Se evitará la reconstrucción total o parcial del bien, excepto en los casos en que se utilicen partes originales, así como las adiciones miméticas que falseen su autenticidad histórica. No obstante, se permitirán las reconstrucciones totales o parciales de volúmenes primitivos que se realicen a efectos de percepción de los valores culturales y del conjunto del bien, en cuyo caso quedarán suficientemente diferenciadas a fin de evitar errores de lectura e interpretación. Del mismo modo, se admitirán las reconstrucciones que se realicen para corregir los efectos del vandalismo, de las catástrofes naturales, del incumplimiento del deber de conservación o de obras ilegales.

4. Durante el proceso de intervención, la dirección general con competencias en materia de patrimonio cultural podrá inspeccionar los trabajos realizados y adoptará cuantas medidas estime oportunas para asegurar el cumplimiento de los criterios establecidos en la autorización de la intervención.

5. Una vez concluida la intervención, el director técnico entregará a la dirección general con competencias en materia de cultura una memoria en la que figure, al menos, la descripción pormenorizada de la intervención ejecutada y de los tratamientos aplicados, así como documentación gráfica del proceso seguido. Dicha memoria pasará a formar parte de los expedientes de declaración del bien en cuestión.

Subsección 1ª. Régimen especial de los monumentos

Artículo 41. Cambio de uso de los monumentos

Todo cambio de uso que afecte directamente a un bien inmueble de interés cultural calificado de monumento o a cualquiera de sus partes integrantes y pertenencias o accesorios exigirá autorización de la dirección general con competencias en materia de patrimonio cultural, que deberá resolver y notificar la resolución del procedimiento en el plazo de tres meses. Transcurrido dicho plazo sin haberse resuelto y notificado la resolución se entenderá denegada la autorización.

Artículo 42. Entorno de los monumentos

1. El entorno de los monumentos estará constituido por el espacio y, en su caso, por los elementos en él comprendidos, cuya alteración pueda afectar a los valores propios del bien de que se trate, a su contemplación o a su estudio.

2. Las intervenciones en el entorno de los monumentos no podrán alterar el carácter arquitectónico y paisajístico de la zona, salvo que sea degradante para el monumento, ni perturbar su contemplación o atentar contra la integridad del mismo. Se prohíben las instalaciones y los cables eléctricos, telefónicos y cualesquiera otros de carácter exterior.

3. En los entornos de los monumentos el planeamiento deberá prever la realización de aquellas actuaciones necesarias para la eliminación de elementos, construcciones e instalaciones que alteren el carácter arquitectónico y paisajístico de la zona, perturben la contemplación del monumento o atenten contra la integridad del mismo.

Subsección 2ª. Régimen especial de los conjuntos históricos, sitios históricos, zonas arqueológicas, zonas paleontológicas y lugares de interés etnográfico

Artículo 43. Instalaciones en los conjuntos históricos, sitios históricos, zonas arqueológicas, zonas paleontológicas y lugares de interés etnográfico

1. En los conjuntos históricos, sitios históricos, zonas arqueológicas, zonas paleontológicas y lugares de interés etnográfico no podrá instalarse publicidad fija mediante vallas o carteles, cables, antenas y todo aquello que impida o menoscabe la apreciación del bien. No obstante, la dirección general con competencias en materia de patrimonio cultural podrá autorizar estas instalaciones en los términos del artículo 40 de la presente Ley, siempre que no impidan o menoscaben la apreciación del bien y que se garantice la integridad e identidad del mismo.

2. No tendrán la consideración de publicidad a los efectos del párrafo anterior las señalizaciones de servicios públicos, los indicadores que expliquen didácticamente el bien,

así como la rotulación de establecimientos existentes informativos de la actividad que en ellos se desarrolla que sean armónicos con el bien.

Artículo 44. Planes especiales, u otro instrumento de planeamiento, de protección de conjuntos históricos, sitios históricos, zonas arqueológicas, zonas paleontológicas y lugares de interés etnográfico

1. La declaración de un conjunto histórico, sitio histórico, zona arqueológica, zona paleontológica y lugar de interés etnográfico determinará la obligación para el ayuntamiento en que se encuentre de redactar un Plan especial u otro instrumento de planeamiento de protección del área afectada, que deberá ser aprobado en el plazo de dos años desde la declaración. La aprobación definitiva de este Plan requerirá el informe favorable de la dirección general con competencias en materia de patrimonio cultural. Si dicho informe no es emitido transcurridos tres meses desde su solicitud se entenderá favorable al Plan. Dicha obligación no podrá excusarse en la preexistencia de otro planeamiento vigente contradictorio con la protección, que deberá adaptarse a los regímenes de protección de la declaración en los términos del artículo 37.2 de la presente Ley, ni en la inexistencia previa de planeamiento general.

2. Cualquier otra figura de planeamiento que incida sobre el área afectada por la declaración de un conjunto histórico, sitio histórico, zona arqueológica, zona paleontológica y lugar de interés etnográfico precisará informe favorable de la dirección general con competencias en materia de patrimonio cultural, en los términos previstos en el apartado anterior.

Artículo 45. Contenido de los planes especiales de protección de conjuntos históricos, sitios históricos, zonas arqueológicas, zonas paleontológicas y lugares de interés etnográfico

1. El plan especial a que se refiere el artículo anterior contendrá una relación de los valores a preservar y de todos los bienes a proteger de acuerdo con las categorías a que se refiere el artículo 2 de la presente Ley, las medidas de conservación de los mismos, la determinación de los usos adecuados de los bienes y, en su caso, las propuestas de intervención.

2. El plan especial declarará fuera de ordenación aquellas construcciones e instalaciones erigidas con anterioridad a su aprobación que resulten incompatibles con el régimen de protección derivado del mismo, de conformidad con la legislación del suelo.

3. Excepcionalmente, los planes especiales de protección podrán permitir remodelaciones urbanas, pero sólo en caso de que impliquen una mejora de sus relaciones con el entorno territorial o urbano o eviten los usos degradantes.

Artículo 46. Autorización de obras en los conjuntos históricos, sitios históricos, zonas arqueológicas, zonas paleontológicas y lugares de interés etnográfico

1. En tanto no sea aprobado el plan especial de protección a que se refiere el artículo 44 de la presente Ley, la concesión de licencias o la ejecución de las otorgadas antes de la declaración precisará autorización de la dirección general con competencias en materia de patrimonio cultural. La dirección general deberá resolver en el plazo de tres meses. Transcurrido dicho plazo sin que la Administración resuelva y notifique la resolución el interesado podrá entender desestimada su solicitud. No se admitirán modificaciones en las alineaciones y rasantes existentes, incrementos o alteraciones del volumen, parcelaciones ni agregaciones y, en general, cambios que distorsionen la armonía del bien.

2. La autorización a que se refiere el apartado anterior no resultará de aplicación cuando se trate de transformaciones del interior de los inmuebles que formen parte de conjuntos históricos o de inmuebles que formen parte del entorno de monumentos.

3. Una vez aprobado definitivamente el plan especial de protección, los ayuntamientos serán competentes para autorizar las obras que lo desarrollan, debiendo dar cuenta a la dirección general con competencias en materia de patrimonio cultural de las licencias otorgadas en un plazo máximo de diez días desde su concesión. En todo caso, las intervenciones arqueológicas y paleontológicas requerirán la autorización de la dirección general con competencias en materia de patrimonio cultural en los términos del artículo 56.3 de la presente Ley. Asimismo, y en todo caso, las intervenciones que afecten a monumentos, espacios públicos o a los exteriores de los inmuebles comprendidos en sus entornos requerirán la autorización de la dirección general con competencias en materia de patrimonio cultural, en los términos del párrafo primero del presente artículo.

4. Las obras que se realicen al amparo de licencias declaradas nulas por contravenir el plan especial de protección serán ilegales y la dirección general con competencias en materia de patrimonio cultural ordenará su reconstrucción o demolición con cargo al ayuntamiento que las hubiese otorgado, sin perjuicio de lo dispuesto en la normativa urbanística.

Sección 2ª. Régimen especial de protección de los bienes muebles de interés cultural

Artículo 47. Autorización de intervenciones en bienes muebles de interés cultural

1. Toda intervención que pretenda realizarse en un bien mueble de interés cultural requerirá autorización de la dirección general con competencias en materia de patrimonio cultural. Asimismo se requerirá dicha autorización para disgregar las colecciones que hayan sido declaradas de interés cultural.

2. Los proyectos de intervención sobre los bienes muebles de interés cultural, que serán redactados y dirigidos por técnico competente, incorporarán una memoria elaborada por técnico cualificado sobre su valor cultural.

3. El procedimiento para el otorgamiento de dicha autorización deberá resolverse y notificarse en el plazo máximo de tres meses desde la solicitud. Transcurrido dicho plazo sin haberse resuelto y notificado la resolución se entenderá denegada la autorización.

4. Toda intervención que pretenda realizarse en un bien mueble de interés cultural deberá respetar los siguientes criterios:

a) Se respetará el principio de intervención mínima, que supone la conservación de forma prioritaria a la restauración.

b) En su caso, la restauración deberá ser debidamente justificada, diferenciada y reversible.

5. Durante el proceso de intervención la dirección general con competencias en materia de patrimonio cultural podrá inspeccionar los trabajos realizados y adoptar cuantas medidas estime oportunas para asegurar el cumplimiento de los criterios establecidos en la autorización de la intervención.

6. Una vez concluida la intervención, la dirección técnica realizará una memoria en la que figure, al menos, la descripción pormenorizada de la intervención ejecutada y de los tratamientos aplicados, así como documentación gráfica del proceso seguido. Dicha memoria pasará a formar parte de los expedientes de declaración del bien en cuestión.

Artículo 48. Comercio de bienes muebles de interés cultural

1. Los bienes muebles de interés cultural podrán ser objeto de comercio, previa comunicación a la dirección general con competencias en materia de patrimonio cultural.

2. Las personas y entidades privadas que se dediquen habitualmente al comercio de bienes muebles de interés cultural llevarán un libro de registro legalizado por la dirección general con competencias en materia de patrimonio cultural, en el cual se constatarán las

transacciones efectuadas. Se anotarán en el citado libro los datos de identificación del objeto y las partes que intervengan en cada transacción.

Artículo 49. Traslados de bienes muebles de interés cultural

1. El traslado de bienes muebles de interés cultural se comunicará a la dirección general con competencias en materia de patrimonio cultural, con una antelación mínima de diez días, para su anotación en el Registro de Bienes de Interés Cultural, indicando su origen y destino y si aquel traslado se efectúa con carácter temporal o definitivo.

2. Los bienes muebles que fuesen reconocidos como inseparables de un bien inmueble o inmaterial de interés cultural estarán sometidos al destino de éste y su separación o traslado, siempre con carácter excepcional, exigirá la previa autorización de la dirección general con competencias en materia de patrimonio cultural. El procedimiento para el otorgamiento de dicha autorización deberá resolverse y notificarse en el plazo máximo de seis meses desde la solicitud. Transcurrido dicho plazo sin haberse resuelto y notificado la resolución se entenderá denegada la autorización.

CAPÍTULO II. Régimen especial de protección de los bienes catalogados por su relevancia cultural

Artículo 50. Autorización de intervenciones en bienes catalogados

1. Toda intervención que pretenda realizarse en un bien catalogado por su relevancia cultural requerirá autorización de la dirección general con competencias en materia de patrimonio cultural con carácter previo a la concesión de licencias y autorizaciones que requiera dicha intervención, independientemente de la Administración a que corresponda otorgarlas. No obstante, si se encontrara catalogado en un instrumento de planificación territorial o urbanística, los ayuntamientos serán competentes para autorizar las obras que los desarrollan, debiendo dar cuenta a la dirección general con competencias en materia de patrimonio cultural de las licencias otorgadas en un plazo máximo de diez días desde su concesión. En todo caso, las intervenciones arqueológicas y paleontológicas requerirán la autorización de la dirección general con competencias en materia de patrimonio cultural en los términos del artículo 56 de la presente Ley.

2. El procedimiento para el otorgamiento de la autorización a que se refiere el apartado anterior deberá resolverse y notificarse en el plazo máximo de tres meses desde la solicitud, salvo que se trate de intervenciones arqueológicas o paleontológicas, en cuyo caso el plazo máximo para resolver y notificar será de seis meses o de tres meses, de conformidad con el artículo 56.3 de la presente Ley. Transcurridos dichos plazos sin haberse resuelto y notificado la resolución se entenderá denegada la autorización.

Artículo 51. Traslados de bienes catalogados

1. El traslado de los bienes inmuebles catalogados por su relevancia cultural requerirá autorización de la dirección general con competencias en materia de patrimonio cultural. El traslado de bienes muebles catalogados por su relevancia cultural será comunicado a la dirección general con competencias en materia de patrimonio cultural, con una antelación mínima de diez días, de conformidad con el artículo 8.2.e) de la presente Ley.

2. El procedimiento para el otorgamiento de las autorizaciones a que se refiere el apartado primero de este precepto deberá resolverse y notificarse en el plazo máximo de tres meses desde la solicitud. Transcurrido dicho plazo sin haberse resuelto y notificado la resolución se entenderá denegada la autorización.

CAPÍTULO III. Régimen especial de protección de los bienes inventariados

Artículo 52. Autorización de intervenciones en bienes inventariados

1. Toda intervención que pretenda realizarse en un bien inventariado requerirá autorización de la dirección general con competencias en materia de patrimonio cultural con carácter previo a la concesión de licencias y autorizaciones que requiera dicha intervención, independientemente de la Administración a que corresponda otorgarlas.

2. El procedimiento para el otorgamiento de la autorización a que se refiere el apartado anterior deberá resolverse y notificarse en el plazo máximo de tres meses desde la solicitud, salvo que se trate de intervenciones arqueológicas o paleontológicas, de conformidad con el artículo 56.3 de la presente Ley. Transcurrido dicho plazo sin haberse resuelto y notificado la resolución, se entenderá denegada la autorización.

Artículo 53. Traslados de bienes inventariados

Los traslados de los bienes inmuebles y muebles inventariados deberán ser comunicados, con carácter previo a su realización, a la dirección general con competencias en materia de patrimonio cultural, de conformidad con el artículo 8.3.c de la presente Ley.

TÍTULO III. Patrimonio arqueológico y paleontológico

Artículo 54. Patrimonio arqueológico y paleontológico

1. Integran el patrimonio arqueológico de la Región de Murcia los bienes muebles e inmuebles de carácter histórico susceptibles de ser estudiados con método arqueológico, fuesen o no extraídos, tanto si se encuentran en la superficie como en el subsuelo o bajo las aguas.

2. Integran el patrimonio paleontológico de la Región de Murcia el conjunto de yacimientos, secciones fosilíferas, colecciones y ejemplares paleontológicos relacionados con el conocimiento de la historia evolutiva de la vida y que resulten de interés para la Región de Murcia, con independencia de su titularidad pública o privada.

3. Son bienes de dominio público los objetos y restos materiales y restos o vestigios fosilizados que posean los valores propios del patrimonio cultural y que sean descubiertos como consecuencia de actuaciones arqueológicas o paleontológicas, por azar o como consecuencia de excavaciones, remociones de tierra u obras de cualquier índole hechas en lugares donde no pudiera presumirse la existencia de aquellos bienes.

Artículo 55. Clasificación de actuaciones arqueológicas y paleontológicas

1. Según el tipo de intervención las actuaciones arqueológicas y paleontológicas, se clasificarán en excavaciones, prospecciones, supervisiones, sondeos, estudios de arte rupestre, y análisis arqueológicos de estructuras emergentes.

a) Tendrán la consideración de excavaciones arqueológicas o paleontológicas las actividades de documentación y, en su caso, extracción de restos arqueológicos o paleontológicos, con remoción de tierras, orientadas a la investigación y reconstrucción del pasado.

b) Tendrán la consideración de sondeos arqueológicos o paleontológicos aquellas excavaciones en que predomine la profundidad a excavar sobre la extensión, con la finalidad de documentar la secuencia estratigráfica del yacimiento. Cualquier toma de muestras en yacimientos arqueológicos y paleontológicos tendrá la consideración de sondeo.

c) Tendrán la consideración de supervisiones arqueológicas o paleontológicas las tareas de seguimiento y, en determinados casos, de coordinación de obras o trabajos que puedan afectar a restos arqueológicos o paleontológicos.

d) Tendrán la consideración de prospecciones arqueológicas o paleontológicas las actividades de exploración superficiales, subterráneas o subacuáticas dirigidas al registro de elementos integrantes del patrimonio arqueológico y paleontológico. A su vez las prospecciones arqueológicas o paleontológicas se clasificarán en las siguientes categorías:

– Prospecciones sin extracción de tierra, que serán visuales si implican reconocimiento del terreno o geofísicas si consisten en el estudio del subsuelo con la aplicación de técnicas físicas.

– Prospecciones con extracción de tierra, que podrán consistir bien en la realización de sondeos manuales o bien en la extracción de testigos mediante sondeo mecánico con el fin de comprobar las primeras evidencias de la existencia de restos arqueológicos o paleontológicos.

e) Tendrán la consideración de estudios de arte rupestre aquellos orientados a la investigación y documentación de pinturas y petroglifos en su entorno arqueológico y paisajístico inmediato.

f) Tendrán la consideración de análisis arqueológicos de estructuras emergentes las actividades dirigidas a la documentación de las estructuras arquitectónicas que forman o han formado parte de un inmueble, que se completará mediante el control arqueológico de la ejecución de las obras de conservación, restauración o rehabilitación.

2. Según los motivos que originen las actuaciones arqueológicas y paleontológicas, se clasificarán en programadas, preventivas y de emergencia.

3. Tendrán la consideración de actuaciones programadas a los efectos de la presente Ley aquellas que pretendan realizarse con fines de investigación sobre el patrimonio arqueológico y paleontológico de la Región de Murcia.

4. Tendrán la consideración de actuaciones preventivas a los efectos de la presente Ley aquellas derivadas de proyectos de urbanización, construcción, remodelación, ordenación, ejecución de infraestructuras, roturación o explotación del territorio que afecten al patrimonio arqueológico o paleontológico de la Región de Murcia.

5. Tendrán la consideración de actuaciones de emergencia a los efectos de la presente Ley aquellas derivadas del hallazgo imprevisible y casual de elementos del patrimonio arqueológico o paleontológico de la Región de Murcia en el transcurso de obras de construcción o remoción de terrenos, así como aquellas que se realicen sobre bienes integrantes del patrimonio arqueológico o paleontológico de la Región de Murcia cuya conservación se encuentre amenazada como consecuencia de la concurrencia de fuerza mayor o por la intervención de un tercero.

Artículo 56. Autorización de actuaciones arqueológicas y paleontológicas

1. Las actuaciones arqueológicas y paleontológicas que afecten al patrimonio cultural de la Región de Murcia deberán ser autorizadas por la dirección general con competencias en materia de patrimonio cultural.

2. La solicitud de la autorización para la realización de actuaciones arqueológicas y paleontológicas deberá acompañarse de un proyecto detallado de la actuación a realizar, así como de la justificación de la conveniencia de la misma, de acuerdo con lo que se determine reglamentariamente.

3. El procedimiento para el otorgamiento de las autorizaciones de actuaciones arqueológicas o paleontológicas programadas deberá resolverse y notificarse en el plazo máximo de seis meses. El procedimiento para el otorgamiento de autorizaciones de actuaciones arqueológicas o paleontológicas preventivas deberá resolverse y notificarse en el plazo máximo de tres meses. El procedimiento para el otorgamiento de autorizaciones de actuaciones arqueológicas o paleontológicas de emergencia deberá resolverse y notificarse en

el plazo máximo de un mes. Transcurridos dichos plazos sin haberse resuelto y notificado la resolución se entenderá denegada la autorización.

4. La autorización de cualquier clase de actuaciones arqueológicas o paleontológicas determinará para los beneficiarios de la misma la obligación de comunicar sus descubrimientos de notable interés a la dirección general con competencias en materia de patrimonio cultural en el plazo de cuarenta y ocho horas y de entregarlos a la misma dirección general en el plazo de tres meses de conformidad con lo que reglamentariamente se establezca. El descubrimiento de manifestaciones de arte rupestre deberá ser comunicado, en todo caso, en el plazo de cuarenta y ocho horas.

Artículo 57. Órdenes de ejecución de actuaciones paleontológicas

La dirección general con competencias en materia de patrimonio cultural podrá ordenar la ejecución de cualquier actuación arqueológica o paleontológica cuando se conozca o presuma la existencia de restos de interés arqueológico o paleontológico.

Artículo 58. Obligación de comunicación y entrega de hallazgos por azar

1. El que descubra objetos y restos materiales y vestigios o restos fosilizados que posean los valores propios del patrimonio cultural por azar o como consecuencia de excavaciones, movimientos de tierra, obras y actividades de cualquier índole, hechas en lugares donde no pudiera presumirse la existencia de aquellos bienes deberá comunicar el hallazgo y entregar los objetos y restos hallados a la dirección general con competencias en materia de patrimonio cultural, en el plazo de cuarenta y ocho horas.

2. Los objetos cuya extracción requiera remoción de tierras y los restos subacuáticos sólo están sujetos al deber de comunicación del hallazgo, exceptuándose la obligación de entrega, debiendo quedar en el lugar donde se hallen hasta que la dirección general con competencias en materia de patrimonio cultural acuerde lo procedente.

Artículo 59. Financiación de las actuaciones arqueológicas y paleontológicas

1. Las actuaciones arqueológicas y paleontológicas serán sufragadas por el promotor de las mismas.

2. La dirección general con competencias en materia de patrimonio cultural podrá subvencionar total o parcialmente las actuaciones arqueológicas y paleontológicas programadas, preventivas y de emergencia.

3. La dirección general con competencias en materia de patrimonio cultural sufragará las actuaciones arqueológicas y paleontológicas de emergencia cuando se trate de garantizar la conservación del patrimonio arqueológico o paleontológico de la Región de Murcia frente a amenazas derivadas de fuerza mayor, sin perjuicio de la colaboración que pudiesen prestar otras instituciones.

4. La dirección general con competencias en materia de patrimonio cultural financiará las actuaciones arqueológicas y paleontológicas de emergencia cuando se trate de garantizar la conservación del patrimonio arqueológico o paleontológico de la Región de Murcia frente a amenazas derivadas de la intervención de un tercero, sin perjuicio de las responsabilidades que, en su caso, pudieran corresponder a los propietarios del bien o a los causantes de los daños al patrimonio arqueológico o paleontológico de la Región de Murcia, cuando dichas amenazas o daños hayan constituido el motivo de la actuación.

Artículo 60. Coordinación de las actuaciones arqueológicas y paleontológicas

La dirección general con competencias en materia de patrimonio cultural coordinará las actuaciones arqueológicas y paleontológicas preventivas y de emergencia.

TÍTULO IV. Planes de ordenación del patrimonio cultural

Artículo 61. Planificación del patrimonio cultural

1. La consejería con competencias en materia de patrimonio cultural planificará las áreas en las que concurran valores arqueológicos, paleontológicos o paisajístico-culturales para preservar sus valores culturales y facilitar su estudio y su disfrute por parte de las generaciones presentes y futuras.

2. Como instrumentos de esta planificación se configuran los Planes de Ordenación del Patrimonio Cultural. Las zonas afectadas por los Planes de Ordenación del Patrimonio Cultural se corresponderán con alguna de las siguientes categorías:

a) Parque arqueológico: área en la que se conozca la existencia de uno o más yacimientos arqueológicos que por sus especiales características e integración con los recursos naturales o culturales merezca una planificación especial.

b) Parque paleontológico: área en la que se conozca la existencia de uno o más yacimientos paleontológicos que por sus especiales características e integración con los recursos naturales o culturales merezca una planificación especial.

c) Paisaje cultural: porción de territorio rural, urbano o costero donde existan bienes integrantes del patrimonio cultural que por su valor histórico, artístico, estético, etnográfico, antropológico, técnico o industrial e integración con los recursos naturales o culturales merezca una planificación especial.

3. Los Planes de Ordenación del Patrimonio Cultural deberán contener las siguientes determinaciones:

a) Definición de su ámbito territorial.

b) Descripción de los caracteres y valores culturales del área con indicación de su estado de conservación.

c) Establecimiento de las limitaciones que, respecto de su uso, deben establecerse de acuerdo con sus caracteres, valores culturales y estado de conservación de la zona y, en su caso, de las figuras de protección del patrimonio cultural que procede declarar de conformidad con la presente Ley.

d) Definición de los sistemas de uso y gestión que se establecen y, en su caso, de los órganos que se constituyen en relación al área afectada por el plan.

e) Formulación de los criterios orientadores de las políticas sectoriales que incidan sobre la zona y resulten compatibles con la ordenación del patrimonio cultural.

Artículo 62. Procedimiento de elaboración de los Planes de Ordenación del Patrimonio Cultural

1. El procedimiento de elaboración de los Planes de Ordenación del Patrimonio Cultural será incoado por la dirección general con competencias en materia de patrimonio cultural e incluirá necesariamente los trámites de audiencia e información pública e informe de la consejería con competencias en materia de ordenación del territorio.

2. Corresponde al Consejo de Gobierno la aprobación por decreto de los Planes de Ordenación del Patrimonio Cultural en el plazo de dos años desde su incoación.

3. Durante la tramitación de los Planes de Ordenación del Patrimonio Cultural no podrán realizarse actos que supongan una transformación sensible de la zona que pueda llegar a hacer imposible o dificultar la consecución de los objetivos de los Planes de Ordenación del Patrimonio Cultural.

Artículo 63. Protección de parques arqueológicos y paleontológicos y de paisajes culturales

1. Una vez aprobado el Plan de Ordenación del Patrimonio Cultural, y en tanto no tenga lugar la adaptación de los instrumentos de ordenación preexistentes a que se refiere

el artículo 64.2 de la presente Ley, las intervenciones que no se encuentren expresamente contempladas como compatibles en el mismo y que afecten a los parques arqueológicos y paleontológicos o a los paisajes culturales deberán ser autorizadas por la dirección general con competencias en materia de patrimonio cultural. No obstante, las intervenciones arqueológicas, las intervenciones paleontológicas y las intervenciones en los monumentos o en los exteriores de los inmuebles comprendidos en sus entornos que afecten a los parques arqueológicos y paleontológicos o a los paisajes culturales deberán ser autorizadas, en todo caso, por la dirección general con competencias en materia de patrimonio cultural, de conformidad con los artículos 40 y 56 de la presente Ley.

2. La solicitud de la correspondiente autorización para la realización de intervenciones que afecten a los parques arqueológicos y paleontológicos y a los paisajes culturales deberá acompañarse de un proyecto detallado de la actuación a realizar que contendrá una justificación razonada de la adecuación del proyecto al contenido del Plan de Ordenación del Patrimonio Cultural.

3. El procedimiento para la obtención de las autorizaciones de intervenciones que afecten a los parques arqueológicos y paleontológicos o a los paisajes culturales deberá resolverse y notificarse en el plazo máximo de seis meses desde su solicitud, salvo que se trate de intervenciones en los monumentos o en los exteriores de los inmuebles comprendidos en sus entornos que afecten a los parques arqueológicos y paleontológicos o a los paisajes culturales, en cuyo caso deberá resolverse y notificarse en el plazo de tres meses, de conformidad con el artículo 40 de la presente Ley. Transcurridos dichos plazos sin haberse resuelto y notificado la resolución se entenderá denegada la autorización.

Artículo 64. Naturaleza de los Planes de Ordenación del Patrimonio Cultural

1. Los Planes de Ordenación del Patrimonio Cultural serán obligatorios y ejecutivos, constituyendo un límite para cualesquiera instrumentos de ordenación territorial, física o urbanística, cuyas determinaciones no podrán modificar dichas disposiciones, sin perjuicio de lo dispuesto en la normativa básica estatal.

2. Los instrumentos de ordenación territorial existentes que resulten contradictorios deberán adaptarse a los Planes de Ordenación del Patrimonio Cultural en el plazo de un año desde el día siguiente a su publicación. No obstante, en tanto no tenga lugar su adaptación, las determinaciones de los Planes de Ordenación del Patrimonio Cultural se aplicarán en todo caso, prevaleciendo sobre los instrumentos de ordenación territorial existentes.

TÍTULO V. Patrimonio etnográfico

Artículo 65. Concepto

El patrimonio etnográfico de la Región de Murcia está constituido por los bienes muebles, inmuebles e inmateriales, en los que se manifiesta la cultura tradicional y modos de vida propios de la Región de Murcia.

Artículo 66. Protección

1. Los bienes integrantes del patrimonio etnográfico de la Región de Murcia gozarán de la protección establecida en la presente Ley y podrán ser clasificados conforme a las categorías previstas en el artículo 2 de la misma.

2. Cuando los bienes inmateriales de valor etnográfico de la Región de Murcia se encuentren en previsible peligro de desaparición, pérdida o deterioro, la dirección general con competencias en materia de patrimonio cultural promoverá y adoptará las medidas oportunas conducentes a su protección, conservación, estudio, documentación científica,

valorización y revitalización y a su recogida por cualquier medio que garantice su protección y su transmisión a las generaciones futuras.

TÍTULO VI. Defensa de la legalidad
CAPÍTULO I. Disposiciones generales

Artículo 67. Acción pública
Será pública la acción para exigir el cumplimiento de lo previsto en la presente Ley para la defensa de los bienes integrantes del patrimonio cultural de la Región de Murcia.

Artículo 68. Multas coercitivas
Con independencia de las sanciones que procedan, la dirección general con competencias en materia de patrimonio cultural podrá imponer multas coercitivas para hacer efectivo el cumplimiento de los deberes derivados de la presente Ley, reiteradas en el plazo en un mes, hasta obtener el cumplimiento de las mismas. La imposición de éstas exigirá un previo requerimiento fehaciente en el que se indicará el plazo de que se dispone para el cumplimiento de la obligación y la cuantía de la multa que en ningún caso podrá exceder de tres mil euros.

Artículo 69. Reparación de los daños causados
La dirección general con competencias en materia de patrimonio cultural ordenará a las personas físicas o jurídicas, públicas o privadas que hubieran causado daños al patrimonio cultural de la Región de Murcia, sin perjuicio de la sanción que en su caso proceda, la reparación de los daños causados, así como la restitución de los bienes a su estado anterior, sin que en ningún caso se adulteren o degraden sus propiedades culturales.

Artículo 70. Inspección
La dirección general con competencias en materia de patrimonio cultural podrá inspeccionar, en cualquier momento, las obras y las intervenciones que afecten a bienes del patrimonio cultural de la Región de Murcia.

CAPÍTULO II. Régimen sancionador

Artículo 71. Sujetos responsables
Serán responsables de las infracciones tipificadas en la presente Ley:
a) Las personas físicas y jurídicas, públicas o privadas, que incumplan las obligaciones establecidas en la presente Ley.
b) Las personas físicas que participen en las herencias yacentes, comunidades de bienes y demás entidades que, carentes de personalidad jurídica, constituyan una unidad económica o un patrimonio separado, de forma solidaria por el incumplimiento de las obligaciones establecidas en la presente Ley.
c) Todos aquellos que, directa o indirectamente, hubieren participado en intervenciones u obras que se realicen sin autorización o incumpliendo las condiciones de la misma y que conforme al Código Penal tendrían la consideración de autores o cómplices.

Artículo 72. Infracciones
1. Constituyen infracciones administrativas en materia de protección del patrimonio cultural de la Región de Murcia las acciones u omisiones que comporten el incumplimiento

de las obligaciones establecidas en la presente Ley, según se especifica en los artículos 73, 74 y 75 de la misma.

2. Las infracciones administrativas en materia de protección del Patrimonio Cultural de la Región de Murcia se clasifican en leves, graves y muy graves.

Artículo 73. Infracciones leves

Constituyen infracciones administrativas leves en materia de protección del patrimonio cultural de la Región de Murcia:

a) El incumplimiento del deber conservación, custodia y protección del patrimonio cultural de la Región de Murcia, siempre que del mismo no se deriven daños graves para los bienes protegidos.

b) El incumplimiento del deber de permitir el estudio de los investigadores o la visita pública de los bienes integrantes del patrimonio cultural de la Región de Murcia, en los términos establecidos en la presente Ley.

c) El cambio de uso de los bienes integrantes del patrimonio cultural de la Región de Murcia sin la comunicación o notificación correspondiente.

d) La realización de intervenciones sobre bienes catalogados por su relevancia cultural o inventariados sin la preceptiva autorización o incumpliendo sus condiciones, siempre que no se causen daños graves para los bienes protegidos.

e) La falta de notificación a la dirección general con competencias en materia de patrimonio cultural de los traslados que afecten a los bienes inventariados.

f) El incumplimiento de la prohibición de colocar publicidad, cables, antenas y todo aquello que impida o menoscabe la apreciación de los bienes declarados de interés cultural, siempre que no se causen daños graves para los bienes protegidos.

g) El incumplimiento de las medidas acordadas en virtud del artículo 66 para la protección de los bienes inmateriales de valor etnográfico.

Artículo 74. Infracciones graves

Constituyen infracciones administrativas graves en materia de protección del patrimonio cultural de la Región de Murcia:

a) El incumplimiento del deber de conservación, custodia y protección del patrimonio cultural de la Región de Murcia, siempre que del mismo se deriven daños graves para los bienes protegidos.

b) El derribo, la destrucción total o parcial y la realización de intervenciones sobre bienes catalogados por su relevancia cultural o inventariados careciendo de la preceptiva autorización o incumpliendo sus condiciones, siempre que se causen daños graves para los bienes protegidos.

c) La realización de intervenciones sobre bienes de interés cultural sin la preceptiva autorización o incumpliendo sus condiciones, siempre que no se causen daños graves para los bienes protegidos.

d) No poner en conocimiento de la dirección general con competencias en materia de patrimonio cultural la transmisión onerosa de la propiedad o de cualquier derecho real sobre bienes declarados de interés cultural.

e) La obstrucción a la facultad de inspeccionar que tiene la Administración sobre los bienes de interés cultural.

f) La separación no autorizada de bienes muebles vinculados a bienes inmuebles o inmateriales declarados de interés cultural.

g) El incumplimiento de las obligaciones de comunicación del hallazgo de restos arqueológicos o paleontológicos y de la entrega de los bienes hallados.

h) El incumplimiento de la suspensión de obras con motivo del descubrimiento de restos arqueológicos o paleontológicos y de la suspensión de obras acordada por la dirección general con competencias en materia de patrimonio cultural.

i) El otorgamiento de licencias y autorizaciones sin la previa autorización o el previo informe preceptivo de la dirección general con competencias en materia de patrimonio cultural para la realización de intervenciones en bienes de interés cultural cuando no exista plan especial de protección o contraviniendo lo especificado en el Plan Especial de protección o en el Plan de Ordenación del Patrimonio Cultural.

j) La realización de actuaciones arqueológicas y paleontológicas que afecten al patrimonio cultural de la Región de Murcia sin la preceptiva autorización.

k) La realización de intervenciones que contravengan los términos de la autorización, cuando se deriven daños graves al patrimonio cultural de la Región de Murcia, salvo que se trate de bienes de interés cultural.

l) El incumplimiento de la prohibición de colocar publicidad, cables, antenas y todo aquello que impida o menoscabe la apreciación de los bienes declarados de interés cultural dentro de su entorno, siempre que se causen daños graves para los bienes protegidos.

m) El traslado de un bien de interés cultural o catalogado sin autorización o sin cumplir con la obligación de previa comunicación a la dirección general con competencias en materia de patrimonio cultural.

n) La reiteración de dos o más infracciones leves.

Artículo 75. Infracciones muy graves

Constituyen infracciones administrativas muy graves en materia de protección del patrimonio cultural de la Región de Murcia:

a) El derribo, la destrucción total o parcial o cualquier intervención sobre inmuebles declarados bienes de interés cultural sin la preceptiva autorización.

b) La destrucción total o parcial o cualquier intervención sobre bienes muebles de interés cultural sin autorización.

c) El incumplimiento de cualquiera de las condiciones impuestas en la autorización de intervenciones, cuando se deriven daños graves a bienes de interés cultural.

Artículo 76. Sanciones

1. En los casos en que el daño causado a los bienes integrantes del patrimonio cultural de la Región de Murcia pueda ser valorado económicamente, la infracción será sancionada con multa de tanto al cuádruplo del valor del daño causado.

2. En los demás casos procederán las siguientes sanciones:

a) Infracciones leves: multa desde 300 hasta 100.000 euros.

b) Infracciones graves: multa desde 100.001 hasta 200.000 euros.

c) Infracciones muy graves: multa desde 200.001 hasta 1.000.000 de euros.

3. Sin perjuicio de lo dispuesto en los apartados anteriores, la cuantía de la sanción no podrá ser inferior al beneficio obtenido o que hubiera podido obtenerse como resultado de la actuación infractora, pudiéndose aumentar la cuantía de la multa correspondiente hasta el límite de dicho beneficio, cuando fuere cuantificable económicamente.

4. La graduación de las multas se realizará en función de la gravedad de la infracción, del grado de culpabilidad del causante, del ánimo de lucro, del grado de participación, del beneficio obtenido, de la importancia de los bienes afectados y del perjuicio causado o que hubiese podido causarse al patrimonio cultural de la Región de Murcia.

5. Las multas que se impongan a distintos sujetos como consecuencia de una misma infracción tendrán carácter independiente entre sí.

Artículo 77. Órganos competentes

1. La competencia para la imposición de las sanciones previstas en el artículo anterior corresponde:

a) Al director general con competencias en materia de patrimonio cultural: multa hasta 100.000 euros.

b) Al consejero con competencias en materia de patrimonio cultural: multas comprendidas entre 100.001 euros y 200.000 euros.

c) Al Consejo de Gobierno de la Región de Murcia: multas superiores a 200.001 euros.

2. La dirección general con competencias en materia de patrimonio cultural, sin perjuicio de lo dispuesto en el presente artículo, emprenderá ante los órganos jurisdiccionales competentes las acciones penales que correspondiesen por los actos delictivos en que pudiesen incurrir los infractores.

Artículo 78. Procedimiento sancionador

1. La iniciación del procedimiento sancionador será acordada por resolución del director general con competencias en materia de patrimonio cultural, de oficio o previa denuncia.

2. La tramitación del procedimiento sancionador se regirá por lo dispuesto en el título IX de la Ley de Régimen Jurídico de las Administraciones Públicas y del Procedimiento Administrativo Común y en su normativa de desarrollo.

Artículo 79. Reparación e indemnización de daños

1. La comisión de las infracciones tipificadas en la presente Ley de las que se deriven daños al patrimonio cultural de la Región de Murcia implicará, además de las sanciones que procedan, la obligación de reparar y restituir el bien a su primitivo estado siempre que ello fuera posible, así como, en su caso, la indemnización de los daños y perjuicios causados.

2. En caso de incumplimiento de dicha obligación, la dirección general con competencias en materia de patrimonio cultural realizará, siempre que sea posible, las intervenciones reparadoras necesarias a cargo del infractor.

Artículo 80. Medidas cautelares

1. El órgano competente para imponer las sanciones tipificadas en la presente Ley, podrá adoptar las medidas cautelares correspondientes para evitar la continuación de la infracción o el agravamiento del daño causado. Dichas medidas serán congruentes con la naturaleza de la presunta infracción y proporcionadas a su gravedad, y podrán incluir la suspensión o anulación total o parcial de las autorizaciones otorgadas en virtud de esta Ley y en las que los infractores se hubieran amparado para cometer la infracción, el decomiso de los materiales y útiles empleados en la actividad ilícita, así como el depósito cautelar de los bienes integrantes del patrimonio cultural que se hallen en posesión de personas que se dediquen a comerciar con ellos, si no pueden acreditar su adquisición lícita.

2. Antes de la iniciación del procedimiento, el órgano competente en materia de patrimonio cultural podrá adoptar medidas cautelares en los términos previstos en la normativa estatal sobre procedimiento administrativo común.

3. Cuando la infracción afecte a actividades sobre las que pudieran ostentar competencias otras administraciones públicas u otros órganos de la Administración regional, el instructor dará cuenta de la apertura del procedimiento sancionador al órgano competente por razón de la materia, para que ejercite sus competencias sancionadoras si hubiera lugar. Se dará igualmente cuenta al órgano competente de las medidas cautelares que se hayan adoptado, sin perjuicio de las que adicionalmente pudiera adoptar éste en el ejercicio de sus competencias.

Artículo 81. Prescripción de infracciones
Las infracciones administrativas tipificadas en la presente Ley prescribirán:
a) A los diez años de haberse conocido su comisión, en el caso de las muy graves.
b) A los cinco años de haberse conocido su comisión, en el caso de las graves.
c) A los dos años de haberse conocido su comisión, en el caso de las leves.

Artículo 82. Prescripción de sanciones
Las sanciones previstas en la presente Ley prescribirán:
a) A los cinco años, en el caso de las muy graves.
b) A los tres años, en el caso de las graves.
c) Al año, en el caso de las leves.

DISPOSICIONES ADICIONALES

Primera. Fundamento constitucional
La presente Ley se dicta en el ejercicio de la competencia exclusiva de la Comunidad Autónoma de la Región de Murcia en materia de patrimonio cultural de interés para la misma, de conformidad con los artículos 10.1.13ª, 14ª y 15ª de su Estatuto de Autonomía y 148.1.15ª y 16ª de la Constitución Española, y sin perjuicio de las competencias que, en virtud del artículo 149.1.28ª de la Constitución Española correspondan al Estado.

Segunda. Bienes catalogados en el planeamiento urbanístico
Los bienes catalogados en el planeamiento urbanístico hasta la entrada en vigor de la presente Ley gozarán del régimen jurídico de protección previsto en la misma para los bienes catalogados por su notable valor cultural, salvo que se proceda a su declaración como bienes de interés cultural, y serán inscritos en el Catálogo del Patrimonio Cultural de la Región de Murcia y en el Registro General del Patrimonio Cultural de la Región de Murcia.

Tercera. Bienes muebles incluidos en el Inventario General
Los bienes muebles de singular relevancia cultural para la Región de Murcia, incluidos en el Inventario General de conformidad con la Ley 16/1985, de 25 de junio, de Patrimonio Histórico Español, con anterioridad a la entrada en vigor de la presente Ley, tendrán la consideración de bienes catalogados por su relevancia cultural y serán inscritos en el Catálogo del Patrimonio Cultural de la Región de Murcia y en el Registro General del Patrimonio Cultural de la Región de Murcia.

Cuarta. Ayudas y medidas compensatorias y de fomento
1. El Consejo de Gobierno establecerá un régimen económico de ayudas y medidas compensatorias a entidades públicas, privadas y particulares afectados por las limitaciones que del cumplimiento de esta Ley se deriven, con el fin de promover su conservación y protección.
2. Se mantienen en vigor las medidas de fomento cultural previstas en la Ley 4/1990, de 11 de abril, de Medidas de Fomento del Patrimonio Histórico de la Región de Murcia.

Quinta. Aceptación de donaciones, herencias o legados a favor de la Comunidad Autónoma de la Región de Murcia
La aceptación de donaciones, herencias o legados a favor de la Comunidad Autónoma de la Región de Murcia, y siempre que se trate de bienes integrantes del Patrimonio Cultural de la Región de Murcia, requerirá informe favorable de la Dirección General con competencias en materia de patrimonio cultural, entendiéndose aceptada la herencia a beneficio de inventario, de conformidad con la legislación patrimonial.

Sexta. Revisión del planeamiento

La protección derivada de la declaración de bienes de interés cultural y de bienes catalogados así como de la inclusión en el Inventario de Bienes Culturales de la Región de Murcia de acuerdo con la presente Ley deberá incorporarse al planeamiento urbanístico en el plazo de dos años desde la declaración o inclusión. En el caso de que el ayuntamiento correspondiente no cumpliese la anterior obligación en el plazo establecido, la siguiente revisión del planeamiento deberá incorporar dicha declaración o inclusión.

Séptima. Remoción de instalaciones

Los responsables de las instalaciones prohibidas a que se refieren los artículos 38, 42 y 43 deberán retirarlas en el plazo de dos años desde la entrada en vigor de la presente Ley, salvo que se autoricen expresamente con anterioridad a la finalización de dicho plazo.

Octava. Régimen jurídico de los bienes a que se refiere el artículo 54.3

Los objetos y restos materiales y restos o vestigios fosilizados que posean los valores propios del Patrimonio Cultural y que sean descubiertos como consecuencia de actuaciones arqueológicas o paleontológicas o por azar o como consecuencia de excavaciones, remociones de tierra u obras de cualquier índole hechas en lugares donde no pudiera presumirse la existencia de aquellos bienes, se regirán por lo dispuesto por la Ley Estatal 33/2003, de 3 de noviembre, de Patrimonio de las Administraciones Públicas y por la Ley 3/1992, de 30 de julio, del Patrimonio de la Comunidad Autónoma de la Región de Murcia.

Novena. Intervención de la Dirección General de Cultura en la declaración de espacios naturales

En los procedimientos para la declaración de espacios naturales, así como en los de elaboración de Planes de Ordenación de Recursos Naturales y Planes Rectores de Uso y Gestión será preceptivo el informe de la Dirección General con competencias en materia de patrimonio cultural.

Décima. Patrimonio documental y bibliográfico

Queda excluido del ámbito de aplicación de la presente Ley, y se regirá por su normativa específica, el patrimonio documental y bibliográfico, salvo que se encuentre directamente vinculado a un bien de interés cultural.

Undécima. Museos

Quedan excluidos del ámbito de la presente Ley, y se regirán por su normativa específica, los museos, salvo que se trate de edificios declarados bienes de interés cultural, así como los bienes de interés cultural albergados en los mismos.

DISPOSICIONES TRANSITORIAS

Primera.

Todos aquellos bienes de interés cultural para la Región de Murcia que tuvieran la consideración legal de bienes de interés cultural de acuerdo con los artículos 40.2, 60.1 y las disposiciones adicionales primera y segunda de la Ley 16/1985, de 25 de junio, de Patrimonio Histórico Español o hubiesen sido declarados bienes de interés cultural con anterioridad a la entrada en vigor de la presente Ley quedarán sometidos a ésta y serán inscritos en el Registro de Bienes de Interés Cultural de la Región de Murcia y en el Registro General del Patrimonio Cultural de la Región de Murcia. Asimismo, tienen la consideración de bienes de interés cultural por ministerio de la Ley, con la categoría de monumentos, los molinos de viento situados en el territorio de la Comunidad Autónoma de la Región de Murcia.

Segunda.

Los bienes incluidos en la Carta Arqueológica Regional y en la Carta Paleontológica Regional que no se encuentren catalogados en el planeamiento urbanístico gozarán provisionalmente del régimen jurídico de protección previsto por la presente Ley para los bienes catalogados por su relevancia cultural, en tanto se procede a su declaración como bienes de interés cultural o catalogados por su relevancia cultural o a su inclusión en el Inventario de Bienes Culturales de la Región de Murcia, en el plazo máximo de tres años.

Tercera.

Los procedimientos de declaración de bienes de interés cultural incoados con anterioridad a la entrada en vigor de la presente Ley sobre los que no haya recaído resolución definitiva quedarán sometidos a lo dispuesto por ésta. No obstante, el cómputo de los plazos a que se refiere el artículo 18 de la presente Ley comenzará a contar a partir de la entrada en vigor de la misma.

Cuarta.

En el plazo máximo de un año a partir de la entrada en vigor de la presente Ley, las personas físicas y jurídicas, públicas o privadas que por cualquier título o motivo, incluso en concepto de depósito, posean objetos o restos arqueológicos o paleontológicos o bienes muebles de especial relevancia para el patrimonio cultural de la Región de Murcia deberán comunicar la existencia de los mismos a la dirección general con competencias en materia de patrimonio cultural.

Los objetos o restos arqueológicos o paleontológicos adquiridos por particulares, pese a tener la consideración de dominio público, deberán ser entregados a la dirección general con competencias en materia de patrimonio cultural en el plazo previsto en el apartado anterior. Transcurrido dicho plazo resultará de aplicación el artículo 74 de la presente Ley, sin perjuicio de que se proceda a su recuperación de oficio, de conformidad con la legislación patrimonial.

DISPOSICIÓN DEROGATORIA

Quedan derogadas cuantas disposiciones de igual o inferior rango en lo que contradigan o se opongan a la presente Ley.

DISPOSICIONES FINALES

Primera.

Se autoriza al Consejo de Gobierno para dictar las disposiciones necesarias en desarrollo de la presente Ley.

Segunda.

Se autoriza al Consejo de Gobierno para actualizar la cuantía de las multas previstas en los artículos 68 y 76 de la presente Ley.

Tercera.

La presente Ley entrará en vigor a los veinte días de su publicación en el «Boletín Oficial de la Región de Murcia».

16. COMUNIDAD FORAL DE NAVARRA: LEY FORAL 14/2005, DE 22 DE NOVIEMBRE, DEL PATRIMONIO CULTURAL DE NAVARRA

BO. Navarra 25 noviembre 2005, núm. 141, [pág. 11549]; rect.
BO. Navarra, núm. 34, [pág. 3155]. (castellano)

EXPOSICIÓN DE MOTIVOS

1.

La Comunidad Foral de Navarra posee un importante y variado Patrimonio Cultural fruto de su Historia, enriquecida por los distintos pueblos que a lo largo de los siglos se han asentado en ella.

Su situación geográfica explica la confluencia de muy diversas culturas que han dejado un rico legado que forma parte del acervo cultural de los ciudadanos del siglo XXI.

El aprecio de la cultura en Navarra hunde sus raíces institucionales en la Comisión de Monumentos de Navarra que al crearse en el año 1844 estaba compuesta por cinco personas «inteligentes y celosas por la conservación de nuestras antigüedades». Gracias a las intervenciones de la Comisión fue posible la conservación, y en ocasiones la supervivencia de muchos monumentos y bienes que hoy son claves en el Patrimonio Cultural de Navarra.

Su sucesora, la Institución Príncipe de Viana fue fundada por la Excelentísima Diputación Foral como Consejo de Cultura de Navarra el 20 de octubre de 1940. Sus principales funciones quedaban establecidas en tres líneas de actuación: la restauración, conservación y custodia del Patrimonio Histórico y Artístico del antiguo Reino de Navarra; el fomento de las investigaciones y estudios de su Historia, Derecho y Arte; y la vulgarización de la cultura a través de publicaciones, bibliotecas, museos y exposiciones, cursos y conferencias.

En el siglo XXI, es obligado continuar la labor de conservación, protección, acrecentamiento y divulgación del patrimonio cultural, entendido como un bien ínsito en las raíces del pueblo navarro para legarlo en las mejores condiciones a las generaciones futuras. El Patrimonio Cultural de Navarra es un bien de incalculable valor que merece ser no sólo conservado, sino también acrecentado y difundido, a fin de que Navarra esté asentada en su propia cultura dentro del marco del Estado español y de Europa, del que con naturalidad forma parte.

Una política de conservación, protección, acrecentamiento y divulgación del Patrimonio Cultural de Navarra precisa como uno de sus primeros elementos con el instrumento de regulación legal, en nuestro caso, la Ley Foral, a fin de que su regulación esté contenida en el máximo nivel normativo. Por tanto, la justificación y significación de esta Ley Foral es la de constituir un instrumento eficiente para salvaguardar el Patrimonio Cultural de Navarra y ponerlo en manos de las futuras generaciones como un bien preciado y esencial de la identidad navarra.

2.

La Comunidad Foral de Navarra cuenta con el reconocimiento en la Ley Orgánica de Reintegración y Amejoramiento del Régimen Foral de Navarra, en diversos epígrafes de su artículo 44, de la competencia exclusiva sobre cultura en coordinación con el Estado; patrimonio histórico, artístico, monumental, arquitectónico, arqueológico y científico, sin perjuicio de las facultades del Estado para la defensa de dicho patrimonio contra la exportación y la expoliación; archivos, bibliotecas, museos, hemerotecas y demás centros de depósito cultural que no sean de titularidad estatal y, por último, instituciones relacionadas con el fomento y la enseñanza de las Bellas Artes.

Debe recordarse, además, que la Constitución Española, tras ordenar a los poderes públicos la promoción y tutela del acceso a la cultura en su artículo 44.1 y reconocer el derecho a un medio ambiente adecuado en el 45.1), establece en su artículo 46 que los poderes públicos garantizarán la conservación y promoverán el enriquecimiento del patrimonio histórico, cultural y artístico de los pueblos de España y de los bienes que lo integran, cualquiera que sea su régimen jurídico y su titularidad.

Es preciso, asimismo, tener en cuenta que la preocupación por el Patrimonio Cultural tiene un alcance internacional, como lo muestra, por un lado, la acción de la UNESCO, mediante la aprobación, entre otras, de la Convención sobre la Protección del Patrimonio Mundial de 1972 y, por otro, el Consejo de Europa que ya en 1954 aprobó el Convenio Cultural Europeo. Más recientemente, se produce la afectación del Derecho interno por la incorporación de España a la Comunidad Europea, hoy Unión Europea, cuyo Tratado constitutivo, en su artículo 151, afirma que «la Comunidad contribuirá al florecimiento de las culturas de los Estados miembros dentro del respeto de su diversidad nacional y regional, poniendo de relieve al mismo tiempo el patrimonio cultural común».

3.

La presente Ley Foral se estructura en siete Títulos, 113 artículos, tres disposiciones adicionales, ocho disposiciones transitorias, una disposición derogatoria y tres disposiciones finales, y va encabezada por la presente Exposición de Motivos en la que se justifica y explican los aspectos más importantes de la misma.

4.

El Título I está dedicado a las Disposiciones Generales, por lo que recoge su objeto y los principios que la inspiran. Además, ofrece una determinación amplia de los bienes integrantes del Patrimonio Cultural de Navarra. Destaca, especialmente, el precepto relativo a los principios, donde se establecen las coordenadas esenciales en las que debe moverse toda actuación de conservación, enriquecimiento y promoción del Patrimonio Cultural de Navarra.

5.

El Título II regula las competencias de las distintas esferas administrativas, la colaboración entre ellas y la organización administrativa. En cuanto a las competencias, se ha optado por fijarlas claramente en el Texto Legal, para diferenciar nítidamente entre las competencias de la Administración de la Comunidad Foral, principalmente ejercidas actualmente por el Departamento de Cultura y Turismo-Institución Príncipe de Viana, y las competencias de las entidades locales. Se trata, en cualquier caso, de una materia en la que se precisa la cooperación entre todas las Administraciones Públicas, a fin de aunar esfuerzos en pro de un objetivo común cual es la conservación y el acrecentamiento del Patrimonio Cultural de Navarra.

Dentro de las líneas marcadas por las políticas europeas en materia de patrimonio cultural, se regula igualmente la participación de agentes privados.

Mención especial merece la regulación del órgano consultivo y asesor de la Administración de la Comunidad Foral de Navarra en materia de cultura, el Consejo Navarro de Cultura, órgano consolidado en la Comunidad Foral desde su creación en 1984. El ámbito de la administración consultiva en materia de cultura se complementa con la creación de la Junta de Valoración de Bienes del Patrimonio Cultural de Navarra y la Comisión de Evaluación Documental, abarcando con ello la pluralidad y heterogeneidad de los bienes integrantes del patrimonio cultural.

6.

El Título III está dedicado a la regulación de las clases de bienes integrantes del Patrimonio Cultural de Navarra y de su Registro. Se distinguen tres clases de bienes culturales que van a merecer una especial protección, en función de la gradación de su valor cultural: los Bienes de Interés Cultural, los Bienes Inventariados y los Bienes de Relevancia Local.

Es preciso llamar la atención sobre la acogida que se da en la Ley Foral a una categoría de bienes culturales, cual es la de los bienes inmateriales, que son los relativos a otras formas de cultura, tan importante en Navarra, que también podrán ser clasificados como Bienes de Interés Cultural o Bienes Inventariados.

Respecto de todos ellos se fijan los elementos esenciales del procedimiento de declaración administrativa de clasificación, remitiendo al reglamento su desarrollo, puesto que determinados aspectos pueden precisar de una mayor concreción o ser cambiantes en función de los distintos bienes.

La anterior clasificación está unida a la necesaria inscripción de los bienes así clasificados en el Registro de Bienes del Patrimonio Cultural de Navarra. La Ley Foral ha optado por establecer un Registro único en el que se incluyan todos los bienes culturales declarados en alguna de las clases que justifican una especial protección, a fin de permitir una gestión integral y asimismo una mayor claridad y posibilidad de gestión, facilitadas hoy por los medios informáticos.

7.

El Título IV está dedicado al régimen de protección de los Bienes del Patrimonio Cultural. En primer lugar, se establece un régimen general de protección, básicamente limitado a su conservación, para todos los bienes integrantes del Patrimonio Cultural de Navarra. Después, ya con mayor amplitud, se regula detalladamente el régimen especial de protección de los bienes muebles e inmuebles inscritos en el Registro de Bienes del Patrimonio Cultural de Navarra, sobre los que se establece un régimen común de protección para todos, en el que se recogen los aspectos básicos que toda protección debe comportar. A continuación, se distinguen los diferentes regímenes específicos de protección de cada clase de bienes.

Asimismo se ha tenido presente la necesidad de establecer la mejor y más adecuada coordinación de sus disposiciones con la legislación urbanística, a fin de que la actuación en ambos aspectos se realice de forma coordinada y en función de la protección del Patrimonio Cultural de Navarra.

8.

El Título V se ocupa de los Patrimonios Específicos. En este Título la Ley Foral parte de la existencia de una Ley Foral de Bibliotecas, así como de la previsión de regulación de otros patrimonios específicos mediante Leyes Forales singulares, lo que exige, para evitar la duplicidad y posible contradicción normativa, recoger algunos aspectos básicos, reservando los demás a las Leyes Forales que regulen estos patrimonios específicos o al desarrollo reglamentario.

Se distinguen diversos patrimonios específicos: el Patrimonio Arqueológico, el Patrimonio Etnológico e Industrial, el Patrimonio Documental, el Patrimonio Bibliográfico y Audiovisual y los Museos.

Dentro del capítulo dedicado al Patrimonio Arqueológico se tipifican y someten a autorización administrativa previa las actividades arqueológicas, identificándose las actividades arqueológicas ilícitas. Como instrumentos de tutela del Patrimonio Arqueológico, tanto rural como urbano, se crean y regulan el Inventario Arqueológico de Navarra y las áreas arqueológicas de Cautela.

Para el Patrimonio Etnológico e Industrial se crea el Inventario Etnológico de Navarra, que refuerza la protección de los bienes inmateriales, completa la establecida con carácter general en la presente Ley Foral y regula la especial atención a la conservación del Patrimonio Industrial.

El Patrimonio Audiovisual ha adquirido recientemente una especial significación, que le hace merecedor de una protección singularizada, para lo que se fija tanto su contenido, como los deberes de sus poseedores.

Para el Patrimonio Documental, el Patrimonio Bibliográfico y los Museos se efectúa una remisión a su Ley Foral reguladora, ya existente en el caso de las Bibliotecas, pero que deberá ser aprobada en el futuro para el Patrimonio Documental y para los Museos.

9.

El Título VI contiene la regulación del fomento y divulgación del Patrimonio Cultural de Navarra. El interés público que es propio de los bienes culturales justifica y exige una decidida labor de apoyo y asistencia a los propietarios de dichos bienes. La Ley Foral prevé distintas medidas económicas de fomento, condicionadas todas ellas, al cumplimiento del deber de conservación de los bienes culturales y que se otorgarán con la garantía de que se evite la especulación con bienes que se adquieran, conserven, restauren o mejoren con ellas. Se admite, por otro lado, el pago de todo tipo de deudas contraídas con la Hacienda Foral de Navarra mediante la dación en pago de bienes del Patrimonio Cultural.

La Ley Foral pretende, asimismo, lograr una amplia divulgación del Patrimonio Cultural de Navarra que propicie su disfrute, conocimiento, aprecio y respeto por parte de todos los ciudadanos y su valorización como recurso de dinamización social y turística respetando, al mismo tiempo, las necesidades de conservación y protección de los bienes y de su entorno.

10.

El Título VII, establece y regula, por una parte, las medidas de restablecimiento de la legalidad y, por otra, el ejercicio de la potestad sancionadora en materia de Patrimonio Cultural. Con la regulación de la multa coercitiva se da cumplimiento a la autorización legal preceptiva para su posterior imposición, detallándose la forma y cuantía de la misma.

El capítulo dedicado al Régimen Sancionador se encarga de la tipificación de las conductas infractoras, su gradación y sanción. En aras a una correcta aplicación de la norma, se fijan conductas atenuantes y agravantes intentando conseguir con ello la debida adecuación entre la gravedad del hecho constitutivo de infracción y la sanción aplicada.

11.

Por último, las disposiciones adicionales, transitorias, derogatoria y finales vienen a componer el broche de cierre de la Ley Foral, recogiendo aquellos aspectos relativos a su puesta en ejecución, con especial dedicación a los problemas derivados de su conexión con el régimen jurídico precedente.

TÍTULO I. Disposiciones generales

Artículo 1. Objeto de la Ley Foral

Esta Ley Foral tiene por objeto la protección, conservación, recuperación, acrecentamiento, investigación, divulgación y transmisión a las generaciones futuras del Patrimonio Cultural de Navarra.

Artículo 2. Bienes que integran el Patrimonio Cultural de Navarra

1. El Patrimonio Cultural de Navarra está integrado por todos aquellos bienes inmuebles y muebles de valor artístico, histórico, arquitectónico, arqueológico, etnológico, documental, bibliográfico, industrial, científico y técnico o de cualquier otra naturaleza cultural, existentes en Navarra o que, estando fuera de su territorio, tengan especial relevancia cultural para la Comunidad Foral de Navarra.

2. Asimismo integran el Patrimonio Cultural de Navarra los bienes inmateriales relativos a la cultura de Navarra, en los términos previstos en esta Ley Foral.

Forman parte del patrimonio inmaterial los bienes integrantes de la cultura popular y tradicional navarra y sus respectivas peculiaridades lingüísticas.

3. La Administración de la Comunidad Foral de Navarra promoverá la conservación y, en su caso, el retorno de aquellos bienes del Patrimonio Cultural de Navarra que se encuentren fuera del territorio de la Comunidad Foral.

Artículo 3. Principios generales

La Comunidad Foral de Navarra, en el ámbito de sus competencias, desarrollará sus actuaciones en relación con el Patrimonio Cultural de Navarra, con arreglo a los siguientes principios:

a) Carácter general de la protección. Constituye un deber de los poderes públicos y de los ciudadanos adoptar las medidas previstas en esta Ley Foral para la protección de los bienes del Patrimonio Cultural de Navarra.

b) Colaboración institucional. La Administración de la Comunidad Foral de Navarra colaborará con la Administración General del Estado, con las Comunidades Autónomas, con las entidades locales, con las Instituciones europeas, y con los organismos internacionales competentes, en orden a la recuperación, conservación, acrecentamiento y divulgación del Patrimonio Cultural de Navarra.

c) Colaboración con los titulares de los bienes. Las Administraciones Públicas de Navarra colaborarán, en el marco de lo dispuesto en esta Ley Foral, con la Iglesia Católica, con los particulares y otras instituciones que sean titulares de bienes del Patrimonio Cultural de Navarra, en orden a su conservación, protección, utilización y divulgación.

d) Fomento. Los presupuestos de las Administraciones Públicas de Navarra concederán especial consideración a la conservación y acrecentamiento de los bienes del Patrimonio Cultural de Navarra.

e) Acceso. En los términos previstos en esta Ley Foral, los bienes del Patrimonio Cultural de Navarra serán accesibles al disfrute de todos los ciudadanos a fin de contribuir a su conocimiento, aprecio y respeto.

f) Divulgación. Las Administraciones Públicas promocionarán y divulgarán los bienes del Patrimonio Cultural y su estudio formará parte del sistema educativo de Navarra.

g) Valorización de los bienes. Los bienes del Patrimonio Cultural de Navarra, siempre que de su estado y características no se derive lo contrario, deberán ser valorizados en relación con el interés medioambiental, histórico, estético y turístico que sea compatible con su régimen de protección.

TÍTULO II. Competencias, colaboración y organización

Artículo 4. Competencias de la Administración de la Comunidad Foral

Corresponden a la Administración de la Comunidad Foral las siguientes competencias en relación con el Patrimonio Cultural de Navarra:

a) La conservación y protección, con carácter general, de los bienes del Patrimonio Cultural de Navarra, sin perjuicio de las competencias reconocidas al Estado por el artículo 149.1.28ª de la Constitución.

b) La gestión del Registro de los Bienes del Patrimonio Cultural de Navarra.

c) La adopción de medidas cautelares, el ejercicio de los derechos de tanteo y retracto, así como la expropiación forzosa, en defensa de los bienes del Patrimonio Cultural de Navarra.

d) El fomento y la divulgación de los bienes del Patrimonio Cultural de Navarra.

e) La inspección y control, así como la aplicación del régimen sancionador, en relación con los bienes del Patrimonio Cultural de Navarra.

f) Las demás competencias que expresamente le atribuye esta Ley Foral.

g) La adopción de cuantas medidas de protección y conservación del Patrimonio Cultural de Navarra sean precisas, y no estén expresamente atribuidas por el Ordenamiento Jurídico a otras Administraciones Públicas.

Artículo 5. Competencias de las entidades locales de Navarra

Corresponden a las entidades locales de Navarra las siguientes competencias en relación con el Patrimonio Cultural de Navarra:

a) La conservación y protección de los bienes inmuebles del Patrimonio Cultural sitos en su ámbito territorial.

b) La redacción y gestión de los Catálogos urbanísticos de protección y su conexión con el Registro de Bienes del Patrimonio Cultural de Navarra.

c) La adopción de las medidas cautelares, así como acordar la expropiación forzosa, en orden a la conservación y protección de los Bienes de Relevancia Local, en los términos establecidos en esta Ley Foral.

d) La redacción y aplicación de los Planes Especiales de Protección, conforme a lo dispuesto en la legislación urbanística.

e) Las demás competencias que expresamente les atribuye esta Ley Foral.

Artículo 6. Principios de colaboración interadministrativa

1. Las relaciones entre las diversas Administraciones Públicas y los organismos que de ellas dependan estarán sometidas a los principios de eficacia, coordinación, colaboración, cooperación e información mutua.

2. Las entidades locales cooperarán con el Departamento competente en materia de cultura en el cumplimiento de la presente Ley Foral en la protección, acrecentamiento y transmisión del Patrimonio Cultural comprendido en su ámbito geográfico, adoptando las medidas oportunas para evitar su deterioro, pérdida o destrucción.

Artículo 7. Colaboración con la Iglesia Católica

1. De conformidad con lo dispuesto en los Acuerdos suscritos por el Estado Español y la Santa Sede, la Iglesia Católica, como titular de una parte muy importante del Patrimonio Cultural de Navarra, velará por su protección, conservación y difusión, con sujeción a lo establecido en esta Ley Foral, colaborando a tal efecto con los órganos competentes de la Administración de la Comunidad Foral y de las entidades locales de Navarra.

2. Una Comisión Mixta, formada por representantes de la Administración de la Comunidad Foral y de la Iglesia Católica, establecerá el marco de la coordinación entre ambas instituciones para elaborar y desarrollar planes de actuación conjunta para la recuperación, conservación, acrecentamiento y divulgación de los bienes del Patrimonio Cultural de Navarra que pertenecen a la Iglesia Católica.

Artículo 8. Colaboración de particulares

1. Quienes observen una situación de peligro, deterioro o destrucción de un bien del Patrimonio Cultural de Navarra deberán poner, con carácter inmediato, dicha situación en conocimiento de la Administración de la Comunidad Foral. Ésta comprobará el objeto de la denuncia y actuará con arreglo a lo dispuesto en la presente Ley Foral. En todo caso dará cuenta, de forma motivada, al particular denunciante del inicio de actuaciones o del archivo de su denuncia.

2. Será pública la acción para exigir ante las Administraciones Públicas de Navarra y los Tribunales contencioso-administrativos el cumplimiento de lo dispuesto en esta Ley Foral y en el resto del Ordenamiento Jurídico para la protección del Patrimonio Cultural de Navarra.

Artículo 9. Departamento competente en materia de Patrimonio Cultural de Navarra

1. La Administración de la Comunidad Foral ejercerá sus competencias en materia de Patrimonio Cultural a través del Departamento competente en materia de cultura.

2. El ejercicio de las competencias señaladas en el apartado anterior se efectuará sin perjuicio de las competencias que correspondan al Gobierno de Navarra como órgano colegiado y de la coordinación con el resto de Departamentos de la Administración de la Comunidad Foral.

3. El Departamento competente en materia de cultura tendrá adscritos los siguientes órganos:

a) El Consejo Navarro de Cultura.

b) La Junta de Valoración de Bienes del Patrimonio Cultural de Navarra.

c) La Comisión de Evaluación Documental.

4. Asimismo el Departamento competente podrá contar con el asesoramiento de otros organismos o entidades, tales como las Universidades existentes en Navarra, organismos profesionales, instituciones científicas y entidades o asociaciones culturales.

Artículo 10. Consejo Navarro de Cultura
—

Artículo 10 derogado por el primer guion de la disposición derogatoria única de Ley Foral 1/2019, de 15 de enero, de Derechos Culturales de Navarra (B.O.N. 25 enero)

Artículo 11. Junta de Valoración de Bienes del Patrimonio Cultural de Navarra

1. Se crea la Junta de Valoración de Bienes del Patrimonio Cultural de Navarra como órgano asesor de la Administración de la Comunidad Foral para el desempeño de las competencias que se le atribuyen en el apartado siguiente.

2. Corresponden a la Junta de Valoración las siguientes funciones:

a) Valorar los bienes culturales que la Administración de la Comunidad Foral se proponga adquirir, siempre que superen en principio la cuantía que para cada tipo de bienes se establezca reglamentariamente.

b) Emitir informe sobre el ejercicio por la Administración de la Comunidad Foral de los derechos de tanteo y retracto.

c) Realizar cuantas valoraciones de bienes culturales le sean solicitadas por la Administración de la Comunidad Foral o las entidades locales.

d) Las demás funciones que se le atribuyan legal o reglamentariamente.

3. Los miembros de la Junta de Valoración serán designados entre funcionarios y otras personas de reconocida competencia en las funciones encomendadas a la Junta de Valoración, y contará siempre con un representante del Departamento competente en materia de hacienda.

4. La composición, organización y funcionamiento de la Junta de Valoración se fijarán reglamentariamente.

Artículo 12. Comisión de Evaluación Documental

1. Se crea la Comisión de Evaluación Documental como órgano asesor de la Administración de la Comunidad Foral para el desempeño de las competencias que se le atribuyen en el apartado siguiente.

2. Corresponden a la Comisión de Evaluación Documental las siguientes funciones:

a) Determinar los criterios de valoración de series documentales para la eliminación o conservación permanente y acceso a los documentos de archivo.

b) Establecer con arreglo a la valoración documental y la legislación vigente las condiciones y plazos de acceso a los documentos integrantes del Patrimonio Documental de Navarra.

c) Cuantas funciones se determinen reglamentariamente.

3. Son miembros natos de la Comisión de Evaluación Documental el titular de la Dirección General competente en materia de Archivos, que la presidirá. Lo integrarán el número de vocales que se establezca reglamentariamente, designados entre personas de reconocido prestigio, de conocimiento especializado o considerada presencia en el ámbito de las funciones que se atribuyen a la Comisión. Los vocales percibirán por el ejercicio de sus funciones las compensaciones que se determinen reglamentariamente.

4. La composición, organización y funcionamiento de la Comisión de Evaluación Documental se fijarán reglamentariamente.

TÍTULO III. Clasificación, declaración y registro de los bienes del Patrimonio Cultural de Navarra

CAPÍTULO I. Clasificación de los bienes del Patrimonio Cultural de Navarra

Artículo 13. Clases de bienes del Patrimonio Cultural de Navarra

1. Los bienes integrantes del Patrimonio Cultural de Navarra, a los efectos de su protección, se incluirán dentro de alguna de las siguientes clases:

a) Bienes de Interés Cultural.

b) Bienes Inventariados.

c) Bienes de Relevancia Local.

d) Los demás bienes culturales que integran el Patrimonio Cultural de Navarra, conforme a lo dispuesto en el apartado 1 del artículo 2 de esta Ley Foral, no incluidos en las clases anteriores.

2. Los bienes de las clases establecidas en las letras a), b), y c) del apartado anterior serán objeto de especial protección y a tal efecto deberán ser inscritos en el Registro de Bienes del Patrimonio Cultural de Navarra, conforme a lo establecido en el Capítulo III del presente Título.

Artículo 14. Bienes de Interés Cultural

1. Son Bienes de Interés Cultural aquellos bienes inmuebles, muebles e inmateriales del Patrimonio Cultural de Navarra más relevantes, que sean declarados como tales conforme al procedimiento establecido en esta Ley Foral.

2. No podrá ser declarada Bien de Interés Cultural o Inventariado la obra de un autor vivo, salvo si existe autorización expresa de su propietario o media su adquisición por la Administración.

Artículo 15. Categorías de Bienes inmuebles de Interés Cultural

Los Bienes inmuebles de Interés Cultural serán incluidos en alguna de las siguientes categorías:

a) Monumentos: Bienes inmuebles que constituyen realizaciones arquitectónicas o de ingeniería, u obras de escultura colosal siempre que tengan interés histórico, etnológico, artístico, científico o social.

b) Conjunto Histórico: Agrupación de bienes inmuebles que forman una unidad de asentamiento, continua o dispersa, condicionada por una estructura física representativa de la evolución de una comunidad humana por ser testimonio de su cultura o constituir un valor de uso y disfrute para la colectividad. Asimismo es Conjunto Histórico cualquier núcleo individualizado de inmuebles comprendidos en una unidad superior de población que reúna esas mismas características y pueda ser claramente delimitado.

c) Sitio Histórico: Lugar o paraje natural vinculado a acontecimientos o recuerdos del pasado, a creaciones culturales o de la naturaleza y a obras del hombre, que posean valor histórico.

d) Zona Arqueológica: Lugar o paraje natural donde existen bienes muebles o inmuebles susceptibles de ser estudiados con metodología arqueológica, hayan sido o no extraídos y tanto si se encuentran en la superficie, en el subsuelo o bajo las aguas.

e) Paisaje Cultural: Paraje natural, lugar de interés etnológico, conjunto de construcciones o instalaciones vinculadas a formas de vida, cultura y actividades tradicionales del pueblo navarro.

f) Vía Histórica: Vía de comunicación de significada relevancia cultural, histórica, etnológica o técnica.

g) Jardín Histórico: Espacio delimitado, producto de la ordenación por el hombre de elementos naturales, a veces complementado con estructuras de fábrica, y estimado de interés en función de su origen o pasado histórico o de sus valores estéticos, sensoriales o botánicos.

Artículo 16. Bienes Inventariados

Son Bienes Inventariados aquellos bienes muebles, inmuebles e inmateriales del Patrimonio Cultural de Navarra que, sin reunir las condiciones para ser declarados como Bienes de Interés Cultural, tengan una notable relevancia cultural y sean declarados como tales conforme al procedimiento establecido en esta Ley Foral.

Artículo 17. Bienes de Relevancia Local

Son Bienes de Relevancia Local aquellos bienes inmuebles del Patrimonio Cultural de Navarra que, sin reunir las condiciones para ser declarados como Bienes de Interés Cultural o Bienes Inventariados, tengan significación cultural a nivel local y sean declarados como tales conforme al procedimiento establecido en esta Ley Foral.

Artículo 18. Bienes inmuebles, muebles e inmateriales

1. A los efectos de esta Ley Foral, tienen la consideración de bienes inmuebles, además de los así calificados en la Ley 347 del Fuero Nuevo de Navarra, todos aquellos elementos que puedan considerarse consustanciales con los edificios y formen parte de ellos o de su exorno, o lo hubiesen formado en otro tiempo.

2. A los efectos de esta Ley Foral, tienen la consideración de bienes muebles, los así calificados en la Ley 347 del Fuero Nuevo de Navarra y aquellos de carácter y valor his-

tórico, artístico, etnológico, arqueológico, bibliográfico o documental, susceptibles de ser transportados, no estrictamente consustanciales con la estructura de inmuebles, cualquiera que sea su soporte material.

3. A los efectos de esta Ley Foral, son bienes inmateriales aquellos conocimientos, técnicas, usos y actividades representativos de la cultura de Navarra, así como las distintas lenguas, con referencia a sus peculiaridades locales en Navarra.

CAPÍTULO II. Declaración de los bienes del patrimonio cultural de Navarra

Artículo 19. Procedimiento de declaración de Bienes de Interés Cultural

1. El procedimiento de declaración de Bienes de Interés Cultural se fijará reglamentariamente conforme a las siguientes normas:

a) La declaración requerirá de la incoación, tramitación y resolución del correspondiente procedimiento administrativo. El procedimiento se iniciará de oficio, por decisión del órgano competente o a petición motivada de cualquier persona física o jurídica, en cuyo caso el acuerdo de incoación deberá ser adoptado y notificado en el plazo de tres meses, entendiéndose en otro caso desestimada la solicitud.

b) El acuerdo de incoación será publicado en el «Boletín Oficial de Navarra», abriéndose un período de información pública de treinta días en el caso de bienes inmuebles.

c) La incoación del procedimiento tendrá como efecto inmediato y directo la aplicación provisional a los bienes afectados del régimen de protección establecido por esta Ley Foral para la clase de bienes de que se trate.

d) La incoación de expediente de declaración de interés cultural respecto de un bien inmueble determinará la suspensión de las correspondientes licencias municipales de parcelación, edificación o demolición en las zonas afectadas, así como los efectos de las ya otorgadas. Las obras que por razón de fuerza mayor hubieran de realizarse con carácter inaplazable en tales zonas precisarán, en todo caso, de la autorización del Departamento competente en materia de cultura.

e) En la tramitación se dará audiencia a los interesados, así como a los Ayuntamientos en cuyo término municipal radiquen los bienes inmuebles, y a los Departamentos de la Administración de la Comunidad Foral afectados en razón de sus competencias.

f) En el expediente de declaración deberán figurar los informes técnicos necesarios para la descripción del bien, así como los justificativos de la relevancia y carácter singular que determinen su declaración como Bien de Interés Cultural. Asimismo deberá constar el informe preceptivo del Consejo Navarro de Cultura. El expediente de declaración deberá contener los elementos necesarios de identificación del bien, así como aquellos otros que sean pertinentes para su protección. En el caso de bienes inmuebles, establecerá la categoría a la que quedan adscritos, conforme a lo dispuesto en el artículo 15 de esta Ley Foral, definirá las partes integrantes, las pertenencias y los accesorios de aquellos bienes, y delimitará su entorno. La declaración podrá fijar diversos niveles o grados de protección en el entorno.

g) Los bienes muebles podrán ser declarados de Interés Cultural individualmente o como colección.

h) El plazo de resolución y notificación del procedimiento será de veinte meses, contados a partir de la fecha de incoación del procedimiento, produciéndose en otro caso su caducidad. Caducado el expediente no podrá incoarse otro en los tres años siguientes, salvo a instancia del titular.

i) La declaración como Bien de Interés Cultural corresponde al Gobierno de Navarra, a propuesta del órgano competente.

2. La declaración se inscribirá en el Registro de Bienes del Patrimonio Cultural de Navarra y será comunicada a la Administración General del Estado, al Ayuntamiento donde radique el bien y a los interesados.

Además, la declaración se publicará en el «Boletín Oficial de Navarra» a los efectos oportunos.

3. De la declaración relativa a bienes inmuebles, cuando se trate de monumentos o jardines históricos, se dará traslado al Registro de la Propiedad para su inscripción gratuita, a los efectos correspondientes.

Artículo 20. Procedimiento de declaración de Bienes inmuebles y de Bienes inmateriales Inventariados

1. El procedimiento de declaración de Bienes inmuebles y de Bienes inmateriales Inventariados se fijará reglamentariamente conforme a las siguientes normas:

a) La declaración requerirá de la incoación, tramitación y resolución del correspondiente procedimiento administrativo. El procedimiento se iniciará de oficio, por decisión del órgano competente o a petición motivada de cualquier persona física o jurídica, en cuyo caso el acuerdo de incoación deberá ser adoptado y notificado en el plazo de tres meses, entendiéndose en otro caso desestimada la solicitud.

b) El acuerdo de incoación será publicado en el «Boletín Oficial de Navarra», abriéndose un período de información pública de treinta días.

c) La incoación del procedimiento tendrá como efecto inmediato y directo la aplicación provisional a los bienes afectados, del régimen de protección establecido por esta Ley Foral para la clase de bienes de que se trate.

d) En la tramitación se dará audiencia a los interesados, así como a las entidades locales en cuyo término municipal radiquen los bienes, y a los Departamentos de la Administración de la Comunidad Foral afectados en razón de sus competencias.

e) En el expediente deberá constar su inclusión en alguno de los inventarios específicos de bienes del Patrimonio Cultural o justificarse las características que motivan su inclusión.

f) El plazo de resolución y notificación del procedimiento será de seis meses, contados a partir de la fecha de incoación del procedimiento, produciéndose en otro caso su caducidad. Caducado el expediente no podrá incoarse otro en los tres años siguientes, salvo a instancia del titular en el caso de bienes inmuebles o de la entidad local donde radique el bien inmaterial.

g) La declaración de un Bien Inventariado se hará por el órgano que corresponda en el Departamento competente.

2. La declaración se inscribirá en el Registro de Bienes del Patrimonio Cultural de Navarra. Asimismo será comunicada a la Administración General del Estado, a los efectos oportunos.

Artículo 21. Procedimiento de declaración de Bienes muebles Inventariados

1. El procedimiento de declaración de Bienes muebles Inventariados se fijará reglamentariamente conforme a las siguientes normas:

a) La declaración requerirá de la incoación, tramitación y resolución del correspondiente procedimiento administrativo. El procedimiento se iniciará de oficio, por decisión del órgano competente o a petición motivada de cualquier persona física o jurídica, en cuyo caso el acuerdo de incoación deberá ser adoptado y notificado en el plazo de tres meses, entendiéndose en otro caso desestimada la solicitud.

b) La incoación del procedimiento tendrá como efecto inmediato y directo la aplicación provisional a los bienes afectados del régimen de protección establecido por esta Ley Foral para la clase de bienes de que se trate.

c) En la tramitación se dará audiencia a los interesados.

d) En el expediente deberá constar su inclusión en alguno de los censos, catálogos o inventarios específicos de bienes del Patrimonio Cultural o justificarse las características que motivan su inclusión.

e) Los bienes muebles podrán ser declarados Bienes muebles Inventariados individualmente o como colección.

f) El plazo de resolución y notificación del procedimiento será de seis meses contados a partir de la fecha de incoación del procedimiento, produciéndose en otro caso su caducidad. Caducado el expediente no podrá incoarse otro en los tres años siguientes salvo a instancia del titular.

g) La declaración de un Bien mueble Inventariado se hará por el órgano que corresponda en el Departamento competente.

2. La declaración se inscribirá en el Registro de Bienes del Patrimonio Cultural de Navarra. Asimismo será comunicada a la Administración General del Estado, para su inclusión en el Inventario General de Bienes Muebles del Patrimonio Histórico Español.

Artículo 22. Procedimiento de declaración de Bienes de Relevancia Local

1. La declaración de un bien inmueble como Bien de Relevancia Local se produce por su inclusión en los Catálogos de planeamiento urbanístico elaborados por las entidades locales, con el informe favorable por parte del Departamento competente en materia de cultura, y una vez que el planeamiento urbanístico municipal sea aprobado definitivamente de acuerdo con la legislación urbanística vigente. A tal efecto, el Departamento competente en materia de urbanismo dará traslado al Departamento competente en materia de cultura de las resoluciones de aprobación definitiva del planeamiento urbanístico municipal.

2. La declaración se inscribirá en el Registro de Bienes del Patrimonio Cultural de Navarra.

Artículo 23. Extinción de la declaración

La declaración de un bien como Bien de Interés Cultural, Bien Inventariado o de Relevancia Local podrá ser dejada sin efecto, de forma total o parcial, por los mismos trámites seguidos para su declaración.

CAPÍTULO III. Del Registro de Bienes del Patrimonio Cultural de Navarra

Artículo 24. Creación del Registro de Bienes del Patrimonio Cultural de Navarra

Se crea el Registro de Bienes del Patrimonio Cultural de Navarra, en el que deberán inscribirse todos los bienes integrantes de éste pertenecientes a alguna de las clases de las letras a), b), y c) del artículo 13 de esta Ley Foral.

Artículo 25. Características del Registro de Bienes del Patrimonio Cultural de Navarra

1. El Registro de Bienes del Patrimonio Cultural de Navarra será único para todas las clases y categorías de bienes.

2. El Registro tendrá carácter público, siendo en consecuencia accesible a cualquier persona, salvo en los casos en que el acceso deba ser restringido en razón de la protección de los bienes o de los datos específicos de los bienes de titularidad privada que requieran del consentimiento del propietario.

3. El contenido del Registro se fijará reglamentariamente con arreglo a las siguientes normas:

a) Cada bien que deba ser objeto de inscripción tendrá su correspondiente folio o ficha registral.

b) Deberán constar las resoluciones de incoación de procedimientos de declaración de Bienes de Interés Cultural o de Bienes Inventariados.

c) Deberán inscribirse los actos administrativos de declaración de bienes del Patrimonio Cultural de Navarra.

d) Respecto de cada bien, se hará descripción de sus características identificativas mínimas.

e) Se inscribirán las transmisiones, traslados e intervenciones que afecten a los declarados Bien de Interés Cultural y a los Bienes muebles Inventariados.

f) Deberán constar las resoluciones judiciales que afecten a los bienes declarados Bien de Interés Cultural.

g) Se recogerán cuantos actos administrativos afecten a los bienes inscritos.

Artículo 26. Elaboración y actualización del Registro de Bienes del Patrimonio Cultural de Navarra

1. Corresponde al Departamento competente en materia de cultura la elaboración del Registro de Bienes del Patrimonio Cultural de Navarra, así como su permanente actualización.

2. Las Administraciones Públicas, otras instituciones y los particulares tienen el deber de colaborar con el Departamento competente a los efectos de la actualización del Registro de Bienes del Patrimonio Cultural de Navarra.

TÍTULO IV. Régimen de protección de los bienes del Patrimonio Cultural de Navarra

CAPÍTULO I. Régimen general de protección

Artículo 27. Régimen general de protección

1. Los titulares de bienes del Patrimonio Cultural de Navarra deberán en todo caso:

a) Conservar, proteger y mantener los bienes en razón de su condición de bienes del Patrimonio Cultural de Navarra.

b) Utilizar los bienes de modo que no sea incompatible con los valores que aconsejan su conservación.

c) Evitar su pérdida, destrucción y deterioro.

d) Facilitar a las Administraciones Públicas los datos precisos en relación con los bienes a los efectos de su conocimiento, conservación y protección, así como permitir su examen a dicho objeto.

2. Los poderes públicos garantizarán la conservación, protección y enriquecimiento del Patrimonio Cultural de Navarra de acuerdo con lo establecido en esta Ley Foral.

3. La acción de las Administraciones Públicas se dirigirá de modo especial a facilitar la incorporación de los bienes del Patrimonio Cultural a usos activos y adecuados a su naturaleza, como medio de promover el interés social en su conservación y restauración.

CAPÍTULO II. Régimen de protección de los bienes muebles e inmuebles inscritos en el Registro de Bienes del Patrimonio Cultural de Navarra

Sección 1ª. Régimen común de protección

Artículo 28. Deberes de los titulares de bienes inscritos en el Registro de Bienes del Patrimonio Cultural de Navarra

Los propietarios o poseedores por cualquier título de bienes inscritos en el Registro de Bienes del Patrimonio Cultural de Navarra tienen los siguientes deberes:

a) Comunicar a las Administraciones Públicas las transmisiones, traslados o actuaciones que realicen en relación con los Bienes de Interés Cultural y con los Bienes muebles Inventariados que efectúen por cualquier título, causa o circunstancia, así como los daños u otras afectaciones que sufran todos los bienes inscritos.

b) —

c) —

Letras b) y c) del artículo 28 derogadas por el segundo guion de la disposición derogatoria única de Ley Foral 1/2019, de 15 de enero, de Derechos Culturales de Navarra (B.O.N. 25 enero)

d) Cuantos otros deberes se les impongan expresamente por esta Ley Foral o por el resto del Ordenamiento Jurídico.

Artículo 29. Incumplimiento de deberes

1. Cuando los titulares de los bienes inscritos en el Registro de Bienes del Patrimonio Cultural de Navarra incumplan los deberes impuestos en el artículo 28 de esta Ley Foral, la Administración de la Comunidad Foral podrá adoptar, previo requerimiento al titular y de forma subsidiaria, las medidas que sean precisas, resultando en este caso, los gastos ocasionados por la actuación subsidiaria de la Administración a cargo del titular.

2. No obstante lo dispuesto en el apartado anterior, la Administración de la Comunidad Foral podrá realizar de forma directa las intervenciones necesarias, dando cuenta inmediata al titular del bien, si así lo requiere la conservación o protección del bien de que se trate.

3. En el caso de incumplimiento de los deberes impuestos en los artículos 27 y 28 de esta Ley Foral, el Departamento competente podrá imponer multas coercitivas conforme a lo dispuesto en esta Ley Foral.

4. El incumplimiento por los titulares de Bienes de Interés Cultural de los deberes impuestos en las letras a), b) y c) del artículo 27 de esta Ley Foral será causa de interés social para la expropiación forzosa por la Administración de la Comunidad Foral.

5. Cuando se trate de bienes muebles la Administración de la Comunidad Foral podrá ordenar su depósito temporal en centros de carácter público, hasta que no desaparezcan las causas de su intervención y quede garantizada su adecuada protección.

6. El incumplimiento de los deberes impuestos en los apartados a) b) y c) del artículo 27 de esta Ley Foral, permitirá que las entidades locales puedan adoptar las medidas subsidiarias o directas previstas en la presente Ley Foral, así como acudir a la expropiación forzosa o a multas coercitivas, respecto de los Bienes de Relevancia Local sitos en su ámbito territorial.

Artículo 30. Medidas cautelares previas de protección

La Administración de la Comunidad Foral podrá impedir el derribo y suspender cualquier clase de obra o intervención, adoptando las medidas cautelares que sean necesarias para salvaguardar la integridad de un bien o que sean convenientes en orden a su posterior inserción dentro de las categorías de bienes de especial protección del Patrimonio Cultural de Navarra. La duración de las medidas cautelares de protección no podrá ser superior a dos meses, dentro de los cuales deberá incoarse, en su caso, el procedimiento de declaración correspondiente.

Artículo 31. Prohibición de derribo y expedientes de ruina

1. Si a pesar del deber de conservación llegara a incoarse expediente de ruina de algún inmueble incluido en alguna de las categorías de especial protección, o que tenga incoada su inclusión, el Departamento competente en materia de cultura estará legitimado para intervenir como interesado en dicho expediente debiendo las entidades locales notificarle su incoación y las resoluciones que en él se adopten.

2. No obstante lo dispuesto en el apartado anterior, si una edificación incluida en las categorías de especial protección llegara a declararse en ruina, prevalecerá la protección que establece esta Ley Foral y deberá repararse y rehabilitarse conforme a las características que motivaron su protección.

3. La demolición de un inmueble incluido en las categorías de especial protección requerirá la previa firmeza de la declaración de ruina y autorización del Departamento competente en materia de cultura. La autorización determinará el alcance de la posible demolición y de la reconstrucción si procediera, para conservar los valores que motivaron la protección del inmueble.

4. Si la declaración de ruina estuviere motivada por el incumplimiento por el titular del bien de los deberes impuestos en esta Ley Foral o en otras disposiciones legales o reglamentarias, se exigirá su reposición o conservación a cargo del titular.

Artículo 32. Instrumentos de ordenación territorial y planeamiento urbanístico

1. Los instrumentos de ordenación territorial y planeamiento urbanístico, así como las evaluaciones ambientales de planes y programas y los proyectos que se sometan a evaluación de impacto ambiental deberán contener, dentro de su documentación, determinaciones para garantizar la conservación y protección de los bienes inscritos en el Registro de Bienes del Patrimonio Cultural de Navarra o recogidos en el Inventario Arqueológico de Navarra.

2. El apartado donde se recojan estos aspectos o cualquier otra determinación que pueda afectar al Patrimonio Cultural inmueble requerirá de informe vinculante del Departamento competente en materia de cultura, cuyas determinaciones quedarán incorporadas en la resolución del expediente.

3. La solicitud de informe se efectuará por parte del organismo que disponga la respectiva legislación sectorial, debiendo emitirse el informe en el plazo establecido en ella, entendiéndose el silencio negativo.

Artículo 33. Transmisión de bienes

1. Quienes se propusieren la transmisión a título oneroso del dominio o de los derechos reales de uso y disfrute de los Bienes de Interés de Cultural y de los Bienes muebles Inventariados deberán notificar su pretensión al Departamento competente en materia de cultura, indicando la identidad del adquirente, el precio, forma de pago y demás condiciones de la transmisión que se pretende.

2. Dentro de los dos meses siguientes a la notificación establecida en el apartado anterior, el Departamento competente podrá ejercitar el derecho de tanteo para sí, para otras instituciones sin ánimo de lucro o para cualquier entidad de derecho público.

3. Si no se hubiera realizado la notificación, o se hubiera realizado de forma inadecuada o la transmisión se hubiera efectuado en condiciones distintas a las referidas en la notificación, el Departamento competente podrá ejercer, en los mismos términos previstos para el derecho de tanteo, el derecho de retracto en el plazo de seis meses desde que tuviere conocimiento fehaciente de la transmisión.

4. Las entidades locales podrán ejercer asimismo el derecho de tanteo y retracto respecto de los bienes inmuebles declarados Bien de Interés Cultural sitos en su territorio, en los términos establecidos en este artículo, para lo cual el Departamento competente deberá darles cuenta de las notificaciones que reciba o del conocimiento fehaciente de las transmisiones que se hubieren efectuado. En caso de concurrencia en el ejercicio de los derechos de tanteo y retracto tendrá preferencia dicho Departamento.

5. Los bienes muebles inscritos en el Registro de Bienes del Patrimonio Cultural de Navarra que estén en posesión de instituciones eclesiásticas, en cualquiera de sus estable-

cimientos o dependencias, no podrán transmitirse por título oneroso o gratuito ni cederse a particulares ni a entidades mercantiles. Dichos bienes sólo podrán ser enajenados o cedidos a la Administración de la Comunidad Foral, al Estado, a entidades de derecho público o a otras instituciones eclesiásticas.

6. No se autorizarán, ni se inscribirán en el Registro de la Propiedad, escrituras públicas de transmisión de dominio y de constitución o transmisión de derechos reales de uso y disfrute sobre los bienes a que se refiere este artículo, sin que resulte acreditado el cumplimiento de lo aquí establecido.

7. Lo dispuesto en este artículo se entiende sin perjuicio de los derechos de tanteo y retracto que la legislación estatal reconoce a la Administración General del Estado, que en todo caso se considerarán subsidiarios de los derechos reconocidos en este artículo a las Administraciones Públicas de Navarra.

Artículo 34. Inventario de bienes inmuebles del Patrimonio Cultural de Navarra

1. El Departamento competente en materia de cultura elaborará el Inventario de bienes inmuebles del Patrimonio Cultural de Navarra en el que se documentarán todos los bienes inmuebles de interés del Patrimonio Cultural de Navarra, cualquiera que sea su titularidad jurídica.

2. Los titulares de bienes inmuebles que deban formar parte del Inventario de bienes inmuebles del Patrimonio Cultural de Navarra colaborarán con el Departamento en la elaboración de dicho Inventario permitiendo su examen y aportando la información que tengan para su adecuada documentación.

Sección 2ª. Régimen de protección de los Bienes inmuebles de Interés Cultural

Artículo 35. Régimen específico de protección

1. Las determinaciones contenidas en la declaración de un bien inmueble como Bien de Interés Cultural prevalecerán sobre las propias de los planes urbanísticos relativas al citado bien, que deberán ajustarse, en su elaboración o mediante modificación, a lo dispuesto en la citada declaración.

2. La aplicación de las normativas sectoriales de edificación y habitabilidad se subordinará a la conservación de los valores culturales del bien.

Artículo 36. Autorización de intervenciones

1. Cualquier intervención que se pretenda realizar sobre Bienes inmuebles de Interés Cultural y sus entornos requerirá la previa autorización del Departamento competente en materia de cultura. La solicitud la presentará la entidad local que tramite la correspondiente licencia de obras y deberá ser resuelta en el plazo de dos meses, pudiendo en otro caso entenderse desestimada.

2. La solicitud requerirá una documentación técnica acorde con el tipo de intervención planteado, que identificará el bien, su estado actual y la propuesta de intervención a realizar, debiendo acompañar además aquellos documentos que se exijan reglamentariamente, entre los que deberá constar la acreditación técnica y profesional de las personas que hayan de dirigirla y acreditarse la solvencia técnica de quienes vayan a ejecutar la intervención.

3. No se precisará esta autorización en las intervenciones en los Conjuntos Históricos, Sitios Históricos o Zonas Arqueológicas que desarrollen el planeamiento aprobado conforme al artículo siguiente y que afecten únicamente a inmuebles que no sean Monumentos ni estén comprendidos en su entorno.

Artículo 37. Planes Especiales de Protección

1. Las entidades locales deberán redactar Planes Especiales de Protección, de desarrollo del Plan General Municipal, conforme a lo dispuesto en la legislación urbanística, para los Conjuntos Históricos, Sitios Históricos y Zonas Arqueológicas que deberán contar antes de su aprobación definitiva con informe favorable del Departamento competente en materia de cultura. El plazo de emisión del informe será de tres meses desde la recepción de la documentación completa del Plan Especial de Protección. Transcurrido el citado plazo sin emisión de informe, se entenderá que se otorga de forma favorable.

2. Hasta la aprobación definitiva de dicho Plan el otorgamiento de licencias o la ejecución de las ya otorgadas antes de incoarse el expediente declarativo del Conjunto Histórico, Sitio Histórico o Zona Arqueológica, precisará resolución favorable del Departamento competente en materia de cultura y, en todo caso, no se permitirán alineaciones nuevas, alteraciones en la edificabilidad, parcelaciones ni agregaciones.

Artículo 38. Criterios generales de intervención

1. Cualquier intervención en un Bien inmueble de Interés Cultural procurará su conservación, deberá mejorar su comprensión histórica, recuperar su valor significativo y arquitectónico en los aspectos formales y constructivos y procurará mejorar su adecuación funcional.

2. Incluirá una memoria previa en la que se justifiquen estos aspectos y una memoria final en la que se recojan y documenten los resultados.

3. No se permitirá la eliminación de partes del Bien, salvo cuando sea necesaria en orden a su preservación, permita una mejor interpretación histórica, o su no eliminación suponga una evidente degradación del bien, siendo preciso en estos casos proceder a su debida documentación.

Artículo 39. Otras medidas de protección en determinadas categorías de Bienes inmuebles de Interés Cultural

1. En las fachadas y cubiertas de los Monumentos y en los Jardines Históricos no se permitirá la colocación de publicidad, cables, antenas, señales de tráfico, contenedores de recogida de residuos urbanos y conducciones aparentes, quedando asimismo prohibida toda construcción que altere su carácter o perturbe su contemplación.

2. En los Conjuntos Históricos se mantendrá la estructura urbana y arquitectónica, así como las características generales de su ambiente. Se considerarán excepcionales las sustituciones de inmuebles, aunque sean parciales, y sólo podrán realizarse en la medida que contribuyan a la conservación general del carácter del conjunto. Se mantendrán las alineaciones urbanas existentes, salvo cuando en el Plan Especial de Protección se permita expresamente su modificación en orden a la mejora de la conservación del conjunto de que se trate.

3. En los Sitios Históricos, Zonas Arqueológicas y Paisajes Culturales no se permitirá la colocación de publicidad, cables, antenas y conducciones aparentes, salvo cuando estén vinculados y guarden armonía con el Bien de Interés Cultural.

4. En los inmuebles declarados Bien de Interés Cultural cuyos valores patrimoniales se sustenten en su interés etnográfico, no se permitirá la supresión de aquellos componentes que se refieran a funciones o usos ya desaparecidos que motivaron su declaración.

5. Los rótulos que anuncien servicios públicos, incluidos los que informen sobre el propio inmueble requerirán, además de licencia municipal, la autorización del Departamento correspondiente en materia de cultura.

Artículo 40. Entornos

1. Se entiende por entorno de un Bien inmueble de Interés Cultural tanto el espacio como el terreno y edificaciones a él inmediatos o mediatos que, sin formar parte integrante del bien, incidan o afecten a su significación como tal.

2. La Administración de la Comunidad Foral podrá acordar, de oficio o a instancia de las entidades locales interesadas, la expropiación forzosa por causa de interés social de los inmuebles que impidan o perturben la utilización o la contemplación de los Bienes de Interés Cultural, atenten contra su armonía ambiental o supongan un riesgo para su conservación.

Artículo 41. Desplazamientos

1. Los Bienes inmuebles de Interés Cultural son inseparables de su entorno.

2. No obstante lo dispuesto en el apartado anterior, cuando sea imprescindible su desplazamiento por causas de fuerza mayor o interés social se requerirá el informe previo favorable del Departamento competente en materia de cultura, que se emitirá en el plazo de tres meses, transcurrido el cual sin su emisión se entenderá desfavorable.

Sección 3ª. Régimen de Protección de los Bienes inmuebles Inventariados

Artículo 42. Régimen específico de protección

1. El régimen de protección de los Bienes inmuebles Inventariados será el fijado en su declaración, que establecerá de forma expresa las medidas de protección más convenientes para su conservación.

2. Las determinaciones contenidas en la declaración de un bien como Bien Inventariado prevalecerán sobre las propias de los planes urbanísticos relativas al citado bien, que deberán ajustarse, en su elaboración o mediante modificación, a lo dispuesto en la citada declaración.

3. La aplicación de las normativas sectoriales de edificación y habitabilidad se subordinará a la conservación de los valores culturales del bien.

Artículo 43. Autorización de intervenciones

Cualquier intervención que se pretenda realizar sobre Bienes inmuebles Inventariados estará sometida a la previa obtención de la correspondiente autorización del Departamento competente. La solicitud la presentará la entidad local que tramite la correspondiente licencia de obras y deberá ser resuelta en el plazo de dos meses, pudiendo en otro caso entenderse desestimada.

Sección 4ª. Régimen de protección de los Bienes de Relevancia Local

Artículo 44. Régimen específico de protección

El régimen específico de protección de los Bienes de Relevancia Local será el establecido en la legislación urbanística y en el planeamiento urbanístico municipal.

Sección 5ª. Régimen de protección de los Bienes muebles inscritos en el Registro de Bienes del Patrimonio Cultural de Navarra

Artículo 45. Régimen específico de protección

1. El régimen de protección de los Bienes muebles inscritos en el Registro de Bienes del Patrimonio Cultural de Navarra es el fijado en los artículos 27 y 28 de la presente Ley Foral.

Si por sus especiales características un bien mueble requiriese un régimen específico de protección, éste se fijará en su declaración, que establecerá de forma expresa las medidas de protección más convenientes para su conservación.

2. Con anterioridad a la incoación del procedimiento de declaración de Bien de Interés Cultural o Bien Inventariado, la Administración de la Comunidad Foral podrá adoptar las medidas cautelares que sean necesarias para salvaguardar la integridad del bien o que sean convenientes en orden a su posterior inserción dentro de estas clases de bienes del Patrimonio Cultural de Navarra. La duración de las medidas cautelares de protección no podrá ser superior a dos meses, dentro de los cuales deberá incoarse, en su caso, el procedimiento de declaración.

Artículo 46. Autorización de intervenciones

1. Cualquier intervención que se pretenda realizar sobre Bienes muebles inscritos en el Registro de Bienes del Patrimonio Cultural de Navarra requerirá la previa obtención de la correspondiente autorización del Departamento competente en materia de cultura. La solicitud de autorización deberá ser resuelta en el plazo de dos meses, pudiendo en otro caso entenderse desestimada.

2. Las solicitudes incluirán un proyecto técnico en el que se identificará el bien, su estado actual y la propuesta de intervención a realizar, debiendo acompañarse además de aquellos documentos que se exijan reglamentariamente, los que acrediten la cualificación técnica y profesional de las personas que hayan de dirigir y ejecutar la intervención.

Artículo 47. Criterios generales de intervención

Cualquier intervención en un Bien mueble inscrito en el Registro de Bienes del Patrimonio Cultural de Navarra se ajustará a los siguientes criterios:

a) La actuación perseguirá la conservación y mejora del bien.

b) Se procurará el máximo estudio y óptimo conocimiento del bien para la mejor adecuación de la intervención propuesta.

c) La actuación preservará el interés y significación cultural del bien, sin perjuicio de la utilización de elementos, técnicas y materiales actuales para la mejor adaptación del bien a su uso y para resaltar determinados elementos o épocas.

d) No se permitirá la eliminación de partes del bien, salvo cuando sea necesaria en orden a su preservación o permita una mejor interpretación histórica, siendo preciso en estos casos proceder a su debida documentación.

e) Se elaborará una memoria técnica de la intervención en la que se recogerán de manera exhaustiva los tratamientos y materiales aplicados y se incluirá suficiente documentación gráfica y fotográfica que la documente.

Artículo 48. Traslados

1. Los Bienes muebles declarados de Interés Cultural son inexportables. La exportación temporal de bienes muebles declarados de Interés Cultural requerirá la autorización expresa y previa de la Administración General del Estado.

2. La exportación de Bienes muebles Inventariados requerirá la autorización expresa y previa de la Administración General del Estado.

3. El traslado de los Bienes muebles inscritos en el Registro del Patrimonio Cultural de Navarra se comunicará previamente al Departamento competente en materia de cultura, indicando su origen y destino y si tiene carácter temporal o definitivo. El traslado podrá ser condicionado si se aprecian circunstancias que puedan dañar la integridad y conservación del bien.

4. En caso de que el traslado se efectúe fuera del territorio de la Comunidad Foral de Navarra, el nuevo destino se comunicará a la Administración cultural que resulte competente.

5. En el caso de bienes muebles vinculados en la correspondiente declaración a un Bien inmueble de Interés Cultural, la comunicación revestirá forma de solicitud que sólo se concederá con carácter excepcional por estar aquellos bienes unidos al destino del bien inmueble de que se trate.

Artículo 49. Comercio

1. Las personas o entidades radicadas en Navarra que se dediquen habitualmente al comercio de los bienes muebles integrantes del Patrimonio Cultural deberán comunicar a la Administración de la Comunidad Foral la existencia de tales bienes antes de proceder a su venta o transmisión a terceros.

2. Además, deberán llevar un libro de registro, legalizado por el Departamento competente en materia de cultura, en el que deberán hacer constar las transacciones que realicen sobre los bienes integrantes del Patrimonio Cultural. Como mínimo quedará constancia de los datos identificativos del bien, que incluyan su fotografía, y de las partes que intervienen en cada transacción.

3. Se crea el Registro de las personas y entidades dedicadas habitualmente al comercio de bienes integrantes del Patrimonio Cultural, quienes deberán inscribirse, para el ejercicio de dicha actividad. Reglamentariamente se establecerán los requisitos de la citada inscripción así como la organización y funcionamiento del mencionado Registro.

4. Los subastadores deberán notificar al Departamento competente en materia de cultura, con una antelación no inferior a un mes, la celebración de las subastas, cualquiera que sea la naturaleza de éstas, en las que se pretenda enajenar cualquier bien del Patrimonio Cultural. La notificación deberá indicar la fecha, hora y lugar de celebración de la subasta, así como el precio de salida a subasta del bien. El Departamento competente en materia de cultura podrá ejercer los derechos de tanteo y retracto sobre los bienes objeto de la subasta, en los términos establecidos en el artículo 33 de esta Ley Foral.

Artículo 50. Catálogo de Bienes Muebles del Patrimonio Cultural de Navarra

1. El Departamento competente en materia de cultura elaborará el Catálogo de Bienes Muebles del Patrimonio Cultural de Navarra en el que se documentarán todos los bienes muebles de interés del Patrimonio Cultural de Navarra, cualquiera que sea su titularidad jurídica.

2. Los titulares de bienes muebles que deban formar parte del Catálogo de Bienes Muebles del Patrimonio Cultural de Navarra colaborarán con este Departamento en la elaboración de dicho Catálogo, comunicando la existencia de estos bienes, permitiendo su examen y aportando la información que tengan para su adecuada documentación.

3. Reglamentariamente se establecerán los criterios de antigüedad y valor económico que concretarán esta obligación.

4. Una vez comunicada al Departamento competente en materia de cultura la existencia de alguno de los bienes a los que hace referencia el punto anterior, el Departamento dispondrá de un plazo de tres meses para iniciar los trámites correspondientes para la incorporación del citado bien en alguna de las categorías de protección que prevé esta Ley Foral para los bienes muebles.

Artículo 51. Derechos de los titulares de bienes muebles

1. La inscripción de un bien mueble en el Registro de Bienes del Patrimonio Cultural de Navarra dará al titular el derecho a:

a) Recibir asistencia técnica por parte del Departamento competente en materia de cultura para su conservación.

b) Solicitar subvenciones, u otras medidas de fomento que puedan establecerse, para su conservación.

2. La presencia de un bien mueble en el Catálogo de Bienes Muebles del Patrimonio Cultural de Navarra dará al titular el derecho a recibir asistencia técnica por parte del Departamento competente en materia de cultura para su conservación.

Artículo 52. Colecciones

1. A los efectos de la presente Ley Foral se entenderá por colección el conjunto de bienes muebles agrupados de forma miscelánea o monográfica, previo proceso intencional de provisión o acumulación.

2. Las colecciones de Bienes muebles declaradas de Interés Cultural o Inventariadas no podrán ser disgregadas por sus propietarios, poseedores o titulares de derechos reales, sin autorización previa del Departamento competente.

CAPÍTULO III. Régimen de protección de los bienes inmateriales de interés cultural o inventariados

Artículo 53. Régimen de Protección

El régimen de protección de los Bienes inmateriales de Interés Cultural o Inventariados será el fijado en su declaración, que establecerá de forma expresa las medidas de protección y fomento que sean más convenientes para su conservación y difusión. Asimismo, la Administración de la Comunidad Foral articulará aquellas medidas de fomento de la investigación tendentes a completar o perfeccionar el conocimiento de estos bienes.

Artículo 54. Inventario de Bienes Inmateriales de Interés Cultural

El Departamento competente en materia de cultura elaborará un Inventario de Bienes Inmateriales que tengan especial relevancia cultural en Navarra, en el que se documentarán estos bienes a efectos de identificación y salvaguardia.

TÍTULO V. Patrimonios específicos

CAPÍTULO I. Patrimonio Arqueológico

Artículo 55. Concepto

1. El Patrimonio Arqueológico de Navarra está integrado por los bienes muebles e inmuebles de carácter histórico conforme a lo dispuesto en el apartado 1 del artículo 2 de esta Ley Foral, que resulten susceptibles de ser estudiados con metodología arqueológica, hayan sido o no extraídos, tanto si se encuentran en la superficie como en el subsuelo o bajo las aguas.

2. También forman parte del Patrimonio Arqueológico los elementos geológicos y paleontológicos relacionados con la historia del hombre, sus orígenes y antecedentes, que sean susceptibles de ser estudiados con metodología arqueológica.

Artículo 56. Régimen Jurídico

Son bienes de dominio público todos aquéllos que integran el Patrimonio Arqueológico de la Comunidad Foral de Navarra que sean descubiertos como consecuencia bien de hallazgos, casuales o intencionados, bien de intervenciones, autorizadas o no. Tienen además esta condición los documentos originales del registro arqueológico obtenidos en intervenciones realizadas en la Comunidad Foral de Navarra.

Artículo 57. Inventario Arqueológico de Navarra

1. El Departamento competente formará y mantendrá actualizado el Inventario Arqueológico de Navarra, en el que se documentarán todos los yacimientos y hallazgos aislados que lo integran, definiéndolos y delimitando su extensión. A tal efecto promoverá la realización de prospecciones arqueológicas y podrá exigir a los titulares de autorizaciones de intervenciones que inventaríen los yacimientos y hallazgos aislados que descubran o investiguen, de acuerdo con las condiciones que reglamentariamente se determinen.

2. Los titulares de terrenos en los que existan yacimientos arqueológicos colaborarán en la elaboración de dicho Inventario permitiendo su examen.

3. Se incluirán en el Inventario Arqueológico de Navarra las Áreas Arqueológicas de Cautela, previa declaración según lo dispuesto en la presente Ley Foral.

4. El Inventario Arqueológico de Navarra deberá ser tenido en cuenta en la elaboración de los instrumentos de ordenación territorial, planeamiento urbanístico, así como en las evaluaciones ambientales de planes y programas y en aquellos proyectos que se sometan a evaluación de impacto ambiental.

5. En tanto los yacimientos y hallazgos aislados catalogados no se incluyan en las clases previstas en el artículo 13 de la presente Ley Foral, la información contenida en el Inventario Arqueológico de Navarra será objeto de una difusión y acceso restringidos, de acuerdo con las condiciones que reglamentariamente se determinen.

Artículo 58. Intervenciones arqueológicas

1. A los efectos de la presente Ley Foral, se consideran intervenciones arqueológicas las prospecciones, sondeos, seguimientos, excavaciones, labores de conservación y restauración, documentación de arte rupestre, trabajos de divulgación y cualesquiera otras que tengan por finalidad descubrir, documentar, investigar, difundir o proteger bienes integrantes del Patrimonio Arqueológico e impliquen la intervención sobre ellos o en su entorno.

2. Las intervenciones arqueológicas tendrán la condición de programadas o de urgencia. Se considerarán intervenciones arqueológicas programadas aquellas motivadas exclusivamente por el descubrimiento, documentación, investigación o divulgación arqueológicas, sin que existan razones de protección del Patrimonio Arqueológico o prevención de efectos negativos sobre él. Se considerarán intervenciones de urgencia cuando sobre los bienes del Patrimonio Arqueológico exista riesgo de destrucción, pérdida o daños de difícil reparación o se precise la adopción de medidas preventivas para su documentación y protección.

3. Toda intervención arqueológica, tanto programada como de urgencia, precisará de la previa y expresa autorización otorgada al efecto por el Departamento competente. La solicitud deberá justificar el motivo de la intervención e irá acompañada de la documentación técnica conforme al tipo de intervención planteada, de acuerdo con las condiciones que reglamentariamente se determinen.

4. La autorización de una intervención arqueológica obligará a su titular a ejecutar los trabajos de acuerdo con las condiciones en que fueron autorizados, llevar a cabo el inventario y depósito de los bienes recuperados y de la documentación del registro obtenida, presentar los informes y memoria científica y facilitar las labores de inspección técnica de la actividad arqueológica al Departamento competente, todo ello en la forma y plazos que reglamentariamente se determinen.

Artículo 59. Medidas cautelares en la ejecución de obras

1. Si durante la ejecución de una obra, en cualquier terreno público o privado de Navarra, se hallaran bienes muebles o inmuebles de valor arqueológico de manera casual, el promotor o la dirección facultativa de las obras deberán paralizar las actuaciones que puedan dañarlos y comunicar su descubrimiento al Departamento competente en materia de cultura y a la autoridad local en cuyo término se haya producido el hallazgo. Dicho Departamento efectuará las comprobaciones pertinentes para determinar el valor de lo hallado y resolverá en el plazo máximo de dos meses, autorizando el reinicio de las obras o inscribiendo el bien en el registro de Bienes del Patrimonio Cultural de Navarra y estableciendo un plazo de suspensión, hasta completar la intervención arqueológica necesaria para documentar los restos afectados y establecer las medidas pertinentes de conservación.

2. El Departamento competente en materia de cultura podrá impedir un derribo y suspender cualquier clase de obra o intervención que afecte a un bien integrante del Patrimonio Arqueológico de Navarra, cuando dicha actuación ponga en peligro su conservación y documentación.

3. El Departamento competente en materia de cultura podrá ordenar, en caso de que se promueva la ejecución de obras que pudieran afectar al Patrimonio Arqueológico, la realización previa de cualquier tipo de intervención arqueológica en los terrenos públicos o privados de Navarra en los que se presuma fundadamente la existencia de bienes integrantes del Patrimonio Arqueológico.

4. La suspensión de las obras no dará lugar a indemnización. La Administración podrá ampliar el plazo de suspensión si fuese necesario para completar la investigación arqueológica.

Artículo 60. Actuaciones ilícitas en el Patrimonio Arqueológico

Son ilícitas las siguientes actuaciones:

a) Las intervenciones arqueológicas practicadas sin la preceptiva autorización o que contravengan gravemente los términos en que ésta fuera concedida.

b) La realización de remociones de terreno y de exploraciones superficiales, con objeto de descubrir restos arqueológicos sin contar con la debida autorización.

c) Las remociones de tierra, demoliciones y cualesquiera otras actuaciones que pudieran destruir, dañar o poner en peligro el Patrimonio Arqueológico realizadas tras haberse producido un hallazgo en las condiciones descritas en el artículo 59.1 de la presente Ley Foral y que incumplan los deberes de comunicación y suspensión de obras.

Artículo 61. Áreas Arqueológicas de Cautela

1. Las Áreas Arqueológicas de Cautela son aquellos espacios claramente delimitados, solares o parcelas, en los que por evidencias materiales, documentación histórica o tradiciones orales se presume fundadamente la existencia de bienes integrantes del Patrimonio Arqueológico de Navarra.

2. Las Áreas Arqueológicas de Cautela serán delimitadas por el Departamento competente en materia de cultura, previa audiencia de los interesados y de las entidades locales afectadas y requerirán su publicación en el «Boletín Oficial de Navarra».

3. El régimen de protección de las Áreas Arqueológicas de Cautela será el determinado en la presente Ley Foral para el Patrimonio Arqueológico y específicamente en el acto administrativo de delimitación.

4. El planeamiento urbanístico recogerá las Áreas Arqueológicas de Cautela existentes en su ámbito de ordenación, haciendo referencia a su normativa de protección.

5. En las Áreas Arqueológicas de Cautela los propietarios o promotores de una obra deberán acompañar a la solicitud de licencia un estudio sobre el valor arqueológico del

solar o parcela, redactado por personal técnico en Arqueología, en el que se haga constar la incidencia del proyecto sobre el Patrimonio Arqueológico y la forma de aplicación de las medidas de protección a desarrollar. La entidad local remitirá el expediente al Departamento competente en materia de cultura, que en el plazo de dos meses deberá emitir un informe vinculante. Transcurrido dicho plazo sin resolución expresa se entenderá que es favorable.

Artículo 62. Desmontado y desplazamiento de estructuras arqueológicas

1. Los bienes integrantes del Patrimonio Arqueológico que hayan sido declarados Bien de Interés Cultural o Bien Inventariado son inseparables de su entorno. Cuando medie causa de fuerza mayor o interés social podrá autorizarse su desmontado o desplazamiento, debiendo requerir el promotor informe favorable del Departamento competente en materia de cultura. Dicho informe se emitirá en el plazo de dos meses desde la finalización de la intervención arqueológica en que éste haya sido descubierto, transcurrido el cual sin su emisión se entenderá desfavorable.

2. Para el desmontado o desplazamiento del resto de bienes integrantes del Patrimonio Arqueológico, el promotor de la iniciativa precisará informe favorable del Departamento competente en materia de cultura, presentando al efecto un estudio de alternativas. Dicho informe será emitido en el plazo de dos meses, transcurrido el cual, sin su emisión, se entenderá favorable.

3. En caso de desmontado o desplazamiento de estructuras arqueológicas, se documentarán científicamente sus elementos integrantes y características, a efectos de garantizar su reproducción, localización y eventual reconstrucción en el sitio que determine el Departamento competente en materia de cultura.

4. El Departamento competente en materia de cultura podrá ordenar la realización de medidas compensatorias al promotor de una obra cuando ésta ocasione una grave merma en el valor del bien o afecte al menos al 25 por 100 de su superficie, pudiendo obligar a la reconstrucción de las estructuras desmontadas, a la aplicación de actuaciones de revalorización de dicho bien o a la ejecución de cualquier medida de compensación del valor perdido que fundamentadamente se determine. En todo caso, su aplicación precisará de una autorización según lo dispuesto en el artículo 58 de la presente Ley Foral, previa audiencia al promotor del proyecto y a la entidad local en cuyo término radique el bien afectado.

Artículo 63. Descubrimiento de bienes arqueológicos

1. Los descubrimientos de bienes muebles o inmuebles integrantes del Patrimonio Arqueológico realizados de manera casual o por azar, así como los de carácter singular producidos como consecuencia de una intervención arqueológica autorizada se comunicarán a la mayor brevedad posible, y en todo caso en un plazo no superior a cuarenta y ocho horas al Departamento competente en materia de cultura, a la entidad local correspondiente o a las Fuerzas y Cuerpos de Seguridad, sin que pueda darse conocimiento público de ellos antes de haber realizado la citada comunicación.

2. Si la comunicación se efectuara a la entidad local o a las Fuerzas y Cuerpos de Seguridad, éstos lo notificarán al Departamento competente en el plazo de cuarenta y ocho horas. De la misma manera, este Departamento lo notificará a la entidad local y al propietario del terreno o solar donde se haya efectuado el descubrimiento cuando se observe un riesgo inminente para su conservación.

3. Los restos hallados se mantendrán en el lugar en que fueron descubiertos hasta que el Departamento competente determine su destino, salvo que exista grave riesgo de desaparición o deterioro, en cuyo caso deberán extraerse y entregarse a la entidad local correspondiente, al Departamento competente o al museo público que se indique. El objeto permanecerá en el emplazamiento originario si es necesario efectuar remociones de tierras

para extraerlo y cuando se trate de un hallazgo subacuático. En todos los casos, mientras el descubridor esté en posesión material del bien y no efectúe la entrega, se aplicarán las normas del depósito legal.

4. El Departamento competente determinará el lugar del depósito definitivo de los restos arqueológicos hallados, de acuerdo con los criterios de mayor proximidad al lugar del hallazgo y de idoneidad de las condiciones de conservación y seguridad de los bienes, sin perjuicio de la aplicación de otros criterios derivados de las necesidades de la ordenación museística general.

Artículo 64. Premio por descubrimiento

1. El descubridor y el propietario del lugar en que hubiese sido encontrado de forma casual el objeto tienen derecho por partes iguales a recibir del Departamento competente en materia de cultura, en concepto de premio en metálico, una cantidad igual a la mitad del valor de lo hallado, según resulte de su tasación legal en expediente tramitado a solicitud de los interesados. Si fuesen dos o más los descubridores o los propietarios, se mantendrá igual proporción. En ningún caso tendrán el descubridor ni el propietario del lugar del hallazgo derechos de retención sobre los bienes descubiertos.

2. El descubrimiento con incumplimiento de las obligaciones previstas en el artículo anterior privará al descubridor y, en la medida de su responsabilidad, al propietario del lugar, del derecho de premio, sin perjuicio de las responsabilidades a que hubiere lugar y de las sanciones que procedan.

3. Tampoco generan el derecho a premio:

a) El descubrimiento de partes integrantes de la estructura arquitectónica de un inmueble incluido en el Registro de Bienes del Patrimonio Cultural de Navarra, que, en cualquier caso, deberá ser comunicado al Departamento competente en materia de cultura en el plazo máximo de treinta días.

b) El descubrimiento por parte de personas autorizadas por el Departamento competente para realizar actividades arqueológicas.

c) El descubrimiento que sea producto de actuaciones ilícitas.

d) El descubrimiento producido en Áreas Arqueológicas de Cautela ya declaradas o delimitadas o que se hallen en proceso de declaración o delimitación.

e) El descubrimiento producido en obras promovidas por las Administraciones Públicas.

CAPÍTULO II. Patrimonio Etnológico e Industrial

Artículo 65. Patrimonio Etnológico

El Patrimonio Etnológico de Navarra está integrado por el conjunto de bienes materiales e inmateriales que son o han sido formas relevantes o expresión de la cultura y modos de vida tradicionales y propios del pueblo navarro.

Artículo 66. Patrimonio Industrial

El Patrimonio Industrial está integrado por el conjunto de bienes muebles e inmuebles que constituyen manifestaciones o están ligados a la actividad productiva, tecnológica e industrial de la Comunidad Foral de Navarra en cuanto son exponentes de la historia social y económica de Navarra.

Artículo 67. Régimen jurídico

La protección de los bienes del Patrimonio Etnológico e Industrial podrá llevarse a cabo a través de su inclusión en alguna de las clases de bienes del Patrimonio Cultural de Navarra.

Artículo 68. Inventario Etnológico de Navarra

1. El Departamento competente en materia de cultura elaborará y mantendrá actualizado el Inventario Etnológico de Navarra, en el que se identificarán y describirán los lugares y bienes, tanto materiales como inmateriales, de interés etnológico, haciendo constar su localización en el caso de los lugares y de los bienes inmuebles y su clasificación, en su caso, como Bien de Interés Cultural, Bien Inventariado o Bien de Relevancia Local, así como las demás normas de protección que les afecten.

Especialmente velará por la conservación de todos aquellos espacios que cobijen artefactos preindustriales y que, por sí mismos o juntamente con su entorno, comporten ejemplos significativos de las actividades preindustriales en la Comunidad Foral de Navarra.

2. Los titulares de bienes que deban formar parte del Inventario Etnológico de Navarra colaborarán en la elaboración de dicho Inventario, comunicando la existencia de estos bienes, permitiendo su examen y aportando la información que tengan para su adecuada documentación.

3. Reglamentariamente se establecerán los criterios de antigüedad y valor económico que concretarán está obligación.

Artículo 69. Protección de los bienes etnológicos inmateriales

1. Sin perjuicio de lo dispuesto con carácter general en el artículo 53 de esta Ley Foral, respecto de los bienes etnológicos inmateriales de la Comunidad Foral de Navarra, el Departamento competente en materia de cultura promoverá y adoptará las medidas oportunas conducentes a su estudio, investigación, documentación, registro y recogida en cualquier soporte estable para garantizar su aprecio y su transmisión a las generaciones venideras.

2. La inscripción de bienes inmateriales en el Registro de Bienes del Patrimonio Cultural de Navarra les conferirá preferencia entre las restantes actividades de su misma naturaleza a efectos de su conocimiento, protección, difusión y obtención de subvenciones y ayudas oficiales a las que pudiera aspirar.

Artículo 70. Protección del Patrimonio Industrial

1. El Departamento competente en materia de cultura procederá, a través de los instrumentos previstos en esta Ley Foral, a la preservación de cuantos bienes o espacios resulten ilustrativos del proceso industrializador en la Comunidad Foral de Navarra, con especial consideración hacia los conjuntos tecnológicos y las construcciones donde se albergaron, así como de los medios de transporte y la infraestructura viaria.

2. Se prohíbe la destrucción de maquinaria industrial de fabricación anterior a 1900 salvo que, por razones de fuerza mayor o interés social, o de carencia de interés cultural, exista autorización expresa en dicho sentido del Departamento competente en materia de cultura. Las peticiones de autorización deberán ser resueltas en un plazo máximo de dos meses, transcurrido el cual sin resolución expresa se entenderán desestimadas.

CAPÍTULO III. Patrimonio Documental

Artículo 71. Patrimonio Documental

1. Forman parte del Patrimonio Documental de Navarra:

a) Los documentos públicos, entendiendo por tales, los documentos de cualquier época generados, conservados o reunidos en el ejercicio de su función por el Parlamento de Navarra y sus Instituciones auxiliares.

b) Los documentos públicos, entendiendo por tales, los documentos de cualquier época generados, conservados o reunidos en el ejercicio de su función por los órganos de las Administraciones Públicas de Navarra y los demás organismos de carácter público y las empresas y entidades que de ellas dependan o en las que participe mayoritariamente la Comunidad Foral de Navarra, y por las personas privadas, físicas o jurídicas, gestoras de servicios públicos en el ejercicio de sus actividades.

c) Los documentos de carácter público de los fedatarios y registros públicos.

d) Los documentos con antigüedad superior a cuarenta años que hayan sido producidos, conservados o reunidos en el ejercicio de sus actividades por entidades y asociaciones de carácter político, económico, empresarial, sindical o religioso y por las entidades, fundaciones y asociaciones culturales y educativas de carácter privado establecidas en la Comunidad Foral de Navarra.

e) Los documentos con antigüedad superior a cien años que se encuentren en la Comunidad Foral de Navarra y hayan sido producidos, conservados o reunidos por cualquier otra entidad privada o persona física.

f) Los documentos de carácter público o privado que, con independencia de su antigüedad, sean declarados por el Departamento competente en materia de cultura como constitutivos del Patrimonio Documental de Navarra.

2. Asimismo, la Administración de la Comunidad Foral de Navarra velará por la integración en el Patrimonio Documental de Navarra de aquellos documentos de instituciones y entidades navarras o con sede en Navarra, hoy desaparecidas.

Artículo 72. Concepto de documento

A efectos de esta Ley Foral se entiende por documento cualquier expresión del lenguaje oral o escrito, natural o codificado, y cualquier expresión gráfica, sonora o en imagen, recogida en cualquier tipo de soporte material, actual o futuro, generada en el ejercicio de la actividad de las personas.

Artículo 73. Régimen jurídico

La protección del Patrimonio Documental podrá llevarse a cabo a través de su inclusión en alguna de las clases de bienes del Patrimonio Cultural de Navarra y, en cualquier caso, mediante la aplicación de las reglas específicas contenidas en este capítulo.

En lo no previsto en ellas le será de aplicación cuanto se dispone con carácter general en la presente Ley Foral sobre los bienes muebles.

Artículo 74. Conservación del Patrimonio Documental

1. Se prohíbe la eliminación o destrucción de bienes del Patrimonio Documental, público o privado, salvo resolución del órgano competente, de acuerdo con el procedimiento y la forma que se establezca reglamentariamente. Con carácter general, gozarán de especial protección los documentos con antigüedad superior a cuarenta años.

2. En ningún caso se podrán destruir tales documentos en tanto subsista su valor probatorio de derechos y obligaciones de las personas o los entes públicos.

Artículo 75. Ciclo vital de los documentos

1. Se entiende por ciclo vital de los documentos las fases en las que se estructura la vida del documento desde su creación hasta su conservación definitiva en consideración a su importancia como testimonio histórico, o bien hasta su eliminación una vez agotado su valor administrativo.

2. La Administración de la Comunidad Foral de Navarra velará por el cumplimiento de las normas de conservación de los documentos producidos por las distintas Administraciones Públicas de Navarra, incluyendo la regulación de sus valores administrativo e histórico, accesibilidad, períodos de conservación y, en su caso, plazo de eliminación, en función de su importancia como testimonio de la actividad de las Administraciones Públicas, de modo que se garantice su conservación permanente.

3. Las normas de conservación serán establecidas por el órgano competente.

Artículo 76. Deberes de los poseedores

1. Los poseedores de bienes del Patrimonio Documental, cualquiera que sea su titularidad, tienen los siguientes deberes:

a) Proteger y conservar, debidamente organizados, los bienes del Patrimonio Documental e impedir su destrucción, división y merma, manteniéndolos en condiciones adecuadas para su correcta conservación. El incumplimiento de este deber podrá ser causa de interés social para la expropiación forzosa de los bienes afectados o, en el caso de las Administraciones Públicas, para ordenar su depósito en el Archivo General de Navarra hasta que se creen las condiciones correctas para garantizar su conservación.

b) Facilitar la inspección.

c) Permitir su uso para la investigación y difusión cultural. El Departamento competente podrá sustituir este deber, a petición del interesado, por el de depositar temporalmente el bien en un Archivo público que reúna las condiciones adecuadas para la seguridad de los bienes y su investigación.

2. Los anteriores deberes se determinarán reglamentariamente, en función de la categoría de protección que les afecte.

Artículo 77. Concepto de archivo y fondo documental

1. Se entiende por archivo, a los efectos de esta Ley Foral, el organismo o institución desde el que se desarrollan específicamente funciones de organización, tutela, gestión, descripción, conservación y difusión de documentos y fondos documentales, al servicio de su utilización para la gestión administrativa, información, e investigación. También se entiende por archivo el fondo o el conjunto de fondos documentales.

2. Se entiende por fondo documental, a los efectos de esta Ley Foral, el conjunto orgánico de documentos reunido en un proceso natural que han sido generados o recibidos por una persona física o jurídica, pública o privada, a lo largo de su existencia y en el ejercicio de las actividades y funciones que le son propias.

Artículo 78. Sistema Archivístico de Navarra

1. El Sistema Archivístico de Navarra es el conjunto coordinado de órganos, centros, servicios y otros recursos archivísticos encuadrados en la Comunidad Foral Navarra, que mediante la aplicación de normas y procedimientos comunes, garantiza la uniformidad de tratamiento, complementariedad y eficacia en cuanto a la adecuada gestión, protección, valoración, conservación, recogida, descripción y difusión del Patrimonio Documental de Navarra, a través de la cooperación y la coordinación de actuaciones de sus integrantes, especialmente en cuanto a la incorporación de las nuevas tecnologías en el quehacer archivístico.

2. Forman parte del Sistema Archivístico de Navarra:

a) El Departamento competente, que tendrá encomendadas las funciones de cabecera del sistema.

b) Los órganos, centros, servicios y otros recursos archivísticos pertenecientes a todas las Administraciones Públicas presentes o radicadas en la Comunidad Foral de Navarra, sea cual sea su titularidad pública y la antigüedad de su documentación.

c) El Consejo Navarro de Cultura.

d) La Comisión de Evaluación Documental.

e) El resto de órganos, centros, servicios y otros recursos archivísticos privados que se integren en el Sistema mediante convenio u otras figuras de cooperación.

f) Otros órganos que puedan ser creados en el futuro con competencias en el ámbito del Patrimonio Documental.

Artículo 79. Censo de Archivos de Navarra

El Departamento competente, en colaboración con las demás Administraciones públicas de Navarra, elaborará y mantendrá actualizado el Censo de Archivos de Navarra, a cuyo efecto podrá recabar de los titulares de derechos sobre los bienes que lo integran su examen y las informaciones pertinentes.

Artículo 80. Acceso a la documentación

1. Todas las personas podrán ejercitar el derecho de acceso a los archivos y el derecho a la consulta de los documentos integrantes del Patrimonio Documental de Navarra, y a la obtención de la información sobre su contenido de acuerdo con la legislación aplicable en cada caso, cualquiera que sea la titularidad de la documentación.

2. –

Número 2 del artículo 80 derogado por la Disposición Derogatoria Única de la Ley Foral 12/2007, 4 abril, de Archivos y Documentos (B.O.N. 18 abril)

CAPÍTULO IV. Patrimonio Bibliográfico y Audiovisual

Artículo 81. Patrimonio Bibliográfico

Constituyen el Patrimonio Bibliográfico de Navarra las bibliotecas, las colecciones bibliográficas de titularidad pública, así como las obras impresas, libros folletos, hojas sueltas, de carácter unitario o seriado, de las que no conste la existencia, de al menos, tres ejemplares en alguna de las bibliotecas o colecciones bibliográficas radicadas en la Comunidad Foral. Se considerará que existe este número de ejemplares en las impresiones posteriores a 1958.

Artículo 82. Patrimonio Audiovisual de Navarra

Constituyen el Patrimonio Audiovisual de Navarra los documentos cinematográficos, sonoros o audiovisuales, las ediciones e informaciones digitales y documentos similares, cualquiera que sea su soporte material, de los que no conste, en el caso de ediciones de soporte material, la existencia de, al menos, tres ejemplares en alguna de las bibliotecas o servicios públicos radicados en la Comunidad Foral; en el caso de películas cinematográficas editadas bastará con la existencia de un ejemplar.

Artículo 83. Régimen jurídico

La protección del Patrimonio Bibliográfico y del Patrimonio Audiovisual de Navarra se llevará a cabo mediante su inclusión en alguna de las categorías de bienes del Patrimonio Cultural de Navarra y le será de aplicación cuanto se dispone con carácter general en la presente Ley Foral respecto de los bienes muebles.

CAPÍTULO V. Museos

Artículo 84. Concepto de museo y de colección museográfica permanente

1. Son museos las instituciones de carácter permanente abiertas al público que, sin ánimo de lucro y al servicio de la sociedad y su desarrollo, adquieren, conservan, investigan, comunican y exhiben, para fines de estudio, interpretación, educación y disfrute, bienes y colecciones de valor arqueológico, histórico, artístico, etnológico, científico y técnico o de cualquier otra naturaleza cultural.

2. Son colecciones museográficas permanentes los conjuntos estables de bienes culturales conservados por una persona física o jurídica que, por lo reducido de sus fondos, escasez de recursos o carencia de personal técnico propio, no puedan cumplir las funciones atribuidas a los museos, siempre que sus titulares garanticen, al menos, la visita pública en horario adecuado y regular, las condiciones básicas de conservación, custodia y exposición, y el acceso de los investigadores a sus fondos.

Artículo 85. Acceso a los museos y a las colecciones museográficas permanentes

La Administración de la Comunidad Foral de Navarra promoverá y garantizará el acceso de todos los ciudadanos a los museos y colecciones museográficas permanentes de titularidad pública sin perjuicio de las restricciones que, por causa de la conservación de los bienes custodiados en ellos, puedan establecerse.

Artículo 86. Régimen jurídico

La protección de los museos y de las colecciones museográficas permanentes podrá llevarse a cabo a través de su inclusión en alguna de las clases de bienes del Patrimonio Cultural de Navarra y, en cualquier caso, mediante la aplicación de las reglas específicas contenidas en la Ley Foral que los regule.

En lo no previsto en ella le será de aplicación cuanto se dispone con carácter general en la presente Ley Foral que sea de aplicación a los bienes del Patrimonio Cultural de Navarra.

TÍTULO VI. Fomento y divulgación del Patrimonio cultural
CAPÍTULO I. Fomento

Artículo 87. Medidas económicas de fomento

1. El Departamento competente en materia de cultura fomentará la investigación, documentación, conservación, recuperación, restauración y divulgación de los bienes integrantes del Patrimonio Cultural de Navarra, a través de subvenciones y otras medidas económicas de fomento.

2. En el otorgamiento de las medidas económicas de fomento previstas en este artículo se fijarán las garantías necesarias para evitar la especulación con los bienes que con ellas se conserven, restauren o mejoren.

3. Si en el plazo de ocho años a contar desde el otorgamiento de una de las ayudas a las que se refiere este artículo la Administración de la Comunidad Foral de Navarra adquiere el bien, se deducirá del precio de adquisición una cantidad equivalente al importe actualizado de la ayuda, la cual se considera como pago a cuenta.

4. Quienes no cumplan el deber de conservación del Patrimonio Cultural de Navarra o hayan sido sancionados por la comisión de una infracción grave o muy grave de las tipificadas en esta Ley Foral en los cinco años anteriores, no podrán acceder a las ayudas a las que se refiere este artículo.

5. Las medidas de fomento contempladas en este artículo podrán ser asimismo de aplicación a los bienes a los que se haya incoado el procedimiento de declaración.

Artículo 88. Mecenazgo

1. La Administración de la Comunidad Foral de Navarra propiciará las actuaciones de mecenazgo y la participación de entidades privadas y particulares en la financiación de las actuaciones de protección, conservación, restauración, acrecentamiento, investigación, documentación y divulgación del Patrimonio Cultural de Navarra.

2. Las actuaciones comprendidas en el apartado anterior contarán, además, con los beneficios fiscales y de otra índole previstos en la normativa foral al respecto.

Artículo 89. Pagos con bienes culturales

1. El pago, total o parcial, de todo tipo de deudas contraídas con la Hacienda de la Comunidad Foral de Navarra podrá realizarse mediante la dación en pago con bienes del Patrimonio Cultural de Navarra. El Departamento competente en materia de Hacienda podrá aceptar dicha dación, previo informe favorable del Departamento competente en materia de cultura respecto del interés de los bienes para la Comunidad Foral de Navarra, en el que se incluirá, en su caso, la valoración del bien efectuada por la Junta de Valoración de Bienes del Patrimonio Cultural de Navarra.

2. El pago de tributos con bienes del Patrimonio Cultural de Navarra se llevará a cabo conforme a lo dispuesto en la legislación foral tributaria, en las normas reguladoras de cada tributo y en sus reglamentos de desarrollo.

Artículo 90. Beneficios fiscales

Los bienes inscritos en el Registro de Bienes del Patrimonio Cultural de Navarra gozarán de los beneficios fiscales que establezca la legislación foral tributaria.

CAPÍTULO II. Divulgación

Artículo 91. Acceso a los bienes integrantes del Patrimonio Cultural de Navarra

1. El Departamento competente en materia de cultura velará para que el acceso a los bienes integrantes del Patrimonio Cultural de Navarra se efectúe en condiciones adecuadas de conservación, conocimiento y difusión de los bienes.

2. El Departamento competente en materia de cultura fomentará el uso y disfrute del Patrimonio Cultural de Navarra como recurso de dinamización social y turística, respetando las necesidades de conservación y protección de los bienes y de su entorno establecidas por esta Ley Foral.

3. El Departamento competente en materia de cultura promoverá el acceso a los bienes que forman parte del Patrimonio Cultural de Navarra de todas las personas, adoptando, en lo posible, las medidas que sean precisas en orden a superar los obstáculos que para dicho acceso puedan tener las personas con algún tipo de disminución funcional, física o psíquica.

Artículo 92. Documentación, informatización y divulgación

1. El Departamento competente en materia de cultura impulsará la confección y actualización de los Inventarios, Catálogos, Censos y documentación previstos en esta Ley Foral, su informatización y puesta al servicio de los investigadores y demás ciudadanos, así como su difusión a través de publicaciones de investigación y de divulgación, de su presentación en soportes multimedia y de su inclusión en Internet o en redes telemáticas similares.

2. Todas las Administraciones Públicas de la Comunidad Foral de Navarra, en el ámbito de sus competencias, realizarán campañas periódicas de divulgación y formación en el conocimiento del Patrimonio Cultural de Navarra.

3. El Departamento competente promoverá la difusión exterior del Patrimonio Cultural de Navarra mediante las exposiciones, los servicios de información turística, los intercambios culturales y la colaboración con los medios de comunicación social.

4. Reglamentariamente se regulará la señalización exterior de los bienes que forman parte del Patrimonio Cultural de Navarra mediante carteles u otros medios apropiados a cada caso, que informen al público de las características más relevantes de cada uno de los bie-

nes. Dicha normativa procurará la unificación de contenidos, iconografía e imagen exterior al margen de su titularidad y de la Administración que tenga encomendada su protección.

Artículo 93. Gestión y cesión del uso de bienes inmuebles del Patrimonio Cultural

1. Todas las Administraciones Públicas de la Comunidad Foral de Navarra procurarán destinar preferentemente los inmuebles integrantes del Patrimonio Cultural de Navarra de su titularidad a una actividad pública acorde con sus valores culturales, para favorecer su conservación y fomentar su conocimiento y aprecio.

2. Las Administraciones Públicas de la Comunidad Foral de Navarra, cuando sea conveniente para la mejor conservación, mantenimiento, restauración y promoción de los bienes inmuebles integrantes del Patrimonio Cultural de Navarra que sean de su titularidad, podrán ceder, mediante el correspondiente convenio, el uso de tales bienes a las instituciones públicas, entidades privadas y demás personas que lo soliciten y garanticen adecuadamente el cumplimiento de los fines mencionados. En la cesión de inmuebles de los que sea titular la Administración de la Comunidad Foral de Navarra se dará prioridad a las entidades locales interesadas.

Artículo 94. Educación, investigación y formación

Para el cumplimiento de los fines de esta Ley Foral, corresponde a la Administración de la Comunidad Foral de Navarra efectuar las siguientes actuaciones en los ámbitos educativo, de investigación y formativo:

a) Desarrollar una política educativa dirigida a garantizar el conocimiento y la estimación de los valores propios del Patrimonio Cultural de Navarra. A tal efecto fomentará las materias y actividades que aseguren su estudio en todas las modalidades, niveles y grados del sistema educativo, con especial atención a la enseñanza obligatoria.

b) Promover la enseñanza especializada y la investigación en las materias relativas a la conservación, restauración y enriquecimiento del patrimonio cultural y establecer los medios de colaboración adecuados a dicho fin con las Universidades y los centros de formación e investigación especializados, públicos y privados.

c) Establecer las medidas necesarias para asegurar que los funcionarios de todas las Administraciones públicas de la Comunidad Foral de Navarra reciban la formación específica sobre protección del Patrimonio Cultural adecuada a la naturaleza de sus funciones.

TÍTULO VII. Restablecimiento de la legalidad y régimen sancionador
CAPÍTULO I. Restablecimiento de la legalidad

Artículo 95. Inspección

1. El Departamento competente en materia de cultura podrá inspeccionar en cualquier momento las obras y las intervenciones que se hagan en bienes integrantes del Patrimonio Cultural de Navarra. Los propietarios, poseedores y titulares de derechos reales sobre los mencionados bienes habrán de permitir el acceso, siempre que sea necesario a los efectos de la inspección.

2. El personal inspector designado por el Departamento competente tendrá, en el ejercicio de sus funciones, la consideración de agentes de la autoridad.

Artículo 96. Medidas de restablecimiento de la legalidad

1. Para el restablecimiento de la legalidad se aplicarán las medidas establecidas en esta Ley Foral en el caso de incumplimiento de los deberes de los propietarios del Patrimonio Cultural y todas las demás que se establezcan en ella, en la legislación de ordenación del territorio y urbanismo o en la legislación medioambiental cuando contribuyan a proteger los bienes del Patrimonio Cultural y a reparar los daños causados en ellos.

2. Las licencias urbanísticas que se otorguen con infracción de lo previsto en la presente Ley Foral deberán ser revisadas por la entidad local que las otorgó a través de alguno de los procedimientos de revisión de oficio previstos en la legislación de procedimiento administrativo común. Mientras las obras estuvieran en curso de ejecución se procederá a la suspensión de los efectos de la licencia y la adopción de las demás medidas previstas en la legislación urbanística respecto de licencias ilegales.

3. Si la licencia es anulada por el procedimiento previsto en el párrafo anterior, se estará a lo dispuesto en la legislación urbanística respecto de las licencias ilegales.

Artículo 97. Multas coercitivas

1. El Departamento competente en materia de cultura podrá imponer multas coercitivas para hacer efectivo el cumplimiento de los deberes impuestos por esta Ley Foral y de las resoluciones administrativas dictadas para el cumplimiento de lo que ésta dispone.

2. La imposición de multas coercitivas exigirá la formulación previa de un requerimiento escrito, en el cual se indicará el plazo del que se dispone para el cumplimiento de la obligación, la cuantía de la multa que puede imponerse y el plazo para recurrir dicho requerimiento de forma motivada. En cualquier caso, el plazo será suficiente para cumplir la obligación y el importe de la multa será del 10 por 100 de las actuaciones a realizar o, en su defecto, de otra cantidad que no supere los 6.000 euros.

3. En caso de que, una vez impuesta una multa coercitiva, se mantenga el incumplimiento que la haya motivado, la Administración podrá reiterarla tantas veces como sea necesario, hasta el cumplimiento de la obligación, sin que en ningún caso el plazo pueda ser inferior al fijado en el primer requerimiento.

4. Las multas coercitivas son independientes y compatibles con las que se puedan imponer en concepto de sanción.

Artículo 98. Reparación de los daños causados

El Departamento competente ordenará a las personas o instituciones responsables de los daños causados en el Patrimonio Cultural de Navarra, sin perjuicio de la sanción que pueda imponerse, la reparación de los daños, la reconstrucción de los bienes afectados, la reposición de la realidad física alterada o las medidas que sean necesarias para restituir el bien o su entorno a su estado anterior sin que en ningún caso falsee, adultere o degrade sus propiedades y valores culturales.

CAPÍTULO II. Régimen Sancionador

Sección 1ª. Infracciones

Artículo 99. Infracciones administrativas

1. Son infracciones administrativas en materia de Patrimonio Cultural las acciones u omisiones que vulneren las prescripciones contenidas en esta Ley Foral, tipificadas y sancionadas por ella.

2. Las responsabilidades administrativas derivadas de la comisión de una infracción son compatibles con la exigencia al infractor del restablecimiento de la legalidad y la reparación de los daños causados.

3. En ningún caso podrá la Administración dejar de adoptar las medidas tendentes a restablecer la legalidad y a reparar los daños causados por la actuación infractora.

4. Las infracciones en materia de Patrimonio Cultural se clasificarán en leves, graves y muy graves.

Artículo 100. Infracciones leves

Se consideran infracciones administrativas de carácter leve:

a) El incumplimiento de las obligaciones de facilitar información a la Administración sobre el estado de los bienes que forman parte del Patrimonio Cultural de Navarra, de facilitar su inspección y de petición de las autorizaciones obligadas por la presente Ley Foral, cuando no se derive perjuicio alguno para la conservación de dichos bienes.

b) El traslado fuera de Navarra, sin la correspondiente comunicación previa, de bienes que formen parte del Patrimonio Cultural de Navarra.

c) La realización de obras o intervenciones no autorizadas sobre los bienes que forman parte del Patrimonio Cultural de Navarra, o sobre su entorno, siempre que no supongan destrucción de sus valores culturales y sean autorizables.

d) La simple utilización sin autorización de sistemas, técnicas y métodos de detección de bienes integrantes del Patrimonio Cultural de Navarra.

e) El incumplimiento de los deberes establecidos sobre acceso a los bienes integrantes del Patrimonio Cultural de Navarra.

f) El incumplimiento del deber de conservación siempre que no se deriven daños graves o destrucción de los bienes protegidos mediante la presente Ley Foral.

g) El incumplimiento del plazo fijado para la entrega de los materiales obtenidos como resultado de actividades arqueológicas.

h) La dejación de funciones por parte de los directores de actividades arqueológicas.

i) El incumplimiento de la obligación de inscripción en el Registro a que se refiere el artículo 49 de esta Ley Foral.

j) La retención ilícita o depósito indebido de documentos que formen parte del Patrimonio Documental de Navarra por quienes los tengan a su cargo y no los entreguen al cesar en sus funciones a quien les sustituya en ellas o no los remitan al archivo que corresponda.

Artículo 101. Infracciones graves

Siempre que no sean calificadas como muy graves, se consideran infracciones administrativas de carácter grave:

a) La destrucción de bienes inventariados.

b) La realización de obras o intervenciones no autorizadas, de cualquier naturaleza, que supongan la destrucción, grave riesgo o pérdida de los valores culturales de bienes inscritos en el Registro de Bienes del Patrimonio Cultural de Navarra.

c) El incumplimiento del deber de conservación cuando suponga destrucción o daños graves para bienes inscritos en el Registro de Bienes del Patrimonio Cultural de Navarra.

d) El traslado fuera de Navarra, sin la correspondiente comunicación previa, de bienes inscritos en el Registro de Bienes del Patrimonio Cultural de Navarra.

e) La presentación, de forma maliciosa, de información incompleta o inexacta en los informes técnicos que acompañen a las peticiones de licencias o autorizaciones para obras o intervenciones sobre bienes inscritos en el Registro de Bienes del Patrimonio Cultural de Navarra.

f) La presentación, de forma maliciosa, de información incompleta o no veraz en las comunicaciones referentes al traslado fuera de Navarra de bienes inscritos en el Registro de Bienes del Patrimonio Cultural de Navarra.

g) El incumplimiento de la suspensión de obras u otras intervenciones ordenada por la autoridad competente, infracción que se producirá cuantas veces sea reiterado e incumplido el requerimiento.

h) El incumplimiento de la obligación de comunicar los descubrimientos casuales de restos o bienes que formen parte del Patrimonio Arqueológico de Navarra.

i) La realización de actividades arqueológicas no autorizadas.

j) El empleo de detectores de metales u otros instrumentos de detección para la búsqueda o recuperación sin autorización de materiales arqueológicos.

Artículo 102. Infracciones muy graves

Se consideran infracciones administrativas de carácter muy grave:

a) La destrucción, desplazamiento, o remoción ilegal de Bienes de Interés Cultural.

b) La destrucción de yacimientos y restos arqueológicos declarados Bienes Inventariados cuando medie intencionalidad o el incumplimiento de medidas de precaución expresamente dictadas por la Administración.

Artículo 103. Sujetos responsables

1. Son responsables de las infracciones las personas, físicas o jurídicas, que sean autoras, cómplices o encubridoras de las conductas u omisiones tipificadas como infracciones en esta Ley Foral, aun a título de simple inobservancia.

Se considerarán autores aquéllos que tomen parte directa en la ejecución de la infracción, induzcan a otros a ejecutarla o cooperen en la ejecución del hecho con un acto sin el cual no se hubiere efectuado o conseguido la acción infractora.

Se considerará cómplice al que coopere en la comisión de la infracción con actos anteriores o simultáneos que no puedan encuadrarse en la actitud del cooperador necesario.

Se considerará encubridor a quien realice acciones posteriores a la comisión de la infracción tendentes a la ocultación de la misma.

2. Serán también responsables, en su caso:

a) Los propietarios, titulares de derechos reales o poseedores de los bienes en que se lleve a cabo la conducta infractora, cuando la consientan expresa o tácitamente y no adopten las medidas necesarias para impedir el daño en los bienes del Patrimonio Cultural.

b) Los promotores, constructores y técnicos directores de las obras o intervenciones consideradas ilegales de acuerdo con esta Ley Foral, en cuanto a su ejecución sin autorización o incumpliendo sus condiciones o desatendiendo las órdenes administrativas de suspensión.

c) Los profesionales y técnicos autores de los proyectos de obras o intervenciones que impliquen la destrucción o el deterioro del Patrimonio Cultural.

d) Los técnicos que emitan informe favorable sobre las licencias, las autorizaciones y los proyectos de obras o intervenciones que impliquen la destrucción o el deterioro del Patrimonio Cultural, cuyo contenido sea manifiestamente constitutivo de infracción de acuerdo con esta Ley Foral.

e) Las autoridades y el personal al servicio de las Administraciones Públicas de Navarra encargados de hacer cumplir la presente Ley Foral cuando, por acción u omisión, consientan o encubran su incumplimiento.

3. Son también responsables de las infracciones de esta Ley Foral quienes, conociendo el incumplimiento de las obligaciones que en ella se establecen, obtengan de ello un beneficio.

Sección 2ª. Sanciones

Artículo 104. Tipos de sanciones

1. En los casos en que el daño causado al Patrimonio Cultural de Navarra pueda ser valorado económicamente, la infracción será sancionada con multa que será como mínimo el valor del daño causado y como máximo el cuádruplo del valor del daño causado.

2. En el resto de los casos procederán las siguientes sanciones:

a) Infracciones leves: sanción de hasta seis mil euros.

b) Infracciones graves: sanción de hasta ciento cincuenta mil euros.

c) Infracciones muy graves: sanción de hasta seiscientos mil euros.

3. Sin perjuicio de lo dispuesto en los apartados anteriores, la cuantía de la sanción no podrá ser en caso alguno inferior al beneficio económico obtenido como resultado de la actuación infractora.

4. Los sujetos responsables podrán ser sancionados, según los casos, además de con las multas previstas en este artículo, con las siguientes sanciones accesorias:

a) El decomiso de los materiales y utensilios utilizados en la actividad ilegal.

b) En el caso de los profesionales, inhabilitación para intervenir profesionalmente con las Administraciones Públicas de Navarra en actividades relacionadas con el Patrimonio Cultural por un plazo de hasta dos años en las infracciones leves; de hasta cinco años en las infracciones graves y de hasta diez años en las infracciones muy graves.

c) Pérdida durante un plazo de hasta cinco años de la posibilidad de obtener subvenciones públicas, convocadas y concedidas por las Administraciones Públicas de Navarra y del derecho a gozar de beneficios o incentivos fiscales.

d) Prohibición durante un plazo de hasta cinco años para celebrar contratos en materia de Patrimonio Cultural con la Administración de la Comunidad Foral de Navarra y con las Administraciones Locales de Navarra.

Artículo 105. Infracciones independientes o conexas

A los responsables de más de una infracción se les impondrá la sanción correspondiente a cada una de las diversas infracciones cometidas, salvo que exista conexión de causa a efecto entre las infracciones, en cuyo caso se impondrá una sola sanción que será la correspondiente a la de máxima cuantía.

Artículo 106. Graduación de las sanciones

1. Son circunstancias que agravan la responsabilidad de los culpables de una infracción en materia de Patrimonio Cultural:

a) El grado de intencionalidad o de reiteración.

b) La negativa a colaborar con las Administraciones Públicas competentes en el cumplimiento de las órdenes administrativas de suspensión de obras o intervenciones ilegales o su cumplimiento defectuoso.

c) La alteración de los supuestos de hecho que presuntamente legitimen la actuación, o la falsificación de los documentos en que se acreditase el fundamento legal de la actuación.

d) La reincidencia. Existe reincidencia cuando se comete una infracción del mismo tipo que la que motivó una sanción anterior en el plazo de un año siguiente a la notificación de ésta. En tal supuesto se requerirá que la resolución sancionadora haya adquirido firmeza.

e) Prevalerse, para su comisión, de la titularidad de un oficio o cargo público, salvo que el hecho constitutivo de la infracción haya sido realizado, precisamente, en el ejercicio del deber propio del cargo u oficio.

f) La utilización de violencia o cualquier otro tipo de coacción sobre la autoridad o funcionario público encargado del cumplimiento de la legalidad en materia de Patrimonio Cultural, o mediante cohecho.

2. Son circunstancias que atenúan la responsabilidad de los culpables de una infracción en materia de Patrimonio Cultural:

a) La falta de intencionalidad en la generación de un daño grave a los bienes del Patrimonio Cultural afectados por la actuación infractora.

b) La paralización de las obras o el cese en la actividad o uso del suelo, de modo voluntario, tras la pertinente advertencia de la autoridad o del funcionario público encargado del cumplimiento de la legalidad en materia de Patrimonio Cultural.

c) La reparación o disminución espontánea del daño causado a los bienes del Patrimonio Cultural afectados por la actuación infractora.

3. Son circunstancias que, según cada caso, pueden atenuar o agravar la responsabilidad de los culpables de una infracción en materia de Patrimonio Cultural:

a) El mayor o menor conocimiento técnico de los pormenores de la actuación, de acuerdo con la profesión o actividad habitual del responsable.

b) La mayor o menor importancia y valor de los bienes afectados por la acción infractora.

c) El mayor o menor beneficio obtenido de la infracción o, en su caso, su realización sin consideración ninguna al posible beneficio económico que de ella se derive.

d) La mayor o menor magnitud económica, social, histórica, artística o simbólica del daño producido.

e) La mayor o menor dificultad técnica para restaurar el daño causado.

Artículo 107. Exención de responsabilidad

Si el responsable de una infracción en materia de Patrimonio Cultural procede a reparar los daños causados y a restaurar la realidad física alterada antes del inicio de las actuaciones sancionadoras y de restablecimiento de la legalidad, será eximido totalmente de responsabilidad por las infracciones leves. En los supuestos de infracciones graves y muy graves podrá ser eximido en función de las otras circunstancias concurrentes.

Artículo 108. Reducción por pronto pago

La multa impuesta se reducirá en un 30 por 100 de su cuantía cuando el infractor abone el resto de la multa y el importe total de las indemnizaciones que, en su caso, procedan por los daños y perjuicios a él imputados, todo ello en el plazo máximo de un mes, contado a partir del día siguiente al de la notificación de la resolución en que se imponga la sanción, y además muestre por escrito su conformidad con la sanción impuesta y con la indemnización reclamada, renunciando expresamente al ejercicio de toda acción de impugnación en el referido plazo.

Sección 3ª. Procedimiento sancionador

Artículo 109. Competencia

Son órganos competentes para la imposición de las sanciones establecidas en esta Ley Foral:

a) El Director General competente en materia de cultura para las sanciones por infracciones leves y para las graves sancionables hasta treinta mil euros.

b) El Consejero competente en materia de cultura para las sanciones por infracciones graves sancionables hasta cien mil euros.

c) El Gobierno de Navarra para las sanciones por infracciones graves o muy graves superiores a cien mil euros.

Artículo 110. Prescripción de infracciones y sanciones

1. Las infracciones administrativas establecidas en esta Ley Foral prescribirán a los dos años, las leves; a los cinco años, las graves; y a los diez años, las muy graves.

El plazo de prescripción de las infracciones comenzará a contarse desde el día en que la infracción se hubiera cometido.

2. Las sanciones previstas en esta Ley Foral prescribirán al año, las leves; a los dos años, las graves y a los tres años, las muy graves, a contar desde la firmeza de la resolución sancionadora.

Artículo 111. Procedimiento sancionador

La imposición de las sanciones establecidas en esta Ley Foral se efectuará previa tramitación del correspondiente procedimiento sancionador por el Departamento competente en materia de cultura, de acuerdo con los principios establecidos en la legislación foral general o, en su defecto, en la legislación estatal sobre procedimiento administrativo común.

Artículo 112. Medidas cautelares

1. Los órganos responsables de la tramitación de los procedimientos sancionadores adoptarán, mediante resolución motivada y previa audiencia del interesado, las medidas de protección y conservación de los bienes integrantes del Patrimonio Cultural que consideren necesarias una vez se haya acordado el inicio del procedimiento sancionador.

2. En particular, podrán acordarse como medidas cautelares, el decomiso de los materiales y útiles empleados en la actividad ilícita, la suspensión de actividades, la clausura de establecimientos o locales o la fijación de fianzas, así como el depósito cautelar de los bienes integrantes del Patrimonio Cultural que se hallen en posesión de personas que se dediquen a comerciar con ellos si no pueden acreditar su adquisición lícita.

Artículo 113. Conductas constitutivas de delito o falta

1. Cuando a juicio del órgano competente para imponer la sanción, la infracción pudiera ser constitutiva de delito o falta, lo pondrá en conocimiento del Ministerio Fiscal, absteniéndose de proseguir el procedimiento sancionador mientras la autoridad judicial no se pronuncie.

2. Asimismo, el órgano administrativo suspenderá el curso del procedimiento al conocer del desarrollo de un proceso penal sobre los mismos hechos sobre los que se haya iniciado el procedimiento administrativo sancionador.

3. La sanción penal excluirá la imposición de la sanción administrativa, pero no la adopción de medidas de restablecimiento de la legalidad y la reparación de los daños causados.

Si no se hubiera estimado la existencia de delito o falta, podrá continuarse el procedimiento administrativo sancionador con base, en su caso, en los hechos que la jurisdicción competente haya declarado probados.

Disposición adicional primera. Inscripción de bienes protegidos por la Ley 16/1985, de 25 de junio (RCL 1985, 1547, 2916; ApNDL 10714), del Patrimonio Histórico Español en el Registro de Bienes del Patrimonio Cultural de Navarra

1. Los bienes del Patrimonio Cultural de Navarra que tengan la declaración de Bienes de Interés Cultural mantendrán dicha calificación y se inscribirán como tales en el Registro de Bienes del Patrimonio Cultural de Navarra.

2. Los bienes del Patrimonio Cultural de Navarra que formen parte del Inventario General de Bienes Muebles del Patrimonio Histórico Español pasarán a encuadrarse directamente dentro de la clase de Bienes Inventariados y se inscribirán como tales en el Registro de Bienes del Patrimonio Cultural de Navarra.

Disposición adicional segunda. Declaración de Bienes de Interés Cultural e Inventariados por ministerio de la Ley Foral

1. Quedan declarados Bienes de Interés Cultural por ministerio de esta Ley Foral:

a) Las cuevas, abrigos y lugares que contengan manifestaciones de arte rupestre, así como las manifestaciones megalíticas prehistóricas.

b) Los bienes muebles que formen parte de las colecciones de los museos de titularidad de la Administración de la Comunidad Foral de Navarra, así como los inmuebles destinados a su instalación.

2. Quedan declarados Bienes Inventariados por ministerio de esta Ley Foral las estelas discoideas aparecidas en el territorio de la Comunidad Foral de Navarra cuya fabricación sea anterior al siglo XX.

Disposición adicional tercera. Protección y promoción del Camino de Santiago en Navarra

Las instituciones de la Comunidad Foral protegerán el conjunto de las vías históricas que forman parte del Camino de Santiago y fomentarán la colaboración en su difusión y puesta en valor cultural con las demás Comunidades por las que transcurre dicha ruta de peregrinación.

Además de las disposiciones sobre delimitación y protección contenidas en la normativa de ordenación del territorio y urbanismo, se adoptarán las medidas oportunas dirigidas a la completa señalización de las vías y de su entorno y a la creación de puntos de información y atención a los peregrinos y visitantes.

Disposición transitoria primera. Procedimientos iniciados a la entrada en vigor de esta Ley Foral

Los procedimientos iniciados con anterioridad a la entrada en vigor de esta Ley Foral se tramitarán y resolverán con arreglo a las disposiciones vigentes en el momento de su iniciación.

Disposición transitoria segunda. Vigencia de disposiciones reglamentarias

Hasta el momento de la entrada en vigor de las normas reglamentarias previstas en esta Ley Foral, serán de aplicación las existentes, en todo aquello que no se oponga a lo establecido en ésta.

Disposición transitoria tercera. Plazo de comunicación de la existencia de bienes integrantes del Patrimonio Cultural de Navarra

Quienes a la entrada en vigor de esta Ley Foral se encuentren en posesión de bienes integrantes del Patrimonio Cultural de Navarra deberán comunicar su existencia al Departamento competente en materia de cultura en el plazo de dos años, siempre que no hubieren realizado con anterioridad dicha comunicación, a los efectos de su posible inclusión dentro de algunas de las clases de bienes de especial protección establecidas en esta Ley Foral.

Disposición transitoria cuarta. Excavaciones arqueológicas autorizadas con anterioridad a la entrada en vigor de la presente Ley Foral

Las personas que hayan obtenido autorización para la realización de actividades arqueológicas con anterioridad a la entrada en vigor de esta Ley Foral, y no hayan concluido definitivamente las actividades autorizadas, deberán entregar al Departamento competente en materia de cultura en el plazo de dos años, contados a partir de la entrada en vigor de la presente Ley Foral, la memoria final, el material gráfico o documental, el diario de las actividades y el inventario de materiales arqueológicos hallados. Asimismo deberán entregar los materiales hallados en el museo o centro designado por el citado Departamento.

Disposición transitoria quinta. Plazo para la inscripción en el Registro de personas y entidades dedicadas habitualmente al comercio de bienes integrantes del Patrimonio Cultural de Navarra

Quienes a la entrada en vigor de esta Ley Foral deban inscribirse en el Registro de las personas y entidades dedicadas habitualmente al comercio de bienes integrantes del

Patrimonio Cultural creado al efecto, deberán hacerlo en el plazo de un año a partir de la entrada en vigor del Reglamento que lo regule.

Disposición transitoria sexta. Plazo para la retirada de elementos en Monumentos

En el plazo de dos años a partir de la entrada en vigor de esta Ley Foral, los responsables de la instalación deberán eliminar la publicidad, cables, antenas y conducciones a que se refiere el artículo 39 de esta Ley Foral.

Disposición transitoria séptima. Declaración como Bienes de Relevancia Local de los inmuebles contemplados en Catálogos de planeamiento urbanístico informados previamente a la entrada en vigor de esta Ley Foral

Los inmuebles incluidos en los Catálogos del planeamiento urbanístico informados por el Departamento competente en materia de cultura con anterioridad a la entrada en vigor de esta Ley Foral no tendrán la consideración de Bienes de Relevancia Local, salvo propuesta de la entidad local, que requerirá informe de dicho Departamento y la tramitación prevista en la legislación urbanística. Asimismo, dicho Departamento podrá instar a las entidades locales su inclusión en dichos Catálogos.

Disposición transitoria octava. Planeamiento urbanístico municipal sin Catálogo de edificios protegidos

Requerirán informe por parte del Departamento competente en materia de cultura, en aquellos planteamientos urbanísticos municipales que no contengan Catálogo de edificios protegidos, las actuaciones en los edificios incluidos en el Inventario de bienes inmuebles del Patrimonio Cultural de Navarra, a cuyo efecto dicho Departamento remitirá la relación de bienes incluidos en el Inventario a cada una de estas localidades.

Disposición derogatoria única. Derogación

Quedan derogadas cuantas disposiciones de igual o inferior rango se opongan a lo establecido en esta Ley Foral, sin perjuicio de lo establecido en las disposiciones transitorias primera y segunda.

Disposición final primera. Revisión y actualización de sanciones

Las cuantías de las sanciones previstas en esta Ley Foral podrán ser revisadas y actualizadas por Decreto Foral del Gobierno de Navarra.

Disposición final segunda. Habilitación al Gobierno de Navarra

Se autoriza al Gobierno de Navarra para dictar cuantas disposiciones reglamentarias exijan la aplicación y el desarrollo de esta Ley Foral.

Disposición final tercera. Entrada en vigor

Esta Ley Foral entrará en vigor a los tres meses de su publicación en el «Boletín Oficial de Navarra».

17. COMUNIDAD AUTÓNOMA DEL PAÍS VASCO: LEY 6/2019, DE 9 DE MAYO, DE PATRIMONIO CULTURAL VASCO

BO. País Vasco 20 mayo 2019, núm. 93; rect. BOE, núm. 150, [pág. 66758]. (castellano)
BOE 29 mayo 2019, núm. 128, [pág. 56452].

Se hace saber a todos los ciudadanos y ciudadanas de Euskadi que el Parlamento Vasco ha aprobado la Ley 6/2019, de 9 de mayo, de Patrimonio Cultural Vasco.

EXPOSICIÓN DE MOTIVOS

I.

En su sentido más amplio, el patrimonio cultural es el conjunto de bienes heredados del pasado en los que cada sociedad reconoce unos valores dignos de ser conservados y transmitidos. Al ser los valores culturales cambiantes, el concepto mismo de patrimonio se encuentra en permanente construcción y los elementos que lo configuran forman un conjunto susceptible de modificación y abierto a nuevas incorporaciones.

La propia normativa internacional constituye un reflejo de esta adaptación a los cambios. La Convención para la Protección del Patrimonio Mundial Cultural y Natural (1972) identificaba todavía el patrimonio cultural con los bienes tangibles, bien fueran monumentos, conjuntos o lugares; la Recomendación sobre la Salvaguarda de la Cultura Tradicional y Popular (1989) abrió las puertas al patrimonio intangible, que será reforzado con la Convención para la Salvaguardia del Patrimonio Cultural Inmaterial (2003). Otros documentos internacionales como la Recomendación sobre la Protección del Patrimonio del Siglo XX (1991), el Convenio Europeo del Paisaje (2000), la Convención sobre el Patrimonio Cultural Subacuático (2001) o la Carta de Nizhny Tagil sobre el Patrimonio Industrial (2003), entre otros, ampliaron y diversificaron los ámbitos de tutela tradicionales. Entre todos ellos han ido acuñando un nuevo concepto de patrimonio cultural que se manifiesta no sólo a través de formas tangibles como objetos, construcciones o manifestaciones materiales del paisaje, sino que atiende también a otras expresiones intangibles de la creatividad humana. Esta ampliación de los ámbitos de tutela se ha enriquecido, además, con la nueva percepción de una herencia bidimensional que, siendo memoria, es también importante recurso, dado su impacto en la actividad económica y el turismo y su factor coadyuvante en las políticas de desarrollo.

La Comunidad Autónoma del País Vasco (en adelante, CAPV) fue una de las pioneras en la creación de un ordenamiento jurídico que garantizase la defensa, enriquecimiento, difusión y fomento de su patrimonio cultural, con la aprobación de la Ley 7/1990, de 3 de julio, del Patrimonio Cultural Vasco. Fue la primera norma autonómica en utilizar el calificativo cultural para referirse a su patrimonio y la primera también en reconocer de forma directa a los bienes inmateriales. El tiempo transcurrido, sin embargo, aconseja la redacción de una nueva ley de patrimonio cultural vasco que responda a la necesidad de incorporar al ordenamiento jurídico la evolución conceptual que el patrimonio cultural ha experimentado en los últimos años, en los que se ha ampliado considerablemente su campo de análisis y de actuación.

De acuerdo con ello, el objetivo principal de esta nueva ley va encaminado a garantizar la gestión integral del patrimonio cultural, una gestión que contemple su identificación, documentación, investigación, conservación y protección, pero que haga también explícito el compromiso con su transmisión, fomento y puesta en valor. Todo ello, a través de un

modelo más eficiente de protección y fomento de dicho patrimonio, garantizando su transmisión, conocimiento y disfrute a las generaciones presentes y futuras. Además, se adecua
a los cambios operados en nuestro ordenamiento jurídico en relación con el sistema de
bibliotecas, de archivos y de museos, que quedan fuera del ámbito de aplicación de la
presente ley, remitiéndose a su regulación específica.

Tras la promulgación de la Ley 10/2015, de 26 de mayo, para la Salvaguarda del
Patrimonio Cultural Inmaterial, esta nueva ley reconoce también la influencia decisiva que
ha tenido en la normativa internacional la Convención para la Salvaguarda del Patrimonio
Cultural Inmaterial de 2003, cuando señala que el patrimonio cultural inmaterial —transmitido de manera intergeneracional y recreado constantemente por las comunidades en
interacción con su entorno y su historia— infunde a éstas un sentimiento de identidad y
continuidad, y contribuye a promover el respeto por la diversidad cultural y la creatividad
humana.

Teniendo en cuenta todo ello, este texto normativo incluye dentro del patrimonio cultural
vasco a todas aquellas expresiones significativas que configuran la herencia cultural de
nuestra comunidad y que se manifiestan a través de realidades materiales, inmuebles o
muebles, y de realidades inmateriales como tradiciones y expresiones orales, artes del espectáculo, usos sociales, rituales y actos festivos, conocimientos y usos relacionados con la
naturaleza y el universo, y técnicas artesanales tradicionales que van configurando de una
manera dinámica la identidad vasca y que dan testimonio de la trayectoria histórica de una
colectividad nacional que supera la actual división administrativa. La actual ley atiende a
dicha realidad a través del artículo sexto y de la disposición adicional quinta.

Con la irrupción y desarrollo de las nuevas tecnologías de la información y de la
comunicación, el patrimonio cultural objeto de esta ley está siendo catalogado, documentado y difundido en soporte digital, al igual que el patrimonio bibliográfico, documental y
museístico, que es regulado en la Comunidad Autónoma del País Vasco a través de otras
disposiciones de carácter general.

Este patrimonio digital, virtualizado a partir de un objeto analógico o nacido como
objeto digital, supera las divisiones tradicionales del mundo físico y tiende a confluir en
un nuevo espacio cultural digital interconectado en el que se comparten herramientas de
preservación de archivos, tratamiento de datos y difusión, ofreciendo la oportunidad de
hacer más accesible el contenido cultural e incluso de posibilitar su reutilización, siempre
que sea compatible con los derechos de propiedad intelectual y con la protección de datos
de carácter personal.

II.

La iniciativa legal tiene su encaje en el marco de las competencias que el Estatuto de
Autonomía del País Vasco otorga, en materia de cultura, a la CAPV en el artículo 10, en sus
apartados 17 y 19. De conformidad con lo dispuesto en el apartado 17, la CAPV ostenta
la competencia exclusiva en materia de cultura. Por su parte, el apartado 19 del previamente reseñado artículo 10 reconoce la competencia autonómica exclusiva en materia de
patrimonio histórico, artístico, monumental, arqueológico y científico, asumiendo la CAPV
el cumplimiento de las normas y obligaciones que establezca el Estado para la defensa de
dicho patrimonio contra la exportación y la expoliación.

En lo relativo al régimen competencial establecido en la Ley 27/1983, de 25 de noviembre, de Relaciones entre las Instituciones Comunes de la Comunidad Autónoma y los
Órganos Forales de sus Territorios Históricos, el artículo 6 dispone la competencia de las
instituciones comunes de la CAPV para la legislación y la ejecución en todas aquellas
materias que, correspondiendo a esta Comunidad según el Estatuto de Autonomía, no se

reconozcan o atribuyan en dicho Estatuto, la citada ley u otras posteriores, a los órganos forales de los territorios históricos. El apartado segundo de dicho precepto señala que, en todo caso, la facultad de dictar normas con rango de ley corresponde en exclusiva al Parlamento Vasco. En el artículo 7 de la referida Ley de Territorios Históricos, se atribuye a las instituciones forales la competencia de desarrollo y ejecución de las normas emanadas de las instituciones comunes en materia de conservación, mejora, restauración o, en su caso, excavación del patrimonio histórico artístico monumental y arqueológico. Por último, los municipios ostentan la competencia de protección, gestión y conservación del patrimonio histórico municipal reconocida por la Ley 2/2016, de 7 de abril, de Instituciones Locales de Euskadi.

La ley de patrimonio cultural vasco especifica las actuaciones que en materia de patrimonio cultural corresponden a cada uno de los tres niveles de las administraciones públicas vascas y crea el órgano encargado de garantizar la coordinación de las mismas. A partir de este marco competencial, la presente ley facilita el marco de cooperación con comunidades con las que la CAPV comparte una parte de su rico acervo cultural, en línea con los esfuerzos materializados en estructuras supranacionales como la Eurorregión Aquitania Euskadi-Navarra.

III.

La presente ley se estructura en once títulos, 91 artículos, cinco disposiciones adicionales, cinco disposiciones transitorias, una disposición derogatoria y dos disposiciones finales. Va encabezada además por la presente exposición de motivos, en la que se justifican y explican algunas de las novedades más importantes de la misma.

El Título I recoge las disposiciones generales de la ley, donde, entre otros aspectos, se establece su objeto y ámbito de aplicación, definiendo las administraciones públicas implicadas en la tutela del patrimonio cultural vasco y regulando las funciones y competencias de éstas. En este sentido, se detallan las competencias y funciones que por medio del Centro de la CAPV de Patrimonio Cultural Vasco corresponden a las instituciones comunes. Asimismo, se regulan las funciones y competencias de las instituciones forales y de los ayuntamientos. Se incorpora, además, la regulación de dos nuevos órganos: el Consejo de la CAPV de Patrimonio Cultural Vasco, como principal órgano participativo de carácter multidisciplinar de las administraciones públicas vascas, y el Órgano Interinstitucional de Patrimonio Cultural Vasco, cuyo principal objetivo es el de hacer valer el deber de comunicación, cooperación y asistencia mutua entre administraciones públicas a nivel interadministrativo y transversalmente entre la administración cultural y el resto de administraciones sectoriales implicadas.

Se reconoce como patrimonio al conjunto de recursos, herencias y saberes de grupos sociales históricamente invisibilizados, como ha sido el caso de las mujeres. En la ley se recoge un enfoque integrador del concepto de patrimonio que permita reconstruir los sentidos y los significados del imaginario femenino como valor cultural y que sirva para facilitar la acción de políticas públicas que visibilicen y revaloricen como elementos diferenciales el legado y aporte femenino.

Los títulos II y III se refieren al modelo de protección y al procedimiento de declaración de los bienes culturales, respectivamente, y en el Título IV se incorpora una nueva regulación sobre los registros de la CAPV del patrimonio cultural vasco. Se distinguen tres niveles de protección en función de la importancia de los valores culturales de los que sea portador el bien: bienes culturales de protección especial, bienes culturales de protección media y bienes culturales de protección básica. Se distinguen, asimismo, diecinueve categorías de protección, en vez de las tres anteriormente existentes: seis para los bienes inmuebles, dos para los bienes muebles y once para los bienes inmateriales.

Se modifican los plazos para la resolución y notificación de los expedientes de declaración, así como los trámites procedimentales para la protección de los bienes culturales, estableciendo la aplicación inmediata y provisional del régimen legal de protección y la suspensión de licencias desde la incoación del expediente de protección, tanto en los bienes culturales de protección especial como en los de protección media.

En los títulos V, VI y VII se incluyen medidas para favorecer las condiciones de accesibilidad universal inspiradas en la Convención de las Naciones Unidas sobre Derechos de las Personas con Discapacidad, el Real Decreto Legislativo 1/2013 de 29 de noviembre, por el que se aprueba el texto refundido de la Ley General de Derechos de las Personas con Discapacidad y de su inclusión social y la Ley 20/1997 para la promoción de la Accesibilidad y el Decreto 68/2000 de 11 de abril, por el que se aprueban las normas técnicas sobre condiciones de accesibilidad y de los entornos urbanos, espacios públicos, edificaciones y sistemas de información y comunicación.

Destaca como novedad la incorporación de unos criterios comunes de intervención y conservación aplicables a los bienes culturales inscritos en el Registro de la CAPV de Patrimonio Cultural Vasco, así como la obligación de elaborar un proyecto técnico específico junto con una memoria de intervención, todo ello de acuerdo con la tradición normativa internacional generada a raíz de la Carta de Cracovia (2000). Además, se establece una regulación pormenorizada de los diferentes tipos de intervención permitidos en bienes culturales inmuebles y muebles de protección especial y media. En el caso del patrimonio inmaterial, su regulación adquiere mayor peso e importancia, en consonancia con el reconocimiento que en los últimos años ha adquirido este tipo de patrimonio. Para ello, se crean dos nuevos instrumentos específicos de protección: el Inventario de la CAPV de Bienes Culturales Inmateriales y los planes de salvaguarda de bienes culturales inmateriales, ambos orientados a asegurar la salvaguarda y viabilidad de dicho patrimonio.

Por otra parte, se incide en la regulación del entorno de los bienes inmuebles, cuya delimitación tendrá lugar únicamente cuando sea necesaria para garantizar la debida protección y puesta en valor de los bienes protegidos. También se establece una nueva definición omnicomprensiva del concepto de entorno, reflejando su carácter instrumental con el objeto de mantener el contexto paisajístico, urbano y arquitectónico en que se integra el bien. Además, en sintonía con las nuevas tendencias y sensibilidades actuales, se regula la contaminación visual y acústica.

Se incorpora, asimismo, un Título VIII donde se recoge el patrimonio industrial, radicado en una identidad vasca que durante siglos se ha caracterizado por compatibilizar formas de vida y producción respetuosas con el paisaje y la conservación de la biodiversidad y que a su vez, especialmente a lo largo del siglo XX, se ha conformado estableciendo un vínculo característico y especial con las formas del trabajo, los lugares, los oficios y los edificios que constituyeron elementos singulares de la revolución industrial en Euskadi. La fábrica como lugar de trabajo constituyó no sólo la fuente de los ingresos de las familias sino el espacio de reivindicación de la dignidad, de la socialización y asociación y de la construcción de un futuro mejor para las siguientes generaciones.

El Título IX se dedica de forma específica al patrimonio arqueológico y paleontológico, manteniendo los elementos sustanciales del sistema de autorización de actividades arqueológicas y paleontológicas, entre las que se incorpora el análisis estratigráfico de los alzados. Destaca también, entre otras novedades, el deber de dirección presencial de las actividades autorizadas, o la incorporación de unos contenidos mínimos para la elaboración de las memorias de actividades arqueológicas. Se regula, asimismo, la figura cautelar de zona de presunción arqueológica, que se define de forma expresa.

El Título X recoge las medidas de fomento. En aras de facilitar el cumplimiento de las obligaciones de conservación y puesta en valor de los bienes protegidos, la ley de patrimonio cultural vasco prevé la necesidad de regular ayudas económicas y la posibilidad de establecer incentivos fiscales, basándose en las competencias reconocidas por el actual marco legal a las administraciones vascas. En este sentido, se contempla la obligación de que el Gobierno Vasco y las diputaciones forales destinen a la conservación y puesta en valor del patrimonio cultural vasco el equivalente, como mínimo, al uno por ciento de la inversión en obra pública. Prevé, asimismo, la posibilidad de que las instituciones forales regulen medidas de desgravación fiscal por las aportaciones realizadas con destino a la conservación y puesta en valor de bienes culturales protegidos.

El Título XI se destina a la regulación de las infracciones administrativas y sus correspondientes sanciones. En primer lugar, se pormenoriza un elenco de infracciones clasificadas en leves, graves y muy graves, destacando posteriormente, con respecto a las sanciones, la obligación, cuando sea posible, de la reparación de daños y, en todo caso, la indemnización de los daños y perjuicios causados. Se trata de una medida básica para reforzar el carácter disuasorio de las sanciones como complemento a los esfuerzos de sensibilización social.

Las disposiciones adicionales transitorias y finales establecen, entre otras cuestiones, la equivalencia de los niveles de protección previstos en esta ley con los niveles de protección precedentes, la posibilidad de promover acuerdos de colaboración y cooperación con el Gobierno de Navarra y con la Mancomunidad de Iparralde en materia de patrimonio cultural y el traslado de la información de los documentos urbanísticos municipales al Registro de la CAPV de Bienes Culturales de Protección Básica.

TÍTULO I. Disposiciones generales

Artículo 1. Objeto
La presente ley tiene por objeto establecer el régimen jurídico del patrimonio cultural vasco de la CAPV, con el fin de garantizar su protección, conservación y puesta en valor, así como de posibilitar su conocimiento, investigación, difusión y disfrute por todas las personas en condiciones de accesibilidad universal siempre que las condiciones así lo permitan, tanto a la generación actual como a las generaciones futuras.

Artículo 2. Ámbito de aplicación
1.- A los efectos de esta ley, forman parte del patrimonio cultural vasco todos aquellos bienes culturales inmuebles, muebles e inmateriales que ostentan un valor artístico, histórico, arqueológico, paleontológico, etnológico, antropológico, lingüístico, científico, industrial, paisajístico, arquitectónico o de cualquier otra naturaleza cultural que merezcan ser considerados de interés para su reconocimiento y transmisión intergeneracional.

2.- El departamento competente en materia de cultura velará por el retorno a la CAPV de los bienes integrantes del patrimonio cultural vasco que se hallen fuera de su territorio.

3.- A los efectos de esta ley, tienen consideración de:

a) Bienes inmuebles, los enumerados en el artículo 334 del Código Civil.

b) Patrimonio cultural mueble, aquellos bienes culturales susceptibles de apropiación no comprendidos en el capítulo anterior, y en general todos los que se pueden transportar de un punto a otro sin menoscabo de la cosa inmueble a que estuvieren unidos.

c) Patrimonio cultural inmaterial, las expresiones o conocimientos, junto con los instrumentos, objetos y espacios culturales que les son inherentes, que las comunidades, los grupos y, en su caso, las personas reconozcan como parte integrante de su patrimonio cultural. Este patrimonio cultural inmaterial, que se transmite de generación en generación, es recreado constantemente por las comunidades y grupos en función de su entorno, su interacción con la naturaleza y su historia. Les infunde un sentimiento de identidad y continuidad y contribuye a promover el respeto de la diversidad cultura y la creatividad humana.

A estos efectos, habrá que considerar lo regulado en el artículo 56.2 sobre patrimonio inmaterial.

4.- Los bienes culturales inmuebles, muebles e inmateriales pueden estar vinculados entre sí. Se considera que existe vinculación entre bienes culturales cuando la separación de los mismos conlleva la devaluación de su valor cultural.

Artículo 3. Ámbito competencial

1.- Son competentes, a los efectos de la presente ley:

a) El Gobierno Vasco.

b) Las instituciones forales.

c) Los ayuntamientos.

2.- Corresponde al Gobierno Vasco:

a) Aprobar el desarrollo normativo básico de la presente ley.

b) Coordinar las actuaciones de las administraciones públicas vascas en materia de patrimonio cultural vasco.

c) Declarar los bienes culturales de acuerdo a las determinaciones establecidas en esta ley.

d) Gestionar el Registro de la CAPV del Patrimonio Cultural Vasco y el Registro de la CAPV de Bienes Culturales de Protección Básica.

e) Elaborar y mantener actualizados los inventarios del patrimonio cultural vasco, así como establecer los criterios técnicos y metodológicos para su elaboración.

f) Realizar el informe preceptivo previo sobre las normas y planes que afecten al patrimonio cultural vasco.

g) Impulsar las medidas económicas de fomento para la puesta en valor del patrimonio cultural vasco.

h) Ejercer el derecho de tanteo y retracto, para sí o para otras instituciones.

i) Divulgar el patrimonio cultural vasco.

j) Promover los acuerdos y relaciones de colaboración con otras comunidades autónomas, la Administración General del Estado, las instituciones europeas y organismos internacionales.

k) Las demás competencias reconocidas explícitamente en esta ley.

Las funciones administrativas derivadas de las competencias enumeradas en el presente apartado se realizarán a través del Centro de la CAPV de Patrimonio Cultural Vasco.

3.- Corresponde a las instituciones forales en sus respectivos territorios históricos:

a) El desarrollo normativo y ejecución de la conservación, mejora, restauración o, en su caso, excavación del patrimonio cultural vasco.

b) Autorizar las intervenciones sobre bienes culturales protegidos, de acuerdo con lo establecido en la presente ley.

c) Inspeccionar las actuaciones realizadas en bienes integrantes del patrimonio cultural vasco, de acuerdo con lo establecido en la presente Ley.

d) Realizar el informe preceptivo previo a la resolución del expediente de declaración de ruina.

e) Impulsar las medidas económicas de fomento para la conservación y restauración del patrimonio cultural vasco.

f) Regular los incentivos fiscales destinados al mantenimiento, mejora y promoción del patrimonio cultural vasco.

g) Divulgar el patrimonio cultural localizado en el territorio histórico.

h) Las demás competencias reconocidas expresamente en esta ley.

4.- Corresponde a los ayuntamientos en su ámbito municipal:

a) Redactar y gestionar los catálogos urbanísticos de protección.

b) Autorizar las intervenciones sobre conjuntos monumentales, en los casos que así se prevea en la presente ley.

c) Adoptar las medidas necesarias para evitar daños, en caso de ruina inminente de los bienes culturales localizados en su término municipal, de conformidad con lo establecido en la presente ley.

d) Fomentar y divulgar el patrimonio cultural localizado en su término municipal.

e) Las demás competencias reconocidas expresamente en esta ley.

5.- Las administraciones públicas de la CAPV colaborarán estrechamente entre sí en el ejercicio de sus funciones y competencias para la defensa del patrimonio cultural, mediante relaciones recíprocas de plena comunicación, cooperación y asistencia mutua.

Artículo 4. El Consejo de la CAPV de Patrimonio Cultural Vasco

1.- Se crea el Consejo de la CAPV de Patrimonio Cultural Vasco como órgano participativo de carácter multidisciplinar de las administraciones públicas vascas en materia de patrimonio cultural, adscrito al departamento del Gobierno Vasco competente en materia de patrimonio cultural.

2.- El Consejo de la CAPV de Patrimonio Cultural Vasco tiene las siguientes funciones principales:

a) Asesorar a las administraciones públicas vascas en materia de patrimonio cultural.

b) Emitir informes al Gobierno Vasco sobre las propuestas de declaración de los bienes culturales de protección especial y media. En cualquier caso, a efectos de esta ley, los acuerdos del Consejo de la CAPV de Patrimonio Cultural Vasco recogidos en acta tendrán validez para la puesta en marcha de los procedimientos de actuación en los patrimonios culturales de protección especial y media.

c) Elaborar los informes previos previstos en la presente ley.

3.- La composición, organización, funcionamiento y funciones del Consejo de la CAPV de Patrimonio Cultural Vasco se establecerán mediante reglamento. Estará integrado por personal cualificado de las instituciones de la CAPV y por personal técnico, especialista o representante de los sectores profesionales que actúan en el ámbito del patrimonio cultural.

4.- Reglamentariamente se establecerá un sistema de organización y funcionamiento que en todo caso contemplará:

a) Un soporte técnico suficiente en la toma de decisiones, con la audiencia de especialistas cualificados en las distintas materias.

b) Un funcionamiento en pleno o mediante comisiones que se creen al efecto.

c) Una composición equilibrada de hombres y mujeres tanto en la composición del Pleno como de las comisiones que puedan crearse.

Artículo 5. Órgano Interinstitucional de Patrimonio Cultural Vasco

1.- Se crea el Órgano Interinstitucional de Patrimonio Cultural Vasco, adscrito al departamento del Gobierno Vasco competente en materia de patrimonio cultural, al objeto de articular la cooperación interinstitucional entre las administraciones públicas vascas en esta materia.

2.- El Órgano Interinstitucional de Patrimonio Cultural Vasco tiene las siguientes funciones principales:

a) Favorecer el intercambio de información y la colaboración en la protección del patrimonio cultural vasco.

b) Proponer criterios comunes y planes de actuación para la salvaguarda, transmisión, puesta en valor y difusión del patrimonio cultural vasco.

c) Proponer medidas de coordinación de fomento del patrimonio cultural vasco.

d) Promover una cooperación efectiva con el resto de administraciones implicadas en la tutela y gestión del patrimonio cultural vasco, con una especial incidencia en la ordenación del territorio, y urbanismo, vivienda, industria, medio ambiente, turismo y educación.

3.- La composición, organización, funcionamiento y funciones complementarias del Órgano Interinstitucional de Patrimonio Cultural Vasco se establecerán por vía reglamentaria, debiendo preverse en dicha normativa una representación paritaria entre el Gobierno Vasco, por un lado, y las diputaciones forales y los ayuntamientos, por otro, y recayendo la presidencia del órgano en la persona titular del departamento del Gobierno Vasco competente en materia de patrimonio cultural.

En todo caso, el Órgano Interinstitucional de Patrimonio Cultural Vasco deberá ser convocado si media solicitud de cualquiera de los tres entes institucionales que lo componen, y deberán celebrarse, como mínimo, dos reuniones de coordinación anuales.

Artículo 6. Colaboración y cooperación en materia de patrimonio cultural vasco

1.- El Gobierno Vasco promoverá, de manera preferente, la colaboración y cooperación en materia de patrimonio cultural vasco con las comunidades y territorios, pertenecientes o no al Estado español, que tengan vínculos históricos, lingüísticos y culturales con la CAPV. A tal fin, podrá formalizar, según proceda, acuerdos de colaboración y cooperación con las instituciones públicas y privadas de dichas comunidades y territorios, así como con la diáspora articulada en las colectividades vascas en el exterior.

2.- Asimismo, el Gobierno Vasco promoverá acuerdos y relaciones de colaboración con otras comunidades autónomas, la Administración General del Estado, las instituciones europeas y organismos internacionales.

Artículo 7. Colaboración ciudadana y acción pública

1.- Las administraciones competentes en materia de patrimonio cultural vasco impulsarán la participación ciudadana en la conservación, protección, puesta en valor, fomento, utilización y difusión del patrimonio cultural vasco, facilitando el acceso a la información existente sobre el mismo.

2.- Las personas que tengan conocimiento de riesgos de destrucción, deterioro o pérdida de un bien cultural deberán ponerlo en conocimiento de la diputación foral o el ayuntamiento correspondiente al lugar en que se sitúa el bien.

3.- Cualquier persona está legitimada para actuar en defensa del patrimonio cultural, pudiendo ejercer tanto en vía administrativa como en vía judicial las acciones oportunas para exigir de las administraciones públicas el cumplimiento de lo dispuesto en esta ley.

4.- La Administración, a través del Órgano Interinstitucional de Patrimonio Cultural Vasco, habilitará los mecanismos de participación para que la ciudadanía proponga, según los criterios y categorías existentes en la presente ley, la protección de bienes culturales.

TÍTULO II. Del modelo de protección

Artículo 8. Niveles de protección

1.- Los bienes que componen el patrimonio cultural vasco se clasificarán en alguno de los siguientes niveles de protección:

a) Bienes culturales de protección especial: se declararán bienes culturales de protección especial aquellos inmuebles, muebles e inmateriales más sobresalientes de la CAPV que reúnan alguno de los valores culturales citados en el artículo 2.1 de esta ley.

b) Bienes culturales de protección media: se declararán bienes culturales de protección media aquellos inmuebles y muebles relevantes de la CAPV que reúnan alguno de los valores culturales citados en el artículo 2.1 de esta ley.

c) Bienes culturales de protección básica: serán bienes culturales de protección básica aquellos inmuebles de interés cultural que reúnan alguno de los valores culturales citados en el artículo 2.1 de esta ley y que se determinen reglamentariamente a partir de los bienes incluidos en los catálogos de los documentos vigentes de planeamiento urbanístico municipal, excluyendo de estos los que hayan sido o sean declarados de protección especial y media y, por tanto, incluidos en el Registro de la CAPV del Patrimonio Cultural Vasco.

2.- La protección de un bien cultural de un autor o autora vivo tendrá carácter excepcional y requerirá la autorización expresa de su titular.

Artículo 9. Categorías de protección del patrimonio cultural inmueble

1.- Los bienes inmuebles que por su interés para la CAPV sean objeto de declaración como bienes culturales de protección especial y media deberán clasificarse en alguna de las siguientes categorías:

a) Monumento.

b) Conjunto monumental.

c) Zona arqueológica o paleontológica.

d) Jardín histórico.

e) Itinerario cultural.

f) Paisaje cultural.

2.- A los efectos de esta ley, se entiende por:

a) Monumento: construcción u obra material producida por la actividad humana que configura una unidad singular.

b) Conjunto monumental: agrupación de bienes inmuebles que, ubicados de forma continua o discontinua, conforman una unidad cultural por contar con algunos de los valores objeto de protección en esta ley, sin que sea exigible la relevancia de esos valores a los elementos individuales que lo configuran.

c) Zona arqueológica o paleontológica: es aquel espacio en el que se haya comprobado la existencia de restos arqueológicos o paleontológicos de interés.

d) Jardín histórico: espacio delimitado y diseñado por el ser humano, que tiene valores y atributos naturales y culturales.

e) Itinerario cultural: vía de comunicación cuyo significado cultural está relacionado con el intercambio y diálogo entre localidades, regiones y países diferentes.

f) Paisaje cultural: ámbito natural, terrestre, costero o fluvial, rural, urbano o periurbano en el que se identifican significados diversos, tanto tangibles como intangibles.

3.- Los bienes culturales declarados dentro de una categoría de carácter colectivo podrán incluir bienes que individualmente presenten diferentes niveles de protección, a los que será de aplicación el régimen de protección previsto en esta ley para cada nivel, sin que sea necesaria su declaración de modo individualizado. Asimismo, dado que constituyen parte de un bien cultural colectivo que supera su carácter individual, será de aplicación, además, el régimen de protección previsto para estos bienes de categoría colectiva, de acuerdo con el nivel de protección que se le asigne.

4.- El nivel de protección que se asigne al bien cultural colectivo será igual o superior al mayor de los que individualmente contenga.

Artículo 10. Categorías de protección del patrimonio cultural mueble

1.- Los bienes muebles de interés cultural que componen el patrimonio cultural vasco deberán clasificarse en alguna de las siguientes categorías:

a) Bien mueble individual.

b) Conjunto de bienes muebles.

2.- A los efectos de esta ley se entiende por bien mueble individual aquel que tiene un valor cultural como elemento singular en sí mismo.

3.- A los efectos de esta ley se entiende por conjunto de bienes muebles aquellos integrados por bienes culturales individuales que, además del valor singular de cada uno ellos, configuran una unidad cultural más amplia como bienes agrupados, por su afinidad estilística, física, tipológica o de cualquier otra naturaleza.

4.- Un conjunto de bienes muebles puede incluir bienes que individualmente presenten diferentes niveles de protección. El nivel de protección que se asigne al conjunto de bienes muebles será igual o superior al mayor de los que individualmente contenga.

Artículo 11. Categorías de protección del patrimonio cultural inmaterial

Los bienes inmateriales que componen el patrimonio cultural vasco contarán al menos con las siguientes categorías, que deberán considerarse, en todo caso, permeables entre sí:

a) Tradiciones y expresiones orales de la cultura, incluido el idioma como vehículo del patrimonio cultural inmaterial y la toponimia.

b) Bertsolarismo.

c) Música.

d) Danza.

e) Representaciones tradicionales y conmemorativas.

f) Usos sociales.

g) Gastronomía.

h) Deporte.

i) Actos festivos.

j) Conocimientos y usos relacionados con la naturaleza y el universo.

k) Técnicas artesanales e industriales.

TÍTULO III. Del procedimiento de declaración

CAPÍTULO I. De los bienes culturales de protección especial y media

Artículo 12. Incoación de los expedientes de declaración

1.- La declaración de los bienes culturales de protección especial y media requerirá la incoación del correspondiente expediente de declaración por parte del departamento del Gobierno Vasco competente en materia de patrimonio cultural. La incoación del procedimiento se realizará siempre de oficio por la viceconsejería competente en esta materia, bien por iniciativa propia, por petición de otros órganos y administraciones, o de cualquier persona física o jurídica.

2.- En caso de promoverse la iniciación del procedimiento de incoación por parte de los interesados, deberá resolverse y notificarse en el plazo de tres meses sobre si procede o no a la incoación.

Artículo 13. Trámite de audiencia e información pública del expediente de declaración

El expediente de protección de los bienes culturales inmuebles, muebles e inmateriales se someterá a información pública y audiencia a los interesados, siguiendo los criterios que se señalan a continuación:

a) En el caso de los bienes culturales inmuebles, se concederá audiencia a la diputación foral del territorio histórico correspondiente, al ayuntamiento del término municipal en que se sitúa el bien, a las personas propietarias afectadas, a las entidades, asociaciones y particulares que hayan solicitado la incoación del expediente y, asimismo, será sometido a información pública. Cuando se trate de conjuntos monumentales y resto de tipologías de carácter colectivo, la notificación a las personas propietarias afectadas y a las particulares de la incoación será sustituida por la publicación en los boletines oficiales correspondientes.

b) En el caso de los bienes culturales muebles, se concederá audiencia a la diputación foral del territorio histórico correspondiente, al ayuntamiento del término municipal en que se sitúa el bien y a los propietarios afectados.

c) En el caso de los bienes culturales inmateriales, se concederá audiencia a la diputación foral del territorio histórico y a los ayuntamientos correspondientes y, asimismo, será sometido a información pública. La notificación a aquellos posibles particulares afectados se llevará a cabo a través de la publicación en los boletines oficiales correspondientes.

Artículo 14. Caducidad del expediente de declaración

1.- El acuerdo de declaración deberá resolverse y notificarse en el plazo máximo de doce meses, a contar desde la fecha de publicación de la incoación en el Boletín Oficial del País Vasco.

2.- El vencimiento del plazo máximo establecido sin que se haya dictado y notificado resolución expresa producirá la caducidad del procedimiento de declaración. Corresponderá al órgano que inició el procedimiento dictar y comunicar, a quien lo solicitó, resolución de caducidad del procedimiento, ordenando el archivo de las actuaciones.

Artículo 15. Efectos de la incoación y de la resolución de caducidad

1.- La incoación de todo expediente de protección de un bien conllevará la aplicación inmediata y provisional del régimen particular de protección del bien, así como del régimen de protección común y específico previsto en esta ley. En el caso de los bienes inmuebles, causará la suspensión del otorgamiento de las licencias de parcelación, edificación o demolición en las zonas protegidas, así como de los efectos de las ya otorgadas, en los términos establecidos en el régimen de protección.

2.- La resolución de caducidad del expediente dejará sin efecto la aplicación provisional del régimen de protección de la ley y supondrá el levantamiento de la suspensión a que se refiere el apartado anterior.

Artículo 16. Contenido de la declaración

La declaración de bienes que integran el patrimonio cultural vasco incluirá, como mínimo, los siguientes extremos:

a) La categoría del bien y el nivel de protección. En el caso de que haya más de un bien protegido, se especificará el nivel para cada bien.

b) La descripción clara y precisa del bien y de sus valores culturales, con los elementos que lo integran, y, en su caso, de los bienes vinculados que también se protegen.

c) La explicación de los valores culturales que justifican la protección del bien.

d) La relación de elementos degradantes, incluidos los causantes de contaminación visual o acústica, para su atenuación o eliminación.

e) Las medidas de protección propuestas, con especificación de las actuaciones admisibles o, en su caso, prohibidas.

f) La delimitación del bien y, en su caso, del entorno necesario para su debida protección y puesta en valor.

g) La relación de propuestas y ajustes razonables para responder a las necesidades específicas de accesibilidad de las personas con discapacidad.

h) La relación, en su caso, de los bienes que se consideren de protección especial, a los efectos del ejercicio del derecho de tanteo y retracto, cuando se trate de un conjunto monumental u otra categoría de carácter no individualizado, con excepción de las zonas arqueológicas para las que no se exige esta relación de bienes.

Artículo 17. Declaración genérica

1.- El Gobierno Vasco podrá declarar como bienes culturales de protección especial o como bienes culturales de protección media toda una categoría, tipo o género de bienes, previo expediente, en el que figurará una relación completa posible de los bienes afectados, con su localización, informes y documentación convenientes.

2.- La tramitación de este expediente de declaración genérica se someterá a los mismos trámites establecidos en el presente capítulo, aplicándose desde la publicación de la resolución de incoación a los bienes afectados, con carácter provisional, el régimen de protección establecido en la ley.

Artículo 18. Aprobación y publicación de la declaración

1.- La declaración de bien cultural de protección especial se aprobará por decreto del Consejo de Gobierno, a propuesta de la persona titular del departamento del Gobierno Vasco competente en materia de patrimonio cultural.

2.- La declaración de bien cultural de protección media se llevará a cabo por orden de la persona titular del departamento del Gobierno Vasco competente en materia de patrimonio cultural.

3.- Tanto el decreto como la orden mencionados en los apartados anteriores que incluyan un régimen particular de protección tendrán la consideración de disposición de carácter general. En cuanto a su tramitación, se estará a lo dispuesto en las normas procedimentales recogidas en la presente ley.

4.- La declaración de un bien cultural de protección especial o media se publicará en el Boletín Oficial del País Vasco y en el boletín oficial del territorio histórico correspondiente.

Artículo 19. Extinción de la declaración

La declaración de un bien como bien cultural de protección especial y bien cultural de protección media podrá ser dejada sin efecto, de forma total o parcial, por los mismos trámites seguidos para su declaración, previo informe favorable del Consejo de la CAPV de Patrimonio Cultural Vasco.

El acto administrativo que declare la extinción de la protección especial o de la protección media de un bien deberá estar motivado y ser comunicado a quien solicitó la incoación.

Artículo 20. Inscripción en el Registro de la Propiedad

El órgano competente del Gobierno Vasco en materia de patrimonio cultural instará de oficio la inscripción gratuita en el Registro de la Propiedad de los bienes culturales inmuebles declarados de protección especial y media. Las personas responsables de este registro adoptarán, en todo caso, las medidas oportunas para la efectividad de dicha inscripción.

CAPÍTULO II. De los bienes culturales de protección básica

Artículo 21. Procedimiento de declaración de los bienes culturales de protección básica

1.- La declaración de un bien inmueble como bien cultural de protección básica se produce por su inclusión en los catálogos de los documentos vigentes del planeamiento urbanístico municipal, salvo en el caso de aquellos bienes que estén incluidos en el Registro de la CAPV del Patrimonio Cultural Vasco. A tal efecto, el departamento competente en materia de urbanismo del Gobierno Vasco comunicará al departamento competente en materia de patrimonio cultural las resoluciones de aprobación del planeamiento urbanístico municipal.

2.- La declaración se inscribirá en el Registro de la CAPV de Bienes Culturales de Protección Básica. En el supuesto de que los bienes inscritos en dicho registro cuenten con valores culturales suficientes para ser declarados bienes culturales de protección especial o protección media, se requerirá la tramitación prevista en esta ley para cada uno de ellos. En estos casos, les será de aplicación transitoria el régimen de protección establecido en el artículo 15.

Artículo 22. Extinción de la declaración como bienes culturales de protección básica

La declaración de un bien como bien cultural de protección básica sólo podrá ser dejada sin efecto, de forma total o parcial, por los mismos trámites seguidos para su declaración, previo informe favorable del Consejo de la CAPV de Patrimonio Cultural del País Vasco.

TÍTULO IV. De los registros del patrimonio cultural vasco

Artículo 23. Creación del Registro de la CAPV del Patrimonio Cultural Vasco

1.- Se crea el Registro de la CAPV del Patrimonio Cultural Vasco como instrumento para la protección y gestión de los bienes culturales inmuebles, muebles e inmateriales, en el que se inscribirán los bienes de protección especial y de protección media que hayan sido declarados.

2.- La gestión del Registro de la CAPV del Patrimonio Cultural Vasco corresponderá al departamento del Gobierno Vasco competente en materia de patrimonio cultural. Su organización y funcionamiento se establecerán reglamentariamente.

Artículo 24. Creación del Registro de la CAPV de Bienes Culturales de Protección Básica

1.- Se crea el Registro de la CAPV de Bienes Culturales de Protección Básica. El departamento del Gobierno Vasco competente en patrimonio cultural deberá ocuparse de su gestión, estableciendo su organización y funcionamiento vía desarrollo reglamentario.

2.- La conclusión del procedimiento de inscripción de un bien en el Registro de la CAPV del Patrimonio Cultural Vasco tiene como efecto directo la exclusión, en su caso, de dicho bien del Registro de la CAPV de Bienes Culturales de Protección Básica.

Artículo 25. Inscripción de los bienes culturales en el Registro de la CAPV del Patrimonio Cultural Vasco y en el Registro de la CAPV de Bienes Culturales de Protección Básica

1.- Cada uno de los bienes inscritos en el Registro de la CAPV del Patrimonio Cultural Vasco y en el Registro de la CAPV de Bienes Culturales de Protección Básica recibirá un código para su identificación.

En el caso de los bienes culturales de protección básica, se establecerá reglamentariamente el sistema operativo para que las diputaciones tengan conocimiento de las intervenciones que se pudieran realizar sobre estos bienes.

2.- Ambos registros darán fe de los datos en ellos consignados, de las actuaciones que afecten a la identificación y localización de los bienes en estos inscritos, y de los actos que se realicen sobre ellos.

3.- Los titulares de bienes inscritos en estos registros comunicarán al departamento del Gobierno Vasco competente en materia de patrimonio cultural cualquier intervención o traslado, así como todos los actos jurídicos y las circunstancias que puedan afectar a dicho bien para su anotación.

4.- A los mismos efectos, las diputaciones forales y los municipios comunicarán al departamento del Gobierno Vasco competente en materia de patrimonio cultural los actos administrativos y actuaciones que afecten a los bienes inscritos.

Artículo 26. Acceso al Registro de la CAPV del Patrimonio Cultural Vasco y al Registro de la CAPV de Bienes Culturales de Protección Básica

El acceso al Registro de la CAPV del Patrimonio Cultural Vasco y al Registro de la CAPV de Bienes Culturales de Protección Básica será público en cuanto a las anotaciones contenidas en los mismos, salvo en lo referente a aquellas informaciones que hayan de ser salvaguardadas en función de la seguridad y el orden público, la vida privada y la intimidad de las personas y los secretos comerciales y científicos protegidos por la ley, de conformidad con la normativa de protección de datos. Asimismo, se limitará el acceso al registro en aras de la seguridad de los bienes registrados, en las condiciones que reglamentariamente se establezcan.

TÍTULO V. Del régimen común de protección de los bienes culturales

Artículo 27. Ámbito de aplicación

1.- Las prescripciones del régimen común de protección serán de aplicación a los bienes culturales inmuebles, muebles e inmateriales, tanto a los de protección especial o media como a los de protección básica.

2.- Junto con este régimen común de protección, será de obligado cumplimiento el régimen legal de protección establecido para cada tipología de bienes, de conformidad con el nivel de protección que se otorgue a los mismos y el particular que se incorpore, en su caso, en el expediente de protección.

Artículo 28. Régimen jurídico de los bienes culturales de titularidad pública

1.- Los bienes de titularidad pública inscritos en el Registro de la CAPV del Patrimonio Cultural Vasco son imprescriptibles e inembargables.

2.- Los bienes culturales de protección especial no podrán ser enajenados por las administraciones públicas, salvo las transmisiones que éstas efectúen entre sí.

Artículo 29. Deber de conservación

1.- Las personas que tengan la condición de propietarias, poseedoras y demás titulares de derechos reales sobre los bienes culturales inscritos en el Registro de la CAPV del Patrimonio Cultural Vasco y en el Registro de la CAPV de Bienes de Protección Básica están obligadas a conservarlos, cuidarlos, protegerlos y utilizarlos debidamente en los términos establecidos por la legislación vigente en materia de urbanismo y de patrimonio cultural, para asegurar su integridad, y evitar su pérdida, destrucción o deterioro.

2.- En caso de incumplimiento por parte de las personas titulares de los deberes de conservación señalados en el apartado anterior, las diputaciones forales, de oficio o a instancia del departamento del Gobierno Vasco competente en materia de patrimonio cultural, podrán ordenar:

a) La inmediata suspensión de cuantas obras, trabajos o actuaciones de cualquier tipo que se lleven a cabo sobre bienes culturales protegidos, contraviniendo lo dispuesto en esta ley.

b) La suspensión de un uso del bien incompatible con el régimen de protección que le sea de aplicación.

c) La ejecución de las medidas que resulten precisas para evitar la pérdida del bien en cuestión o para revertir los daños ocasionados sobre el mismo.

3.- En caso de resultar preciso para garantizar la conservación del bien protegido, la diputación foral podrá realizar directamente las intervenciones necesarias que resulten inaplazables para asegurar la integridad del bien. El coste de la intervención deberá ser asumido por el obligado a conservar el bien, pudiendo requerirse por vía ejecutiva.

4.- La orden firme de intervención sobre bienes culturales inmuebles para garantizar su debida conservación será emitida por la diputación foral correspondiente. Dicha orden determinará la afección real directa e inmediata sobre los bienes protegidos objeto de la intervención con el fin de dar cumplimiento del deber de costear la intervención. La afección real se hará constar mediante nota marginal en el Registro de la Propiedad, con constancia expresa de su carácter de garantía real y con carácter preferente a cualquier otra garantía que exista sobre el mismo.

Artículo 30. Ejecución subsidiaria y multas por incumplimiento del deber de conservar

1.- El incumplimiento de las órdenes de ejecución emitidas para garantizar el cumplimiento de las obligaciones establecidas en la presente ley habilitará a las diputaciones forales correspondientes a llevar a cabo la ejecución subsidiaria de lo ordenado con cargo a la obligada y previa liquidación provisional del presupuesto estimado para su ejecución.

2.- Se impondrán multas coercitivas con periodicidad mensual y con un máximo de diez multas consecutivas, por el importe máximo cada una de la mayor de las siguientes cantidades: la décima parte del coste de las obras o actuaciones impuestas, o 1.000 euros.

3.- En caso de que la persona obligada acumule diez multas coercitivas, procederá la ejecución subsidiaria con cargo a la misma, lo que podrá llevarse a cabo sin necesidad de imposición de multas, cuando la diputación foral correspondiente considere conveniente la ejecución subsidiaria de lo ordenado.

4.- La imposición de multas coercitivas resulta independiente y compatible con las multas que se impongan en concepto de sanción, no teniendo aquéllas naturaleza sancionadora.

Artículo 31. Expropiación de los bienes culturales

1.- Serán consideradas causas de utilidad pública o interés social para la expropiación de los bienes culturales protegidos:

a) La defensa y protección de los bienes culturales.

b) El incumplimiento de los deberes de conservación y cuidado establecidos en esta ley por parte de las personas propietarias, poseedoras o titulares de derechos sobre los bienes protegidos, que facultará a la Administración para la expropiación total o parcial del bien protegido.

c) La declaración de ruina de un inmueble protegido. La incoación de un expediente de declaración de ruina de un bien protegido o la denuncia de su situación de ruina podrán dar lugar a la incoación del procedimiento de expropiación forzosa.

2.- Se computarán como parte del justiprecio, en caso de expropiación de los bienes culturales protegidos, las deudas exigibles correspondientes a intervenciones realizadas por las administraciones competentes para garantizar la debida conservación de los citados bienes.

Artículo 32. Acceso a los bienes culturales protegidos

1.- Las personas titulares de bienes culturales deberán facilitar a las autoridades competentes o al personal funcionario responsable la información que resulte necesaria y el acceso a los mismos para la ejecución de la presente ley.

2.- Asimismo, las personas titulares de bienes culturales estarán obligadas a permitir su estudio a las personas investigadoras expresamente autorizadas a tal efecto por la diputación foral correspondiente. La concesión de esta autorización irá precedida de solicitud motivada y podrá denegarse o establecer condiciones en atención a la debida protección del bien cultural o a las características del mismo.

3.- Las personas que tengan la condición de propietarias o poseedores legítimas de los bienes culturales deberán permitir la visita pública en las condiciones que regule reglamentariamente el departamento competente en materia de patrimonio cultural de la diputación foral correspondiente. Quedarán eximidos de la obligación de visita los bienes culturales, zonas o elementos de los mismos, cuando sus titulares o poseedores legítimos aleguen causa justificada fundamentada en el derecho a la intimidad, honor y otros derechos fundamentales y libertades públicas, o cualesquiera otras causas que fueran estimadas por el departamento competente en materia de patrimonio cultural de la diputación foral. En el caso de los bienes culturales muebles, se podrá sustituir la visita por el depósito del bien, previo acuerdo entre las partes.

4.- Los regímenes de protección regulados en la presente ley contemplarán propuestas que permitan el acceso a los bienes culturales de las personas con discapacidades físicas, siempre que estas propuestas sean compatibles con los valores culturales que hayan sido protegidos. Así mismo, se garantizará, en un plazo máximo de cuatro años a partir de la entrada en vigor de esta ley, el acceso universal de las personas con discapacidades físicas a la información sobre los bienes culturales protegidos y a los materiales didácticos que se generen sobre los mismos.

TÍTULO VI. Del régimen específico de protección en función de los niveles de protección

CAPÍTULO I. De los bienes culturales del registro de la capv del patrimonio cultural vasco

Sección 1. De las intervenciones y conservación de los bienes culturales de protección especial y media

Artículo 33. Autorización de las intervenciones

1.- Con carácter general, corresponde a las diputaciones forales otorgar la autorización de las intervenciones en los bienes culturales protegidos por esta ley.

2.- El plazo máximo para resolver y notificar la resolución sobre la autorización de las intervenciones a las que se refiere este artículo será de tres meses, contados a partir del día siguiente a la recepción de la solicitud, transcurridos los cuales sin haber sido notificada la resolución, los interesados que la hubieran solicitado podrán entenderla desestimada por silencio administrativo.

3.- Las autorizaciones otorgadas por las diputaciones forales sobre intervenciones en los bienes protegidos por esta ley deberán ser notificadas a las personas interesadas, así como comunicadas al departamento del Gobierno Vasco competente en materia de patrimonio cultural.

Artículo 34. Criterios generales de intervención sobre bienes culturales inmuebles y muebles incluidos en el Registro de la CAPV del Patrimonio Cultural Vasco

1.- Las intervenciones sobre cualquier bien del patrimonio cultural vasco incluido en el Registro de la CAPV del Patrimonio Cultural Vasco garantizarán por todos los medios de la ciencia y de la técnica su conocimiento, conservación, restauración y rehabilitación para su puesta en valor.

2.- A los efectos de esta ley, se entiende por puesta en valor el conjunto de actuaciones encaminadas a conocer, valorizar, reconocer y dotarle de uso a un bien, sin desvirtuar por ello los valores culturales por los que ha sido objeto de protección.

3.- El uso al que se destinen estos bienes deberá ser compatible con los valores objeto de protección en su declaración, garantizando en todo caso su conservación y puesta en valor.

4.- Se establece como principio básico de actuación la intervención mínima indispensable para asegurar la transmisión de los valores culturales de los que es portador el bien y la reversibilidad de los procedimientos que se apliquen.

5.- Las intervenciones respetarán los añadidos de todas las épocas que perviven en el bien y que proporcionan información sobre la evolución del mismo. Así mismo, se procurará retirar los añadidos degradantes de los bienes protegidos.

6.- Únicamente se permitirá la reconstrucción o reintegración de las partes que falten cuando se cuente con información precisa fehaciente de la autenticidad de la parte a reconstruir y concurra, además, alguno de los siguientes supuestos:

a) Que la intervención sea necesaria para garantizar la integridad del bien o para una correcta comprensión de sus valores culturales.

b) Que en su reposición se utilicen elementos originales o, si ello no fuera posible, compatibles, debiendo, en este último caso, ser discernibles de los originales.

7.- Las adiciones que se autoricen deberán respetar la armonía del conjunto, distinguiéndose de las partes originales para evitar las falsificaciones históricas o artísticas. La naturaleza de estas adiciones deberá garantizar su reversibilidad sin daños sobre el bien.

8.- En las intervenciones se deberán proteger las estructuras interiores, distribuciones y acabados, con el mismo nivel de protección que los envolventes exteriores, evitándose la demolición de sus elementos constitutivos, salvo para su sustitución, elemento a elemento, por estructuras similares a las existentes.

9.- Se prohíbe el uso de técnicas y materiales que no sean compatibles con los que conforman el bien y su entorno, o con los valores objeto de protección según el régimen aplicable. Las técnicas y materiales utilizados en las intervenciones deberán ofrecer comportamientos y resultados suficientemente avalados por la experiencia o por la investigación.

10.- La aplicación de las normativas sectoriales se supeditará a la conservación de los valores culturales del bien.

Artículo 35. Proyecto y memoria de intervención

1.- Las intervenciones que afecten a los valores objeto de declaración de un bien cultural inscrito en el Registro de la CAPV del Patrimonio Cultural Vasco deberán contar con un proyecto técnico específico adecuado a la naturaleza del bien y de la propia intervención, que deberá ser presentado por la persona titular del bien para su aprobación al departamento competente en materia de patrimonio cultural de las diputaciones forales. En el caso de las intervenciones a las que hace referencia el apartado 46.2 de la presente ley, el proyecto técnico deberá ser presentado a los ayuntamientos.

2.- Al término de cada intervención, para su verificación y registro, la persona titular del bien deberá presentar la correspondiente memoria en el departamento competente en materia de patrimonio cultural de la diputación foral correspondiente.

3.- Tanto el proyecto como la memoria de la intervención deberán ser redactados por profesionales legalmente cualificados y, cuando así lo requiera la naturaleza de la intervención, se integrarán en equipos interdisciplinares.

4.- Corresponde a las diputaciones forales establecer los contenidos del proyecto y de la memoria de intervención.

5.- La memoria deberá incorporar, en todo caso, las siguientes determinaciones básicas:

a) Situación y delimitación del área objeto de la intervención.

b) Indicación de la metodología utilizada en la intervención.

c) Así mismo, en el caso de las actividades arqueológicas y paleontológicas, incorporará:

1) Información detallada de unidades estratigráficas, niveles y lechos.

2) Situación del yacimiento tras la intervención.

3) Valoración final de yacimiento.

Sección 2. Del régimen específico de los bienes culturales de protección especial

Artículo 36. Régimen de los bienes culturales de protección especial

1.- Los bienes culturales de protección especial se regularán por el régimen de protección previsto en esta ley, así como por el régimen particular que se establezca en la declaración de cada bien.

2.- Podrán ser bienes culturales de protección especial los bienes culturales inmuebles, muebles e inmateriales.

Artículo 37. Criterios comunes de intervención en bienes culturales inmuebles de protección especial

Toda obra o intervención que afecte a cualquier categoría de bien cultural de protección especial se ajustará a los criterios especificados en su régimen de protección. En caso de no contar con dicho régimen de protección particular, se permitirán tan solo aquellas intervenciones destinadas a la conservación y puesta en valor de los bienes, de acuerdo con los criterios recogidos en el artículo 34 de esta ley.

Artículo 38. Criterios específicos de intervención en bienes culturales inmuebles de protección especial

1.- Cualquier intervención en un monumento respetará los siguientes criterios:

a) Se autorizarán las intervenciones de conservación mínimas necesarias para mantener la integridad de los sistemas constructivos cuyo fallo pudiera provocar pérdidas irreparables, tanto en el monumento como en cubiertas e impermeabilización y estructuras y cimentación.

b) Solo se actuará sobre otros sistemas constructivos tales como cerramientos, particiones, carpinterías y revestimientos para mantener su integridad, evitando toda alteración sustancial de los mismos.

c) Se admitirá la actualización de los sistemas de instalaciones siempre que vaya enfocada a mejorar el uso del monumento y su implantación no incida negativamente en la conservación de los valores protegidos.

d) Se admitirán cambios de uso cuando sean imprescindibles para asegurar la conservación y puesta en valor del monumento, debiendo demostrarse la compatibilidad del nuevo uso con su integridad.

2.- Cualquier intervención que afecte a conjuntos monumentales deberá respetar los siguientes criterios:

a) Se mantendrán la estructura urbana y arquitectónica del conjunto, y las características generales del ambiente y de la silueta paisajística, para lo cual no se permiten modificaciones de alineaciones, alteraciones de la edificabilidad, parcelaciones ni agregaciones de inmuebles que alteren la estructura y características generales del conjunto, salvo las excepciones recogidas en su régimen de protección particular.

b) Se promoverá la coordinación de las intervenciones en los elementos constituyentes del conjunto mediante una evaluación previa del impacto de la intervención sobre el bien protegido, en la que se reconozcan los aspectos constitutivos del conjunto a conservar y se den pautas para su puesta en valor.

c) Se admitirán intervenciones de rehabilitación interior, de adaptación a nuevos usos y de mejora de la habitabilidad en los elementos constituyentes del conjunto, siempre que no afecten a la integridad de los sistemas constructivos, arquitectónicos y ambientales característicos del mismo.

3.- Cualquier intervención en una zona arqueológica deberá respetar los siguientes criterios:

a) Las únicas actividades autorizables serán aquellas de carácter científico, enfocadas a la investigación arqueológica, así como al mantenimiento de los restos in situ, salvo las excepciones recogidas en su régimen de protección particular.

b) Dichas actividades de carácter científico deberán estar encuadradas en un programa de estudio global del yacimiento y deberán contribuir a un mejor conocimiento para facilitar la puesta en valor del mismo.

c) Una vez finalizada la intervención arqueológica, las estructuras y restos inmuebles que aún se conserven en el subsuelo serán conservados en el lugar de aparición de los mismos.

d) Serán objeto de conservación aquellas estructuras y restos inmuebles que presenten relevancia, no sólo desde el punto de vista histórico-arqueológico, sino también por su grado de conservación.

4.- Cualquier intervención en un jardín histórico, en un itinerario cultural o en un paisaje cultural, respetará los siguientes criterios:

a) Se promoverá la coordinación de las intervenciones en los elementos que los constituyen mediante una evaluación previa del impacto de la intervención sobre el bien protegido, en la que se reconozcan los aspectos constitutivos del mismo a conservar y se den pautas para su puesta en valor.

b) Las intervenciones de mantenimiento, refuerzo y recuperación serán de aplicación tanto a los elementos culturales como a los naturales portadores de los valores a los que hace referencia el artículo 2.1 de esta ley.

c) Deberá considerarse, en su caso, la dimensión inmaterial del bien y se establecerán medidas específicas y singulares de protección que favorezcan su mantenimiento, evolución y uso habitual.

Artículo 39. Criterios de intervención en bienes culturales muebles de protección especial

1.- Cualquier intervención en un bien cultural mueble de protección especial respetará los siguientes criterios:

a) La aplicación de estrategias de conservación preventiva orientadas a evitar el deterioro del bien.

b) La realización de una investigación interdisciplinar, con el fin de establecer los criterios y la metodología de trabajo a seguir en la intervención.

c) La aplicación de intervenciones de conservación curativa y restauración, prioritariamente en los casos graves de deterioro que impliquen un riesgo de pérdida irremediable del bien cultural o una merma de sus valores culturales, artísticos o históricos.

d) La elaboración de un informe de la intervención realizada en el que se detallen los criterios y la metodología de trabajo adoptados, las zonas intervenidas, los productos empleados, el nombre científico de los mismos y las proporciones aplicadas. El informe incluirá, asimismo, un plan de mantenimiento y conservación del bien que indique las pautas a seguir para evitar su deterioro en el futuro y prolongar su estabilidad.

e) Se realizará una propuesta de recomendaciones de mantenimiento con el fin de evitar que el bien mueble vuelva a sufrir daños que exijan una nueva intervención.

2.- El bien tratado será reintegrado a su ubicación original, siempre que este reúna las condiciones adecuadas. En el caso de que la restauración haya sido motivada por el mal estado ambiental del lugar en que se encontraba, la reintegración a su ubicación original estará supeditada a que se hayan subsanado dichos problemas y se pueda garantizar la conservación del bien.

Artículo 40. Derecho de tanteo y retracto

1.- La Administración General de la CAPV ostentará los derechos de tanteo y retracto en las transmisiones inter vivos onerosas, voluntarias o derivadas de un procedimiento de ejecución patrimonial de los bienes culturales de protección especial.

2.- En el plazo de tres meses, el órgano que corresponda de la Administración General de la CAPV podrá ejercer el derecho de tanteo para sí o para otras administraciones o instituciones públicas o de carácter cultural sin ánimo de lucro, obligándose al pago del precio convenido. El ejercicio del derecho de tanteo requerirá que la administración o institución para la que se ejerce adopte previamente, por el órgano en cada caso competente, el acuerdo de adquisición onerosa pertinente, con la necesaria reserva presupuestaria o, en el caso de instituciones de naturaleza no pública, garantía de pago, al objeto de materializar la adquisición que se acuerde.

3.- El procedimiento para el ejercicio del derecho de tanteo y retracto se someterá a las siguientes prescripciones:

a) La persona transmitente deberá notificar fehacientemente al departamento competente en materia de patrimonio cultural del Gobierno Vasco su pretensión de transmitir el bien cultural, señalando el precio, aplazamiento de pago si existiera, identidad del adquirente y el resto de condiciones fundamentales de la transmisión.

b) En los supuestos de transmisiones llevadas a cabo en un procedimiento de ejecución patrimonial, el organismo que haya de proceder a la adjudicación deberá realizar previa notificación de esta circunstancia, en el plazo de tres días, al departamento competente en materia de patrimonio cultural del Gobierno Vasco, con indicación de precio e identidad de la persona que vaya a ser adjudicataria.

c) Recibida la notificación fehaciente de la pretensión de la transmisión en tiempo y forma, la Administración General de la CAPV podrá comunicar su renuncia al ejercicio del derecho de tanteo, debiendo comunicar la citada renuncia a la persona transmitente. Si la Administración no ejercitara el tanteo en el plazo de tres meses siguientes a la notificación completa y fehaciente, se producirá la caducidad de tal derecho respecto a la transmisión notificada.

d) La Administración General de la CAPV podrá ejercer el derecho de retracto en los siguientes supuestos:

d.1.- En el caso de falta de notificación de la persona transmitente, o si ésta resulta incompleta o deficiente.

d.2.- Si se ha llevado a efecto la transmisión notificada antes de la caducidad del derecho de tanteo.

d.3.- Si transcurrido el plazo para el ejercicio del derecho de tanteo se ha llevado a efecto la transmisión modificando las condiciones señaladas en la notificación.

d.4.- Se podrá ejercer el derecho de retracto en el plazo de tres meses en las condiciones previamente reseñadas. El cómputo del plazo para el ejercicio del derecho de retracto se iniciará desde el momento en que se tuviera conocimiento por cualquier medio de que la transmisión se ha llevado a efecto.

4.- Cuando se trate de bienes integrados en conjuntos monumentales, así como otras categorías de bienes de carácter no individualizado, únicamente se podrá hacer uso de este derecho respecto de aquellos que hayan sido reseñados en el régimen de protección del conjunto como de protección especial de forma individualizada.

5.- Sin perjuicio del obligado cumplimiento de las determinaciones establecidas en este artículo para el ejercicio del derecho de tanteo y retracto de las transmisiones onerosas inter vivos de bienes culturales de protección especial, y a fin de garantizar el conocimiento de las transacciones previstas, las personas promotoras de subastas de bienes culturales de protección especial deberán notificar al departamento competente en materia de patrimonio cultural del Gobierno Vasco, con una antelación mínima de un mes, la celebración de las subastas en las que se pretenda enajenar dichos bienes. La notificación deberá indicar la fecha, hora y lugar de celebración de la subasta, así como el precio de salida a subasta del bien.

6.- Las y los notarios y registradores de la propiedad denegarán, en el ejercicio de sus facultades, la formalización en escritura pública y la inscripción de los títulos de adquisición de los bienes culturales de protección especial, cuando no se les acredite debidamente la existencia de la notificación, en los términos señalados anteriormente. Asimismo, deberán notificar al departamento competente en materia de patrimonio cultural del Gobierno Vasco cualquier pretensión de formalización en escritura pública o de inscripción registral de transmisiones de bienes culturales de protección especial, sometidas al derecho de adquisición preferente de la Administración, que no incorporen las notificaciones exigidas en esta ley. La resolución administrativa por la que se acuerda el ejercicio del derecho de adquisición preferente será título suficiente para su inscripción en el Registro de la Propiedad, previa acreditación del depósito o pago del precio.

Sección 3. Del régimen específico de los bienes culturales de protección media

Artículo 41. Régimen de los bienes culturales de protección media
1.- Los bienes culturales de protección media se regularán por el régimen de protección previsto en esta ley, así como, en su caso, por el régimen particular que se establezca en la declaración de cada bien.

2.- Podrán ser bienes culturales de protección media los inmuebles y muebles.

Artículo 42. Criterios comunes de intervención en bienes culturales inmuebles de protección media

1.- Toda obra o intervención que afecte a cualquier categoría de bien cultural de protección media se ajustará a los criterios especificados en su régimen de protección. En caso de no contar con dicho régimen de protección particular, se podrán permitir modificaciones de adecuación a los nuevos usos siempre y cuando se mantengan sus características formales, estructuras principales, distribuciones y configuraciones espaciales de relevancia. En todo caso se respetarán los criterios recogidos en el artículo 34 de esta ley.

2.- En el caso de bienes que tienen poco rango de adaptabilidad a nuevos usos, se requerirá un informe favorable previo del Consejo de la CAPV de Patrimonio Cultural Vasco.

Artículo 43. Criterios específicos de intervención en los bienes culturales inmuebles de protección media
1.- Cualquier intervención en un monumento respetará los siguientes criterios:

a) Se autorizarán las intervenciones dirigidas a la restauración de todos los sistemas constructivos.

b) Se admitirá cualquier cambio de uso, siempre que no afecte a los valores protegidos del bien y que conlleve unas mejores condiciones de conservación y puesta en valor.

2.- Cualquier intervención en una zona arqueológica respetará los siguientes criterios:

a) Con carácter previo al desarrollo de cualquier actividad que pueda suponer afección patrimonial en la zona arqueológica, deberá llevarse a cabo un proyecto de investigación arqueológica, quedando supeditada a ello la concesión de licencia para la ejecución de las obras proyectadas.

b) Finalizada cualquier intervención arqueológica, se promoverá la integración de las estructuras y restos inmuebles puestos al descubierto en el entorno en que se sitúan, haciendo compatible la viabilidad de la edificación, canalización o lo que fuere con la conservación de dichas estructuras.

Artículo 44. Criterios de intervención en los bienes culturales muebles de protección media
1.- Las intervenciones en los bienes culturales muebles de protección media deberán garantizar las condiciones de seguridad, almacenamiento, exposición y transporte que los protejan contra todas las formas de deterioro y de destrucción, en especial de la expolia-

ción, el calor, la luz, la humedad, la contaminación y contra los diferentes agentes químicos y biológicos, las vibraciones y los golpes.

2.- Las diputaciones forales establecerán los requisitos necesarios para dar cumplimiento a lo establecido en el apartado precedente.

CAPÍTULO II. Del régimen específico de los bienes culturales de protección básica

Artículo 45. Régimen de los bienes culturales de protección básica

1.- El régimen de protección de los bienes culturales de protección básica será el establecido en la normativa urbanística municipal, sin que en ningún caso sea posible su derribo, ni total ni parcial.

2.- Podrán ser bienes culturales de protección básica los bienes culturales inmuebles.

TÍTULO VII. Del régimen específico de protección de los bienes culturales en función de su tipología

CAPÍTULO I. Del régimen específico de protección de los bienes culturales inmuebles

Artículo 46. Autorizaciones preceptivas previas a la licencia urbanística

1.- Será preceptiva, con carácter previo al otorgamiento de las licencias urbanísticas, la obtención de las autorizaciones establecidas en la presente ley para la realización de obras o actuaciones que afecten a los bienes del Registro de la CAPV del Patrimonio Cultural Vasco.

2.- Las intervenciones sobre conjuntos monumentales incluidos en el Registro de la CAPV del Patrimonio Cultural Vasco que hayan sido previstas en planes de ordenación territorial y urbana o en los planes especiales de protección del área afectada por la declaración de bien cultural informados favorablemente por el departamento competente en materia de patrimonio cultural del Gobierno Vasco serán autorizadas directamente por los ayuntamientos. Dichas autorizaciones o licencias deberán ser comunicadas en el plazo de diez días a la diputación foral correspondiente, que podrá ordenar la reposición del bien afectado a su estado original en el caso de que aquéllas sean contrarias al régimen de protección aprobado al efecto.

3.- No podrán dictarse órdenes para la ejecución de obras o intervenciones sobre los bienes protegidos que no cumplan las exigencias de autorización previa por las administraciones competentes de conformidad con lo dispuesto en la presente ley.

Artículo 47. Adecuación del ordenamiento urbanístico, territorial y medioambiental a la protección cultural

1.- Los instrumentos de ordenación territorial o urbanística, así como los planes o programas sectoriales que incidan sobre bienes integrantes del patrimonio cultural vasco, establecerán una ordenación compatible con la protección otorgada a los bienes culturales y a las zonas de presunción arqueológica.

2.- La protección otorgada en esta ley a los bienes inmuebles inscritos en el Registro de la CAPV del Patrimonio Cultural Vasco, así como a los incluidos en las zonas de presunción arqueológica, prevalecerá sobre los instrumentos de ordenación urbanística, territorial y medioambiental, que dispondrán de un plazo máximo de dos años, a contar desde el momento de inscripción del bien, para adaptar dichos ordenamientos al régimen de protección cultural establecido en cada caso, con una especial atención a la contaminación visual.

3.- Los instrumentos de ordenación urbanística, territorial y medioambiental deberán contener, dentro de su documentación, determinaciones para garantizar la protección y conservación de los bienes culturales inmuebles protegidos, así como de las zonas de presunción arqueológica. A tal fin, deberán contar con el informe favorable del departamento del Gobierno Vasco competente en materia de patrimonio cultural. Dicho informe tendrá carácter preceptivo, será vinculante en las determinaciones correspondientes a estos bienes y deberá ser emitido en el plazo de dos meses, contados a partir del día siguiente a su solicitud, entendiéndose favorable en caso de no ser emitido en ese plazo.

4.- En aquellos conjuntos monumentales ya declarados que no tengan aprobado el correspondiente instrumento de ordenación urbanística, no se admitirán modificaciones en las alineaciones y rasantes existentes, incrementos o alteraciones de la edificabilidad, parcelaciones y agregaciones y, en general, cambios en la distribución de volúmenes, cubiertas y huecos que afecten a la armonía del conjunto y a sus soluciones técnicas y artísticas.

5.- En la tramitación de todas las evaluaciones de impacto ambiental que puedan afectar directa o indirectamente a los bienes culturales, así como a las zonas de presunción arqueológica, la Administración competente en materia de medio ambiente solicitará informe del departamento del Gobierno Vasco competente en materia de patrimonio cultural, que tendrá carácter preceptivo y vinculante, debiendo incluirse sus determinaciones en la declaración ambiental.

Artículo 48. Desplazamientos

Un bien cultural inmueble protegido es inseparable de su entorno. No podrá procederse a su desplazamiento salvo, excepcionalmente, por causa de fuerza mayor o interés social. En todo caso, el desplazamiento deberá ser autorizado por la diputación foral correspondiente.

Artículo 49. Entorno de los bienes culturales inmuebles

1.- El entorno de los bienes culturales inmuebles protegidos por esta ley está constituido por el espacio y por los elementos en él comprendidos, se hallen o no próximos, cuya modificación pueda afectar a los valores culturales del bien y a su puesta en valor.

2.- La delimitación del entorno se efectuará únicamente cuando se considere necesario para garantizar la protección y puesta en valor del bien, y tendrá una finalidad instrumental, con el objeto de mantener el contexto paisajístico, urbano y arquitectónico en que se integra el bien, ya sea de forma continua o discontinua.

3.- En caso de delimitarse un entorno, este tendrá el carácter de parte integrante del bien declarado a los efectos de esta ley. El régimen de protección deberá incorporar un régimen específico de protección para este entorno.

4.- Las diputaciones forales correspondientes podrán autorizar directamente la demolición de los bienes inmuebles situados en el entorno del bien protegido en caso de que el régimen de protección permita dicha intervención.

5.- El planeamiento urbanístico deberá prever la realización de las actuaciones necesarias en el entorno de los bienes culturales inmuebles protegidos para la eliminación de elementos, construcciones e instalaciones que afecten a la contemplación, apreciación, estudio o disfrute del bien objeto de la protección.

6.- En el supuesto de obras menores que se realicen en los entornos y que no tengan incidencia material o visual sobre los bienes culturales protegidos, éstas deberán comunicarse a la diputación foral correspondiente con una antelación mínima de un mes sobre su ejecución. En aquellos casos en que las diputaciones forales observen que las actuaciones previstas sobre los bienes declarados pueden hacer peligrar a los mismos, podrán suspender cautelarmente su ejecución por un plazo máximo de un mes.

Artículo 50. Prohibición de instalación de elementos que originen contaminación visual o acústica sobre los bienes culturales

1.- A los efectos de esta ley, se entiende por contaminación visual toda interferencia que genere una percepción invasiva sobre un bien cultural protegido impidiendo, dificultando o distorsionado su contemplación y degradando sus valores contextuales.

De igual manera, se entiende por contaminación acústica la presencia en el ambiente de ruidos o vibraciones, cualquiera que sea el emisor acústico que las origine, que dificulte o distorsione la contemplación de un bien cultural protegido.

2.- En el expediente de los bienes inmuebles inscritos en los registros de la CAPV del patrimonio cultural vasco se especificarán los elementos generadores de contaminación visual y acústica: construcciones, instalaciones, rótulos o señales, mobiliario urbano, actividades o cualquier otro elemento que sea generador de contaminación visual o acústica.

3.- El Gobierno Vasco y las diputaciones forales fomentarán la eliminación de la contaminación visual o acústica que afecte a los bienes culturales protegidos por esta ley.

Artículo 51. Declaración de ruina de los bienes culturales de protección especial y media

1.- La declaración de ruina de los bienes culturales de protección especial y media se regirá por las disposiciones de la presente ley y de la normativa que se dicte en su desarrollo.

2.- En caso de que, de conformidad con lo dispuesto en la legislación urbanística, se incoe, de oficio o a instancia de parte, un procedimiento para la declaración de ruina de bienes culturales de protección especial y media, con carácter previo a su declaración, de acuerdo con los criterios establecidos en esta ley, deberá instarse la autorización del Gobierno Vasco sobre la desafectación del bien cultural.

3.- Los ayuntamientos deberán comunicar la incoación del expediente de ruina que afecta a un bien cultural de protección especial y media, además de a las y los propietarios, moradores y titulares de derechos reales sobre el bien, a la diputación foral correspondiente y al órgano competente en materia de patrimonio cultural del Gobierno Vasco, entidades legitimadas para ser parte del procedimiento.

4.- Previamente a la resolución del expediente de declaración de ruina será preceptiva la emisión de informe de la diputación foral correspondiente relativo al estado del inmueble, con señalamiento de las ayudas económicas que puede solicitar la persona titular del bien protegido a la diputación foral para su reparación y de las órdenes de ejecución o demás resoluciones que, en su caso, recaigan sobre el bien protegido.

5.- A la vista de los informes obrantes en el expediente y previo dictamen preceptivo y vinculante del Consejo de la CAPV de Patrimonio Cultural Vasco, el órgano competente en materia de patrimonio cultural del Gobierno Vasco resolverá sobre la desafectación, pudiendo desafectar total o parcialmente el bien, o bien modificar su régimen de protección para adecuarlo a las circunstancias reales del mismo.

6.- En caso de que se resuelva la desafectación del bien protegido, la eficacia de la desafectación quedará condicionada a la presentación de una memoria que documente exhaustivamente el bien cultural.

7.- Procederá la declaración de ruina económica de los bienes culturales de protección especial o media cuando el coste de las reparaciones necesarias para devolver la consolidación estructural a un edificio o construcción de protección especial o media supere el 60% del coste de reposición del inmueble y se verifique la ausencia de ayudas económicas para cubrir la diferencia entre el citado porcentaje y el total del coste de las obras de reparación necesarias. No se aplicará en la valoración del coste de reposición coeficiente alguno de depreciación por edad, pero sí se podrán aplicar los coeficientes de mayoración cuya aplicación pueda considerarse justificada con base en la existencia de los valores culturales que dieron lugar a la protección del bien.

8.- Si la declaración de ruina es consecuencia del incumplimiento de las obligaciones de conservación previstas en la presente ley, no podrá autorizarse el derribo y se exigirá su conservación a cargo de la persona propietaria.

9.- En ningún caso la demolición total o parcial de un bien de interés cultural podrá dar lugar a un mayor aprovechamiento urbanístico.

10.- Cuando se aprecie la concurrencia de una situación de ruina inminente, el ayuntamiento correspondiente ordenará la adopción de las medidas necesarias para evitar daños a personas y bienes, debiendo comunicar con carácter inmediato a la diputación foral correspondiente las obras que pretende llevar a cabo sobre el bien, que deberán prever la reposición de los elementos que, por motivos de seguridad, hayan de ser retirados, siguiendo el procedimiento que se establezca mediante desarrollo reglamentario de esta ley.

La orden deberá señalar el plazo en el que se deberán adoptar las medidas indicadas.

CAPÍTULO II. Del régimen específico de protección de los bienes culturales muebles

Artículo 52. Obligación de comunicar

1.- Las personas propietarias y poseedoras de bienes muebles inscritos en el Registro de la CAPV del Patrimonio Cultural Vasco deberán comunicar en dicho registro los traslados de lugar, así como su disposición a vender al objeto de que la Administración pueda ejercer el derecho de tanteo.

2.- El Gobierno Vasco comunicará a las diputaciones forales, como mínimo dos veces al año, los cambios producidos en la información de los bienes muebles inscritos en el Registro de la CAPV del Patrimonio Cultural Vasco.

Artículo 53. Depósito y custodia

1.- Las diputaciones forales podrán ordenar el depósito provisional en lugares adecuados de bienes muebles inscritos en el Registro de la CAPV del Patrimonio Cultural Vasco, si se comprueba que el lugar de su ubicación original no cumple las condiciones necesarias para su debida conservación, debiendo respetar, siempre que sea posible, el cumplimiento de la finalidad que los mismos tengan asignada. Una vez acreditado el cumplimiento de las condiciones necesarias para garantizar la debida conservación del bien protegido, se autorizará su retorno al lugar de ubicación original.

2.- Las personas titulares de bienes muebles inscritos en el Registro de la CAPV del Patrimonio Cultural Vasco podrán acordar con las administraciones públicas la cesión en depósito de los mismos. En todo caso, la cesión en depósito conllevará el derecho de la Administración depositaria a exponer al público los bienes depositados, salvo que con ello pudieran perjudicarse intereses legítimos de personas y así quede debidamente justificado.

Artículo 54. Bienes culturales muebles vinculados

1.- Los bienes culturales muebles de protección especial y media que hayan sido reconocidos como inseparables de un bien inmueble o inmaterial tendrán la consideración de bienes culturales de protección especial o media se incluirán en el Registro de la CAPV del Patrimonio Cultural Vasco y estarán sometidos al destino de aquél, a no ser que el departamento del Gobierno Vasco competente en materia de patrimonio cultural autorice su separación con carácter excepcional, indicando las razones que lo motivan.

2.- En la solicitud de autorización de desplazamiento se deberá especificar su origen y destino, la naturaleza puntual o definitiva del desplazamiento, las condiciones de conservación, seguridad, transporte y, en la medida en que le corresponda, su aseguramiento.

3.- El Centro de la CAPV de Patrimonio Cultural Vasco, en la resolución en que autorice el desplazamiento, podrá añadir información detallada para la protección del bien, tomando medidas para detener el desplazamiento cuando se prevean riesgos para su conservación y salvaguarda.

Artículo 55. Libro de registro de transacciones de bienes culturales muebles

1.- Las personas o entidades que habitualmente ejerzan el comercio de bienes muebles inscritos en el Registro de la CAPV del Patrimonio Cultural Vasco deberán formalizar un libro de registro de las transmisiones que realicen sobre dichos bienes. En dicho libro deberán figurar, como mínimo, los datos de identificación y la fotografía del bien objeto de transacción, así como la identificación de las partes que intervienen en la misma.

2.- Las personas o entidades previamente señaladas deberán presentar una declaración responsable en el departamento del Gobierno Vasco competente en materia de patrimonio cultural, manifestando que cumplen con el requisito previsto en el apartado anterior, y que se comprometen a mantener el libro de registro de las transacciones actualizado, mientras la actividad tenga vigencia.

3.- La presentación de la declaración responsable habilita, a los efectos previstos en esta ley y de la normativa en vigor que sea de aplicación, para poder ejercer desde ese día dicha actividad con carácter indefinido, sin perjuicio de las comprobaciones que posteriormente se puedan realizar por parte del departamento del Gobierno Vasco competente en materia de patrimonio cultural, pudiendo ser privadas de esta habilitación mediante resolución motivada y previa audiencia de los interesados, cuando se constate la inexactitud, falsedad u omisión, de carácter esencial, de cualquier dato contenido en la declaración responsable o cuando se produzca el incumplimiento sobrevenido de algún requisito.

CAPÍTULO III. Del régimen específico de protección de los bienes culturales inmateriales

Artículo 56. Protección y salvaguarda del patrimonio cultural inmaterial

1.- La protección del patrimonio cultural inmaterial tendrá por finalidad garantizar su salvaguarda y transmisión, a través del establecimiento de las medidas y medios necesarios para su identificación, documentación en distintos soportes, investigación, preservación, revitalización, promoción y enseñanza.

2.- Únicamente se considerará patrimonio cultural inmaterial el que sea compatible con los tratados internacionales de derechos humanos y con los imperativos de respeto mutuo entre comunidades, grupos e individuos.

Artículo 57. Régimen de protección del patrimonio cultural inmaterial

1.- El departamento del Gobierno Vasco competente en materia de patrimonio cultural velará por la protección integral del patrimonio cultural inmaterial, que podrá estar vinculado a otros bienes culturales inmuebles o muebles, así como a los espacios relacionados con su desarrollo, como un conjunto coherente que le dota de valor añadido.

2.- El régimen de protección de los bienes culturales inmateriales declarados deberá señalar las medidas correspondientes de salvaguarda, fomento y difusión que le serán de aplicación.

Artículo 58. Instrumentos específicos para la salvaguarda del patrimonio cultural inmaterial

1.- El departamento del Gobierno Vasco competente en materia de patrimonio cultural elaborará el Inventario de la CAPV de Bienes Culturales Inmateriales, así como planes de salvaguarda.

2.- El Inventario de la CAPV de Bienes Culturales Inmateriales será el instrumento básico para la identificación, conocimiento y evolución del patrimonio cultural inmaterial vasco, y corresponde al Centro de la CAPV de Patrimonio Cultural Vasco su elaboración, custodia y difusión.

3.- El proceso de elaboración, la estructura y el acceso al Inventario de la CAPV de Bienes Culturales Inmateriales se determinarán por vía reglamentaria.

4.- Los elementos del Inventario de la CAPV de Bienes Culturales Inmateriales se renovarán periódicamente, con el objetivo de conocer la evolución experimentada en el patrimonio cultural inmaterial de esta comunidad y, en su caso, de adecuar las medidas de salvaguarda para garantizar mejor su viabilidad.

5.- En el supuesto de que los bienes integrados en el Inventario de la CAPV de Bienes Culturales Inmateriales cuenten con valores culturales suficientes para ser declarados bienes culturales de protección especial, se requerirá la tramitación prevista en esta ley para éstos. En estos casos, les será de aplicación transitoria el régimen de protección establecido en el artículo 15.

Artículo 59. Órganos de gestión específicos y planes de salvaguarda de bienes culturales inmateriales

1.- Se creará, para cada una de las categorías distinguidas en el artículo 11 de la presente ley, un órgano de gestión específico en el que participarán el Gobierno Vasco, las diputaciones forales, Eudel, las comunidades portadoras y organizaciones reconocidas en ámbitos específicos del patrimonio cultural inmaterial.

2.- La misión principal de los órganos de gestión que se creen será, por un lado, identificar las prioridades de actuación y, por otro, elaborar, fomentar y evaluar planes de salvaguarda de bienes culturales inmateriales.

3.- Los planes de salvaguarda de bienes culturales inmateriales se constituyen en el instrumento que integra las estrategias y actuaciones de salvaguarda de dichos bienes. Incluirán las medidas de salvaguarda, fomento y difusión que se consideren oportunas y que contribuirán a la dinamización de las comunidades portadoras afectadas, en su vertiente no sólo económica, sino fundamentalmente social y cultural.

TÍTULO VIII. Patrimonio industrial

Artículo 60. Definición

El patrimonio industrial está integrado por el conjunto de bienes inmuebles, muebles e inmateriales que constituyen testimonios significativos de la evolución de las actividades técnicas, extractivas, tecnológicas, de la ingeniería, productivas y de transformación relacionadas con la industria, así como de las manifestaciones vinculadas a la cultura industrial.

Artículo 61. Contenido del patrimonio industrial

1.- Son bienes inmuebles del patrimonio industrial las instalaciones, fábricas, obras de ingeniería y paisajes relacionados con la actividad técnica e industrial.

2.- Son bienes muebles del patrimonio industrial los instrumentos, la maquinaria y las piezas relacionadas con las actividades tecnológicas, fabriles y de ingeniería.

3.- Son bienes inmateriales del patrimonio industrial las prácticas, representaciones, expresiones y conocimientos relacionadas con la actividad técnica e industrial, así como los aspectos sociales de la industrialización, y muy especialmente los relacionados con los cambios en la vida cotidiana y con la historia del movimiento obrero.

Artículo 62. Criterios para la intervención en el patrimonio industrial

1.- La protección de bienes del patrimonio industrial no será incompatible con las concesiones de carácter administrativo que permitan su explotación, aunque determinará la necesidad de una conservación de los elementos en los que se identifican los valores culturales que aconsejan dicha protección.

2.- En el caso de actividades industriales abandonadas o irrecuperables, se promoverá la implantación de usos de otra naturaleza, tanto públicos como privados, que resulten compatibles con la conservación y protección de los bienes del patrimonio industrial.

TÍTULO IX. Del régimen específico del patrimonio arqueológico y paleontológico

Artículo 63. Definición de patrimonio arqueológico y paleontológico

A los efectos de esta ley, se considerarán patrimonio arqueológico y paleontológico todos aquellos restos materiales, muebles e inmuebles que proporcionan información sobre los seres humanos y, en general, sobre los seres vivos, que tengan un interés científico y que den una información relevante, tanto si se encuentran en la superficie como en el subsuelo o bajo las aguas.

Artículo 64. Actividades arqueológicas y paleontológicas

Tendrán la consideración de actividades arqueológicas o paleontológicas a los efectos de esta ley, los estudios de arte rupestre, así como las prospecciones, sondeos, excavaciones, controles y cualesquiera otras que afecten a bienes o zonas arqueológicas o paleontológicas, de conformidad con las siguientes definiciones:

a) Prospección arqueológica: es la exploración del terreno dirigida a la búsqueda de toda clase de restos históricos, arqueológicos o paleontológicos, que según la técnica a utilizar podrá ser:

1) Prospección visual: es la exploración superficial con reconocimiento del terreno que puede suponer la recogida de materiales de interés arqueológico o paleontológico.

2) Prospección geofísica: es el estudio del subsuelo mediante la aplicación de las ciencias físicas.

3) Prospección con catas: es la extracción de tierra en un espacio delimitado, realizada con el fin de comprobar la existencia de un yacimiento arqueológico en el lugar. Se dará por finalizada cuando aparezcan las primeras evidencias arqueológicas contextualizadas.

b) Sondeo arqueológico: es la excavación de reducidas dimensiones en relación y proporción con el todo, realizada con objeto de reconocer la secuencia estratigráfica de un yacimiento arqueológico.

c) Excavación arqueológica: es la actividad de investigar, documentar y desenterrar o extraer restos arqueológicos y paleontológicos atendiendo a la estratigrafía de los sedimentos.

d) Control arqueológico: es la intervención en un proceso de obras que afectan o pueden afectar a un espacio de posible interés arqueológico, consistente con la supervisión de aquéllas, estableciendo las medidas oportunas que permitan la conservación o documentación, en su caso, de las evidencias o elementos de interés arqueológico que aparezcan en el transcurso de las mismas.

e) Estudio de arte rupestre: es el conjunto de tareas de campo orientadas al estudio, documentación gráfica y reproducción de manifestaciones rupestres susceptibles de ser estudiadas por el método arqueológico y de su contexto.

f) Análisis estratigráfico de los alzados: es la aplicación de la metodología arqueológica para el análisis y conocimiento de la evolución constructiva de las edificaciones. No se considerará actividad arqueológica el análisis estratigráfico de los alzados cuyo objeto es el conocimiento o aprendizaje del método o la formación educativa y no impliquen afecciones sobre el bien.

g) Actividades paleontológicas: tendrán la consideración de actividades paleontológicas los trabajos de campo, sean éstos de prospección, sondeo, excavación o control, cuyo objeto de estudio sea una zona paleontológica siempre que esta no requiera de la aplicación de la metodología arqueológica, en cuyo caso se tratará como zona arqueológica.

Artículo 65. Zona de presunción arqueológica

1.- En las zonas, solares o edificaciones en que se presuma la existencia de restos arqueológicos, la persona propietaria o promotora de las obras que se pretendan realizar deberá aportar, con carácter previo al otorgamiento de la licencia urbanística, un estudio referente al valor arqueológico del solar o edificación y la incidencia que pueda tener el proyecto de obras. Las diputaciones forales regularán los supuestos en los que no sea necesaria la presentación de dicho estudio para la realización del proyecto arqueológico.

2.- Una vez realizado, en su caso, el estudio, la diputación foral determinará la necesidad del proyecto arqueológico, y a la vista de todo ello otorgará la autorización previa a la licencia de obras. En cuanto a la redacción y ejecución del proyecto arqueológico, se estará a lo dispuesto en el régimen de ayudas previsto en el artículo 67 de la presente ley.

3.- Con base en la información obtenida, se determinará la procedencia de su protección mediante la declaración de bien de interés cultural de protección especial o media, o bien se constará que carece de valores culturales merecedores de protección de conformidad con esta ley, por lo que no se le otorgará ninguna protección.

Artículo 66. Autorización de actividades arqueológicas y paleontológicas

1.- La realización de actividades arqueológicas o paleontológicas, terrestres o subacuáticas, en el ámbito territorial de la CAPV, precisará autorización previa de la diputación foral correspondiente, exceptuando los proyectos de prospección superficial que no conlleven remoción de tierras y los alzados de los edificios.

2.- La persona titular de la autorización deberá ser el director o la directora de la actividad arqueológica y paleontológica objeto de autorización. La persona titular de la autorización deberá ser una persona física que acredite una titulación universitaria con formación suficiente en arqueología o paleontología y experiencia contrastada para asumir la dirección de las actividades arqueológicas o paleontológicas que se autorizan.

3.- La concesión de la preceptiva autorización, así como las obligaciones derivadas de su otorgamiento, serán reguladas por las respectivas diputaciones forales. En todo caso, la persona titular de la autorización enviará al departamento del Gobierno Vasco competente en materia de patrimonio cultural copia de los informes y memorias preceptivos, así como de los inventarios de los materiales obtenidos, con identificación de la estratigrafía de la que proceden.

4.- En los casos en que la actuación arqueológica o paleontológica se haga necesaria como consecuencia de cualquier tipo de obras que afecten a zonas o bienes arqueológicos o paleontológicos declarados, el promotor o la promotora de las obras deberá presentar el correspondiente proyecto arqueológico o paleontológico ante la diputación foral del territorio histórico en que radique el bien, para su aprobación previa a la ejecución de dichas obras.

5.- Únicamente se otorgarán autorizaciones para la dirección de actividades arqueológicas a quienes acrediten formación adecuada al periodo o periodos históricos que se correspondan con la zona de intervención.

6.- Para la dirección de cualquier trabajo de campo de investigación en una zona paleontológica, la diputación foral del territorio histórico en que se localice dicha zona habrá de exigir la titulación académica adecuada a las características del yacimiento que se pretende investigar. En cualquier caso, deberá quedar certificada su formación en paleontología o en las ramas de las ciencias de la naturaleza acordes con la tipología del lugar.

7.- En caso de que el desarrollo de la intervención sobre una zona paleontológica requiera de la aplicación de metodología arqueológica, pasará automáticamente a ser reconocida como actividad arqueológica, siendo de obligado cumplimiento las determinaciones que esta ley establece para las actividades arqueológicas.

Artículo 67. Financiación de los proyectos arqueológicos y paleontológicos

La financiación de la redacción y ejecución de los proyectos arqueológicos y paleontológicos en cualquier tipo de obras que afecten a bienes culturales de protección especial o media correrá a cargo de la persona titular de las actuaciones afectantes, en el caso de que se trate de entidades de derecho público. En caso de que la persona titular sea privada, la diputación foral correspondiente participará en la asunción de los gastos mediante la concesión de ayudas o ejecutará directamente el proyecto, si lo estima necesario. En todo caso, la diputación foral estará obligada a satisfacer el 50% del monto total que suponga la actuación arqueológica.

Artículo 68. Requisitos de los proyectos de intervención en zonas arqueológicas

1.- No se autorizará, en ningún caso, la realización de un proyecto arqueológico de investigación que no incluya medidas de adecuación del yacimiento posteriores a la intervención. Estas medidas deberán garantizar la conservación del yacimiento y de los restos puestos al descubierto para su puesta en valor.

2.- Todo proyecto de consolidación, restauración o puesta en valor de los restos de una zona arqueológica deberá ser autorizado por la diputación foral correspondiente. Ningún proyecto de este tipo podrá ser autorizado si no va precedido de un estudio arqueológico detallado de lo que se pretenda restaurar, consolidar o poner en valor. Este estudio deberá sentar las bases y establecer los criterios que aseguren la reconstrucción y puesta en valor del yacimiento, de acuerdo a su historia constructiva y de ocupación.

Artículo 69. Comunicaciones preceptivas de las personas titulares de actividades arqueológicas y paleontológicas, y señalamiento del lugar de depósito de materiales

1.- Las personas titulares de autorización de actividades arqueológicas y paleontológicas notificarán a la diputación foral correspondiente la fecha de inicio y de finalización de las actividades arqueológicas y paleontológicas, debiendo comunicar cuantas incidencias se produzcan en el desarrollo de la actividad.

2.- La persona titular de la autorización deberá dirigir personalmente las actividades arqueológicas y paleontológicas, debiendo presenciar las mismas. En caso de imposibilidad de ejercicio presencial de la dirección por motivos justificados, deberá ponerlo en conocimiento de la diputación foral correspondiente, delegando su responsabilidad en una persona que reúna los requisitos de titulación, capacitación profesional y conocimientos necesarios para asumir la dirección en su ausencia.

3.- Finalizados los trabajos de campo, en el plazo máximo de quince días desde la finalización de la intervención, las personas titulares de la autorización de actividades arqueológicas y paleontológicas deberán comunicar al departamento del Gobierno Vasco competente en materia de patrimonio cultural la recogida, en su caso, de materiales arqueológicos y paleontológicos, solicitando que le sea asignada sigla al yacimiento y lugar de depósito para esos materiales.

4.- Confirmada la recuperación de materiales, el departamento del Gobierno Vasco competente en materia de patrimonio cultural asignará la sigla de identificación al yacimiento o notificará la ya existente, caso de existir intervenciones anteriores. Asimismo, comunicará a la dirección de la intervención arqueológica y paleontológica el lugar donde debe procederse al depósito de los materiales recuperados, que serán, como norma general, los museos territoriales o centros de depósito designados para tal fin por el Gobierno Vasco.

5.- Para la designación del lugar de depósito de los materiales de naturaleza exclusivamente paleontológica serán elegidos preferiblemente centros acordes con su naturaleza, asociados a las ciencias naturales.

Artículo 70. Depósito de bienes de interés arqueológico y paleontológico

1.- Los bienes hallados como consecuencia de actividades arqueológicas y paleontológicas autorizadas y de hallazgos casuales deberán ser depositados en los museos territoriales correspondientes o en aquellos centros que a tal fin designe el departamento del Gobierno Vasco competente en materia de patrimonio cultural y solamente podrán ser trasladados a otros centros con su autorización, basándose en lo que se disponga. La autorización de traslado deberá realizarse con el informe favorable de la diputación foral correspondiente, en los casos en los que su depósito y conservación correspondan a dicha institución.

2.- Los objetos y restos materiales de interés arqueológico y paleontológico descubiertos casualmente deberán ser mantenidos en el lugar en que han sido hallados hasta que la diputación foral dictamine al respecto. Excepcionalmente, en el caso de que corran grave peligro de desaparición o deterioro, deberán ser entregados, si la naturaleza del bien lo permite, en el museo territorial correspondiente o centro que a tal fin designe el departamento del Gobierno Vasco competente en materia de patrimonio cultural.

Artículo 71. Memoria de las actividades arqueológicas y paleontológicas autorizadas

1.- Depositados los materiales en el lugar designado al efecto, la persona titular de la autorización de cualquier actividad arqueológica y paleontológica, en el plazo máximo de dos años a contar desde la finalización de la intervención autorizada, deberá presentar en la diputación foral que corresponda la memoria de dicha actividad, en los términos que reglamentariamente se determinen.

2.- En el caso de yacimientos sometidos a procesos de excavación sistemática, cuyo desarrollo supere el marco anual, en el plazo máximo de dos años a partir del final de la quinta campaña, o del final de la última campaña, si hubiera menos de cinco, deberá presentarse la memoria con los resultados obtenidos hasta la fecha de su emisión. En todo caso, una vez finalizados los trabajos arqueológicos o paleontológicos en el yacimiento, deberá presentarse la memoria final en un plazo máximo de dos años, desde el cierre definitivo de la intervención arqueológica o paleontológica autorizada.

3.- La persona titular de la autorización remitirá al departamento del Gobierno Vasco competente en materia de patrimonio cultural copia de la memoria acompañada del inventario definitivo de los materiales obtenidos, con identificación de la estratigrafía de la que proceden y de la documentación gráfica generada en el transcurso de la intervención.

4.- A la vista de los nuevos informes, el departamento del Gobierno Vasco competente en materia de patrimonio cultural deberá actualizar sus registros e inventarios y, en su caso, iniciar el procedimiento de protección que pueda derivarse de la nueva situación del yacimiento. Por el contrario, si de estos informes se deduce la ausencia de los valores que llevaron a su declaración como bien cultural, se iniciará el procedimiento para dejar sin efecto dicha declaración.

5.- Corresponde a las diputaciones forales establecer los contenidos de la memoria de las actividades arqueológicas y paleontológicas autorizadas.

Artículo 72. Puesta a disposición del público de los materiales y documentación correspondiente

Los estudios e investigaciones sobre los materiales entregados sólo podrán ser realizados por la persona autorizada para dirigir las actividades arqueológicas o paleontológicas durante los dos años siguientes a dicha entrega, a no ser que esa persona autorice expresamente que queden a disposición del público con anterioridad, al objeto de facilitar otros estudios e investigaciones.

Artículo 73. Intervenciones directas de las diputaciones forales

1.- Las diputaciones forales podrán ejecutar directamente cualquier intervención arqueológica o paleontológica en cualquier lugar en que se conozca o presuma la existencia de restos de interés arqueológico o paleontológico, actuando a tal efecto de conformidad con el principio de celeridad y procurando causar el menor daño posible. La indemnización de estas actuaciones, en el caso de que supongan daños económicamente evaluables, se realizará conforme a lo previsto en la Ley de Expropiación Forzosa para las ocupaciones temporales.

2.- Asimismo, las diputaciones forales podrán ordenar la ejecución de las intervenciones arqueológicas y paleontológicas necesarias, previa presentación y aprobación del proyecto arqueológico o paleontológico correspondiente, respecto de zonas arqueológicas o paleontológicas protegidas cuya conservación o documentación peligre por incumplimiento de lo dispuesto en esta ley. En estos casos, la financiación del proyecto arqueológico o paleontológico correrá en su totalidad a cargo de la persona infractora, con independencia de la sanción que, en su caso, pueda recaer. Entre tanto, podrán ser suspendidas cautelarmente las actuaciones que hacen peligrar el patrimonio arqueológico o paleontológico.

Artículo 74. Hallazgos de bienes de interés arqueológico y paleontológico

1.- Los bienes de interés arqueológico y paleontológico descubiertos en el ámbito territorial de la CAPV, ya sea de forma casual o fruto de un trabajo sistemático dedicado a tal fin, serán de dominio público.

2.- A los efectos de la presente ley, tendrán la consideración de hallazgos casuales los descubrimientos de objetos y restos materiales poseedores de los valores que son propios del patrimonio cultural vasco que se hayan producido por azar o como consecuencia de cualquier tipo de remociones de tierra, demoliciones u obras de cualquier índole en lugares en que se desconocía la existencia de los mismos.

3.- Cuando se trate de actividades arqueológicas y paleontológicas autorizadas, las personas que realicen descubrimientos deberán notificar a la diputación foral correspondiente los hallazgos y resultados obtenidos, en el plazo que reglamentariamente se prevea.

4.- Los hallazgos casuales deberán ser notificados inmediatamente a la diputación foral o al ayuntamiento correspondiente. En todo caso, el ayuntamiento deberá ponerlo en conocimiento de la diputación foral en un plazo de cuarenta y ocho horas.

5.- Si el hallazgo ha sido obtenido por la remoción de tierras u obras de cualquier índole, la diputación foral correspondiente o, en caso de urgencia, las personas titulares de las alcaldías de los municipios respectivos, notificando a dicha diputación en el plazo de cuarenta y ocho horas, podrán ordenar la interrupción inmediata de los trabajos durante un plazo máximo de quince días. Dicha paralización no comportará derecho a indemnización alguna. En caso de que resulte necesario, la diputación foral podrá mantener la suspensión para realizar la actuación arqueológica correspondiente. En este caso, se estará a lo dispuesto en la legislación general sobre la responsabilidad de las administraciones públicas.

Las diputaciones forales asumirán los costes de redacción y ejecución del proyecto arqueológico, en caso de que el mismo resulte necesario, salvo que el Gobierno Vasco incoe expediente para declarar el bien afectado, en cuyo caso se estará a lo dispuesto en el artículo 67 de la presente ley.

TÍTULO X. De las medidas de fomento

Artículo 75. Medidas económicas de fomento

1.- El Gobierno Vasco y las diputaciones forales regularán, con base en las competencias previstas en el artículo tercero de la presente norma, medidas de ayuda económica destinadas a las personas titulares de bienes integrantes del patrimonio cultural vasco, al objeto de fomentar el cumplimiento de las obligaciones de conservación, salvaguarda, puesta en valor y difusión de dichos bienes previstas en esta ley.

2.- En el otorgamiento de las medidas económicas de fomento contempladas en este artículo se fijarán las garantías necesarias para evitar la especulación con los bienes que con ellas se conserven, restauren o mejoren.

3.- Si en el plazo de diez años, a contar desde el otorgamiento de la ayuda económica a la que se refiere este artículo, el Gobierno Vasco o la diputación foral correspondiente adquiriera el bien cultural que ha sido objeto de ayuda, se deducirá del precio de adquisición una cantidad equivalente al importe actualizado de la ayuda, que se considerará como pago a cuenta.

4.- Las personas titulares que no cumplan el deber de conservación establecido en esta ley no podrán acogerse a las medidas de fomento previstas en este artículo.

Artículo 76. Porcentaje destinado al patrimonio cultural vasco

1.- En aras del cumplimiento del artículo precedente, las administraciones de la Comunidad Autónoma del País Vasco y de sus territorios históricos destinarán a la conservación, salvaguarda, puesta en valor y difusión de los bienes integrantes del patrimonio cultural vasco el equivalente, al menos, al 1% de las partidas presupuestarias destinadas a la financiación de obra pública.

2.- Quedan exceptuadas de esta obligación las obras que se realicen en cumplimiento de los objetivos de esta ley.

3.- En el reglamento de desarrollo de esta ley se determinará el sistema concreto de aplicación del porcentaje destinado al patrimonio cultural vasco.

Artículo 77. Incentivos fiscales a la conservación y puesta en valor del patrimonio cultural vasco

1.- Las instituciones forales podrán regular, en el marco de sus competencias, los incentivos fiscales a la conservación y puesta en valor del patrimonio cultural vasco por parte de sus titulares en las normas forales del impuesto sobre la renta de las personas físicas, el impuesto de sociedades, el impuesto de patrimonio, el impuesto sobre bienes inmuebles, el impuesto sobre el incremento del valor de los terrenos de naturaleza urbana y el impuesto sobre construcciones, instalaciones y obras.

2.- Asimismo, las instituciones forales podrán regular los incentivos fiscales de las donaciones destinadas a la conservación y puesta en valor del patrimonio cultural vasco en las normas forales que regulen los incentivos fiscales al mecenazgo.

Artículo 78. Dación en pago de bienes del patrimonio cultural vasco

El pago total o parcial de las deudas contraídas con la Hacienda General del País Vasco podrá realizarse mediante la dación en pago con bienes inmuebles y muebles del patrimonio cultural vasco, conforme a lo dispuesto en la normativa que resulte de aplicación.

Artículo 79. Enseñanza, investigación y formación sobre el patrimonio cultural vasco

1.- El Gobierno Vasco, en colaboración con las diputaciones forales y los ayuntamientos, elaborará unidades didácticas en formato digital, en el marco del currículo de las áreas del conocimiento Historia y Arte, destinadas al alumnado de la enseñanza reglada no universitaria, para dar a conocer el patrimonio cultural vasco.

2.- El Gobierno Vasco, en colaboración con las diputaciones forales y los ayuntamientos, promoverá la investigación y la formación en las materias relativas al patrimonio cultural, y establecerá los medios de cooperación adecuados a dicho fin con las universidades y con asociaciones o centros especializados, públicos y privados.

TÍTULO XI. Régimen sancionador
CAPÍTULO I. Infracciones

Artículo 80. Inspección e incoación del procedimiento de investigación

1.- Las administraciones competentes y el personal autorizado podrán llevar a cabo cuantas actuaciones consideren procedentes para la comprobación del efectivo cumplimiento de las determinaciones previstas en la presente ley.

2.- El personal inspector designado por el departamento competente tendrá, en el ejercicio de sus funciones, la consideración de agentes de la autoridad.

3.- Cuando se presuma la realización de actuaciones que pueden constituir vulneraciones de las obligaciones previstas en la presente ley o su normativa de desarrollo o que puedan tipificarse como infracción, se deberá incoar procedimiento de investigación de las mismas, que podrá dar lugar a la incoación del procedimiento sancionador que corresponda o al archivo de las actuaciones si no se acredita vulneración alguna de la presente normativa.

4.- En caso de que se acreditara la concurrencia de indicios de carácter de delito o falta penal, el órgano competente para la imposición de la sanción lo pondrá en conocimiento del Ministerio Fiscal, suspendiendo el procedimiento administrativo sancionador hasta tanto se pronuncie la jurisdicción penal. La sanción penal, en caso de que se produzca, excluirá la imposición de la sanción administrativa, sin perjuicio de la adopción de las medidas de reposición a la situación anterior a la comisión de la infracción, así como de la exigencia de reparación e indemnización de los daños y perjuicios ocasionados al patrimonio cultural vasco.

5.- Las administraciones competentes atenderán, estudiarán y —en su caso— pondrán en marcha las denuncias ante la Justicia de actuaciones contra el patrimonio cultural que les sean comunicadas por los ciudadanos.

Artículo 81. Concepto de infracción

1.- Son infracciones administrativas en materia de patrimonio cultural las acciones u omisiones que supongan la vulneración de las obligaciones previstas en la presente ley, en concreto las establecidas en los artículos 82, 83 y 84.

2.- Las responsabilidades administrativas derivadas de la comisión de una infracción son compatibles con la exigencia al infractor del restablecimiento de la legalidad y la reparación de los daños causados.

3.- La Administración competente deberá adoptar, en todo caso, y con independencia de la imposición de las sanciones que corresponda las medidas tendentes a restablecer la legalidad y a reparar los daños causados por la actuación infractora.

4.- Las infracciones en materia de patrimonio cultural se clasificarán en leves, graves y muy graves.

Artículo 82. Infracciones leves

Constituyen infracciones leves en materia de patrimonio cultural vasco:

a) El uso de los bienes culturales de protección especial y media contraviniendo lo dispuesto en el régimen de protección que les resulta de aplicación.

b) La negativa por las y los propietarios, poseedores y titulares de derechos reales sobre bienes culturales protegidos a facilitar la debida información o a permitir su estudio en los términos establecidos en esta ley.

c) El incumplimiento de los parámetros legales y reglamentarios de sometimiento de los bienes culturales protegidos a visita pública.

d) La falta de denuncia a la diputación foral correspondiente por parte de las y los propietarios y demás obligados, de la existencia de un riesgo de deterioro o destrucción de los bienes culturales protegidos.

e) El incumplimiento por las y los propietarios y poseedores de bienes muebles de protección especial y media de la obligación de comunicar el traslado de los mismos al Registro de la CAPV del Patrimonio Cultural Vasco.

f) El incumplimiento por las personas que habitualmente ejercen el comercio de bienes muebles integrantes del patrimonio cultural vasco de la formalización del libro de registro de las transmisiones que realicen de los citados bienes.

g) El incumplimiento por la persona descubridora del hallazgo en actividades arqueológicas y paleontológicas autorizadas de las obligaciones de notificación de los hallazgos y resultados obtenidos, regulada en el artículo 69.3 de esta ley.

Artículo 83. Infracciones graves

Constituyen infracciones graves en materia de patrimonio cultural vasco:

a) El incumplimiento por las personas propietarias, poseedoras y demás titulares de derechos reales sobre bienes culturales protegidos de su obligación de conservarlos, cuidarlos y protegerlos debidamente para asegurar su integridad y evitar su pérdida, destrucción o deterioro con sujeción al régimen de protección de los mismos.

b) El otorgamiento de licencias o emisión de órdenes de ejecución en relación con los bienes culturales protegidos, para la realización de obras sin previa autorización o informes preceptivos establecidos en esta ley.

c) La ejecución de intervenciones sobre los bienes culturales protegidos sin la obtención de las preceptivas autorizaciones establecidas en esta ley o contraviniendo las determinaciones de las autorizaciones concedidas.

d) El incumplimiento de las órdenes de ejecución de obras o intervenciones sobre los bienes culturales protegidos.

e) La realización de intervenciones sobre zonas de presunción arqueológica incumpliendo el régimen de protección establecido en esta ley para las mismas.

f) El incumplimiento, por parte de la persona titular de la autorización para la realización de actividades arqueológicas o paleontológicas, de la presentación de copia de los informes y memorias preceptivas, así como de los inventarios de los materiales obtenidos, en los términos de la presente ley.

g) La separación no autorizada de los bienes muebles vinculados.

h) Las intervenciones no autorizadas de modificación, reparación o restauración de los bienes culturales muebles protegidos.

i) El incumplimiento de la persona promotora de obras que afecten a zonas o bienes arqueológicos protegidos de la obligación de presentar el proyecto arqueológico correspondiente para su aprobación previa a la ejecución de las obras.

Artículo 84. Infracciones muy graves

Constituyen infracciones muy graves en materia de patrimonio cultural vasco:

a) El derribo o destrucción de bienes inmuebles culturales protegidos incumpliendo las prescripciones de la presente ley.

b) La destrucción de bienes culturales muebles protegidos.

c) El incumplimiento de las obligaciones de depósito y entrega de materiales de los bienes hallados fruto de la ejecución de actividades arqueológicas o paleontológicas autorizadas.

d) El incumplimiento de las obligaciones de la persona descubridora de objetos y materiales poseedores de los valores propios del patrimonio cultural vasco en los hallazgos casuales.

Artículo 85. Responsables de las infracciones

1.- Son responsables de las infracciones las personas que sean autoras de las conductas u omisiones tipificadas como infracciones en esta ley y, en su caso, las entidades o empresas de quienes dependan o a quienes representen.

2.- Serán también responsables, en su caso:

a) Las personas propietarias, titulares de derechos reales o poseedoras de los bienes en que se lleve a cabo la conducta infractora, cuando la consientan expresa o tácitamente y no adopten las medidas necesarias para impedir el daño en los bienes del patrimonio cultural.

b) Las personas promotoras, constructoras y técnicas o técnicos directores de las obras o intervenciones consideradas ilegales de acuerdo con esta ley en cuanto a su ejecución sin autorización o incumpliendo sus condiciones o desatendiendo las órdenes administrativas de suspensión.

c) Las personas profesionales y técnicas o técnicos autores de los proyectos de obras o intervenciones que impliquen la destrucción o el deterioro del patrimonio cultural.

d) Las personas que emitan informes técnicos favorables o las personas titulares de los órganos que aprueben licencias, autorizaciones y proyectos de obras o intervenciones que impliquen la destrucción o el deterioro del patrimonio cultural, cuyo contenido sea manifiestamente constitutivo de infracción de acuerdo con esta ley.

e) Aquellas personas que conociendo el incumplimiento de las obligaciones que en ella se establecen, obtengan de ello un beneficio.

Artículo 86. Prescripción de las infracciones

1.- Las infracciones administrativas leves prescribirán a los tres años, las graves a los cinco años y las muy graves a los diez años.

2.- El plazo de prescripción de las infracciones comenzará a contarse desde el día siguiente a aquel en que la infracción se hubiera cometido. En los casos de infracción realizada de forma continuada, tal plazo se comenzará a contar desde el día en que se realizó el último hecho constitutivo de la infracción o desde que se eliminó la situación ilícita.

CAPÍTULO II. Sanciones

Artículo 87. Procedimiento sancionador

1.- Las sanciones administrativas requerirán la tramitación de un procedimiento, con audiencia de la persona interesada, para fijar los hechos que las determinen, y serán proporcionales a la gravedad de los mismos, a las circunstancias personales del sancionado y al perjuicio causado o que pudiera haberse causado al patrimonio cultural vasco.

2.- La administración competente, junto con la incoación del procedimiento sancionador, deberá ordenar la inmediata adopción de las medidas necesarias para garantizar la debida protección y conservación de los bienes culturales.

3.- Podrán adoptarse, entre otras medidas, la incautación de los materiales empleados en la actuación presuntamente constitutiva de infracción, la orden de suspensión de dichas actuaciones; la clausura de establecimientos o locales mediante su precinto o la fijación de fianzas, así como el depósito cautelar de los bienes integrantes del patrimonio cultural vasco en caso de que se acredite un riesgo cierto de destrucción o grave deterioro de los bienes protegidos.

Artículo 88. Cuantía de las sanciones

1.- Procederá la imposición de las siguientes sanciones:

Multa de hasta 100.000 euros en los supuestos constitutivos de infracciones leves.

Multa de hasta 250.000 euros en los supuestos constitutivos de infracciones graves.

Multa de hasta 1.000.000 de euros en los supuestos constitutivos de infracciones muy graves.

2.- La cuantía de la sanción establecida para cada uno de los tres tipos infractores podrá incrementarse hasta cubrir la mayor de las siguientes valoraciones: el doble del beneficio obtenido como consecuencia de la infracción o el doble del valor del daño causado al patrimonio cultural vasco.

3.- El Gobierno Vasco queda autorizado para proceder reglamentariamente a la actualización de la cuantía de las multas que se fijan en la presente ley. El porcentaje de los incrementos no será superior al de los índices oficiales de incremento del coste de vida.

Artículo 89. Exigencia de reparación de daños y perjuicios

1.- Con independencia de la imposición de la sanción de multa que legalmente corresponda, las infracciones cometidas de las que se deriven daños en el patrimonio cultural vasco llevarán aparejada, cuando sea posible, la obligación de reparación y restitución de las cosas a su estado original, y, en todo caso, la indemnización de los daños y perjuicios causados.

2.- El incumplimiento de la obligación de reparar facultará a la diputación foral correspondiente para ejecutar las tareas de reparación de forma subsidiaria y con cargo a la persona infractora.

3.- En los procedimientos sancionadores relativos a las infracciones por demoliciones no autorizadas en inmuebles de protección especial, media y básica, las y los responsables deberán proceder a su reconstrucción en los términos que se determine en la resolución del expediente sancionador, sin que en ningún caso pueda obtenerse mayor edificabilidad que la que correspondía al inmueble demolido.

Artículo 90. Administraciones competentes

1.- Será competencia del órgano competente en materia de cultura del Gobierno Vasco la tramitación y resolución de los procedimientos sancionadores correspondientes a las infracciones leves tipificadas en los apartados e), f) y g) del artículo 82, así como para las infracciones graves tipificadas en el artículo 83 apartados f) y g) y para las infracciones muy graves tipificadas en el apartado c) del artículo 84.

2.- Será competencia de la diputación foral correspondiente la tramitación y resolución de los procedimientos sancionadores correspondientes a las infracciones tipificadas en la presente ley no indicadas en el apartado precedente.

Artículo 91. Prescripción de las sanciones

Las sanciones leves prescribirán a los dos años, las graves a los tres años, y las muy graves a los cuatro años, contados en todo caso desde la firmeza de la resolución que resuelve el procedimiento sancionador.

DISPOSICIONES ADICIONALES

DISPOSICIÓN ADICIONAL PRIMERA.

Todos aquellos bienes muebles e inmuebles sitos en el ámbito territorial de la CAPV que hubieran sido declarados bienes culturales al amparo de la Ley 7/1990, de 3 de julio, de Patrimonio Cultural Vasco, pasarán a tener la consideración de bienes culturales de protección especial aquellos incluidos en el Registro de Bienes Culturales Calificados, y tendrán la consideración de bienes culturales de protección media aquellos que hubieran sido incluidos en el Inventario General de la CAPV de Patrimonio Cultural Vasco. En ambos casos quedarán sometidos al mismo régimen jurídico de protección aplicable a éstos.

Asimismo, todos los bienes muebles e inmuebles sitos en el ámbito territorial de la CAPV que hubieran sido declarados de interés cultural con anterioridad a la entrada en vigor de la Ley 7/1990, de 3 de julio, de Patrimonio Cultural Vasco, pasarán a tener la consideración de bienes culturales de protección especial, y quedarán sometidos al mismo régimen jurídico de protección aplicable a estos.

Se consideran, asimismo, bienes culturales del pueblo vasco, y quedan sometidos al régimen previsto en la presente ley para los bienes culturales de protección especial, las cuevas, abrigos y lugares que contengan manifestaciones del arte rupestre.

DISPOSICIÓN ADICIONAL SEGUNDA.

Todos aquellos bienes culturales muebles e inmuebles que al amparo de la Ley 7/1990, de 3 de julio, de Patrimonio Cultural Vasco, hubieran sido incluidos en el Registro de Bienes Culturales Calificados, así como aquellos incluidos en el Inventario General de Patrimonio Cultural Vasco, quedarán automáticamente incluidos en el Registro de la CAPV del Patrimonio Cultural Vasco con la aprobación de esta ley.

DISPOSICIÓN ADICIONAL TERCERA.

El Gobierno Vasco procurará, mediante acuerdos y convenios, que los bienes integrantes del patrimonio cultural vasco que se hallen fuera del territorio de la CAPV sean reintegrados a esta.

DISPOSICIÓN ADICIONAL CUARTA.

Las referencias que figuran en otras leyes y reglamentos a los bienes calificados o inventariados del patrimonio cultural vasco quedarán sustituidas por las de los bienes de protección especial y media.

DISPOSICIÓN ADICIONAL QUINTA.

En consideración a la realidad y la afinidad histórica, cultural y lingüística, el Gobierno Vasco promoverá la colaboración y cooperación con el Gobierno de Navarra y la Mancomunidad de Iparralde en materia de patrimonio cultural.

DISPOSICIONES TRANSITORIAS

DISPOSICIÓN TRANSITORIA PRIMERA.

La tramitación y efectos de los expedientes sobre declaración de bienes culturales incoados con anterioridad a la entrada en vigor de la presente ley quedarán sometidos a lo dispuesto por ésta.

DISPOSICIÓN TRANSITORIA SEGUNDA.

En orden a la creación del Registro de la CAPV de Bienes Culturales de Protección Básica, el departamento competente en materia de urbanismo del Gobierno Vasco dará traslado, al departamento competente en materia de patrimonio cultural del Gobierno Vasco, de los catálogos de los documentos urbanísticos municipales vigentes en el momento de entrada en vigor de la presente ley.

DISPOSICIÓN TRANSITORIA TERCERA.

Hasta el momento de la entrada en vigor de las normas reglamentarias previstas en esta ley serán de aplicación las existentes, en todo aquello que no se oponga a lo establecido en esta.

DISPOSICIÓN TRANSITORIA CUARTA.

Aquellas personas o entidades que habitualmente ejerzan el comercio de bienes muebles inscritos en el Registro de la CAPV del Patrimonio Cultural Vasco deberán presentar, en el plazo de un año, la declaración responsable prevista en el artículo 55, a partir de la entrada en vigor de la presente ley.

DISPOSICIÓN TRANSITORIA QUINTA.

En el plazo de tres años, a contar desde su creación, el Órgano Interinstitucional de Patrimonio Cultural del País Vasco elaborará un plan de descontaminación visual y acústica, que deberá ser aprobado por el departamento del Gobierno Vasco competente en materia de patrimonio cultural.

DISPOSICIÓN DEROGATORIA

1.

Queda derogada la Ley 7/1990, de 3 de julio, del Patrimonio Cultural Vasco, salvo el Capítulo VI del Título III, relativo al patrimonio documental, así como el Capítulo I del Título IV, sobre los servicios de archivos.

2.

Queda derogado el Decreto 62/1996, de 26 de marzo, por el que se crea el Consejo Asesor de Patrimonio Arqueológico de Euskadi.

3.

Asimismo, quedan derogadas cuantas disposiciones se opongan a lo establecido en la presente ley.

DISPOSICIONES FINALES

DISPOSICIÓN FINAL PRIMERA.

1.- Se autoriza al Gobierno Vasco a dictar, además de las disposiciones reglamentarias expresamente previstas en la presente ley, las que sean precisas para su cumplimiento, de acuerdo con sus competencias.

2.- El Gobierno Vasco queda autorizado para proceder reglamentariamente a la actualización de la cuantía de las multas que se fijan en el artículo 88 de la presente ley. El porcentaje de los incrementos no será superior al de los índices oficiales de incremento del coste de vida.

DISPOSICIÓN FINAL SEGUNDA.

La presente ley entrará en vigor el día siguiente al de su publicación en el Boletín Oficial del País Vasco.

Por consiguiente, ordeno a todos los ciudadanos y ciudadanas de Euskadi, particulares y autoridades, que la guarden y hagan guardar.